de fleurs (nouvelle classification phylogénétique)

Rosacées

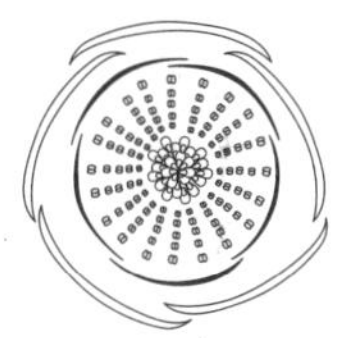

Fleurs régulières, le plus souvent avec 5 sépales et 5 pétales libres. Les étamines et les carpelles sont très nombreux.

Églantier commun

Brassicacées

Fleurs en forme de croix (ce qui leur valait précédemment le nom de crucifères) avec 4 pétales et 4 sépales disposés en diagonales.

Cardamine des prés

Lamiacées

Fleurs irrégulières avec 5 sépales de formes variables, 5 pétales soudés formant un tube avec deux lèvres. 2 à 4 étamines et 4 carpelles. Aussi appelées labiées.

Sauge des prés

Plantaginacées

Fleurs de formes variées avec un nombre limité de pièces florales libres ou soudées. 4 étamines.

Digitale pourpre

Astéracées

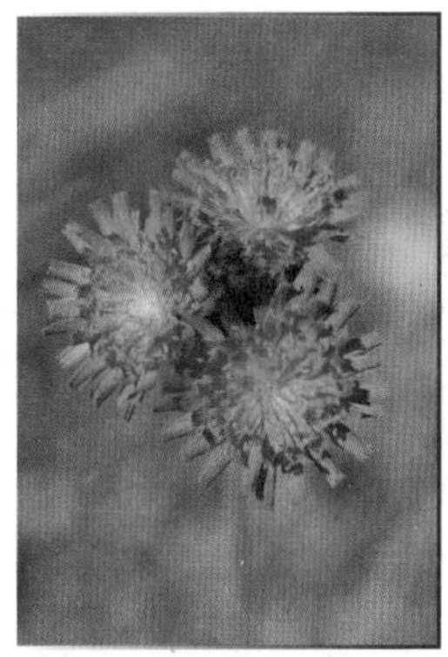

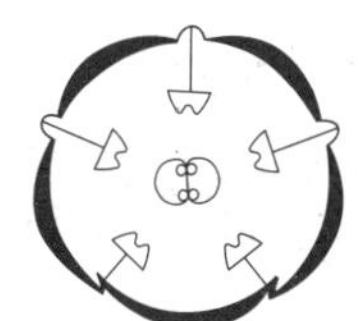

Les fleurs sont petites et réunies en un capitule souvent pris pour la fleur elle-même. Certaines fleurs du capitule peuvent être privées d'étamines et de carpelles.

Épervière orangée

Campanulacées

Les pétales sont soudés et forment une petite cloche. La fleur est régulière de type 5.

Campanule à feuilles rondes

COLLECTION

Claude **Lizeaux** • Denis **Baude**

SCIENCES de la VIE et de la TERRE

Enseignement spécifique
Programme 2012

Sous la direction de Claude Lizeaux et Denis Baude,
ce livre a été écrit par :

Adeline André
Denis Baude
Christophe Brunet
Jean-Yves Dupont
Bruno Forestier
Emmanuelle François
Yves Jusserand
Guy Lévêque
Claude Lizeaux
Paul Pillot
Stéphane Rabouin
André Vareille

Avec la collaboration de :
Jean-Yves Dupont : coordination du manuel numérique
Claude Fabre et **Hélène Grand** : photographies et vidéos
Grégory Michnik : dessins originaux
Pierre Perez : animations (manuel numérique)
Paul Pillot : vidéos des modèles moléculaires
(manuel numérique)

Les SVT en Terminale S

Un manuel pour une démarche

Faire des sciences, c'est enquêter, utiliser des méthodes et des techniques pour résoudre des problèmes scientifiques. Le manuel de SVT incite à mener une **démarche d'investigation** : des documents de qualité, soigneusement sélectionnés, sont là pour vous accompagner dans cette démarche.

Le manuel propose de multiples activités pratiques à mener en classe sous la conduite du professeur. En classe de Terminale S, une large place est laissée à l'**autonomie**, laissant chacun chercher et trouver une voie pour résoudre les problèmes posés.

Un manuel pour mieux réussir

Il n'y a pas de réussite sans un travail et un investissement personnel. Ce manuel de SVT, parfaitement conforme au programme de Terminale S, constitue une aide efficace à la mémorisation des connaissances essentielles, à l'acquisition des différentes compétences évaluées au **baccalauréat**. Les exercices proposés sont là pour vous entraîner, vous aider à remédier aux éventuelles difficultés rencontrées.

Un manuel pour préparer l'avenir

Votre manuel de SVT vous permettra de mieux connaître les formations qui conduisent aux **métiers scientifiques**. Il contribue à élargir la culture scientifique et générale et constitue ainsi une base solide pour aborder les études supérieures. Enfin, il vous aidera à comprendre le rôle et la responsabilité des sciences face aux grands enjeux du monde contemporain.

Les auteurs remercient pour leur collaboration :

- Malika Ainouche, Université de Rennes 1
- Jean-Luc Anton, Centre de recherche en IRM fonctionnelle cérébrale, Marseille
- Jean-Jacques Auclair, professeur de SVT, Vendôme
- Alex Baumel, Maître de Conférences, Université Aix-Marseille
- Christophe Boesch, Max Planck Institute for Evolutionary Anthropology, Leipzig
- Christine Camilleri, Institut Jean-Pierre Bourgin, UMR1318, INRA-AgroParisTech
- Valérie Boursain, Jacky Chenuet, Daniel Guet, Philippe Turpin, lycée Bernard Palissy, Gien
- Dr Jean-Daniel Champagnac, Geological Institute - Earth Surface Dynamics Swiss Federal Institute of Technology (ETHZ)
- Nicolas Claidière, University of St Andrews
- Valérie Courcier, Société Medtronic
- François Coutarel, professeur animateur, CRDP de Limoges
- Pr David Davies, Istvan Botos, National Institute of Diabetes and Digestive and Kidney Diseases, National Institutes of Health, Bethesda
- Bastien Delacou, Thèse, Université de Neuchâtel, Suisse
- Kristin DeLucia, Northwestern University, Chicago
- Dr Fanny Dujardin, Anatomie et Cytologie Pathologiques, Faculté de Médecine, Tours
- Bernard Dutrillaux, CNRS
- Pr François Erard, Institut de transgénose, CNRS, Orléans
- Dr Antoine Feydy, Hôpital Cochin, Paris
- Alain Fortineau, UMR 1091 EGC, INRA Versailles-Grignon
- Jocelyne Fraycenot, professeur d'arts plastiques, collège de Bessines-sur-Gartempe
- Dr Gaëtan Garraux, Service de Neurologie, CHU de Liège
- Émilie Gauthier, chrono-environnement, Université de Besançon
- Francis Grousset, CNRS, paléoclimat, Université de Bordeaux I
- Pr Robert Hanson, St Olaf College, Northfield
- Pr Serge Guyetant Service d'Anatomie et Cytologie Pathologiques, Hôpital Trousseau, CHRU de Tours
- Tobias Hevor, Laboratoire de neurobiologie, Université d'Orléans Maj Hultén, University of Warwick
- Emmanuel Joussein, laboratoire GRESE, Université de Limoges
- Pr Alexandre Krainik, service de neuroradiologie, CHU Grenoble
- La société Jeulin
- Le proviseur et les personnels du laboratoire de SVT du lycée Gay-Lussac, Limoges
- Le proviseur et les personnels du laboratoire de SVT du lycée Renoir, Limoges
- Les personnels du laboratoire de SVT du lycée Guez de Balzac, Angoulême
- Pierre-Marie Lledo, Institut Pasteur et CNRS
- Marc Maier, CNRS, Université Paris Descartes / Université Paris Diderot
- Pr Alex McPherson, Steven B Larson, Department of Molecular Biology and Biochemistry, The University of California, Irvine
- Adriana de Mello Gugliotta, Instituto de Botânica, São Paulo
- Guillaume Rami, ENS Lyon
- Laboratoire «Resource for Biocomputing, Visualization and informatics», Université de Californie, San Diego
- Céline Richard-Molard, UMR 1091 EGC, INRA Versailles-Grignon
- Marc Rousset, GDR 2977 PROBBE, CNRS, BIP, Marseille
- Jean-Pierre Sardin, membre du conseil national de protection de la nature
- Vincent Savolainen, professeur à l'Imperial College of London
- Michel Séranne, UMR5243, Geosciences, Université Montpellier 2
- La société Sordalab
- Patrick Strozza, lycée Georges Duby de Luynes, Aix-Marseille
- Pr. Christian Sue, Université de Franche-Comté, UMR 6249 - Chrono-environnement, Besançon
- Pr Hervé Watier, Centre Hospitalier Régional, Tours.

Direction éditoriale : Jacqueline Erb
Édition : Béatrice Le Brun
Iconographie : Fabrice Lucas
Couverture : Oxygène
Conception graphique : Valérie Venant
Compogravure : CGI
Schémas : Domino, Vincent Landrin et Catherine Claveau
Fabrication : Françoise Leroy

ISBN 978-2-04-732999-3

Sommaire

Partie 1 Génétique et évolution

Partie 2 Les continents et leur dynamique

Partie 3 Enjeux planétaires contemporains

Partie 4 Corps humain et santé

Le manuel numérique enrichi PREMIUM

- **Une utilisation interactive et totalement ouverte de tous les documents du manuel**
- **Des exercices interactifs (QCM), des ressources complémentaires**

→ *Pour observer, comprendre, faire le point.*
→ *Pour manipuler et expérimenter en développant l'autonomie.*
→ *Pour s'interroger, aller plus loin.*
→ *Pour s'entraîner et s'évaluer.*

Des vidéos et des animations

Dans le manuel, ces pictogrammes signalent une vidéo, un diaporama ou une animation associée.

Connaître le manuel pour mieux l'utiliser

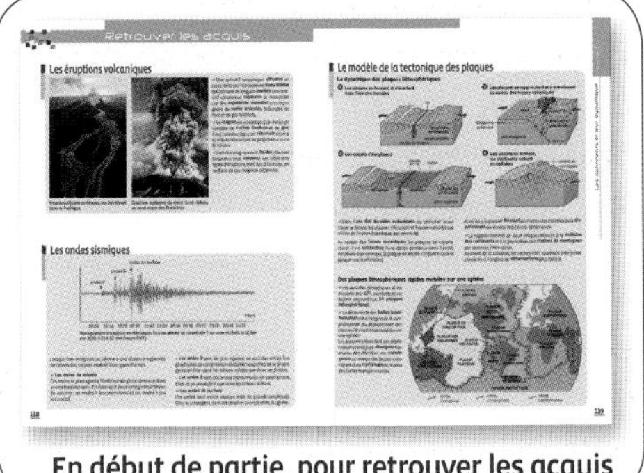

En début de partie, pour retrouver les acquis

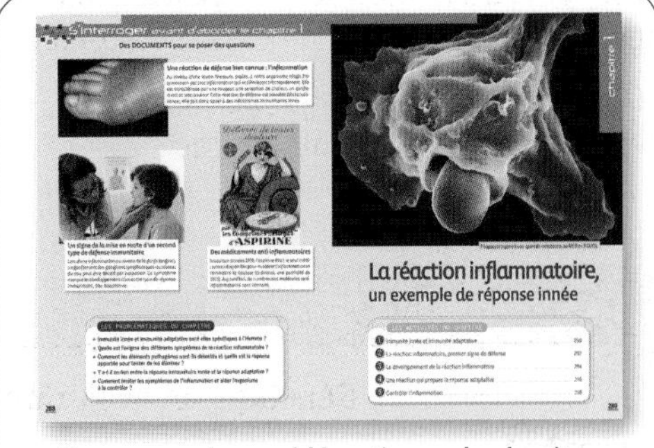

Pour poser les problématiques du chapitre

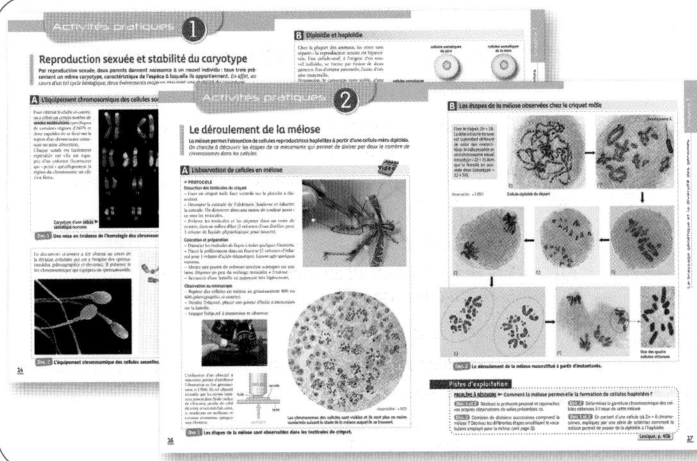

Les activités, pour construire les notions du programme :

→ de nombreuses activités expérimentales
→ des documents à mettre en relation
→ des activités de modélisation
→ une question et des pistes pour une utilisation ouverte des documents

Les mots surlignés sont définis dans le **Lexique** à la fin du manuel.

Un bilan des connaissances
Un résumé et un schéma pour faciliter la mémorisation

« Des clés » pour aller plus loin

Des exercices pour s'évaluer et s'entraîner

Exercice TYPE BAC

Des ressources à consulter et à télécharger :

www.bordas-svtlycee.fr

Partie 1

Génétique et évolution

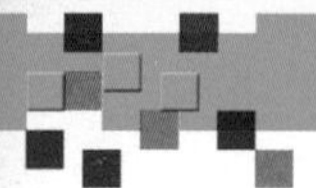

Les étapes de la mitose

• Avant toute division cellulaire, en **interphase (a)**, chaque molécule d'ADN est répliquée en deux molécules-filles identiques (sauf cas de mutations).

• Ainsi, au début de la mitose, chaque chromosome apparaît dupliqué, c'est-à-dire formé de deux chromatides identiques.

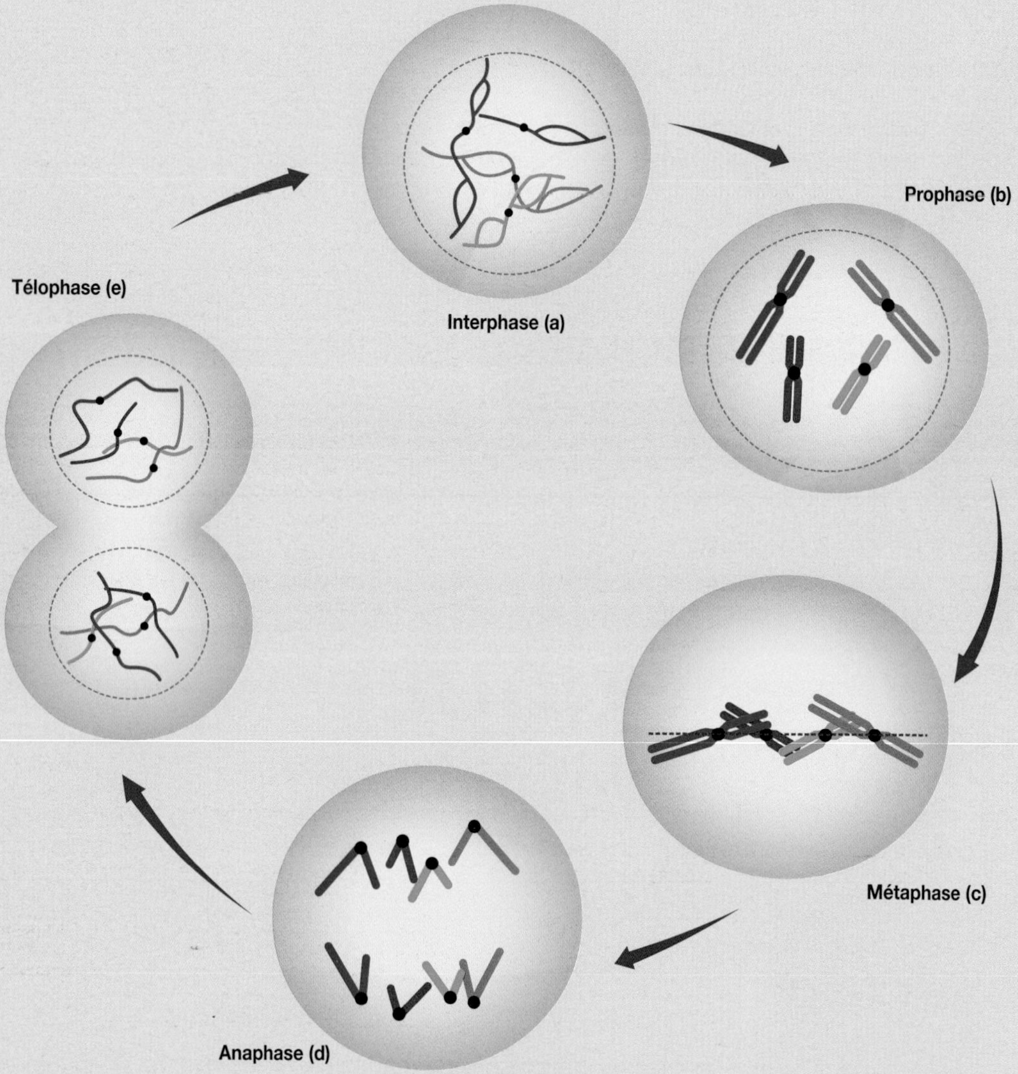

Interphase (a)

Prophase (b)

Métaphase (c)

Anaphase (d)

Télophase (e)

La mitose est une division qui reproduit l'information génétique et conserve le nombre de chromosomes.

• **Prophase (b)**
Les chromosomes se **condensent** : ils deviennent progressivement visibles et bien individualisés. Chaque chromosome apparaît ainsi constitué de deux chromatides réunies au niveau du **centromère**.

• **Métaphase (c)**
Les chromosomes se placent de telle sorte que tous les centromères sont situés dans le plan **équatorial** de la cellule.

• **Anaphase (d)**
Les deux chromatides de chaque chromosome se séparent. Deux lots identiques de **chromatides migrent** en sens opposé vers chaque pôle cellulaire.

• **Télophase (e)**
Chaque lot de chromatides se **décondense**. Une enveloppe nucléaire se forme, le cytoplasme se sépare.

Réplication de l'ADN et mutations ponctuelles

- L'**ADN** est une molécule constituée de deux brins, chaque brin étant une longue séquence de **nucléotides** (A, T, C, G). Les deux brins d'ADN sont **complémentaires** (A-T et C-G).
- Un **gène** est une information codée correspondant à une portion de la molécule d'ADN.
- L'ADN est répliqué selon un **mécanisme semi-conservatif**, de telle sorte que, sauf erreur, les deux molécules-filles obtenues sont identiques.

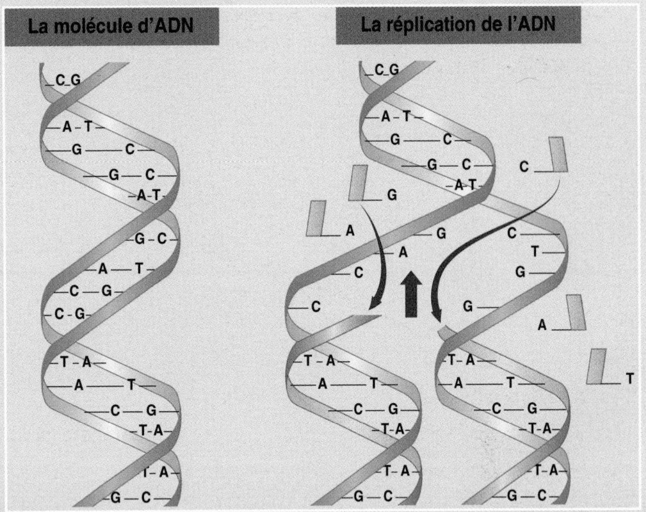

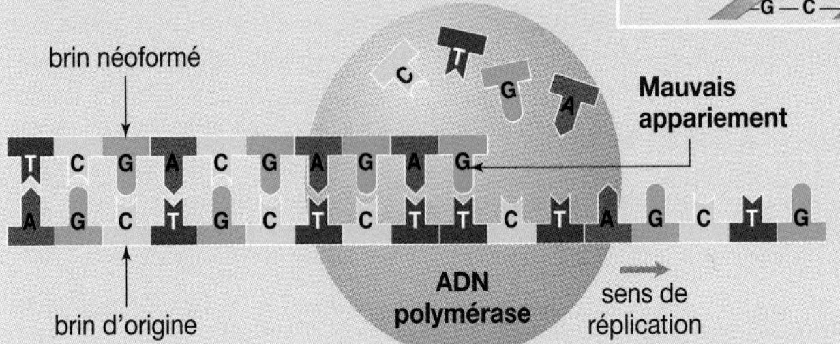

- L'ADN n'est pas une molécule totalement stable, des modifications spontanées et **aléatoires** de la séquence des nucléotides se produisent inévitablement : ce sont des **mutations**.
- Les mutations sont source de **diversité** : c'est par mutation que se constituent les différents **allèles** d'un gène.

Des gènes apparentés

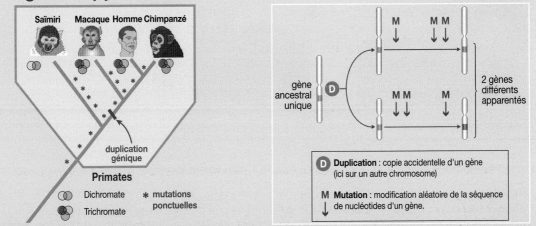

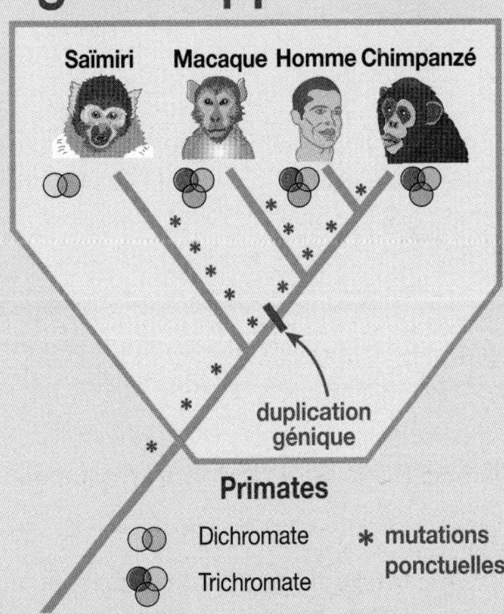

gène ancestral unique — D — M — M M — M M — M — 2 gènes différents apparentés

D **Duplication** : copie accidentelle d'un gène (ici sur un autre chromosome)

M ↓ **Mutation** : modification aléatoire de la séquence de nucléotides d'un gène.

- La plupart des primates possèdent plusieurs gènes codant pour les protéines des **pigments rétiniens**. Ces gènes présentent de nombreuses similitudes : ils sont apparentés et forment une **famille multigénique**.
- Une famille multigénique se constitue, au cours de l'**évolution**, à la suite de modifications de l'information génétique : **duplication** accidentelle d'un gène suivie de **mutations ponctuelles**. Plus la duplication d'un gène est ancienne et plus les deux gènes qui en résultent sont différents.

Diversité et parenté entre les êtres vivants

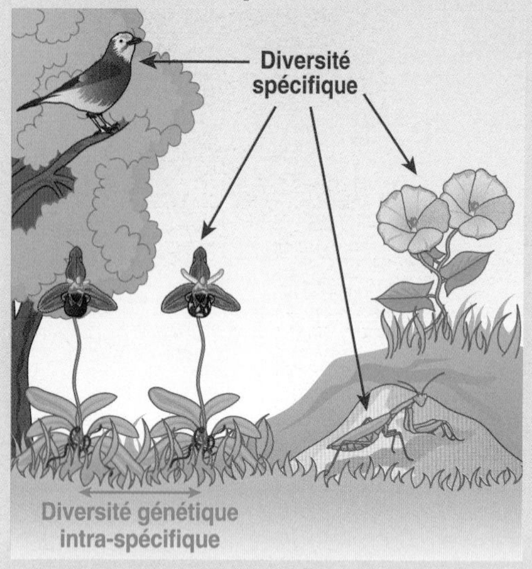

● La **biodiversité** peut se constater à toutes les échelles du vivant : la biodiversité est à la fois la diversité des **écosystèmes**, la diversité des **espèces** et la diversité **génétique** au sein des espèces.

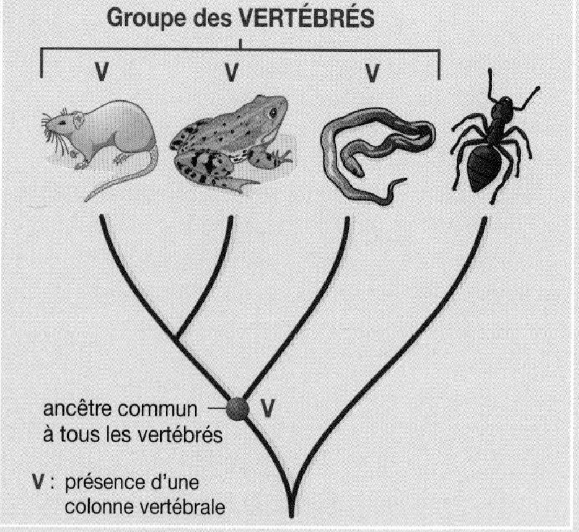

● Il existe des **parentés** entre les espèces vivantes. Ces parentés définissent des groupes : par exemple, le groupe des **vertébrés** est défini par la possession de différents **caractères exclusifs**, dont une colonne vertébrale. La parenté des espèces d'un groupe suggère qu'elles partagent un **ancêtre commun**.

La biodiversité évolue au cours du temps

● La biodiversité se renouvelle : au cours du temps, certaines espèces disparaissent, d'autres apparaissent. La **biodiversité** actuelle est à la fois le résultat et une étape de l'**évolution**.

● Plusieurs mécanismes entraînent une évolution de la **fréquence des allèles** au sein d'une population.

SÉLECTION NATURELLE : dans des conditions de milieu données, un allèle peut procurer un avantage reproductif.

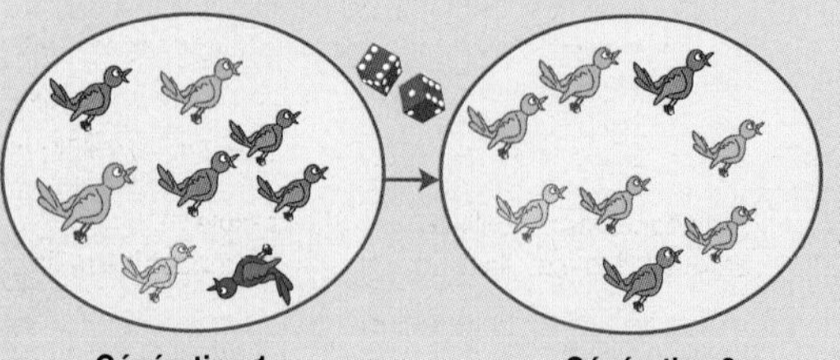

DÉRIVE GÉNÉTIQUE : le nombre de descendants qui conservent le caractère d'un géniteur donné est lié au hasard.

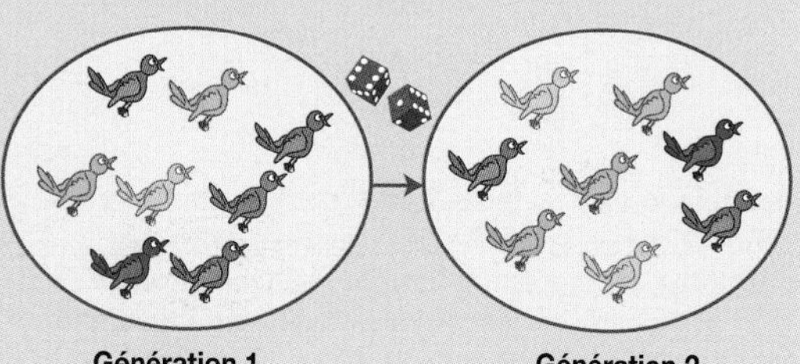

Organisation et mode de vie des plantes

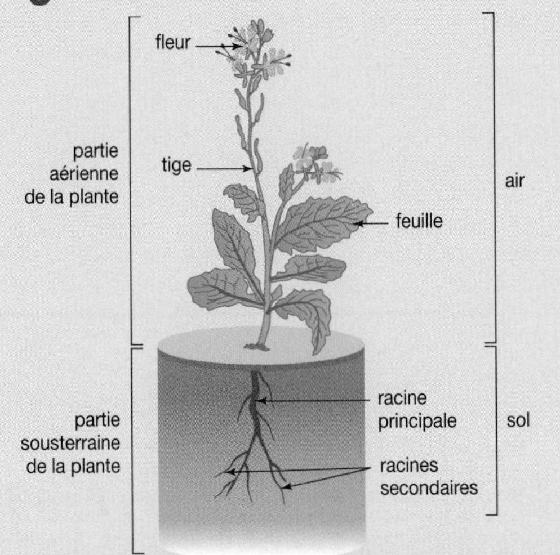

● Les plantes ont une vie fixée. Une plante possède des organes spécialisés dans différentes fonctions :
- les **fleurs** contiennent les **organes sexuels** ;
- les **feuilles** captent la lumière du soleil et réalisent la **photosynthèse** ;
- les **tiges** assurent le maintien de la plante et la communication entre les organes ;
- les **racines** prélèvent de l'eau et des sels minéraux dans le sol.

● Grains de **pollen**, **graines** ou **fruits** sont dispersés par des moyens divers, principalement par le **vent** et les **animaux**. Ceci permet la **reproduction** des plantes et la **colonisation** de nouveaux milieux.

La reproduction sexuée comporte toujours une fécondation

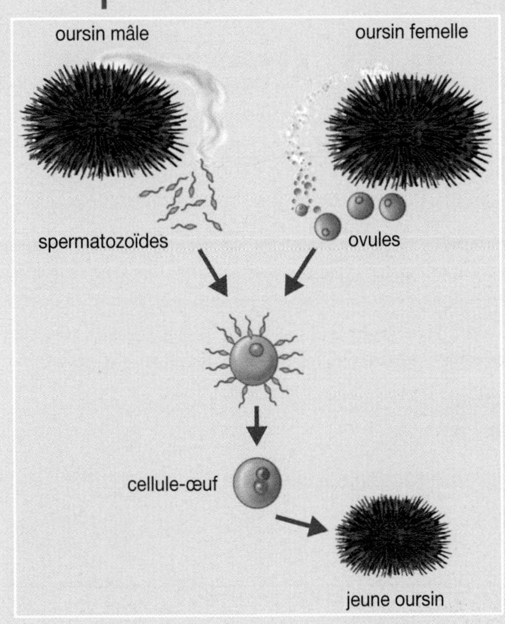

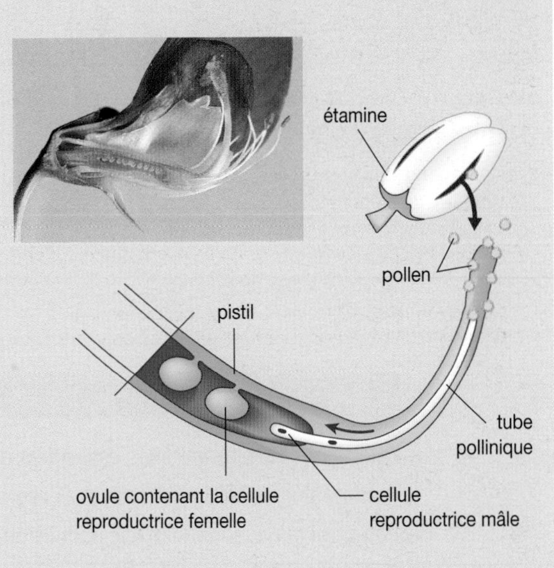

Des DOCUMENTS pour se poser des questions

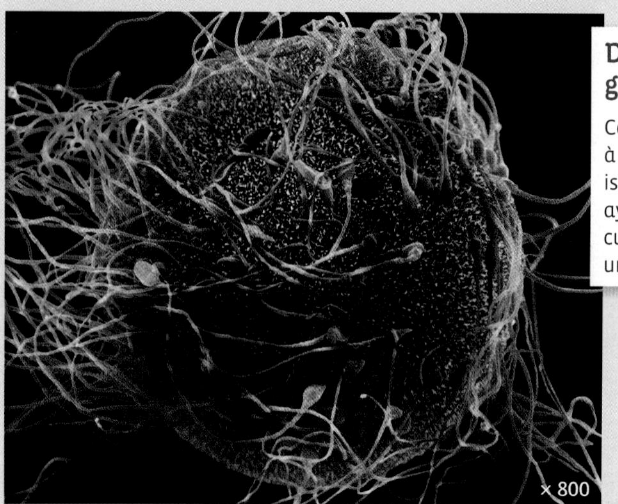

Des gamètes tous génétiquement différents

Ces nombreux spermatozoïdes sont prêts à féconder un ovule : alors qu'ils sont tous issus d'un même individu, donc de cellules ayant le même patrimoine génétique, chacun est porteur d'une information génétique unique en son genre.

La place du hasard

Dans les conditions naturelles, le bagage génétique d'un embryon résulte du hasard, mais la tentation est grande de vouloir influer sur celui-ci.

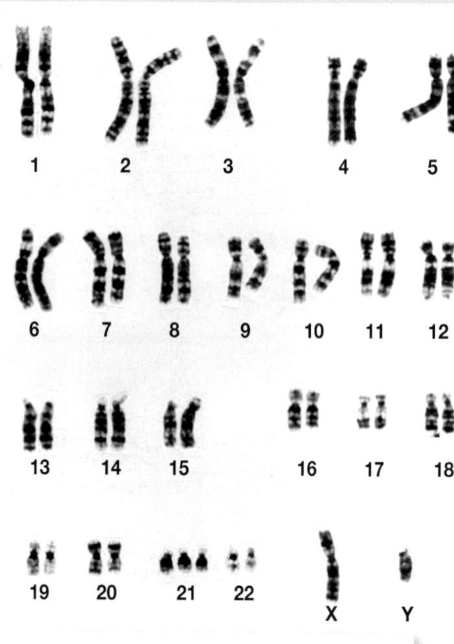

Des anomalies du caryotype

Le caryotype de cette personne révèle la présence anormale de trois chromosomes 21. Une telle anomalie n'est pas héréditaire.

LES PROBLÉMATIQUES DU CHAPITRE

- Quels sont les phénomènes essentiels de toute reproduction sexuée ?
- Comment s'établit le génome d'un nouvel individu ?
- Pourquoi chaque individu est-il un être unique ?
- Comment le brassage génétique contribue-t-il à la diversification des génomes ?

chapitre 1

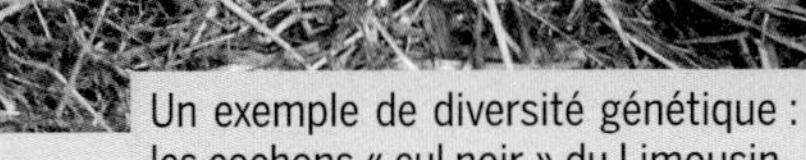

Un exemple de diversité génétique : les cochons « cul noir » du Limousin.

Le brassage génétique et la diversité des génomes

LES ACTIVITÉS DU CHAPITRE

Reproduction sexuée et stabilité du caryotype

Par reproduction sexuée, deux parents donnent naissance à un nouvel individu : tous trois présentent un même caryotype, caractéristique de l'espèce à laquelle ils appartiennent. *En effet, au cours d'un tel cycle biologique, deux événements majeurs assurent une stabilité du caryotype.*

A L'équipement chromosomique des cellules somatiques et sexuelles

Pour obtenir le *cliché ci-contre*, on a utilisé un certain nombre de **sondes moléculaires** spécifiques de certaines régions d'ADN et donc capables de se fixer sur la région d'un chromosome contenant un gène déterminé. Chaque sonde est facilement repérable car elle est équipée d'un colorant fluorescent qui « peint » spécifiquement la région du chromosome où elle s'est fixée.

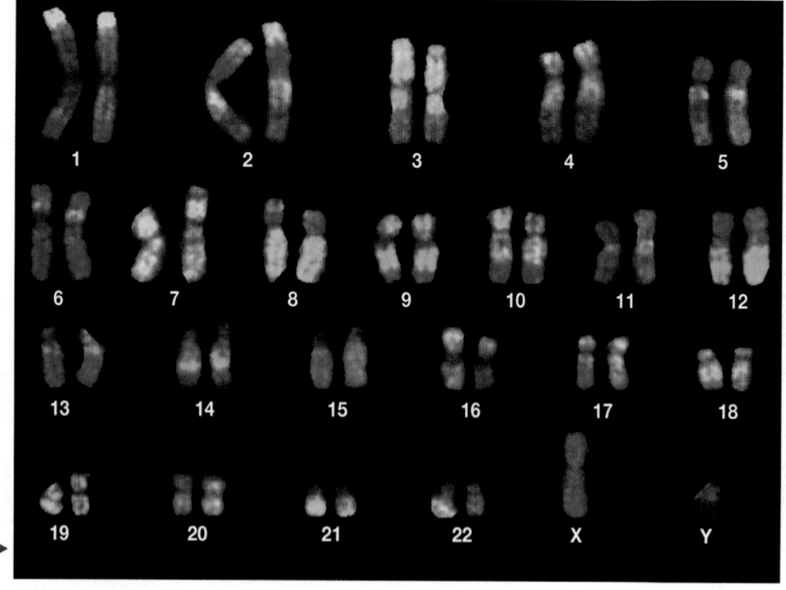

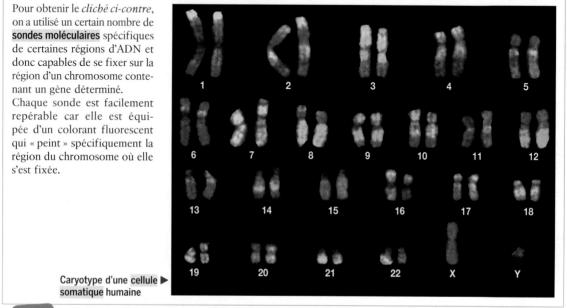

Caryotype d'une **cellule somatique** humaine ▶

Doc. 1 Une mise en évidence de l'homologie des chromosomes.

Le *document ci-contre* a été obtenu au cours de la division cellulaire qui est à l'origine des spermatozoïdes *(photographie ci-dessous)*. Il présente le lot chromosomique qui équipera un spermatozoïde.

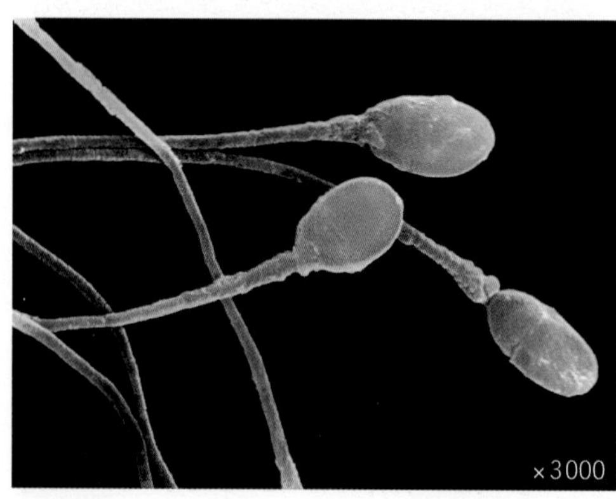

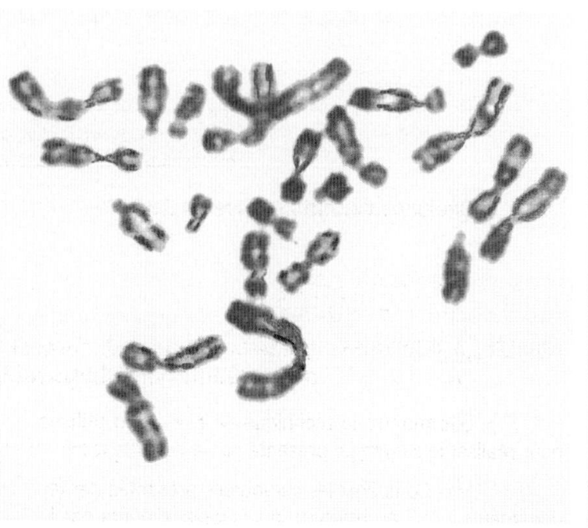

Doc. 2 L'équipement chromosomique des cellules sexuelles.

B Diploïdie et haploïdie

Chez la plupart des animaux, les sexes sont séparés : la reproduction sexuée est biparentale. Une cellule-œuf, à l'origine d'un nouvel individu, se forme par fusion de deux gamètes, l'un d'origine paternelle, l'autre d'origine maternelle.
Néanmoins, le caryotype reste stable, d'une génération à la suivante.

	Nombre de chromosomes	
Espèces	**Cellules somatiques**	**Gamètes**
Homme	46	23
Chat	38	19
Cheval	64	32
Chien	78	39
Drosophile	8	4
Grenouille	26	13
Hamster	22	11
Poule	32	16
Renard	38	19

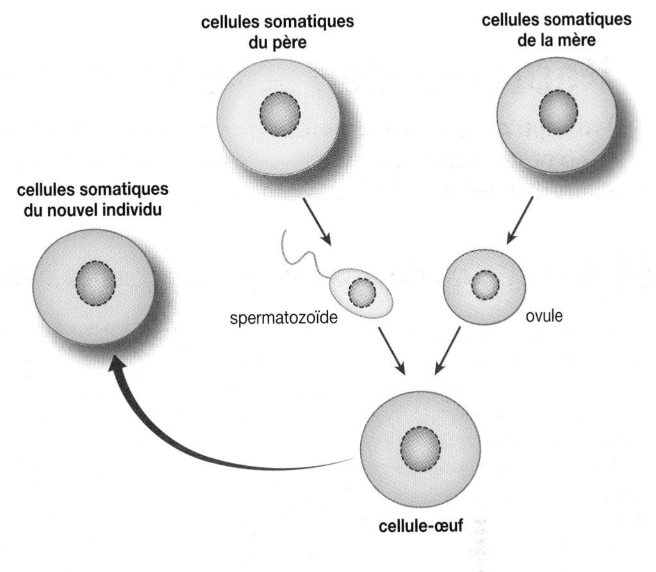

Doc. 3 Un cycle biologique commun à tous les animaux.

- Une cellule est dite **diploïde** si les chromosomes qu'elle contient peuvent être associés par paires d'homologues. Le nombre total de chromosomes est alors noté $2n$.
Au contraire, une cellule dont les chromosomes sont tous différents les uns des autres est dite **haploïde**, son nombre de chromosomes étant alors noté n.
- La **fécondation** est l'événement permettant, par réunion de deux cellules haploïdes, l'obtention d'un **zygote** diploïde à l'origine d'un nouvel individu.
- La **méiose** est l'événement qui permet de former des gamètes haploïdes à partir de cellules initialement diploïdes.

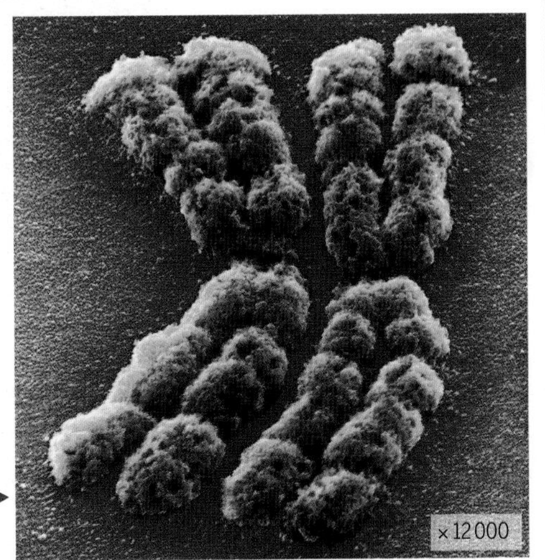

Une paire de **chromosomes homologues** observés au microscope électronique à balayage (MEB)

Doc. 4 Quelques définitions essentielles.

Pistes d'exploitation

PROBLÈME À RÉSOUDRE ► Comment la reproduction sexuée permet-elle le maintien du caryotype, d'une génération à la suivante ?

Doc. 1 Que montre la technique de coloration utilisée pour réaliser le caryotype présenté par le document 1 ?

Doc. 1 et 2 Comparez les caryotypes présentés par les documents 1 et 2 en utilisant le vocabulaire défini par le document 4.

Doc. 3 Recopiez ce cycle, indiquez l'état diploïde ($2n$) ou haploïde (n) des différentes cellules et placez les événements essentiels.

Doc. 2 et 3 Selon vous, chez les animaux, dans quels organes se déroule la méiose ?

Lexique, p. 406

Le déroulement de la méiose

La méiose permet l'obtention de cellules reproductrices haploïdes à partir d'une cellule-mère diploïde.
On cherche à découvrir les étapes de ce mécanisme qui permet de diviser par deux le nombre de chromosomes dans les cellules.

A L'observation de cellules en méiose

Vidéo

■ **PROTOCOLE**

Dissection des testicules de criquet

– Fixer un criquet mâle face ventrale sur la planche à dissection.
– Découper la cuticule de l'abdomen. Soulever et rabattre la cuticule. On découvre alors une masse de couleur jaune : ce sont les testicules.
– Prélever les testicules et les déposer dans un verre de montre, dans un milieu dilué (2 volumes d'eau distillée pour 1 volume de liquide physiologique pour insecte).

Coloration et préparation

– Dissocier les testicules de façon à isoler quelques filaments.
– Placer le prélèvement dans un fixateur (3 volumes d'éthanol pour 1 volume d'acide éthanoïque). Laisser agir quelques minutes.
– Mettre une goutte de colorant (orcéine acétique) sur une lame. Déposer un peu du mélange testicules + fixateur.
– Recouvrir d'une lamelle en appuyant très légèrement.

Observation au microscope

– Repérer des cellules en méiose au grossissement 400 ou 600 *(photographie ci-contre)*.
– Décaler l'objectif, placer une goutte d'huile à immersion sur la lamelle.
– Engager l'objectif à immersion et observer.

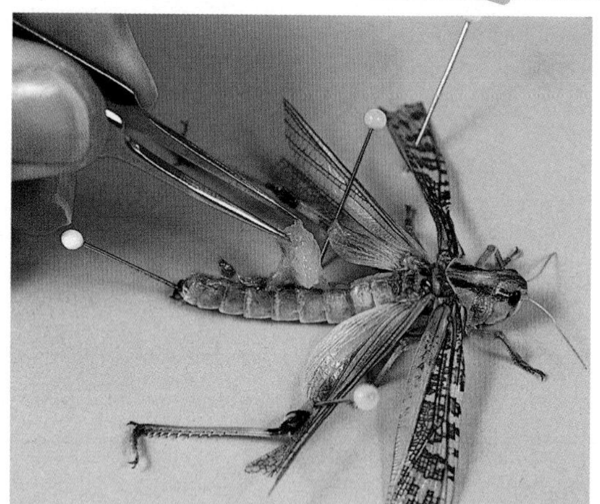

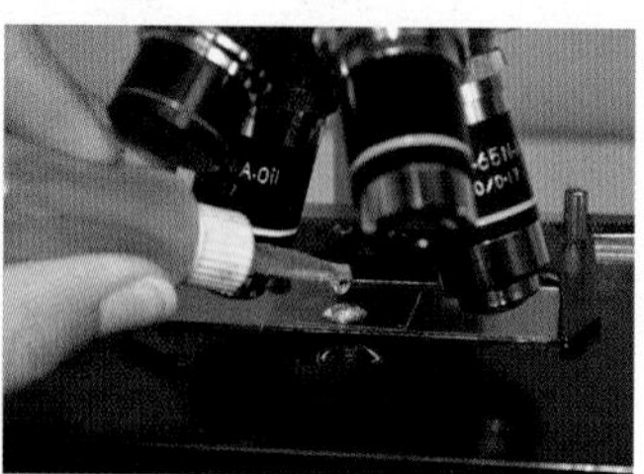

L'utilisation d'un objectif à immersion permet d'améliorer l'observation au fort grossissement (× 1 000). Un tel objectif nécessite que les rayons lumineux passent dans l'huile (indice de réfraction, proche de celui du verre), et non dans l'air : ainsi, la résolution est meilleure et certaines aberrations optiques sont éliminées.

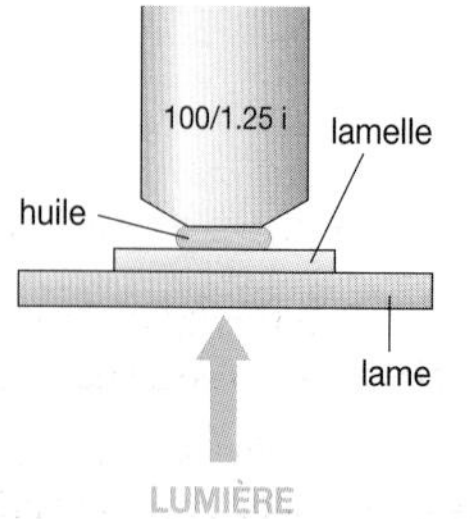

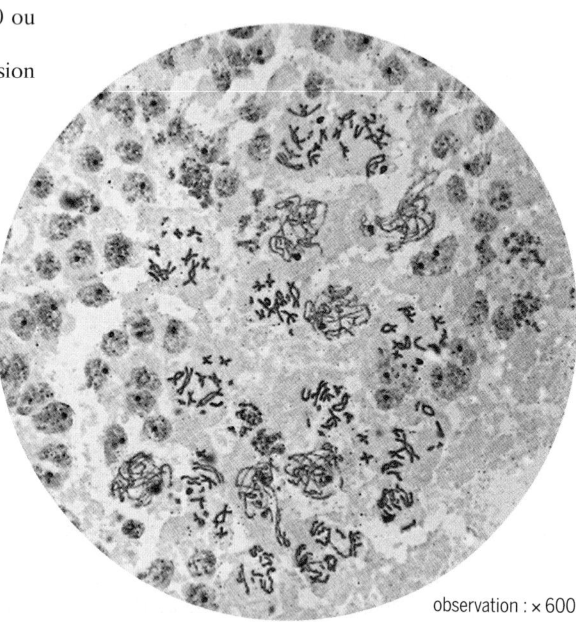

Les chromosomes des cellules sont visibles et ils sont plus ou moins condensés suivant le stade de la méiose auquel ils se trouvent.

Doc. 1 Les étapes de la méiose sont observables dans les testicules de criquet.

B Les étapes de la méiose observées chez le criquet mâle

Chez le criquet, $2n = 24$. Le déterminisme du sexe est cependant différent de celui des mammifères : le mâle possède un seul chromosome sexuel (caryotype = 22 + X) alors que la femelle en possède deux (caryotype = 22 + XX).

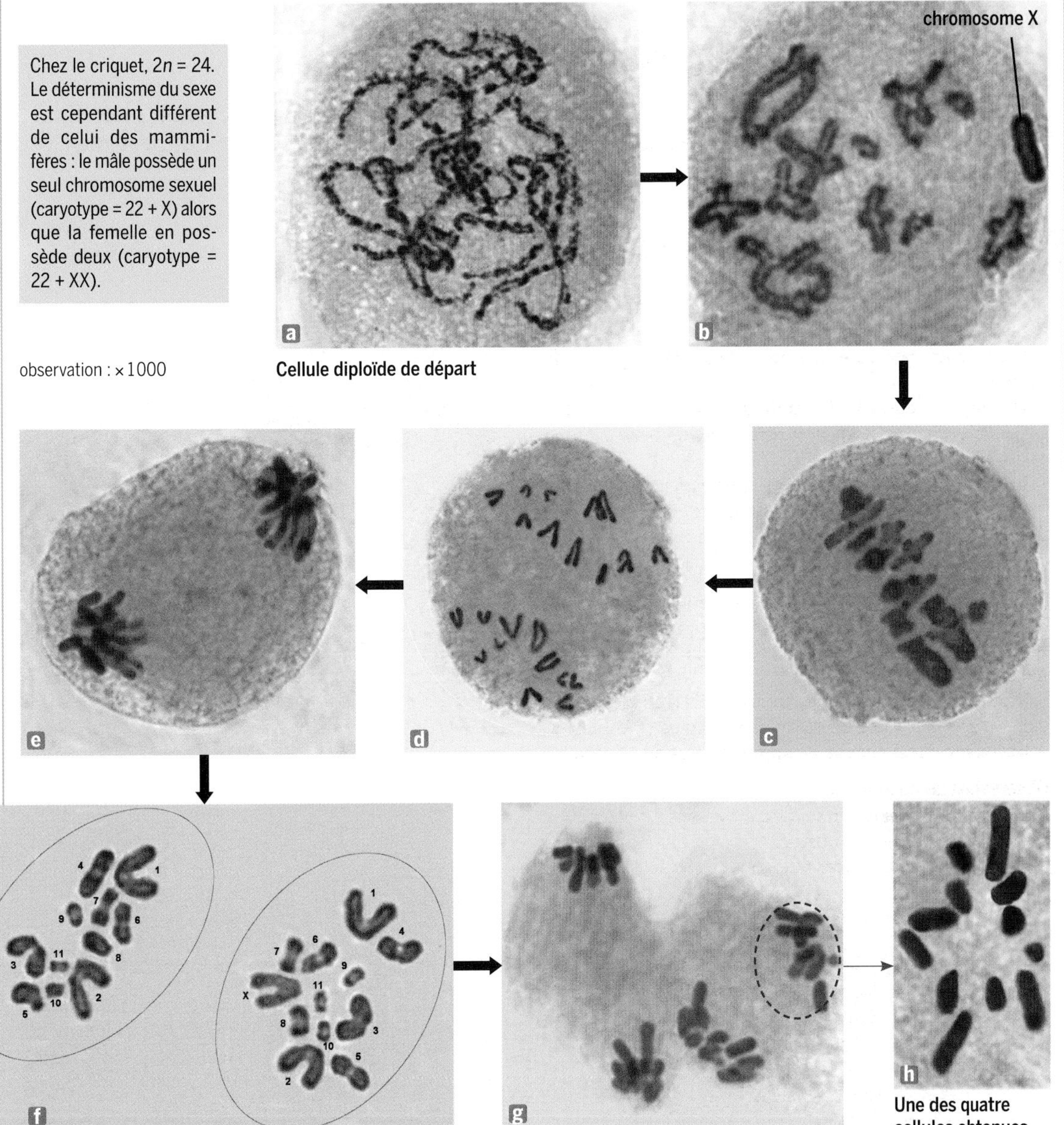

observation : × 1000

Cellule diploïde de départ

Une des quatre cellules obtenues

Doc. 2 Le déroulement de la méiose reconstitué à partir d'instantanés.

Pistes d'exploitation

PROBLÈME À RÉSOUDRE ► Comment la méiose permet-elle la formation de cellules haploïdes ?

Doc. 1 et 2 Réalisez le protocole proposé et rapprochez vos propres observations de celles présentées ici.

Doc. 2 Combien de divisions successives comprend la méiose ? Décrivez les différentes étapes en utilisant le vocabulaire employé pour la mitose *(voir page 8)*.

Doc. 2 Déterminez la garniture chromosomique des cellules obtenues à l'issue de cette méiose.

Doc. 1 et 2 En partant d'une cellule où $2n = 6$ chromosomes, expliquez par une série de schémas comment la méiose permet de passer de la diploïdie à l'haploïdie.

Lexique, p. 406

Le passage de la diploïdie à l'haploïdie

La méiose est composée de deux divisions successives au cours desquelles le nombre de chromosomes est réduit de moitié. *Le déroulement stéréotypé des différentes étapes de la méiose garantit, en principe, un partage des chromosomes d'une cellule initialement diploïde en lots haploïdes.*

A La méiose assure une réduction du nombre de chromosomes

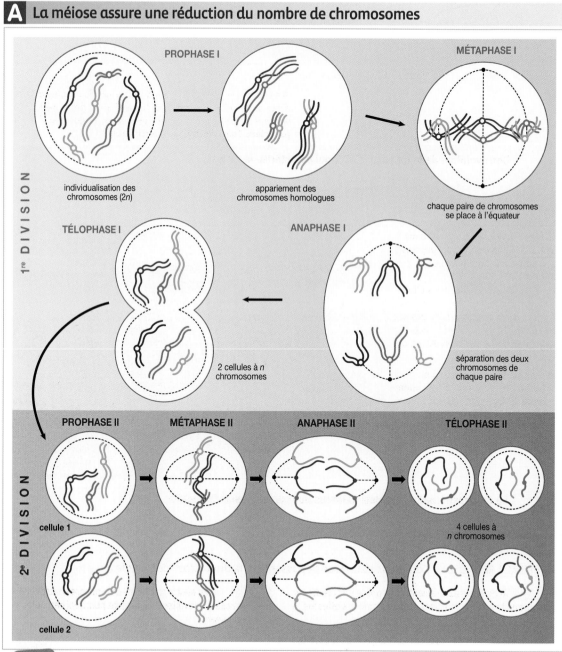

Doc. 1 **Une présentation schématique de l'ensemble de la méiose.**

B La méiose : des aspects particuliers

Comme toute division cellulaire, la première division de la méiose est précédée d'une **interphase**.

Le *graphique ci-contre* présente l'évolution de la quantité d'ADN en fonction du temps, avant, pendant et après la méiose à partir d'une cellule-mère de gamète.

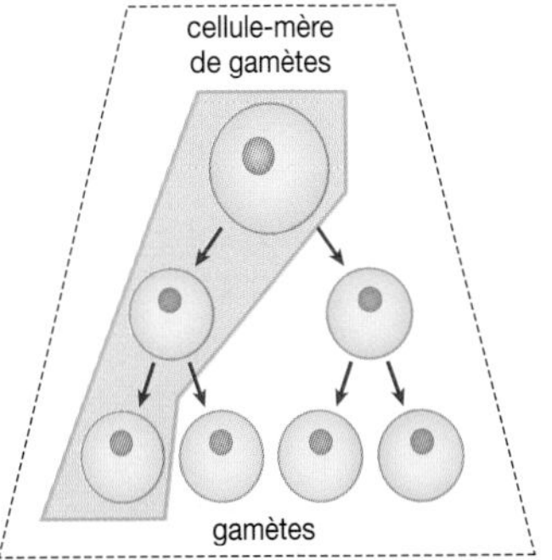

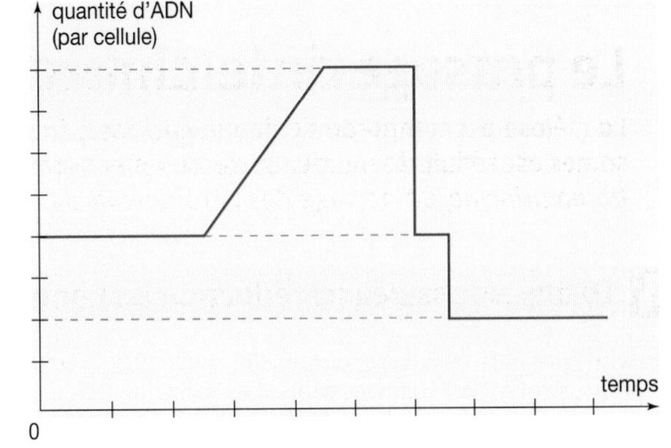

Remarques : on a pris ici en compte uniquement la quantité d'ADN d'une seule cellule au cours de l'ensemble du phénomène. Les résultats sont donnés en unités arbitraires, la quantité d'ADN par cellule étant déterminée indirectement.

Doc. 2 Une évolution de la quantité d'ADN qui caractérise la méiose.

L'*image ci-contre* a été obtenue à la fin de la prophase de première division de la méiose chez le criquet mâle.
Chez le criquet mâle, les cellules somatiques comportent 22 **autosomes** et un chromosome sexuel (il apparaît souvent plus foncé sur les observations car son ADN est très condensé).

Les chromosomes ont été dupliqués au cours de l'interphase précédent la méiose : à ce stade, chaque chromosome est donc constitué de deux **chromatides** identiques.

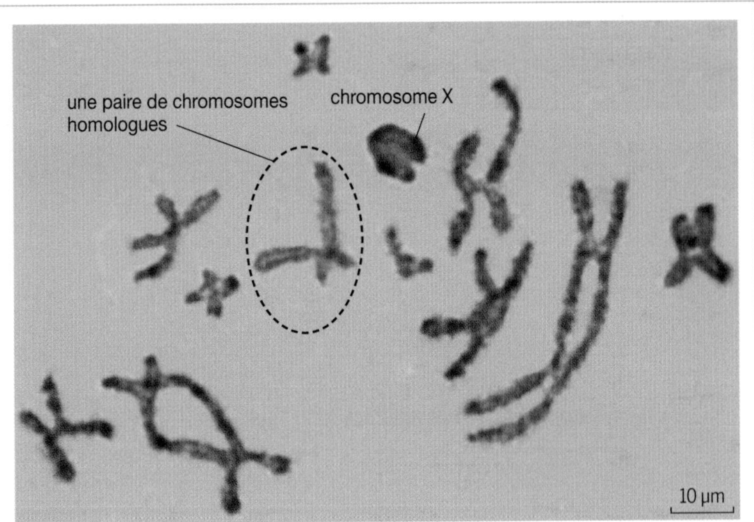

Doc. 3 La prophase I, une étape déterminante pour le passage à l'haploïdie.

Pistes d'exploitation

PROBLÈME À RÉSOUDRE ► Comment s'effectue le passage de la diploïdie à l'haploïdie ?

Doc. 1 Rédigez un texte scientifique présentant le déroulement de la méiose. Précisez à quel moment s'effectue le passage à l'haploïdie.

Doc. 1 et 2 Utilisez le document 1 pour expliquer les variations constatées sur le graphique.

Doc. 1 et 3 En quoi la prophase I de la méiose se distingue-t-elle de celle d'une mitose ? Expliquez pourquoi cette étape est déterminante.

Lexique, p. 406

Le brassage interchromosomique

La méiose permet la formation de gamètes, chacun étant constitué d'un lot haploïde de chromosomes. *On cherche ici à comprendre les conséquences de la méiose sur la diversité génétique des gamètes.*

A Un cas simple pour comprendre les conséquences génétiques de la méiose

• En laboratoire, on utilise souvent des individus dont le génotype est connu et stable. Ces individus sont dits de lignées ou de **souches pures** : croisés entre eux, les individus d'une même lignée donnent des descendants présentant de façon constante les mêmes caractéristiques phénotypiques. Ces individus sont **homozygotes** : ils possèdent pour tous leurs gènes deux allèles identiques.

• Les descendants issus d'un croisement de deux souches parentales pures (notées P) constituent la génération F1. Comme le montre le *schéma ci-contre*, ils sont tous nécessairement **hétérozygotes** : pour le gène étudié, leurs deux chromosomes homologues portent des allèles différents. Les souris F1 étant de phénotype gris, on dit que l'allèle **G** est **dominant** par rapport à l'allèle **a**, qualifié de **récessif**.

• Le croisement d'un individu F1 avec un individu de phénotype récessif est appelé croisement-test. L'intérêt d'un tel croisement est que le phénotype des descendants est à l'image des allèles transmis par l'individu F1, puisque les allèles de l'autre parent sont récessifs. L'étude de la descendance d'un **croisement-test** révèle donc très exactement les produits de la méiose de F1.

Croisement de souches pures différant par la couleur du pelage (caractère gouverné par un seul gène)

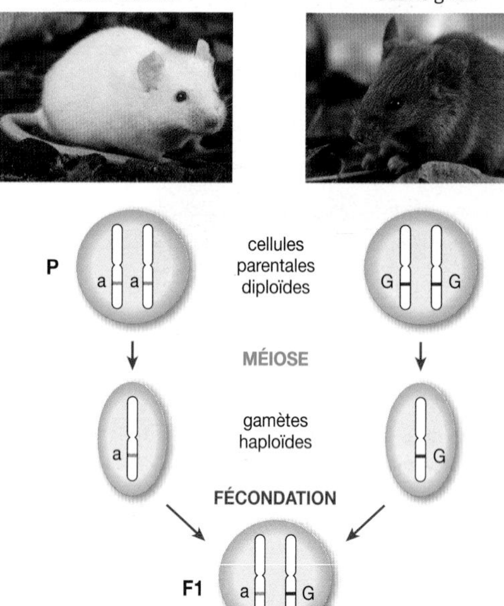

Croisement-test :
individu hétérozygote X individu récessif

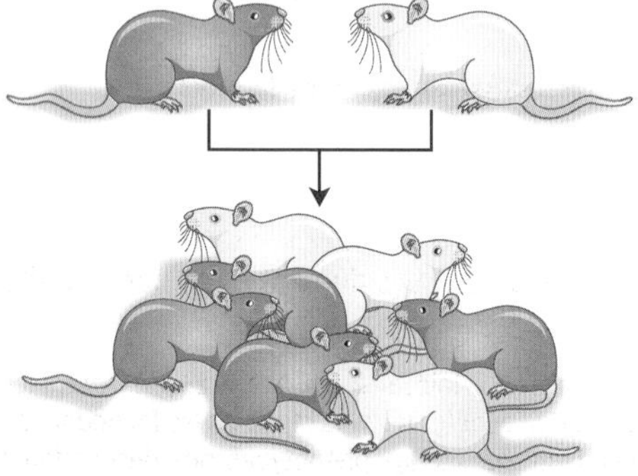

Sur un grand nombre de portées, on obtient autant de souris grises que de souris albinos.

Conventions d'écriture

Le phénotype le plus couramment observé dans la nature est appelé type « sauvage » ou « normal ».

• Un allèle peut être symbolisé par une lettre (initiale correspondant au phénotype déterminé par cet allèle).
Le phénotype d'un individu hétérozygote permet de déterminer la dominance et la récessivité :
– l'allèle qui détermine le phénotype, qualifié de dominant, est alors symbolisé par une lettre majuscule ;
– l'allèle qui, bien que présent, ne se trouve pas exprimé dans le phénotype est qualifié de récessif et noté par une lettre minuscule.

• Une autre façon d'écrire consiste à symboliser les deux allèles d'un gène par la même lettre ou abréviation, en général fondée sur le phénotype produit par la mutation de l'allèle. L'allèle non muté est alors désigné par l'ajout du signe + en exposant.

Doc. 1 L'étude d'un croisement portant sur un seul caractère.

B L'analyse d'un croisement portant sur deux caractères

Les drosophiles sont de petites mouches (3 à 4 mm) qui possèdent à l'état sauvage un corps de couleur claire et des ailes normalement développées *(photographie ci-contre)*.
On s'intéresse ici à deux mutations récessives portant sur deux caractères du phénotype des drosophiles.
La première mutation concerne la couleur du corps : les homozygotes présentent un corps de couleur ébène (mutation notée « e »).
La deuxième mutation concerne la longueur des ailes : les individus homozygotes pour ce gène ont des ailes vestigiales, c'est-à-dire très peu développées (mutation « vg »).

■ PROTOCOLE

On étudie ici la génération issue d'un croisement-test : croisement d'individus hétérozygotes pour chacun des deux gènes avec des individus de phénotype récessif pour les deux caractères considérés.

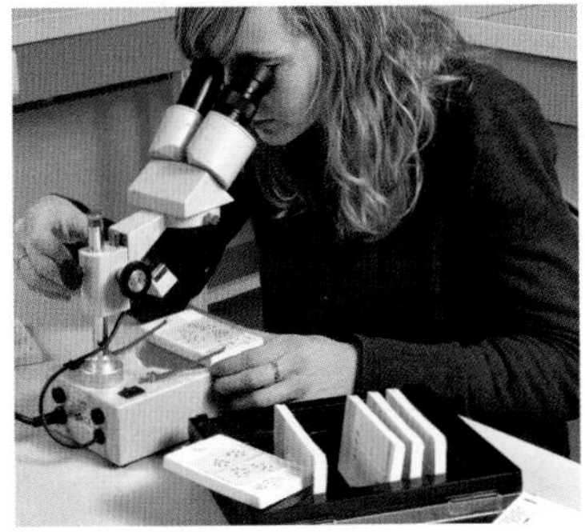

Croisement réalisé

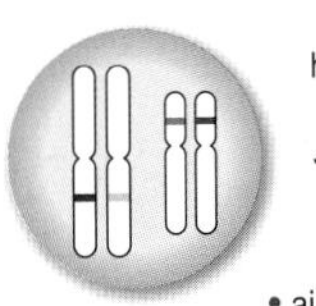

×

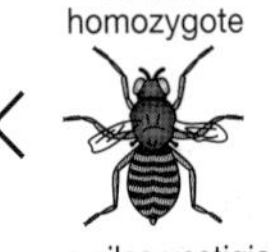

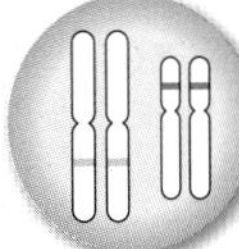

– En utilisant une loupe binoculaire, déterminer les différents phénotypes présentés par les descendants.
– Compter le nombre d'individus correspondant à chacun des phénotypes.

■ EXEMPLE DE RÉSULTAT

Phénotype	Nombre
Ailes longues, corps gris	228
Ailes longues, corps ébène	230
Ailes vestigiales, corps gris	235
Ailes vestigiales, corps ébène	240

Doc. 2 **Une diversité de descendants générés grâce à un brassage réalisé au cours de la méiose.**

Pistes d'exploitation

PROBLÈME À RÉSOUDRE ► Comment la distribution des chromosomes au cours de la méiose permet-elle d'expliquer la diversité des gamètes ?

Doc. 1 Schématisez les garnitures chromosomiques des gamètes et des descendants correspondant au croisement-test et montrez que les proportions obtenues étaient prévisibles.

Doc. 2 En vous appuyant sur les étapes du déroulement de la méiose, expliquez comment le parent hétérozygote peut produire quatre types de gamètes en mêmes proportions.

Doc. 2 Dressez un tableau à double entrée présentant les gamètes produits par les parents et toutes les fécondations possibles. Montrez que les phénotypes des descendants reflètent les proportions des gamètes de F1.

Lexique, p. 406

Le brassage intrachromosomique

La séparation indépendante des deux chromosomes homologues de chaque paire au cours de l'anaphase I de la méiose est à l'origine d'une diversité des gamètes produits par un individu. *Mais d'autres événements chromosomiques intervenant au cours de la méiose augmentent cette diversité.*

A Un croisement aux résultats inattendus

On réalise un croisement-test tout à fait comparable à celui présenté page 21.
On s'intéresse cette fois-ci à deux caractères, l'un portant sur la longueur des ailes, l'autre sur la couleur des yeux :
- longueur des ailes : vestigiales (vg) ou normales (vg+) ;
- couleur des yeux : bruns (br) ou rouges (br+).

Le croisement entre deux souches pures, l'une sauvage, l'autre mutante pour les deux caractères, donne des individus hétérozygotes F1 qui présentent tous un phénotype sauvage [ailes normales, yeux rouges].
Le *document ci-contre* montre les résultats de ce croisement-test.

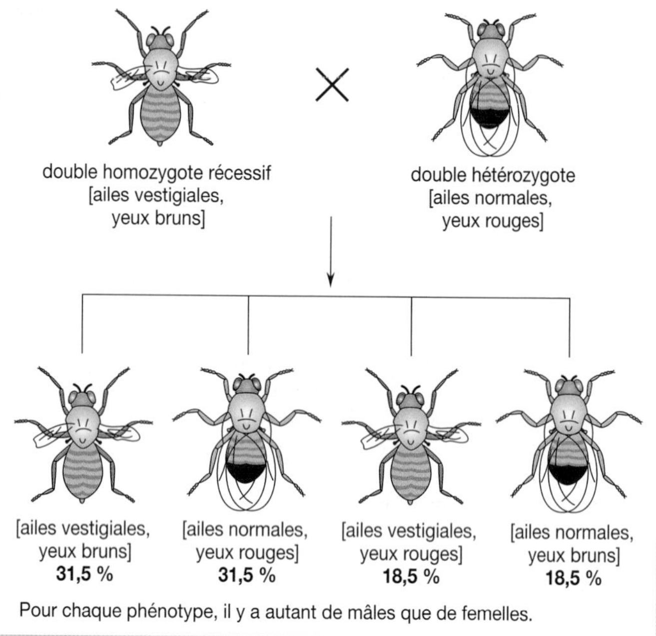

Doc. 1 Un croisement-test qui contredit les résultats précédents.

Dès 1902, Sutton et Bovery constatent qu'au cours de la méiose les deux chromosomes d'une même paire se séparent, ce qui peut expliquer la transmission des caractères héréditaires décrite par Mendel, 35 ans plus tôt.

L'observation des chromosomes amène alors Sutton à envisager l'hypothèse suivante :
« *[...] Certains chromosomes au moins sont le support de plusieurs caractères héréditaires. Si les chromosomes gardent leur individualité en permanence, il en résulte que tous les caractères portés par un chromosome doivent être hérités ensemble.* »

(Sutton, 1902)

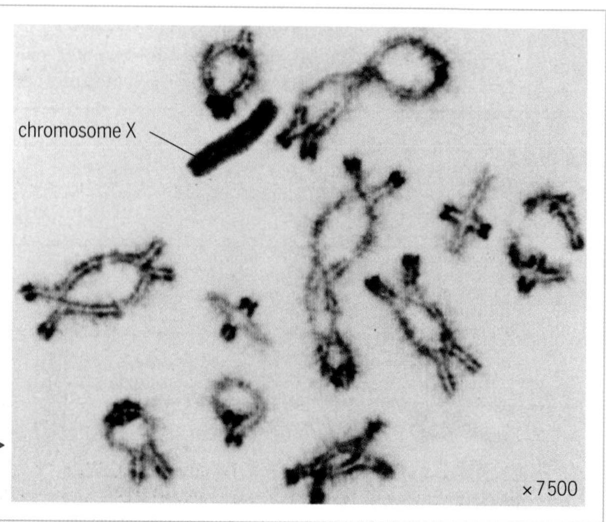

Chromosomes homologues appariés au cours de la prophase I de la méiose (ici chez une sauterelle mâle où $2n = 22 + X$)

Doc. 2 Une hypothèse intéressante... qui n'explique pas tout.

B Un échange entre les chromosomes homologues

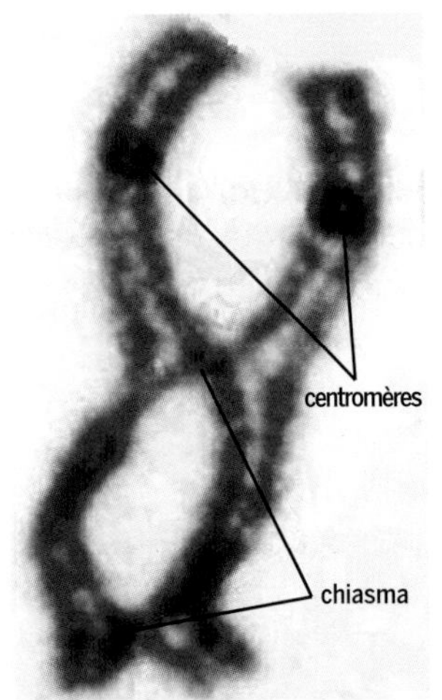

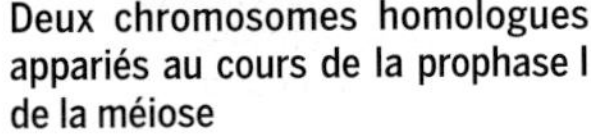

Deux chromosomes homologues appariés au cours de la prophase I de la méiose

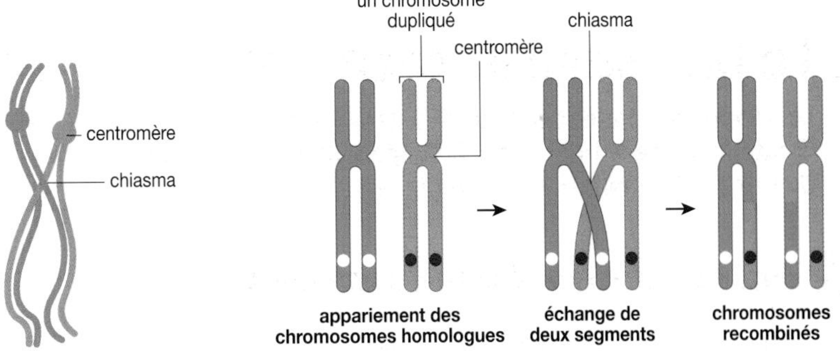

Lors de la prophase de première division de la méiose, les chromosomes homologues s'alignent et s'accolent, dans le même sens, et leurs chromatides s'entremêlent. Au niveau d'un de ces contacts, ou **chiasmas**, les chromatides peuvent se « casser » puis se souder en s'intervertissant. Des portions de chromatides et les allèles qu'elles portent sont alors échangées. C'est le phénomène nommé **crossing-over** (ou enjambement).

Doc. 3 Le mécanisme du crossing-over (ou enjambement).

• L'existence de crossing-over n'a rien d'exceptionnel, ni d'accidentel, c'est un phénomène général et normal. Cependant, la localisation d'un chiasma est aléatoire : plus les emplacements occupés par deux gènes (**locus**) sont éloignés sur les chromosomes, plus la probabilité est grande qu'un crossing-over ait lieu entre eux.

• Dans les conditions naturelles (hors sélection génétique), les chromosomes homologues sont hétérozygotes pour de nombreux locus. Pour chaque paire de chromosomes, la méiose produit donc des gamètes de type parental et des gamètes **recombinés**.
Le *schéma ci-contre* présente deux cas possibles, parmi bien d'autres. Cette recombinaison intrachromosomique augmente donc considérablement la diversité des gamètes produits par la méiose.

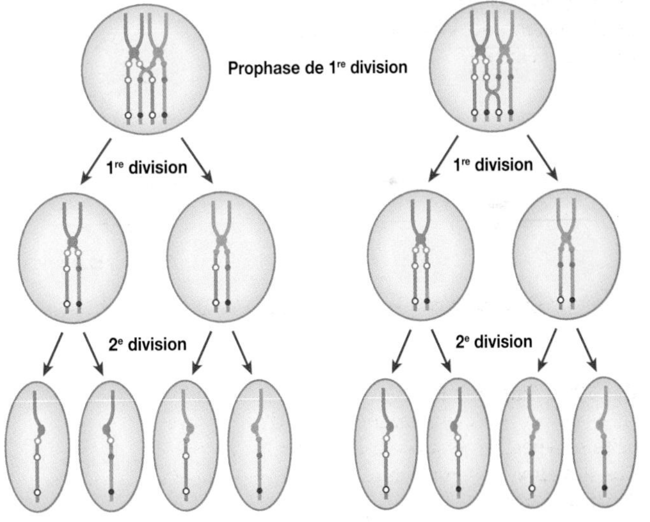

Doc. 4 Brassage intrachromosomique et diversité des gamètes.

Pistes d'exploitation

PROBLÈME À RÉSOUDRE ► Comment expliquer l'immense diversité génétique des gamètes produits par un même individu ?

Doc. 1 En quoi ce résultat est-il non conforme aux prévisions ?

Doc. 1 et 2 Quels devraient être les résultats si l'on considère que ce cas correspond à l'hypothèse avancée par Sutton ? Montrez que l'observation attentive des chromosomes permet de penser que la condition formulée par Sutton dans son hypothèse pourrait ne pas être respectée.

Doc. 1 à 4 Proposez une interprétation des résultats obtenus par le croisement présenté par le document 1.

Lexique, p. 406

La fécondation, autre source de diversité génétique

Grâce aux brassages génétiques réalisés au cours de la méiose, chacun des deux parents peut produire une infinité de gamètes différents. *Cependant, la fécondation amplifie encore la diversité génétique des descendants potentiels.*

A Un même scénario pour toutes les espèces

OURSIN

HOMME

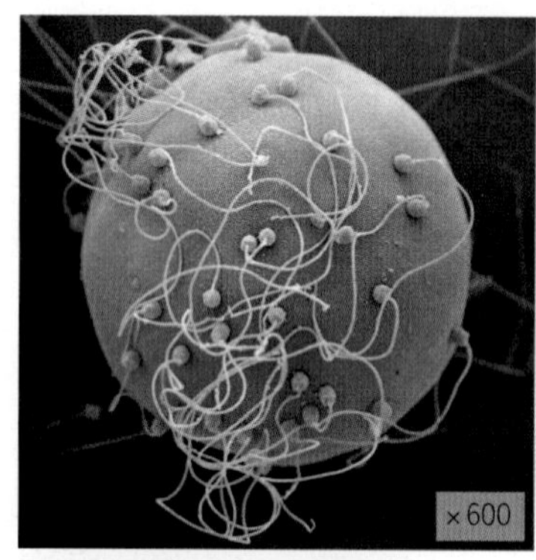

spermatozoïde
noyau de l'ovule
ovule
paroi entourant l'ovule

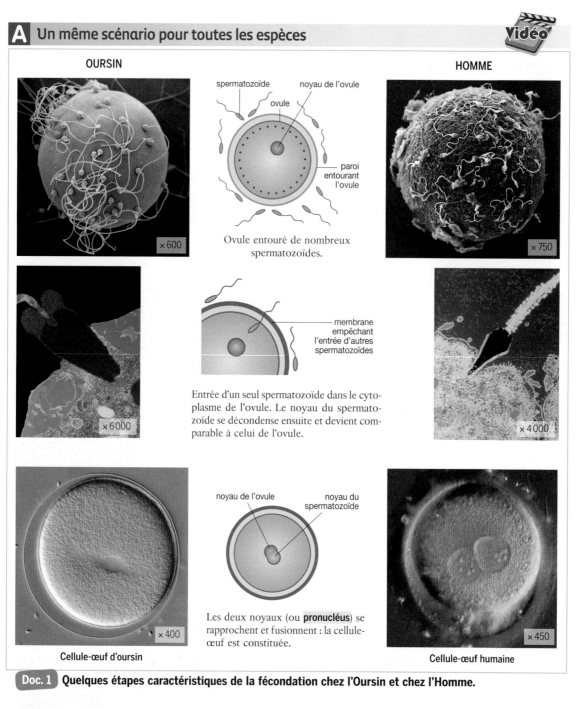

Ovule entouré de nombreux spermatozoïdes.

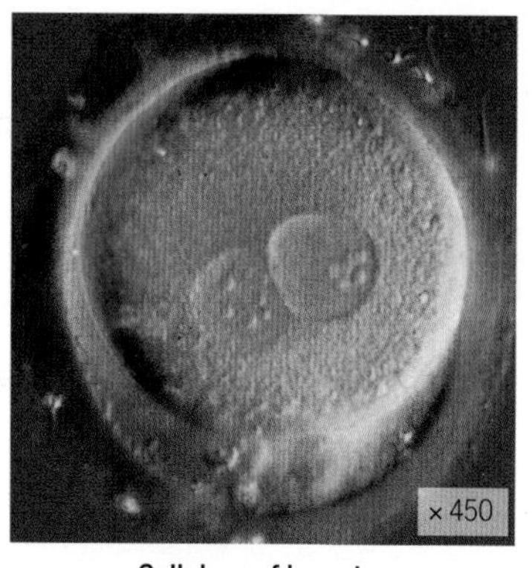

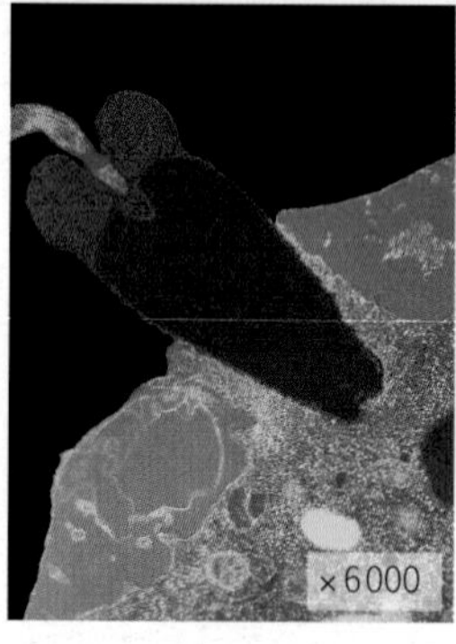

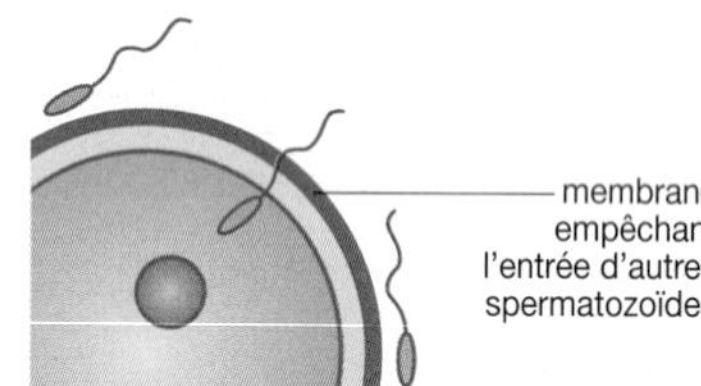

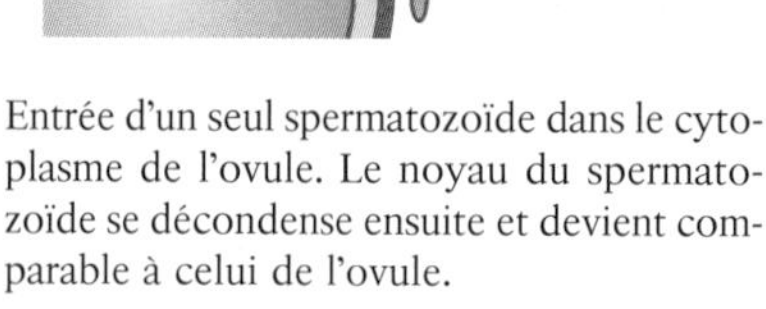

Entrée d'un seul spermatozoïde dans le cytoplasme de l'ovule. Le noyau du spermatozoïde se décondense ensuite et devient comparable à celui de l'ovule.

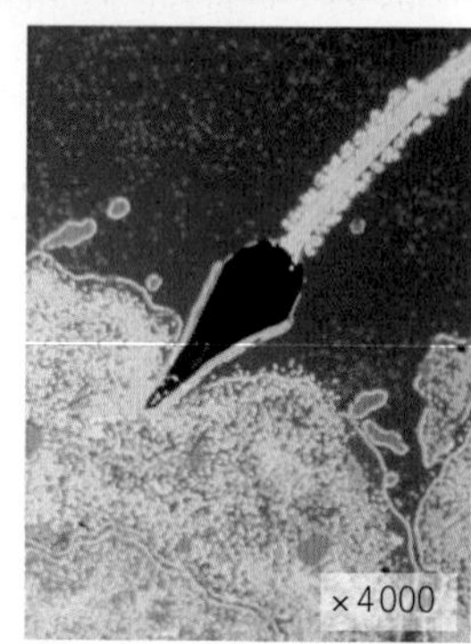

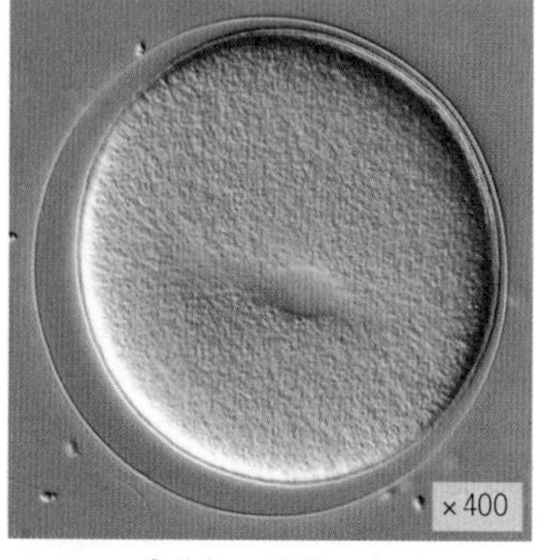

Cellule-œuf d'oursin

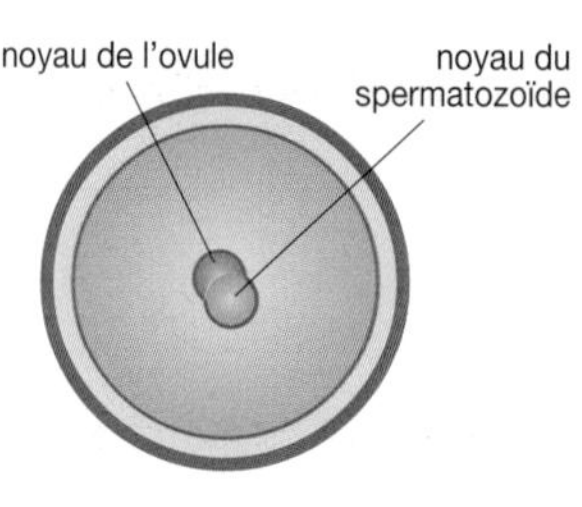

Les deux noyaux (ou **pronucléus**) se rapprochent et fusionnent : la cellule-œuf est constituée.

× 450

Cellule-œuf humaine

Doc. 1 Quelques étapes caractéristiques de la fécondation chez l'Oursin et chez l'Homme.

B Fécondation et diversité génétique des individus

Chez la souris commune, le pelage est uni mais la pointe des poils est noire tandis que la base est de couleur fauve (caractère qualifié d'agouti).

On effectue un croisement de deux souches pures de souris *(photographies ci-contre)* : l'une est une souris commune tandis que l'autre présente un pelage tacheté (caractère appelé « piebald ») et non agouti (les poils colorés sont uniformément noirs). La génération F1 donne 100 % d'individus au pelage uni et agouti.

Le *tableau ci-contre* donne les résultats cumulés de générations F2, issues de croisements de souris F1 entre elles.

Remarque : les deux couples d'allèles (agouti/noir) et (piebald/uni) sont situés sur deux paires distinctes de chromosomes.

agouti / uni	agouti / piebald	noir / piebald	noir / uni
134	41	14	44

Doc. 2 Une étude statistique d'un croisement.

Dans les conditions naturelles (en dehors d'une sélection génétique), les individus ne sont en général pas de souche pure. Chaque parent est hétérozygote pour de nombreux gènes.
Le seul brassage interchromosomique de n paires de chromosomes permet à chaque parent de produire 2^n gamètes différents (plus de 8 000 000 dans le cas de l'espèce humaine).
Par fécondation, le nombre de zygotes potentiels est alors de $(2^n)^2$. Mais ce nombre est largement sous-estimé puisqu'il existe également un brassage intrachromosomique qui augmente considérablement cette diversité.
La probabilité qu'un couple ait deux fois un descendant héritant d'un même patrimoine génétique (hormis le cas particulier des vrais jumeaux) est donc… nulle !

Cinq chatons d'une même portée

Doc. 3 Une diversité génétique potentielle quasiment infinie.

Pistes d'exploitation

PROBLÈME À RÉSOUDRE ► **En quoi la fécondation contribue-t-elle à la diversité génétique des individus ?**

Doc. 1 Décrivez le déroulement de la fécondation et donnez en une définition, d'un point de vue génétique.

Doc. 2 Présentez sous forme d'un tableau à double entrée les garnitures alléliques possibles des gamètes de chacun des deux parents F1 et les fécondations qui en résultent. Confrontez cette étude aux résultats expérimentaux.

Doc. 3 Pourquoi dit-on que la fécondation amplifie le brassage génétique réalisé par la méiose ?

Lexique, p. 406

Des accidents au cours de la méiose

Bien que le déroulement très organisé de la méiose assure le plus souvent une répartition équitable des chromosomes, des anomalies peuvent parfois se produire. *On cherche à identifier ces anomalies et à déterminer leurs conséquences sur la descendance.*

A Des anomalies de la répartition des chromosomes

• La **trisomie** 21, également appelée **syndrome** de Down, concerne en moyenne un enfant sur 700 naissances. Les personnes atteintes ont des traits caractéristiques (yeux en amande, repli vertical de la paupière près du nez, visage plus large) et souvent des malformations internes. Les sujets présentent aussi un handicap mental plus ou moins important. Une éducation adaptée peut néanmoins permettre une intégration à la société. L'analyse du caryotype associé à ces symptômes révèle l'existence de trois chromosomes 21 (voir page 12).

• Une anomalie du nombre de chromosomes provient d'une mauvaise disjonction des chromosomes au cours de la méiose, survenue chez l'un des parents *(schéma ci-contre)*. Ce type d'accident peut affecter n'importe quelle paire de chromosomes mais la plupart des zygotes porteurs d'une anomalie chromosomique ne sont pas viables : c'est une des principales causes d'avortement spontané (« fausse couche »).

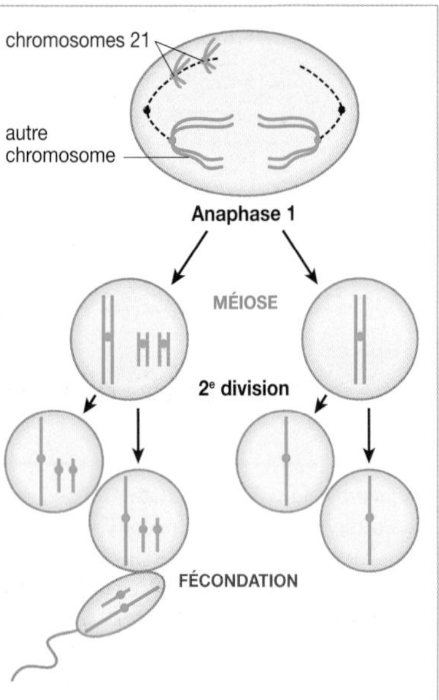

Doc. 1 L'origine de la trisomie 21.

Découverte en 1938 par un médecin américain, Henri Turner, cette anomalie touche à la naissance 1 fille sur 2 500. Ce syndrome, plus ou moins prononcé suivant les sujets, se caractérise en général par une petite taille, une stérilité et l'absence de développement des caractères sexuels secondaires. Le développement intellectuel est parfaitement normal.
Un traitement hormonal approprié permet cependant un développement pubertaire et le recours à la procréation médicalement assistée (avec don d'ovocyte) offre aujourd'hui la possibilité de mener une grossesse.

Le *document ci-contre* montre le caryotype à l'origine de ce syndrome. Une telle anomalie est retrouvée dans 15 % des cas d'avortements spontanés.

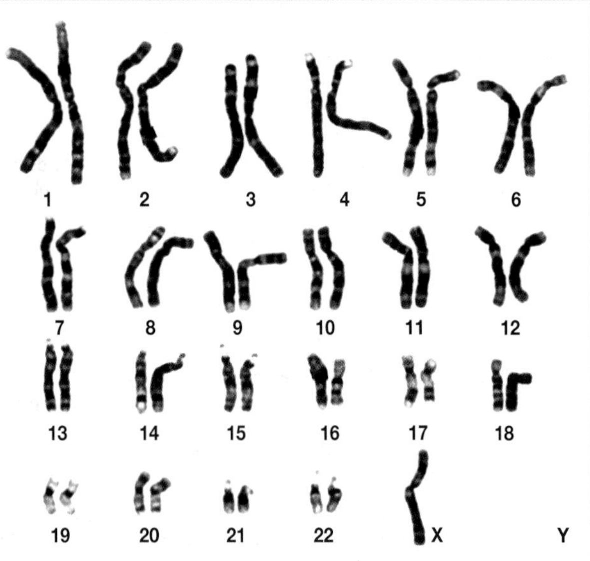

Doc. 2 Un autre exemple : le syndrome de Turner.

B Des accidents chromosomiques sources de diversité génétique

• Au cours de la prophase I de méiose, il peut arriver qu'un échange se produise entre deux portions non parfaitement homologues des chromosomes appariés. On parle de crossing-over inégal *(schéma ci-contre)*. À la suite de cet accident, un chromosome possède une portion de chromosome en double, alors que son homologue a perdu une partie de l'information qu'il portait. Un gamète peut donc hériter d'un chromosome porteur de deux exemplaires d'un même gène.

• Pour déterminer le nombre de copies du gène AMY1 (responsable de la production d'une **enzyme**, l'amylase, impliquée dans la digestion de l'amidon), des chercheurs ont mis en contact l'ADN de sujets avec deux sondes fluorescentes reconnaissant spécifiquement le gène AMY1. Cette technique a été appliquée au Chimpanzé ainsi qu'à diverses populations humaines se distinguant par un taux de sécrétion plus ou moins important de l'amylase :

– **a** : Chimpanzé (qui se nourrit de fruits, de feuilles, d'insectes).
– **b** : Individu d'une population ayant une alimentation riche en céréales ou tubercules.
– **c** : Individu d'une population au mode de vie de type chasseur-cueilleur.

(D'après G.H. Perry, 2007)

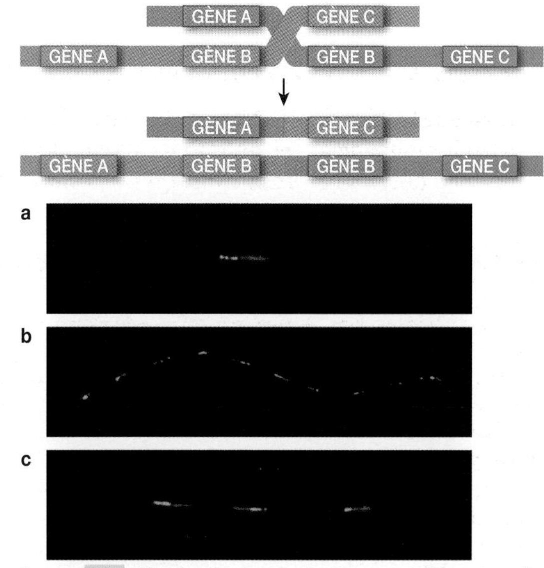

Images **FISH** obtenues (correspondant à un seul chromosome)

Doc. 3 Origine et mise en évidence d'une duplication génique.

• La molécule d'hémoglobine, qui assure le transport du dioxygène sanguin, est constituée de l'association de deux types de globines différentes. Il existe chez l'Homme six types de globines, codées chacune par un gène différent. Ceci permet à l'Homme de produire différentes hémoglobines au cours de la vie (notamment pendant la vie embryonnaire et fœtale).

• La comparaison des séquences des différentes globines révèle d'importantes différences mais suffisamment de ressemblances pour attester d'une origine commune : on pense en effet que ces gènes se sont formés à partir d'un unique gène ancestral. C'est ce que l'on appelle une **famille multigénique**.

• Le pourcentage de différences entre les globines *(tableau ci-contre)*, dues à l'accumulation de mutations ponctuelles, permet d'ordonner chronologiquement les épisodes de duplication génique à l'origine de la constitution de cette famille.

	alpha	zêta	gamma	epsilon	delta	bêta
alpha	0	39,3	57,9	60,7	55,7	55
zêta		0	59,3	59,3	60,7	62,1
gamma			0	19,3	28,6	26,4
epsilon				0	27,1	23,6
delta					0	6,5
bêta						0

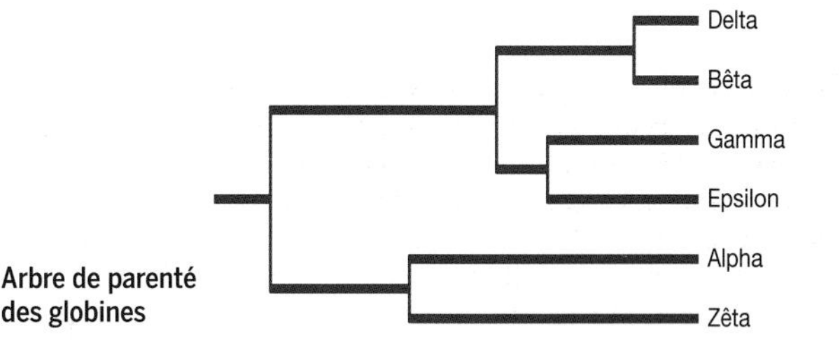

Arbre de parenté des globines

Doc. 4 La constitution d'une famille multigénique.

Pistes d'exploitation

PROBLÈME À RÉSOUDRE ► Quelles sont les causes et les conséquences des différentes anomalies intervenant au cours de la méiose ?

Doc. 1 Montrez que l'anomalie peut aussi provenir de la 2e division de la méiose.

Doc. 1 et 2 Identifiez l'anomalie chromosomique causant le syndrome de Turner et expliquez-en l'origine.

Doc. 3 et 4 Montrez qu'un accident chromosomique peut aussi s'avérer positif.

Doc. 4 Écrivez un texte reconstituant l'histoire de la famille des globines. Vous pouvez vous aider de l'exemple des opsines, vu en classe de Première (voir page 9).

Lexique, p. 406

chapitre 1 Le brassage génétique et la diversité des génomes

Au sein d'une espèce, il existe une grande **diversité génétique des individus**. La variabilité de l'ADN contribue à cette diversité, car c'est par des **mutations** que se constituent les différents allèles d'un gène. La **reproduction sexuée** joue un rôle essentiel dans cette diversification des individus car elle réalise, à chaque génération, un **brassage génétique** tel que chacun est unique.

1 La stabilité du caryotype d'une espèce

L'observation du caryotype d'une **cellule somatique**, c'est-à-dire d'une cellule non sexuelle, montre que les chromosomes peuvent être regroupés par paires de chromosomes de même type (même taille, même position du centromère, même disposition des bandes de coloration) : les chromosomes d'une même paire sont dits **homologues**. Ils portent la même série de gènes, mais pour chaque gène, il ne s'agit pas nécessairement des mêmes allèles.

Une cellule somatique possède donc deux exemplaires de l'information génétique : elle est qualifiée de **diploïde**. Le caryotype est alors noté $2n$ (n étant le nombre de types de chromosomes différents). Dans les **gamètes**, on ne compte en revanche qu'un seul exemplaire de chaque type chromosomique : les gamètes, spermatozoïdes et ovules, sont des cellules **haploïdes**, comportant n chromosomes.

La **méiose** est le processus qui permet de produire de telles cellules haploïdes à partir d'une cellule diploïde. Chez les animaux, la méiose se déroule dans les testicules et les ovaires. La **fécondation**, quant à elle, réunit deux cellules haploïdes pour former la cellule-œuf diploïde. Ces deux mécanismes, méiose et fécondation, se succèdent au cours de tout cycle de développement et garantissent, sauf accident, la **stabilité du caryotype** d'une génération à la suivante.

2 Le déroulement de la méiose

La méiose est constituée de **deux divisions cellulaires** successives. Elle est précédée, comme toute autre division, d'une phase de **réplication** de l'ADN. Au début de la méiose, chaque chromosome est donc double, c'est-à-dire constitué de deux chromatides identiques.

La **première division de la méiose** est composée des quatre phases de toute division cellulaire, mais elle présente des particularités importantes.

En **prophase**, l'enveloppe nucléaire disparaît et les chromosomes se condensent. Les chromosomes homologues se rapprochent alors deux à deux, s'accolent sur toute leur longueur et s'enchevêtrent plus ou moins, constituant ainsi n paires de chromosomes homologues ou bivalents. Cet **appariement des chromosomes homologues** au cours de la prophase, propre à la première division de la méiose, est déterminant.

En **métaphase**, les bivalents se placent au niveau du plan équatorial de la cellule. Sur chaque fibre du fuseau de division se trouvent donc deux chromosomes homologues qui se font face.

En **anaphase**, tirés par les fibres du fuseau de division, les deux chromosomes homologues de chaque paire se disjoignent. Un lot **haploïde** de chromosomes doubles migre vers un pôle de la cellule et un autre vers le pôle opposé.

En **télophase**, deux cellules-filles se forment par partage du cytoplasme de la cellule-mère, contenant chacune n chromosomes doubles (à deux chromatides). Cette première division diminue donc de moitié le nombre de chromosomes : elle est dite **réductionnelle**.

La **seconde division** se déroule immédiatement à la suite : il n'y a pas de réplication de l'ADN, car chaque chromosome est resté dupliqué.

Cette seconde division est dite **équationnelle**. Elle se déroule comme une mitose classique et produit ainsi, pour chaque cellule à n chromosomes doubles, deux cellules à n chromosomes simples (à une seule chromatide).

La méiose produit donc quatre **cellules-filles haploïdes** à partir d'une **cellule-mère diploïde**, la réduction du nombre de chromosomes ayant lieu dès la première division.

3 La méiose est le siège d'un double brassage génétique

Un brassage intrachromosomique

Lors de la **prophase** de première division, des échanges de portions de chromatides se produisent entre les chromosomes homologues d'une même paire, au moment où ils sont étroitement accolés. Ce phénomène est le **crossing-over** : des allèles d'un chromosome peuvent alors être échangés avec les allèles portés par le chromosome homologue. Les associations d'allèles portées par chacun des chromosomes homologues sont donc modifiées par ce **brassage génétique intrachromosomique**, ce qui augmente considérablement la diversité des gamètes produits.

Un brassage interchromosomique

En **anaphase** de première division méiotique, les deux chromosomes homologues de chaque paire se séparent : les couples d'allèles correspondants se disjoignent en conséquence. Un chromosome d'une paire donnée peut être associé **avec l'un ou l'autre** des chromosomes composant une seconde paire, et ceci pour les *n* paires. Comme le montrent les résultats des croisements, ces disjonctions se produisent **aléatoirement** et **indépendamment** pour toutes les paires. Il en résulte donc de très nombreuses distributions différentes des chromosomes de la cellule-mère : c'est ce que l'on appelle le **brassage génétique interchromosomique**. Le nombre de garnitures chromosomiques différentes possibles pour les gamètes issus d'une seule cellule diploïde est alors de 2^n (pour $n = 2$, il y a quatre garnitures différentes ; pour $n = 3$, il y a huit garnitures, etc.). Dans le cas de l'espèce humaine, cela correspond à une **diversité** considérable : un même individu, homme ou femme, peut produire plus de 8 millions (2^{23}) de spermatozoïdes ou d'ovules génétiquement différents.

Cette évaluation est en fait largement sous-évaluée, puisque ce brassage interchromosomique s'applique en réalité à des chromosomes préalablement remaniés par le brassage intrachromosomique. Le nombre réel de **gamètes génétiquement différents** produits par un individu est donc beaucoup plus important.

4 La fécondation, source de diversité génétique supplémentaire

La fécondation se déroule selon le même scénario chez la plupart des animaux. Les spermatozoïdes, cellules mobiles grâce à leur flagelle, entourent l'ovule. L'entrée d'un spermatozoïde rend l'ovule « imperméable » aux autres spermatozoïdes. Seul le noyau du spermatozoïde subsiste dans l'ovule. Quelques heures plus tard, les deux **noyaux haploïdes**, mâle et femelle, appelés **pronucléus**, se rapprochent et fusionnent : c'est la **caryogamie**. Le noyau diploïde de la **cellule-œuf**, ou **zygote**, est alors constitué.

Chacun des deux parents d'un couple produit un très grand nombre de gamètes génétiquement différents du fait du double brassage génétique qui a lieu lors de la méiose. La fécondation réunissant deux gamètes **au hasard**, chaque spermatozoïde du mâle peut rencontrer n'importe quel ovule de la femelle. Le nombre d'assortiments chromosomiques et donc de combinaisons génétiques pour le zygote est ainsi multiplié. La fécondation **amplifie** de ce fait le brassage génétique réalisé lors de la méiose.

5 Des accidents au cours de la méiose

Des anomalies du caryotype

Dans l'espèce humaine, on connaît des caryotypes présentant des anomalies du nombre de chromosomes. La plus fréquente est la **trisomie 21**, mais d'autres anomalies du nombre de chromosomes sont connues.

Ces anomalies ont pour origine une mauvaise répartition des chromosomes homologues lors de la méiose. Une **non-disjonction** de deux chromosomes lors de la première ou de la seconde anaphase de la méiose produit des gamètes présentant un chromosome supplémentaire ou, au contraire, des gamètes auxquels il manque un chromosome. Après la fécondation avec un gamète normal, il y a formation d'un zygote **trisomique** (possédant trois chromosomes au lieu de deux) ou **monosomique** (ne possédant qu'un seul chromosome au lieu de deux).

Des études montrent que la plupart des zygotes présentant de telles anomalies ne sont pas viables : on trouve ici l'origine d'un grand nombre d'avortements spontanés. Seules certaines de ces anomalies sont parfois compatibles avec la vie.

Une source d'enrichissement du génome

La plupart des crossing-over correspondent normalement à des échanges de portions parfaitement homologues de chromatides. Ce n'est cependant pas toujours le cas. Si l'échange porte accidentellement sur des **portions qui ne sont pas totalement homologues**, le **crossing-over inégal** conduit à l'obtention d'un chromosome portant une partie de son information en double exemplaire, alors que son homologue a perdu la partie correspondante de cette information. Un gène peut donc avoir disparu d'un chromosome et se retrouver en **deux exemplaires** sur le chromosome homologue. Le zygote obtenu à partir d'un tel gamète présentera alors un exemplaire supplémentaire du gène.

Ce phénomène permet ainsi la **duplication** d'un gène. Au gré des **mutations** qui peuvent se produire au cours du temps, les duplicata d'un gène, initialement identiques, peuvent devenir différents et coder pour des protéines ayant finalement des fonctions différentes. De tels gènes restent néanmoins ressemblants et constituent une **famille multigénique**. Ce mécanisme conduit ainsi à un **enrichissement** et à une **diversification** des génomes. Il est possible de reconstituer le scénario de la constitution d'une famille multigénique : plus deux gènes sont ressemblants, plus la duplication dont ils sont issus est récente.

chapitre 1 Le brassage génétique et la diversité des génomes

À RETENIR

La stabilité du caryotype

Le caryotype d'une espèce est maintenu **stable** de génération en génération grâce à deux phénomènes complémentaires, la **méiose** et la **fécondation**, qui se succèdent au cours du cycle de développement. La méiose produit des gamètes **haploïdes** alors que leur rencontre, lors de la fécondation, rétablit l'état **diploïde**.

Le déroulement de la méiose

La méiose est la succession de **deux divisions cellulaires**. Elle permet de produire quatre cellules haploïdes à partir d'une cellule diploïde, la **réduction du nombre de chromosomes** se produisant pendant la première division.

La méiose est le siège d'un double brassage génétique

Lors de la **prophase** de première division se produisent des échanges de portions de chromatides entre les chromosomes homologues d'une même paire, ou **crossing-over**. Les combinaisons d'allèles portés par chacun des chromosomes sont modifiées : c'est le **brassage intrachromosomique**.

La répartition des chromosomes homologues en **anaphase** de première division peut se faire de multiples façons différentes, car chaque paire de chromosome se disjoint aléatoirement et indépendamment des autres : c'est le **brassage interchromosomique**.

Ces deux brassages ont pour conséquence une **diversité considérable des gamètes** produits par un individu.

La fécondation, source de diversité génétique supplémentaire

Sur le plan génétique, la fécondation correspond à la réunion des génomes haploïdes des noyaux des gamètes : c'est la **caryogamie**, qui aboutit à la formation d'un **zygote** diploïde.

La fécondation réunissant deux gamètes pris au hasard, elle **amplifie le brassage génétique** réalisé lors de la méiose.

Le nombre d'assortiments chromosomiques différents résultant de la reproduction sexuée est ainsi quasiment infini.

Des accidents au cours de la méiose

Une **non-disjonction** de deux chromosomes lors de la première ou de la seconde anaphase de la méiose produit des gamètes présentant un chromosome en plus ou en moins, engendrant des zygotes **trisomiques** ou **monosomiques**, souvent non viables.

Des **crossing-over inégaux** peuvent accidentellement avoir lieu en prophase de première division de méiose. L'échange réalisé aboutit alors à la **duplication** d'un même gène. C'est ainsi que se constituent des **familles multigéniques**. Ce mécanisme **enrichit le génome** des espèces.

Mots-clés

- Haploïde, diploïde
- Méiose, fécondation
- Brassage interchromosomique,
- Brassage intrachromosomique, crossing-over
- Pronucléus, caryogamie, zygote
- Trisomie, monosomie
- Crossing-over inégal
- Duplication, famille multigénique

Capacités et attitudes

- Réaliser et observer des préparations microscopiques pour repérer et ordonner des stades de la méiose.
- Faire des analyses statistiques de croisements pour mettre en évidence les deux brassages génétiques résultant de la méiose.
- Exploiter des documents sur la fécondation pour en établir le déroulement.
- Illustrer schématiquement le déroulement de la méiose, le mécanisme du crossing-over, l'origine des anomalies chromosomiques.
- Utiliser un logiciel pour comparer des séquences de gènes apparentés et reconstituer l'histoire d'une famille multigénique.

LE BRASSAGE GÉNÉTIQUE ET LA DIVERSITÉ DES GÉNOMES

ANIMATION

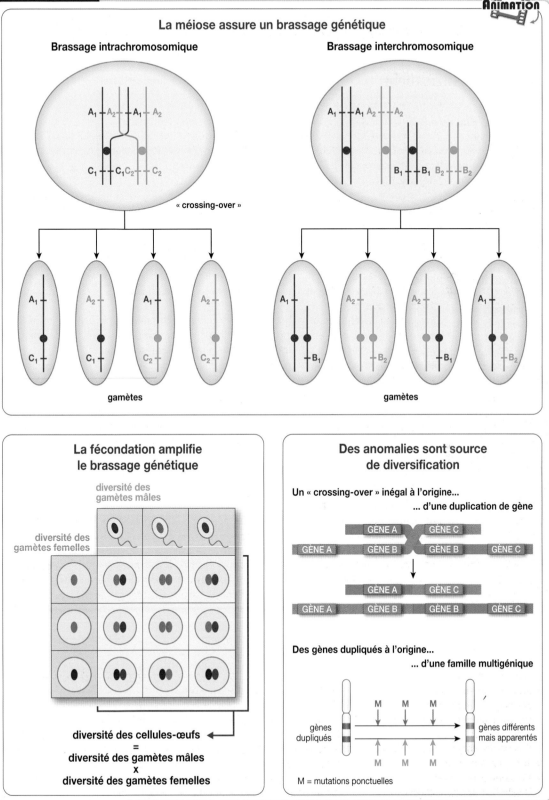

La méiose assure un brassage génétique

Brassage intrachromosomique

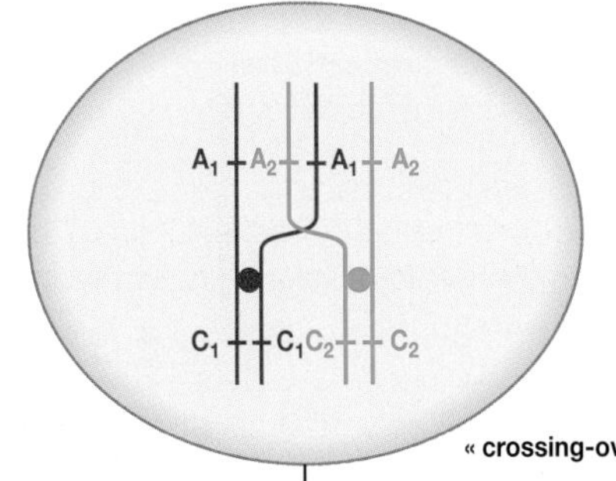

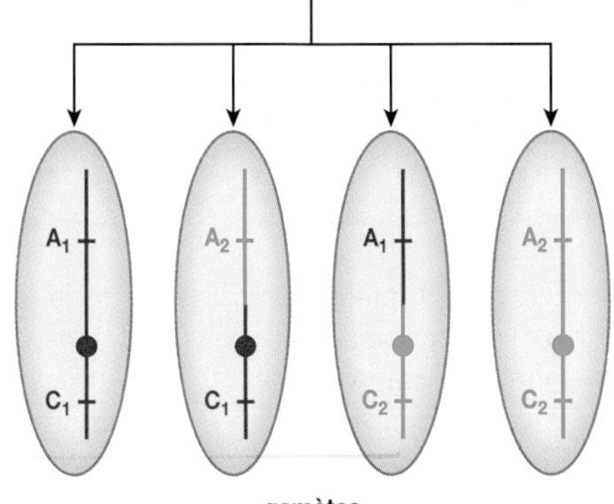

gamètes

Brassage interchromosomique

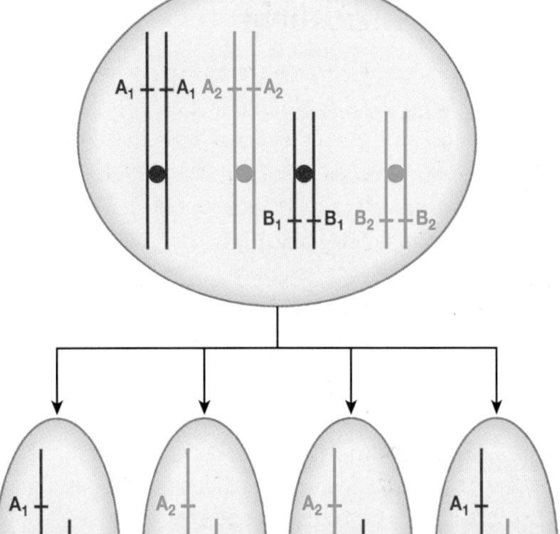

gamètes

La fécondation amplifie le brassage génétique

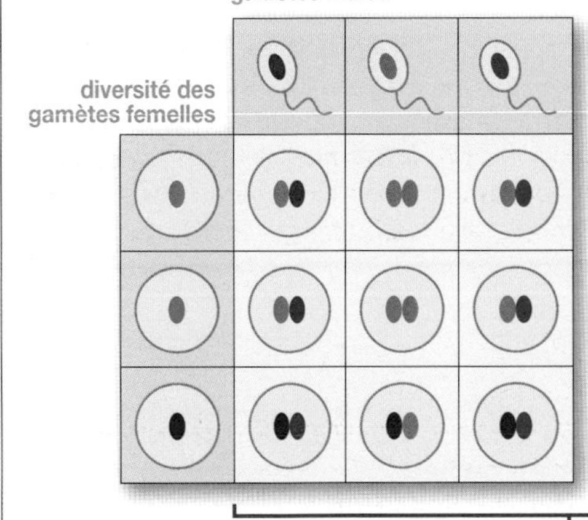

diversité des cellules-œufs
=
diversité des gamètes mâles
x
diversité des gamètes femelles

Des anomalies sont source de diversification

Un « crossing-over » inégal à l'origine...
... d'une duplication de gène

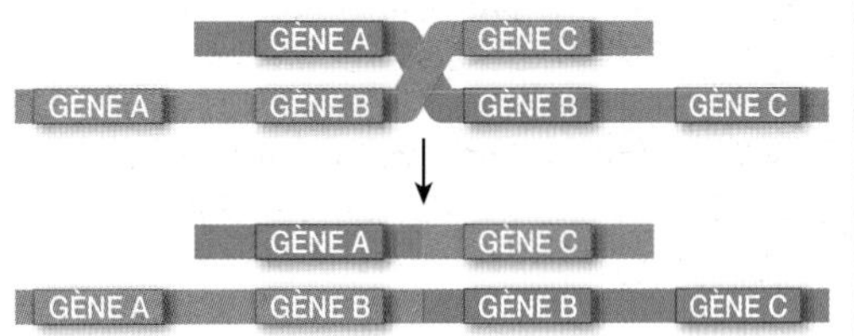

Des gènes dupliqués à l'origine...
... d'une famille multigénique

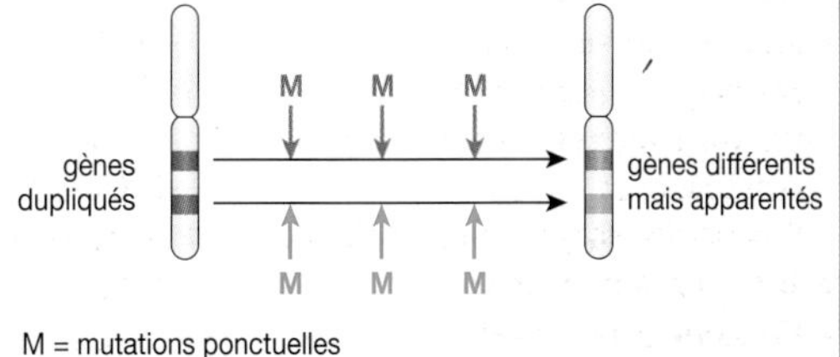

M = mutations ponctuelles

Le dépistage anténatal d'anomalies chromosomiques

La recherche d'éventuelles anomalies chromosomiques chez un fœtus fait appel à deux méthodes : la réalisation d'un **caryotype** et l'**hybridation *in situ*** en fluorescence (ou FISH). Dans les deux cas, il faut au préalable obtenir des cellules du fœtus, recueillies le plus souvent par ponction de liquide amniotique.

• Réalisation d'un caryotype

Les cellules sont cultivées *in vitro* en présence d'un stimulant de la mitose, puis de colchicine. Cette substance inhibe la formation du fuseau de division et bloque les cellules en **métaphase**, c'est-à-dire au moment où l'ensemble des chromosomes, dupliqués et condensés, sont situés dans un même plan.

Les cellules sont alors placées dans un milieu particulier afin de les faire gonfler et éclater, ce qui permet l'étalement des **chromosomes**. Une coloration est réalisée de façon à faire apparaître des bandes sombres et claires caractéristiques de chaque chromosome.

Les chromosomes sont alors observés au microscope, photographiés et **classés** par paires, en fonction de leur taille et de la position du centromère.

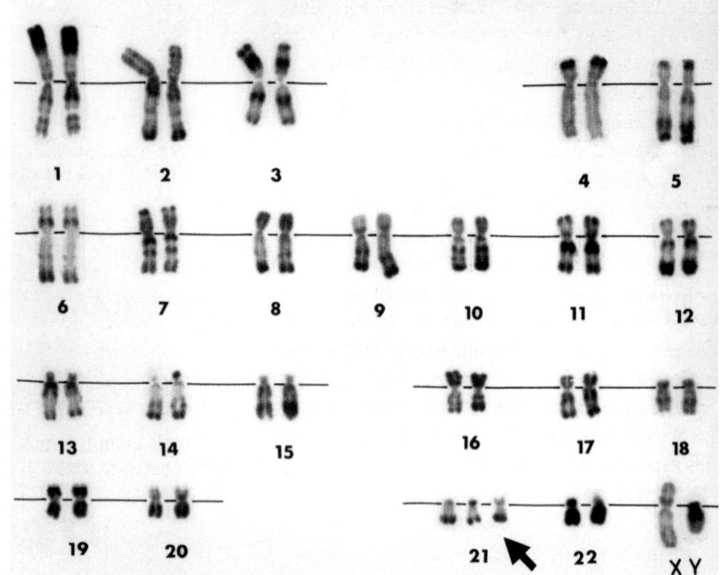

Diagnostic d'une trisomie 21 par réalisation d'un caryotype

• La technique FISH

L'hybridation *in situ* en fluorescence permet une détection rapide des anomalies chromosomiques. Cette technique est réalisée sur des cellules en **métaphase** et parfois même sur des cellules en **interphase**. Cette dernière possibilité présente l'avantage d'obtenir un résultat plus rapidement puisqu'il n'est pas nécessaire de cultiver les cellules.

Dans cette technique, on utilise une **sonde d'ADN** : il s'agit d'un brin d'ADN complémentaire d'une séquence d'ADN appartenant au chromosome dont on recherche la présence. Cette sonde est marquée par un **fluorochrome**, c'est-à-dire une substance qui réémet de la lumière fluorescente quand la préparation est éclairée.

Les chromosomes sont tout d'abord dénaturés par la chaleur : les deux brins des molécules d'ADN sont ainsi dissociés. Ils sont ensuite mis en présence de la sonde. Les fragments de sonde se fixent alors sur l'ADN des chromosomes recherchés (c'est l'hybridation).

L'observation au microscope permet de repérer une **tache de fluorescence** au niveau de chacun des exemplaires du chromosome recherché.

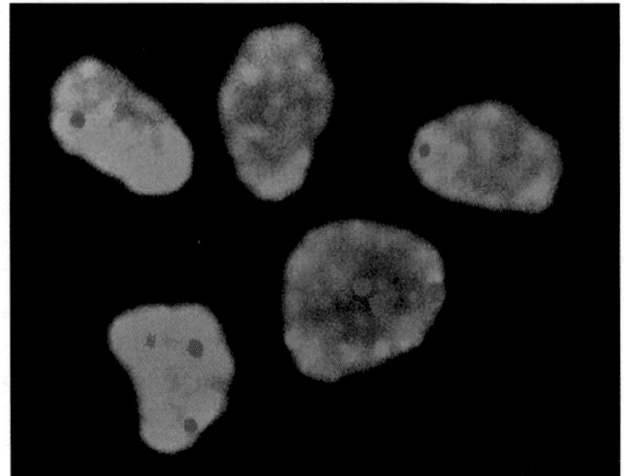

Diagnostic de la trisomie 21 par FISH sur des cellules en interphase. Dans le cas d'un caryotype normal, on n'observe que deux taches fluorescentes par cellule.

D'autres remaniements chromosomiques

Les trisomies ou monosomies ne sont pas les seules anomalies pouvant résulter d'accidents survenant au cours de la **méiose**.
Par exemple, il peut arriver, au cours de la prophase de première division de méiose, que des crossing-over se produisent entre **chromosomes non homologues**. Les deux chromosomes échangent alors des portions de chromosomes : on parle de **translocation réciproque**.
Dans d'autres cas, on constate une **fusion** de deux chromosomes (on parle alors de translocation robertsonienne).
Le porteur d'une telle translocation possède l'intégralité de l'information génétique, et l'anomalie n'est repérable qu'au niveau du caryotype.
Cependant, la ségrégation des chromosomes en anaphase de première division de méiose génère des gamètes pouvant présenter une **garniture anormale**. Des risques de trisomie ou monosomie partielle ou totale existent donc pour les descendants. De tels accidents ont joué un rôle dans l'**évolution** des espèces *(voir chapitre 4)*.

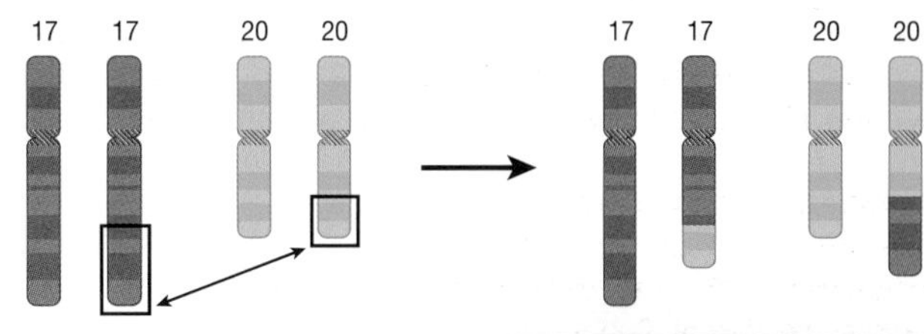

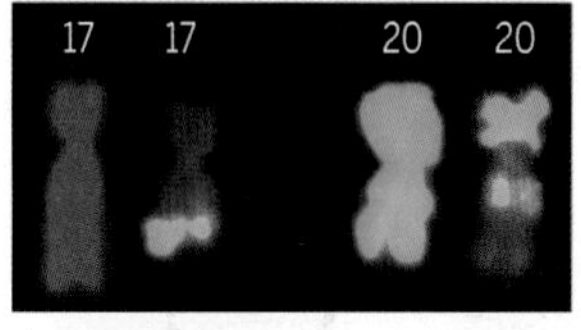

Mise en évidence par FISH d'une translocation réciproque entre les chromosomes 17 et 20. le chromosome 20 est coloré par une sonde fluorescente verte.

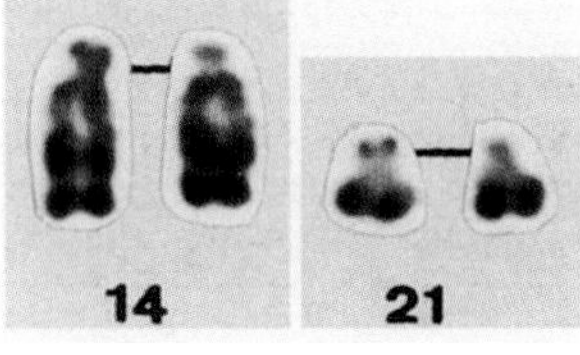

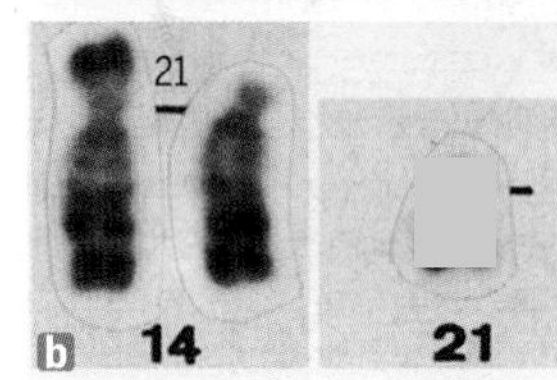

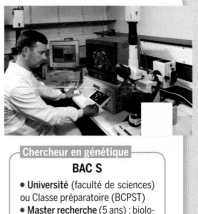

Paires de chromosomes 14 et 21 : caryotype normal (a) et translocation robertsonienne (b).

... bien choisir son parcours de formation

Autour de la génétique

Vous voulez devenir :
- technicien biologiste ;
- cytogénéticien ;
- chercheur en génétique ?

Technicien biologiste

BAC S

- **BTS** (2 ans) : bioanalyses et contrôles, biotechnologie, analyses de biologie médicale
- **DUT** (2 ans) : génie biologique
- **Diplôme d'état** de technicien de laboratoire médical (3 ans)

– Études courtes Bac + 2 ou 3
– Nombreux diplômes

Cytogénéticien

BAC S
Études de médecine

- **PACES :** concours à l'issue de la Première Année Commune aux Études de Santé
- **Examen national classant :** concours à la fin de la 6e année ; choix possible de la spécialité (biologie médicale) en fonction du classement
- **Internat :** spécialisation préparée en 4 ans
- **DESC Cytogénétique humaine :** diplôme d'études supérieures complémentaires préparé en 2 ans
- **Diplôme d'état** de docteur en médecine spécialisé en cytogénétique humaine

– Études très longues : Bac + 12
– Très sélectif

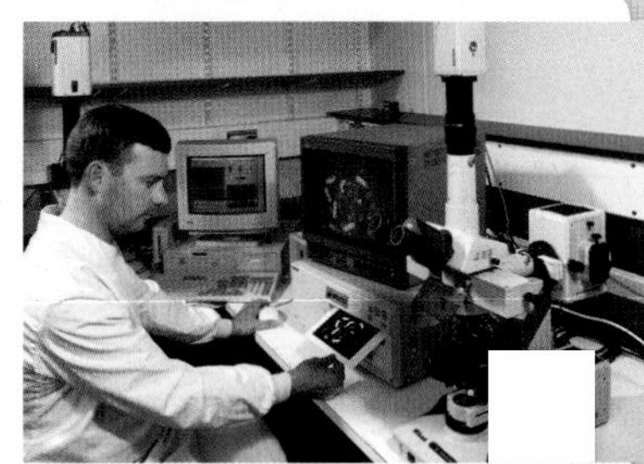

Chercheur en génétique

BAC S

- **Université** (faculté de sciences) ou Classe préparatoire (BCPST)
- **Master recherche** (5 ans) : biologie cellulaire et moléculaire, génétique, génomique et protéomique, etc.
- **Doctorat** (3 ans)

– Études longues : au moins 8 ans
– Débuts difficiles

Exercices

Maîtriser ses connaissances

Pour s'entraîner

1 Définissez les mots ou expressions

Méiose, brassage interchromosomique, brassage intrachromosomique, crossing-over, zygote, duplication, transposition, famille multigénique, croisement-test.

2 Questions à choix multiples QCM

Choisissez la bonne réponse pour chaque série d'affirmations.

1. **Les crossing-over :**

a. se produisent lors de la seconde division de méiose ;
b. se réalisent entre chromosomes homologues ;
c. sont des anomalies relativement rares ;
d. consistent en un échange de portions de chromosomes toujours parfaitement homologues.

2. **Le brassage génétique réalisé par la méiose :**

a. se produit au cours de la deuxième division ;
b. est uniquement dû à la distribution aléatoire des chromosomes homologues ;
c. permet l'obtention d'un grand nombre de gamètes génétiquement identiques ;
d. est sans effet pour un individu de lignée pure.

3 Vrai ou faux ?

Repérez les affirmations exactes et corrigez celles qui sont inexactes.

a. La méiose est une succession de deux mitoses.
b. Le croisement-test consiste à croiser deux individus hétérozygotes.
c. Les crossing-over sont responsables du brassage interchromosomique.
d. Un gamète anormal peut résulter d'une non-disjonction des chromosomes.
e. La méiose regroupe les chromosomes homologues dans une même cellule.
f. Une duplication génique peut se produire au cours de la première division de méiose.
g. Le nombre de chromosomes par cellule est divisé par deux lors de la seconde division de méiose.

4 Questions à réponse courte

a. Comment la méiose intervient-elle dans l'obtention d'une famille de gènes ?
b. Pourquoi, bien que partant des mêmes parents, n'y a-t-il aucune chance que deux fécondations aboutissent à deux zygotes de génotype identique ?

Objectif BAC

5 Le brassage intrachromosomique

La *photographie ci-dessous* montre des chromosomes observés au cours d'une étape de la méiose.

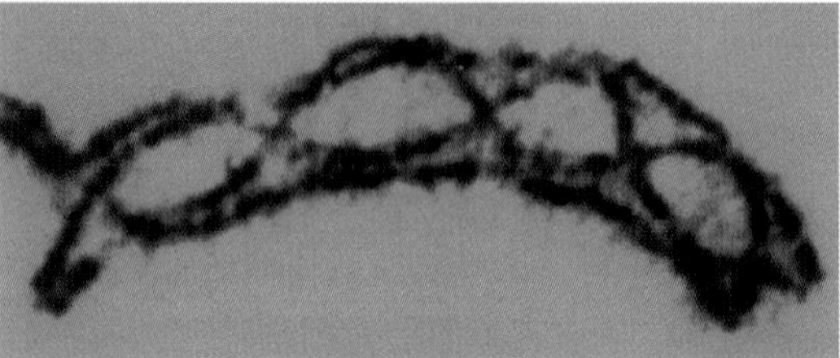

Question de synthèse :
Présentez le phénomène observé, resituez-le dans le déroulement de la méiose et montrez-en les conséquences du point de vue de la diversité des gamètes produits.
L'exposé sera accompagné de schémas en considérant deux gènes pour lesquels l'individu est hétérozygote et dont les allèles seront respectivement notés (a//A) et (b//B).

6 Méiose et diversité des gamètes

Question de synthèse :
Expliquez par un texte illustré de schémas comment l'anaphase I de la méiose peut conduire à une diversité de gamètes *(on ne tiendra pas compte ici du brassage intrachromosomique).*

7 Les anomalies chromosomiques

A. Questions à choix multiples 

Choisissez la bonne réponse.

1. **Une trisomie a pour origine :**

a. le doublement accidentel du lot haploïde de chromosomes de l'un des gamètes ;
b. une fécondation d'un ovule par deux spermatozoïdes ;
c. une anomalie survenue au cours de la méiose chez l'un des deux parents ;
d. une mutation récessive transmissible de génération en génération.

2. **Les anomalies chromosomiques :**

a. ne concernent que le chromosome 21 ;
b. sont toujours viables, mais donnent naissance à des enfants présentant des handicaps ;
c. ont en général peu de conséquences ;
d. sont souvent la cause d'avortements spontanés.

3. **Un crossing-over inégal :**

a. peut contribuer à enrichir le génome ;
b. est un phénomène banal et non accidentel ;
c. résulte d'un échange entre deux chromosomes non homologues ;
d. permute deux gènes sur un même chromosome.

B. Question de synthèse :
En vous appuyant sur des schémas, expliquez l'origine de la trisomie 21.

Utiliser ses compétences

8 Nouveaux gènes, nouvelles fonctions

Pratique du raisonnement scientifique

L'hypophyse des vertébrés, petite glande située à la base du cerveau, est responsable de la production de nombreuses hormones. Parmi celles-ci, il existe un groupe de polypeptides présentant des similitudes, mais dont les rôles sont bien différents :
- la **vasotocine (AVT)** intervient dans le contrôle de la circulation sanguine en provoquant la contraction des muscles de la paroi des artères ;
- l'**hormone antidiurétique (ADH)** provoque une réabsorption de l'eau au niveau du rein, limitant ainsi la quantité d'urine produite et donc les pertes en eau ;
- l'**ocytocine (OT)** intervient dans la contraction des muscles des voies génitales femelles. Elle provoque notamment la contraction de l'utérus lors de l'accouchement chez les mammifères.

Document 1 : présence des hormones dans différents groupes

Parmi les vertébrés, seuls les mammifères produisent l'ensemble de ces trois hormones. Le *tableau suivant* indique, pour différents groupes de vertébrés, s'ils produisent ou non chacune de ces hormones. Par ailleurs, on a déterminé l'âge du plus ancien fossile connu pour chacun de ces groupes.

Groupes	Hormones			Âges des plus anciens fossiles connus (en Ma)
	AVT	OT	ADH	
Poissons à nageoires rayonnées	+	–	–	420
Amphibiens	+	+	–	360
Lézards et serpents	+	+	–	300
Mammifères	+	+	+	200

Question :

Exploitez les documents présentés et utilisez vos connaissances de façon à expliquer les mécanismes responsables de cette diversification du vivant.

Document 2 : séquences et localisation chromosomique des trois gènes

Chez l'Homme, les trois gènes codant pour ces hormones sont situés sur le chromosome 20, à différents locus.

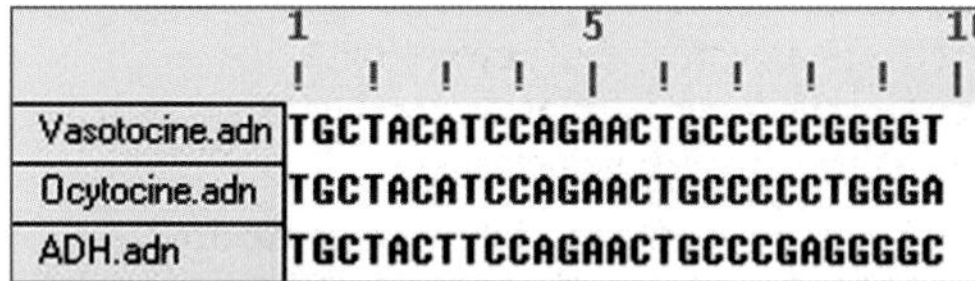

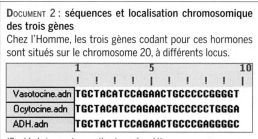

	1 . . . 5 10
Vasotocine.adn	TGCTACATCCAGAACTGCCCCCGGGGT
Ocytocine.adn	TGCTACATCCAGAACTGCCCCCTGGGA
ADH.adn	TGCTACTTCCAGAACTGCCCCGAGGGGC

(Seul le brin non transcrit est représenté)

Document 3 : séquences peptidiques des trois hormones

Ces trois hormones sont de très petits peptides constitués de neuf acides aminés seulement.

	1 . . . 5 10
Vasotocine.pro	CysTyrIleGlnAsnCysProArgGly
Ocytocine.pro	CysTyrIleGlnAsnCysProLeuGly
ADH.pro	CysTyrPheGlnAsnCysProArgGly

9 Un zygote particulier

Extraire des informations, raisonner

Repérez les anomalies présentées par ces deux photographies et proposez une explication quant à leur origine.

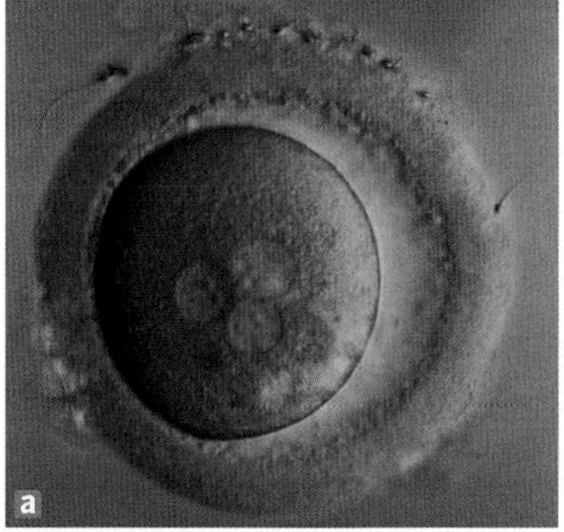

b

Cellule-œuf humaine (a) et caryotype correspondant (b)
Remarque : un tel caryotype n'est pas viable.

10 Le syndrome de Klinefelter Raisonner, communiquer

Question :
À l'aide de vos connaissances sur la méiose et la fécondation, déterminez l'origine du syndrome de Klinefelter. Argumentez vos explications par un schéma légendé.

Document 1 : principaux symptômes définissant le syndrome de Klinefelter

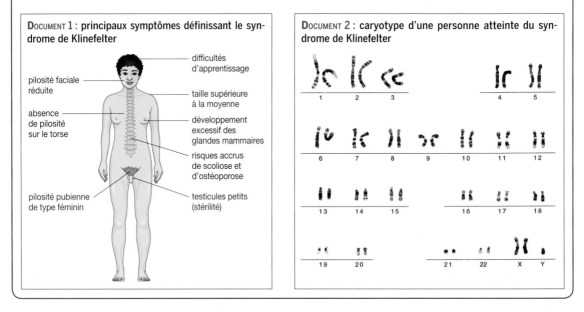

difficultés d'apprentissage
pilosité faciale réduite
taille supérieure à la moyenne
absence de pilosité sur le torse
développement excessif des glandes mammaires
risques accrus de scoliose et d'ostéoporose
pilosité pubienne de type féminin
testicules petits (stérilité)

Document 2 : caryotype d'une personne atteinte du syndrome de Klinefelter

1 2 3 4 5
6 7 8 9 10 11 12
13 14 15 16 17 18
19 20 21 22 X Y

11 Des phénotypes diversifiés Extraire des informations, raisonner

Exercice TYPE BAC

Chez les espèces animales d'élevage (chiens, chats, volailles), on qualifie de « bleu » une couleur en réalité gris ardoise.
Chez les poulets de variété « Andalouse », ce gris est bordé d'un liseré noir et détermine ce que l'on appelle le « bleu andalou » *(photographie ci-contre)*.

- **1er croisement**

Lorsque l'on croise des coqs noirs avec des poules dites « blanc sale » (en fait un blanc légèrement teinté), ou inversement, on obtient systématiquement des poulets « bleu andalou ».

- **2e croisement**

Le croisement de coqs « bleu andalou » avec des poules « blanc sale » (ou inversement) donne 50 % de poulets « bleu andalou » et 50 % de poulets « blanc sale ».

Question :
Montrez que les croisements effectués sont cohérents avec l'hypothèse selon laquelle le phénotype « bleu andalou » résulte de l'expression des deux allèles « noir » et « blanc sale ».

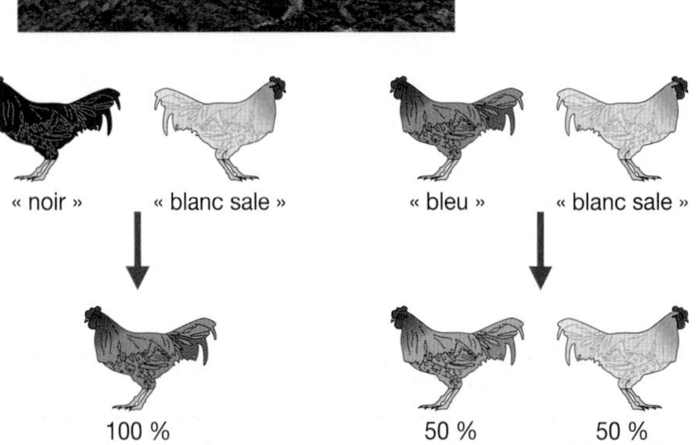

Utiliser ses capacités expérimentales

12 L'analyse statistique d'un croisement

Observer à la loupe binoculaire, utiliser un logiciel

SE PRÉPARER aux épreuves pratiques du BAC

■ Problème à résoudre

Il existe, chez la drosophile, un gène déterminant le développement des ailes et dont une mutation conduit à la formation d'ailes très réduites : on parle, dans un tel cas, d'« ailes vestigiales ». On connaît, par ailleurs, plusieurs gènes différents qui interviennent dans la coloration du corps. Une mutation de l'un de ces gènes se traduit par une coloration noire d'où le nom de « black » donné à cette mutation.

On cherche à savoir si ce gène gouvernant la couleur du corps est, ou n'est pas, sur le même chromosome que le gène déterminant la longueur des ailes.

Remarque : les deux mutations, notées (vg) et (b), sont récessives.

Drosophile aux ailes vestigiales

Drosophile au corps noir

■ Conception d'un protocole expérimental

Expliquez comment la réalisation d'un croisement peut permettre de résoudre ce problème.

■ Analyse du croisement

- Identifiez les différents phénotypes résultant du croisement réalisé.
- Dénombrez les différents phénotypes en utilisant les fonctionnalités du logiciel « Mesurim ».

■ Communication et exploitation des résultats

- Présentez les résultats en adoptant la mise en forme et l'illustration de votre choix.
- Répondez au problème posé.

■ Matériel disponible

- Loupe binoculaire, loupe à main.
- Appareil photographique (dispositif d'acquisition d'images associé à la loupe binoculaire).
- Plaques de drosophiles résultant de croisements portant sur les deux caractères étudiés.
- Logiciel « Mesurim ».
- Fiche d'aide du logiciel.

Exemple de l'analyse d'un résultat de croisement à l'aide du logiciel « Mesurim »

Des DOCUMENTS pour se poser des questions

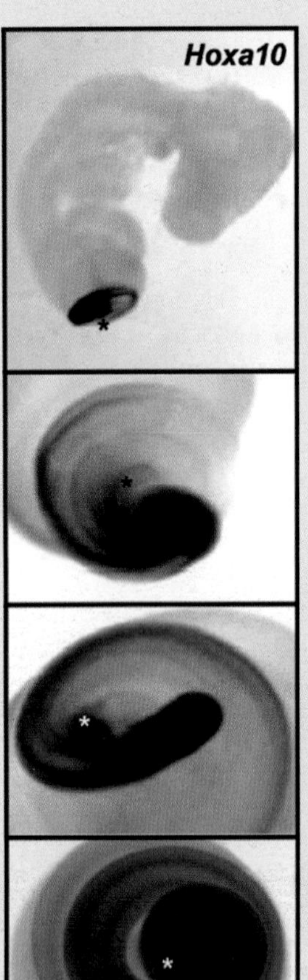

Les gènes du développement

Cette série de photographies montre les étapes de l'expression d'un gène (nommé Hox-a10) au cours du développement embryonnaire d'un serpent. Ce même gène se retrouve chez des êtres vivants aussi différents qu'un oursin, une crevette, un homme, un serpent ou une drosophile.

Des transferts de gènes

Il est aujourd'hui avéré qu'en dehors de toute reproduction sexuée, des gènes peuvent être transférés entre individus, de la même espèce ou non.

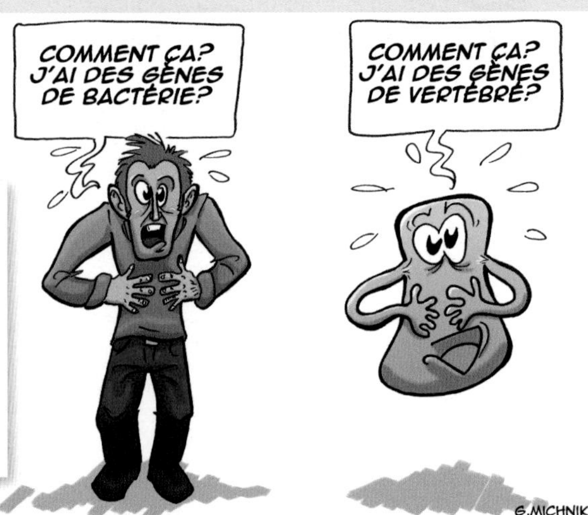

Un comportement nouveau

En Angleterre, on constate que les mésanges ont acquis et se transmettent un nouveau comportement consistant à perforer l'opercule des bouteilles de lait livrées sur le pas des portes.

LES PROBLÉMATIQUES DU CHAPITRE

- À côté des mutations et de la reproduction sexuée, existe-t-il d'autres mécanismes de diversification des génomes ?
- Comment les mêmes gènes peuvent-ils être utilisés de manière différente et permettre une diversification des êtres vivants ?
- Une diversification des êtres vivants est-elle possible sans modification des génomes ?

chapitre 2

Un exemple de symbiose : poisson clown et anémone de mer.

Des mécanismes de diversification des êtres vivants

LES ACTIVITÉS DU CHAPITRE

Un mécanisme de diversification des génomes

Quand elle est possible, l'hybridation entre deux individus d'espèces différentes produits de nouveaux individus, en général stériles. *Dans certains cas, une modification du génome des hybrides permet cependant de rétablir la fertilité. Il s'agit ici d'envisager l'importance évolutive d'un tel mécanisme.*

A Un exemple d'espèce polyploïde

• La spartine maritime (*Spartina maritima*, $2n = 60$) a été décrite au début des années 1800 dans les marais salants des côtes anglaises. En 1829, *Spartina alterniflora* ($2n = 62$), une espèce originaire d'Amérique, est introduite en Angleterre. Les deux espèces s'hybrident et produisent alors une nouvelle espèce nommée *Spartina townsendii*. Un appariement incorrect des chromosomes parentaux lors de la méiose rend cet hybride stérile ; sa reproduction asexuée efficace lui a toutefois permis de s'étendre.

Très rapidement, une plante fertile, issue de *Spartina townsendii*, est apparue. Cette nouvelle plante a été nommée *Spartina anglica* *(photographie ci-contre)*. Celle-ci possède deux lots complets de chromosomes parentaux ; on dit que c'est une espèce **polyploïde**. La méiose se déroule alors normalement.

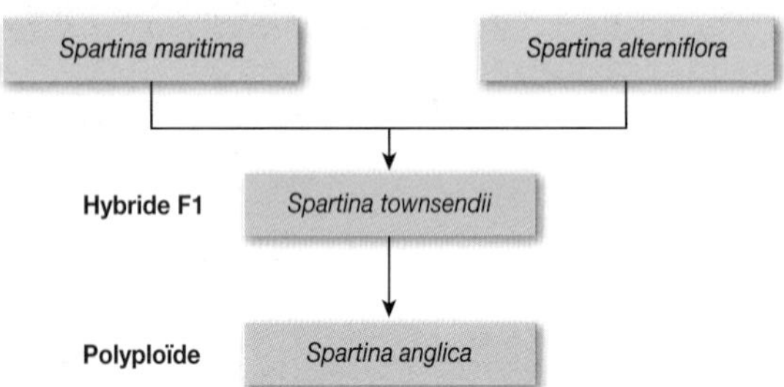

• L'**électrophorèse** de l'ADN est une technique couramment utilisée pour caractériser l'ADN d'une espèce ou même d'un individu.
Les molécules d'ADN sont fragmentées par des enzymes puis placées dans un gel soumis à un champ électrique : les fragments, chargés négativement, migrent alors à des vitesses différentes, en fonction de leur masse et donc de leur longueur. On obtient finalement une succession de bandes qui caractérise l'ADN de chaque espèce.

Des chercheurs ont appliqué cette méthode à l'ADN des spartines. Le *document ci-contre* montre le résultat obtenu : les solutions contenant des fragments d'ADN amplifiés par **PCR** ont été déposées à la base du gel (chaque numéro correspond à un individu).
La ligne de référence, réalisée avec des fragments de longueur connue, permet de déterminer la taille des différents fragments (exprimée en paires de bases, notées bp).

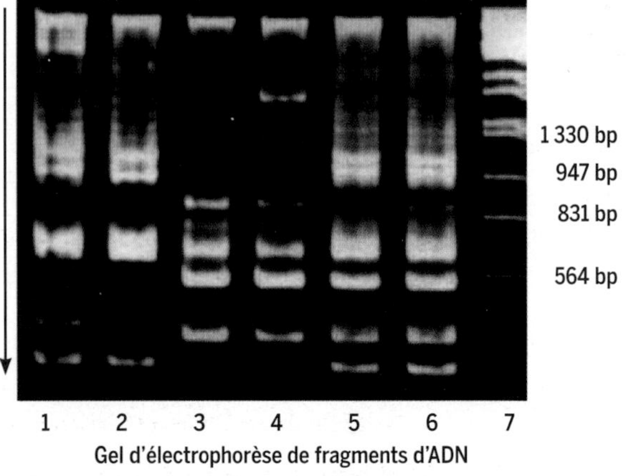

Gel d'électrophorèse de fragments d'ADN

1 et **2** : *Spartina alterniflora* ; **3** et **4** : *Spartina maritima* ; **5** et **6** : *Spartina anglica* ; **7** : ligne de référence.

D'après A. Baumel, M.-L. Ainouche et J.-E. Levasseur.

Doc. 1 L'histoire d'une nouvelle espèce, *Spartina anglica*.

B L'importance de la polyploïdisation dans l'évolution des espèces

La polyploïdie peut résulter d'un doublement du stock chromosomique d'une même espèce : dans ce cas, on parle d'autopolyploïde. Les espèces dites **allopolyploïdes** résultent, quant à elles, de l'addition du génome de deux espèces différentes.

Le *schéma ci-dessous* présente un mécanisme qui conduit à la formation d'une espèce polyploïde. D'autres mécanismes, comme la production de gamètes diploïdes résultants d'une méiose anormale, peuvent également être à l'origine d'espèces polyploïdes.

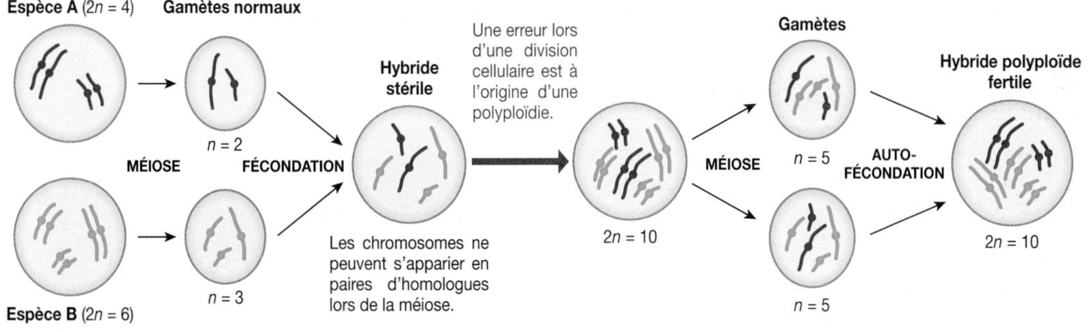

Doc. 2 **Un mécanisme possible de formation d'une espèce polyploïde.**

Sur cet arbre de parenté des eucaryotes sont situés les événements connus de polyploïdisation du génome. Chez les plantes, on estime que 70 % des angiospermes ont connu au moins un événement de polyploïdisation dans leur histoire. La polyploïdie est particulièrement importante chez le maïs et le blé *(voir page 262)*.

Le *tableau ci-dessous* situe l'importance connue de la polyploïdie chez les animaux (nombre d'événements de polyploïdisation aujourd'hui identifiés).

Insectes	91
Poissons	50
Amphibiens	30
Reptiles	16
Oiseaux	0
Mammifères	2*

* Chez les mammifères, la polyploïdie n'est connue que chez une espèce de rongeur, le rat-viscache (*photographie ci-contre*).

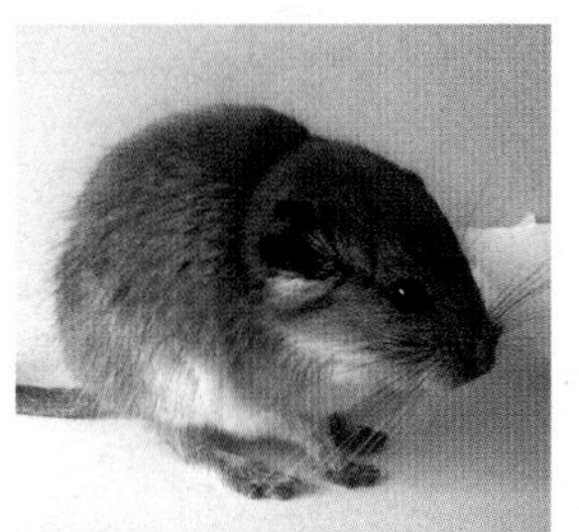

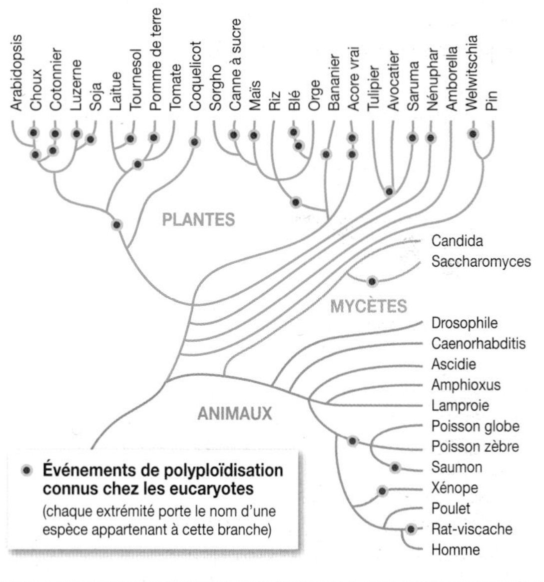

Doc. 3 **L'importance de la polyploïdisation dans certaines lignées du monde vivant.**

Pistes d'exploitation

PROBLÈME À RÉSOUDRE ► **Qu'est-ce que la polyploïdisation et comment peut-elle contribuer à la diversification des génomes ?**

Doc. 1 et 2 Combien de chromosomes peut posséder l'espèce *Spartina anglica* ? Pourquoi la méiose est-elle possible chez cette espèce, contrairement à *Spartina townsendii* ?

Doc. 1 Montrez que l'électrophorèse de l'ADN apporte une preuve de l'histoire de cette espèce.

Doc. 3 Quelle importance ont pu avoir les phénomènes de polyploïdisation chez les angiospermes et les animaux ?

Doc. 1 à 3 Montrez qu'une hybridation suivie d'une polyploïdisation peut engendrer une diversification des génomes, sans mutation.

Lexique, p. 406

Les transferts « horizontaux » de gènes

Lors de la reproduction sexuée, des gènes sont transmis des parents à leurs enfants : on parle alors de transferts verticaux. *Les exemples présentés ici montrent que du matériel génétique peut également être transféré de manière « horizontale », sans lien de parenté, entre individus de la même espèce ou non.*

A Les informations apportées par les arbres de parenté

• La comparaison de **séquences** protéiques ou génétiques permet de construire des arbres de parenté, ou **arbres phylogénétiques**.
On considère en effet qu'une similitude à l'échelle moléculaire peut traduire une parenté : deux espèces présentant une molécule semblable l'ont hérité d'un ancêtre commun, puis des **mutations ponctuelles**, accumulées progressivement et indépendamment au cours du temps, différencient les deux molécules.
Des modèles mathématiques permettent de construire des arbres dont les branches ont une longueur proportionnelle au nombre de différences entre les séquences moléculaires comparées chez différentes espèces.
Ainsi, l'*arbre ci-dessous* (**a**), obtenu par comparaison d'une séquence génétique très conservée au cours de l'évolution, traduit la parenté probable entre diverses espèces de poissons.

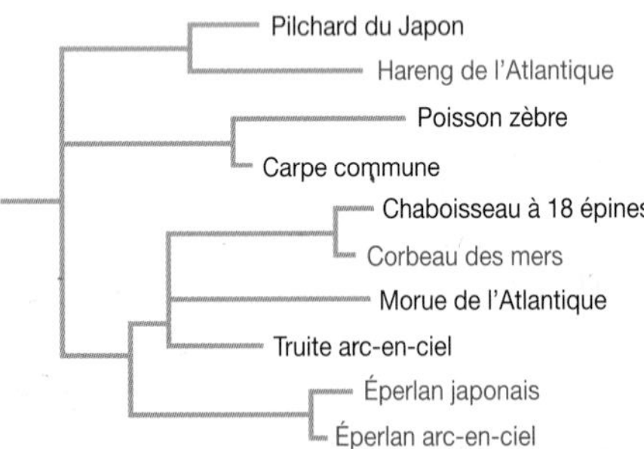

a **Arbre de parenté construit par comparaison de l'ARN 16S**

Corbeau des mers

Éperlan arc-en-ciel

• Les lectines sont des protéines se fixant de manière spécifique et réversible sur certains glucides ; elles jouent de nombreux rôles, en particulier dans la reconnaissance des cellules. Chez certains poissons (dont le nom est indiqué en rouge), il existe une lectine particulière (II-AFP) qui peut se fixer aux cristaux de glace en formation, jouant ainsi un rôle de protection des fluides corporels contre le gel.
L'*arbre de parenté ci-contre* (**b**) a été construit en se basant sur une comparaison de gènes codant pour des lectines, dont le gène II-AFP.
Les arbres (**a**) et (**b**) ne situent pas les espèces de la même manière : ils racontent donc une histoire évolutive différente. Comment peut-on résoudre cette apparente contradiction ?

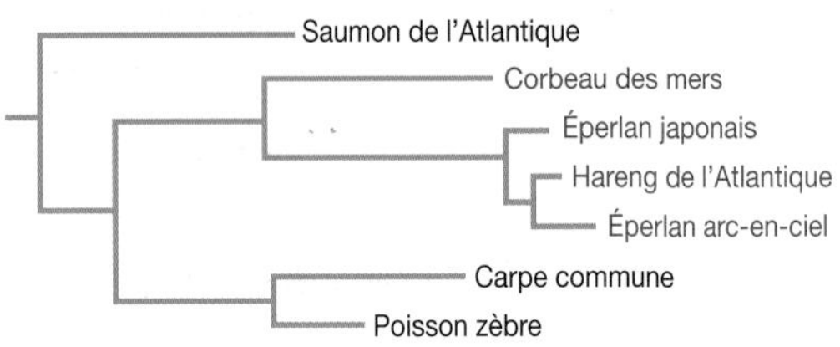

b **Arbre de parenté construit par comparaison du gène de la lectine II-AFP**

Le gène II-AFP n'a probablement pas la même histoire que celle des organismes : l'hypothèse acceptée actuellement est que le gène II-AFP est apparu par hasard à partir d'un gène de lectine chez le Corbeau des mers. Conférant un **avantage adaptatif** pour la résistance au gel, il a été conservé. Dans un deuxième temps, il a été transmis de manière horizontale aux trois autres espèces soit par voie virale, soit par transfert depuis le milieu extérieur *(voir document 2)*.

Doc. 1 Des arbres de parenté contradictoires : un indice en faveur de transferts horizontaux.

B Une diversification des génomes par transferts horizontaux de gènes

• De l'ADN libre dans le milieu peut être intégré dans le génome de cellules en contact avec cet ADN. Ces transferts sont bien connus chez les bactéries, mais sont de plus en plus documentés chez d'autres êtres vivants. Ils pourraient ainsi concerner les cellules reproductrices d'espèces à fécondation externe. C'est également un des mécanismes par lequel des gènes, introduits dans des OGM et libérés dans le milieu, pourraient ensuite être intégrés par d'autres êtres vivants.

• Certains virus (les **rétrovirus**) intègrent leur information génétique à l'ADN de leur cellule hôte. Lors de la production de particules virales par la cellule hôte, de l'ADN de cette cellule peut être incorporé dans l'enveloppe virale et être ainsi transmis aux cellules hôtes suivantes. Inversement, de l'ADN viral peut rester dans l'ADN cellulaire.

Les transferts par voie virale permettent ainsi d'expliquer la présence d'ADN viral dans différents génomes mais également d'ADN étranger non viral. Le génome humain contiendrait 10 % de séquences d'origine virale et le génome du maïs 50 %.

Un intérêt tout particulier est porté à ce type de transfert puisqu'il permettrait d'envisager des transferts vers les cellules germinales eucaryotes. Les virus sont par ailleurs des vecteurs utilisés en **thérapie génique**.

Transfert depuis le milieu extérieur

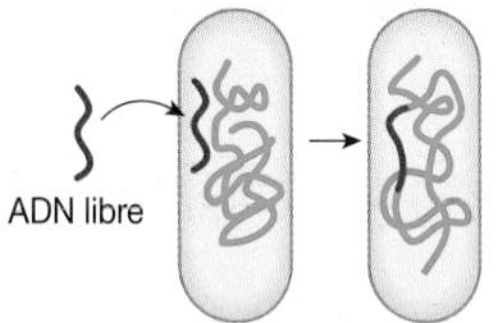

L'ADN libre passe dans la cellule et est intégré à l'ADN cellulaire.

Transfert par voie virale

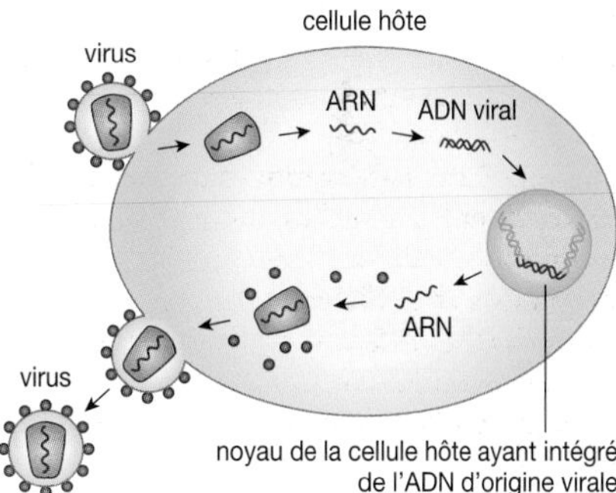

noyau de la cellule hôte ayant intégré de l'ADN d'origine virale

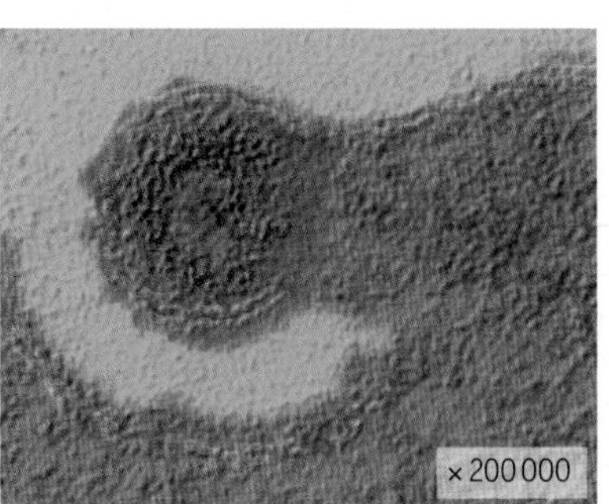

Cellule de foie humain produisant une particule d'un rétrovirus infectant habituellement le porc (MET)

Doc. 2 Des mécanismes connus de transferts horizontaux.

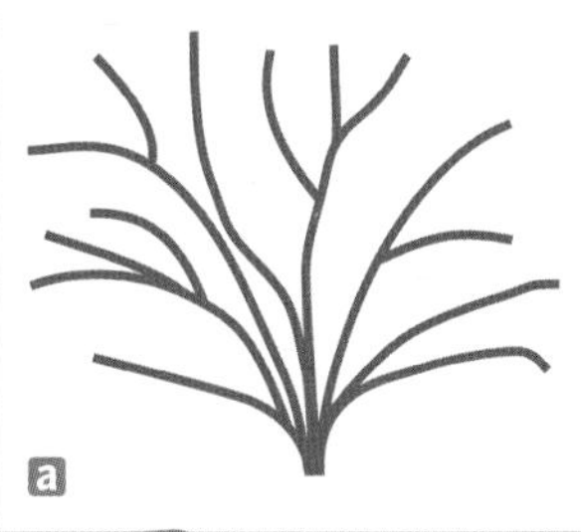

Un arbre phylogénétique raconte habituellement une histoire évolutive des êtres vivants, par descendance et divergence (**a**). Si l'on souhaite ajouter à cet arbre les transferts horizontaux de gènes (ainsi que les événements d'hybridation, de recombinaison, etc.), on obtient un **réseau phylogénétique** qui traduit la complexité de l'histoire évolutive du vivant (**b**).

Doc. 3 La notion de réseau phylogénétique.

Pistes d'exploitation

PROBLÈME À RÉSOUDRE ► Comment des gènes peuvent-ils être transférés en dehors de toute reproduction sexuée et quelle est l'importance de ces transferts horizontaux dans la diversification des génomes ?

Doc. 1 et 2 Comment peut-on, concrètement, mettre en évidence l'existence de transferts horizontaux de matériel génétique ?

Doc. 1 et 2 Quels sont les différents mécanismes qui peuvent entrer en jeu dans de tels transferts ? Concernent-ils les procaryotes et/ou les eucaryotes ?

Doc. 3 Comment une meilleure connaissance de ces mécanismes fait-elle évoluer notre vision de l'évolution du vivant ?

Doc. 1 à 3 Argumentez l'idée qu'une diversification des génomes est possible sans mutation et sans reproduction sexuée.

Lexique, p. 406

Gènes du développement et plan d'organisation

La construction d'un organisme à partir d'une cellule-œuf est sous le contrôle de gènes appelés « gènes architectes ». *De façon surprenante, un même ensemble de « gènes architectes », identifié chez de très nombreux êtres vivants, est à l'origine de plans d'organisation très différents.*

A Gènes homéotiques et plans d'organisation

• Chaque espèce est caractérisée par un **plan d'organisation** qui lui est propre : ainsi, dans chaque espèce, différents organes se succèdent de façon bien déterminée de l'avant vers l'arrière.
Pourtant, bien que leur plan d'organisation soit très différent, l'ensemble des animaux à symétrie bilatérale (les **bilatériens**) possèdent des gènes de développement communs.

• Le *document ci-contre* montre l'organisation, chez différents êtres vivants, d'une famille de « gènes architectes », appelés gènes **homéotiques**. Ces gènes contrôlent la mise en place des organes suivant l'axe antéro-postérieur.
Les couleurs permettent d'établir la correspondance entre les gènes et les régions du corps dont ils gouvernent le développement. Deux gènes sont représentés par la même couleur lorsqu'ils dérivent d'un même gène ancestral.

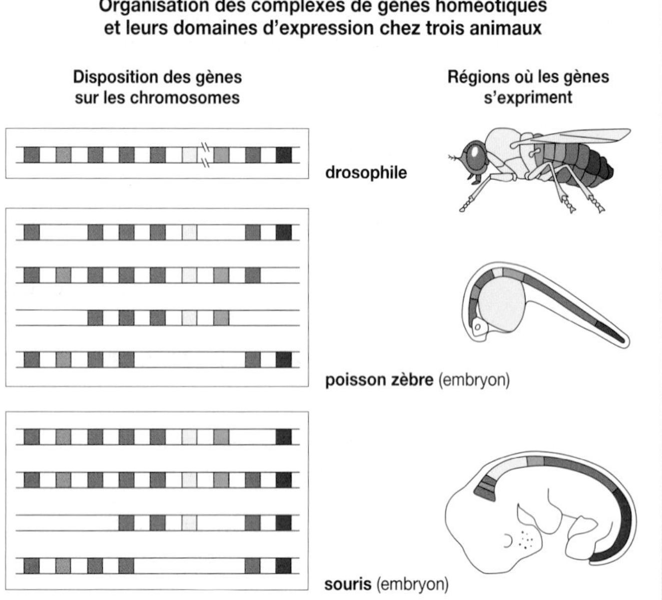

Doc. 1 Les mêmes gènes pour construire des plans d'organisation différents.

■ **PROTOCOLE**

À l'aide d'un logiciel (Anagène, GenieGen) :
– comparer les séquences de gènes homéotiques intervenant dans le développement de l'espèce humaine ;
– comparer ensuite les séquences de gènes homéotiques appartenant à différentes espèces ;
– utiliser les fonctionnalités du logiciel pour déterminer le nombre de différences entre les séquences.

• **Comparaison de cinq gènes homéotiques appartenant à l'espèce humaine**

Comparaison avec alignement

```
              710       720       730       740       750       760       770       780       790
hox a4.adn  TGGAGCTGGAGAAGGAGTTCCACTTCAATCGCTACCTGACCCGGCGGCGCCGCATCGAGATCGCCCACACGCTCTGTTTGTCTGAGCGCCA
hox b1.adn  CA--A-----A-----------T-----CAAG-------G---GCC--GA-GG-G-----T---GC---C--GGAGC-CAA---AACA--
hox b6.adn  ------------------T----A---------------G--------G---------------G---G-C--G--CC--A-G---A-G--
hox b7.adn  ----------------A--T----A---------------G--------G---------------G---G-------CC-CA-G--AA-A--
hox c4.adn  ----AT-A-----A-----T--T-A---C--------------AA--A-AA-G---------------T----G--CC-C------A-G--
```

• **Comparaison du « gène architecte » de l'œil de la drosophile (gène « eyeless »), de la souris (gène « small eye ») et de l'homme (gène « aniridia »)**

```
               110       120       130       140       150       160       170       180       190
eyeless.adn    TGGAGCTCGGCCATGTGATATTTCTCGAATTCTGCAAGTATCAAATGGATGTGTGAGCAAAATTCTCGGGAGGTATTATGAAACAG
aniridia.adn   C--G--C-----G--C--C-----C-----------G--G--C--C-----------T--------G--C--------C--G--T-
small eye.adn  C--G--C-----G--C--C-----C-----------G-----C--C--T--------T--------G--C--------C--G--T-
```

Pour télécharger les séquences :

Doc. 2 Une comparaison de gènes homéotiques.

B Des gènes qui déterminent le nombre de pattes

Chez les vertébrés **tétrapodes** possédant des membres, il existe plusieurs types de vertèbres. Alors que les vertèbres thoraciques portent des côtes, les vertèbres cervicales et lombaires en sont dépourvues (tout comme les vertèbres caudales pour les animaux possédant une queue).
Les serpents sont caractérisés, quant à eux, non seulement par l'absence de pattes, mais aussi par la présence de côtes sur toute la longueur de la colonne vertébrale *(photographie ci-contre)*.

Radiographie d'un serpent (crotale) ▶ mettant en évidence son squelette

Chez les vertébrés possédant des membres, comme le poulet, ceux-ci se développent en avant et en arrière d'une zone délimitée par l'expression des gènes Hox-c6 et Hox-c8. Chez les serpents, la zone d'expression de ces deux gènes est très étendue vers l'avant, expliquant l'absence de membres antérieurs ainsi que l'extension des vertèbres thoraciques.

Remarque : l'absence des membres postérieurs implique d'autres gènes du développement, non présentés ici.

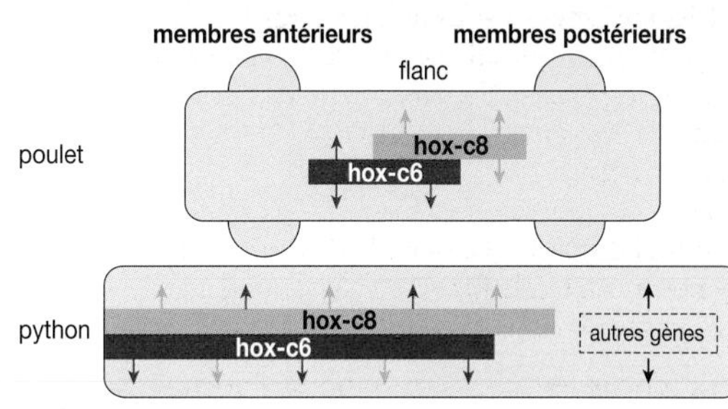

Comparaison de l'expression de deux gènes Hox chez le poulet et le python

Doc. 3 Gènes homéotiques et absence de pattes chez les serpents.

Les insectes sont caractérisés par un corps typiquement segmenté en trois parties : la tête, qui possède les pièces buccales, le thorax, portant trois paires de pattes, et l'abdomen, dépourvu d'**appendices**. Comment peut-on alors expliquer que les chenilles possèdent, sur leur abdomen, des pattes rudimentaires (appelées « fausses pattes ») ? Les zones d'expression de certains gènes architectes apportent des éléments de réponse :
– **Dll :** Distal-less, gène architecte induisant le développement d'appendices.
– **Abd-A + Ubx :** gènes homéotiques inhibant l'expression de Dll.

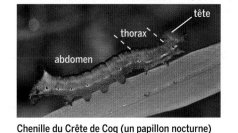

Chenille du Crête de Coq (un papillon nocturne)

• **Chez le papillon adulte**

Partie du corps	Tête	Thorax	Abdomen
Gènes exprimés	Dll	Dll	Abd-A + Ubx
Appendices développés	pièces buccales	pattes	aucun

• **Chez la chenille**

Partie du corps	Tête	Thorax	Abdomen
Gènes exprimés	Dll	Dll	Dll
Appendices développés	pièces buccales	pattes	fausses pattes

Doc. 4 Gènes homéotiques et fausses pattes chez les chenilles.

Pistes d'exploitation

PROBLÈME À RÉSOUDRE ▶ Comment l'expression de gènes communs peut-elle induire le développement d'organismes très différents ?

Doc. 1 et 2 Pourquoi peut-on affirmer que les gènes du développement constituent une famille de gènes apparentés ?

Doc. 3 Comment expliquez-vous l'absence de pattes chez les serpents ?

Doc. 3 et 4 Montrez que le rôle des gènes du développement consiste à réguler l'expression d'autres gènes.

Doc. 1 à 4 Selon le biologiste François Jacob, *« l'évolution procède comme un bricoleur »*. Pouvez-vous justifier cette affirmation ?

Lexique, p. 406

Gènes du développement et morphologie

Les différences de plans d'organisation ou de formes entre espèces peuvent s'expliquer par l'intervention des gènes contrôlant le développement. *Mais, plus que des différences génétiques, c'est souvent une différence d'intensité ou de chronologie d'expression de ces gènes qui est déterminante.*

A Les pinsons de Darwin à l'heure de la génétique du développement

• En 1835, de passage dans l'archipel des Galápagos, Charles Darwin décrit des pinsons et répertorie treize espèces. Ces espèces diffèrent essentiellement par la taille de leur corps, la longueur et la largeur de leur bec. Darwin constate une corrélation entre le régime alimentaire des espèces et la morphologie de leur bec.
En effet, les pressions de **sélection** liées au type de nourriture disponible et l'isolement géographique entre les îles de l'archipel expliquent la diversification des treize espèces actuelles à partir d'une même espèce ancestrale.

• En 2004, une équipe de recherche de l'Université de Harvard met en évidence une corrélation entre la chronologie et l'intensité d'expression d'un gène, nommé Bmp4, et la morphologie du bec des pinsons. *Un résultat est présenté ci-contre.*
– **A** : Phylogénie de six espèces de pinsons appartenant au genre *Geospiza* et forme de leur bec.
– **B** : Développement embryonnaire du bec (stade 26 = 4,5 jours) avec mise en évidence de l'expression du gène Bmp4.
– **C** : Développement embryonnaire du bec (stade 29 = 5,5 jours) avec mise en évidence de l'expression du gène Bmp4.
L'intensité de la couleur traduit l'intensité de l'expression du gène.

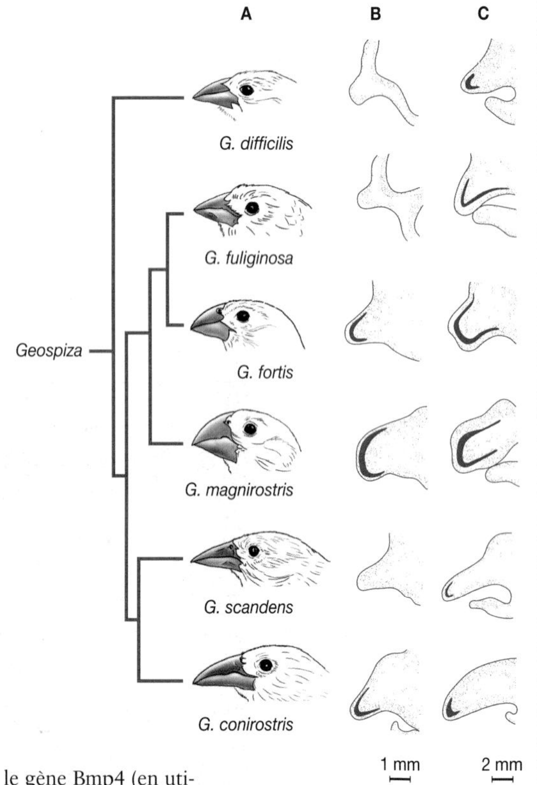

Pour vérifier l'influence de ce gène, les chercheurs ont transféré le gène Bmp4 (en utilisant un virus comme vecteur) dans les cellules frontales d'embryons de poulet.
Les *photographies ci-dessous* ont été prises au même stade du développement des embryons.

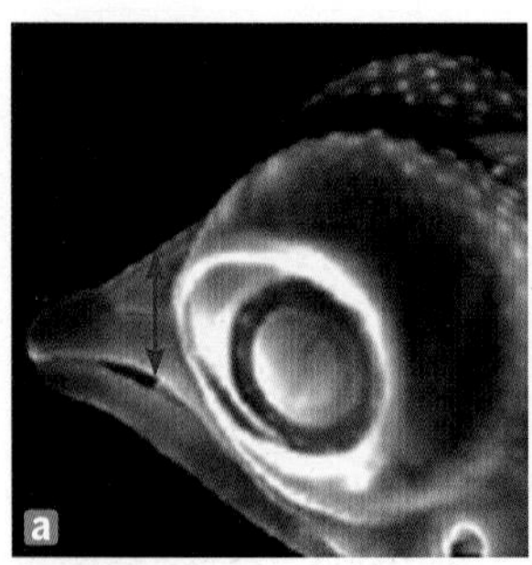

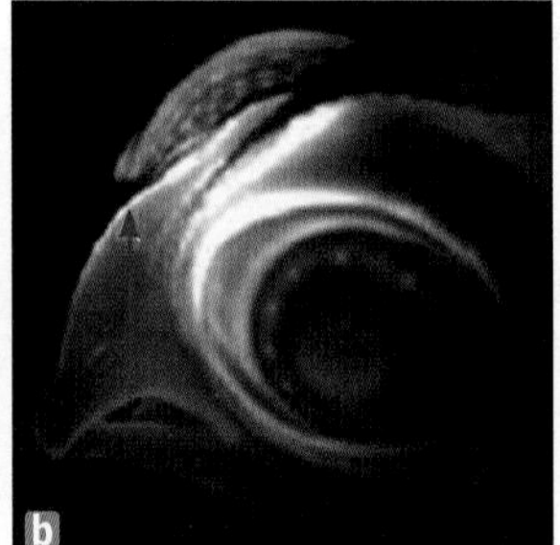

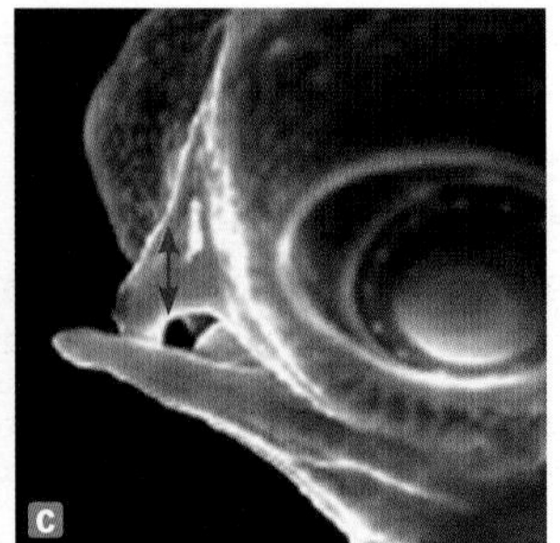

a : bec d'un embryon non modifié
b : bec d'un embryon génétiquement modifié, sur-exprimant le gène Bmp4
c : bec d'un embryon génétiquement modifié, sous-exprimant le gène Bmp4

D'après A. Abzhanov, M. Protas, B. R. Grant, P. R. Grant, C. J. Tabin.

Doc. 1 Forme du bec et expression du gène Bmp4.

B L'importance de la chronologie de l'expression génétique

UNE PROLONGATION DU STADE JUVÉNILE

Dans les îles de la Méditerranée, on a découvert des fossiles de cervidés (cerfs de Crète) présentant une taille nettement plus petite que les espèces homologues continentales, comme le Cerf élaphe *(photographie ci-contre)*.

En fait, il ne s'agit pas de cerfs nains. Ces animaux sont certes plus petits mais ont aussi des proportions différentes : bien qu'adultes, leur morphologie est restée juvénile. Le mécanisme proposé est celui d'un blocage de l'expression génétique au cours du développement, qui maintiendrait le stade juvénile.

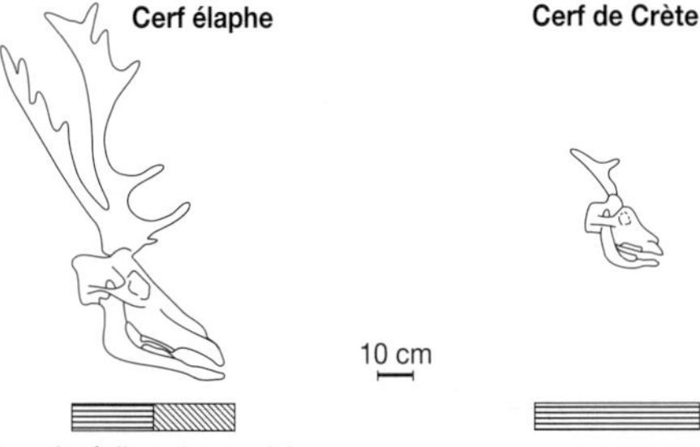

De l'embryon à l'âge adulte, le développement d'un organisme peut être divisé en stades successifs.
Dans *les documents de cette page*, les rectangles sous chaque organisme décrivent les successions des étapes du développement : les figurés traduisent les durées relatives de chaque étape.

UNE ACCÉLÉRATION DU DÉVELOPPEMENT

Les espèces du genre *Hagenowia* sont de minuscules oursins qui vivaient au Crétacé dans la mer de la craie. Ils se caractérisaient par la présence d'un rostre prolongeant la partie antérieure du test. L'étude de fossiles de différents stades montre que ce rostre apparaît en fin de développement.

Test d'*Hagenowia rostrata*. ▶

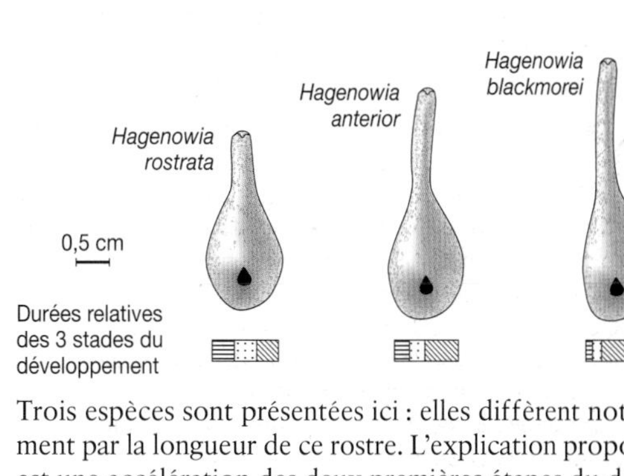

Trois espèces sont présentées ici : elles diffèrent notamment par la longueur de ce rostre. L'explication proposée est une accélération des deux premières étapes du développement dont la conséquence est un allongement de la dernière phase (l'ensemble du développement conservant la même durée) : ainsi l'organisme présente une morphologie « hyperadulte ».

D'après J.-L. Dommergues, B. David, D. Marchand.

Doc. 2 Des variations de la chronologie des étapes du développement.

Pistes d'exploitation

PROBLÈME À RÉSOUDRE ▶ Comment les modalités d'expression des gènes du développement peuvent-elles modifier des caractéristiques morphologiques ?

Doc. 1 Établissez une relation entre la forme du bec des pinsons et les modalités d'expression du gène Bmp4.

Doc. 1 Comment expliquez-vous que le gène Bmp4 soit exprimé chez le poulet ?

Doc. 2 Quel aspect de l'expression des gènes du développement est ici mis en évidence ?

Doc. 1 et 2 Montrez qu'une variation de l'expression des gènes du développement peut être à l'origine d'une diversification des êtres vivants.

Lexique, p. 406

Symbioses et diversité des êtres vivants

Une symbiose est une association durable et à bénéfice réciproque entre plusieurs êtres vivants.
Cet assemblage est plus qu'une simple juxtaposition : des propriétés nouvelles propres à l'association peuvent émerger, participant ainsi à la diversification des êtres vivants.

A Les mycorhizes : une symbiose favorisant la croissance

La très grande majorité des végétaux présente des systèmes racinaires associés à des champignons du sol. Ces associations, appelées **mycorhizes**, bénéficient à la fois aux champignons et aux végétaux. En effet, le champignon bénéficie des matières organiques élaborées par la plante verte, tandis que cette dernière voit ses capacités d'absorption de l'eau et des éléments minéraux accrues grâce au **mycélium**. Il s'agit donc d'une association symbiotique.
L'objectif de l'étude expérimentale présentée ici est de rechercher les effets de cette association sur la croissance d'un végétal.

PROTOCOLE EXPÉRIMENTAL
– Préparer des pots avec de la terre de jardin.
– Ajouter, à la moitié des pots, un mélange de champignons à mycorhizes (quelques grammes de granulés par pot).
– Semer, en les espaçant, une dizaine de graines de basilic dans chaque pot.
– Mettre les pots dans un environnement suffisamment éclairé et chaud (20 °C).
– Suivre la croissance des plants pendant environ deux mois, en effectuant régulièrement des mesures et en prenant des photographies.
– À la fin de l'expérience, isoler des mottes de terre contenant des racines. Dégager les racines sous un filet d'eau et observer à la loupe binoculaire.

RÉSULTATS

Croissance du basilic avec et sans mycorhizes

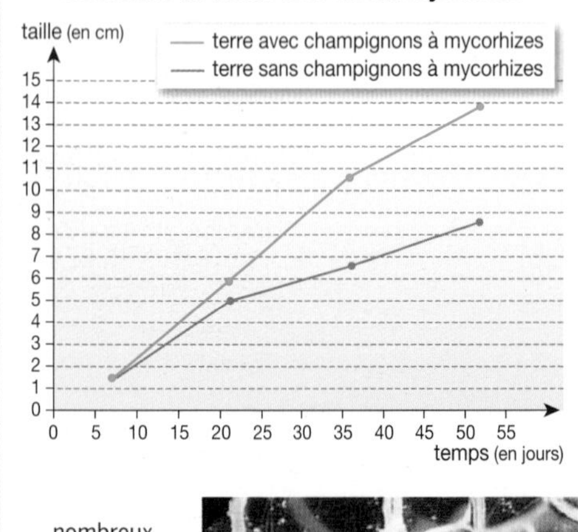

Aspect du basilic après croissance

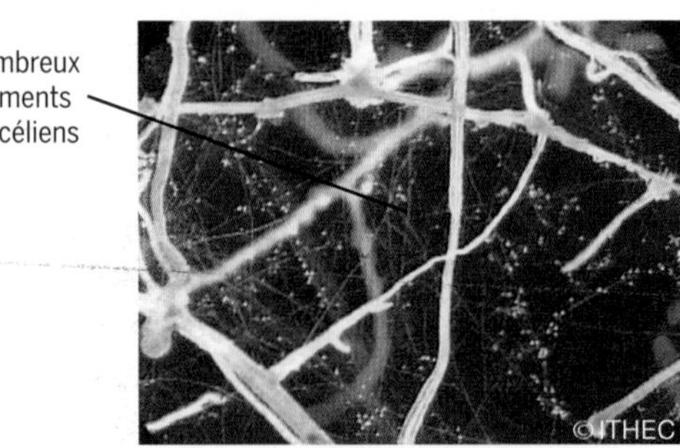

Racine mycorhizée

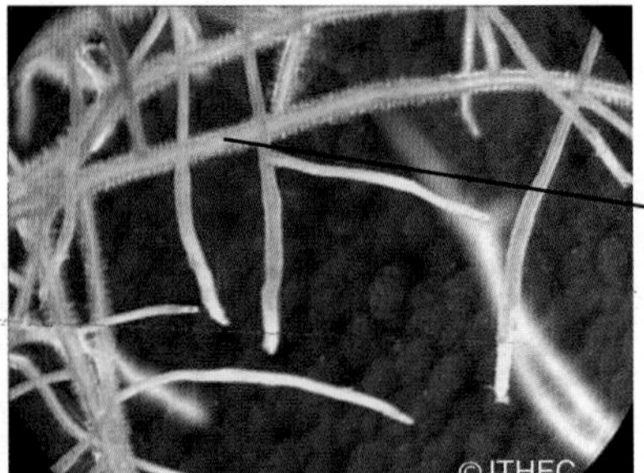

Racine non mycorhizée

Doc. 1 Une étude expérimentale de l'influence des mycorhizes sur la croissance.

B Des propriétés propres à l'association symbiotique

Un **lichen** est une association symbiotique entre une algue et un champignon. Ce dernier produit, uniquement en présence de l'algue, des substances dites lichéniques. Ainsi, la pariétine est un pigment jaune produit par le lichen *Xanthoria parietina (photographie ci-dessus)*. La production de ce pigment joue un rôle de protection vis-à-vis du soleil, permettant ainsi à cet organisme de s'installer dans des conditions extrêmes. La synthèse de telles substances implique des voies métaboliques propres à l'association symbiotique.

Doc. 2 Production de nouvelles molécules.

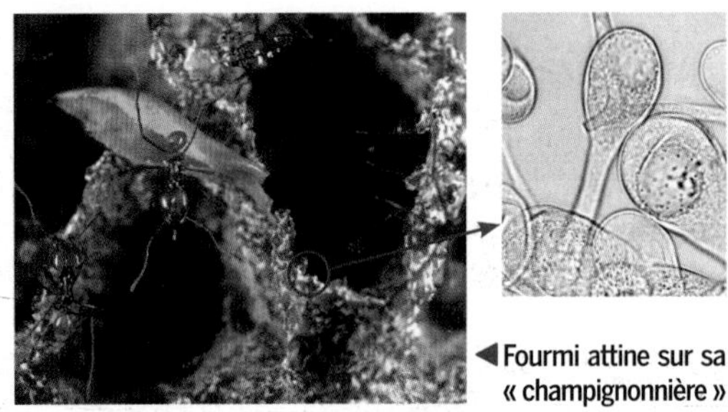

◀ Fourmi attine sur sa « champignonnière »

Les fourmis « coupeuses de feuilles » (attines) sont également qualifiées de « champignonnistes ». En effet, elles cultivent des champignons dans leur fourmilière et les « taillent » à l'aide de leurs mandibules. Cette taille améliore la croissance du champignon de 30 % et provoque l'apparition de structures en boules *(photographie ci-dessus)*, très riches en sucres et en protéines, dont les fourmis se nourrissent. Le champignon ainsi cultivé bénéficie d'une protection contre les contaminations par des bactéries et autres champignons. Lorsque le champignon pousse en absence des fourmis, les boules ne se développent pas.

Doc. 3 Production de nouvelles structures.

Les **anémones de mer** sont des animaux qui vivent en adhérence à la surface des rochers ; elles peuvent néanmoins se déplacer. Certaines anémones vivent en symbiose avec des algues unicellulaires hébergées dans leurs tentacules. Les résultats d'une étude expérimentale démontrent l'effet de cette symbiose sur le déplacement des anémones de mer. Au début de l'expérience, les anémones sont placées dans un aquarium de telle sorte que la moitié se trouve dans un environnement éclairé et l'autre moitié dans un environnement non éclairé. Au cours de l'expérience, on détermine le pourcentage d'anémones situées du côté de la lumière. L'expérience est réalisée d'une part avec des anémones symbiotiques (tracé **A**), d'autre part avec des anémones non symbiotiques (tracé **B**).

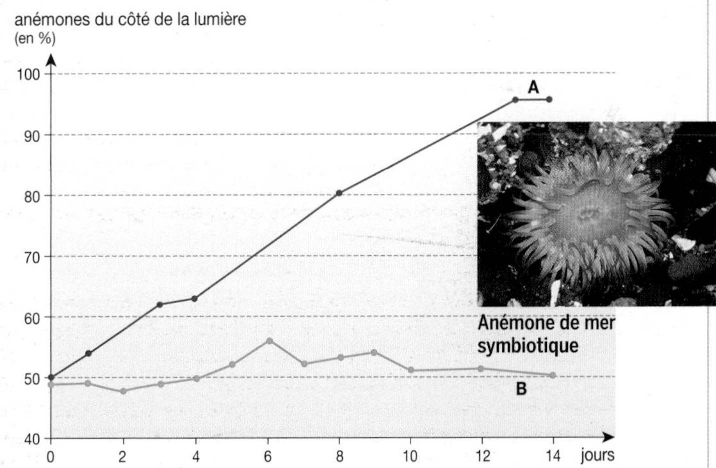

Doc. 4 Production de nouveaux comportements.

Pistes d'exploitation

PROBLÈME À RÉSOUDRE ► Comment des associations entre différents êtres vivants peuvent-elles générer de la diversité phénotypique ?

Doc. 1 à 4 Justifiez la qualification de symbiose donnée aux différents exemples d'associations présentés ici.

Doc. 1 En quoi l'association avec un champignon modifie-t-elle la plante ?

Doc. 4 Quel comportement de l'anémone de mer est ici mis en évidence ? Quel peut en être l'intérêt ?

Doc. 1 à 4 Montrez que, dans chaque cas présenté, le phénotype est modifié par l'association symbiotique.

Lexique, p. 406

Une transmission culturelle des comportements

Les comportements animaux reposent sur des structures génétiquement déterminées mais résultent aussi d'un apprentissage. *Chez les vertébrés, des comportements nouveaux, contribuant à la diversité du vivant, peuvent apparaître et se transmettre d'une génération à une autre par voie non génétique.*

A L'apprentissage du chant chez les oiseaux

Geospiza fortis (photographie ci-contre) est une espèce de pinson des îles Galápagos. Les nombreux enregistrements sonores du chant de ces pinsons révèlent une grande diversité. Le chant de ces oiseaux est l'objet d'une sélection : en effet, les femelles ne chantent pas mais choisissent les mâles en fonction de leur chant.

Enregistrement du chant de quatre individus appartenant à l'espèce *Geospiza fortis* (fréquence, en kHz, en fonction du temps, en secondes).

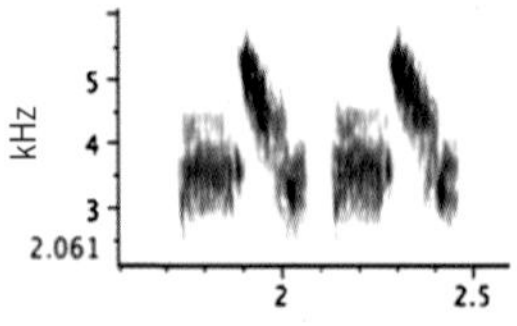

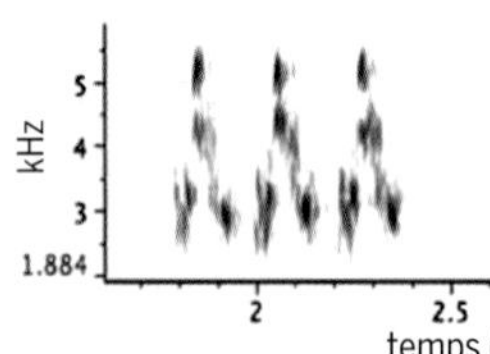

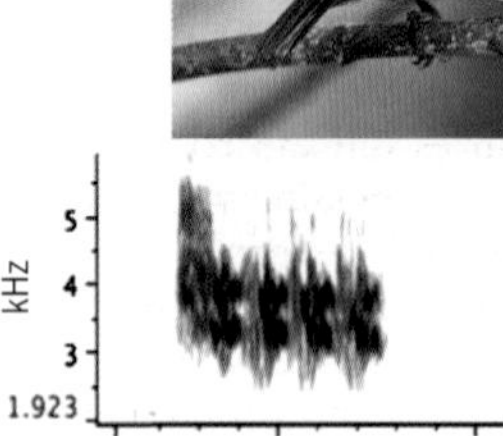

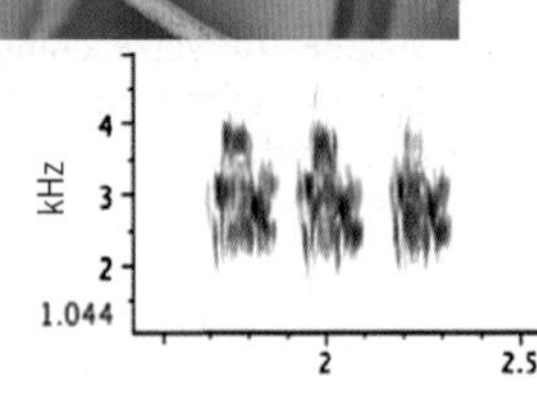

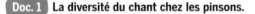

temps (en secondes)

Doc. 1 La diversité du chant chez les pinsons.

Le chant du Diamant mandarin est caractérisé par des séries de sons rapidement répétés, chaque série étant séparée de la suivante par un bref silence. Chaque série de sons forme un motif caractérisé par sa durée d'une part, le nombre et la fréquence des sons qui le constituent d'autre part. Un même motif peut se trouver répété dans une « phrase ».

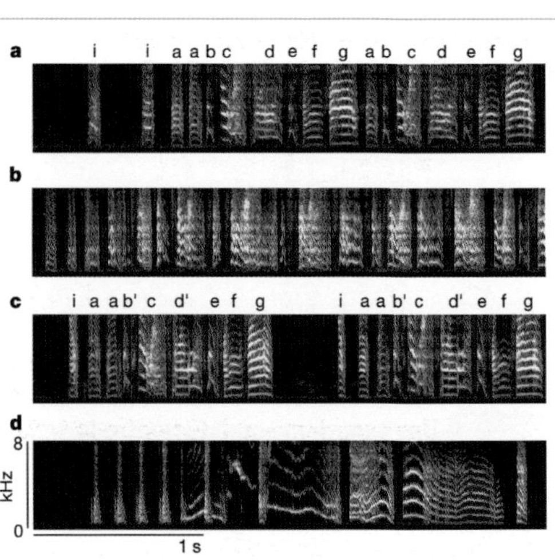

Par exemple, *l'enregistrement* (**a**) *ci-contre* est constitué de 17 séries (en orange) séparées par de très courts silences (en noir). Les séries identiques sont identifiées par la même lettre.

Les quatre *enregistrements ci-contre* ont été obtenus dans les conditions suivantes :

a : Chant d'un Diamant mandarin adulte au moment où il a été capturé.

b : Chant d'un Diamant mandarin élevé en présence de l'adulte (**a**), enregistré au plus jeune âge.

c : Chant du même Diamant mandarin (**b**), enregistré à l'âge adulte.

d : Chant d'un Diamant mandarin adulte, élevé isolément de ses congénères.

Doc. 2 La transmission du chant chez le Diamant mandarin.

B L'utilisation d'outils chez les chimpanzés

Préparer et utiliser une brindille, casser des noix, creuser à l'aide d'un pilon, utiliser des feuilles comme une éponge, fabriquer un coussin de feuilles pour s'asseoir, se soigner avec des plantes : une étude récente et approfondie a déjà identifié formellement plus de 39 pratiques culturelles chez les chimpanzés.
Il apparaît que chaque communauté possède des comportements qui lui sont propres. Des expériences confirment que les chimpanzés apprennent, notamment en observant et en imitant leurs congénères.

Ce jeune chimpanzé apprend à utiliser une pierre pour casser une noix, sous le contrôle de l'une des doyennes du groupe, tandis qu'un bébé observe attentivement la scène. Chez les chimpanzés, il faut environ cinq ans pour apprendre à casser des noix.

Doc. 3 Des chimpanzés... à l'école !

Des chercheurs ont fabriqué un dispositif permettant à un chimpanzé d'obtenir de la nourriture à condition de pousser au préalable une baguette de bois *(schéma ci-contre)*. Deux groupes de seize chimpanzés ont été constitués. Les individus du groupe 1 ont eu la possibilité d'observer pendant sept jours un chimpanzé « expert », auquel les chercheurs avaient appris le maniement du dispositif. Les individus du groupe 2 n'ont jamais observé l'expert. Ensuite, les chimpanzés ont eu accès au dispositif pendant 36 heures sur une période de 10 jours.
Dans le groupe 2, aucun chimpanzé n'a réussi à se servir de l'outil. Les chercheurs ont observé le comportement des chimpanzés du groupe 1 et noté le nombre de succès obtenus par chaque chimpanzé (un plafond de 30 succès a été fixé, considéré comme une bonne maîtrise de l'utilisation de l'outil).

- **Performances des 16 chimpanzés du groupe 1**

pendant la période d'expérimentation

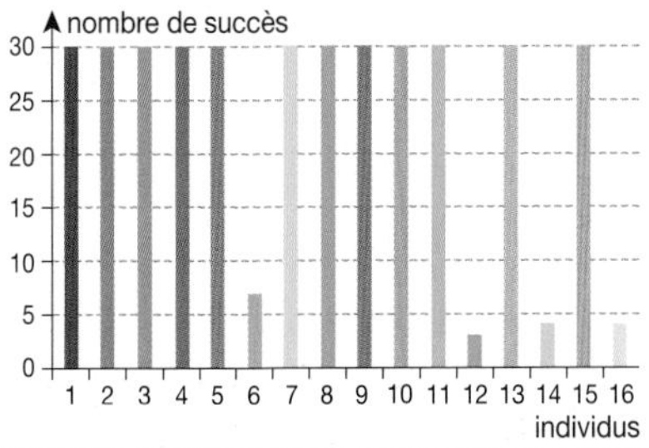

lors d'un deuxième test, deux mois après

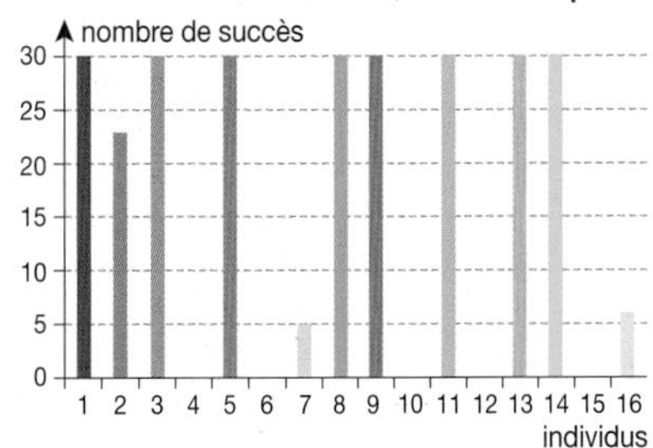

Doc. 4 Une expérience qui démontre la transmission culturelle d'un nouveau comportement.

Pistes d'exploitation

PROBLÈME À RÉSOUDRE ▶ Des comportements nouveaux peuvent-ils être transmis par voie culturelle, c'est-à-dire non génétique ?

Doc. 1 et 2 Montrez qu'il existe, au sein d'une même espèce, une variabilité du chant des oiseaux.

Doc. 2 Comparez les quatre enregistrements. Que peut-on en déduire quant à l'acquisition du chant par un oiseau ?

Doc. 2 à 4 Dans ces exemples, quel est le principal processus d'apprentissage ?

Doc. 4 Analysez les résultats de cette expérience.

Lexique, p. 406

chapitre 2 Des mécanismes de diversification des êtres vivants

L'existence de **mutations**, ainsi que le **brassage génétique** réalisé à chaque génération par la méiose et la fécondation, expliquent en grande partie la diversité génétique des êtres vivants. Cependant, ces mécanismes ne sont pas les seuls : d'**autres processus de diversification** des êtres vivants existent. Certains font intervenir des modifications des génomes, d'autres non.

1 D'autres mécanismes de diversification génétique

La polyploïdisation

Alors que beaucoup d'espèces sont diploïdes, une espèce **polyploïde** se caractérise par la possession de plus de deux jeux complets de chromosomes. Ceux-ci peuvent avoir pour origine la même espèce (autopolyploïde) ou des espèces différentes (allopolyploïde).

Il existe plusieurs mécanismes à l'origine d'une polyploïdie. Par exemple, deux individus appartenant à des espèces différentes peuvent s'hybrider ; le descendant hérite donc d'un lot chromosomique de chaque parent. Comme ces chromosomes proviennent de deux espèces différentes, ils ne sont pas homologues et l'appariement lors de la méiose est impossible. Cela explique que les **hybrides** sont, en général, stériles. Si un événement accidentel de **doublement des chromosomes** suit une hybridation, chaque chromosome retrouve un homologue. La méiose redevient possible et la fertilité est rétablie. Ces polyploïdes présentent des génomes différents de ceux des espèces dont ils proviennent : ils exprimeront donc des caractères différents.

Dans le monde végétal, les événements de polyploïdisation ont été relativement courants : 70 % des plantes à fleurs (les angiospermes) ont eu au moins un événement de polyploïdisation dans leur histoire évolutive. La polyploïdisation semble plus rare dans le monde animal.

Les transferts horizontaux de matériel génétique

Lors de la reproduction sexuée, du matériel génétique est transmis de manière « verticale », des parents aux descendants. Cependant, des transferts de matériel génétique, qualifiés d'« horizontaux », sont également possibles, **en dehors de toute filiation**, entre individus de la même espèce ou non.

Chez les bactéries, les transferts horizontaux sont très fréquents ; ils ont, pour la première fois, été décrits par Griffith, en 1928. C'est l'un des mécanismes expliquant comment des résistances aux antibiotiques peuvent se propager chez les bactéries.

De tels transferts sont de plus en plus invoqués dans d'autres branches du vivant. Un indice pouvant révéler un transfert horizontal est la construction d'**arbres de parenté contradictoires**. La comparaison de séquences d'ADN permet en effet de construire des arbres de parenté, mais il arrive que, selon les séquences utilisées, les arbres obtenus ne soient pas cohérents : il faut alors admettre qu'ils ne racontent pas la même histoire évolutive. En effet, des similitudes génétiques traduisent généralement un héritage commun plus ou moins récent, transmis de génération en génération. Mais elles peuvent aussi provenir d'un **transfert horizontal de gène**. Dans ce cas, la proximité génétique ainsi révélée ne traduit pas de filiation entre les espèces.

Différents mécanismes de transferts horizontaux sont aujourd'hui établis, comme l'intégration par une cellule d'un fragment d'ADN libre dans le milieu ou encore des transferts faisant intervenir des « vecteurs », par exemple des **virus**. L'estimation de la quantité d'ADN viral présent dans l'ADN cellulaire révèle des résultats surprenants : 10 % dans le génome humain, 50 % dans le génome du maïs. Mais l'importance évolutive de ces transferts reste difficile à évaluer, en particulier chez les eucaryotes pluricellulaires.

Un arbre phylogénétique traduit les relations de parenté entre des êtres vivants. Si l'on y fait figurer les transferts horizontaux de gènes, l'arbre se transforme en « **réseau phylogénétique** », plus complexe, mais certainement plus représentatif de ces relations.

2 Des modifications de l'expression des génomes

Gènes du développement et plans d'organisation

Depuis les trente dernières années, les scientifiques spécialistes de l'étude du **développement** ont fait des découvertes étonnantes : la plupart des animaux, même très éloignés phylogénétiquement, partagent des familles de gènes impliqués dans la construction de **plans d'organisation** différents. Ces complexes de gènes (notamment la famille des gènes dits homéotiques) déterminent le plan d'organisation d'un être vivant, par exemple la mise en place de différents organes le long de l'axe antéro-postérieur. Des modifications de l'ordre d'expression de ces gènes, ou de leurs territoires d'expression, ont des conséquences morphologiques importantes. Ainsi, une modification de l'expression de quelques gènes homéotiques aboutit chez les serpents (qui sont pourtant des vertébrés appartenant au groupe des tétrapodes) à l'absence de formation des membres.

Ces gènes ont été identifiés chez de nombreux groupes éloignés dans l'arbre du vivant ; ils présentent de fortes homologies de séquences, preuve qu'ils dérivent de **gènes ancestraux communs**.

Gènes du développement et différences morphologiques

Des différences morphologiques entre des espèces proches peuvent résulter de variations dans la **chronologie** et l'**intensité d'expression** de gènes communs.

Par exemple, chez les pinsons, les mêmes gènes sont impliqués dans le développement du bec des différentes espèces. L'existence de becs aux formes variées résulte uniquement de l'intensité et de la durée d'expression de ces gènes communs.

La durée des différentes **phases du développement** peut être modifiée et, par conséquent, la morphologie finale de l'individu l'est également : la taille ou les proportions de l'organisme pourront être différentes. Certaines phases du développement peuvent se prolonger, d'autres ne plus se manifester. Ainsi, certaines espèces se distinguent d'autres espèces, dont elles sont proches, par la persistance chez l'adulte de **caractères juvéniles** (par exemple, les chiens adultes présentent des caractères observés chez les loups au stade juvénile).

Il apparaît donc que des formes vivantes différentes peuvent résulter de variations dans la chronologie ou l'intensité d'expression de gènes communs plus que d'une différence entre les gènes qui s'expriment ; en fait, ce sont les séquences d'ADN qui régulent l'expression des gènes qui sont modifiées. Comme a pu le dire François Jacob (prix Nobel de Médecine, 1965), l'évolution se comporte en « bricoleur », utilisant de manière variée des éléments communs présents dans une même « boîte à outils ».

3 Des diversifications sans modification des génomes

Des associations entre êtres vivants

Les êtres vivants vivent en interaction les uns avec les autres. Certaines de ces interactions peuvent être plus étroites et constituer des associations ; si l'association est durable et à bénéfices réciproques, on parle de **symbiose**.

Les êtres vivants associés peuvent exercer une influence réciproque et provoquer des modifications de leurs phénotypes (lichens par exemple). Les **mycorhizes**, qui sont des associations symbiotiques entre des champignons du sol et des racines de végétaux, favorisent la croissance des deux partenaires de l'association. En développant un réseau de filaments retenant facilement l'eau et les sels minéraux autour des racines, le champignon favorise l'absorption racinaire et donc la croissance du végétal. Le champignon, quant à lui, bénéficie de matières organiques produites par la plante. Ces structures ont une importance écologique majeure : 85 % des végétaux développent des mycorhizes.

Certaines associations entre deux êtres vivants peuvent se traduire par la synthèse de **nouvelles substances**, la mise en place de **nouvelles structures** ou encore la **modification de comportements** qui n'existent pas individuellement chez chacun des partenaires.

Ainsi, par ces associations, de la diversité se manifeste, sans pour autant que les informations génétiques des partenaires ne soient modifiées.

La transmission culturelle de comportements

Chez les animaux, surtout chez les vertébrés, certains comportements peuvent être qualifiés de « **culturels** ». Ils résultent d'une transmission au sein d'une **société d'individus** vivant en commun : les comportements ainsi transmis ne sont pas déterminés génétiquement, mais appris au contact des congénères. Ceci a pu être mis en évidence chez les singes, les oiseaux, les cétacés, les rats (mais aussi chez les bourdons).

On a ainsi montré que certains oiseaux, élevés sans adulte, présentent un chant déstructuré, comportant certains motifs caractéristiques de l'espèce, mais incomplètement associés. Ceci montre que c'est en **imitant** le chant des autres individus que le chant s'élabore.

Des observations de terrain et des expériences ont prouvé que les chimpanzés apprennent à reproduire une action en observant la manière dont leur congénère la réalise. Dans un premier temps, suivant l'apparition d'un nouveau comportement, celui-ci est appris par observation d'un individu de la même génération. Dans un second temps, l'apprentissage des jeunes se fait auprès d'individus expérimentés plus âgés.

Ces exemples, non exhaustifs, montrent qu'il existe de nombreux mécanismes de diversification des êtres vivants.

De tels processus enrichissent la biodiversité et jouent un rôle important dans les mécanismes de l'évolution.

chapitre 2 Des mécanismes de diversification des êtres vivants

À RETENIR

La biodiversité, telle que nous pouvons l'observer aujourd'hui, repose sur l'existence de multiples processus de diversification des êtres vivants. Certains de ces mécanismes font intervenir une modification des génomes, d'autres non.

D'autres mécanismes de diversification génétique

Il existe des mécanismes de diversification des génomes autres que les mutations et le brassage génétique résultant de la reproduction sexuée :
– un événement accidentel de **doublement des chromosomes**, après une hybridation, produit un **polyploïde** qui possède un génome nouveau, et exprimera des **caractères différents** ;
– des transferts horizontaux de matériel génétique entre individus, de la même espèce ou non, sont possibles **en dehors de toute filiation**. Un indice pouvant les révéler est la confrontation d'**arbres de parenté contradictoires**.

Un **arbre phylogénétique** traduit les relations de parenté entre des êtres vivants. Si l'on y fait figurer ces autres événements (polyploïdies, transferts horizontaux), cela devient un « **réseau phylogénétique** ».

Des modifications de l'expression des génomes

La plupart des animaux, même très éloignés phylogénétiquement, partagent des familles de gènes impliqués dans la construction de **plans d'organisation** différents. Ces gènes présentent de fortes **homologies de séquences**, preuve qu'ils dérivent de **gènes ancestraux communs**.

Des différences morphologiques entre des espèces proches peuvent résulter de variations dans la **chronologie** et l'**intensité d'expression** de gènes communs, plus que d'une différence entre ces gènes ; en revanche, les séquences régulant l'expression génétique sont modifiées.

Des diversifications sans modification des génomes

Une diversification des êtres vivants est aussi possible sans modification des génomes. Certaines associations entre êtres vivants peuvent conduire à une diversification : modification de la morphologie, synthèse de **nouvelles substances**, mise en place de **nouvelles structures, modification de comportements**. Pour autant, les informations génétiques des partenaires ne sont pas modifiées.

Chez les vertébrés, le développement de **comportements** nouveaux, transmis d'une génération à l'autre par voie **culturelle** et non génétique, est aussi source de diversité.

Mots-clés

- Hybridation
- Polyploïde
- Arbre, réseau phylogénétique
- Transfert horizontal
- Plan d'organisation
- Gènes du développement
- Symbiose
- Transmission culturelle

Capacités et attitudes

- Extraire et exploiter des informations pour comprendre différentes modalités d'une modification du génome.
- Utiliser un logiciel pour comparer des gènes du développement et identifier les homologies de séquences.
- Raisonner et interpréter un changement évolutif en termes de modification du développement.
- Extraire et exploiter des informations pour comprendre des exemples de diversification du vivant sans modification du génome.

SCHÉMA BILAN DES MÉCANISMES DE DIVERSIFICATION DES ÊTRES VIVANTS

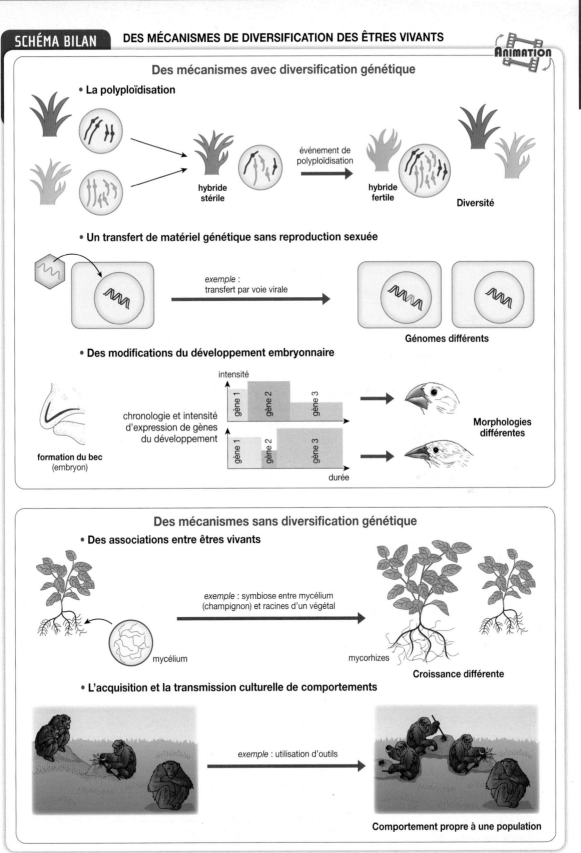

Des mécanismes avec diversification génétique

• **La polyploïdisation**

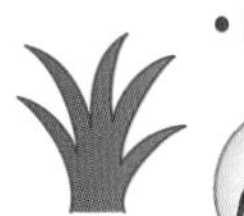

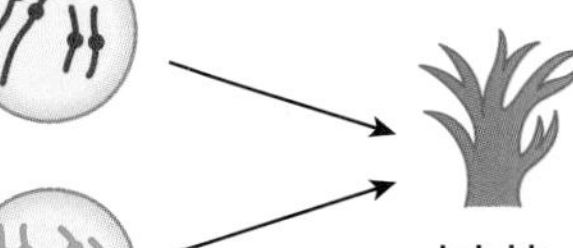
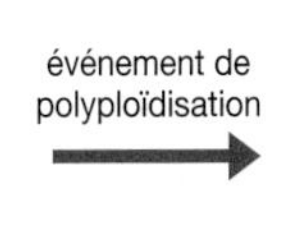

• **Un transfert de matériel génétique sans reproduction sexuée**

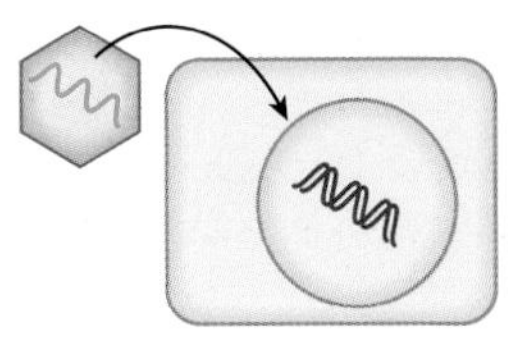
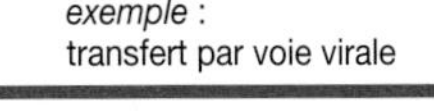

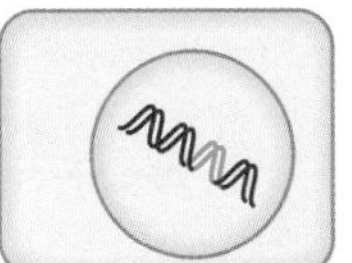
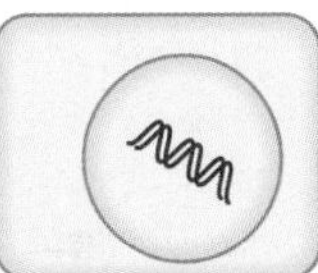

• **Des modifications du développement embryonnaire**

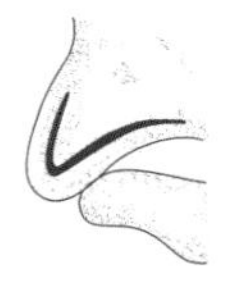

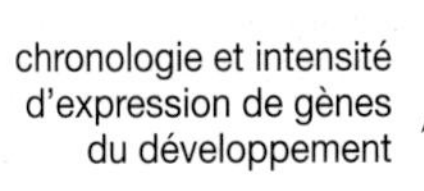
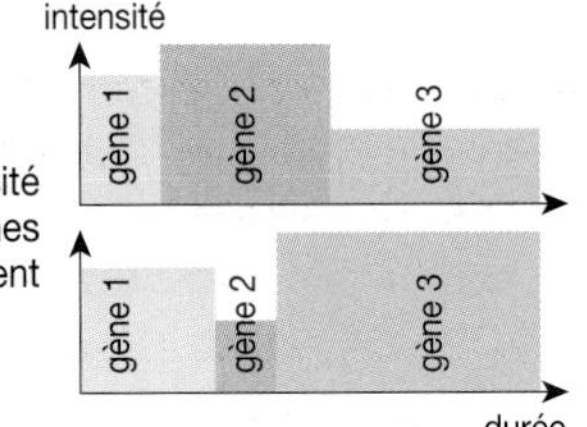

Des mécanismes sans diversification génétique

• **Des associations entre êtres vivants**

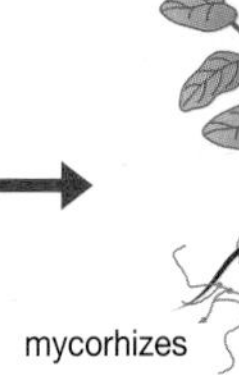

• **L'acquisition et la transmission culturelle de comportements**

... aller plus loin

L'archéologie révèle l'histoire culturelle des chimpanzés

• Une activité qui laisse des traces

C'est un fait maintenant bien établi : les chimpanzés utilisent de nombreux outils. Par exemple, les chimpanzés d'Afrique de l'Ouest utilisent de grosses pierres comme des **marteaux** pour casser la coque des noix dont ils se nourrissent. Ces pierres sont de formes irrégulières, de la taille d'un melon, et présentent une **usure caractéristique** liée au cassage des coques de noix. Lors des frappes, des **éclats de pierre** de quelques centimètres de long ainsi que des éclats de coques de noix sont produits et restent sur le sol ; ces restes constituent ainsi des marques d'une activité de chimpanzés. De plus, les primatologues ont remarqué que ces animaux réalisent ce travail sur des lieux bien précis.

L'existence des restes de pierres, d'écailles et d'écorces de noix a donc laissé entrevoir la possibilité d'utiliser les **méthodes classiques de l'archéologie** pour retracer l'histoire de cette pratique.

Chimpanzés ouvrant des noix avec une pierre

• Les méthodes de l'archéologie

Des chercheurs allemands, canadiens et américains, spécialisés en anthropologie, archéologie et primatologie ont utilisé leurs diverses compétences pour répondre à la question suivante : depuis combien de temps ces animaux adoptent-ils un tel comportement ?

Ils ont ainsi mené la **première enquête d'archéologie** sur une espèce non humaine. Le site qu'ils ont étudié se situe dans le parc national Taï, en Côte d'Ivoire, au cœur de la forêt tropicale. Cette situation géographique dans une zone peu accessible et soumise à de fortes pluies a rendu le travail de fouille difficile. Sur un site connu comme étant un lieu de cassage de noix par des chimpanzés actuels, les chercheurs ont **quadrillé le terrain**, puis l'ont **déblayé** jusqu'à un mètre de profondeur sur une surface de 100 m^2.

Un chercheur dégageant une « pierre-outil »

• Des résultats étonnants

Les chercheurs ont ainsi découvert 4 kg de morceaux de pierres et 40 kg de restes de coques de noix inégalement répartis. Ils ont ainsi pu établir que les chimpanzés **collectaient des pierres** sur un territoire assez étendu et les apportaient sur le lieu du cassage des noix. Les pierres-outils les plus anciennes ont été découvertes dans un horizon du sol daté de 4 300 ans. Les chercheurs proposent, à présent, que l'on parle d'une **préhistoire** et d'un **âge de pierre** des grands singes. Les premiers signes de l'utilisation de pierres-outils par les chimpanzés se situent avant l'établissement de l'agriculture dans cette partie de l'Afrique. Ils proposent également que l'utilisation des pierres-outils soit un héritage d'un **ancêtre commun** aux chimpanzés et aux hommes. Des travaux supplémentaires sont nécessaires afin de valider ou non cette nouvelle hypothèse !

Un virus à l'origine du placenta ?

• Un organe commun à de nombreuses espèces

Les « placentaires » forment un groupe de mammifères (3 400 espèces) qui, comme leur nom l'indique, ont en commun d'être dotés d'un placenta. On suppose que tous les mammifères placentaires ont hérité cet attribut d'un ancêtre commun, premier être vivant ayant bénéficié d'un placenta. Cette innovation évolutive permet la **viviparité**, le développement embryonnaire pouvant ainsi se dérouler au sein même de l'organisme maternel.

• La construction du placenta

Dans l'espèce humaine, la formation du placenta implique, entre autres processus, l'intervention de deux protéines importantes nommées **syncytines**. Celles-ci permettent la fusion de cellules entre elles, et ainsi la création d'une large nappe unicellulaire que l'on nomme un syncytium *(schéma ci-contre)*, d'où le nom donné à ces protéines ; ce syncytium constituera la **zone d'échanges** entre le sang maternel et le sang fœtal. Les syncytines possèdent également des **propriétés immunodépressives** déterminantes, évitant que le système immunitaire de la mère ne rejette le fœtus.

Mise-bas d'une jeune otarie : le placenta est encore dans l'herbe

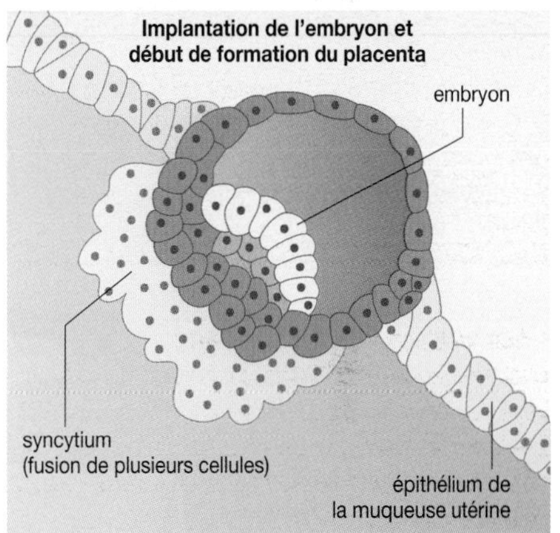

• Des gènes d'origine virale ?

Les **rétrovirus** possèdent également des syncytines : elles permettent la fusion de la membrane de la particule virale avec celle de la cellule hôte. Or, des études génétiques récentes ont montré que les gènes des syncytines de certains mammifères ont été **transmis de manière horizontale** par des rétrovirus, c'est-à-dire des virus intégrant leur matériel génétique à celui de leur cellule hôte, il y a 25 à 40 millions d'années. Ainsi, il est confirmé que la « capture » de gènes viraux, au cours de l'évolution des espèces, a permis aux mammifères d'**acquérir des fonctions** importantes.
De fait, 5 à 8 % de l'ADN humain provient de rétrovirus, ce qui correspond à 450 000 gènes ! Cependant, la plupart de ces gènes sont inactifs.

Des polyploïdes dans nos assiettes !

Mais oui, il est assez courant de consommer des **polyploïdes** ! Ainsi, la banane est un triploïde à 33 chromosomes, la pomme de terre un tétraploïde à 48 chromosomes, l'avoine un hexaploïde à 42 chromosomes, la fraise un octoploïde à 56 chromosomes ! Mais nous consommons bien d'autres polyploïdes comme les cacahuètes, le blé, la canne à sucre, les prunes, les choux, les oranges, citrons et mandarines… Il est, aujourd'hui, bien établi que la polyploïdie a joué un rôle crucial dans l'évolution du génome du blé *(voir p. 262)* conduisant au caractère dur du grain de blé utilisé pour faire des pâtes, ou au caractère tendre du grain utilisé pour faire le pain.
Cependant, les raisons du succès de la polyploïdie au cours de l'évolution des plantes sont loin d'être élucidées.

Maîtriser ses connaissances

Pour s'entraîner

1 Définissez les mots ou expressions

Hybridation, polyploïde, transfert horizontal de gènes, gènes du développement, symbiose, transmission culturelle.

2 Argumentez une affirmation

a. Un événement de polyploïdisation permet de rendre fertiles certains hybrides initialement stériles.
b. Des arbres de parenté racontant des histoires évolutives différentes peuvent être des preuves de l'existence d'un transfert horizontal de matériel génétique.
c. Des associations entre organismes peuvent provoquer une diversification du vivant.
d. Certains comportements sont transmis d'une génération à une autre par voie non génétique.

3 Vrai ou faux ?

Repérez les affirmations exactes et corrigez celles qui sont inexactes.
a. Un comportement nouveau peut apparaître dans une population, mais ne pas être transmissible.
b. De nombreuses espèces de plantes sont polyploïdes.
c. Le chant d'un oiseau ne dépend que de facteurs génétiquement déterminés.

4 Questions à choix multiples 

Choisissez la bonne réponse pour chaque série d'affirmations.

1. **Un événement de polyploïdisation :**
a. se produit normalement à chaque génération ;
b. est en général cause de stérilité ;
c. correspond à la présence d'un chromosome en trop ;
d. est une multiplication accidentelle du nombre de chromosomes.

2. **Les transferts horizontaux de gènes se font toujours :**
a. entre individus appartenant à la même espèce ;
b. entre parents et enfants ;
c. entre individus appartenant à des espèces différentes ;
d. entre deux individus, de la même espèce ou non.

3. **Les gènes impliqués dans le développement :**
a. sont très différents d'une espèce à une autre ;
b. s'expriment selon la même chronologie et avec la même intensité chez toutes les espèces ;
c. peuvent expliquer des différences importantes du plan d'organisation des êtres vivants ;
d. ne peuvent pas muter.

Objectif BAC

5 Les coraux

Les coraux sont des animaux qui vivent fixés. Beaucoup vivent en association avec une algue unicellulaire hébergée dans les cellules périphériques du corail. Les cellules animales bénéficient des matières organiques produites par l'activité photosynthétique de l'algue, tandis que l'algue utilise, quant à elle, les déchets azotés produits par le corail.

A. Questions à choix multiples 

Choisissez la bonne réponse pour chaque série d'affirmations.

1. **Une diversification phénotypique des êtres vivants :**
a. est possible sans modification des génomes ;
b. est toujours associée à une modification des génomes ;
c. est toujours due à une modification du nombre de chromosomes ;
d. est impossible sans mutation.

2. **Une symbiose :**
a. est une association qui bénéficie aux deux partenaires ;
b. s'apparente à du parasitisme ;
c. est une anomalie de la nature ;
d. repose sur une modification du génome des deux organismes.

B. Question de synthèse :
En vous appuyant sur des exemples, montrez qu'une diversification du vivant est possible sans modification génétique.

6 La polyploïdisation

Question de synthèse :
Expliquez comment un événement de polyploïdisation peut être source d'une diversification du vivant.
Votre exposé, comportant introduction et conclusion, sera accompagné de schémas.

7 Des mécanismes de diversification des génomes

Question de synthèse :
Montrez qu'il existe des mécanismes de diversification des génomes autres que ceux reposant sur les mutations et le brassage génétique dû à la reproduction sexuée.

Utiliser ses compétences

8 Un autre mécanisme à l'origine d'une espèce polyploïde
Exploiter des documents, raisonner

L'arabette des dames *(Arabidopsis thaliana)* est une plante herbacée très commune *(voir page 110)*. On connaît plusieurs autres espèces appartenant au genre *Arabidospis. Arabidopsis suecica (photographie ci-contre)* se distingue, par exemple, par une coloration différente des pétales et des sépales.

L'étude des génomes a révélé qu'*Arabidopsis suecica* est une espèce polyploïde comportant 26 chromosomes et qu'elle cumule les génomes d'*Arabidopsis thaliana* ($2n = 10$) et d'une autre espèce, *Arabidopsis arenosa* ($2n = 16$).

Question :

Montrez que le mécanisme illustré par le schéma peut expliquer la polyploïdie d'*Arabidopsis suecica*. Précisez en quoi ce mécanisme diffère de celui présenté page 41.

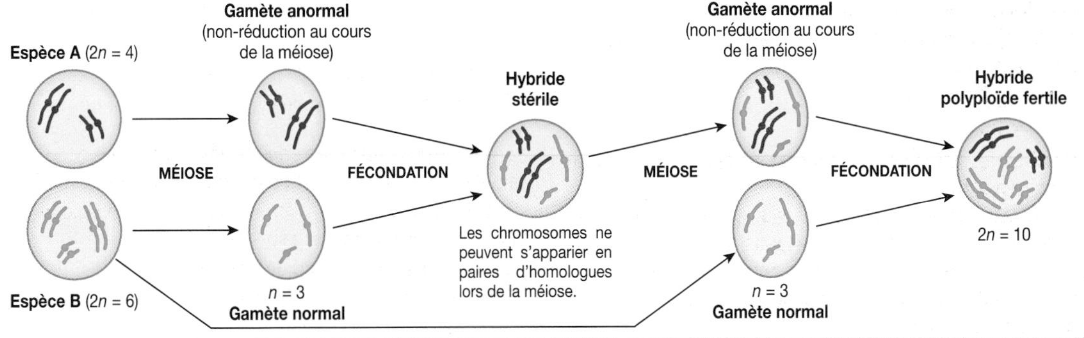

9 La transmission du chant chez les pinsons
Saisir des informations, raisonner

Exercice TYPE BAC

Les pinsons mâles sont des oiseaux dont les chants peuvent être décrits par les durées et les fréquences des motifs qui les composent. Un indice, dénommé « PC1 », a été construit en combinant mathématiquement ces caractéristiques. On cherche à savoir si le chant est transmis par voie génétique ou culturelle. Les *graphiques ci-contre* ont été réalisés en mettant en relation les indices des chants de pinsons avec ceux de leur père, de leur grand-père paternel et de leur grand-père maternel.

Remarque : les jeunes pinsons grandissent en compagnie de leurs parents mais pas de leurs grands-parents.

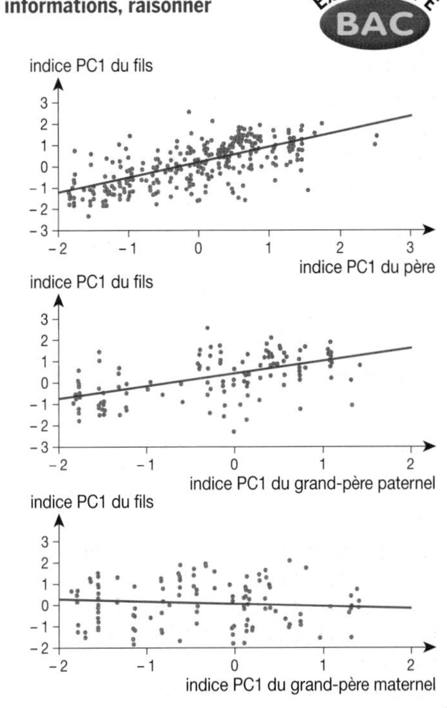

Questions à choix multiples 

Choisissez la bonne réponse pour chaque série d'affirmations.

1. **Ces graphiques montrent :**

a. que le chant d'un pinson est totalement indépendant de celui de son père ;
b. que l'influence des deux grands-parents est équivalente ;
c. que l'influence du père est moins sensible que celle du grand-père paternel ;
c. que les caractéristiques du chant du grand-père maternel sont sans influence.

2. **Cette étude :**

a. prouve que le chant du pinson est génétiquement déterminé ;
b. montre que la transmission du chant est purement culturelle ;
c. ne suffit pas pour déterminer si la transmission est culturelle ou génétique ;
d. montre que la transmission du chant est en partie culturelle.

10 Un gène du développement

Exploiter un ensemble de documents en relation avec les connaissances, pratiquer une démarche scientifique

QUESTION :
À l'aide de vos connaissances et en exploitant les documents, expliquez les résultats surprenants de l'expérience de transgénèse présentée par le document 3.

DOCUMENT 1 : **des études chez la drosophile**

L'œil d'une drosophile est un organe complexe, très différent de celui des mammifères ; il est qualifié de « composé » car formé de multiples facettes, chacune constituant un œil élémentaire. On estime qu'au moins 2 500 gènes différents interviennent pour diriger la fabrication par les cellules des différents matériaux d'un tel œil.

Pourtant, on connaît une mutation d'un seul gène qui se traduit par l'absence totale d'œil. Pour cette raison, ce gène a été qualifié de gène « eyeless ».

Inversement, des chercheurs ont réussi à activer ce gène, au stade embryonnaire, dans des régions où il ne s'exprime normalement pas : on constate alors la formation d'yeux complets à divers endroits du corps. Ces yeux, qui ne sont pas à leur place normale, sont qualifiés d'ectopiques *(photographie ci-contre)*.

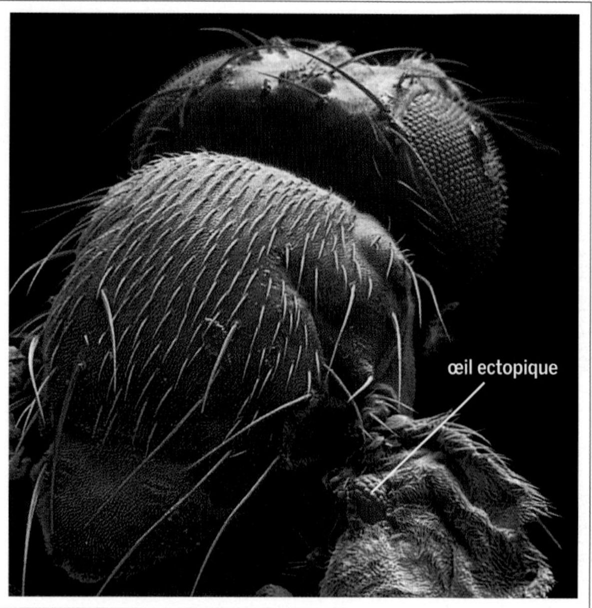

DOCUMENT 2 : **une anomalie chez la souris**

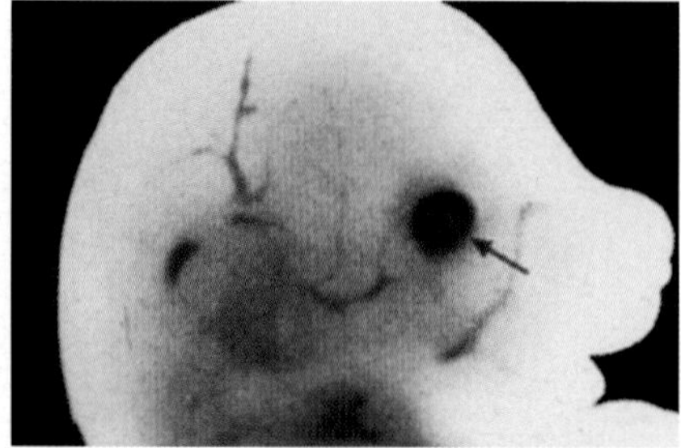

Chez la souris, on a identifié un gène, nommé PAX 6, dont une mutation conduit à la formation d'yeux de taille réduite (*photographie ci-dessus*, réalisée au stade embryonnaire) ou même dans certains cas à l'absence totale d'œil (l'embryon n'est alors pas viable).

DOCUMENT 3 : **une expérience de transgénèse**

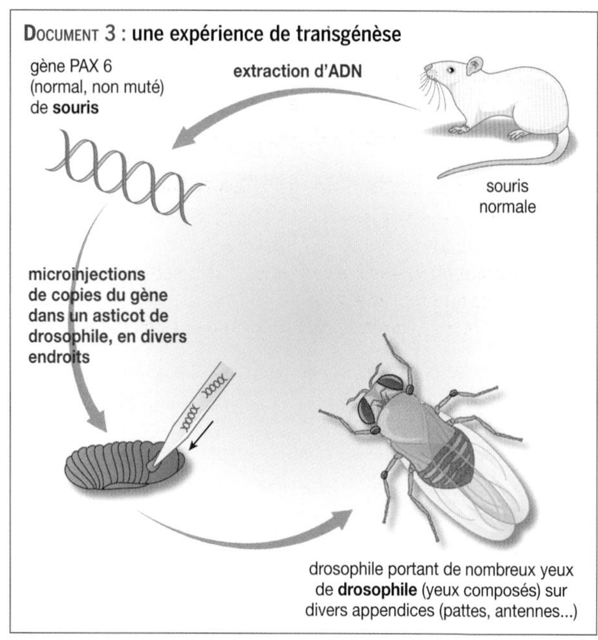

Utiliser ses capacités expérimentales

11 Un transfert horizontal de gène

Mettre en œuvre un protocole expérimental, analyser des résultats expérimentaux pour répondre à un problème

SE PRÉPARER aux épreuves pratiques du BAC

■ Problème à résoudre

Le transfert horizontal de gènes entre espèces différentes est un des mécanismes à l'origine d'une diversification des êtres vivants.
On cherche, ici, à prouver qu'une portion d'ADN d'origine bactérienne, libre dans le milieu de culture, peut être intégrée et exprimée par une cellule eucaryote et être à l'origine d'une diversité phénotypique.

■ Matériel disponible

- Souche de levures de couleur rouge.
- Fragments d'ADN. Il s'agit de constructions artificielles : chaque fragment est constitué de gènes bactériens auxquels on a associé un gène de levure qui modifie la couleur des colonies. Les colonies qui héritent de ce gène sont blanches.
- Microtubes à fonds coniques.
- Boîtes de Petri (avec milieu de culture adéquat).
- Solutions pour dilution.
- Bain-marie.
- Étuve.
- Centrifugeuse.
- Bec électrique.
- Outils stériles.
- Gants.

■ Conception d'un protocole expérimental

- Mettez au point le principe d'un protocole expérimental permettant de résoudre le problème posé. Expliquez notamment comment le résultat pourra être apprécié.
- Précisez les conditions à respecter pour ce type d'expérience.

■ Réalisation de l'expérience

- Réalisez l'expérience en suivant le protocole détaillé fourni (téléchargeable sur le site ressources, voir *ci-dessous*).

■ Exploitation et communication des résultats

La forme de cette exploitation est laissée au choix.
On attend au moins :
- une présentation et une interprétation des résultats ;
- une réponse au problème posé ;
- une courte analyse critique de la démarche et des manipulations.

Pour télécharger le protocole détaillé :

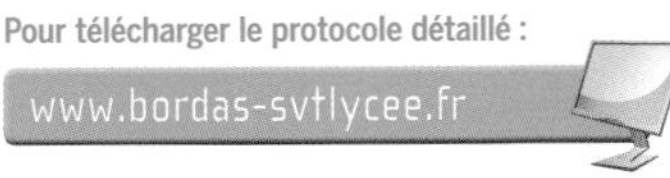

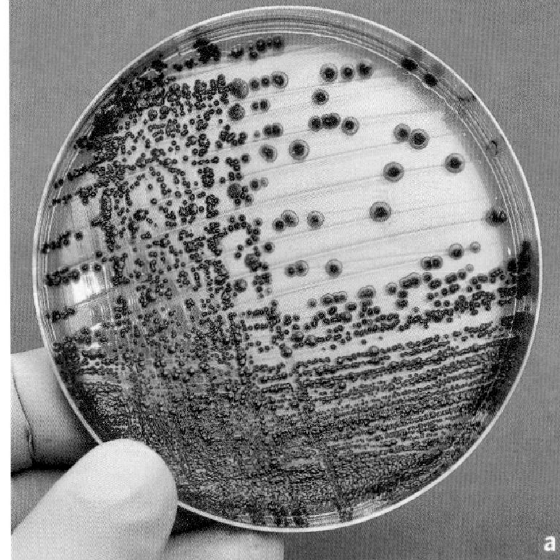

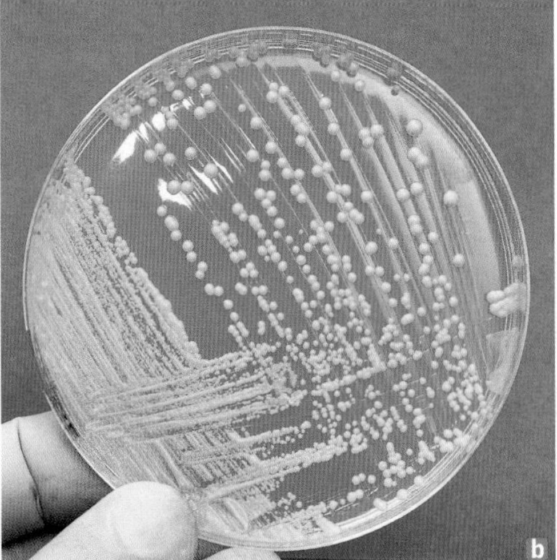

Les souches de levures en culture sur des boîtes de Petri peuvent être caractérisées par leur couleur. Ce caractère est génétiquement déterminé.
Ci-dessus : une souche rouge *(photographie **a**)* et une souche blanche *(photographie **b**)*.

Ce protocole est inspiré de celui de Gietz et al. (1995).

Des DOCUMENTS pour se poser des questions

Des survies différentielles

Dans une population d'êtres vivants appartenant à la même espèce, tous ne sont pas identiques. Au contraire, ils présentent des variations qui ne sont pas sans conséquences sur leur longévité et donc leur aptitude à laisser des descendants.

A QUOI BON COURIR? IL EST TROP RAPIDE!
MOI, J'ESSAIE JUSTE DE COURIR PLUS VITE QUE TOI...
G.MICHNIK

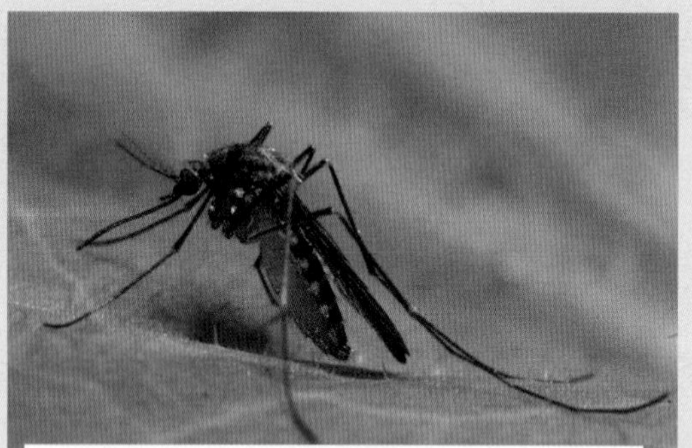

L'évolution des populations

Chez le moustique *Culex pipiens*, il existe une forme sensible aux insecticides et une forme résistante. La fréquence de la forme résistante n'est pas constante : elle augmente au cours du temps dans les zones traitées par des insecticides.

Définir une espèce

Le « ligre » est un félin né de l'union d'une tigresse et d'un lion. Tigres et lions présentent de très nombreuses similitudes et descendent d'une espèce ancestrale commune. On considère cependant qu'ils appartiennent à deux espèces distinctes car un hybride comme le ligre est stérile. Pourtant, il n'est pas toujours possible d'utiliser ce critère pour différencier des espèces voisines.

LES PROBLÉMATIQUES DU CHAPITRE

- **Comment les mécanismes évolutifs permettent-ils de comprendre l'histoire des populations et de la biodiversité ?**
- **Qu'est-ce qu'une espèce ? Quels critères permettent d'affirmer que des êtres vivants appartiennent ou non à la même espèce ?**
- **Comment explique-t-on l'apparition de nouvelles espèces ?**

Charles Darwin (1809-1882) et son premier croquis illustrant un arbre des espèces, légendé par « I think » (« Je pense »).

De la diversification des êtres vivants à l'évolution de la biodiversité

LES ACTIVITÉS DU CHAPITRE

Activités pratiques 

Mécanismes évolutifs et biodiversité

La biodiversité telle qu'elle est observée à un moment donné n'est qu'une étape transitoire de l'évolution du monde vivant. *Les mécanismes de diversification des êtres vivants créent de la diversité ; la sélection naturelle et le jeu du hasard la filtrent.*

A La sélection naturelle

Comme le montrent les *photographies ci-dessus*, les phalènes du bouleau peuvent être de couleur claire ou foncée. La variété foncée, dite *carbonaria*, résulte d'une mutation génétique. Dans une région où les supports (arbres, rochers) sont souvent couverts de lichens clairs (**a**), les phalènes foncées sont plus facilement repérées que les phalènes claires par les oiseaux prédateurs et leur fréquence dans les populations est plus faible.

La pollution atmosphérique de certaines régions entraîne la disparition des lichens (**b**) : les supports sont alors plus foncés. Dans ces conditions, les phalènes claires sont plus souvent consommées par les oiseaux que les phalènes foncées ; des durées de vie plus courtes se traduisent alors par moins de descendants. Ainsi, dans ces conditions, ce sont les formes foncées qui sont les plus fréquentes.

Doc. 1 Une survie et une reproduction différentielles.

• L'*exemple du document 1* montre qu'une modification de l'environnement influe sur la fréquence des papillons clairs ou foncés dans les populations de phalènes.
De telles modifications sont généralisables, à condition :
– qu'il existe des variations entre individus de la population ;
– que ces variations soient héritables ;
– que ces variations entraînent une reproduction différentielle, c'est-à-dire que certains phénotypes engendrent plus de descendants que d'autres.
Lorsque ces conditions sont réunies, la diversité des individus dans une population change, comme l'illustre le *cas théorique ci-contre* où les individus à fleurs jaunes ont statistiquement une descendance plus abondante que les individus à fleurs bleues. Ce mécanisme s'appelle la **sélection naturelle**.

• La sélection naturelle est donc un mécanisme sans intention vis-à-vis du résultat produit : elle « filtre » simplement la diversité biologique à chaque génération, retenant majoritairement les formes qui survivent mieux et qui ont plus de descendants.

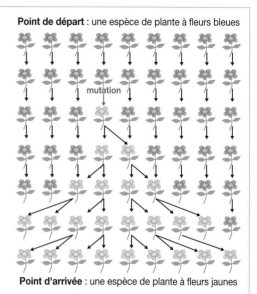

Doc. 2 Un mécanisme automatique et aveugle.

B Le jeu du hasard

• Des mécanismes de diversification aléatoires

Le hasard intervient dans la diversification des êtres vivants puisque les mécanismes à l'origine des variations (mutations ponctuelles, duplications géniques, transferts horizontaux de gènes) se produisent de façon aléatoire.

• Dérive génétique et effet fondateur

Le hasard intervient également lors de la constitution des générations successives dans une population.

La **dérive génétique** est une modification aléatoire de la **fréquence d'un allèle** dans une population ; elle conduit à une perte de diversité, et ce d'autant plus vite que la population est petite.

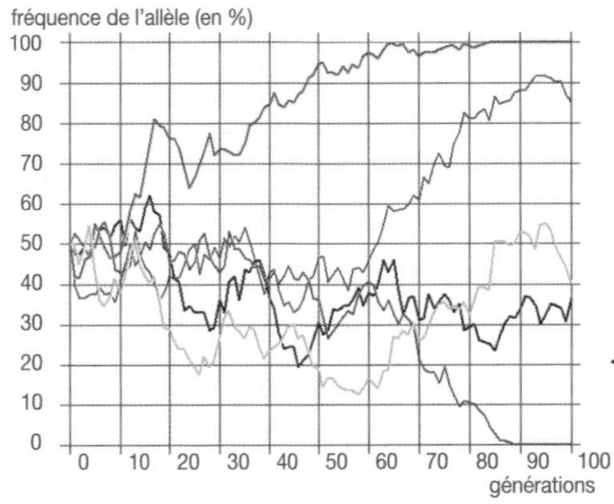

◀ **Cinq modélisations possibles de l'évolution de la fréquence d'un allèle dans une population dont l'effectif est faible. On considère ici un allèle qui ne confère ni avantage ni désavantage sélectif** (logiciel « *Évolution allélique* »).

Statistiquement, un échantillon d'une population est « à l'image » de l'ensemble de la population. Mais ceci n'est vrai que sur un effectif suffisamment important. Lorsqu'une petite sous-population s'isole d'un groupe plus important, la diversité de cette sous-population peut, par hasard, être différente de celle du groupe d'origine : c'est l'« **effet fondateur** ».

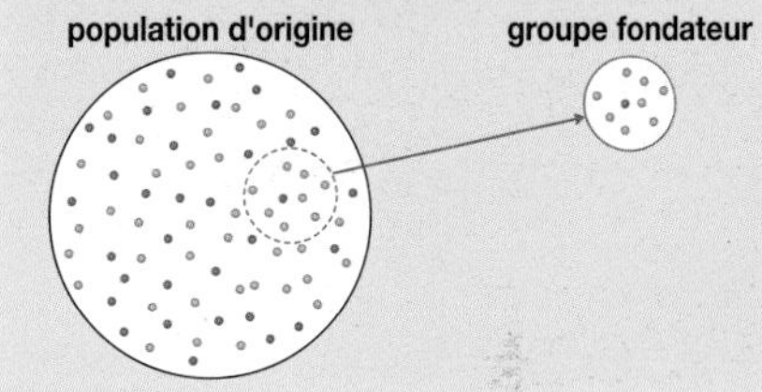

• Des perturbations majeures imprévisibles

Le hasard peut enfin intervenir à un niveau plus global. Il est scientifiquement montré qu'à plusieurs reprises, des événements soudains ont profondément bouleversé la biodiversité.

Par exemple, la crise biologique de la fin du Permien, il y a 250 Ma, est la plus importante que la Terre ait connue : elle aurait entraîné l'extinction de 95 % des espèces marines.

Il y a 65 Ma, la chute d'une météorite géante, associée à un volcanisme paroxystique, a provoqué la disparition d'un grand nombre d'espèces (dont les fameux dinosaures) et décimé les effectifs de nombreuses populations.

Cependant, de tels événements, imprévisibles, sont aussi l'occasion pour d'autres espèces de connaître une diversification qui n'aurait sans doute pas eu lieu sans la disparition d'autres groupes. C'est, par exemple, le cas des mammifères qui connaissent une extraordinaire diversification au début du Cénozoïque.

Quelle serait la biodiversité actuelle si la météorite responsable de la crise de la fin du Crétacé n'était pas tombée sur la Terre ?

Doc. 3 Trois niveaux d'intervention du hasard.

Pistes d'exploitation

PROBLÈME À RÉSOUDRE ► Quels mécanismes évolutifs sont à l'origine d'une modification des populations au cours des générations ?

Doc. 1 Pourquoi les fréquences des phalènes claires et sombres ne sont-elles pas identiques dans toutes les populations ?

Doc. 2 Quelles sont les conditions nécessaires pour que la sélection naturelle modifie la diversité génétique d'une population ?

Doc. 3 Quelle est l'influence de l'effectif d'une population ? Vous pouvez utiliser le logiciel pour faire différentes modélisations.

Doc. 3 Comment expliquer qu'une crise biologique puisse être à l'origine de l'essor de certains groupes ?

Lexique, p. 406

Comprendre l'histoire d'une population

Dans les populations sauvages d'éléphants, les individus dépourvus de défenses sont rares. Pourtant, dans certaines populations, la fréquence d'éléphants sans défenses est particulièrement élevée. *Sélection naturelle et dérive génétique permettent de comprendre l'histoire évolutive de ces populations.*

A Sélection naturelle et fréquence des éléphants sans défenses

• L'éléphant de savane *(Loxondonta africana)* est une espèce emblématique du continent africain. La plupart des mâles et des femelles de cette espèce portent des incisives supérieures à croissance continue, appelées défenses. Mais certains individus en sont dépourvus, car porteurs d'une mutation inhibant leur croissance. Ce caractère « sans défenses » est héritable ; sa transmission, complexe, est dépendante du sexe (c'est pourquoi les données présentées ici ne concernent que les femelles).

• Les défenses servent principalement à la recherche de nourriture (arrachage d'écorces ou de racines), pour la protection des petits ou lors de combats. Il a également été démontré que les individus avec des défenses plus grandes ont un avantage reproductif. Ainsi, pour diverses raisons, les éléphants pourvus de défenses sont favorisés par la sélection naturelle.

En 1930, dans le parc national Queen Elizabeth, en Ouganda, des études ont recensé 2 % d'individus femelles sans défenses dans des populations sauvages. Il est possible de suivre l'évolution de la fréquence des femelles sans défenses dans différentes populations et d'essayer d'en comprendre les causes *(voir document 2)*.

Doc. 1 Dans les populations naturelles.

En Zambie (comme dans de très nombreux autres pays), les populations d'éléphants ont été décimées par des chasseurs et des braconniers entre 1900 et 1989. Ils tuaient les éléphants pour vendre l'ivoire de leurs défenses ; ils ne chassaient généralement pas les éléphants sans défenses, dépourvus de valeur marchande.

Parallèlement, et jusqu'en 1989, la proportion d'éléphants sans défenses a très nettement augmenté. En 1989, la Zambie a été l'un des très nombreux pays à signer un traité interdisant le commerce de l'ivoire ; elle a également créé des parcs nationaux et mis en place des barrières de protection et des patrouilles anti-braconnage.

Données concernant la population du parc national du Sud Luangwa

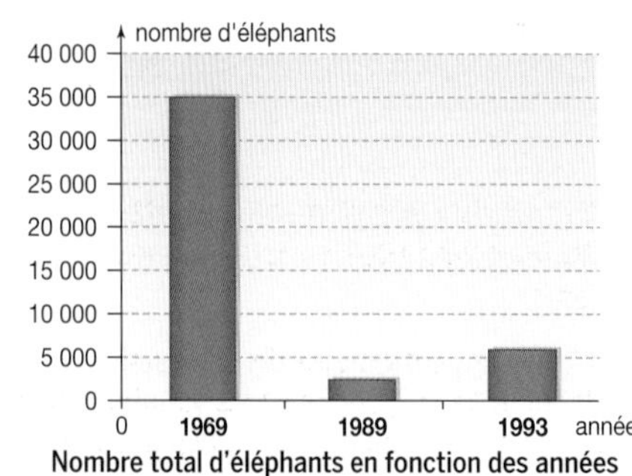

Nombre total d'éléphants en fonction des années

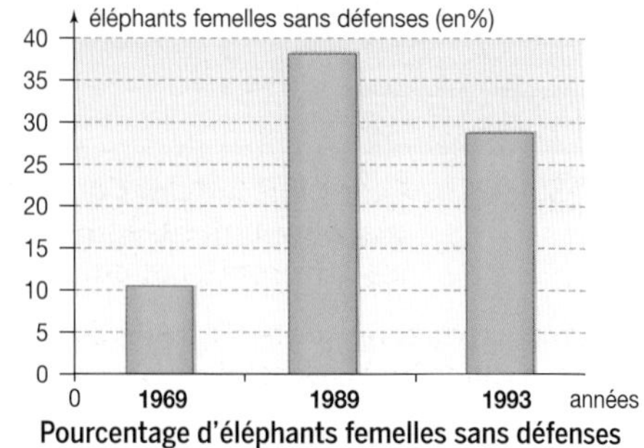

Pourcentage d'éléphants femelles sans défenses en fonction des années

Doc. 2 L'histoire d'une population d'éléphants en Zambie.

B Quand la dérive génétique s'en mêle

• Une étude intéressante concerne la population d'éléphants du parc national Addo en Afrique du Sud. En effet, la fréquence des femelles sans défenses y est aujourd'hui de 98 %, ce qui est extrêmement élevé.
Au début du XXe siècle, suite à une chasse très intensive, il ne restait plus que quatre populations d'éléphants en Afrique du Sud, dont celle d'Addo. Entre 1919 et 1920, un chasseur professionnel réduisit cette population de 130 individus à 11 ! Le parc national Addo fut créé en 1931 pour protéger ces 11 individus (8 femelles et 3 mâles) qui sont à l'origine de la population actuelle dont l'effectif atteint un peu moins de 400 individus. Il y a donc eu un effet fondateur important. De plus, dans une telle population de très petite taille, l'effet de la dérive génétique a été particulièrement marqué.
Effet de fondation et dérive génétique expliquent la fréquence actuelle très élevée des femelles sans défenses.

Groupe d'éléphants femelles dans le parc national Addo

Données concernant la population du parc national Addo

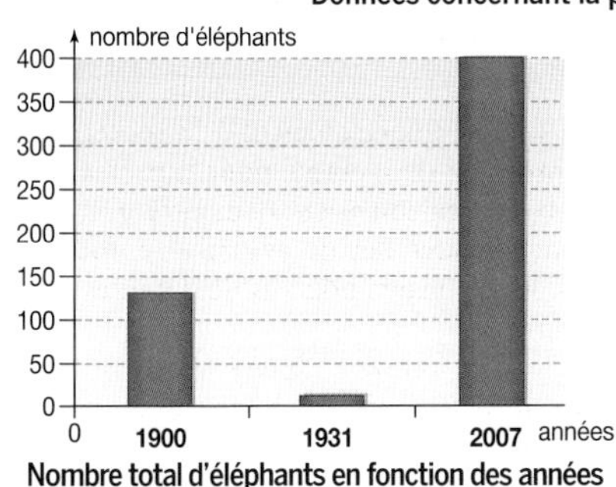

Nombre total d'éléphants en fonction des années

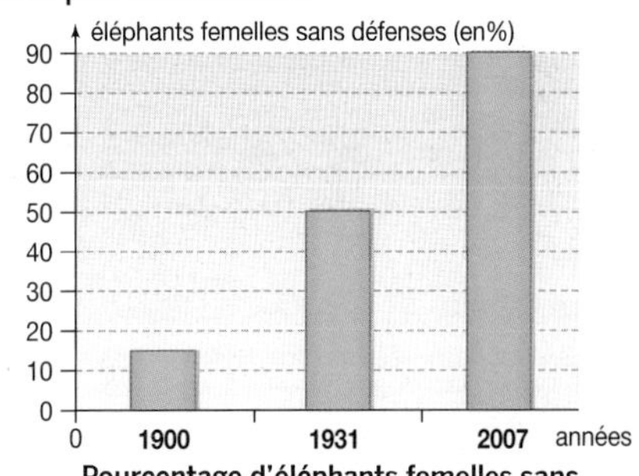

Pourcentage d'éléphants femelles sans défenses en fonction des années

• La diversité génétique des populations d'Afrique du Sud a été étudiée en se fondant sur des séquences d'ADN appelées microsatellites, composées par un motif de nucléotides répété en grand nombre. Les allèles se distinguent par le nombre de copies du motif. Les *graphiques ci-contre* montrent, pour deux locus, les fréquences des différents allèles présents dans trois populations (la population d'éléphants d'Addo, la population d'éléphants du parc Kruger et des spécimens originaires d'Afrique du Sud et conservés dans des musées). Les allèles sont désignés par le nombre de copies du motif répétitif.

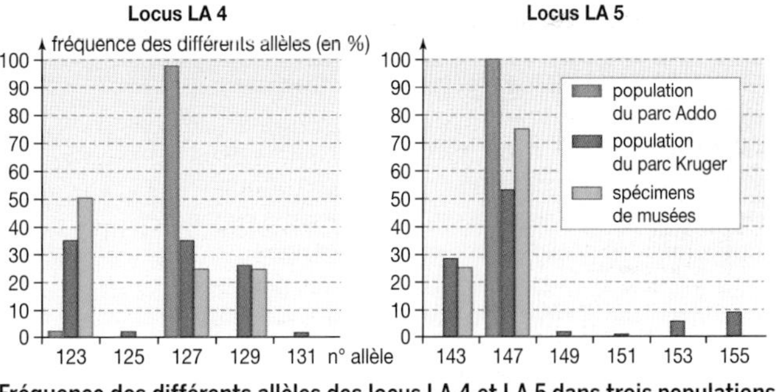

Fréquence des différents allèles des locus LA 4 et LA 5 dans trois populations

Doc. 3 L'histoire d'une population d'éléphants en Afrique du Sud.

Pistes d'exploitation

PROBLÈME À RÉSOUDRE ► Comment la sélection naturelle et la dérive génétique permettent-elles d'expliquer les fréquences des individus femelles sans défenses dans les différentes populations décrites ?

Doc. 1 Comment expliquer l'existence d'individus dépourvus de défenses et leur faible fréquence dans une population sauvage ?

Doc. 2 Expliquez les variations de fréquence des femelles sans défenses en Zambie.

Doc. 3 Que peut-on dire de la diversité allélique de la population d'Addo ? Expliquez les variations de fréquence des femelles sans défenses de la population d'Addo.

Doc. 3 Montrez l'intérêt d'une telle étude pour concevoir des mesures de conservation.

Lexique, p. 406

L'espèce : des définitions et des critères

La diversité du vivant est en partie décrite comme une diversité d'espèces. Pourtant, la définition de l'espèce a fait l'objet de nombreux débats. *Aujourd'hui, un consensus se développe autour d'une définition théorique « évolutionniste » établissant des critères directement utilisables.*

A Le concept d'espèce a changé au cours du temps

Toutes les espèces sont nommées en latin, selon le système binominal inventé par Linné : chaque espèce est désignée par un nom de **genre** (commençant par une capitale), suivi d'un qualificatif d'espèce.

À la suite des philosophes antiques (Aristote, Platon...), les grands naturalistes du Siècle des lumières (Linné, Cuvier...) ont proposé une définition et une description des espèces vivantes. Pour eux, la définition de l'**espèce** repose sur les critères de ressemblance et de reproduction à l'identique (cette reproduction expliquant la ressemblance). Dans cette conception, toute variation par rapport au type « idéal » est considérée comme une anomalie. L'espèce représente donc une entité permanente et stable.
La question de l'origine des espèces ne se pose pas pour les scientifiques de cette époque : elles ont été créées par la divinité.

> *« Une espèce est un ensemble d'individus qui engendrent, par reproduction, d'autres individus semblables à eux-mêmes. ... Nous comptons aujourd'hui autant d'espèces qu'il y a eu au commencement de formes diverses créées. »*
>
> *Carl von Linné (1736)*

Doc. 1 La notion pré-évolutionniste de l'espèce.

• Au XIXe siècle, Darwin révolutionne l'approche de la notion d'espèce :
– Il introduit l'idée d'une **parenté** entre les espèces. La diversité du monde vivant change de façon continuelle au cours du temps. Les espèces apparaissent alors comme des entités limitées dans l'espace et dans le temps.
– Par ailleurs, il fait de la **variabilité** non plus une anomalie mais une propriété essentielle du vivant (même si, à l'époque, les causes génétiques de cette variabilité ne pouvaient pas être établies). Si la reproduction explique le maintien d'une ressemblance, elle apparaît aussi comme un mécanisme générateur d'une diversification.
– Enfin, il introduit la question de l'origine des espèces dans le champ scientifique comme l'indique le titre, provocant à l'époque, de son ouvrage phare publié en 1859 : « *De l'origine des espèces au moyen de la sélection naturelle* ».
Paradoxalement, Darwin montre peu d'intérêt pour une définition formelle de l'espèce :
« Je ne discuterai pas ici les différentes définitions que l'on a données du terme espèce. Aucune de ces définitions n'a complètement satisfait tous les naturalistes et cependant chacun d'eux sait vaguement ce qu'il veut dire quand il parle d'une espèce ».

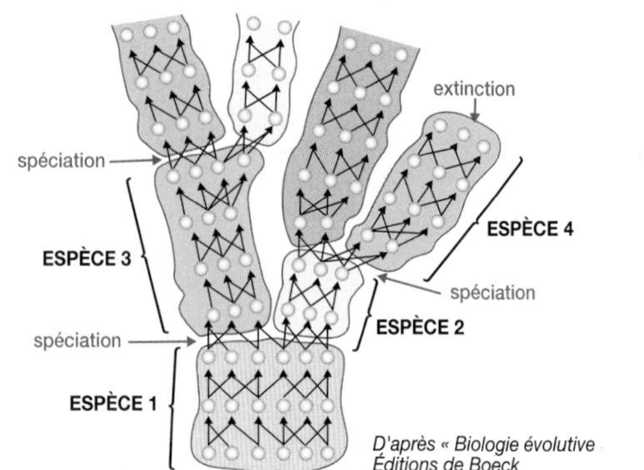

• La théorie de l'évolution permet toutefois de proposer une définition de l'espèce, illustrée par le *schéma ci-dessus*. Chaque boule est un individu : il peut se reproduire avec un autre et engendrer une descendance, elle-même fertile. Si, pour une raison ou pour une autre, un groupe d'individus ne se croise plus avec un autre, alors les deux branches divergent et peuvent former deux espèces distinctes. Une espèce peut aussi s'éteindre si l'ensemble des individus qui la constituaient disparaissent.

Doc. 2 Une définition post-darwinienne fondée sur la théorie de l'évolution.

B Les critères opérationnels de la définition des espèces

Pour définir une espèce, il convient de prouver, à partir de différents critères, qu'un ensemble d'individus appartient à une communauté de reproduction ayant une histoire évolutive autonome. Étant donné la diversité des êtres vivants, il paraît évident qu'un critère unique ne suffira pas. Parmi les nombreux critères utilisés (phénotypiques, génétiques, biologiques, écologiques, etc.), les deux critères les plus opérationnels sont présentés ici.

• Le critère phénétique

Ce critère repose sur le fait que les individus d'une espèce se ressemblent plus entre eux qu'ils ne ressemblent aux individus des autres espèces. C'est le critère le plus facile et le plus pratique à mettre en œuvre pour reconnaître une espèce. Il se fonde sur la ressemblance, dans la mesure où celle-ci traduit un apparentement. Mais cela n'est pas toujours vrai, car il peut y avoir ressemblance sans **parenté** ou parenté sans ressemblance.

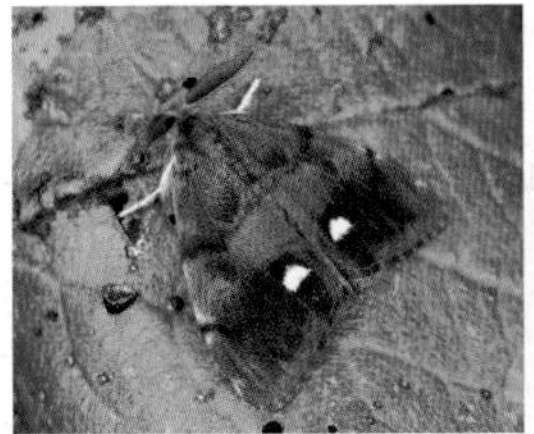
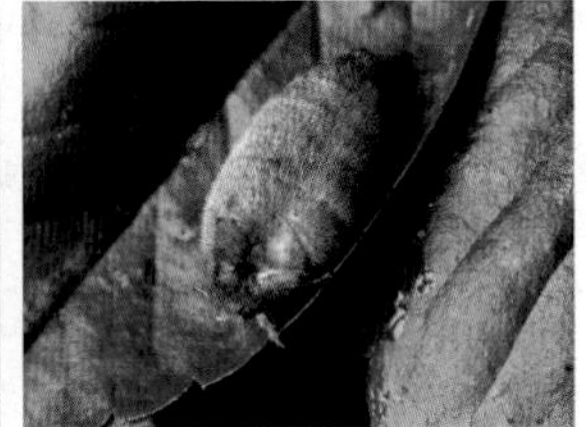

Deux espèces différentes ? Non, simplement un **dimorphisme sexuel** : à gauche un mâle, à droite une femelle de l'espèce *Orgyia recens*.

• Les critères biologiques

L'interfécondité : ce critère repose sur la définition, dite biologique, de l'espèce.
« Une espèce est une population ou un ensemble de populations dont les individus peuvent effectivement ou potentiellement se reproduire entre eux et engendrer une descendance viable et féconde, dans des conditions naturelles. » (Ernst Mayr, 1942)
Ce critère, formellement très efficace, est néanmoins difficile à utiliser en pratique car on ne peut pas toujours observer ou étudier des croisements. C'est notamment le cas des espèces fossiles.

Une ou deux espèces ? Le Fuligule milouin (*Aythya ferina*, à gauche) est manifestement bien différent du Fuligule morillon (*Aythya fuligula*, à droite). Pour les ornithologues, ce sont deux espèces différentes. Pourtant, il a été démontré qu'ils peuvent s'hybrider et donner des descendants fertiles. Cependant, ces canards plongeurs ayant des habitats très différents, ils ne se rencontrent pas et les hybrides sont très rares.

Les études moléculaires : elles permettent de mettre en évidence la présence ou l'absence de flux de gènes entre des populations. S'il n'y a pas d'échanges génétiques entre les individus de deux populations qui peuvent pourtant se rencontrer, il faut alors considérer qu'il s'agit de deux espèces distinctes (cas de *Formica, ci-contre*).

Une même espèce ? Jusqu'en 1996, *Formica lugubris* (à gauche) et *Formica paralugubris* (à droite) étaient considérées comme une espèce unique. Les données moléculaires ont démontré le contraire.

Doc. 3 Différents critères pour délimiter une espèce.

Pistes d'exploitation

PROBLÈME À RÉSOUDRE ► Comment définit-on une espèce vivante et quels critères peut-on utiliser pour déterminer si des populations appartiennent ou non à la même espèce ?

Doc. 1 Le concept même d'espèce n'a pas toujours été une évidence : pourquoi ?

Doc. 1 et 2 Définissez les concepts pré et post darwinien de l'espèce. Identifiez les points communs et les différences.

Doc. 3 Quelle est l'utilité des différents critères présentés ici ?

Doc. 3 Présentez les critères utilisés pour définir une espèce. Discutez de leur opérationnalité et de leurs limites.

Lexique, p. 406

Des exemples de spéciation

La définition évolutionniste de l'espèce implique que cette dernière n'existe que pour une période de temps limitée. Toute espèce est destinée à disparaître ou à être à l'origine de nouvelles espèces.
La spéciation est un mécanisme complexe dont certaines modalités sont à présent connues.

A Spéciation avec isolement géographique

◀ *Zerynthia cassandra*

Zerynthia polyxena ▶

Zerynthia cassandra ou *Zerynthia polyxena* ? Ces deux papillons appartiennent à deux espèces « jumelles ». Très semblables morphologiquement, elles se différencient par la forme de leurs organes reproducteurs, empêchant toute hybridation. Les grandes ressemblances constatées laissent cependant supposer une origine commune pour ces deux espèces. Leurs aires de répartition actuelles *(carte 3, ci-dessous)* et l'histoire géographique de cette région permettent de proposer un scénario évolutif ayant conduit à cette **spéciation**.

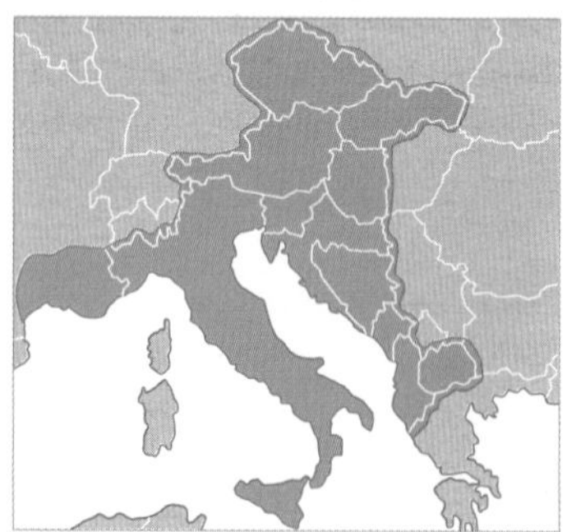

Carte 1 : Répartition supposée de l'espèce ancestrale Z avant les dernières glaciations

Carte 2 : Répartition supposée de l'espèce ancestrale Z pendant les glaciations du quaternaire

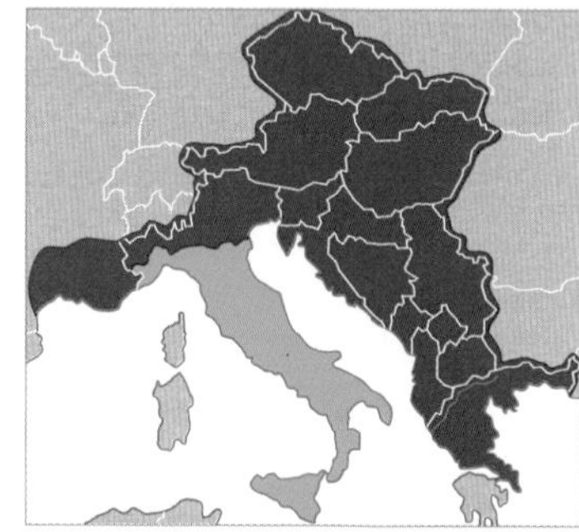

Carte 3 : Aires actuelles de répartition des deux espèces (*Z. cassandra* en bleu et *Z. polyxena* en violet)

Durant la dernière **glaciation** du quaternaire, le climat général en Europe est devenu trop froid et trop sec pour de nombreuses espèces adaptées aux climats tempérés. Certaines se sont maintenues dans des zones aux climats plus doux, dites zones refuges, comme le sud de l'Italie ou le sud des Balkans. C'est le cas de l'espèce ancestrale hypothétique (que l'on nomme ici espèce Z) à l'origine des deux espèces actuelles *Zerynthia cassandra* et *Zerynthia polyxena*. Ainsi, l'espèce de papillon Z dont l'aire de répartition initiale est représentée en bleu sur la *carte 1* se trouve, lors des dernières glaciations, divisée en deux sous-ensembles *(carte 2)*. Deux populations sont alors géographiquement séparées. Leurs histoires évolutives divergent car des différences génétiques s'accumulent indépendamment dans chaque population.

À la fin de la période de glaciation, les aires de répartition des papillons s'étendent à nouveau vers le nord, jusqu'à se rencontrer au niveau de la plaine du Pô. Mais l'espèce ancestrale a divergé en deux nouvelles espèces dont les individus ne sont plus interféconds même s'ils peuvent, aujourd'hui, se rencontrer dans le nord de l'Italie.

Doc. 1 Un exemple de spéciation chez un lépidoptère.

B Spéciation sans isolement géographique

L'exemple des poissons **cichlidés** du lac de cratère Apoyo, au Nicaragua, montre que deux espèces peuvent apparaître sans être nécessairement séparées géographiquement. Le lac Apoyo *(photographie ci-contre)* est relativement récent (environ 23 000 ans) ; il est petit (5 km de diamètre), relativement profond (200 m) et isolé.

• Deux espèces de cichlidés peuplent le lac Apoyo : *Amphilophus citrinellus* que l'on trouve également dans d'autres lacs de la région et *Amphilophus zaliosus* qui est **endémique** de ce lac. Ces deux espèces diffèrent par plusieurs caractères : morphologie externe, anatomie de la mâchoire, régime alimentaire, parade nuptiale. L'absence d'hybrides montre qu'elles ne se reproduisent pas entre elles.
Le contenu de l'estomac d'individus des deux espèces montre que *A. citrinellus* se nourrit près du rivage tandis qu'*A. zaliosus* se nourrit en eau plus profonde.
Étant donné leurs différences et leurs similitudes, on pense cependant que ces deux espèces ont une origine commune relativement récente.

Amphilophus zaliosus

Amphilophus citrinellus

• Il semble qu'*A. citrinellus* ait colonisé le lac Apoyo en une seule fois après sa formation. Dans cette forme ancestrale colonisatrice, les individus présentaient une certaine variabilité, notamment concernant la forme de la mâchoire. Alors que certaines formes apparaissent particulièrement efficaces pour exploiter les ressources alimentaires situées près du rivage, d'autres sont plus adaptées à une alimentation en eau plus profonde.
Dans cette situation, les formes intermédiaires sont désavantagées, puisque leur morphologie ne les rend performantes ni pour l'un des modes d'alimentation ni pour l'autre. Au contraire, la sélection naturelle maintient les individus qui présentent de façon bien marquée l'un ou l'autre des deux types de mâchoires et qui se reproduisent préférentiellement avec des individus de la même forme.
Ainsi, dans un même lieu, deux populations se sont constituées, ayant un comportement reproducteur différent (parade nuptiale notamment). Bien que fréquentant le même lac, les individus de ces deux populations ont finalement cessé de se croiser et ont divergé jusqu'à former deux espèces distinctes.

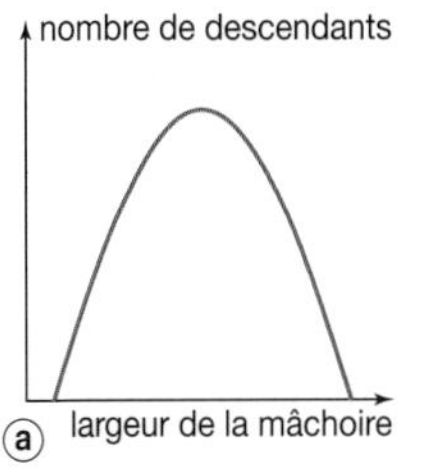

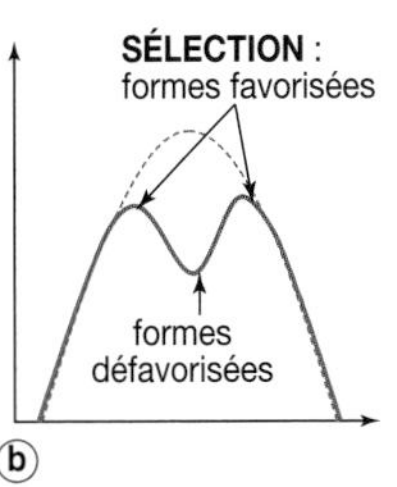

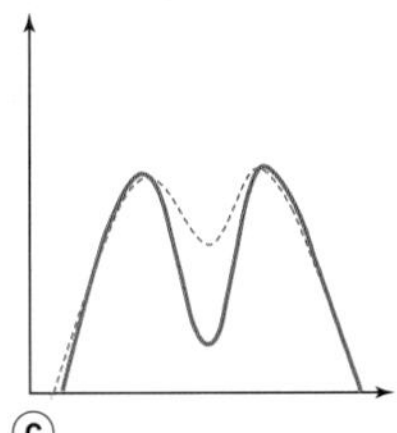

Nombre moyen de descendants en fonction de la largeur de la mâchoire :
– **a** : distribution normale initiale (courbe de Gauss) ;
– **b** : les formes intermédiaires sont défavorisées alors que les formes extrêmes sont favorisées ;
– **c** : deux populations distinctes apparaissent et forment deux espèces distinctes.

Doc. 2 Spéciation chez les cichlidés du lac Apoyo.

Pistes d'exploitation

PROBLÈME À RÉSOUDRE ► Quels sont les mécanismes possibles conduisant à la formation d'une nouvelle espèce ?

Doc. 1 Résumez l'événement de spéciation (qualifiée d'« allopatrique ») présenté ici.

Doc. 2 Résumez l'événement de spéciation (qualifiée de « sympatrique ») qui s'est déroulé dans le lac Apoyo.

Lexique, p. 406

chapitre 3 De la diversification des êtres vivants à l'évolution de la biodiversité

La **biodiversité** telle qu'on l'observe à une période donnée est à la fois le résultat et une étape de l'**évolution**. Il existe, en effet, des mécanismes qui engendrent une modification de la diversité génétique des populations au cours du temps.

À une autre échelle, l'évolution de la biodiversité peut être modifiée, voire bouleversée, par des **événements impromptus** : ce fut le cas lors de la chute d'une météorite géante qui, à la fin du Crétacé, entraîna la disparition brutale de nombreuses espèces (dont les dinosaures) sur toute la planète ; il peut également s'agir d'événements plus localisés.

1 Une évolution des populations

L'histoire d'une population

Une population est un ensemble d'individus de la même espèce qui, vivant à proximité les uns des autres, se reproduisent majoritairement entre eux, c'est-à-dire plus fréquemment qu'avec les individus d'autres populations. Dans les populations, les **fréquences des caractères (et des allèles)** varient au cours du temps, de génération en génération.

Pour comprendre l'histoire d'une population et sa structure à un moment donné, il est nécessaire de faire appel à la fois aux mécanismes de la **sélection naturelle** et de la **dérive génétique**. L'histoire des populations d'« éléphants sans défenses », en Afrique, en est un exemple : les éléphants ayant été chassés pour le commerce de leurs défenses, la proportion d'éléphants naturellement sans défenses a augmenté au cours du XXe siècle, par sélection « naturelle » (cette proportion tend à diminuer à nouveau depuis l'interdiction du commerce de l'ivoire). Cependant, dans des populations constituées à partir d'un petit nombre d'individus, on relève des fréquences d'« éléphants sans défenses » qui restent élevées : ceci résulte d'une dérive génétique.

L'effet du hasard

Le hasard intervient de façon multiple dans l'évolution des populations. Il peut être à l'origine d'une diversité biologique, mais il influe également sur son devenir.

En effet, les événements qui sont à l'origine d'une diversification génétique des êtres vivants se produisent de façon **aléatoire** : mutations ponctuelles, duplications géniques, répartition des allèles lors de la formation des gamètes, rencontre lors de la fécondation, polyploïdisation, transferts horizontaux de gènes, etc.

Par ailleurs, l'effectif d'une population étant fini, il se produit lors de la reproduction un échantillonnage aléatoire des gamètes participant à une fécondation, ce qui modifie les fréquences des allèles d'une génération à une autre. Ce phénomène est la **dérive génétique** ; son effet est d'autant plus marqué que les populations sont petites.

La sélection naturelle

D'un point de vue historique, la véritable « révolution » est le concept de **sélection naturelle**, développé par **Charles Darwin** en 1859. Il s'agit d'un mécanisme évolutif qui se produit sous trois conditions :
- les êtres vivants présentent une variabilité ;
- cette variabilité est au moins en partie héritable ;
- cette variabilité est corrélée à une variation du succès reproducteur.

Cela veut dire que certains individus, avantagés par rapport aux autres, vont vivre plus longtemps, **se reproduire davantage** et laisser plus de descendants. Les caractères avantageux sont alors de plus en plus représentés : ils sont sélectionnés. Inversement, les individus qui possèdent des caractères désavantageux laissent moins de descendants, ces caractères sont ainsi de moins en moins représentés et peuvent même être éliminés.

Un caractère qui permet à un individu de survivre et de se reproduire mieux que s'il en était dépourvu est ce que l'on appelle une **adaptation**. En accumulant les modifications aléatoires avantageuses, la sélection naturelle se traduit donc par une adaptation parfois très étroite des espèces à leur milieu et à leurs conditions de vie, adaptation qui peut étonner l'observateur. C'est pourtant un mécanisme automatique, « aveugle», c'est-à-dire dépourvu d'intention vis-à-vis du résultat produit.

2 La notion d'espèce

Les définitions pré-évolutionnistes

Avant le développement de la théorie darwinienne de l'évolution, l'espèce est conçue comme une **entité permanente et stable**. Une espèce se définit par rapport à un individu type : tous les individus qui lui ressemblent et sont interféconds sont rattachés à cette espèce. L'existence d'une variation par rapport au type de référence est considérée comme une anomalie. Les scientifiques ont alors une vision discontinue de la biodiversité, triée en groupes n'ayant pas de liens de parenté entre eux. Puisque les espèces ont toujours existé et sont stables, la question de l'origine et du devenir des espèces ne se pose pas et relève de la théologie.

Une conception évolutionniste

Au XIXe siècle, la pensée évolutionniste modifie complètement le concept d'espèce. La **variabilité** des individus n'est plus considérée comme une anomalie, mais, au contraire, comme un attribut essentiel et apparaît comme le moteur de l'évolution. L'idée d'une **filiation entre les espèces** s'impose et la question des origines est envisagée sur le plan scientifique.

Dans l'arbre des êtres vivants, une espèce est alors définie comme une sous-partie du réseau généalogique, un rameau qui diverge définitivement de la branche dont il est issu.

Des critères pour définir une espèce

Pour savoir si différents êtres vivants appartiennent à une même espèce ou non, il faut disposer de critères opérationnels.

Les critères qualifiés de **phénétiques** reposent sur les ressemblances morphologiques : deux individus qui se ressemblent appartiennent à la même espèce. En d'autres termes, les individus d'une espèce se ressemblent plus entre eux qu'ils ne ressemblent aux individus des autres espèces. Cependant, l'existence d'une grande variabilité des individus dans certaines espèces, par exemple les cas de **dimorphisme sexuel** (différences entre mâles et femelles), conduit parfois à des groupements erronés ou, au contraire, à des distinctions injustifiées.

Les critères qualifiés de **biologiques** sont liés, quant à eux, à la notion d'**interfécondité**. En 1942, Ernst Mayr propose ce que l'on appelle, aujourd'hui, la définition biologique de l'espèce : « *une espèce est une population ou un ensemble de populations dont les individus peuvent effectivement ou potentiellement se reproduire entre eux et engendrer une descendance viable et féconde, dans des conditions naturelles* ». Pour confirmer que des individus sont de la même espèce, il « suffit » donc de s'assurer qu'ils sont susceptibles de se reproduire entre eux et que leurs descendants sont bien fertiles. Théoriquement très puissant, ce critère est cependant souvent difficile à utiliser pratiquement.

D'autres critères découlant de la notion d'interfécondité peuvent être utilisés : l'analyse de l'ADN peut ainsi révéler l'existence de flux de gènes entre des populations, indicateurs de reproduction. Une déclinaison **écologique** est également utilisée : par exemple, chez les végétaux, des individus qui n'ont pas la même période de floraison ou qui occupent des milieux de vie différents, ne peuvent pas se reproduire et appartiennent, sans doute, à des espèces différentes.

3 La spéciation

Une espèce est temporaire

Une espèce peut donc être définie comme une population d'individus suffisamment isolés génétiquement des autres populations. Elle n'existe que pendant une durée de temps finie. L'espèce disparaît si l'ensemble des individus concernés disparaît, on parle alors d'**extinction**, ou bien si elle cesse d'être isolée génétiquement. Au contraire, si un nouvel ensemble s'individualise, une espèce supplémentaire apparaît : c'est ce que l'on appelle la **spéciation**.

L'événement déterminant dans tout processus de spéciation est l'apparition d'un **isolement reproductif** entre deux populations. Plusieurs situations peuvent aboutir à un tel résultat.

La spéciation par isolement géographique

Il peut arriver que deux populations de la même espèce et qui partagent un même territoire deviennent **isolées géographiquement**, par exemple suite à une modification du climat ou du milieu. Les deux populations vont alors **évoluer indépendamment** sous l'effet de la sélection naturelle et de la dérive génétique.

Parfois, il est possible que les différences deviennent telles que, même réunies à nouveau, les populations ne sont plus interfécondes. Elles forment alors deux espèces distinctes.

La spéciation sans isolement géographique

Au sein d'une population et dans un **même lieu**, il existe souvent une variabilité des individus pour un certain nombre de caractères (par exemple, le comportement alimentaire).

Il peut arriver que les hybrides, présentant un caractère « intermédiaire » soient défavorisés parce que mal adaptés, alors que les individus présentant un caractère plus marqué, dans un sens ou dans un autre, apparaissent, au contraire, mieux adaptés à leur milieu. La sélection naturelle va alors favoriser les individus qui ont tendance à se reproduire avec un partenaire de même type. À terme, deux populations coexistent et ne se reproduisent plus entre elles, ayant, par exemple, adopté des comportements reproducteurs différents. Si l'**isolement reproducteur** est atteint, elles forment alors deux espèces distinctes.

chapitre 3 De la diversification des êtres vivants à l'évolution de la biodiversité

À RETENIR

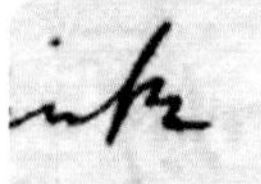

Une évolution des populations

Pour comprendre l'histoire d'une population et sa structure à un moment donné, il est nécessaire de faire appel à la fois à la **sélection naturelle** et à la **dérive génétique**.

L'effectif d'une population étant fini, il se produit lors de la reproduction un **échantillonnage aléatoire** des allèles d'une génération à une autre. C'est la dérive génétique ; son effet est d'autant plus marqué que les populations sont petites.

La sélection naturelle est le phénomène par lequel certains organismes laissent **plus de descendants** que d'autres. En accumulant les modifications aléatoires avantageuses, elle se traduit par une **adaptation** des espèces à leur milieu et à leurs conditions de vie.

L'évolution est la transformation des populations au cours des générations. Elle résulte des **différences de survie et du nombre de descendants**, conséquences de la sélection naturelle et du hasard.

La notion d'espèce

La diversité du vivant est en partie décrite comme une diversité d'**espèces**.

Le concept et la **définition de l'espèce** se sont modifiés au cours de l'histoire de la biologie.

Aujourd'hui, les scientifiques s'accordent autour d'une **définition théorique** fondée sur la théorie darwinienne de l'évolution : une espèce est une sous-partie autonome du réseau généalogique des êtres vivants. Une population d'individus identifiée comme constituant une espèce n'est définie que durant un laps de **temps fini**.

Des **critères plus opérationnels** permettent d'apprécier si deux populations appartiennent ou non à la même espèce : ces critères sont fondés sur les **ressemblances phénotypiques**, et la notion d'**interfécondité**.

La spéciation

On dit qu'une espèce disparaît, si l'ensemble des individus concernés disparaît ou cesse d'être isolé génétiquement.

Une espèce supplémentaire est définie, si un nouvel ensemble s'individualise par **spéciation**. Tout processus de spéciation repose sur l'apparition d'un **isolement reproductif** entre deux populations. Une spéciation peut avoir lieu entre deux populations géographiquement isolées ou non.

Mots-clés

- Population
- Espèce
- Parenté
- Variabilité
- Dérive génétique
- Succès reproducteur
- Adaptation
- Sélection naturelle
- Spéciation

Capacités et attitudes

- Extraire des informations (données génétiques, paléontologiques, biologiques, etc.) pour comprendre des exemples concrets de l'histoire de certaines populations.
- Modéliser les conséquences de la sélection naturelle et de la dérive génétique.
- Extraire et exploiter des informations relatives à la définition des limites d'une espèce vivante, étudier des exemples d'hybrides interspécifiques, fertiles ou non.
- Exploiter des informations et raisonner pour interpréter des exemples de spéciation.

SCHÉMA BILAN

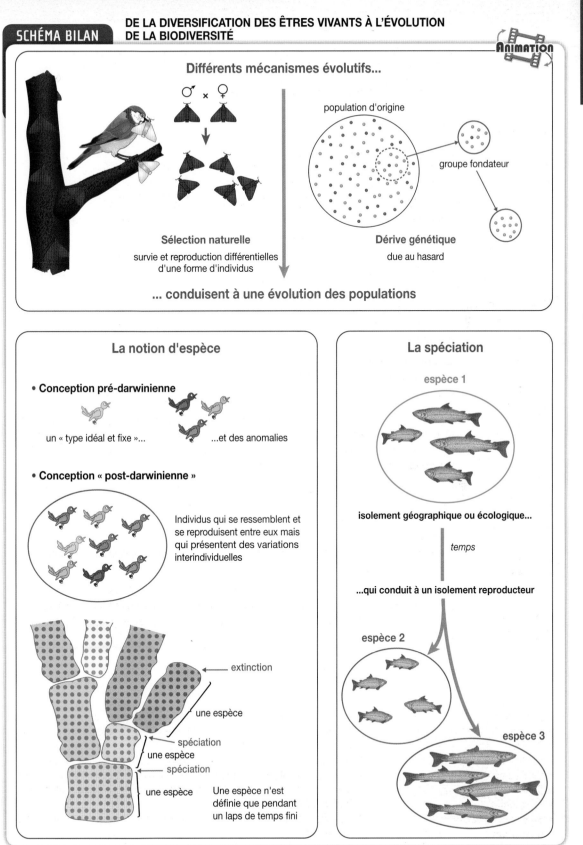

DE LA DIVERSIFICATION DES ÊTRES VIVANTS À L'ÉVOLUTION DE LA BIODIVERSITÉ

ANIMATION

Différents mécanismes évolutifs...

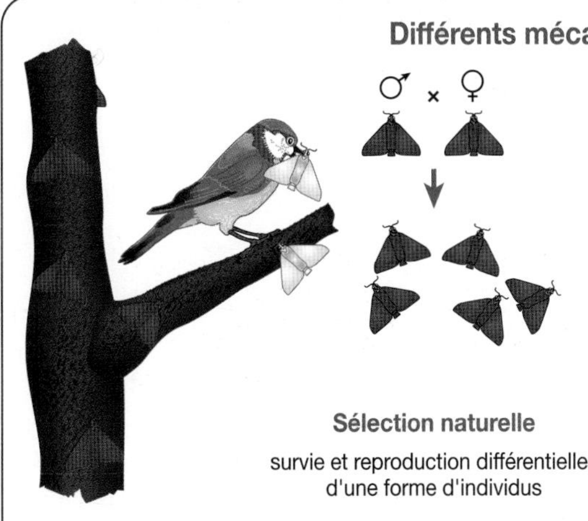

Sélection naturelle

survie et reproduction différentielles d'une forme d'individus

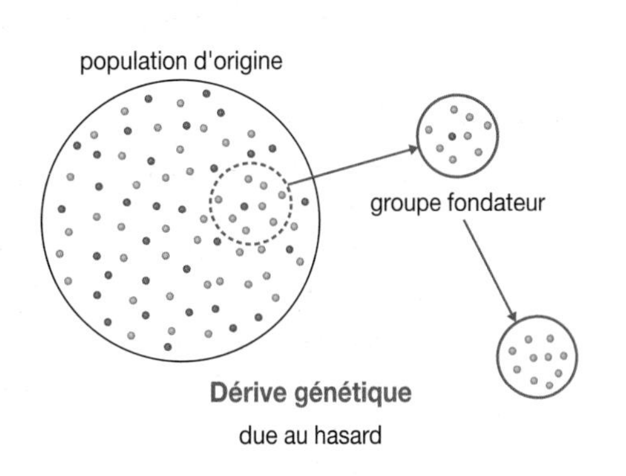

Dérive génétique

due au hasard

... conduisent à une évolution des populations

La notion d'espèce

- **Conception pré-darwinienne**

un « type idéal et fixe »...

...et des anomalies

- **Conception « post-darwinienne »**

Individus qui se ressemblent et se reproduisent entre eux mais qui présentent des variations interindividuelles

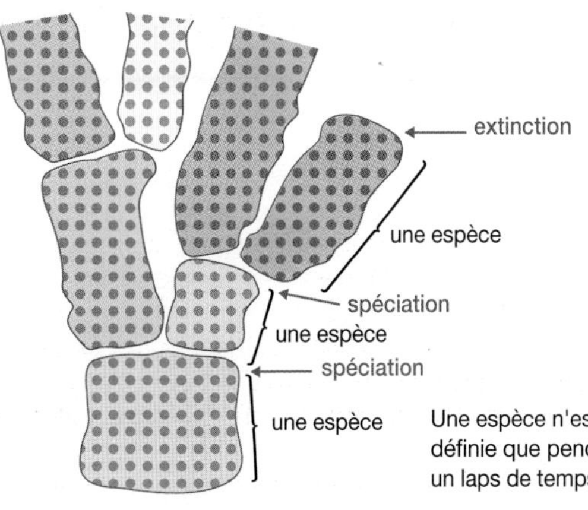

Une espèce n'est définie que pendant un laps de temps fini

La spéciation

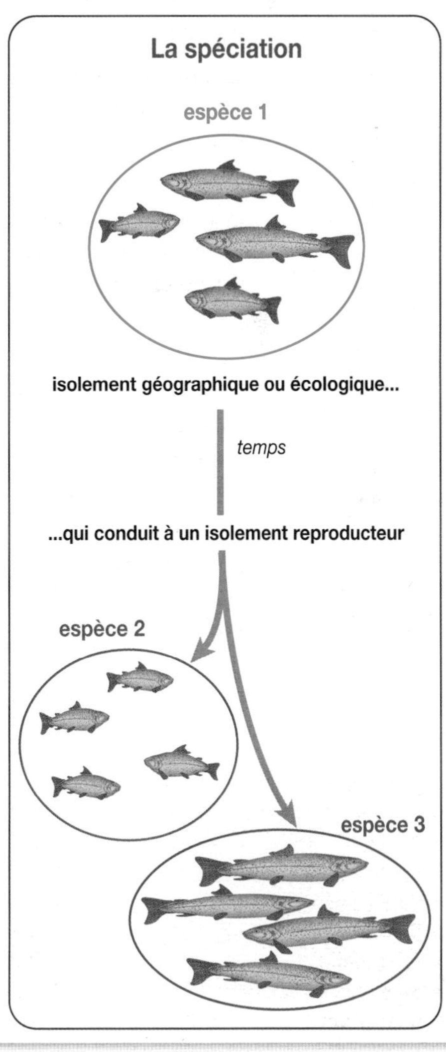

... aller plus loin

Des convergences évolutives

• Certains êtres vivants présentent des structures ou des comportements qui se ressemblent et qui leur confèrent un même type d'**adaptation à leur milieu**. Si ces êtres vivants sont éloignés dans l'arbre du vivant, il faut admettre que ces structures sont apparues de manière indépendante en réponse à des contraintes identiques, sous l'effet de la sélection naturelle. On parle alors de **convergence évolutive**. En effet, dans un **même contexte de pression de sélection**, c'est-à-dire lorsque des contraintes du milieu identiques s'exercent, la sélection naturelle peut conduire à l'émergence de formes ou de comportements semblables chez des organismes qui ne sont pas étroitement apparentés.

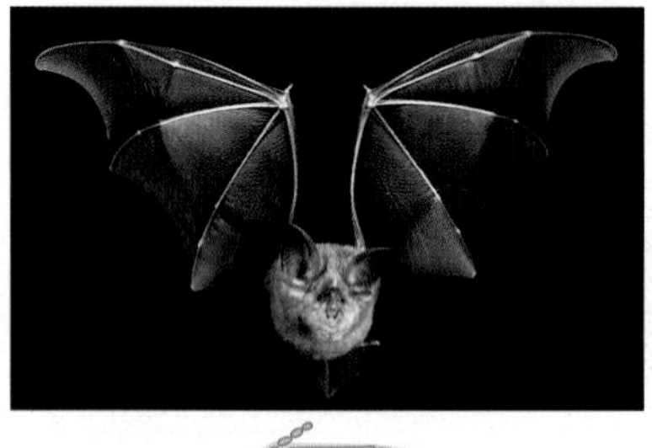

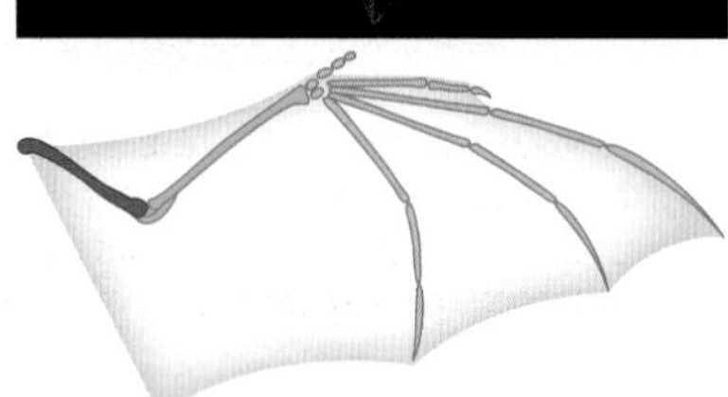

• Par exemple, les animaux possédant des ailes comme les oiseaux, les chauves-souris ou les insectes ne peuvent être regroupés sur la base du partage de cette **adaptation au milieu aérien**. En effet, les ailes des oiseaux et des chauves-souris, bien que toutes deux constituées à partir des membres antérieurs, ne se ressemblent que très superficiellement : elles ne sont pas soutenues par les mêmes doigts et la surface portante n'est pas construite de la même manière. Il apparaît donc que ces structures ailées ont évolué de manière **indépendante**, mais convergente. Ceci est encore plus évident en ce qui concerne les ailes des insectes.

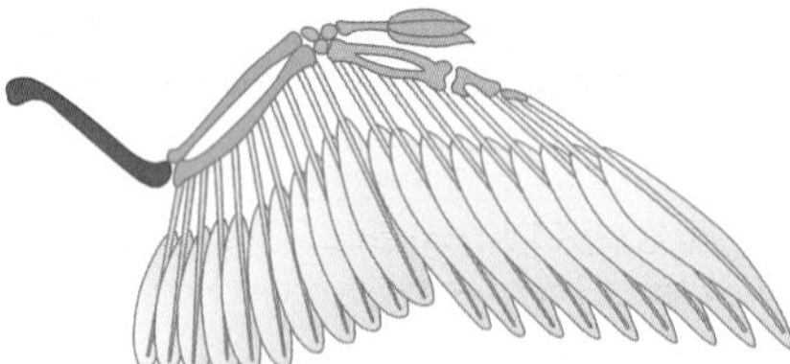

• Dans certains cas, les différences entre deux espèces peuvent paraître *a priori* assez faibles et conduire à des **erreurs de classification** phylogénétique. Ainsi, jusqu'au milieu du XVIIe siècle, les **cétacés** étaient classés parmi les **poissons osseux** au vu de leur aspect général. Une forme hydrodynamique en ogive permet en effet de diminuer la résistance lors du déplacement dans l'eau : à plusieurs reprises dans l'histoire du vivant, les conditions de vie en milieu aquatique ont, par sélection naturelle, favorisé cette **convergence de forme** entre espèces différentes.

Les convergences de forme existent aussi dans le **règne végétal** : contrairement aux apparences, l'*euphorbe ci-dessous* n'est pas un cactus mais elle présente le même type d'adaptation à la vie en milieu sec.

Le thon : un poisson osseux

Euphorbes des Canaries

Le dauphin : un cétacé

L'histoire évolutive contée et dansée

Faire sortir la science des laboratoires n'est pas une évidence, mais c'est pourtant une préoccupation de nombreux chercheurs qui veulent renforcer les **liens avec la société**.

Initier un dialogue entre la science et l'art est un pari encore plus fou ! C'est pourtant l'ambition d'un projet interdisciplinaire nommé « **Arborescence** », mené par le chorégraphe Michel Hallet Eghayan et le paléoanthropologue Pascal Picq. Michel Hallet Eghayan explique ainsi l'analogie qui existe selon lui entre art et science :

« Ce qui est vrai en science l'est aussi en art. Il s'y fait des progrès magnifiques mais ces disciplines s'enferment parfois dans un microcosme. [...] Mes créations ont en effet un lien très singulier avec le monde de la science. J'ai besoin pour travailler d'étayer la véracité de mes sources. C'est cet esprit qui me rapproche des scientifiques. »

La première partie d'« Arborescence » est constituée d'une **création chorégraphique** nommée « Which side story ? » et d'une conférence dansée « **Danser avec l'évolution** ».

Si le spectacle « Which side story ? » se concentre sur l'évolution de la **bipédie humaine**, la création hybride « Danser avec l'évolution » interroge la place de l'Homme dans la grande **histoire de la vie** en donnant la parole aux corps de danseurs, au chant d'une soprano et aux mots d'un scientifique. Ce projet a été initié et soutenu par le musée des Confluences, co-produit par la Citadelle de Besançon, l'Orchestre de Chambre de Toulouse (Gilles Colliard) et les chœurs et solistes de Lyon (Bernard Tétu).

www.ciehalleteghayan.org

La compagnie Hallet Eghayan a également créé le « festival des Enfants » dans le souci *« de donner les outils aux professeurs pour que les connaissances, qui sont un bien commun, soient le mieux partagées possible »*.

Autour de l'évolution et de la biodiversité

Vous voulez devenir :
- zoologiste, botaniste, écologue ;
- systématicien ;
- conservateur de muséum ?

Zoologiste

BAC S

- **Université (faculté des sciences) ou Classe préparatoire (BCPST)**
- **Master** recherche ou professionnel (nombreux masters dans le domaine de la biodiversité) ou **École d'ingénieurs**
- **Doctorat (3 ans)**

– Études longues
– Peu de débouchés

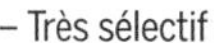

Conservateur du patrimoine

BAC S

- **Université ou Classe préparatoire (BCPST)**
- **Master** Évolution, Patrimoine Naturel et Sociétés (MNHN)
- **Concours de recrutement de l'Institut National du Patrimoine** (formation de 18 mois)

– Très sélectif

Maîtriser ses connaissances

Pour s'entraîner

1 Définissez les mots ou expressions

Sélection naturelle, hasard, dérive génétique, population, pression de sélection, espèce, spéciation.

2 Argumentez une affirmation

a. La sélection naturelle peut conduire à une diminution de la diversité des êtres vivants.
b. La dérive génétique peut conduire à une diminution de la diversité des êtres vivants.
c. Il est nécessaire de faire appel à la sélection naturelle et/ou à la dérive génétique pour comprendre l'histoire d'une population.
d. L'espèce est un concept dont la définition a changé au cours du temps.

3 Vrai ou faux ?

Repérez les affirmations exactes et corrigez celles qui sont inexactes.

a. Aujourd'hui, le principal critère permettant de définir une espèce est la ressemblance entre les individus.
b. L'impact de la dérive génétique peut être plus important sur l'évolution d'une population que celui de la sélection naturelle, surtout si l'effectif de la population est réduit.
c. Deux individus appartenant à deux espèces différentes ne peuvent pas se reproduire entre eux.
d. Une spéciation peut résulter de l'isolement de deux populations, cet isolement pouvant, par exemple, être d'origine génétique ou écologique.

4 Questions à choix multiples 

Choisissez la bonne réponse pour chaque série d'affirmations.

1. **La sélection naturelle :**
a. s'effectue sur certains individus, purement au hasard ;
b. explique l'adaptation des populations aux conditions du milieu dans lequel elles vivent ;
c. est le seul facteur pouvant expliquer l'évolution d'une population ;
d. modifie le génome des individus.

2. **La forte diminution de l'effectif d'une population provoque :**
a. une diminution systématique de la fréquence des allèles ;
b. une augmentation de la fréquence des allèles conférant un avantage ;
c. une diminution de la fréquence des allèles conférant un avantage ;
d. une variation aléatoire de la fréquence des allèles.

3. **La spéciation (formation d'une nouvelle espèce) :**
a. est systématique si deux populations de la même espèce sont isolées géographiquement ;
b. ne peut s'effectuer qu'à partir de populations d'espèces différentes ;
c. ne peut pas s'effectuer tant que les populations partagent un même territoire ;
d. correspond à un isolement reproducteur.

Objectif BAC

5 La notion d'espèce

Cette *photographie* est celle d'un « zorse », né du croisement entre un zèbre et une jument. Cet animal est stérile.

Question de synthèse :
Montrez que la définition de l'espèce n'a pas toujours été la même au cours du temps. Vous préciserez quels critères peuvent aujourd'hui être utilisés pour définir pratiquement une espèce.

6 L'évolution de la biodiversité

Question de synthèse :
Montrez que la biodiversité est une étape de l'évolution des espèces, résultant de différents mécanismes de diversification des populations.

7 La spéciation

A. Questions à choix multiples 
Choisissez la bonne réponse.

1. **Une espèce donnée est toujours constituée :**
a. d'une seule population ;
b. d'un nombre constant d'individus ;
c. d'un nombre variable d'individus regroupés en différentes populations ;
d. d'un nombre d'individus qui augmente régulièrement au cours du temps.

2. **La durée de vie d'une espèce :**
a. est limitée dans le temps ;
b. est généralement illimitée, sauf en cas d'extinction accidentelle ;
c. est déterminée génétiquement pour chaque espèce ;
d. ne dépend que du hasard.

B. Question de synthèse :
Expliquez les mécanismes qui peuvent conduire à la formation de deux espèces à partir d'une même espèce ancestrale.

Utiliser ses compétences

8 Des chants et des espèces Exploiter des documents, raisonner, exercer son esprit critique

QUESTION :

À partir des informations extraites des documents, montrez que, selon les critères utilisés pour définir une espèce, le nombre d'espèces décrites n'est pas nécessairement le même. Discutez alors de la pertinence de ces critères.

La chrysope est un insecte appartenant à l'ordre des névroptères : elle mesure une dizaine de millimètres de long, possède des ailes membraneuses et transparentes.

Plusieurs espèces de chrysope ont été définies d'après des critères morphologiques : *Chrysoperla plorabunda*, par exemple, rassemble tous les individus présentant l'aspect illustré par la *photographie ci-contre*.

Lors des périodes de reproduction, les individus mâles de cette espèce attirent les individus femelles en produisant des vibrations acoustiques que l'on peut considérer comme des chants. Ces vibrations sont produites par le frottement des abdomens des mâles contre la surface sur laquelle ils se trouvent.

Le *graphique ci-contre* montre l'enregistrement de chants de trois mâles qui vivent sur le même territoire. Les femelles présentent la capacité de détecter ces vibrations. Il a été démontré que le « spectre » de cette détection est très étroit, les femelles ne répondant qu'à un seul type de chant.

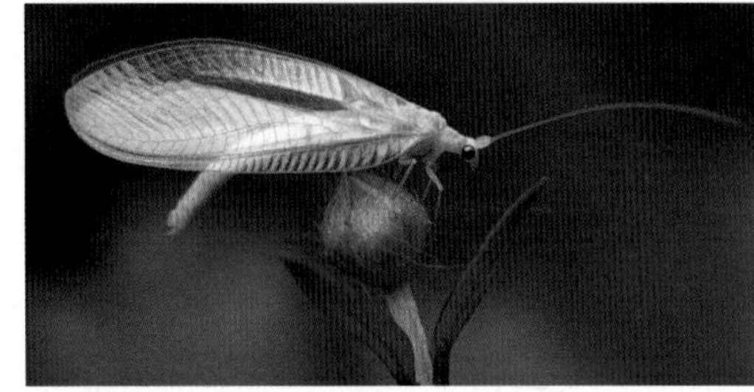

Un individu de l'espèce *Chrysoperla plorabunda*

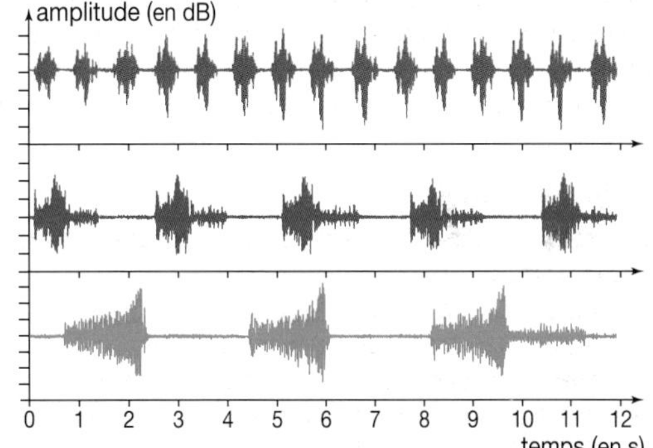

Enregistrement du chant de trois mâles *Chrysoperla plorabunda* partageant le même territoire

9 Les moustiques résistent Saisir des informations, raisonner

Exercice TYPE BAC

QUESTION :

Analysez et exploitez ce document pour expliquer l'évolution des fréquences de la mutation « Ester3 » dans le temps et dans l'espace.

Dans les années 1970, de grandes opérations de constructions de logements liées au tourisme ont vu le jour, en bord de mer, le long du littoral languedocien. Mais, celui-ci présentait l'inconvénient d'être infesté de moustiques, dont l'espèce *Culex pipiens (photographie ci-contre)*. C'est pourquoi, en 1977, il a été décidé de développer un programme visant à réduire fortement la quantité d'insectes piqueurs grâce à l'utilisation d'insecticides organophosphorés. Cependant, très rapidement, des mutations conférant des résistances à ces insecticides se sont répandues.

En 1991, apparaît entre autres une mutation nommée « Ester3 ». Cette mutation confère une résistance très importante aux insecticides. Elle présente néanmoins pour l'animal un « coût » important : dans les conditions naturelles, le taux de reproduction de ce mutant est moindre que celui des non-mutants.

Le *graphique ci-contre* montre l'évolution de la fréquence des formes résistantes (portant la mutation Ester3).

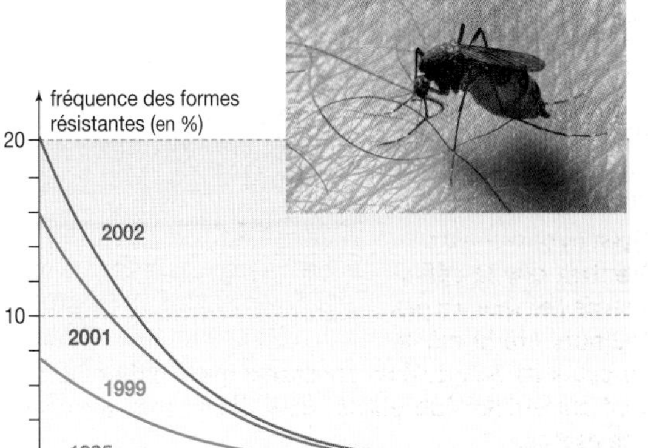

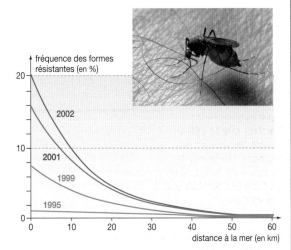

Fréquence de la mutation « Ester3 » en fonction de la distance à la mer et de l'année d'étude

D'après *Guillemaud* et al. *Evolution* 1998
Labbé et al. *Genetics* 2009

10 Une spéciation chez les palmiers

Exploiter un ensemble de documents en relation avec les connaissances, pratiquer une démarche scientifique

L'île Lord Howe est une petite île subtropicale d'une surface d'environ 12 km^2, située à 580 km des côtes est de l'Australie. Elle est constituée de terrains volcaniques et sédimentaires. Elle est datée d'environ – 6,9 millions d'années seulement.

QUESTION :

En exploitant les documents qui suivent, proposez un mécanisme susceptible d'expliquer la spéciation des deux espèces de palmiers *Howea* sur l'île Lord Howe.

DOCUMENT 1 : ***Howea forsteriana* et *Howea belmoreana*, deux espèces de palmiers endémiques de l'île d'Howe**

La famille des palmiers est représentée sur cette île par quatre espèces endémiques dont deux sont très abondantes : *Howea forsteriana* et *Howea belmoreana*. Des études phylogénétiques ont prouvé que *H. forsteriana* et *H. belmoreana* sont deux espèces sœurs issues d'une espèce ancestrale qui aurait colonisé l'île peu après sa formation (entre – 5,5 et – 4,5 Ma). La période de spéciation entre les deux espèces sœurs de palmier a été estimée à – 1,9 millions d'années environ.

Des études ont montré que *H. forsteriana* se développe de préférence sur des terrains volcaniques alors que *H. belmoreana* se développe plutôt sur des sols calcaires. Les deux espèces sont diploïdes.

Howea forsteriana : les palmes de ce palmier sont constituées de lobes tombants

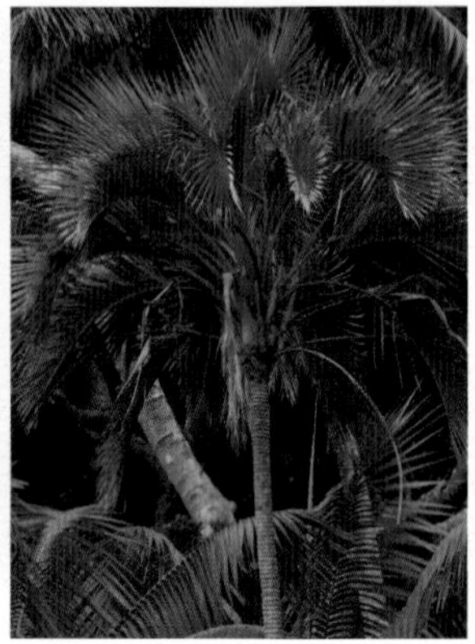

Howea belmoreana : les palmes de ce palmier sont constituées de lobes redressés

DOCUMENT 2 : **période de floraison des deux espèces de palmiers**

Chez ces palmiers, les sexes sont séparés : il existe des arbres portant des fleurs mâles et des arbres portant des fleurs femelles. Au sein de chaque espèce, la période de floraison des différents individus présente une certaine variabilité : le *graphique ci-contre* résulte d'une étude fondée sur la détermination du nombre d'arbres en fleurs, pour chacune des deux espèces, en fonction de la période.

En bleu : *H. forsteriana* (étude portant sur 177 individus).
En orange : *H. belmoreana* (étude portant sur 198 individus).
En ligne continue : les mâles, **en ligne tiretée :** les femelles.

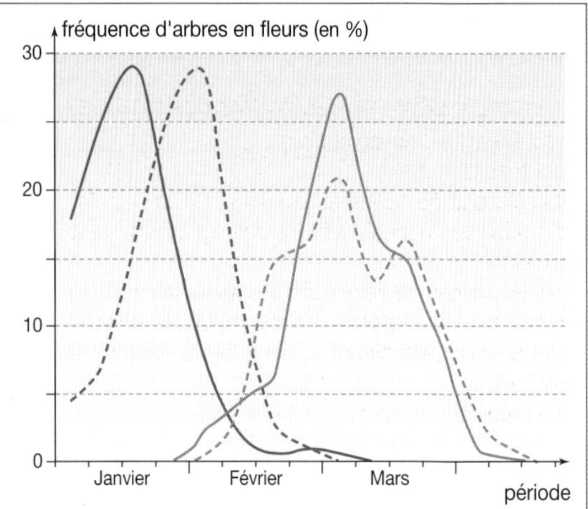

Utiliser ses capacités expérimentales

11 Importance relative de la sélection naturelle et de la dérive génétique

Modéliser, utiliser un logiciel pour exploiter les résultats de simulations

SE PRÉPARER aux épreuves pratiques du BAC

■ Problème à résoudre

Dans les populations, les fréquences des différents allèles peuvent varier d'une génération à une autre sous l'effet de la sélection naturelle et/ou de la dérive génétique.

On cherche à déterminer dans quelle mesure la dérive génétique peut influencer l'évolution de la fréquence d'un allèle favorisé par la sélection naturelle.

■ Matériel disponible

- Logiciel de simulation (utilisation en ligne, adresse disponible sur le site ressources).
- Fiche d'aide à l'utilisation du logiciel.

• Dans la situation proposée, les paramètres sont les suivants :
- on considère un gène dont il existe deux allèles A1 et A2 ;
- l'allèle A1 présente un avantage sélectif, c'est-à-dire qu'en moyenne, dans une grande population, les individus qui portent cet allèle se reproduisent davantage que ceux qui portent l'allèle A2.

• Il est possible de modifier les paramètres suivants :
- fréquence initiale de l'allèle A1 ;
- effectif de la population ;
- nombre de générations.

• Le logiciel traduit alors l'évolution de la fréquence de l'allèle A1 au cours des générations successives.

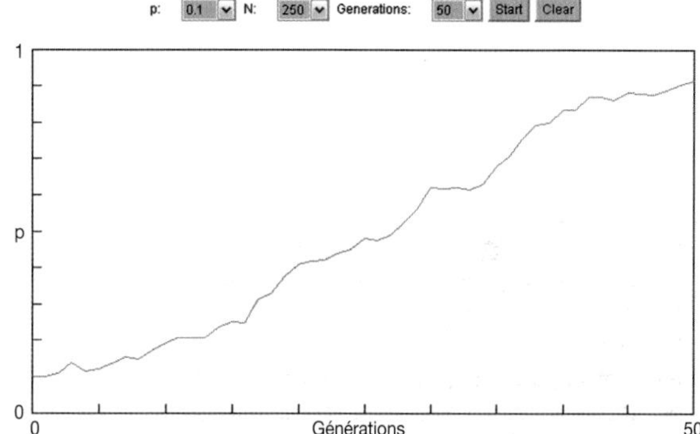

Exemple d'une simulation montrant l'évolution de la fréquence de l'allèle A1 avantagé par la sélection naturelle.

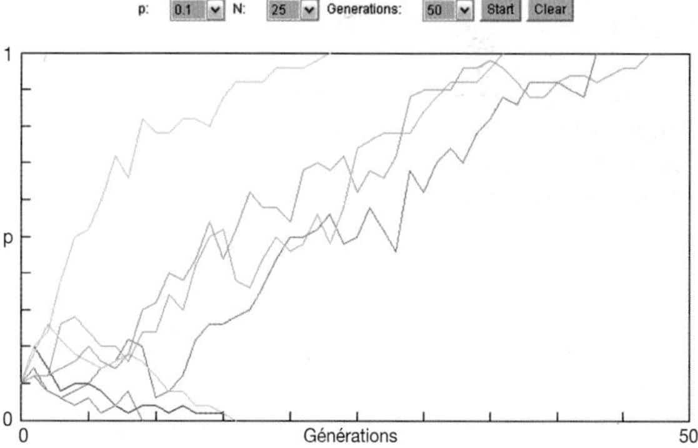

Exemples de sept simulations montrant l'évolution de la fréquence de l'allèle A1 dans la situation suivante :
- fréquence initiale : 0,1 ;
- effectif de la population : 25 individus ;
- nombre de générations : 50.

■ Conception d'un protocole de simulation

- Identifiez le ou les paramètres qu'il paraît opportun de modifier.
- Formulez, pour chaque paramètre étudié, les conséquences attendues ou possibles.
- Réalisez les simulations envisagées.

■ Communication et exploitation des résultats

La forme est laissée au choix.
On attend au moins :
- la sélection de quelques graphiques illustrant l'effet produit par la modification d'un ou plusieurs paramètres ;
- une étude comparée des différentes situations envisagées : on pourra, par exemple, comparer différentes situations qui entraînent la perte ou la fixation de l'allèle A1 ;
- une réponse courte au problème posé.

Adresse du logiciel et téléchargement d'une fiche d'aide :

www.bordas-svtlycee.fr

Des DOCUMENTS pour se poser des questions

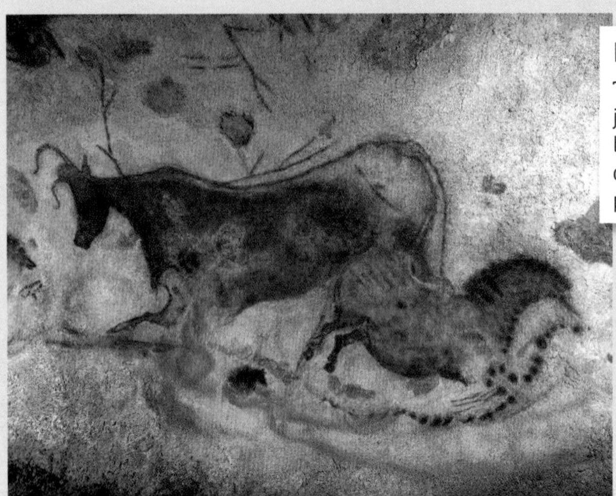

L'art rupestre

Toutes les peintures des grottes ornées découvertes à ce jour (Lascaux, grotte Chauvet, grotte Cosquer...) sont attribuées à *Homo sapiens*. Aucun autre primate ne s'exprime de cette façon, ce qui fait de l'art rupestre une singularité propre à notre espèce.

G.MICHNIK

L'Homme, un primate parmi d'autres

Sur le plan évolutif, l'Homme est une espèce comme une autre. Les arguments ne manquent pas pour situer son histoire évolutive au sein de celle du groupe des primates.

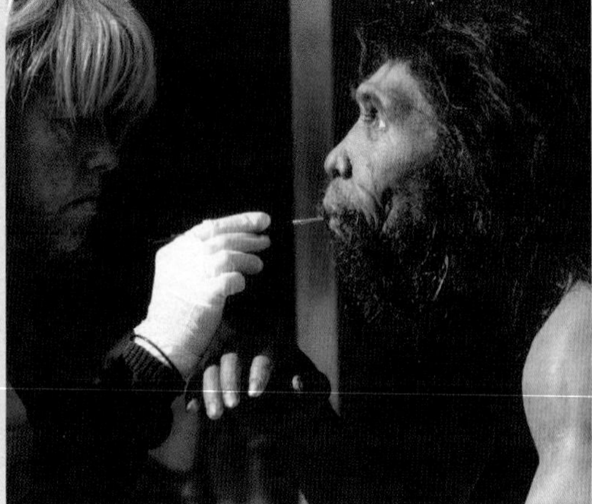

Une reconstitution de l'homme de Neandertal

Il est aujourd'hui avéré que plusieurs espèces d'Hommes ont existé et même cohabité. Ainsi, l'homme de Neandertal est un Homme fossile que l'on trouve uniquement en Eurasie et qui a disparu, il y a environ 30000 ans.

LES PROBLÉMATIQUES DU CHAPITRE

- Quelles sont les différences génotypiques et phénotypiques entre l'Homme et les grands singes, le Chimpanzé en particulier ?
- Quelles caractéristiques définissent le groupe des primates, auquel l'Homme appartient ?
- Quels sont les caractères propres au genre humain ?
- Que nous apprend l'étude des primates fossiles, notamment ceux que l'on intègre dans le genre humain ?

Le Chimpanzé Bonobo : une parenté étroite avec l'Homme.

Un regard sur l'évolution de l'Homme

LES ACTIVITÉS DU CHAPITRE

Une remarquable proximité génétique

L'Homme *(Homo sapiens)* est une espèce qui peut être comparée, du point de vue biologique, à d'autres espèces animales, notamment les grands singes. *La comparaison méthodique des génomes révèle une grande proximité entre l'Homme et les grands singes, particulièrement le Chimpanzé.*

A Une comparaison des caryotypes de quelques primates

Cette photographie est un montage : pour chaque type chromosomique (repéré par son numéro), on a juxtaposé les chromosomes de quatre espèces, dans l'ordre suivant (de la gauche vers la droite) :
- Homme ;
- Chimpanzé ;
- Gorille ;
- Orang-outan.

Remarque : chez les trois grands singes, on observe deux chromosomes, notés II p et II q, à la place du chromosome II humain *(voir doc. 2)*.

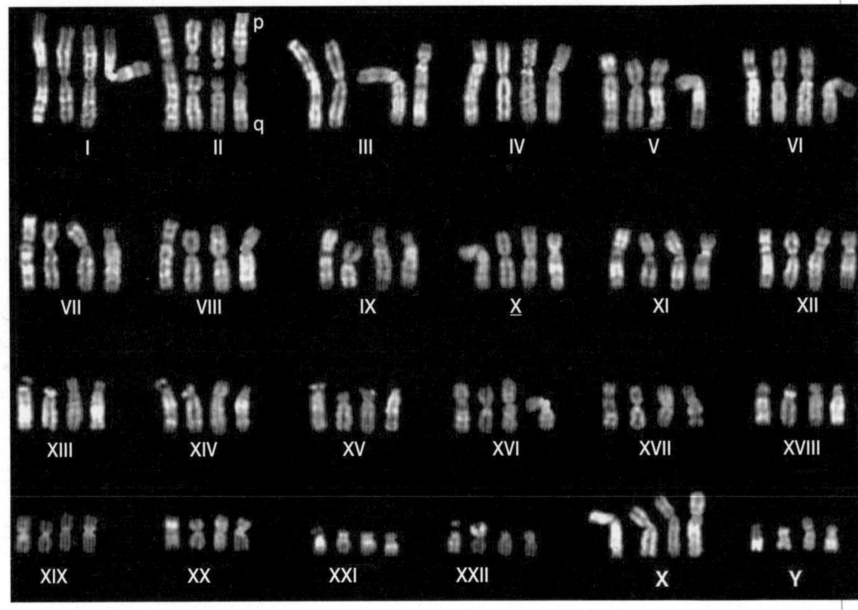

Doc. 1 Comparaison du caryotype de quatre espèces.

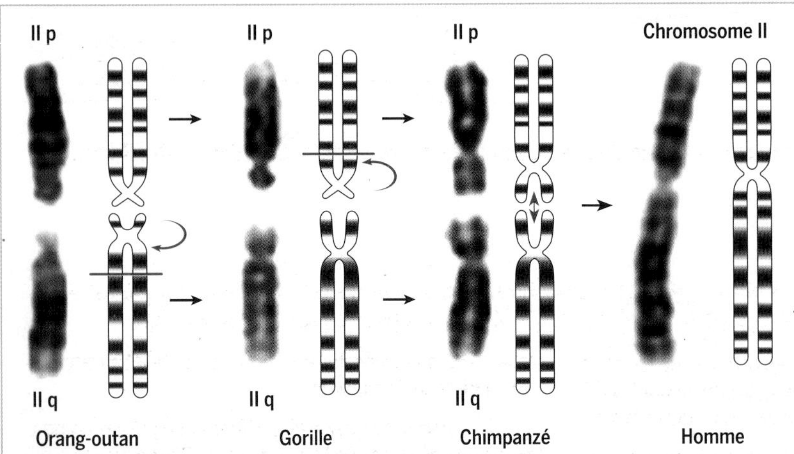

Une comparaison précise des chromosomes montre que l'on peut passer d'un caryotype à l'autre par un nombre limité d'événements, correspondant à des inversions de fragments chromosomiques, des **translocations**, des fusions ou bien encore des **fissions** de chromosomes.

◀ Le *document ci-contre* montre l'exemple du chromosome II humain et des chromosomes II p et II q des trois autres grands singes.

Doc. 2 Des différences qui peuvent s'expliquer par des remaniements chromosomiques.

B La proximité génétique entre l'Homme et le Chimpanzé

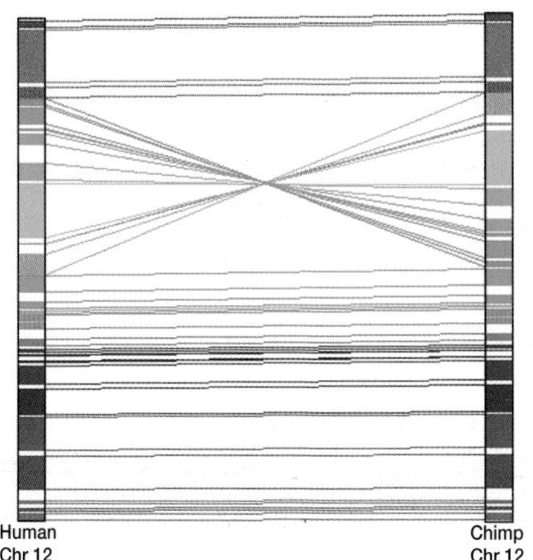

L'analyse méthodique des génomes permet de repérer des groupes de **gènes homologues**, ayant une forte similitude de séquence nucléotidique, présents sur un chromosome d'une espèce et que l'on retrouve également chez une autre espèce.

Le *document ci-contre* montre une comparaison des chromosomes 12 de l'Homme et du Chimpanzé.
Chaque couleur représente un groupe de gènes homologues, identifié et localisé sur le chromosome 12 de chacune des deux espèces.

Comparaison établie avec le logiciel « Cinteny ».

Pour comparer des génomes avec un logiciel :

Doc. 3 Des correspondances entre le génome de l'Homme et celui du Chimpanzé.

En 2005, le **séquençage** du génome d'un Chimpanzé, peu de temps après celui de l'Homme, a fourni des résultats précis et indiscutables :

- L'alignement des séquences de nucléotides fait apparaître une similitude de 98,77 %.
- Le faible pourcentage de variations ponctuelles (1,23 %) représente néanmoins 37 millions de substitutions. C'est dix fois plus que la différence moyenne constatée entre deux individus humains.
- L'étude plus précise des séquences génétiques et protéiques confirme que les différences Homme/Chimpanzé se caractérisent par un faible taux de mutations ponctuelles : en conséquence, une protéine humaine ne diffère le plus souvent d'une protéine de Chimpanzé que par un ou deux acides aminés.
- À ces différences ponctuelles, il faut ajouter des insertions ou additions de courtes séquences et des **duplications géniques**. Au total, on estime aujourd'hui qu'en tenant compte de l'ensemble de ces variations, la différence réelle entre le génome de l'Homme et celui du Chimpanzé se situe aux alentours de 6 à 7 %.

L'importance des duplications géniques

À la différence des mutations ponctuelles, le nombre de duplications géniques distinguant les deux lignées apparaît élevé. Par exemple, il existe deux copies du gène codant pour l'amylase salivaire (une **enzyme**) chez le Chimpanzé contre six en moyenne chez l'Homme. L'impact de ces duplications géniques est cependant aujourd'hui en discussion.

Une estimation des gains et pertes de gènes (J. Cohen, 2007).

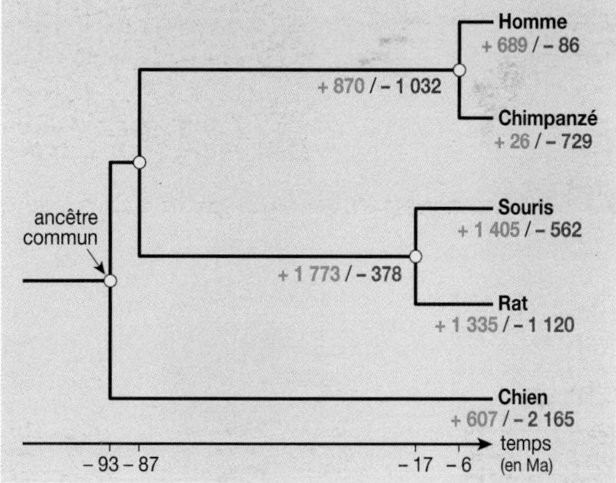

Doc. 4 Le séquençage des génomes : une similitude et des différences parfois difficiles à interpréter.

Pistes d'exploitation

PROBLÈME À RÉSOUDRE ► Quelles sont les différences d'organisation et de contenu entre le génome de l'Homme et celui des grands singes, en particulier du Chimpanzé ?

Doc. 1 à 4 Utilisez les informations déduites de l'analyse de ces documents pour préciser en quoi consistent les différences génétiques entre l'Homme et les grands singes.

Doc. 1 à 4 Montrez que ces études constituent un argument très solide en faveur d'une parenté étroite entre l'Homme et le Chimpanzé.

Doc. 4 Formulez quelques questions que pose la comparaison des génomes de l'Homme et du Chimpanzé.

Lexique, p. 406

L'acquisition d'un phénotype humain ou simien

Si les génomes de l'Homme et du Chimpanzé présentent de très grandes similitudes, ces deux espèces montrent néanmoins d'importantes différences morphologiques. *Le phénotype propre à ces espèces s'établit en différentes étapes, par interaction entre l'expression de l'information génétique et l'environnement.*

A Un développement propre à chaque espèce

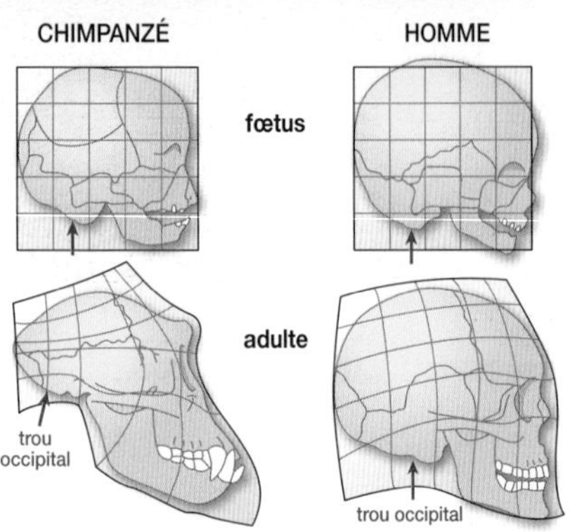

Sur ces schémas, la déformation du quadrillage illustre les poussées de croissance, importantes chez le Chimpanzé, très ralenties chez l'Homme, qui expliquent les différences de morphologie crânienne observées chez l'adulte.

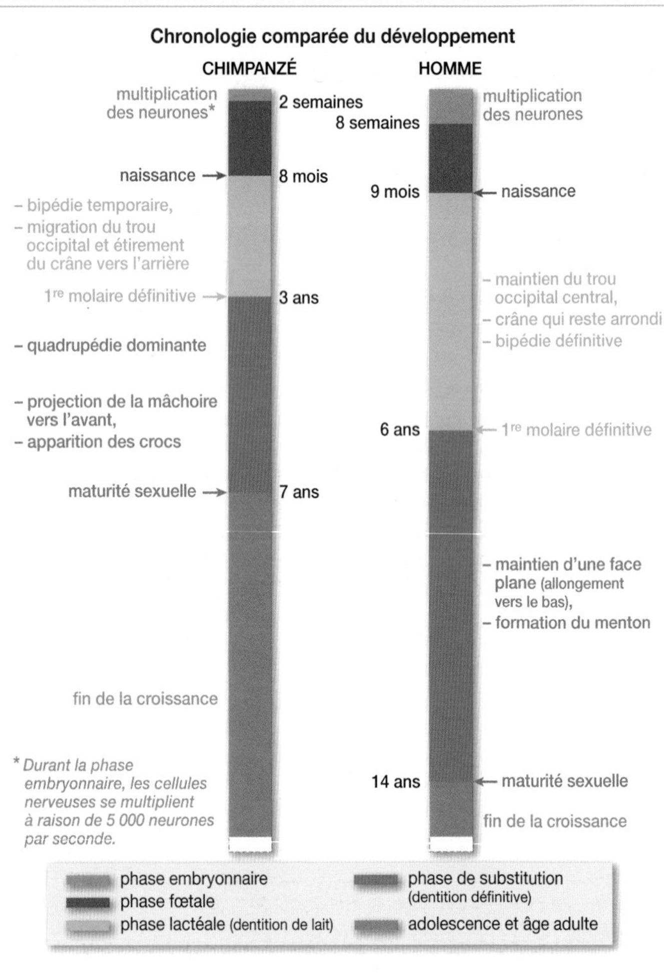

Le crâne du jeune Chimpanzé est très différent de celui de l'adulte. Relativement rapidement après la naissance, les caractères typiquement simiens se développent : déplacement vers l'arrière du **trou occipital** (ce qui favorise la **quadrupédie** alors que le jeune Chimpanzé est volontiers bipède), étirement du crâne, etc.

Chez l'Homme, la phase embryonnaire et la phase juvénile (qui s'étend jusqu'à la maturité sexuelle), sont plus longues, de telle sorte que le développement est ralenti, ce qui maintient la bipédie et une morphologie crânienne relativement proche de celle du fœtus.

Doc. 1 Les principales étapes du développement de l'Homme et du Chimpanzé.

B Une interaction entre l'expression génétique et l'environnement

Chez l'Homme, certaines mutations d'un gène (appelé gène ASPM) entraînent une anomalie du développement cérébral se traduisant par une microcéphalie : le cortex cérébral est réduit à 30 % de son volume normal. En effet, la protéine produite par ce gène détermine, pour les **cellules souches** corticales, la durée de la phase de multiplication.

Des comparaisons génétiques ont montré que le gène ASPM fait partie des gènes qui ont connu une évolution récente dans l'histoire de la lignée humaine. Cependant, l'impact réel de la mutation de ce gène dans les processus évolutifs n'a pas été démontré. Beaucoup d'autres gènes sont exprimés différemment chez l'Homme et chez le Chimpanzé : il serait vain de rechercher quelques gènes dont l'impact suffirait à eux seuls à expliquer ce qui distingue l'Homme du Chimpanzé.

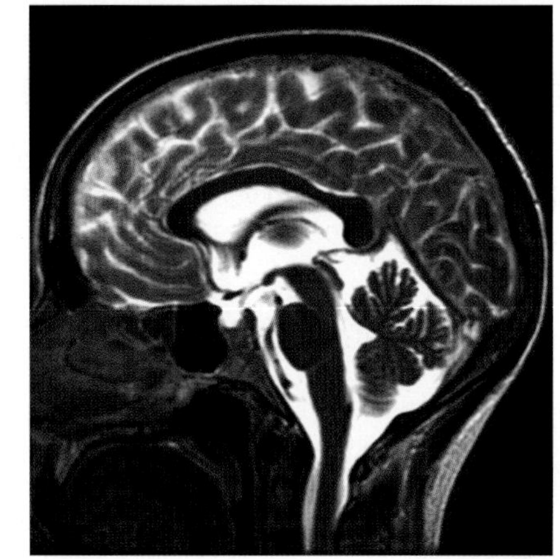

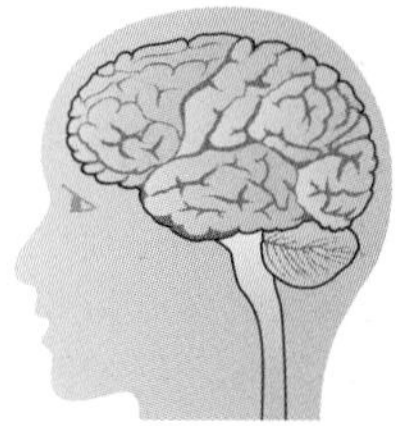

développement normal

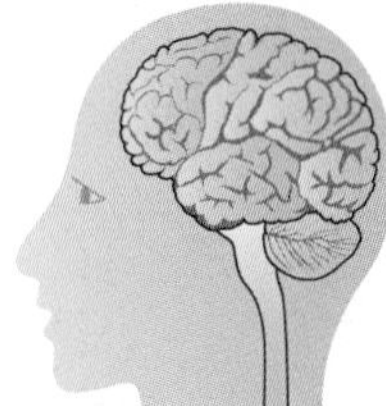

microcéphalie

Doc. 2 L'effet de la mutation d'un gène contrôlant le développement.

Il n'existe pas de « gène du langage » mais incontestablement des aptitudes, génétiquement déterminées, qui permettent le langage. Ainsi, chez l'Homme et contrairement aux singes, la position basse du **larynx** et la forme du palais permettent d'émettre des sons articulés. Récemment, on a pu montrer qu'un gène (appelé FoxP2) contrôlait l'expression d'autres gènes codant pour des protéines intervenant dans le fonctionnement des cellules nerveuses. Ce gène est fortement exprimé dans le cerveau humain mais aussi chez les oiseaux et les chauves-souris. Chez l'Homme, une mutation de ce gène se traduit par une altération des fonctions linguistiques (difficulté à mettre en œuvre certaines règles de grammaire, à articuler certains mots).

Mais encore faut-il apprendre à parler ! Les « enfants sauvages » (enfants qui, dès le plus jeune âge, ont vécu isolément) ne développent pas de langage articulé.

Le langage se construit progressivement dès les premiers mois, à partir des différentes fonctions sensorielles, par l'établissement d'une communication d'abord non verbale et d'une interaction avec les autres individus.

Doc. 3 L'importance de la relation aux autres individus.

Pistes d'exploitation

PROBLÈME À RÉSOUDRE ► Comment expliquer l'établissement d'un phénotype humain, bien différent de celui des autres grands singes ?

Doc. 1 On dit souvent que le phénotype humain est celui d'un primate immature. Sur quoi repose une telle affirmation ?

Doc. 1 et 2 Montrez l'importance du contrôle de la chronologie du développement.

Doc. 1 à 3 Utilisez des informations tirées de ces documents pour montrer que le problème posé ici n'admet pas une réponse génétique simple et reste encore en partie non résolu.

Lexique, p. 406

La grande famille des primates

L'Homme et les singes sont des mammifères que l'on classe plus précisément dans le groupe des primates. *Une étude méthodique permet de positionner les espèces actuelles ou fossiles dans un arbre évolutif des primates.*

A Des espèces de primates actuelles et fossiles

Le Propithèque de Verreaux, un lémurien **endémique** de Madagascar

Les primates constituent un sous-groupe de mammifères comportant 185 espèces actuelles, dont 75 sont menacées d'extinction. Les primates possèdent donc toutes les caractéristiques communes aux mammifères, caractères que l'on qualifie d'**ancestraux** (ou primitifs).
La réunion de certains mammifères dans le groupe des primates est basée sur le partage de **caractères dérivés**, c'est-à-dire possédés exclusivement par ces espèces. On ne retrouve en effet ces attributs chez aucune espèce d'un autre groupe. Ce sont notamment :
– des orbites larges, situées vers l'avant, permettant une vision binoculaire stéréoscopique et donc une bonne perception du relief ;
– un pouce **opposable** aux autres doigts, ce qui permet une préhension ;
– la présence d'ongles plats et non de griffes.

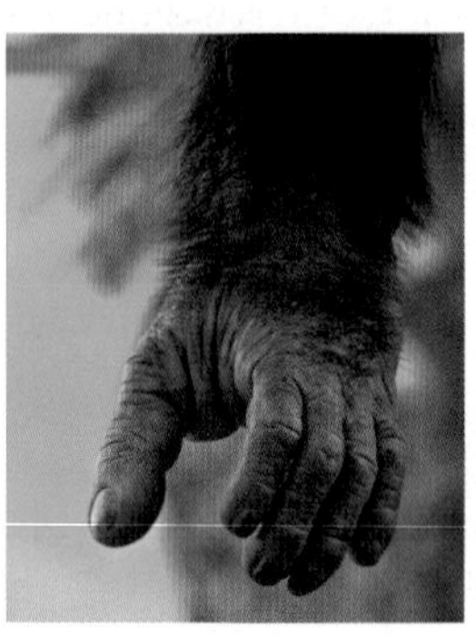

Le « pied » d'un jeune chimpanzé

Doc. 1 Des caractères dérivés qui fondent le groupe des primates.

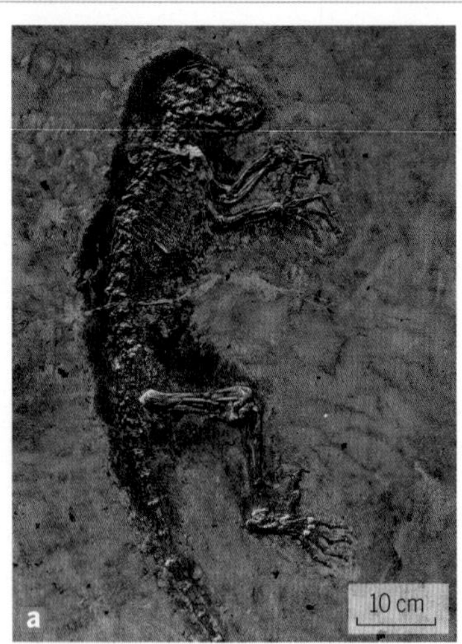

Plusieurs centaines de primates ne sont connues que par l'existence de fossiles : ce sont des espèces aujourd'hui disparues. Les plus anciens fossiles appartenant indiscutablement au groupe des primates datent de – 55 Ma (millions d'années). La photographie **a** présente *Darwinius masillae*, plus communément appelé Ida, un fossile remarquablement conservé (95 % du squelette), découvert dans le site fossilifère de Messel, près de Francfort en Allemagne et daté de – 47 Ma.
L'étude du squelette montre qu'Ida était une femelle arboricole, mesurant environ 1 m (longue queue comprise) et pesant 700 à 900 g. L'exceptionnelle conservation de ce fossile permet de voir des traces de fourrure et l'empreinte du tube digestif contenant le dernier repas (fruits, graines, feuilles). Une étude approfondie montre qu'Ida appartient à un rameau du groupe des primates, aujourd'hui éteint, partageant certains caractères avec les lémuriens (incisives constituant un « **peigne dentaire** »).

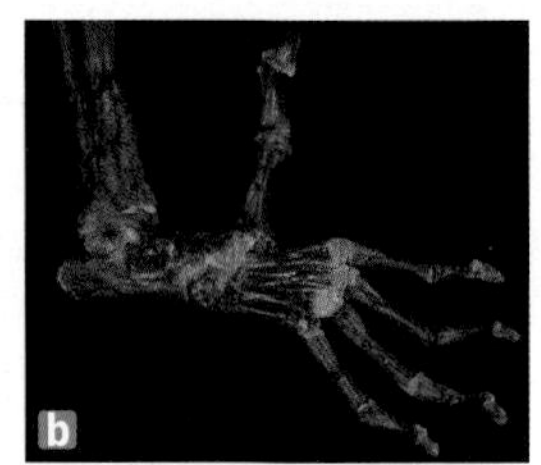

La radiographie du pied de *Darwinius masillae* révèle le caractère opposable du premier orteil et l'absence de griffe.

Doc. 2 De nombreuses espèces, connues grâce à des fossiles.

B Un arbre phylogénétique des grands groupes de primates

La construction d'un arbre évolutif ou **arbre phylogénétique** est basée sur le partage de caractères dérivés.
En effet, un caractère dérivé correspond à une innovation évolutive : on considère alors que toutes les espèces qui partagent cette innovation l'ont héritée d'un **ancêtre commun** qui est la première espèce à en être dotée.
L'« ancêtre commun » reste virtuel : ce n'est pas un fossile mais son existence est avérée par simple raisonnement logique.
De proche en proche, on peut ainsi reconstituer l'histoire évolutive d'un groupe.
Dans l'*arbre phylogénétique ci-contre*, les caractères dérivés sont figurés en rouge, les ancêtres communs sont représentés par un rond jaune.

À partir d'un inventaire des caractères dérivés possédés, il est alors possible de replacer une espèce, actuelle ou fossile, dans un arbre phylogénétique.

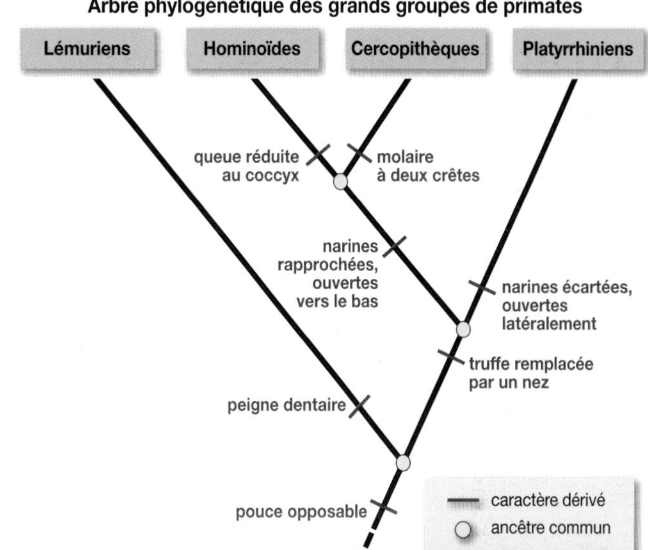

	Babouin	Chimpanzé	Propithèque	Homme	Macaque	Atèle
Molaires à deux crêtes	oui	non	non	non	oui	non
Narines	rapprochées	rapprochées	arrondies	rapprochées	rapprochées	écartées
Peigne dentaire	non	non	oui	non	non	non
Pouce	opposable	opposable	opposable	opposable	opposable	opposable
Queue ou coccyx	queue	coccyx	queue	coccyx	queue	queue
Truffe ou nez	nez	nez	truffe	nez	nez	nez

Doc. 3 La place de quelques espèces actuelles parmi les primates.

Pistes d'exploitation

PROBLÈME À RÉSOUDRE ► Quelle est la place de l'Homme dans l'histoire évolutive des primates ?

Doc. 1 Justifiez l'appartenance de l'Homme au groupe des primates.

Doc. 2 et 3 Expliquez pourquoi *Darwinius masillae* ne doit pas être considéré comme un ancêtre de l'Homme ou des grands singes.

Doc. 3 En appliquant la méthodologie exposée, positionnez dans l'arbre phylogénétique chacune des espèces présentées dans le tableau. Pourquoi peut-on affirmer que le Macaque est plus proche de l'Homme qu'il ne l'est de l'Atèle ?

Lexique, p. 406

La diversité des grands singes

Le groupe des « grands singes » se réduit aujourd'hui à quelques espèces, dont les effectifs sont souvent peu importants et la répartition limitée, à l'exception notable de l'espèce humaine. *Les grands singes, dont beaucoup sont aujourd'hui disparus, ont incontestablement une parenté très étroite avec l'Homme.*

A Une grande diversité, aujourd'hui disparue

Le groupe des **hominoïdes**, communément appelés « grands singes », rassemble aujourd'hui quelques espèces : Gibbons (9 espèces), Orang-outans (2 espèces), Homme, Gorilles (2 espèces probablement) et Chimpanzés, parmi lesquels on distingue le Chimpanzé commun et le Bonobo.
À l'exception de l'Homme, toutes ces espèces occupent aujourd'hui des territoires réduits et les effectifs des populations, peu importants, sont en diminution. La plupart de ces espèces figurent d'ailleurs sur la « liste rouge des espèces en danger », c'est-à-dire confrontées à un risque très élevé d'extinction.

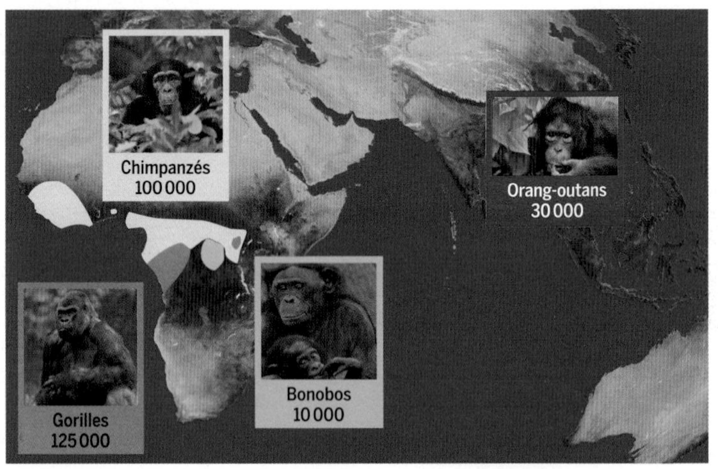

Doc. 1 Les derniers « grands singes ».

La découverte de fossiles révèle une diversité beaucoup plus grande que ne laisse supposer l'observation des espèces actuelles. Quarante-sept espèces différentes d'hominoïdes fossiles sont aujourd'hui répertoriées.

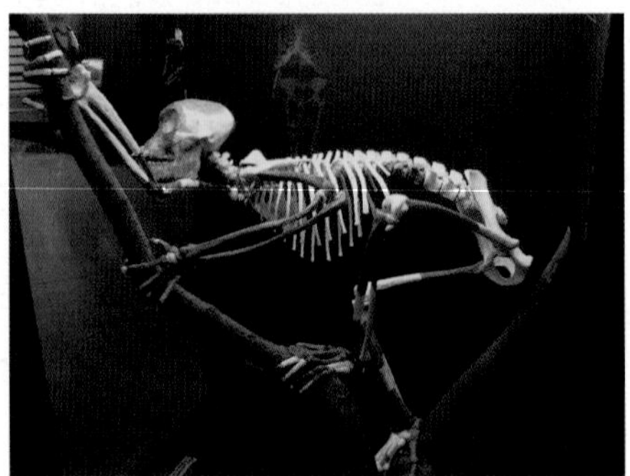

Le principal fossile de *Proconsul africanus* est daté de – 18 Ma. L'étude du squelette montre que cette espèce était quadrupède arboricole et probablement dépourvue de queue. Le crâne, **prognathe** et d'un volume cérébral modeste (180 cm^3), ressemble à celui des gibbons. Cependant, les différentes espèces de *Proconsul* présentent certaines caractéristiques que l'on ne retrouve chez aucun autre hominoïde actuel.

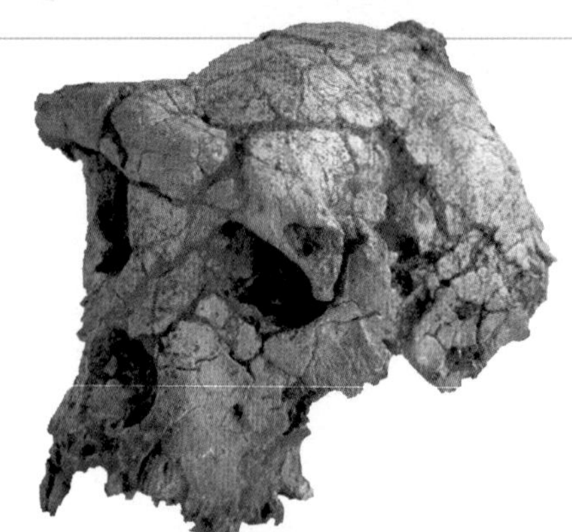

Daté de – 7 Ma, le crâne de « Toumaï » *(Sahelanthropus tchadensis)* présente une mosaïque de caractères primitifs et dérivés : **bourrelet sus-orbitaire** marqué, crête osseuse à l'arrière du crâne (comme chez les gorilles). Cependant, contrairement aux grands singes actuels, les canines ont un émail épais, avec des couronnes réduites, sans crêtes aiguisoirs et le **trou occipital** est en position nettement plus avancée que chez le chimpanzé. Pour le paléontologue Michel Brunet, *« La probabilité que Toumaï ait été bipède est plus forte que celle qu'il ne l'ait pas été ».*

Doc. 2 Une diversité insoupçonnée, connue grâce aux fossiles.

B Hommes et Chimpanzés partagent un ancêtre commun récent

a

```
               10        20        30        40        50
Bonobo       MAHAAQVGLQ A SPIMEELIIFH HALMIIFLICFLVLYALFL L  KL N
Chimpanzé    MAHAAQVGLQ A SPIMEELIIFH HALMIIFLICFLVLYALFL L  KL N
Homme        MAHAAQVGLQ A SPIMEELI FH HALMIIFLICFLVLYALFL L  KL N
Gorille      MAHAAQVGLQ A SPIMEELI FH HALMIIFLICFLVLYALFL L  KL S
Orang-outan  MAHRAQVGLQ A SPIMEELVIFH HALMIIFLICFLVLYALFL L  KL N
Gibbon       MAHATQVGLQ A SPIMEELISFH HALMIIFLISFLVLYALFL L  KL N
```

	Bonobo	Chimpanzé	Homme	Gorille	Orang-outan	Gibbon
Bonobo	0	0,9	2,6	3,1	5,3	6,2
Chimpanzé		0	2,6	3,1	5,3	6,2
Homme			0	3,1	6,2	5,7
Gorille				0	4,0	6,2
Orang-outan					0	6,2
Gibbon						0

b

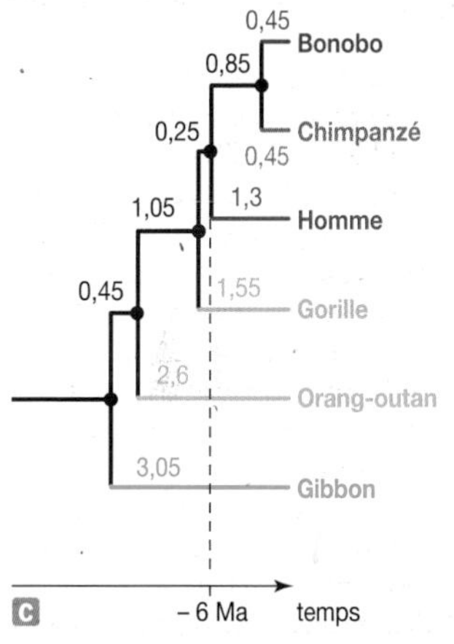

Le document **a** propose une partie de l'alignement des séquences d'acides aminés de la cytochrome oxydase chez différentes espèces. Il s'agit d'une enzyme clé de la respiration cellulaire, présente chez tous les eucaryotes. Chaque lettre représente un acide aminé.

La **matrice des distances** (**b**) présente le pourcentage de différences entre les séquences comparées deux à deux.

L'**arbre phylogénétique** (**c**) est construit à partir de la matrice des distances. La longueur des branches horizontales est proportionnelle au pourcentage de différences entre les séquences.
En comparant ainsi plusieurs molécules et en « calant » les arbres obtenus sur une échelle de temps (ce qui suppose connu un rythme moyen de mutation), il est possible d'estimer le moment de la divergence des différentes lignées.

Doc. 3 Une parenté précisée grâce à des données moléculaires.

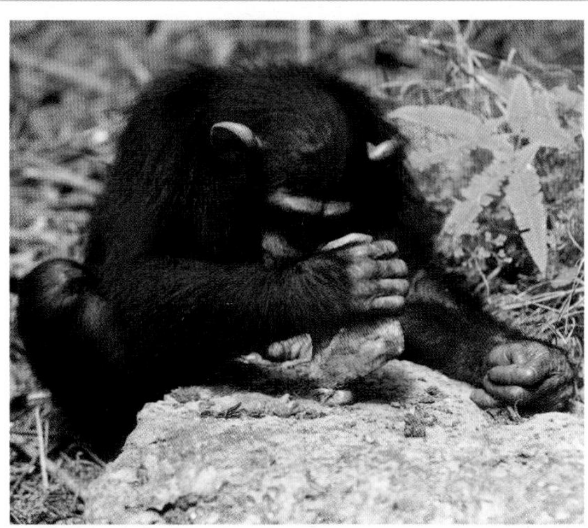

Casser une noix entre deux pierres, l'une servant de marteau et l'autre d'enclume, suppose la mise en relation de trois objets. Cette utilisation d'outils, la plus complexe connue naturellement à ce jour chez les animaux, se rencontre chez les chimpanzés.

« Si l'on fait le bilan de ce que l'on a observé depuis 30 ans chez les chimpanzés, on s'aperçoit que tout ce que l'on avait cru voir se manifester en termes d'adaptation uniquement chez les hommes c'est-à-dire la bipédie, l'outil, la chasse, le partage de la nourriture, la sexualité, les systèmes sociaux, le rire, la conscience, l'empathie, la sympathie, les chimpanzés le font aussi. Donc, soit ils ont tout acquis indépendamment, soit cela vient du dernier ancêtre commun, ce qui est plus plausible. Cela veut dire que déjà dans le monde des forêts, il y a 6 à 7 millions d'années, toutes ces caractéristiques que l'on a cru propres à l'Homme existaient et font partie d'un bagage ancestral commun ».

Pascal Picq *(Entretien RFI)*.

Doc. 4 Les Chimpanzés sont les espèces actuelles les plus proches de l'Homme.

Pistes d'exploitation

PROBLÈME À RÉSOUDRE ► **Avec quelles espèces de primates l'Homme est-il le plus étroitement apparenté ?**

Doc. 1 à 4 Utilisez ces documents pour préciser la parenté de l'Homme avec les autres hominoïdes.

Doc. 1 à 4 Quelles informations apportent l'étude des espèces fossiles ? Comment peut-on les situer par rapport aux espèces actuelles ?

Lexique, p. 406

Les caractères dérivés propres aux humains

L'Homme partage avec le Chimpanzé de nombreux caractères, hérités de leur dernier ancêtre commun, mais présente par ailleurs des particularités spécifiquement humaines. *L'inventaire des différences entre Homme et Chimpanzé permet de déterminer quels sont les* ***caractères dérivés*** *propres aux humains.*

A Les caractéristiques d'*Homo sapiens*

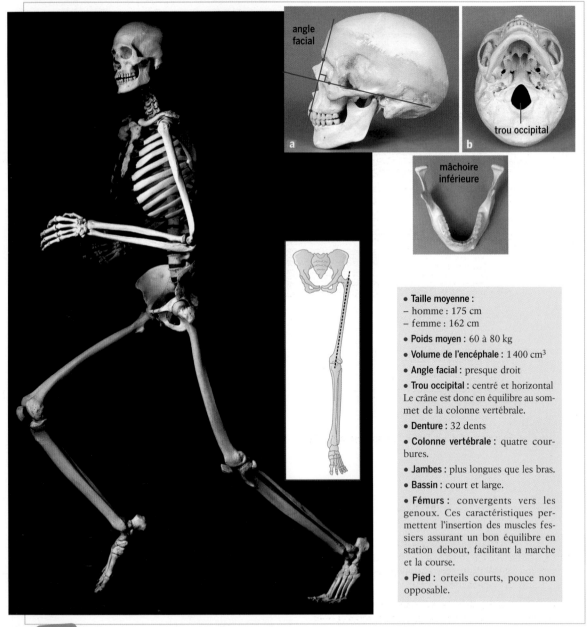

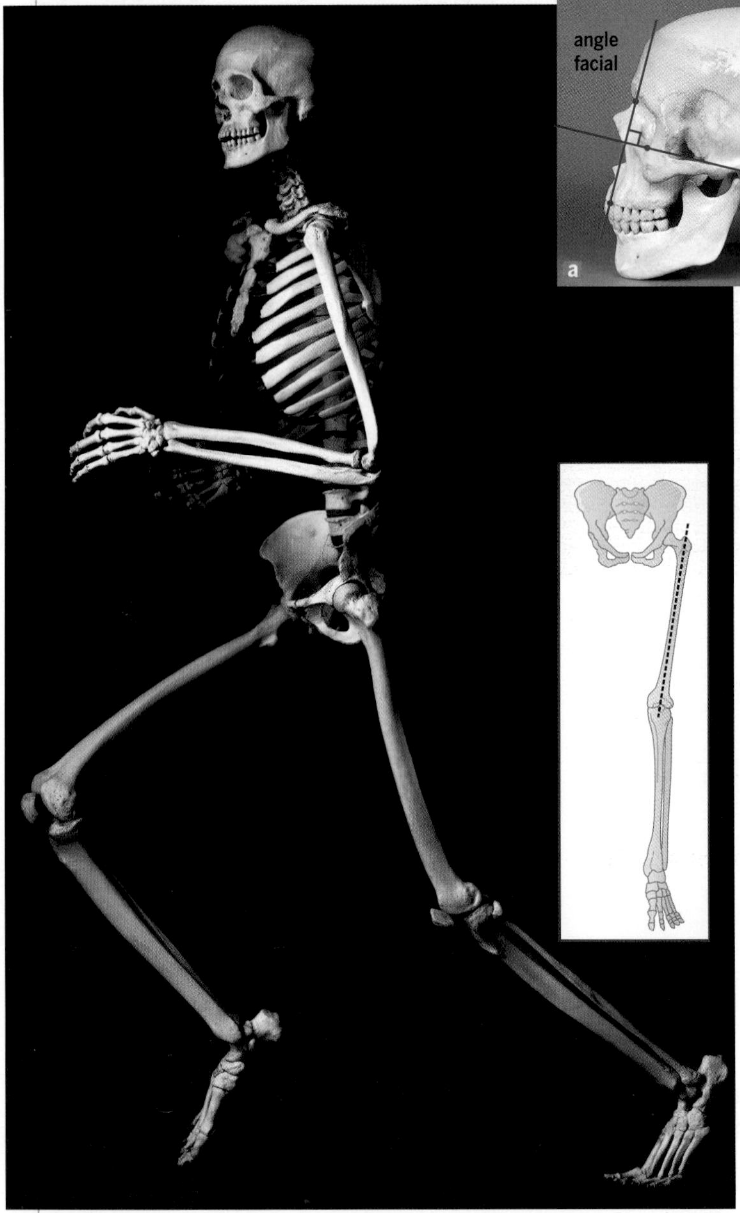

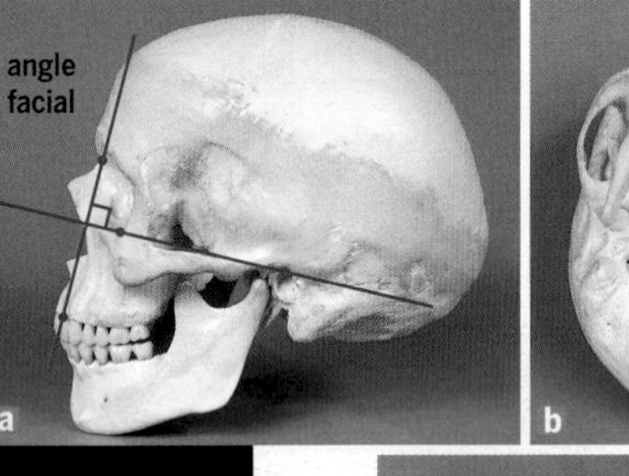

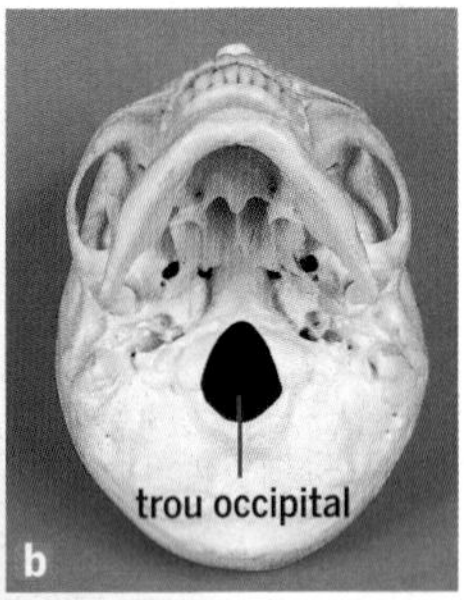

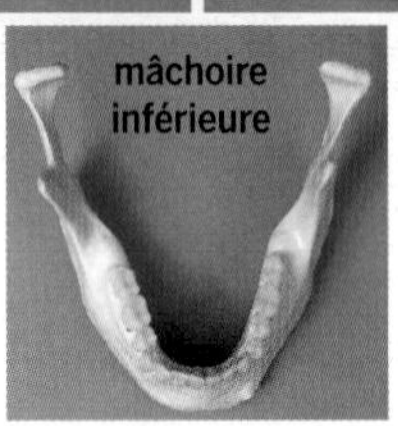

- **Taille moyenne :**
  - homme : 175 cm
  - femme : 162 cm
- **Poids moyen :** 60 à 80 kg
- **Volume de l'encéphale :** 1 400 cm^3
- **Angle facial :** presque droit
- **Trou occipital :** centré et horizontal. Le crâne est donc en équilibre au sommet de la colonne vertébrale.
- **Denture :** 32 dents
- **Colonne vertébrale :** quatre courbures.
- **Jambes :** plus longues que les bras.
- **Bassin :** court et large.
- **Fémurs :** convergents vers les genoux. Ces caractéristiques permettent l'insertion des muscles fessiers assurant un bon équilibre en station debout, facilitant la marche et la course.
- **Pied :** orteils courts, pouce non opposable.

Doc. 1 ***Homo sapiens*** **: une espèce qui présente des caractères partagés et d'autres qui lui sont propres.**

B Les caractéristiques du Chimpanzé

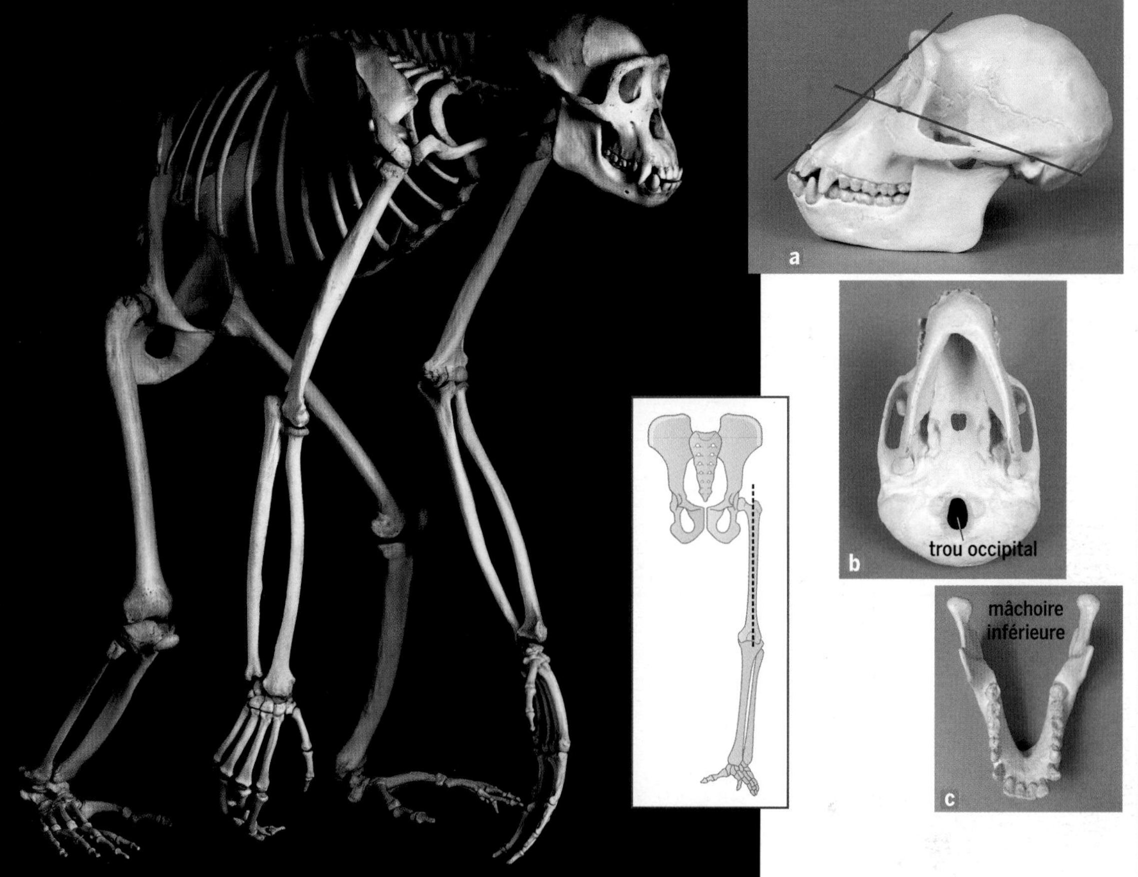

- **Taille moyenne :**
  – mâle : 100 cm (160 cm debout)
  – femelle : 70 cm
- **Poids moyen :** 35 à 60 kg
- **Volume de l'encéphale :** 400 cm^3
- **Angle facial :** aigu
- **Trou occipital :** oblique et situé à l'arrière du crâne
- **Denture :** 32 dents
- **Colonne vertébrale :** une seule courbure.
- **Membres :** membres antérieurs légèrement plus longs que les membres postérieurs.
- **Bassin :** long et étroit.
- **Fémurs :** parallèles entre eux.
- **Pied :** 1er orteil opposable, doigts incurvés.

Doc. 2 Le Chimpanzé possède lui aussi des caractères ancestraux et d'autres qui lui sont spécifiques.

Pistes d'exploitation

PROBLÈME À RÉSOUDRE ► Quels caractères anatomiques peuvent être considérés comme propres à la lignée humaine ?

Doc. 1 et 2 Faites une étude comparée précise du crâne des deux espèces : forme de la boîte crânienne, **encéphalisation**, trou occipital, aspect de la face, mesure de l'angle facial, forme de la mâchoire, dents, etc.

Doc. 1 et 2 Recherchez des informations sur la bipédie occasionnelle du Chimpanzé et expliquez pourquoi celle-ci est nécessairement bien différente de celle pratiquée par l'Homme.

Doc. 1 et 2 À quelle condition une espèce fossile pourra-t-elle être considérée comme appartenant à la lignée humaine ?

Lexique, p. 406

Des caractères partagés par de nombreux fossiles

Les sept milliards d'êtres humains qui peuplent aujourd'hui les continents appartiennent à une seule et même espèce, *Homo sapiens*. *Pourtant, il est incontestablement avéré que de nombreuses espèces partageant des caractères propres à la lignée humaine ont existé et même coexisté.*

A Les australopithèques, un groupe pré-humain très diversifié

De nombreux fragments osseux, datés de – 4,5 à – 1 Ma, tous découverts en Afrique, sont attribués à diverses espèces regroupées sous l'appellation d'australopithèques. Bien que formant un groupe très diversifié, les australopithèques présentent des **caractères dérivés** témoignant d'une forme de bipédie.

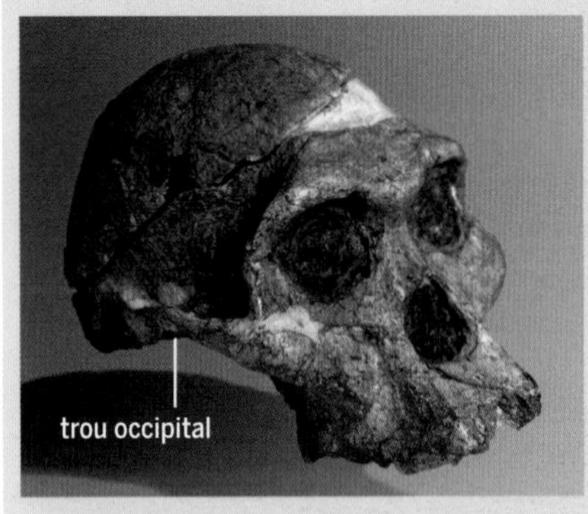

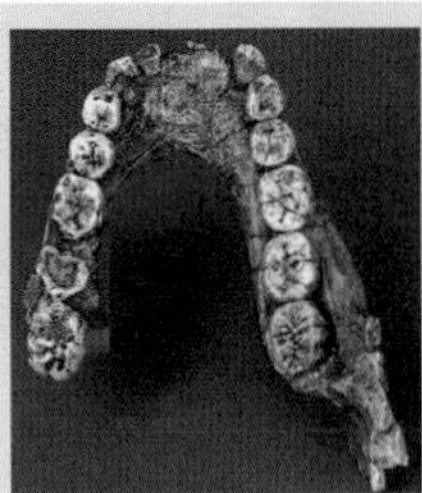

- Ce crâne et cette mâchoire inférieure d'*Australopithecus africanus*, datés de – 2,5 Ma, ont été découverts en Afrique du Sud.
- Sa capacité crânienne est d'environ 400 à 500 cm³.
- Cette espèce est un peu plus grande (1,30 m) et plus massive (40 kg) qu'*Australopithecus afarensis* (*ci-contre*, à gauche).

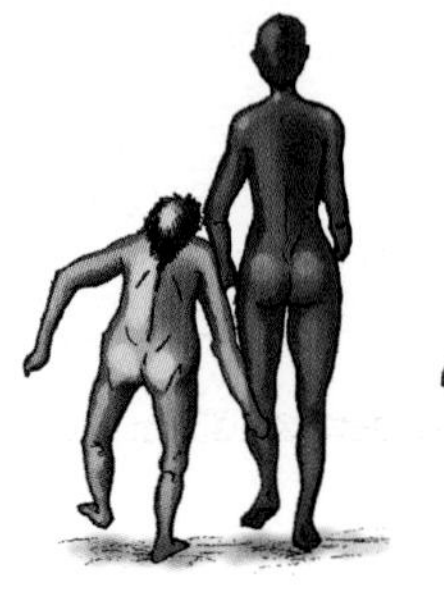

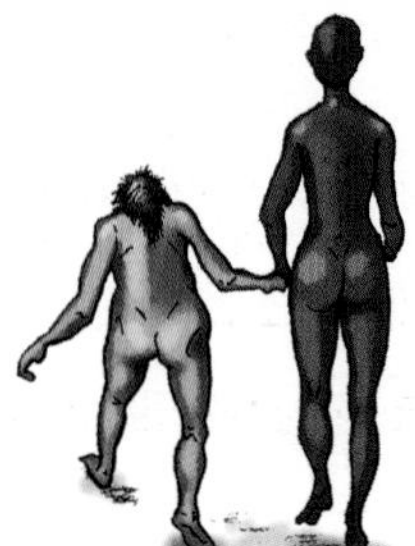

Les 52 ossements ci-dessus, découverts en 1974 en Éthiopie, dans la région des Afars, et datés de – 3 Ma, ont permis de reconstituer 40 % d'un squelette attribué à une femelle de l'espèce *Australopithecus afarensis*, plus connue sous le nom de « Lucy ».
La forme du bassin et le fémur attestent incontestablement que Lucy était bipède.
Cependant, une étude précise des articulations (hanche, genou) suggère que la démarche de Lucy devait être différente de la nôtre. On pense qu'elle devait marcher d'une manière « chaloupée », en balançant beaucoup les bras et en roulant des hanches, comme le montre le *dessin ci-dessus*. Elle ne pouvait probablement pas courir.

Doc. 1 Les australopithèques, des bipèdes qui diffèrent cependant du genre humain.

B Quelques exemples d'espèces fossiles appartenant au genre *Homo*

La découverte de restes fossiles en Afrique, mais aussi en Asie, au Proche-Orient et en Europe, révèle l'existence d'individus très différents des australopithèques mais qui présentent en revanche suffisamment de caractères communs avec *Homo sapiens* pour être classés dans le même genre, le **genre** *Homo*. Un de ces caractères est que ces restes sont souvent associés à la présence d'outils en pierre, fabriqués intentionnellement. D'autres espèces d'Hommes ont donc existé.

Une définition du genre *Homo*

« En 1964, les découvreurs d'*Homo habilis* proposent de distinguer le genre *Homo* des australopithèques par les caractères suivants : un volume cérébral plus grand (supérieur à 600 cm^3), des reliefs osseux sur le crâne moins marqués (par suite d'un moindre développement des muscles masticateurs), une boîte crânienne plus arrondie, des incisives plus grandes, des prémolaires et des molaires plus étroites. Tous ces caractères indiquent l'amorce de deux tendances évolutives : le développement du cerveau et la réduction de l'appareil masticateur et de la face. Pour le squelette locomoteur, les auteurs insistent sur une bipédie comparable à la nôtre. »

Pascal Picq, « *L'odyssée de l'espèce* », Éd. Tallandier. Historia.

Crâne d'*Homo erectus*

Biface, pierre taillée caractéristique des *Homo erectus*

On regroupe dans l'espèce *Homo erectus*, plusieurs fossiles datés de – 1,8 Ma à – 150 000 ans. Ils se caractérisent par :
- une bipédie parfaite ;
- un volume crânien compris entre 800 et 1200 cm^3 ;
- une réduction marquée de la face (**angle facial** presque droit) ;
- l'existence d'aires cérébrales associées au langage (attestées par les moulages endocrâniens).
- un **dimorphisme sexuel** peu marqué.

On attribue à *Homo erectus* la maîtrise du feu (existence de foyers).
Le **biface**, pierre en forme d'amande taillée sur les deux faces, est l'outil caractéristique des *Homo erectus*.

Le jeune adolescent du lac Turkana (– 1,8 Ma) est le squelette le plus complet et le mieux conservé d'une espèce d'Homme que les scientifiques appellent *Homo ergaster* (– 2 Ma à – 1 Ma).

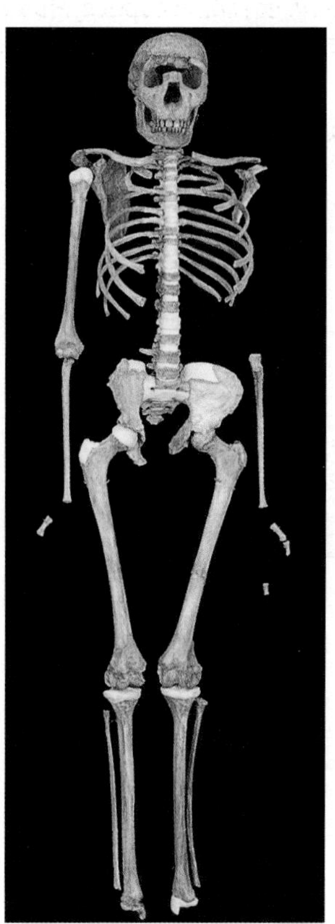

Il mesure 1,60 m mais aurait probablement atteint 1,80 m à l'âge adulte. Il possède un corps de coureur, avec ses longues jambes et son bassin court et étroit. Il est capable de marcher sur de longues étapes, le corps parfaitement dressé.

Doc. 2 Deux exemples, parmi bien d'autres, appartenant incontestablement au genre *Homo*.

Pistes d'exploitation

PROBLÈME À RÉSOUDRE ► Que nous apprend l'étude de quelques fossiles attribués à la lignée humaine ?

Doc. 1 Justifiez l'appartenance des australopithèques à la lignée humaine (voir p. 92-93).

Doc. 1 et 2 Quelles sont les différences essentielles entre le genre *Australopithecus* et le genre *Homo* ?

Doc. 2 En quoi *Homo erectus* diffère-t-il d'*Homo sapiens* (voir p. 92). Comment justifie-t-on cependant son appartenance au genre *Homo* ?

Doc. 1 et 2 Proposez un arbre phylogénétique simple situant ces différents « rameaux ».

Lexique, p. 406

Une phylogénie en discussion

L'histoire évolutive du genre *Homo* est jalonnée de nombreux restes fossiles qui permettent de retracer les grands traits d'une phylogénie. *Cependant, dans le détail, des interrogations subsistent et de nouvelles découvertes conduisent à envisager différentes hypothèses.*

A Les premiers Hommes

***Australopithecus sediba* :** découvert dans la grotte de Malapa, en Afrique du Sud, en août 2008 et daté à – 1,9 Ma, cet australopithèque semble très proche du genre humain.

La découverte récente de deux fossiles (un mâle adolescent et une femelle) vient une nouvelle fois interroger les paléontologues. Comparés aux australopithèques plus anciens comme Lucy, ces fossiles apparaissent un peu plus grands. Leur capacité crânienne reste réduite (450 cm^3) mais les empreintes du cerveau révèlent une structure qui se rapproche de celle de l'Homme. Leur main révèle une plus grande habileté et laisse penser qu'ils pouvaient manipuler des outils. Le bassin et les jambes longues témoignent d'une bipédie nettement plus affirmée, traduisant des aptitudes à la marche sur de longues distances, voire même à la course.

Ces caractères, que l'on pensait spécifiquement humains, incitent même certains chercheurs à considérer *Australopithecus sediba* comme appartenant au genre *Homo*. Pour d'autres, cela conduit à réviser les caractères que l'on attribuait exclusivement au genre humain et à replacer d'autres fossiles dans le genre *Australopithecus*...
Cette découverte signifie que la diversité des fossiles appartenant à la lignée humaine est plus importante qu'on le pensait. Il apparaît ainsi que sous la pression sélective d'un environnement changeant, les espèces n'ont pas toutes développé les mêmes aptitudes. On assiste alors à une diversité d'espèces, présentant une mosaïque de caractères : si certains de ces caractères se retrouvent finalement présents et plus affirmés dans le genre humain, aucun de ces fossiles ne peut pour autant être considéré comme ancêtre de l'Homme actuel.

Doc. 1 L'origine, encore mal connue, du genre humain.

Alors qu'aucun australopithèque n'est connu hors d'Afrique, des fossiles anciens appartenant au genre *Homo* ont au contraire été découverts sur plusieurs continents. De nombreuses pièces squelettiques et outils ont été trouvés en Chine, à Java, au Pakistan. Plusieurs vagues migratoires d'*Homo erectus* seraient probablement parties d'Afrique, atteignant « rapidement » l'Asie : en progressant de 20 km par génération, il suffit de 100 000 ans pour atteindre la Chine. En Europe, les fossiles d'*Homo erectus* ou les **bifaces** qui leur sont associés sont plus récents (800 000 ans pour les plus anciens, au nord de l'Espagne) : ils proviennent probablement d'une autre vague migratoire passant par le Moyen-Orient. En France, le fossile découvert à Tautavel (Pyrénées-Orientales) est un *Homo erectus* de – 450 000 ans.

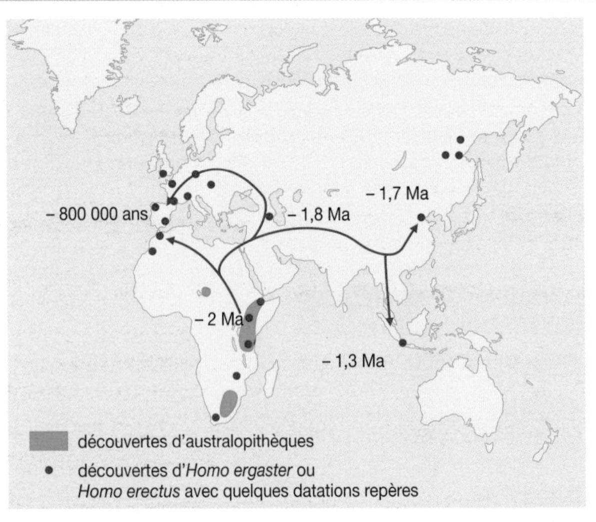

Doc. 2 La sortie du berceau africain.

B L'origine de l'homme moderne

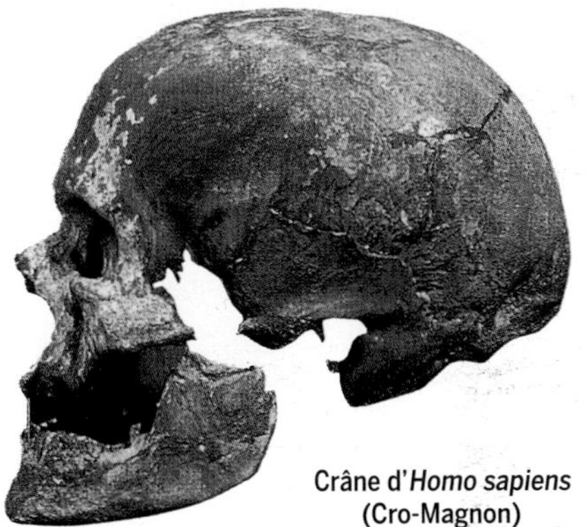
Crâne d'*Homo sapiens* (Cro-Magnon)

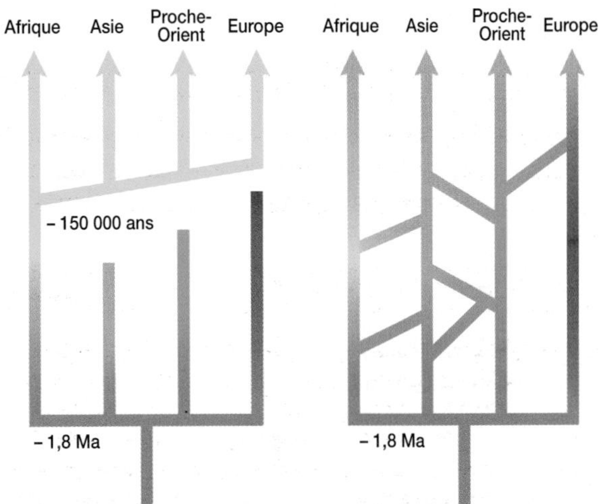

L'homme de Cro-Magnon, découvert aux Eyzies (Dordogne), est en tout point semblable à l'Homme actuel. Son volume cérébral est de 1 500 cm³ et cette espèce se caractérise notamment par son aptitude à s'exprimer par des **peintures rupestres**. C'est donc un représentant fossile d'*Homo sapiens*. L'espèce, qualifiée d'« homme moderne », est connue depuis près de 200 000 ans en Afrique mais seulement depuis 43 000 ans en Europe. Les scientifiques s'interrogent donc sur la façon dont *Homo sapiens* a colonisé la planète.

Pour certains, *Homo sapiens*, né en Afrique et plus performant que les autres espèces d'**homininés**, supplante au cours de différentes vagues migratoires les populations d'Hommes archaïques présentes sur les divers continents.

Pour d'autres, la réalité serait plus complexe : différentes populations ont pu évoluer dans leurs régions respectives, mais de nombreux échanges auraient permis des mixages génétiques permanents favorisant l'émergence d'une seule et même espèce.

Doc. 3 L'avènement d'*Homo sapiens* : plusieurs scénarios sont possibles.

L'homme de Neandertal se caractérise par une morphologie robuste et un volume cérébral supérieur à l'Homme actuel. Il façonne des bifaces très finement taillés, travaille aussi les éclats pour faire des racloirs et des pointes, ainsi que l'os et l'ivoire. La découverte de sépultures révèle l'existence de rites funéraires.

Les néandertaliens ne sont connus qu'en Eurasie, probablement isolés d'autres populations par les grandes glaciations. Ils disparaissent d'Europe il y a 30 000 ans, probablement supplantés par des migrations d'*Homo sapiens*.

Le séquençage partiel du génome de l'homme de Neandertal (réalisé en 2010 à partir de trois petits fragments d'os) contredit une étude précédente : 1 à 4 % du génome des néandertaliens se retrouverait dans les populations actuelles européennes et asiatiques (mais est totalement absent chez les Africains). Ainsi, il y aurait eu un flux limité de gènes de Neandertal vers l'homme moderne. Les chercheurs ont aussi identifié plusieurs dizaines d'évolutions génétiques présentes chez l'homme moderne, mais qui n'existent pas chez les néandertaliens.

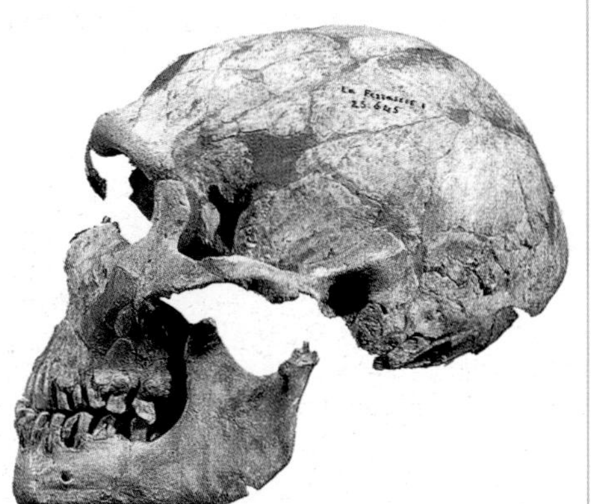
Crâne d'*Homo neandertalensis* (La Ferrassie)

Doc. 4 *Homo sapiens* et *Homo neandertalensis* : des relations incertaines.

Pistes d'exploitation

PROBLÈME À RÉSOUDRE ► **Quelles interrogations pose la reconstitution précise de l'arbre phylogénétique du genre *Homo* ?**

Doc. 1 à 4 Formulez quelques questions qui restent aujourd'hui posées.

Doc. 1 à 4 Montrez que certaines connaissances établies doivent parfois être remises en question.

Lexique, p. 406

chapitre 4 Un regard sur l'évolution de l'Homme

Comme toute autre espèce, l'Homme actuel, *Homo sapiens*, résulte d'une **évolution**. Son histoire fait partie de celle du **genre humain (*Homo*)**, qui a comporté d'autres espèces aujourd'hui disparues, et s'inscrit d'une façon plus générale dans celle des **primates**.

1 L'Homme et le Chimpanzé : deux espèces très proches

La diversité des grands singes

Les animaux communément appelés « grands singes » (gibbons, orang-outans, gorilles et chimpanzés) se limitent à **quelques espèces**. Qui plus est, les effectifs actuels de ces populations et leurs territoires sont aujourd'hui réduits : beaucoup sont des espèces menacées d'extinction. La découverte de divers **fossiles** (*Proconsul*, par exemple) montre que la diversité de ce groupe a été plus grande par le passé.

Le contraste est saisissant avec l'Homme : l'espèce *Homo sapiens* compte aujourd'hui plus de sept milliards d'individus et colonise toute la planète.

L'Homme et les grands singes partagent d'indéniables **similitudes morphologiques et anatomiques**, comme l'absence de queue, remplacée par le coccyx. Une autre caractéristique commune est l'existence d'un **répertoire locomoteur varié** : aptitudes plus ou moins prononcées au grimper, à la marche quadrupède et bipède. Ces espèces se caractérisent aussi par une **vie sociale** élaborée, communiquant par gestes et mimiques et portant une attention soutenue à leurs congénères (empathie). Cependant, c'est surtout du point de vue génétique que la parenté entre l'Homme et les grands singes apparaît de manière particulièrement frappante.

Des espèces très proches

La comparaison du **caryotype** de l'Homme avec celui des grands singes montre beaucoup de ressemblances, particulièrement avec le **Chimpanzé** : quelques **remaniements chromosomiques** (inversions ou translocations de fragments chromosomiques, fusion de deux chromosomes) suffisent à rendre compte des différences observées.

La **comparaison de molécules** (protéines ou séquences d'ADN) révèle, elle aussi, des similitudes très importantes. Les **arbres phylogénétiques** construits d'après le pourcentage de ressemblances entre les molécules confirment la parenté très étroite entre l'Homme et le Chimpanzé. Le **séquençage du génome** de ces deux espèces révèle que leur génome est semblable à près de 99 %.

De telles similitudes ne peuvent être dues au hasard et confirment que l'Homme et le Chimpanzé partagent un **ancêtre commun récent**. Le pourcentage de différences entre les deux génomes permet d'estimer que la divergence entre les deux espèces remonte à 6 ou 7 millions d'années environ.

Des différences phénotypiques

Si faibles soient-elles, les différences génétiques entre l'Homme et le Chimpanzé sont suffisantes pour rendre compte des **différences phénotypiques** effectives qui existent entre ces deux espèces. Le phénotype humain et le phénotype simien s'acquièrent au cours du **développement** pré et postnatal. Il est frappant de constater que le très jeune chimpanzé ressemble beaucoup à son homologue humain, les différences s'accentuant quand le singe devient adulte. Il apparaît ainsi que **la durée et l'intensité de l'expression de certains gènes** intervenant dans le développement expliquent les différences phénotypiques entre les deux espèces. L'Homme se caractérise par la durée particulièrement longue des phases embryonnaire et juvénile, et la très lente maturation de son système nerveux, qui se poursuit pendant l'enfance en **interaction avec son environnement** (acquisition du langage, par exemple).

2 L'Homme : un primate parmi d'autres

La diversité des primates

Au sein des mammifères, le groupe des **primates** se caractérise par le partage de caractères qu'aucun autre mammifère ne possède : ainsi, tous les primates ont le **pouce opposable** aux autres doigts, ce qui permet à la main de pouvoir saisir des objets (main préhensile). Les primates se caractérisent également par la richesse des terminaisons tactiles sur les doigts, des **ongles** plats (et non des griffes), un appareil visuel adapté à une **excellente perception du relief et des couleurs**, un cerveau bien développé, en particulier le **cortex**. L'Homme, qui possède toutes ces caractéristiques, appartient indiscutablement au groupe des primates.

Les **premiers primates fossiles** datent de – 65 à – 50 millions d'années. Très diversifiés, ils n'étaient identiques ni aux singes actuels ni à l'Homme actuel.

L'établissement d'une phylogénie

La comparaison de caractères morphologiques et anatomiques permet d'établir ce qu'on appelle une phylogénie, c'est-à-dire une histoire évolutive. Elle se traduit le plus souvent sous l'aspect d'un arbre d'évolution ou **arbre phylogénétique** (son principe a déjà été envisagé en classes de Troisième et de Seconde).

L'établissement d'une phylogénie repose sur le partage de **caractères qualifiés de dérivés**. Au cours de l'histoire de la vie, les caractères se transforment, évoluent, du fait de l'existence de différents processus de **diversification génétique** (mutations, duplications géniques, etc.). Pour un caractère, on peut donc définir un état ancestral et un état dérivé, ce dernier résultant d'une innovation. Or, il est fort peu probable qu'une même innovation apparaisse indépendamment chez différentes espèces. On admet au contraire que toutes les espèces qui possèdent un même caractère dérivé l'ont hérité d'un **ancêtre commun**. Un ancêtre commun n'est pas un fossile : c'est un être hypothétique, mais dont l'existence est déduite par raisonnement. C'est la première créature à être dotée de l'innovation, toutes les espèces qui possèdent ce même caractère sont **apparentées** car elles descendent de cet ancêtre commun.

En appliquant cette méthode, il est possible de situer la place de l'Homme parmi les primates.

3 La diversité du genre humain

Les caractères dérivés propres à la lignée humaine

L'Homme actuel se distingue du Chimpanzé par un certain nombre de caractères qui lui sont propres. Il s'agit de caractères que l'on peut relier au style de **bipédie** pratiquée par l'Homme : la colonne vertébrale possède plusieurs cambrures et courbures, le **trou occipital** est situé au centre de la base du crâne, positionnant la tête en équilibre au sommet du corps. Le **bassin** possède des os iliaques courts et larges et les fémurs sont obliques, ce qui facilite l'équilibre au cours de la marche et de la course. Le pied est adapté à la marche, avec un gros orteil propulseur dans l'alignement des autres orteils. D'autres caractères concernent le **crâne** : front haut, **volume céphalique important** (1400 cm^3), **face plane** (angle facial droit), mâchoire parabolique. L'Homme se distingue, par ailleurs, par l'utilisation intensive d'**outils** extrêmement variés et des **pratiques culturelles** comme l'art.

L'existence de stades préhumains

La découverte de fossiles, tous en Afrique, montre qu'il a existé des espèces possédant un certain nombre de caractères seulement parmi ceux précédemment énumérés. Par exemple, les **Australopithèques** regroupent de nombreuses espèces qui ont vécu entre – 4,5 et – 1 Ma. Comme l'atteste la forme de leur bassin, les Australopithèques étaient **bipèdes**. Par ailleurs, les Australopithèques sont très différents des Hommes : leur capacité crânienne reste relativement peu importante (400 cm^3), leur face est projetée en avant (angle facial aigu).

D'autres restes fossiles, plus anciens, datés de – 7 à – 6 Ma, montrent l'existence d'espèces possédant déjà quelques caractères dérivés propres à la lignée humaine.

L'émergence du genre *Homo*

De nombreux fossiles attestent de l'existence de **plusieurs espèces** que l'on peut regrouper dans le **genre humain**. Plusieurs fossiles, datés d'environ – 2 Ma, tous trouvés en Afrique, montrent l'existence d'espèces dotées de capacités inédites : droits et avec de longues jambes, ces individus sont capables de **marcher sur de longues distances** et de **courir**. La face est plus réduite, la capacité crânienne plus importante et la découverte de silex manifestement taillés témoigne de l'**utilisation d'outils**. L'une de ces espèces, ***Homo erectus***, quitte le berceau africain : des fossiles d'*Homo erectus* ont été retrouvés en Afrique mais aussi au Proche-Orient, en Europe et même en Extrême-Orient.

L'origine de l'Homme actuel

Comme pour les autres groupes, l'évolution du genre humain est buissonnante : de nombreux rameaux ont existé et même coexisté. Les **Hommes de Neandertal** se distinguent par leur aspect trapu, un volume crânien comparable voire supérieur à celui de l'Homme actuel. Ils façonnent des outils très finement taillés et pratiquent des rites funéraires. Sans doute isolés en Eurasie, à cause des glaciations, les néandertaliens s'éteignent vers – 30 000 ans, en Europe occidentale.

Une autre espèce, ***Homo sapiens***, dont les fossiles sont en tous points comparables à l'Homme actuel, va supplanter les autres espèces du genre *Homo*, sur tous les continents. Les **outils** de cet « Homme moderne » sont extrêmement diversifiés. C'est la seule espèce à éprouver la nécessité de s'exprimer par l'**art** (peintures sur les parois des grottes). Les données de la génétique moléculaire permettent de situer l'origine d'*Homo sapiens* en **Afrique**, il y a 150 000 à 200 000 ans environ. Les modalités selon lesquelles cette nouvelle espèce va à nouveau coloniser la planète et s'imposer sont encore discutées.

chapitre 4 Un regard sur l'évolution de l'Homme

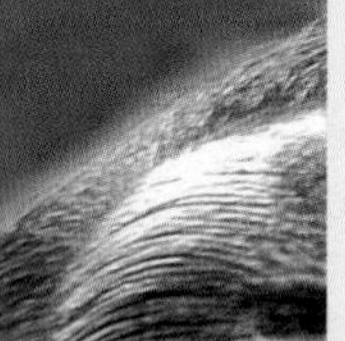

À RETENIR

Des espèces étroitement apparentées

L'Homme partage de nombreux **caractères anatomiques et morphologiques** avec les **grands singes**. Comme lui, ils ont une **vie sociale** impliquant une communication entre les congénères. Leur **répertoire locomoteur** est varié, intégrant le grimper et, à des degrés divers, la marche quadrupède ou bipède.

D'un point de vue **génétique**, l'Homme est très proche du **Chimpanzé**. L'Homme et le Chimpanzé partagent un **ancêtre commun** récent. La divergence entre les deux lignées remonte à – 7 à – 6 Ma environ. L'acquisition du phénotype propre à chacune de ces deux espèces s'effectue au cours du **développement**. L'intensité et la durée d'expression de certains gènes intervenant dans le développement expliquent les différences observées.

L'histoire évolutive de l'Homme fait partie de celle des primates

Les **primates** forment un groupe de mammifères ayant des caractéristiques qui leur sont propres, comme par exemple la possession d'un **pouce opposable** aux autres doigts. Les premiers primates datent de – 65 à – 50 millions d'années environ. Différentes **innovations génétiques** jalonnent l'histoire évolutive des primates. Le partage de caractères dérivés, résultant de ces innovations, permet de situer la place de l'Homme dans l'histoire des primates.

Des stades préhumains

Les caractères propres à la lignée humaine sont des **caractères crâniens** (volume cérébral important, face plane, etc.) et des **caractères liés à la bipédie** (trou occipital centré, bassin large et court, fémurs obliques, etc.). Plusieurs stades préhumains, aujourd'hui disparus, ont existé depuis le dernier ancêtre commun entre Homme et Chimpanzé. Les **Australopithèques**, notamment, forment un groupe de bipèdes ayant vécu en Afrique entre – 4 et – 1,5 Ma.

La diversité du genre *Homo*

Le **genre humain** regroupe l'Homme actuel et plusieurs autres espèces fossiles. Ces espèces sont caractérisées par une **bipédie très accomplie**, permettant la marche mais aussi la course. Le développement cérébral important est associé à l'**utilisation d'outils** en pierre taillée de plus en plus sophistiqués. Le genre *Homo* émerge en Afrique, il y a 2 Ma environ. ***Homo erectus*** quitte le berceau africain et colonise l'Asie, le Proche-Orient et l'Europe.

Les **néandertaliens** se distinguent de l'Homme moderne par quelques caractéristiques anatomiques. Ils s'éteignent en Europe, il y a 30 000 ans. Notre espèce, ***Homo sapiens***, apparaît en Afrique, il y a 200 000 ans environ : elle colonise à nouveau la planète et reste la seule espèce du genre *Homo*.

Mots-clés

- Primate
- Pouce opposable
- Arbre phylogénétique
- Ancêtre commun
- Caractère dérivé
- Bipédie
- Trou occipital
- Genre *Homo*

Capacités et attitudes

- Utiliser un logiciel de comparaison de séquences pour préciser la parenté entre l'Homme et d'autres primates.
- Comparer des caractères pour positionner quelques espèces de primates, actuels ou fossiles, dans un arbre phylogénétique.
- Utiliser un logiciel pour établir ou préciser une phylogénie.
- Comparer les caractères et les productions de l'Homme actuel à ceux d'espèces fossiles appartenant au genre *Homo*.

UN REGARD SUR L'ÉVOLUTION DE L'HOMME

ANIMATION

Homme et Chimpanzé partagent un ancêtre commun récent

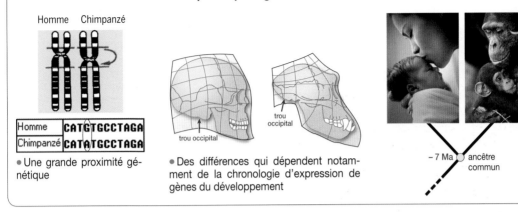

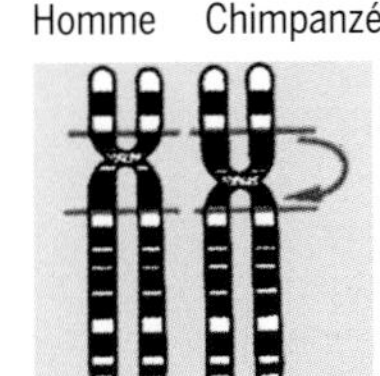

Homme	CATGTGCCTAGA
Chimpanzé	CATATGCCTAGA

• Une grande proximité génétique

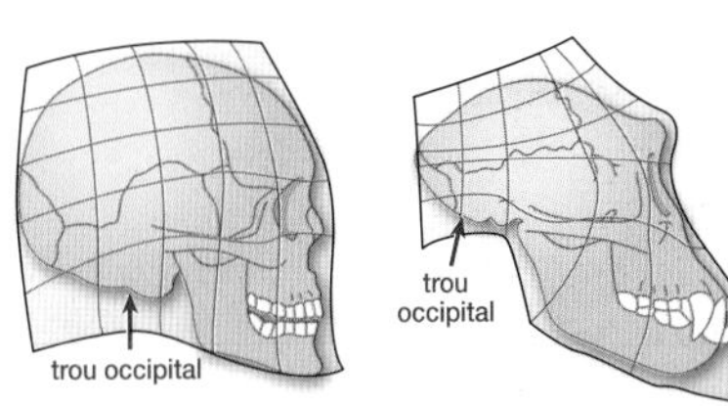

• Des différences qui dépendent notamment de la chronologie d'expression de gènes du développement

L'histoire de l'Homme s'inscrit dans celle des Primates

• L'Homme est un primate.
Au sein des Primates, l'Homme partage des caractères dérivés avec les singes et plus particulièrement avec les grands singes hominoïdes.

• Un ancêtre commun est hypothétique.
La diversité des primates est connue grâce aux fossiles.
Un fossile n'est pas un ancêtre commun.

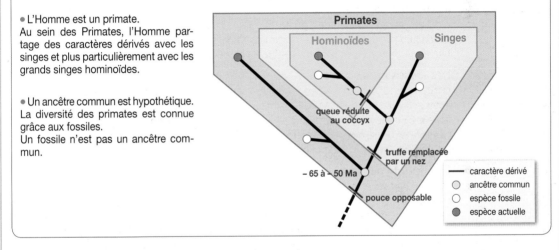

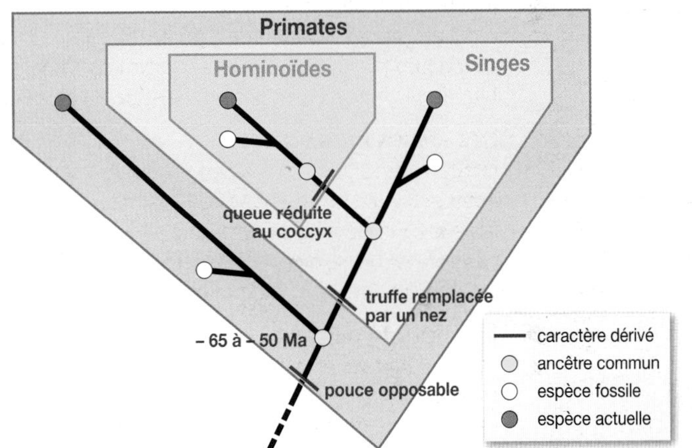

Le genre *Homo* regroupe l'Homme actuel et d'autres espèces aujourd'hui disparues

• **Les espèces du genre *Homo* partagent :**
- une augmentation du volume crânien ;
- une réduction de la face ;
- une bipédie permanente avec une aptitude à la course ;
- une production d'outils variés.

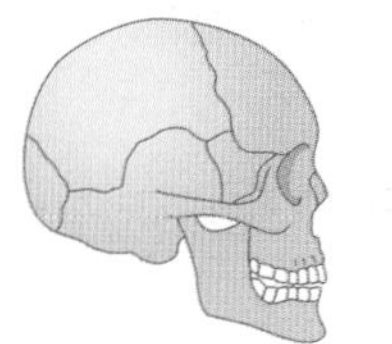

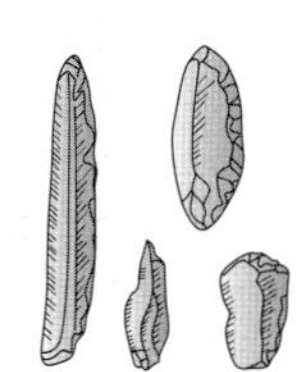

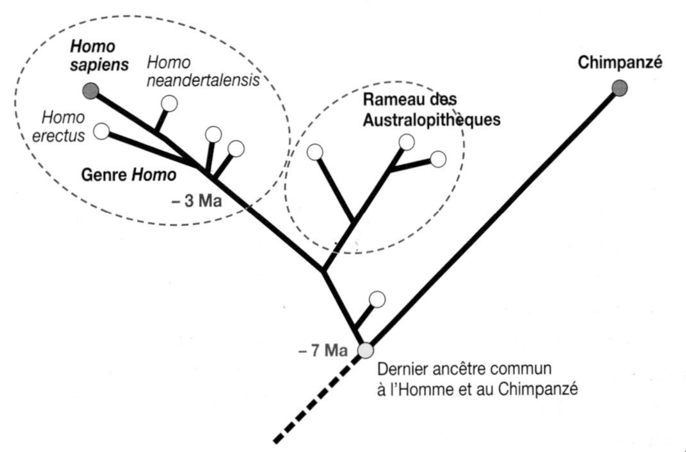

... aller plus loin

Une étude comparée de deux primates

• **Le Lémur fauve (ou Maki brun)**

- **Nom scientifique :** *Eulemur fulvus*
- **Classe :** mammifères
- **Ordre :** primates
- **Famille :** lémuridés
- **Répartition :** Madagascar et Mayotte
- **Habitat :** arboricole (quadrupède quand il est au sol)
- **Taille :** 43 à 50 cm plus une queue de 40 à 50 cm
- **Poids :** 2 à 4 kg
- **Longévité :** 20 à 30 ans
- **Régime alimentaire :** feuilles, fleurs, fruits
- **Vie sociale :** 3 à 12 individus, marquage olfactif du territoire, communication par attitudes (signaux visuels) et nombreuses vocalisations
- **Gestation :** 120 jours, naissances en septembre/octobre, un petit par portée
- **Maturité sexuelle :** 18 mois
- **Caryotype :** $2n = 60$
- **Espèce menacée d'extinction** (inscrite à l'annexe I de la CITES)

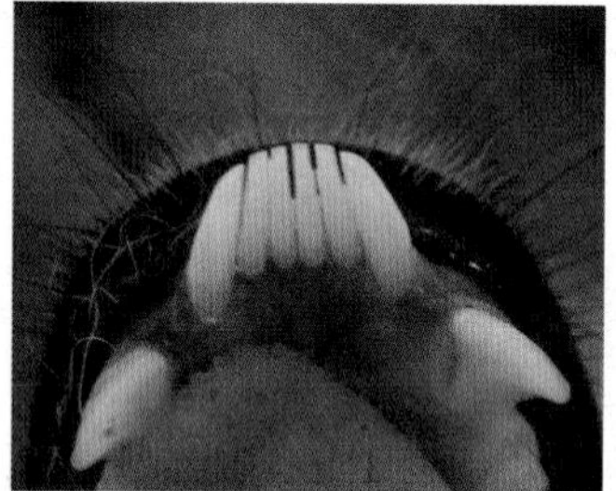

Comme tous les lémuriens, le Lémur fauve possède sur la mâchoire inférieure un « peigne dentaire » *(photographie ci-contre)*, ensemble de six dents allongées et orientées vers l'avant. Cet attribut est utilisé pour l'épouillage entre individus mais aussi pour récolter de la nourriture.

• **Le Bonobo (ou Chimpanzé nain)**

- **Nom scientifique :** *Pan paniscus*
- **Classe :** mammifères
- **Ordre :** primates
- **Famille :** hominidés
- **Répartition :** Forêt tropicale de la République démocratique du Congo
- **Habitat :** arboricole (quadrupède ou bipède quand il est au sol)
- **Taille :** 70 cm à 1 m, pas de queue
- **Poids :** 30 à 45 kg
- **Longévité :** 40 ans
- **Régime alimentaire :** fruits, feuilles, végétaux tendres
- **Vie sociale :** groupes pouvant atteindre plusieurs dizaines d'individus, communication par cris, mimiques faciales, postures, comportements (épouillage, accouplements)
- **Gestation :** 230 à 240 jours, une naissance tous les cinq ans en moyenne
- **Maturité sexuelle :** 13 à 15 ans
- **Caryotype :** $2n = 48$
- **Espèce en danger, menacée d'extinction** (moins de 30 000 individus)

Homo sapiens, l'artiste

• Une expression symbolique

Jusqu'à preuve du contraire, *Homo sapiens* est la seule espèce à éprouver le besoin de s'exprimer par l'art.
Incontestablement **artistiques et symboliques**, les représentations des grottes ornées du paléolithique se limitent à trois thèmes principaux : les animaux, les signes et, beaucoup plus rarement, les représentations humaines (une seule représentation à Lascaux pour 600 dessins ou peintures d'animaux).
Lieux sacrés, liens avec l'astronomie ? La signification de ces **sanctuaires** garde son mystère.

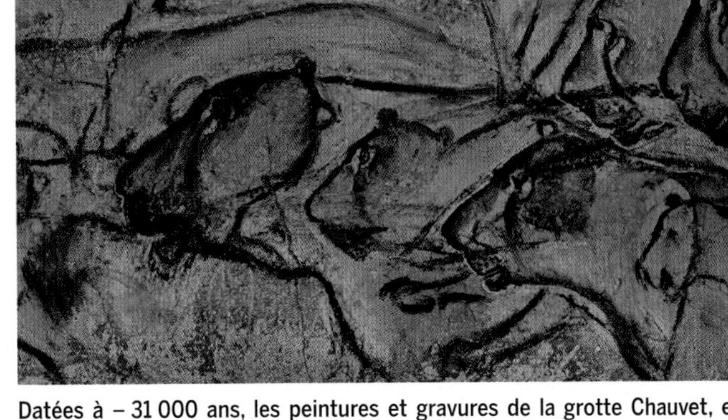

Datées à – 31 000 ans, les peintures et gravures de la grotte Chauvet, en Ardèche, sont parmi les plus anciennes.

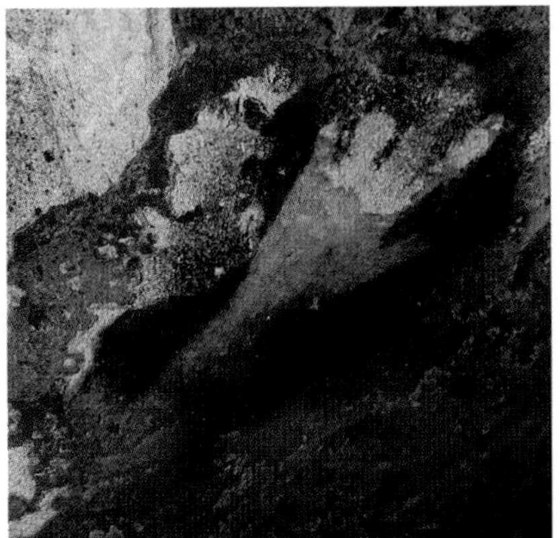

Main sur une paroi de la grotte Cosquer (– 27 500 ans)

• Les mains « mutilées » de la grotte Cosquer

Dans plusieurs grottes, notamment la grotte Cosquer (Bouches-du-Rhône), on observe des mains en « négatif » peintes par une **technique de pochoir**. Le manque de phalanges à certains doigts interroge : s'agit-il de mutilations accidentelles, de sacrifices rituels ? Pour Jean Clottes et Jean Courtin, du CNRS, il n'y a guère de doutes : le pouce est toujours intact, ce qui élimine l'hypothèse d'accident, et aucun squelette du paléolithique supérieur retrouvé à ce jour ne présente des mains aux phalanges incomplètes. Le plus probable est que ces mains ont été peintes avec un ou plusieurs doigts repliés, ce qui constitue un signe de reconnaissance ou un langage codé. On sait d'ailleurs qu'un tel langage silencieux a été utilisé par des peuples chasseurs tels que les Bushmen d'Afrique australe ou les Aborigènes d'Australie.

• La palette de Lascaux

Comme en atteste la grotte Chauvet, la gravure et le dessin sont des techniques déjà parfaitement maîtrisées, il y a plus de 30 000 ans. La réalisation de **peintures** comme à Lascaux apparaît plus tardivement. Le matériel utilisé était relativement simple : silex, broyeurs, tampons et pinceaux rudimentaires ou plus simplement utilisation de la main. Les **pigments** aujourd'hui identifiés sont tous d'origine minérale : oxydes de fer et de manganèse de couleurs chaudes, dans une palette étroite allant du brun au rouge et au jaune. Ces pigments étaient fréquemment associés à du talc ou à du charbon de bois.

Lascaux : « Cheval chinois » (– 18 000 à – 17 000 ans)

Maîtriser ses connaissances

Pour s'entraîner

1 Définissez les mots ou expressions

Primate, hominoïde, genre *Homo*, caractère dérivé, arbre phylogénétique, ancêtre commun, trou occipital, angle facial, bipédie, capacité crânienne.

2 Questions à choix multiples QCM

Choisissez la bonne réponse pour chaque série d'affirmations.

1. **Les premiers primates fossiles :**

a. sont des ancêtres de l'Homme ;
b. datent de – 7 à – 8 millions d'années ;
c. possédaient une queue, mais pas de pouce opposable ;
d. étaient différents des Hommes et des singes actuels.

2. **Le genre *Homo* :**

a. comporte une seule espèce actuelle mais plusieurs espèces fossiles ;
b. n'a toujours comporté qu'une seule espèce ;
c. rassemble plusieurs espèces dont les plus anciennes étaient quadrupèdes ;
d. rassemble plusieurs espèces dont les plus anciennes avaient un crâne ressemblant à celui du singe actuel.

3 Vrai ou faux ?

Repérez les affirmations exactes et corrigez celles qui sont inexactes.

a. L'Homme a plus de chromosomes que le Chimpanzé.
b. Homme et Chimpanzé ont plus de 90 % de gènes en commun.
c. La présence d'un pouce opposable aux autres doigts est un caractère dérivé propre à la lignée humaine.
d. Le Chimpanzé est plus proche parent du Gorille que de l'Homme.
e. La position du trou occipital est un indicateur de la station, bipède ou quadrupède.
f. *Homo sapiens* est le premier Homme à sortir d'Afrique.
g. Plusieurs espèces appartenant au genre humain ont existé.

4 Questions à réponse courte

a. Quels arguments permettent d'affirmer que le Chimpanzé est l'espèce animale la plus proche de l'Homme ?
b. Quels caractères du squelette humain sont en relation avec une excellente adaptation à la bipédie ?
c. Qu'est-ce qu'un arbre phylogénétique ?
d. Qu'est-ce qu'un « néandertalien » ?

Objectif BAC

5 Les caractères dérivés propres à la lignée humaine

L'Homme et le Chimpanzé partagent un ancêtre commun récent. À partir de cet ancêtre commun, les histoires évolutives des deux lignées divergent.

A. Question de synthèse :
Présentez les caractères anatomiques qui permettent d'affirmer qu'un fossile appartient à la lignée humaine.

B. Questions à choix multiples 

Choisissez la bonne réponse pour chaque série d'affirmations.

1. **Le Chimpanzé et l'Homme ont en commun :**

a. une mâchoire de forme parabolique ;
b. une face projetée vers l'avant ;
c. le même nombre de chromosomes ;
d. une aptitude à utiliser des outils.

2. **Un primate :**

a. est un singe dépourvu de queue ;
b. est notamment caractérisé par la présence d'un pouce opposable aux autres doigts ;
c. désigne un mammifère primitif ;
d. possède un nez à la place de la truffe.

6 L'Homme « moderne »

La *photographie ci-dessous* présente quelques outils en pierre taillée élaborés par des Hommes que l'on considère comme appartenant à notre espèce, qualifiée d'Homme « moderne ».

A. Question de synthèse :
En rédigeant un texte structuré, comportant une introduction et une conclusion, expliquez en quoi l'Homme « moderne » se distingue des autres espèces d'Hommes fossiles.

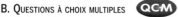

Utiliser ses compétences

7 La place des Hommes de Neandertal et de Cro-Magnon Exploiter un document, raisonner

QUESTION :

Montrez que cette étude confirme la place attribuée aux Hommes de Neandertal et de Cro-Magnon dans la phylogénie du genre *Homo*.

Dans les cellules, l'ADN n'est pas seulement présent dans le noyau. Il existe, en effet, aussi des molécules d'ADN dans les mitochondries (organites de la respiration). L'analyse de l'ADN mitochondrial présente un grand intérêt dans les études portant sur l'évolution car cet ADN mute de façon régulière et il est transmis de génération en génération uniquement par la mère.

Il permet d'évaluer de façon fiable la proximité ou l'éloignement génétique entre différents individus.

Le *document ci-dessous* présente la comparaison d'une portion d'ADN mitochondrial entre :
- 5 individus de l'espèce humaine actuelle ;
- 3 néandertaliens ;
- 2 Chimpanzés ;
- 2 Hommes de Cro-Magnon.

Remarque : grâce aux techniques récentes, il est possible d'analyser l'ADN extrait de fragments d'os fossile.

Comparaison avec alignement

	170 180 190 200 210 220 230 240 250
Traitement	
Italien	CCCCCCCCCATGCTTACAAGCAAGTACAGCAATCAACCCTCAACTATCACACATCAACTGCAACTCCAAAGCCACCCCT_CACCCACTAGGAT
Africain	----------------------------------G--_-------------
Chinois1	----T---C--------------------_-------------
Nord-Americain	----T---------------------------------T--_-------------
Russe	----T--_-------------
Chimpanzé 1	-TT-A-----------------C-C---A---------TCT--------A----A--ACA---------C-A---TT--_-C-----CCC---
Chimpanzé 2	-T--A---T-------------C-C---A--G-------C-----G--------A--A-------------A-------_-C-----CCC---
Néandertal 1	------------------------C-------------T------G---T---------A-----------A-----T-A-------------
Néandertal 2	------------------------C-------------T------G---T---------A-----------A-G---T-A-------------
Néandertal 3	------------------------C-------------T------G---T---------A-----------A-G---T-A-------------
Cro-Magnon 1	----T--_-------------
Cro-Magnon 2	----T---------------------------------T--_-------------

8 La bipédie des Australopithèques Extraire des informations, raisonner

Exercice TYPE BAC

Le squelette de « Lucy », une femelle australopithèque découverte dans l'est africain et âgée de 3 Ma, a notamment livré un sacrum, un os iliaque (bassin) et un fémur presque intacts *(voir page 94)*. On a ainsi pu obtenir de précieux renseignements et effectuer des comparaisons avec l'Homme et le Chimpanzé.

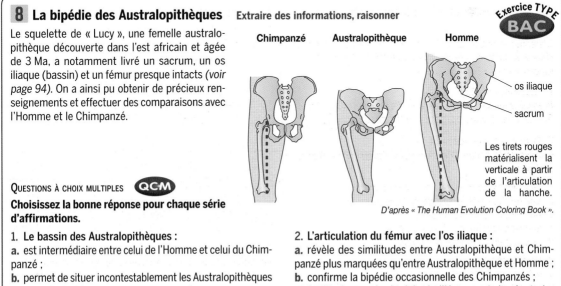

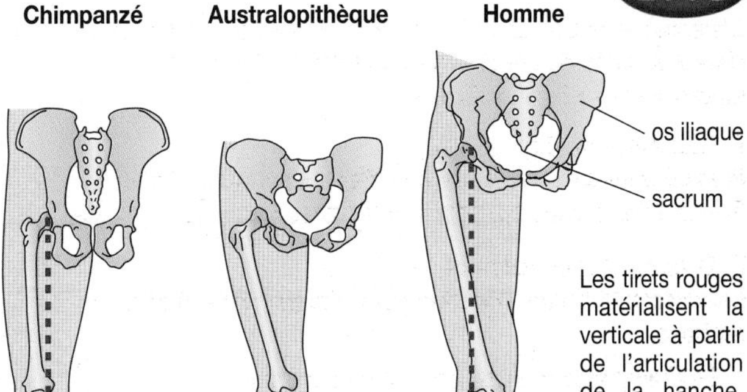
Chimpanzé
Australopithèque
Homme
os iliaque
sacrum
Les tirets rouges matérialisent la verticale à partir de l'articulation de la hanche.

D'après « The Human Evolution Coloring Book ».

QUESTIONS À CHOIX MULTIPLES 

Choisissez la bonne réponse pour chaque série d'affirmations.

1. **Le bassin des Australopithèques :**
a. est intermédiaire entre celui de l'Homme et celui du Chimpanzé ;
b. permet de situer incontestablement les Australopithèques dans la lignée humaine ;
c. apparaît mal adapté à un déplacement bipède ;
d. ne permet pas de conclure quant à la bipédie des Australopithèques.

2. **L'articulation du fémur avec l'os iliaque :**
a. révèle des similitudes entre Australopithèque et Chimpanzé plus marquées qu'entre Australopithèque et Homme ;
b. confirme la bipédie occasionnelle des Chimpanzés ;
c. facilite la marche bipède de l'Homme et des Australopithèques ;
d. montre que les Australopithèques n'étaient pas encore vraiment bipèdes.

9 L'énigme de l'« Homme de Florès »

Exploiter un ensemble de documents en relation avec les connaissances, pratiquer une démarche scientifique

À partir de septembre 2003, les restes de douze individus ont été mis au jour dans une grotte de l'île de Florès (Indonésie) : un crâne complet, une jambe droite, des mains, des pieds, des vertèbres, des côtes... Tous ces restes fossiles ont été datés entre – 95 000 et – 12 000 ans. La caractéristique surprenante de ces individus est leur très petite taille : par exemple, les ossements les plus complets sont attribués à une femme âgée de 30 ans dont la taille a pu être estimée à seulement un mètre.

QUESTION :

À partir de l'analyse de ces documents et de vos connaissances, expliquez pourquoi les découvreurs des fossiles de l'« Homme de Florès » proposent de créer une nouvelle espèce nommée *Homo floresiensis*. Précisez comment vous pouvez situer cette nouvelle espèce dans l'*arbre phylogénétique ci-contre*.

Document de référence : arbre phylogénétique simplifié

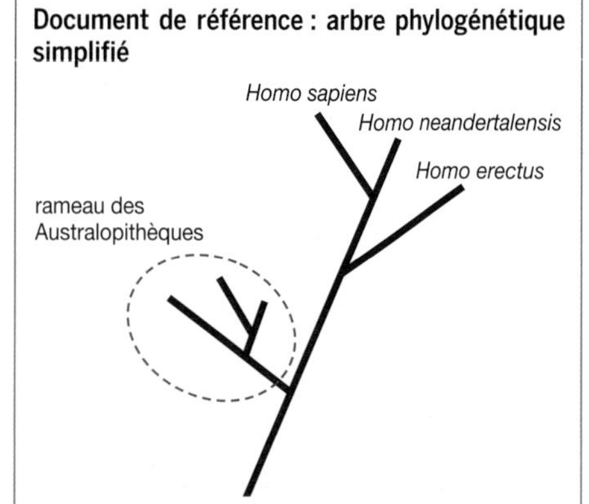

DOCUMENT 1 : caractères du fossile LB1 trouvé sur l'île de Florès

La *photographie ci-contre* montre ce crâne à côté de celui d'un Homme actuel.

- **Capacité crânienne** : 380 cm^3
- **Trou occipital** : centré
- **Os de la boîte crânienne** : épais
- **Os du poignet** : *H. sapiens* partage de manière exclusive avec *H. neandertalensis* une forme particulière de certains os du poignet. Ce caractère dérivé n'est pas retrouvé chez l'Homme de Florès.

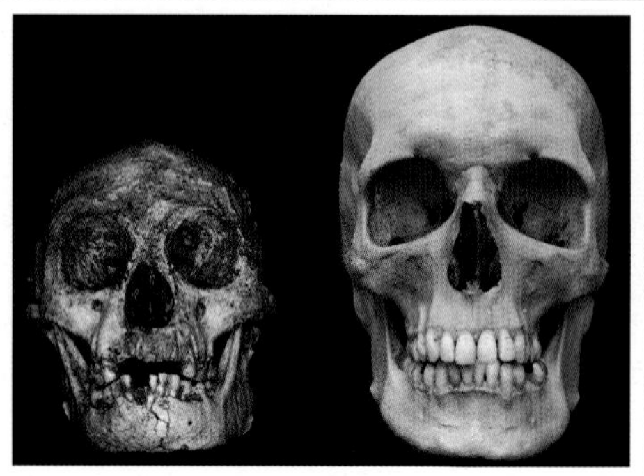

DOCUMENT 2 : outils associés aux fossiles découverts

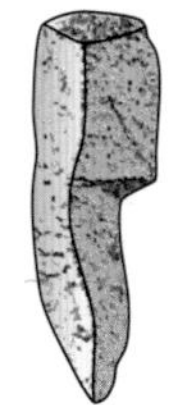
Pointe

Poinçon

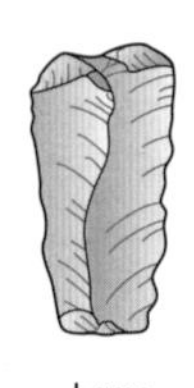
Lame

DOCUMENT 3 : données relatives aux Australopithèques, *Homo sapiens*, *Homo neandertalensis* et *Homo erectus*

	Australopithèques	*H. sapiens*	*H. neandertalensis*	*H. erectus*
Période	– 4,4 à – 1 Ma	– 200 000 ans à actuel	– 300 000 à – 30 000 ans	– 1,6 Ma à – 150 000 ans
Os de la boîte crânienne	épais	fins	épais	épais
Capacité crânienne	400 à 500 cm^3	1 300 à 1 500 cm^3	1 500 à 1 700 cm^3	800 à 1 200 cm^3
Taille	1 m à 1,30 m	1,60 m à 1,80 m	1,50 m à 1,70 m	1,60 m à 1,80 m
Outils	inconnus	• très finement taillés ; • outils et matériaux diversifiés	• bifaces finement taillés ; • outils très diversifiés (racloirs, pointes...)	• éclats retaillés ; • bifaces
Maîtrise du feu	non	oui	oui	oui

Utiliser ses capacités expérimentales

10 Une parenté établie par comparaison moléculaire

Utiliser un logiciel de traitement de séquences

SE PRÉPARER aux épreuves pratiques du BAC

■ Problème à résoudre

L'établissement de relations de parenté au sein des primates peut s'effectuer par comparaison de caractères anatomiques mais aussi par comparaison moléculaire. On cherche ici à établir le degré de parenté entre l'Homme et d'autres primates et à savoir si la comparaison de molécules différentes donne des résultats cohérents.

■ Matériel disponible

- Logiciel Phylogène.
- Fiche d'utilisation du logiciel Phylogène.
- Séquences peptidiques de trois protéines pour huit espèces : Lémur, Homme, Gorille, Ouistiti, Chimpanzé, Babouin, Orang-outan, Souris.
- Séquences proposées :
  • myoglobine : protéine fixant le dioxygène dans les cellules musculaires ;
  • RNase : enzyme de dégradation de l'ARN ;
  • récepteur TLR4 : molécule jouant un rôle dans l'immunité innée *(voir page 291)*.

■ Conception d'un protocole

- Expliquez comment les fonctionnalités du logiciel peuvent permettre de résoudre le problème posé.
- Exposez les étapes de la démarche à réaliser.

■ Réalisation et communication

- Présentez les résultats de cette étude sous forme de tableau ou d'arbre.
- Faites une analyse critique des résultats obtenus.

					85					90					95					100					105					110					115					120		
Babouin	G	H	H	E	A	E	**I**	K	P	L	A	Q	S	H	A	T	K	H	K	I	P	V	K	Y	L	E	**L**	I	S	**E**	**S**	I	**I**	**Q**	V	L	Q	**S**	K	H	P	G
Chimpanze	G	H	H	E	A	E	**I**	K	P	L	A	Q	S	H	A	T	K	H	K	I	P	V	K	Y	L	E	F	I	S	**E**	**C**	I	**I**	**Q**	V	L	**H**	**S**	K	H	P	G
Orang-Outan	G	H	H	E	A	E	**I**	K	P	L	A	Q	S	H	A	T	K	H	K	I	P	V	K	Y	L	E	F	I	S	**E**	**S**	I	**I**	**Q**	V	L	Q	**S**	K	H	P	G
Gorille	G	H	H	E	A	E	**I**	K	P	L	A	Q	S	H	A	T	K	H	K	I	P	V	K	Y	L	E	F	I	S	**E**	**C**	I	**I**	**Q**	V	L	Q	**S**	K	H	P	G
Homme	G	H	H	E	A	E	**I**	K	P	L	A	Q	S	H	A	T	K	H	K	I	P	V	K	Y	L	E	F	I	S	**E**	**C**	I	**I**	**Q**	V	L	Q	**S**	K	H	P	G
Souris	G	**Q**	H	**A**	A	E	**I**	**Q**	P	L	A	Q	S	H	A	T	K	H	K	I	P	V	K	Y	L	E	F	I	S	**E**	**I**	I	**I**	**E**	V	L	**K**	K	**R**	H	**S**	G

a

	Babouin	Chimpanze	Homme	Souris
Babouin	0	7	6	24
Chimpanze		0	1	25
Homme			0	25
Souris				0

b

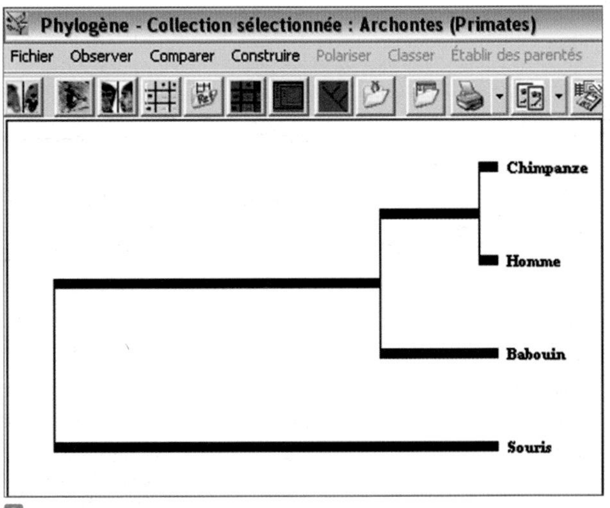

c

Quelques exemples obtenus avec la myoglobine :
a : comparaison partielle de la séquence des acides aminés ;
b : matrice des distances ;
c : arbre phylogénétique.

Pour télécharger les séquences :
www.bordas-svtlycee.fr

Des DOCUMENTS pour se poser des questions

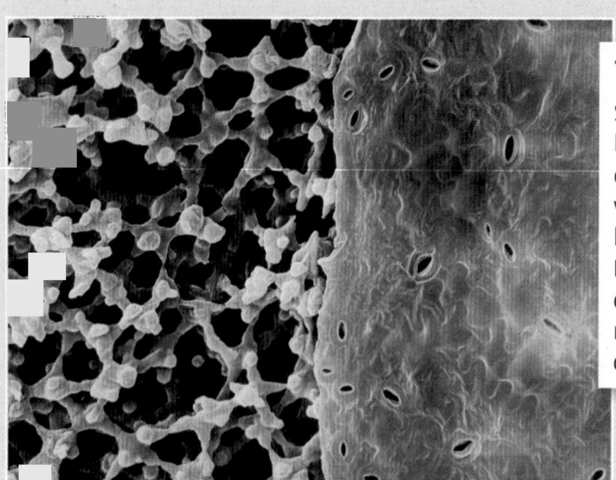

Des surfaces d'échanges avec le milieu

Sur cette feuille observée au MEB (microscope électronique à balayage), l'épiderme a été partiellement enlevé ; on découvre ainsi les cellules chlorophylliennes, qui donnent la couleur verte aux feuilles et dont le rôle nutritif est essentiel pour la plante.

L'épiderme, très mince, est percé d'orifices aussi minuscules que nombreux (200 à 300 par millimètre carré). Ces « bouches » microscopiques s'ouvrent ou se ferment selon les conditions de l'environnement.

Une organisation adaptée à la vie fixée

Les plantes possèdent des tissus et des organes spécialisés dans différentes fonctions vitales : se nourrir, se défendre, échanger des gamètes, disséminer des graines. Cependant, contrairement aux animaux, la plupart des plantes vivent fixées à un support.

Une coévolution avec des animaux

Tous les êtres vivants sont le résultat d'une évolution : les plantes à fleur n'échappent pas à cette « règle ». Or, de nombreuses espèces animales tissent des relations très étroites avec les plantes (source de nourriture, protection...) : ces relations font l'objet d'une évolution conjointe des deux partenaires.

LES PROBLÉMATIQUES DU CHAPITRE

- Quels sont les échanges réalisés entre une plante et son milieu ?
- Comment ces échanges sont-ils réalisés ?
- Quelles adaptations permettent à une plante fixée de se défendre ?
- Comment une fleur se construit-elle ?
- Comment une plante peut-elle disperser pollen et graines ?

Yucca sur une dune au Nouveau-Mexique (États-Unis). Cette plante doit résister à de longues périodes de sécheresse.

La vie fixée chez les plantes, résultat de l'évolution

LES ACTIVITÉS DU CHAPITRE

Organisation et développement d'une plante

Qu'il s'agisse de plantes sauvages ou cultivées, de modestes herbes ou d'arbres imposants, les végétaux terrestres vivent, pour la plupart, fixés à l'interface du sol et de l'air. *L'étude d'un exemple nous permettra d'aborder la façon dont une plante se développe dans ces deux milieux très différents.*

A Une plante fréquente dans les jardins : l'arabette des dames

Vidéo

L'arabette des dames est une plante herbacée très discrète (elle ne dépasse guère 30 cm de hauteur) qui affectionne les sols peu enherbés des jardins et des champs. On la reconnaît à sa rosette de feuilles étalées au ras du sol, d'où émergent quelques très fines tiges à l'extrémité desquelles se mêlent minuscules fleurs blanches et fruits chargés de graines microscopiques.

Si elle passe le plus souvent inaperçue aux yeux du jardinier, elle est au contraire très étudiée par les biologistes ; c'est même la première plante dont le génome a été entièrement séquencé.

■ **PROTOCOLE EXPÉRIMENTAL : cultiver l'arabette en rhizotron**

On peut bien sûr cultiver l'arabette en pots, mais le dispositif de culture décrit ci-dessous, mis au point par l'INRA, permet d'observer en continu les parties souterraines sans détruire la plante. Les racines se développent dans de la tourbe, entre deux plaques séparées de 3 mm seulement. La légère inclinaison du rhizotron incite les racines à rester au contact de la plaque inférieure, transparente.

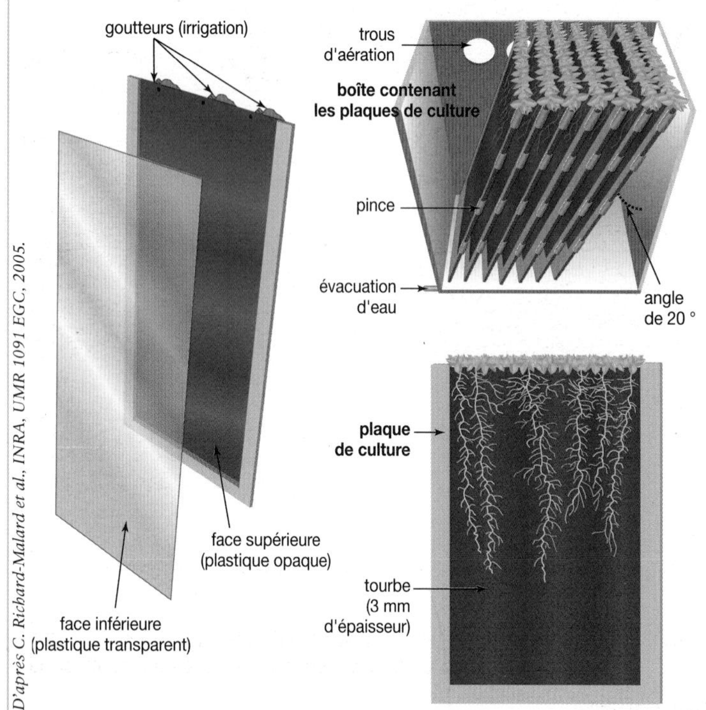

Doc. 1 Une culture en rhizotron permet d'étudier la plante dans son ensemble.

B Un développement à l'interface du sol et de l'atmosphère

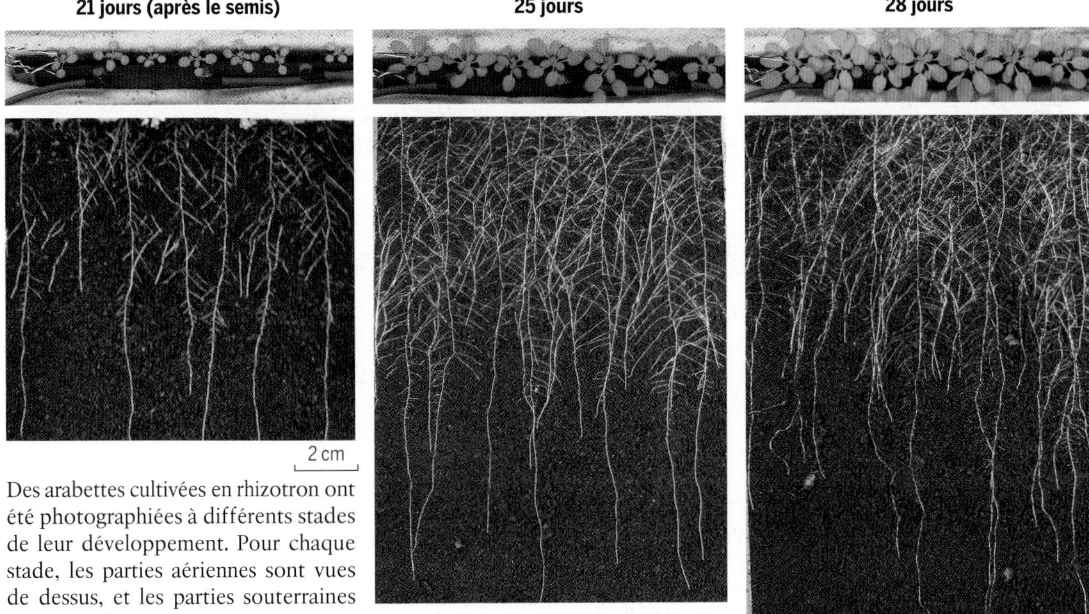

Des arabettes cultivées en rhizotron ont été photographiées à différents stades de leur développement. Pour chaque stade, les parties aériennes sont vues de dessus, et les parties souterraines sont vues de profil.

Doc. 2 La croissance des organes aériens et souterrains de l'arabette.

Après quelques semaines de culture ordinaire dans un rhizotron, on fait pivoter le dispositif de 90°.
24 heures plus tard, on observe les réactions des racines *(photographie* **a***)* et des organes aériens *(photographie* **b***)*.

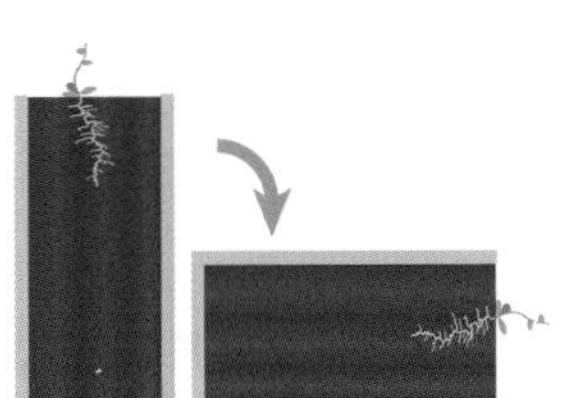

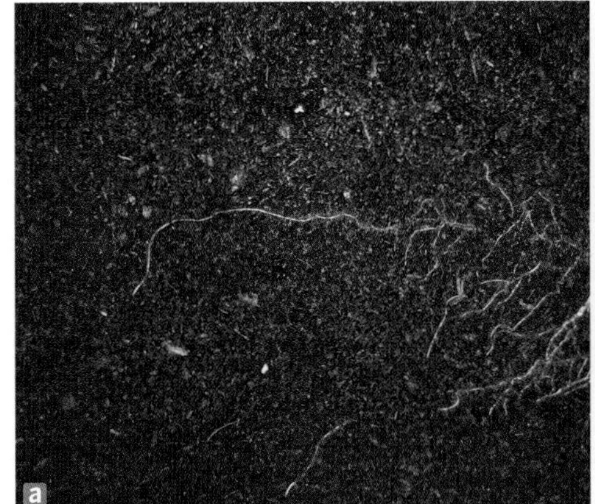

Doc. 3 Une étude expérimentale des réactions de la plante.

Pour obtenir les protocoles détaillés : www.bordas-svtlycee.fr

Pistes d'exploitation

PROBLÈME À RÉSOUDRE ► Comment une plante herbacée se développe-t-elle à l'interface du sol et de l'air ?

Doc. 1 Réalisez un dessin d'observation ou une photographie légendée de l'arabette des dames.

Doc. 2 Rédigez un texte décrivant le développement des parties souterraines et aériennes de la plante.

Doc. 3 Analysez les résultats de cette expérience. Que peut-on en déduire concernant le développement de la plante ?

Lexique, p. 406

La plante et ses échanges avec l'environnement

Les plantes qui peuplent la surface des continents vivent fixées à l'interface de deux milieux : l'air et le sol. *Nous allons voir comment leur organisation facilite les échanges de matières et d'énergie avec l'environnement.*

A Les organes aériens captent la lumière et échangent des gaz avec l'air

Grâce à leurs cellules chlorophylliennes, les feuilles réalisent la photosynthèse : elles captent l'énergie de la lumière solaire et l'utilisent pour transformer l'eau et le dioxyde de carbone en molécules organiques. Ces transformations s'accompagnent d'un rejet de dioxygène et de vapeur d'eau vers l'atmosphère.
L'efficacité de la photosynthèse nécessite donc que les cellules chlorophylliennes soient correctement exposées à la lumière, et qu'elles puissent facilement échanger des gaz avec l'air environnant.

■ PROTOCOLE EXPÉRIMENTAL

– Récolter les feuilles d'une plante et en prendre une image grâce à un scanner à plat (**a**).
– Mesurer la surface foliaire totale avec le logiciel Mesurim (**b**).
– Peser les feuilles à l'aide d'une balance de précision.
– Calculer le rapport surface/masse.

Résultats obtenus avec un plant d'arabette âgé de 28 jours

Surface foliaire totale (cm²)	13,68
Masse des feuilles (g)	0,17

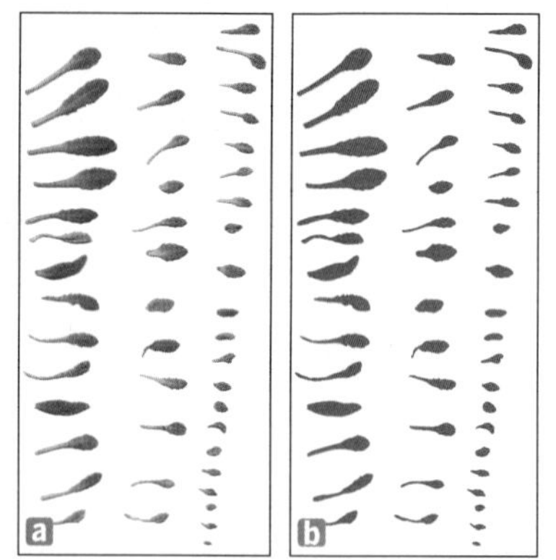

Mesure de la surface foliaire totale d'une arabette des dames avec le logiciel Mesurim

Doc. 1 La morphologie des feuilles est adaptée à leur rôle photosynthétique.

Une coupe transversale de feuille (**a**) révèle son anatomie : entre deux épidermes constitués de cellules transparentes et recouvertes d'une **cuticule** imperméable, se trouvent les cellules chlorophylliennes. Celles du **parenchyme palissadique** sont disposées en couches serrées ; celles du **parenchyme lacuneux** sont au contraire séparées par des espaces (lacunes) qui communiquent avec l'atmosphère grâce aux **stomates**, des pores microscopiques de l'épiderme. En très grand nombre (jusqu'à plusieurs centaines par millimètre carré), ils s'ouvrent ou se ferment selon les conditions de l'environnement (**b**).

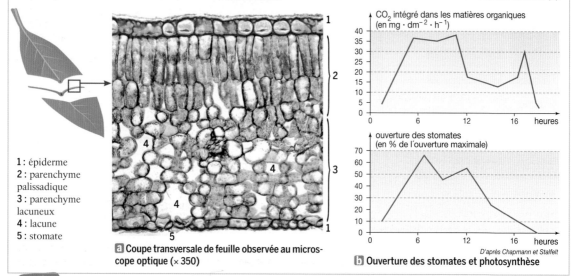

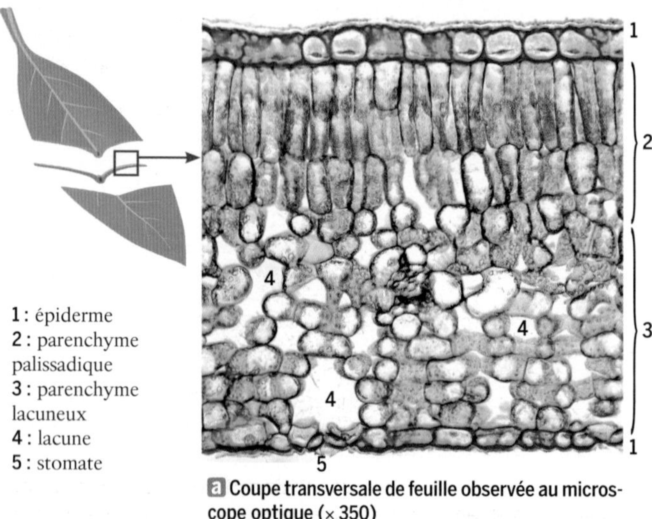

a Coupe transversale de feuille observée au microscope optique (× 350)

CO_2 intégré dans les matières organiques (en $mg \cdot dm^{-2} \cdot h^{-1}$)
40 35 30 25 20 15 10 5 0
0 6 12 16 heures

ouverture des stomates (en % de l'ouverture maximale)
70 60 50 40 30 20 10 0
0 6 12 16 heures

D'après Chapmann et Stalfelt

b Ouverture des stomates et photosynthèse

Doc. 2 Une surface démultipliée grâce aux stomates et aux lacunes.

B Les organes souterrains absorbent l'eau et les ions du sol

■ PROTOCOLE EXPÉRIMENTAL

Pour mesurer le système racinaire :
- Avec un scanner à plat, prendre une image du système racinaire puis estimer sa surface (les racines seront considérées comme cylindriques).
- À l'aide du logiciel EZ-Rhizo (développé par l'Université de Glasgow et l'ESIEE d'Amiens), mesurer la longueur du système racinaire.
- Peser les racines à l'aide d'une balance de précision.
- Calculer, à l'aide des résultats précédents, le diamètre moyen des racines, le rapport surface/masse, le rapport longueur/diamètre moyen.

Résultats obtenus avec un plant d'arabette âgé de 15 jours

Longueur de la racine principale (en cm)	8,44
Nombre de racines latérales	18
Longueur totale du système racinaire (en cm)	12,98
Surface du système racinaire (en cm^2)	0,81
Masse d'un segment de racine (en mg · cm^{-1})	0,12

Le logiciel EZ-Rhizo permet d'étudier de façon précise l'architecture du système racinaire ▶

Doc. 3 L'organisation du système racinaire est adaptée à son rôle d'absorption.

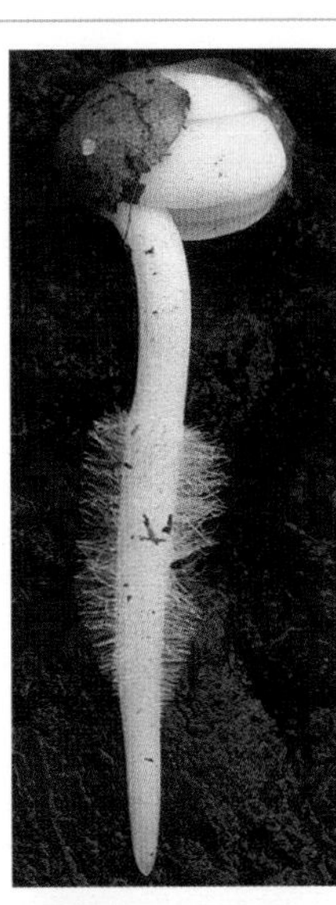

Chez de nombreuses plantes, les racines présentent, au voisinage de leur extrémité, de nombreux **poils absorbants**. Il s'agit de cellules très fines (13,5 µm de diamètre moyen) et très allongées (0,7 mm de longueur moyenne).

Chez une céréale comme le seigle, on estime qu'il existe 14 milliards de ces poils, assurant à la plante une surface de contact avec la solution du sol comparable à celle d'un terrain de tennis !

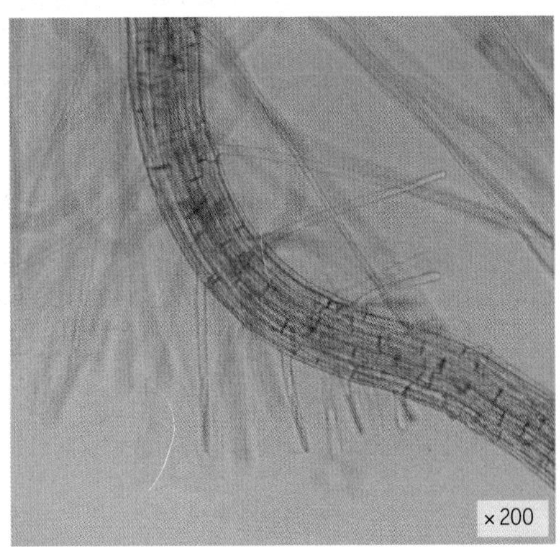

Poils absorbants d'arabette des dames observés au microscope optique

Doc. 4 Une surface démultipliée grâce aux poils absorbants.

Pour utiliser le logiciel EZ-Rhizo : www.bordas-svtlycee.fr

Pistes d'exploitation

PROBLÈME À RÉSOUDRE ► **Comment l'organisation d'une plante lui permet-elle d'effectuer des échanges avec l'air et le sol ?**

Doc. 1 et 2 Quelles caractéristiques des feuilles facilitent l'absorption de la lumière et du CO_2 par les cellules chlorophylliennes, le rejet de dioxygène et de vapeur d'eau vers l'atmosphère ?

Doc. 3 et 4 Quelles caractéristiques des racines facilitent l'entrée de l'eau et des ions du sol dans la plante ?

Doc. 4 Quelle confirmation est apportée par l'observation microscopique réalisée concernant le rôle joué par les poils absorbants ?

Doc. 1 à 4 Les mesures de surfaces foliaire et racinaire réalisées en classe sont-elles précises ? Expliquez pourquoi.

Lexique, p. 406

Les circulations de matières dans la plante

Les feuilles ne peuvent réaliser la photosynthèse sans l'eau et les ions minéraux prélevés par les racines. Celles-ci ne peuvent vivre sans les matières organiques fabriquées dans les feuilles... *Entre les différents organes d'une plante, s'établissent d'indispensables échanges de matières.*

A Des cellules spécialisées assurent le transport des sèves

Dans une plante circulent deux types de **sèves** bien différentes :

- La sève brute est une solution très diluée d'ions minéraux prélevés dans le sol par les poils absorbants. Elle circule dans un réseau de tubes, le **xylème**, des racines jusqu'aux organes aériens (tiges, feuilles, fruits...). Ces tubes sont des cellules mortes, très allongées et disposées bout à bout, dont il ne subsiste que la **paroi** renforcée par des dépôts de **lignine**.
- La sève élaborée, constituée d'eau et de matières organiques issues de la photosynthèse (sucres, acides aminés...) circule dans un autre réseau de tubes, le **phloème**. Elle prend naissance dans les organes chlorophylliens et irrigue tous les autres organes (bourgeons, fruits, racines...). Les cellules du phloème sont vivantes, très allongées et de petit diamètre. Leurs parois sont épaisses et constituées de **cellulose**.

■ **PROTOCOLE EXPÉRIMENTAL**

Pour observer le système conducteur des sèves au microscope :

– Réaliser avec une lame de rasoir des coupes transversales ou longitudinales très fines dans l'organe végétal. Passer les coupes dans les bains suivants :
  - Eau de Javel (20 min) : vide les cellules.
  - Eau (2 bains d'1 min chacun) : rinçage.
  - Acide acétique (10 min) : prépare l'action des colorants.
  - Mélange de carmin aluné et de vert d'iode (3 min) : colore les parois cellulosiques en rose et les parois lignifiées en vert-bleu.
  - Eau (1 min) : rinçage.

– Observer dans une goutte d'eau entre lame et lamelle.

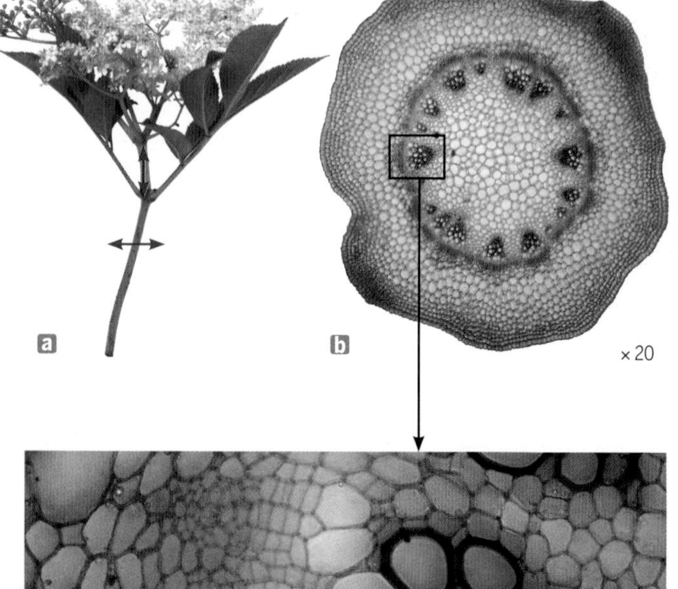

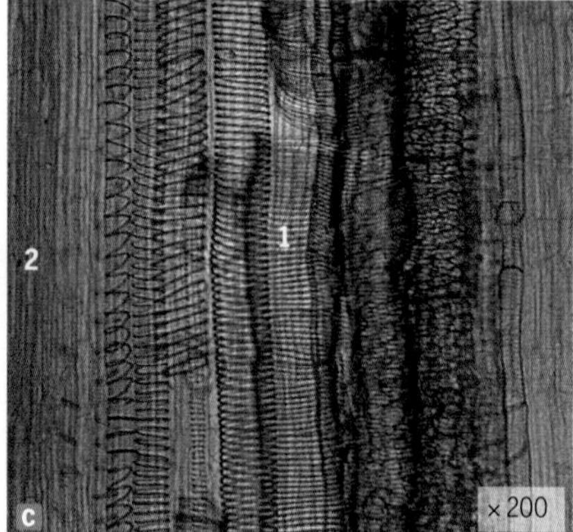

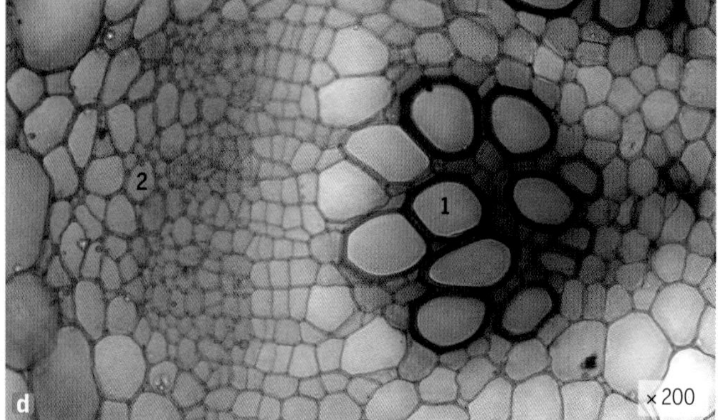

La photographie (a) présente l'extrémité d'une tige de sureau et l'emplacement des coupes réalisées.
Les coupes observées au microscope montrent les sections du xylème (**1**) et du phloème (**2**).
Les tubes sont coupés transversalement (images **b** et **d**) ou longitudinalement (image **c**).

Doc. 1 Observations anatomiques réalisées dans une tige de sureau.

B Xylème et phloème relient tous les organes du végétal

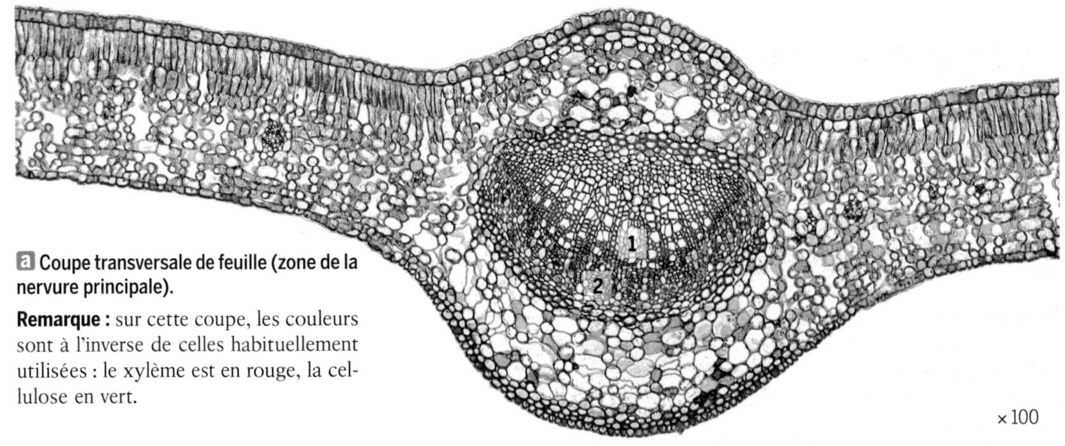

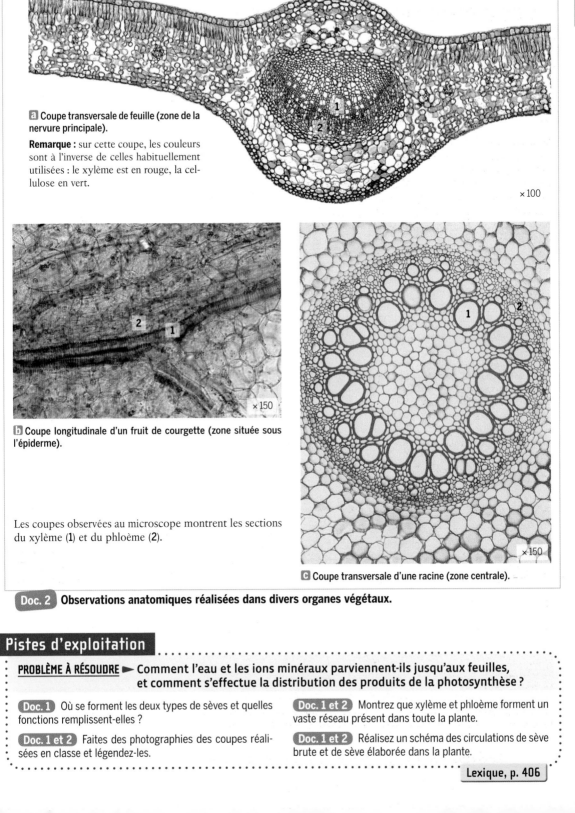

a Coupe transversale de feuille (zone de la nervure principale).

Remarque : sur cette coupe, les couleurs sont à l'inverse de celles habituellement utilisées : le xylème est en rouge, la cellulose en vert.

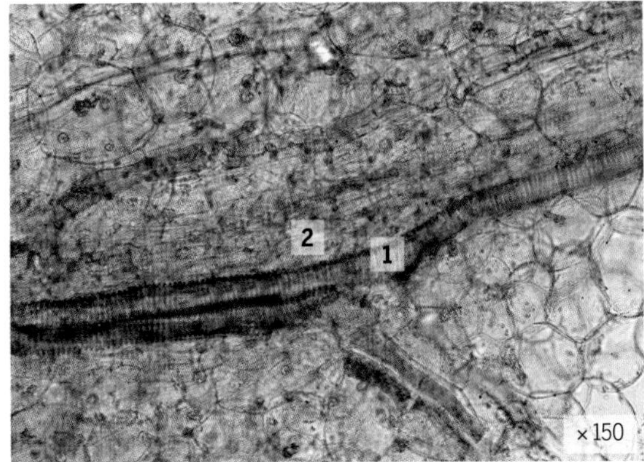

b Coupe longitudinale d'un fruit de courgette (zone située sous l'épiderme).

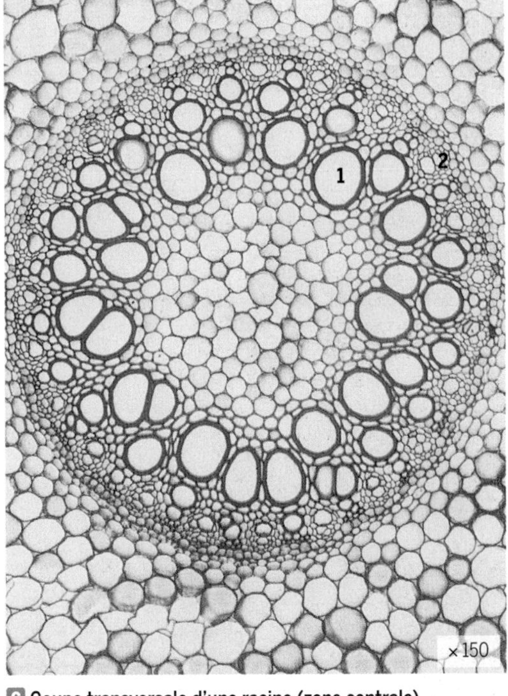

c Coupe transversale d'une racine (zone centrale).

Les coupes observées au microscope montrent les sections du xylème (1) et du phloème (2).

Doc. 2 Observations anatomiques réalisées dans divers organes végétaux.

Pistes d'exploitation

PROBLÈME À RÉSOUDRE ► Comment l'eau et les ions minéraux parviennent-ils jusqu'aux feuilles, et comment s'effectue la distribution des produits de la photosynthèse ?

Doc. 1 Où se forment les deux types de sèves et quelles fonctions remplissent-elles ?

Doc. 1 et 2 Faites des photographies des coupes réalisées en classe et légendez-les.

Doc. 1 et 2 Montrez que xylème et phloème forment un vaste réseau présent dans toute la plante.

Doc. 1 et 2 Réalisez un schéma des circulations de sève brute et de sève élaborée dans la plante.

Lexique, p. 406

Les plantes se protègent contre les agressions

Incapables de se déplacer, les plantes ont développé au cours de leur évolution un grand nombre d'adaptations leur permettant de se défendre contre les agressions du milieu et des autres êtres vivants. *On se propose ici d'étudier deux exemples remarquables.*

A Les plantes se protègent contre les agressions du milieu

◄ L'oyat des dunes est une des rares plantes capables de coloniser les dunes en bord de mer. Elle s'y développe malgré un sol très sableux, incapable de retenir l'eau de pluie, et un climat souvent très venteux, desséchant.

Les feuilles longues et étroites de l'oyat, d'apparence banale, cachent en fait des adaptations étonnantes, comme le montre l'expérience suivante : un morceau de feuille coupée transversalement et conservé en atmosphère humide est observé à la loupe binoculaire. La feuille en forme de lame aplatie (**a**) se déshydrate et, en quelques minutes, prend la forme d'un tube fermé (**d**). Si l'on humidifie l'air autour de la feuille, on assiste alors au mouvement inverse ! ▼

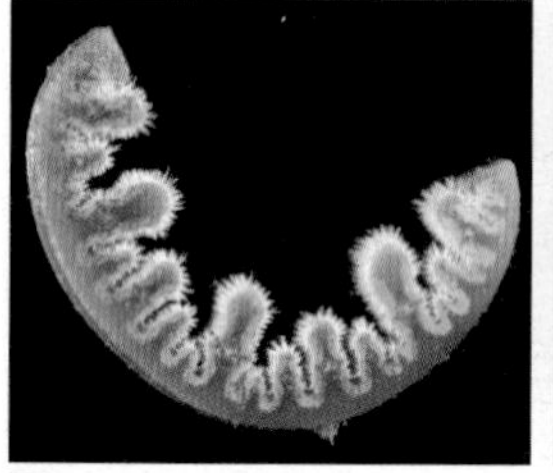

a

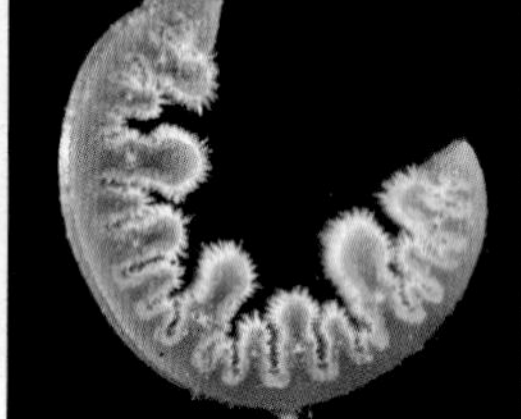

b

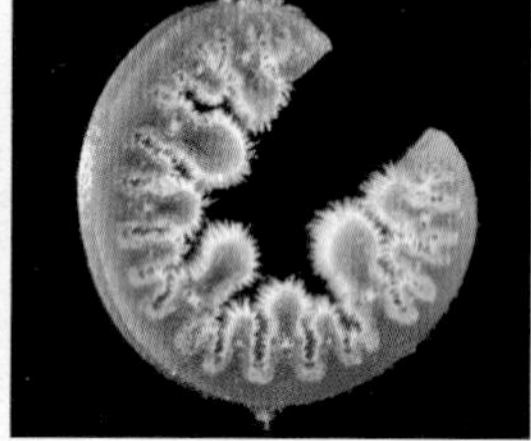

c

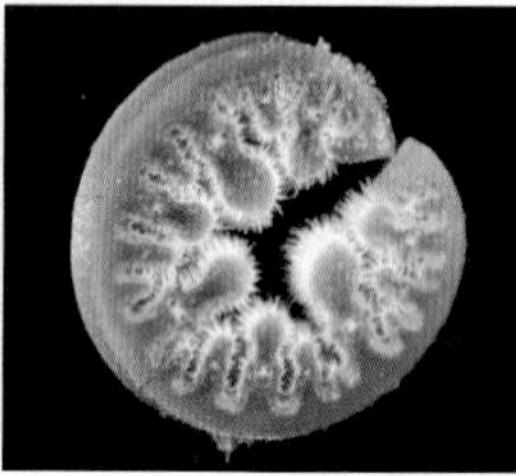

d

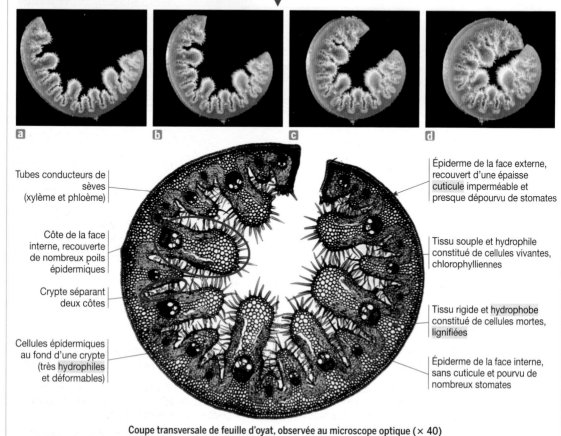

Tubes conducteurs de sèves (xylème et phloème)

Côte de la face interne, recouverte de nombreux poils épidermiques

Crypte séparant deux côtes

Cellules épidermiques au fond d'une crypte (très hydrophiles et déformables)

Épiderme de la face externe, recouvert d'une épaisse cuticule imperméable et presque dépourvu de stomates

Tissu souple et hydrophile constitué de cellules vivantes, chlorophylliennes

Tissu rigide et hydrophobe constitué de cellules mortes, lignifiées

Épiderme de la face interne, sans cuticule et pourvu de nombreux stomates

Coupe transversale de feuille d'oyat, observée au microscope optique (× 40)

Doc. 1 Un spécialiste des milieux de vie très secs : l'oyat des dunes.

B Les plantes se protègent contre leurs prédateurs

• Des structures défensives

Les feuilles des acacias sont particulièrement appréciées par les antilopes, girafes et éléphants des savanes africaines. Pendant la saison sèche, ces grands arbres sont intensément broutés. Ils survivent pourtant, grâce à diverses adaptations évolutives leur permettant de limiter le prélèvement de leurs feuilles.
En effet, les branches des acacias sont couvertes d'épines très longues, dures et pointues (*photographie* **a**).

• Des molécules toxiques

Les feuilles et les écorces des acacias sont riches en tanins. Ces molécules organiques sont capables de provoquer la précipitation des protéines. Leurs effets sur les **enzymes** digestives diminuent la **digestibilité** des organes végétaux ainsi que l'**appétence**, et peuvent même, pendant la saison sèche, tuer de grands herbivores.
Lorsqu'un arbre a été brouté, il réagit en fabriquant dans les heures qui suivent des quantités plus importantes de tanins, renforçant ainsi ses défenses. De plus, il libère dans l'atmosphère de l'éthylène, un gaz qui provoque chez les arbres voisins une augmentation de leur production de tanins !

Mettre en évidence les effets des tanins sur la salive

Tube 1 : eau + tanins
Tube 2 : salive + eau
Tube 3 : eau + salive + tanins

• Des relations symbiotiques

Certains acacias entretiennent une **relation mutualiste** avec des fourmis. Celles-ci font leurs nids dans des sortes de bulbes à la base des épines (*photographie* **c**), et consomment le nectar produit par l'arbre. Lorsqu'un herbivore consomme les feuilles de l'arbre, les fourmis lui infligent de douloureuses piqûres.

Doc. 2 Les armes mécaniques, chimiques et biologiques des acacias africains.

Pour obtenir les protocoles détaillés : www.bordas-svtlycee.fr

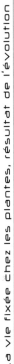

Pistes d'exploitation

PROBLÈME À RÉSOUDRE ► Quelles adaptations les plantes ont-elles développé au cours de leur évolution pour se défendre contre les agressions du milieu et des autres êtres vivants ?

Doc. 1 Montrez que l'anatomie et les mouvements des feuilles de l'oyat des dunes permettent à cette plante de limiter ses pertes en eau tout en réalisant la photosynthèse.

Doc. 2 Justifiez le titre de ce document. Recherchez d'autres exemples de défenses chimiques et mécaniques parmi les plantes que vous connaissez.

Doc. 2 Pourquoi les tanins diminuent-ils la digestibilité des feuilles d'acacia ?

Lexique, p. 406

La fleur, une organisation en couronnes

Malgré une grande diversité de fleurs, l'organisation des pièces florales respecte toujours un schéma en couronnes concentriques. *On trouvera ici les étapes de la dissection permettant de comprendre l'organisation d'une fleur simple puis de traduire ces observations par un diagramme floral.*

A Deux couronnes protectrices

Mise en évidence du calice sur une fleur de tulipe

■ **PROTOCOLE DE DISSECTION FLORALE**

La couronne la plus externe est le **calice** composé de **sépales**. Ces derniers sont généralement verts mais peuvent parfois être colorés. On les détache pour savoir s'ils sont libres ou soudés entre eux.

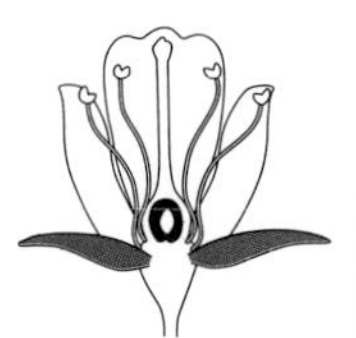

■ **RÉALISATION DU DIAGRAMME FLORAL**

Sur un **diagramme floral**, des cercles représentent les couronnes de pièces florales. Des croissants blancs représentent les sépales. Si les sépales sont soudés entre eux, on les relie par un trait.

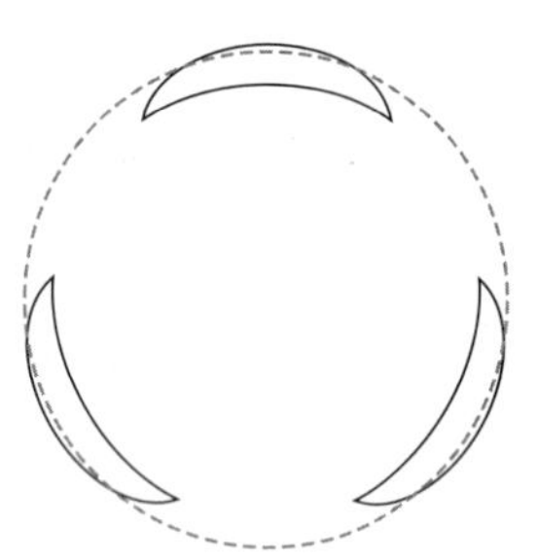

Doc. 1 Une couronne externe : les sépales formant le calice.

Mise en évidence de la corolle sur une fleur de tulipe

■ **PROTOCOLE DE DISSECTION FLORALE**

Une fois les sépales enlevés, on découvre les **pétales**. En général colorés, ils forment une couronne plus interne nommée **corolle**. On détache les pétales pour les compter, comparer leurs formes et leurs tailles et savoir s'ils sont soudés ou libres.

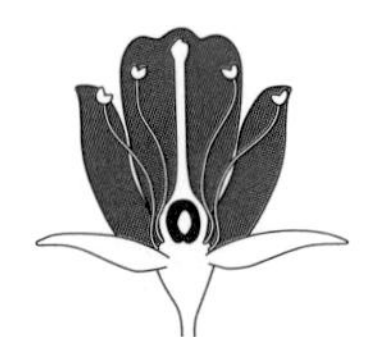

■ **RÉALISATION DU DIAGRAMME FLORAL**

Des croissants noirs représentent les pétales. On respecte les éventuelles différences de tailles entre pétales. Un trait relie les croissants en cas de soudure de la corolle. La position des pétales par rapport aux sépales (alternance) est respectée.

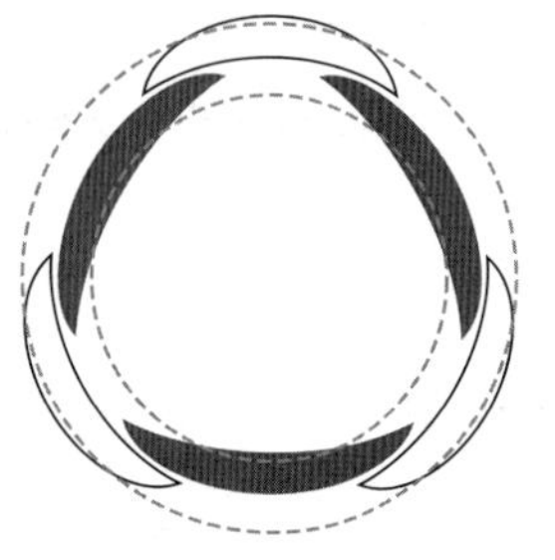

Doc. 2 Une deuxième couronne : les pétales formant la corolle.

B Deux couronnes d'organes reproducteurs

Mise en évidence de l'androcée sur une fleur de tulipe

■ **PROTOCOLE DE DISSECTION FLORALE**

Une fois pétales et sépales détachés, on observe les **étamines**, organes reproducteurs mâles. Elles se composent d'une tige (ou filet) terminée par des sacs renflés (les anthères) contenant le pollen. On regarde si elles sont sur une seule couronne ou sur deux. On détache délicatement ces étamines pour les compter, les comparer et repérer si elles sont libres ou soudées.

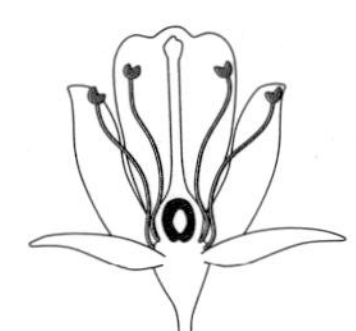

■ **RÉALISATION DU DIAGRAMME FLORAL**

On représente les étamines en indiquant leur nombre et leur position. On respecte les différences de taille et on les relie par un trait si elles sont soudées.

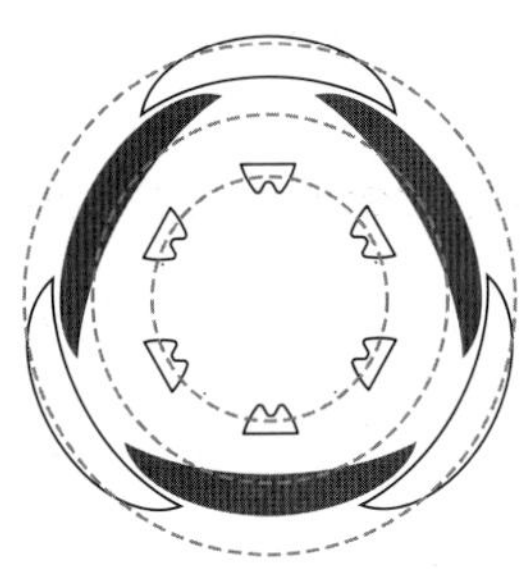

Doc. 3 Les étamines forment l'androcée, l'organe reproducteur mâle.

■ **PROTOCOLE DE DISSECTION FLORALE**

Une fois les étamines enlevées, on voit le **pistil** formé d'un ovaire surmonté d'un (ou plusieurs) stigmate(s), chargé(s) de recueillir le pollen. L'ovaire coupé transversalement et observé à la loupe montre qu'il est ici divisé en plusieurs carpelles contenant des ovules.

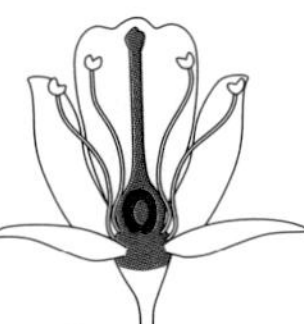

■ **RÉALISATION DU DIAGRAMME FLORAL**

Sur le diagramme, on place les carpelles au centre. On respecte leur nombre et leur position. On représente également les ovules et leurs attaches.

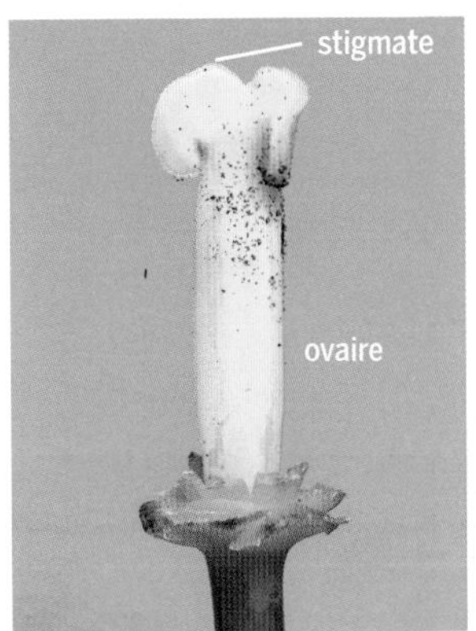

Mise en évidence du gynécée sur une fleur de tulipe

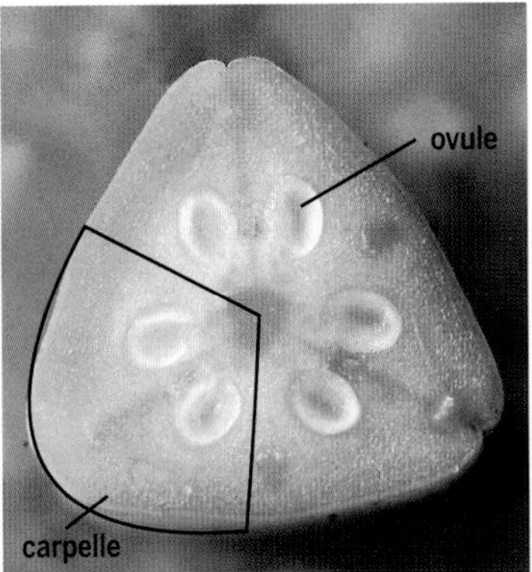

Coupe transversale réalisée dans un ovaire de tulipe

Diagramme floral complet d'une fleur de tulipe

Doc. 4 Les carpelles forment le gynécée, organe reproducteur femelle.

Pour trouver d'autres diagrammes floraux : www.bordas-svtlycee.fr

Pistes d'exploitation

PROBLÈME À RÉSOUDRE ► Comment sont organisées les pièces florales composant une fleur ?

Doc. 1 à 4 Nommez les différentes couronnes de pièces florales et indiquez les fonctions de ces couronnes dans la reproduction sexuée de la plante.

Doc. 1 à 4 Réalisez une dissection d'autres fleurs et mettez en évidence les points communs et les différences dans leur organisation.

Lexique, p. 406

Le contrôle génétique de la morphogenèse florale

L'organisation constante d'une fleur au sein d'une espèce, les points communs remarquables entre les fleurs de diverses espèces laissent supposer l'existence d'un contrôle génétique du développement floral. *Ces documents ont pour objet de présenter les mécanismes généraux de ce contrôle.*

A Des informations apportées par des mutants

En 1790, le poète Goethe avance une explication de la construction de la fleur : les pièces florales sont des feuilles modifiées qui donnent les sépales, pétales, étamines ou carpelles. La fleur du nymphéa *(photographie ci-dessous)* donne des arguments en faveur de cette hypothèse car on peut observer des stades intermédiaires entre sépales et pétales ou entres pétales et étamines.

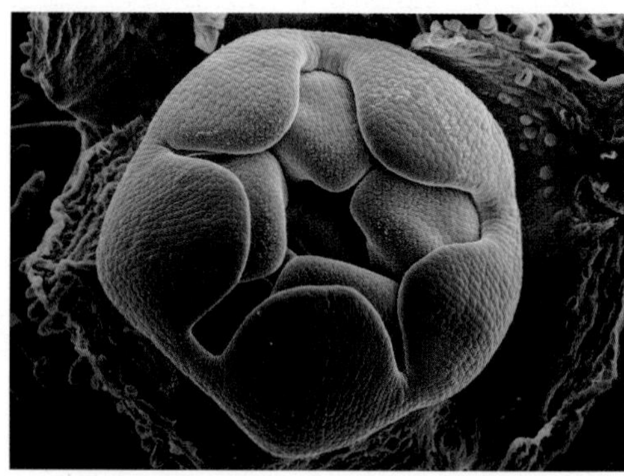

L'observation microscopique des stades précoces du développement des **pièces florales** montre également de grandes similitudes. On peut voir ci-dessus un bourgeon floral de muflier. Sur celui-ci, les sépales ont été enlevés pour mieux repérer les autres pièces florales en construction.

Doc. 1 Les pièces florales sont des feuilles modifiées.

L'arabette des dames *(voir page 110)* est un des modèles de plantes les plus étudiés pour comprendre le contrôle génétique du développement de la fleur.

Il existe en effet, pour cette petite fleur très courante, des mutants présentant des anomalies héréditaires au niveau des pièces florales.

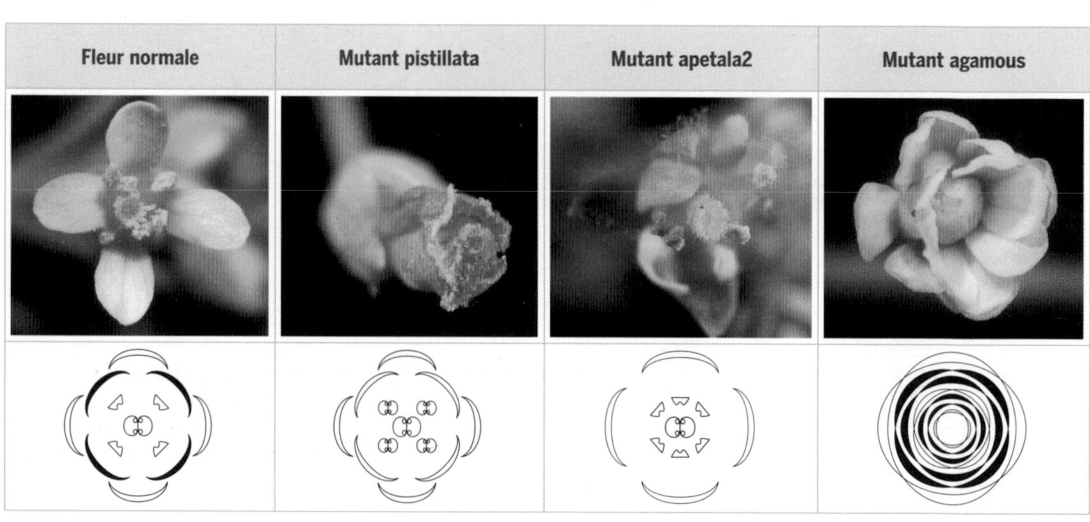

Doc. 2 L'observation de fleurs mutantes d'arabette des dames.

B L'identification de la fonction des gènes

La construction des pièces florales à partir du **bourgeon floral** est sous le contrôle de gènes du développement. Chez l'arabette des dames, il existe trois classes de gènes (modèle « A B C ») qui s'expriment différemment en fonction de la position de la pièce florale en construction. La nature des gènes exprimés détermine le développement d'un sépale, d'un pétale, d'une étamine ou d'un carpelle comme indiqué sur le *schéma ci-contre*.

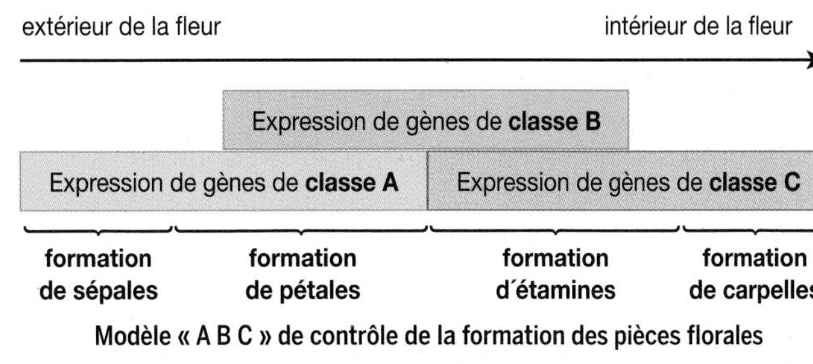

Modèle « A B C » de contrôle de la formation des pièces florales

Doc. 3 Une construction des pièces florales sous le contrôle de gènes du développement.

L'arabette des dames a été un des premiers êtres vivants à voir son génome entièrement séquencé, ce qui a permis d'identifier plusieurs gènes appartenant aux trois classes A, B et C dont le rôle est présenté par le *document 3*. Afin de comprendre le mode de formation des trois mutants présentés sur le *document 2*, les séquences de trois gènes du développement floral sont établies pour chacun d'entre eux et comparées avec celle d'un individu aux fleurs normales.

- Comparaison d'un gène de classe A pour les quatre types de fleurs

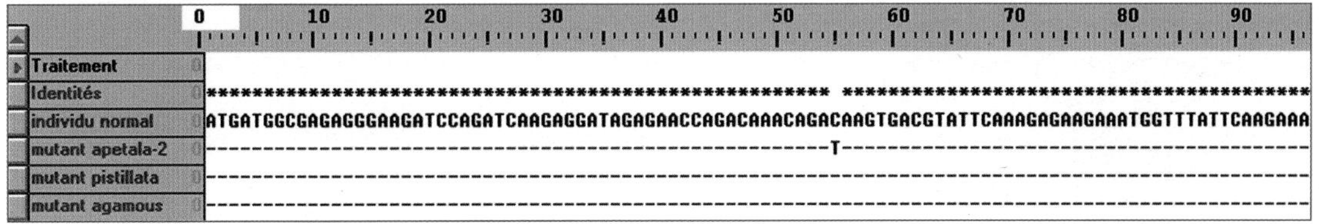

	0 … 90
Traitement	
Identités	`****************************************************** *****************************************`
individu normal	`ATGATGGCGAGAGGGAAGATCCAGATCAAGAGGATAGAGAACCAGACAAACAGACAAGTGACGTATTCAAAGAGAAGAAATGGTTTATTCAAGAAA`
mutant apetala-2	`------------------------------------------------------T-----------------------------------------`
mutant pistillata	`------------------------------------------------------------------------------------------------`
mutant agamous	`------------------------------------------------------------------------------------------------`

- Comparaison d'un gène de classe B pour les quatre types de fleurs

	78 … 170
Traitement	
Identités	`*********************************************************************** *************************`
individu normal	`AATGGATTGGTGAAGAAGGCTAAAGAGATCACAGTTCTTTGTGATGCAAAAGTTGCCCTCATAATCTTTGCAAGTAATGGTAAGATGATTGATTACT`
mutant apetala-2	`-------------------------------------------------------------------------------------------------`
mutant pistillata	`-----------------------------------------------------------------------T-------------------------`
mutant agamous	`-------------------------------------------------------------------------------------------------`

- Comparaison d'un gène de classe C pour les quatre types de fleurs

	498 … 590
Traitement	
Identités	`*******************************   **************************************************************`
individu normal	`ATCGACTACATGCAGAAAAGAGAAGTTGATTTGCATAACGATAACCAGATTCTTCGTGCAAAGATAGCTGAAAATGAGAGGAACAATCCGAGTATA`
mutant apetala-2	`------------------------------------------------------------------------------------------------`
mutant pistillata	`------------------------------------------------------------------------------------------------`
mutant agamous	`-------------------------------AAT--------------------------------------------------------------`

Doc. 4 Comparaison des séquences nucléotidiques des gènes des classes A, B et C.

Pour télécharger les séquences :
www.bordas-svtlycee.fr

Pistes d'exploitation

PROBLÈME À RÉSOUDRE ▶ Quels gènes contrôlent la construction des différentes pièces florales ?

Doc. 1 Justifiez l'hypothèse de Goethe considérant les pièces florales comme des feuilles modifiées.

Doc. 2 En comparant avec l'individu normal, indiquez ce que sont devenues les quatre couronnes de pièces florales chez les différents mutants.

Doc. 3 et 4 Expliquez les modifications des pièces florales constatées chez les différents mutants du document 2.

Lexique, p. 406

Pollinisation et coévolution

Les plantes vivent fixées : néanmoins, elles doivent échanger des gamètes pour assurer une reproduction biparentale. *Ces échanges peuvent impliquer des animaux : les exemples présentés ici montrent l'existence d'adaptations croisées, produits d'une coévolution entre plante et animal pollinisateur.*

A Il existe plusieurs modes de dissémination du pollen

Fleurs mâles de noisetier laissant échapper le pollen

La **pollinisation** permet la fécondation des organes femelles d'une fleur par du pollen. Quand l'autofécondation est impossible (cas le plus fréquent), le pollen doit être transporté d'une fleur à une autre. Ce transport peut être assuré par le vent (anémogamie) ou par les animaux (zoogamie). L'animal pollinisateur le plus connu est l'abeille qui passe de fleur en fleur et transporte ainsi le pollen.

Abeille et fleur ont subi des modifications permettant de faciliter leur relation, ces modifications réciproques résultent d'une **coévolution**.

Abeille butinant une fleur de colza

Doc. 1 Plusieurs modes de dissémination du pollen.

• Les glandes nectarifères

De nombreuses fleurs produisent un liquide nommé nectar grâce à des glandes nectarifères. Ces glandes sont le plus souvent situées au niveau des pétales, à l'intérieur de la fleur. Les fleurs de colza possèdent de telles glandes à la base des étamines, visibles en enlevant les pétales *(photographies ci-dessous)*.

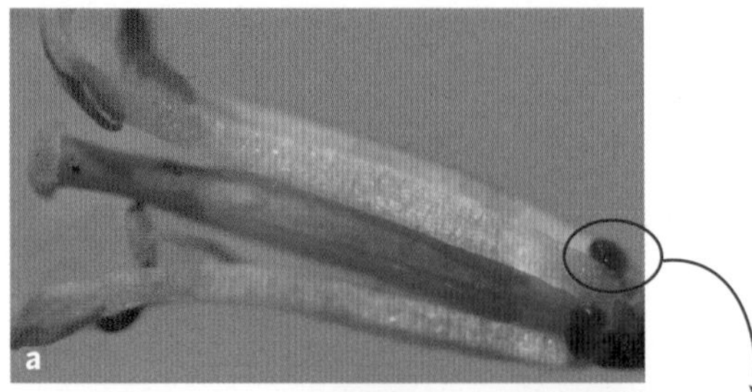

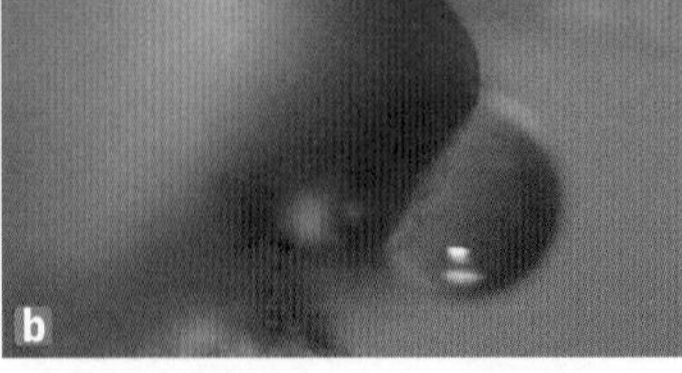

Position (**a**) et détail (**b**) d'une glande nectarifère de colza montrant la production d'une goutte de nectar.

■ PROTOCOLE EXPÉRIMENTAL

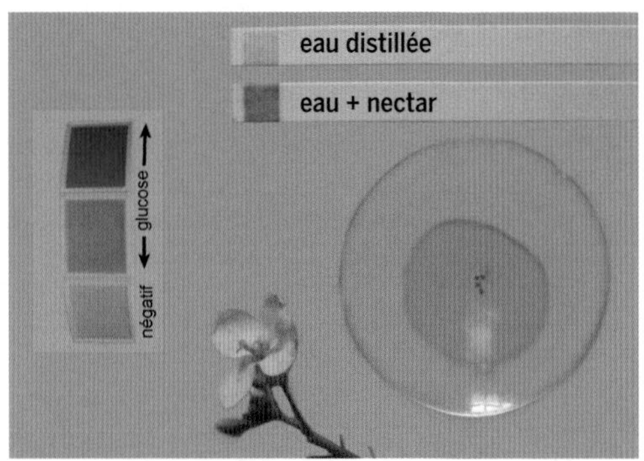

Pour mettre en évidence la nature sucrée du nectar :
- Enlever les pétales de fleurs de colza.
- Observer les étamines à la loupe binoculaire pour repérer les glandes nectarifères, puis les découper avec des ciseaux fins.
- Placer les glandes dans un verre de montre contenant 2 mL d'eau distillée.
- Écraser les glandes avec un agitateur en verre et mélanger.
- Réaliser un test de présence de glucose dans le verre de montre.

Doc. 2 Des pièces florales attirant les insectes pollinisateurs.

B L'adaptation des insectes pollinisateurs

Les abeilles prélèvent le nectar des fleurs pour le ramener à la ruche et en faire du miel. Leurs pièces buccales forment un tube permettant d'aspirer le nectar et de le stocker dans le jabot. Il sera ensuite régurgité lors du retour à la ruche.

Abeille régurgitant du nectar

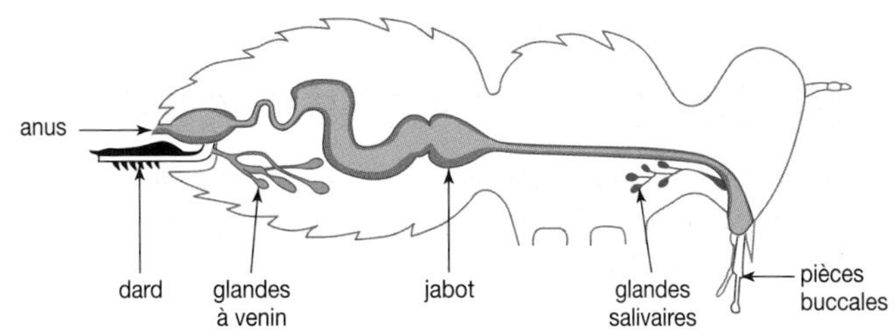

Système digestif simplifié de l'abeille

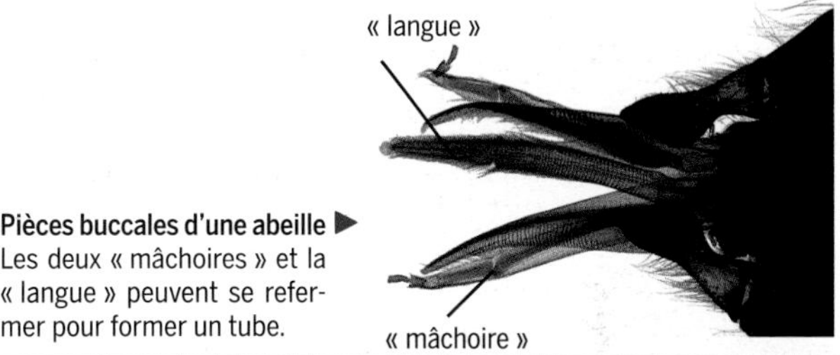

Pièces buccales d'une abeille ▶ Les deux « mâchoires » et la « langue » peuvent se refermer pour former un tube.

Doc. 3 Les pièces buccales de l'abeille lui permettent de récupérer le nectar.

- **Des insectes adaptés pour la pollinisation**

Le comportement et l'anatomie des abeilles favorisent leur rôle de pollinisateur. Pour récolter le nectar et le pollen nécessaires à la vie de la ruche, une abeille peut visiter plusieurs milliers de fleurs en une seule journée. De plus, les abeilles ont tendance à ne visiter qu'une seule espèce de fleur au cours d'un même voyage. Le corps des abeilles est couvert de poils sur lesquels le pollen s'accroche facilement *(photographie ci-dessus)*.

- **Une étude sur le rôle pollinisateur des abeilles**

Depuis plusieurs années, les abeilles voient leur nombre diminuer. Différents facteurs peuvent l'expliquer : pesticides, maladies, parasites, nouveaux prédateurs comme le frelon asiatique. Une étude britannique a confirmé ces faits, en révélant une baisse du nombre d'abeilles de plus de 67 % dans les zones étudiées. Les chercheurs ont également estimé en parallèle les variations de diversité des plantes en fonction de leur stratégie de pollinisation. Les résultats sont présentés dans le *graphique ci-dessous*.

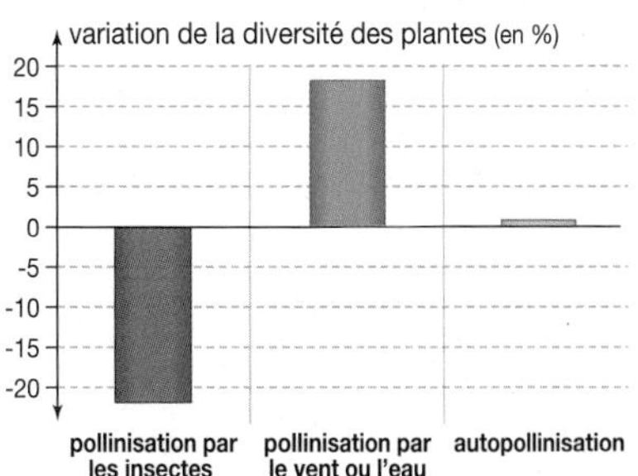

Doc. 4 Des adaptations conjointes de la plante et de son pollinisateur.

Pistes d'exploitation

PROBLÈME À RÉSOUDRE ▶ Quelles relations existe-t-il entre une plante et un animal pollinisateur ?

Doc. 1 Indiquez pourquoi certaines fleurs dépendent des insectes pour leur pollinisation.

Doc. 2 et 3 Quelles caractéristiques des fleurs peuvent être recherchées par les insectes ?

Doc. 3 En comparant avec d'autres insectes, montrez que les pièces anatomiques développées au cours de l'évolution des abeilles apparaissent particulièrement bien adaptées pour récupérer le nectar des fleurs.

Doc. 4 Quelles caractéristiques des abeilles permettent un transport efficace du pollen de fleur en fleur ?

Lexique, p. 406

Dispersion des graines et coévolution

La reproduction sexuée des plantes produit des graines qui sont ensuite disséminées loin de la plante mère pour coloniser de nouveaux espaces ou simplement avoir une chance de germer. *Nous allons voir comment une coévolution plante-animal peut faciliter la dispersion de ces graines.*

A La formation et la dissémination des graines

Une fois les ovules fécondés par des grains de pollen, la fleur subit un certain nombre de transformations pour donner un fruit contenant des graines. Ces graines vont ensuite germer et donner naissance à une plantule. Mais, sans aide, ce nouvel individu ne pourrait pas aller bien loin et ne se développerait éventuellement que sous la plante mère, là où est tombée la graine. La colonisation d'un milieu par les végétaux requiert donc l'assistance du vent (anémochorie) ou d'animaux (zoochorie) pour **disséminer** les graines dans de nouveaux espaces.

Prunes tombées sous l'arbre

Graines de fruits dans des excréments de renard

Doc. 1 Une nécessité : la dissémination des graines.

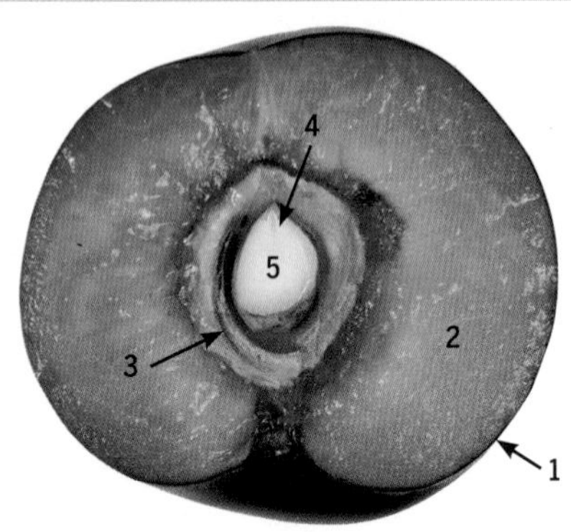

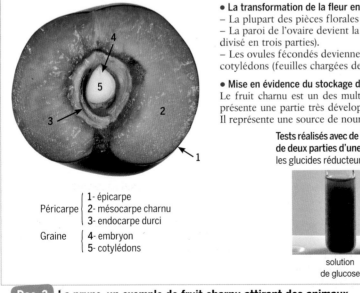

Péricarpe
- 1- épicarpe
- 2- mésocarpe charnu
- 3- endocarpe durci

Graine
- 4- embryon
- 5- cotylédons

• La transformation de la fleur en fruit

– La plupart des pièces florales (sépales, pétales, étamines) fanent.
– La paroi de l'ovaire devient la paroi du fruit nommée péricarpe (lui-même divisé en trois parties).
– Les ovules fécondés deviennent des graines comprenant l'embryon et des cotylédons (feuilles chargées de réserves organiques).

• Mise en évidence du stockage de matières organiques dans un fruit charnu

Le fruit charnu est un des multiples types de fruits existants. Le péricarpe présente une partie très développée (charnue) riche en matières organiques. Il représente une source de nourriture importante qui attire divers animaux.

Tests réalisés avec de la liqueur de Fehling sur des extraits de deux parties d'une prune : le réactif utilisé caractérise les glucides réducteurs comme le glucose ou le fructose.

solution de glucose — mésocarpe — cotylédons

Doc. 2 La prune, un exemple de fruit charnu attirant des animaux.

B Une dissémination, produit d'une coévolution

Le *Melocactus violaceus*, un cactus d'une dizaine de centimètres de diamètre, pousse sur les sols sableux des zones désertiques brésiliennes. Il produit des fruits roses au niveau d'un *cephalium* blanchâtre situé à son sommet. Le lézard *Tropidurus torquatus* est un des rares animaux à pouvoir manger ces fruits ; il permet ainsi la dissémination des graines qui se retrouvent dans ses déjections. Cette collaboration entre plante et animal est le produit d'une coévolution.

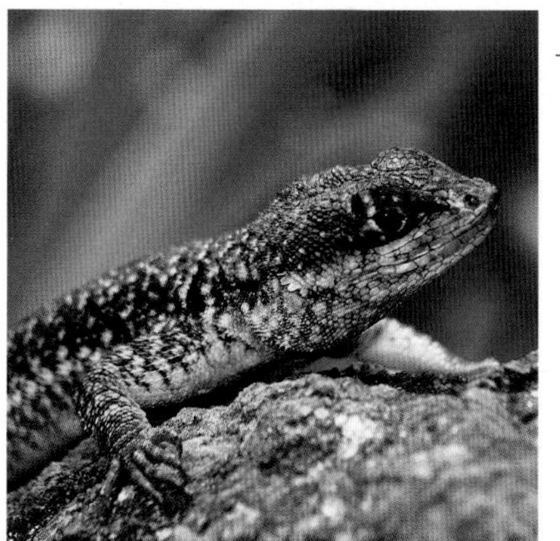

Le lézard *Tropidurus torquatus*

action sur le cactus →

adaptation évolutive du lézard

coévolution du cactus et du lézard

← action sur le lézard

adaptation évolutive du cactus

Melocactus violaceus avec un fruit sortant du *cephalium*

• **Adaptations de la plante**

Le lézard est un des rares animaux de la région à pouvoir être actif dans la journée. Les températures dépassent en effet régulièrement les 50 °C et le manque d'eau se fait sentir. Le cactus produit des fruits sucrés et très riches en eau ; ils se forment dans le *cephalium* et ne sortent qu'à maturité. Une équipe de chercheurs a mesuré le rythme de sortie des fruits de 118 cactus pendant une journée et l'a mis en parallèle avec le nombre de lézards présents autour des plantes. Les résultats sont présentés *ci-dessous*.

• **Adaptations du lézard**

La morphologie du lézard lui permet de manger facilement les fruits du cactus : il est assez petit pour se faufiler entre les épines et sa bouche est assez grande pour pouvoir ingérer le fruit. Après digestion, les graines se retrouvent dans les déjections du lézard qui les dépose en moyenne à trois mètres de la plante mère.

Pour estimer le pouvoir germinatif des graines digérées, des chercheurs ont récupéré et planté des graines mangées par des lézards. Ils ont suivi le taux de germination de ces graines au cours du temps en comparaison avec des graines n'ayant pas transité par le système digestif d'un lézard. Les résultats sont présentés sur le *graphique ci-dessous*.

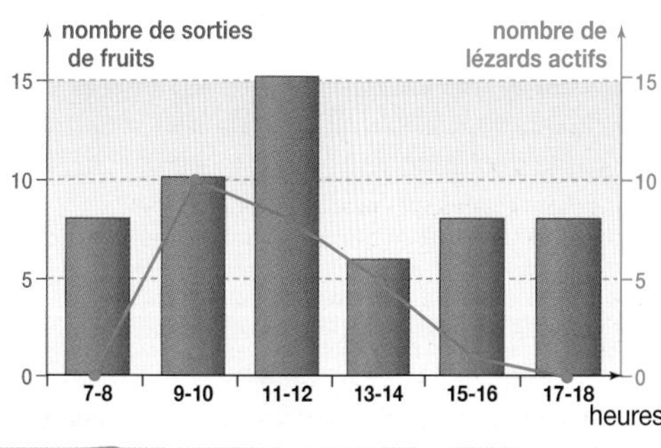

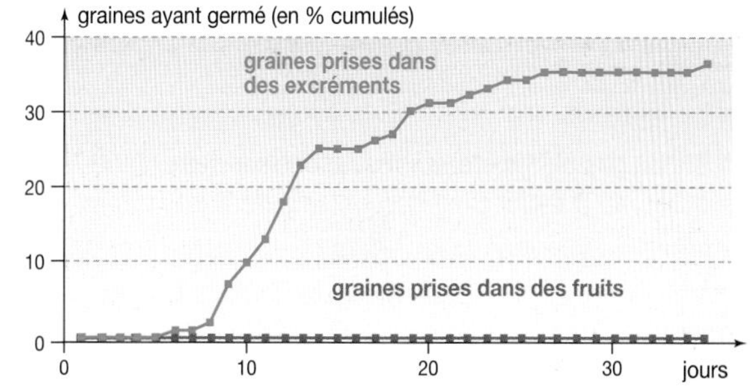

Doc. 3 Une relation étroite entre deux espèces.

Pistes d'exploitation

PROBLÈME À RÉSOUDRE ► Quelles relations existe-t-il entre une plante et un animal assurant la dissémination des graines ?

Doc. 1 Expliquez pourquoi les plantes doivent souvent recourir à une dispersion de leurs graines.

Doc. 2 Décrivez les éléments constituant un fruit et indiquez de quelles parties de la fleur ils proviennent. À quels usages sont destinées les réserves du péricarpe et de la graine ?

Doc. 3 Établissez des correspondances entre des caractéristiques développées par le cactus et des caractères présentés par le lézard.

Lexique, p. 406

chapitre 5 La vie fixée chez les plantes, résultat de l'évolution

Les exigences d'une vie fixée, en permanence à l'interface entre deux milieux, l'air et le sol, ne sont pas les mêmes que celles que requiert la vie animale. Au cours de l'évolution, différents processus liés à l'alimentation, la protection ou la communication, ainsi que des modalités particulières de reproduction, se sont mis en place chez les plantes.

1 L'organisation de la plante

Une vie fixée entre sol et air

Sur les continents, la lumière solaire n'est présente qu'au-dessus du sol, tandis que l'eau liquide et les nutriments minéraux sont présents essentiellement dans le sol. L'humidité de l'air ainsi que sa température peuvent subir d'importantes variations.

Des innovations évolutives ont permis aux végétaux terrestres de s'adapter à ces contraintes. En vivant **fixés à l'interface du sol et de l'air**, ils peuvent profiter des ressources disponibles dans chacun des deux milieux : **les racines** ancrent la plante dans le sol et y prélèvent **l'eau et les ions** dont la plante a besoin ; **les tiges et les feuilles** se dressent et s'orientent au-dessus du sol, permettant à la plante de capter **l'énergie lumineuse** et d'échanger **les gaz** nécessaires à la photosynthèse.

Des surfaces d'échanges de grande dimension

La nutrition des plantes terrestres repose sur des organes spécialisés, au premier rang desquels figurent les racines et les feuilles.

- Chaque plante dispose d'**un réseau de racines très longues et très fines**. Leur petit diamètre maximise leur **surface de contact avec l'eau du sol**. Près de leurs extrémités, les racines sont couvertes de poils absorbants. La finesse, la longueur et le nombre des **poils absorbants** démultiplient encore la surface de contact entre la plante et la solution du sol et, par conséquent, ses capacités à absorber eau et ions minéraux.

- Plates et fines, les **feuilles** offrent **une grande surface** exposée aux rayons solaires, ces derniers pouvant ainsi atteindre toutes les cellules chlorophylliennes en charge de la photosynthèse, situées préférentiellement du côté de la face supérieure de la feuille. L'**épiderme** des feuilles, recouvert d'une **cuticule** plus ou moins épaisse, est imperméable aux gaz, ce qui protège la plante contre la déshydratation. Cependant, des milliers de petits orifices, les **stomates**, s'ouvrent lorsque les conditions sont favorables à la photosynthèse et permettent les échanges gazeux entre la feuille et l'atmosphère. Une fois l'épiderme franchi, les gaz circulent au sein des **lacunes** situées au contact des cellules chlorophylliennes.

Des systèmes conducteurs entre organes souterrains et aériens

L'approvisionnement en eau et en ions étant dissocié de l'exposition à la lumière et de l'approvisionnement en gaz, des échanges de matières sont indispensables entre organes souterrains et aériens. Ils s'effectuent grâce à un double réseau de tubes :

- Le **xylème** est constitué de files de cellules mortes, allongées, dont ne subsiste que la paroi latérale, renforcée par des dépôts de **lignine**. Les tubes du xylème transportent la **sève brute** (eau et ions minéraux) provenant des poils absorbants, depuis les extrémités des racines jusqu'aux organes aériens. Dans les feuilles, les tubes du xylème se ramifient abondamment, apportant eau et ions minéraux aux cellules chlorophylliennes.

- Le **phloème** est constitué de files de cellules vivantes, allongées, aux parois de **cellulose**. Les tubes du phloème transportent la **sève élaborée** (eau et sucres principalement) depuis les cellules chlorophylliennes photosynthétiques vers tous les organes de la plante, et en particulier vers ceux ne réalisant pas la photosynthèse (racines, bourgeons...).

2 Des structures et mécanismes de défense

Les végétaux se protègent contre les agressions du milieu physique

Les plantes terrestres ont développé au cours de leur évolution de multiples **adaptations aux conditions extrêmes** de température et d'humidité, ainsi qu'aux **variations journalières ou saisonnières** de ces paramètres, par exemple :

- La présence de poils et d'une épaisse cuticule sur les feuilles mais aussi leur capacité à s'enrouler sur elles-mêmes constituent des protections contre la sécheresse de l'air.

- Les arbres des régions tempérées résistent au froid hivernal en perdant leurs feuilles, en entrant en vie ralentie et en protégeant leurs bourgeons par d'épaisses écailles.

Les végétaux se protègent contre les autres êtres vivants

La vie fixée empêche les plantes terrestres de fuir devant leurs prédateurs. Elles ont développé au cours de leur évolution d'autres stratégies de défense, par exemple :

- Les tiges ou les feuilles peuvent porter des **épines** ou des **poils** qui limitent l'action des herbivores.
- Des glandes présentes sur les feuilles de certaines plantes produisent des **molécules** qui les rendent peu appétissantes (mauvaise odeur, mauvais goût), voire toxiques pour les herbivores.
- Il existe parfois des relations d'**entraide** entre plantes voisines de la même espèce, ainsi que des **associations à bénéfice mutuel** entre certaines plantes et des espèces nuisibles aux animaux herbivores.

3 L'organisation de la fleur

Plusieurs couronnes de pièces florales constituent une fleur

Chez de nombreuses espèces végétales, les **organes reproducteurs** sont contenus dans une **fleur**. Malgré une grande diversité de formes, de dimensions ou de couleurs, on retrouve une constante dans l'organisation des fleurs. En effet, quatre **couronnes concentriques**, également nommées verticilles, se succèdent de la périphérie vers le centre, toujours dans le même ordre. Les deux couronnes externes protègent les couronnes d'organes reproducteurs situées au centre :

- les **sépales**, le plus souvent verts et ayant l'apparence de petites feuilles, mais parfois colorés, constituent le **calice** ;
- les **pétales** de formes et de couleurs très diverses composent la **corolle** ;
- les **étamines**, organes mâles de la fleur, sont faites d'une fine tige (le filet) portant des sacs à pollen (les anthères) ;
- le **pistil**, organe femelle de la fleur, contient des ovules répartis dans plusieurs loges nommées **carpelles**.

L'observation d'**individus mutants** montre parfois des modifications des couronnes de pièces florales. Les gènes responsables de ces mutations sont connus et représentent les **gènes du développement floral**. L'étude des bourgeons floraux montre que dans chaque ébauche de pièce florale s'expriment des gènes spécifiques, déterminant son développement en sépale, pétale, étamine ou carpelle.

Étamines et pistil sont les acteurs de la reproduction sexuée

Si les **grains de pollen** produits par les étamines se déposent sur le pistil d'une fleur de la même espèce, ils germent et **fécondent les ovules** contenus dans ce pistil. De nombreuses fleurs sont hermaphrodites (elles possèdent étamines et pistil) et peuvent donc théoriquement pratiquer l'autofécondation. Cependant, une **fécondation croisée** présente l'avantage de produire de la diversité génétique. L'évolution a fréquemment favorisé l'apparition de mécanismes empêchant l'autofécondation ou favorisant la fécondation croisée.

4 La vie fixée impose le transport du pollen et des graines

La dispersion du pollen par des animaux résulte d'une coévolution

La fécondation croisée impose le **transport du pollen**. Certaines espèces sont pollinisées grâce au vent (anémogamie) ou à l'eau (hydrogamie), mais, par ces moyens de transport, seule une petite partie du pollen produit sera déposée sur le pistil de la bonne fleur. Le transport est **plus spécifique** quand il est réalisé par un animal (zoogamie). Ces **relations étroites** se sont construites au cours de l'**évolution** : les fleurs ont développé des caractères attirant les animaux (odeurs, formes, nectar) et les animaux pollinisateurs ont développé des organes adaptés à l'accrochage du pollen (poils, peignes...). On a donc ainsi une **coévolution**, dans laquelle les adaptations des deux espèces partenaires s'influencent mutuellement. On constate alors des **adaptations** parfois très étroites entre les dispositifs développés par la plante et les insectes pollinisateurs.

La dispersion des graines par des animaux résulte d'une coévolution

Après la fécondation, la fleur subit des transformations : les sépales, pétales et étamines fanent et le **pistil se transforme en fruit**. Il comporte plusieurs enveloppes entourant **les ovules fécondés devenus des graines**. Ces dernières peuvent se retrouver à terme sur le sol et germer, donnant naissance à un nouvel individu.

Sans transport, les graines ne peuvent éventuellement germer qu'au pied de la plante mère. La colonisation de nouveaux milieux est alors limitée et les nouveaux plants subissent la concurrence de leurs parents pour l'accès à la lumière et aux ressources du sol. L'eau ou le vent peuvent transporter les graines de certaines plantes. Des animaux transportent graines ou fruits accrochés sur leurs poils ou leurs plumes ; d'autres consomment les matières organiques des fruits et rejettent dans leurs excréments des graines capables de germer. Là encore, la collaboration entre animal disséminateur et plante produit souvent une **coévolution** se traduisant par des relations parfois très spécifiques et étroites entre les deux partenaires.

chapitre 5 La vie fixée chez les plantes, résultat de l'évolution

À RETENIR

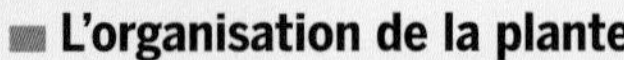

L'organisation de la plante

Les plantes terrestres ont développé au cours de leur évolution des **surfaces d'échanges de grande dimension** avec leur environnement : dans le sol, les **racines** prélèvent l'eau et les ions. Dans l'atmosphère, les **feuilles** captent la lumière solaire et le dioxyde de carbone. Leurs cellules chlorophylliennes peuvent ainsi réaliser la photosynthèse. Cette **vie fixée à l'interface de deux milieux** nécessite des circulations de matières entre organes aériens et souterrains. Ces transports sont assurés par un double **système conducteur** de sèves : **le xylème et le phloème**.

Des structures et mécanismes de défense

Incapables de se déplacer, les plantes terrestres ont développé au cours de leur évolution des structures et mécanismes de défense originaux et variés. Ces adaptations les protègent contre les **prédateurs** (épines, toxines, relations d'entraide, etc.), la **sécheresse** (poils, protection des stomates, cuticules, etc.). Elles permettent aussi à la plante de résister aux **variations journalières et saisonnières** du climat (fermeture des stomates, vie ralentie, écailles protectrices, etc.).

L'organisation de la fleur

La fleur est organisée en couronnes concentriques de **pièces florales**. Deux couronnes protectrices (sépales et pétales) entourent deux couronnes d'organes reproducteurs (étamines et pistil). Des **gènes du développement** contrôlent la transformation d'une ébauche en pièce florale différenciée.

Bien qu'une fleur soit un organe hermaphrodite, l'autofécondation est le plus souvent impossible : la fleur doit donc recourir à un système de **transport de son pollen**.

La vie fixée impose le transport du pollen et des graines

Au cours de l'**évolution**, les fleurs ont développé différents systèmes pour faire transporter leur pollen par l'eau, le vent ou les animaux (insectes pollinisateurs). Dans ce dernier cas, il s'agit d'une **coévolution** car le partenariat s'est construit grâce aux **influences réciproques** de la plante et de son animal pollinisateur.

La fleur fécondée se transforme en fruit contenant des graines. La **dissémination** de ces dernières est une nécessité pour la plante et des collaborations avec des animaux, comme pour la pollinisation, donnent lieu à des coévolutions.

Mots-clés

- Vie fixée, racines, feuilles
- Surfaces d'échanges
- Xylème, phloème, sève brute, sève élaborée
- Fleur, fruit, ovaire, pistil
- Étamines, pollen
- Pollinisation, dissémination, coévolution

Capacités et attitudes

- Effectuer une estimation chiffrée des surfaces d'échanges d'une plante.
- Réaliser et observer une coupe anatomique pour repérer le phloème et le xylème. Repérer et analyser les structures et mécanismes qui permettent aux plantes de se protéger.
- Réaliser la dissection d'une fleur pour en repérer les constituants.
- Réaliser un diagramme floral représentant les pièces florales.
- Mettre en évidence les relations entre une plante et des animaux réalisant la dissémination de son pollen ou de ses graines.

SCHÉMA BILAN — LA VIE FIXÉE CHEZ LES PLANTES, RÉSULTAT DE L'ÉVOLUTION

Animation

Une vie fixée en relation avec deux milieux : l'air et le sol

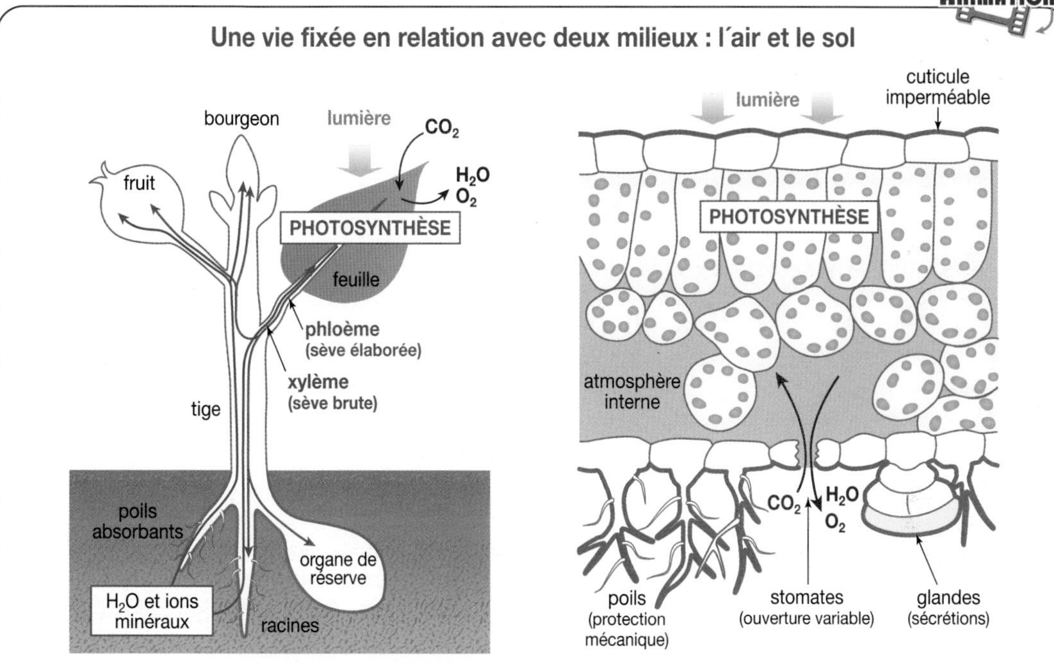

- Des échanges et des flux de matière liés à la photosynthèse
- Des mécanismes de défense contre les agressions du milieu

L'organisation et la construction de la fleur

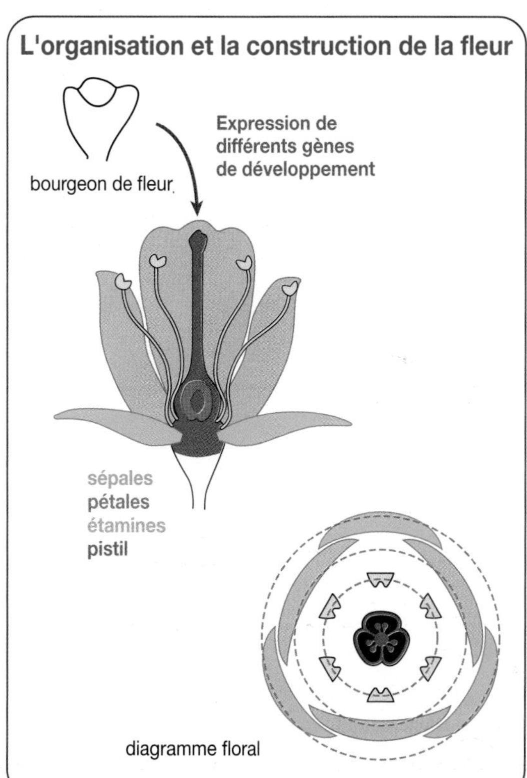

Une coévolution entre la plante et des animaux pour disperser pollen et graines

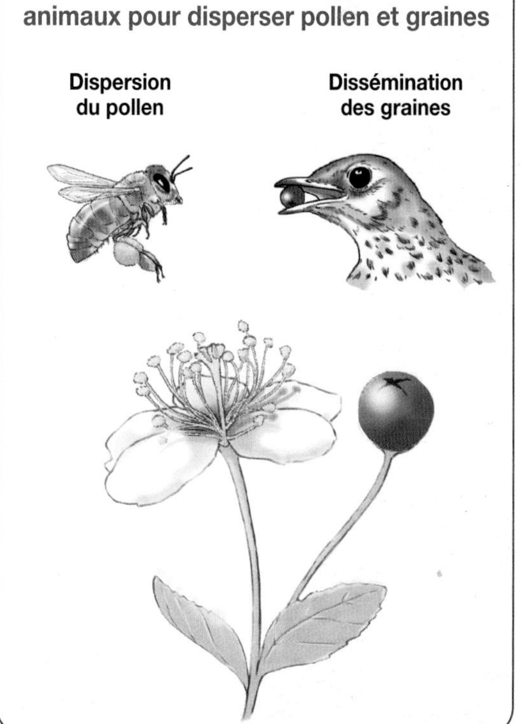

Les grains de pollen

Les grains de pollens produits par les étamines sont les éléments reproducteurs mâles, dispersés par les plantes. Ils contiennent, en général, deux cellules reproductrices haploïdes, protégées par deux parois nommées **exine** et intine. Suivant les espèces, les exines montrent des **ornementations** très variées : sillons, pores ou autres éléments *(photographie ci-contre)*. Ces caractéristiques permettent d'**identifier** la plante à laquelle appartient un grain de pollen.

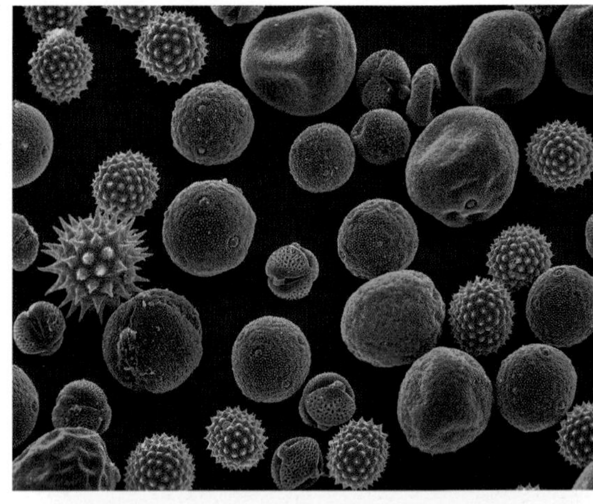

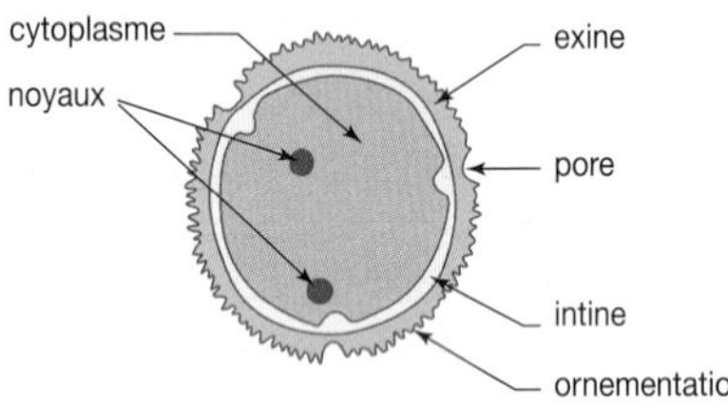

Une fois déposé sur un stigmate compatible, le grain de pollen va germer : un **tube pollinique** se développe et s'insinue dans le style jusqu'au contact des ovules. L'un des noyaux se divise et donne naissance aux deux **gamètes mâles**.

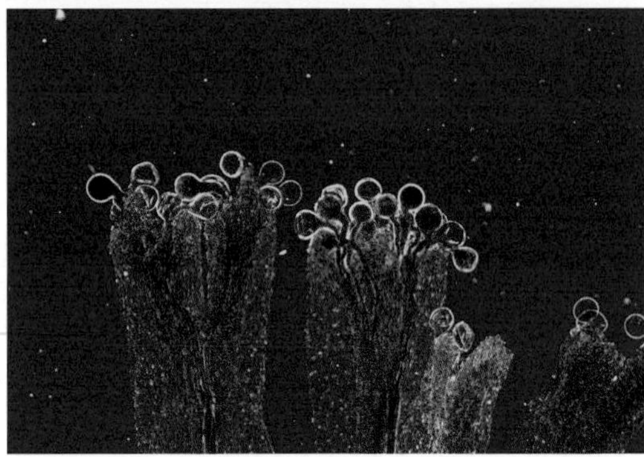

Grains de pollen et tubes polliniques dans un stigmate de crocus ▶

Détail de l'entrée du tube pollinique dans le stigmate d'une fleur de navette d'été ▶

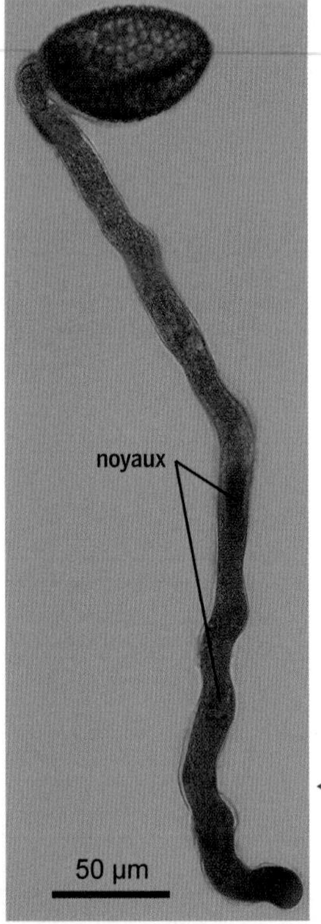

◀ Germination d'un grain de pollen de lis dans une solution d'eau sucrée. On repère les deux noyaux descendus dans le tube pollinique.

... mieux comprendre l'histoire des sciences

L'histoire de la botanique

La botanique est, au départ, l'étude des plantes « utiles », c'est-à-dire **médicinales** ou **alimentaires**. *« De Materia Medica »*, écrit par Dioscoride en Turquie au Ier siècle de notre ère décrit ainsi les usages de 500 plantes. Cet ouvrage fondateur de la botanique sera copié pendant plusieurs siècles *(ci-contre, une copie du VIe siècle)* et complété par des illustrations et les synonymies des noms des plantes décrites. Il faut attendre le XVIe siècle et les **cabinets de curiosités** pour voir apparaître les premiers herbiers contenant des fleurs séchées.

L'invention de l'**herbier** est attribuée à Ghini (1490-1566), un botaniste italien. Cette pratique a pour objectif la conservation de spécimens définissant chaque espèce : l'herbier de Paris du Muséum National d'Histoire Naturelle *(photographie ci-contre)* comporte huit millions de spécimens venus du monde entier !
La botanique est une science qui se renouvelle : les classifications d'aujourd'hui ne sont plus fondées sur les seuls critères morphologiques mais intègrent les données de la phylogénie moléculaire.

... bien choisir son parcours de formation

Autour de la gestion des espaces naturels

Vous voulez devenir :
- animateur et gestionnaire d'espaces naturels ;
- ingénieur dans l'environnement ;
- conseiller en environnement ?

Ingénieur

BAC S

École d'ingénieurs
- **Admission :** l'accès se fait après le bac, après une classe préparatoire BCPST (Biologie, Chimie, Physique et Sciences de la Terre), ou pour les titulaires de certaines licences, d'un BTS ou d'un DUT. La sélection est faite sur dossier ou après un concours selon les écoles et les niveaux d'accès.
- **Diplôme** d'ingénieur

– Une sélection forte à l'entrée des écoles

Conseiller en environnement

BAC S

Master et master pro
- **Admission :** sur dossier après obtention d'une licence (ou équivalent) dans le domaine de la Biologie ou des Géosciences
- **Formation :** 2 ans après la licence
- **Master** (nombreuses spécialités)

– Peu de places en master, mais le secteur se développe

Animateur nature

BAC S

BTSA GPN (Gestion et Protection de la Nature)
- **Admission :** sur dossier après le bac
- **Formation :** 2 ans avec de nombreuses possibilités de poursuites d'études
- **Diplôme** de technicien supérieur

– Forte concurrence sur les postes proposés

Maîtriser ses connaissances

Pour s'entraîner

1 Définissez les mots ou expressions

Surface d'échanges, stomate, cuticule, poils absorbants, xylème, phloème, pièces florales, diagramme floral, dissémination, pollinisation, relation mutualiste, coévolution.

2 Vrai ou faux ?

Repérez les affirmations exactes et corrigez celles qui sont inexactes.

a. Les racines sont des organes sensibles à la gravité terrestre.
b. Le parenchyme palissadique est situé du côté de la face inférieure de la feuille.
c. Le xylème transporte une sève riche en sucres.
d. Les plantes sont dotées de différents systèmes de défense adaptés à leur environnement.
e. La pollinisation des plantes à fleurs est toujours assurée par les animaux.
f. La consommation des fruits par les animaux peut favoriser la colonisation d'un milieu par une plante.
g. Les pièces florales sont déterminées par l'expression de gènes de développement.
h. La diversité des fleurs est telle qu'il n'est pas possible de retrouver une organisation commune à toutes les fleurs.

3 Argumenter une affirmation

a. Les organes souterrains de la plante dépendent des organes aériens pour leur nutrition.
b. La défense contre les prédateurs se joue à l'échelle des molécules, des cellules et des organes de la plante.
c. Les pièces florales ont une origine commune et se différencient en fonction de l'expression de certains gènes.
d. La dissémination des graines par les animaux répond aux difficultés de la vie fixée chez certaines plantes.

4 Décrire une photographie

Indiquez le nom et le nombre des différentes pièces florales observées sur cette fleur de Véronique.

Objectif BAC

5 Les relations plantes-animaux

Question de synthèse :

En appuyant votre exposé par des exemples précis, montrez comment les animaux peuvent favoriser la colonisation d'un milieu par les végétaux.

6 La formation de la fleur

A. Question de synthèse :

Expliquez comment s'organise et se construit une fleur.

B. Questions à choix multiples 

Choisissez la bonne réponse pour chaque série d'affirmations.

1. **Le contrôle génétique du développement des pièces florales se fait sur le principe suivant :**
a. à un type de pièce florale correspond un gène ;
b. un seul gène détermine la mise en place de la fleur ;
c. un même gène peut intervenir dans la mise en place de pièces florales différentes ;
d. une fleur ne se forme que si la totalité des gènes impliqués ne sont pas mutés.

2. **Le pollen d'une fleur :**
a. est produit par les organes situés le plus au centre de la fleur ;
b. est produit par les carpelles ;
c. est toujours dispersé par le vent ;
d. peut être récupéré par des organes spécialisés possédés par certains animaux.

7 Structure et fonction de la feuille

Question de synthèse :

Le *schéma* représente une coupe de feuille. Reproduisez ou légendez ce schéma et complétez-le pour montrer que l'organisation d'une feuille est adaptée à sa fonction.

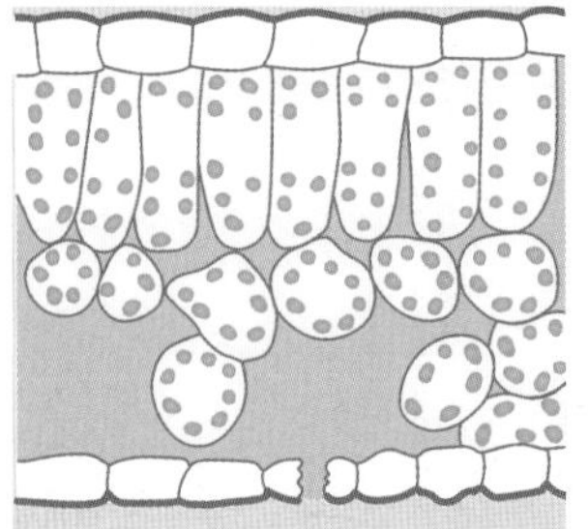

Utiliser ses compétences

8 L'origine de fleurs doubles Exploiter des documents, raisonner

Les nombreuses variétés de roses dérivent d'espèces antiques sans doute proches de l'églantine actuelle. Les horticulteurs continuent de produire de nouvelles variétés, en particulier des fleurs « doubles », possédant de très nombreux pétales. Le rosier *Souvenir de la Malmaison* est une variété à fleurs doubles, créée en 1843. En 1950, un mutant ne différant que par les pièces florales est à l'origine d'une nouvelle variété nommée *Souvenir de St Anne's*.

QUESTION :

À partir de l'analyse des documents et de vos connaissances, expliquez l'origine des variétés de rosiers dites « doubles ».

Églantine

Souvenir de la Malmaison

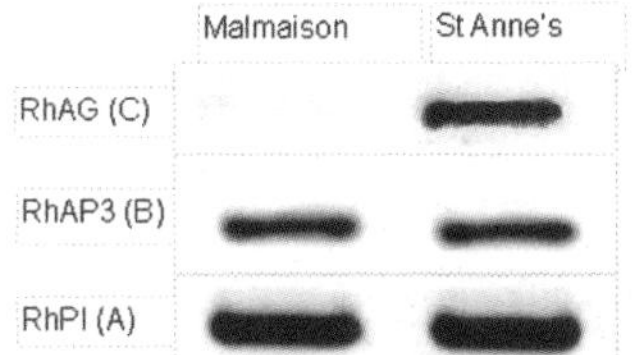

Expression de différents gènes du développement floral chez les deux variétés de rosiers. Ce sont des analogues des gènes de classes A, B et C décrits chez l'arabette *(voir page 121)*.

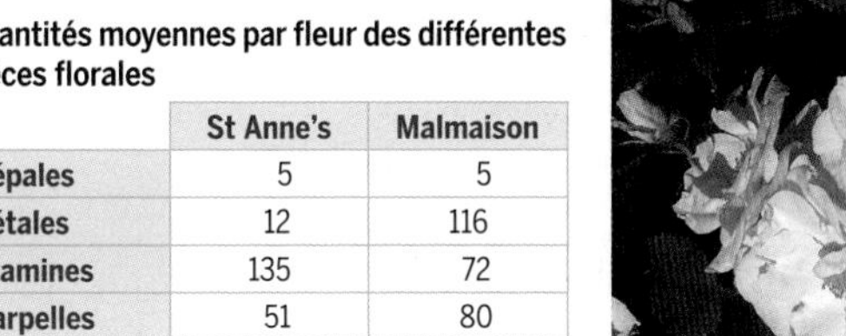

Quantités moyennes par fleur des différentes pièces florales

	St Anne's	Malmaison
Sépales	5	5
Pétales	12	116
Étamines	135	72
Carpelles	51	80

Souvenir de St Anne's

9 Relations évolutives entre une plante et des insectes Raisonner avec rigueur

• Les passiflores tropicales sécrètent des toxines qui les protègent des insectes herbivores. Pourtant les papillons du genre *Heliconius* pondent leurs œufs sur ces passiflores (**a**), et leurs chenilles peuvent provoquer de gros dégâts sur les feuilles (**b**), mettant ainsi en péril la survie des jeunes plantes. On a découvert que les chenilles d'*Heliconius* ne s'empoisonnent pas car leurs enzymes digestives sont capables de dégrader les toxines contenues dans la plante.

• Cependant, les œufs d'*Heliconius* sont souvent la proie de prédateurs : ils sont non seulement dévorés par les fourmis, mais aussi par les chenilles d'*Heliconius* déjà présentes sur la plante !

• Certaines passiflores présentent sur leurs feuilles des glandes nectarifères, ou nectaires, dont la forme et la couleur rappellent beaucoup les œufs d'*Heliconius* (**c**). Le nectar de ces glandes attire les fourmis, qui se trouvent pour cette raison en grand nombre sur les plantes qui le produisent.

• Des chercheurs ont comparé le comportement de ponte de femelles d'*Heliconius* en présence de diverses passiflores (**d**). Certaines portent déjà des œufs d'*Heliconius*, d'autres non. Certaines portent des glandes nectarifères, d'autres non.

QUESTION :

Montrez que les relations qui unissent ces passiflores et les papillons *Heliconius* peuvent résulter d'adaptations successives des deux populations.

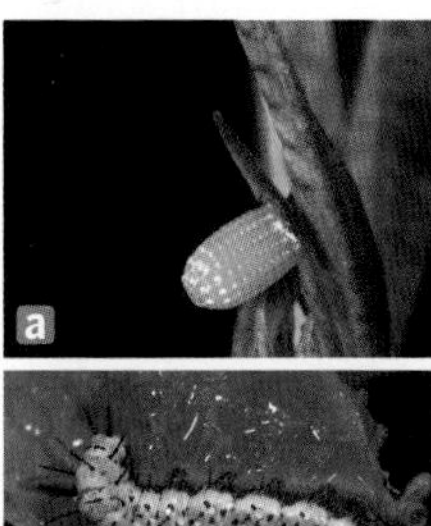

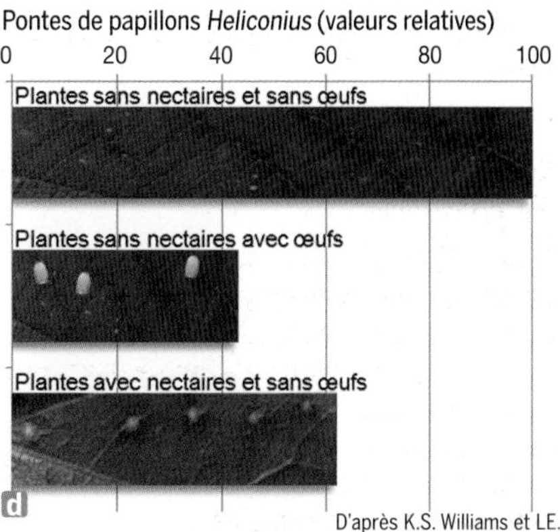

D'après K.S. Williams et L.E.

10 Une coévolution entre insectes et figuiers

Le groupe des figuiers est constitué par environ 800 espèces d'arbres, d'arbustes ou de lianes présents sur toute la planète. Leur point commun est de porter des figues qui ne sont pas des fruits mais des inflorescences creuses contenant les fleurs mâles et femelles *(voir document 3)*. Leur mode de reproduction est particulier et dépend d'un insecte pollinisateur de la famille des agaonides.

QUESTION :

À partir des documents et de vos connaissances, montrez que la pollinisation chez les figuiers résulte d'une coévolution entre deux groupes d'êtres vivants.

Exploiter un ensemble de documents en relation avec les connaissances, pratiquer une démarche scientifique

DOCUMENT 1 : **étapes de la pollinisation des figuiers**

- Une femelle agaonide entre dans une figue et, avant de mourir, pond ses œufs dans les fleurs femelles ;
- les œufs éclosent et, dans cette nouvelle génération d'agaonides, les mâles fécondent les femelles ;
- les agaonides femelles fécondées sortent par l'ostiole, récupérant au passage du pollen des fleurs mâles ;
- les agaonides femelles vont aller pondre dans une autre figue et déposeront le pollen sur les fleurs femelles.

Ce scénario général présente de nombreuses déclinaisons selon les espèces de figuiers, mais il y a une constante : la pollinisation est impossible sans l'intervention d'un agaonide pour la réaliser. On constate que, très souvent, une espèce d'agaonide correspond à une espèce de figuier.

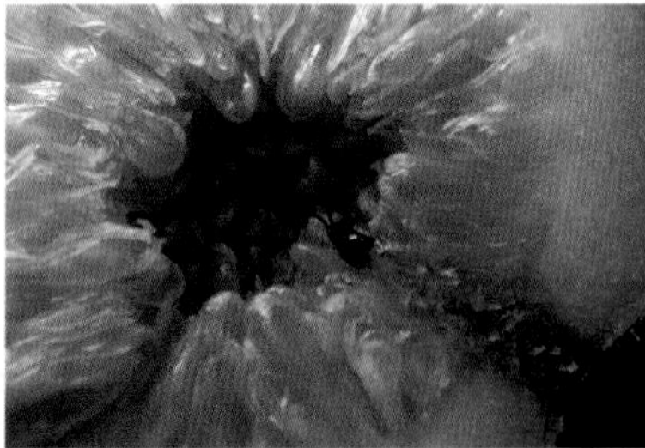

Agaonides en train de pénétrer dans l'ostiole d'une figue

DOCUMENT 2 : **caractéristiques des agaonides**

Les agaonides montrent plusieurs caractéristiques, variant selon les espèces :
- certaines possèdent sur leurs appendices des griffes, des peignes ou des poches pour récupérer le pollen ;
- les ailes des femelles peuvent se casser facilement, facilitant ainsi l'entrée dans une figue ;
- certaines espèces déposent activement le pollen sur les stigmates des fleurs femelles avant de procéder à la ponte.

De leur côté, les figuiers offrent « le gîte et le couvert » pour les larves qui se développent dans les figues en toute tranquillité. Ces larves ne peuvent pas se développer ailleurs que dans une figue de la « bonne » espèce.

DOCUMENT 3 : **organisation d'une inflorescence de figue de *Ficus carica*, l'espèce la plus courante en France**

Le schéma correspond à une figue en fleur, la photographie est celle d'une figue en fruit.

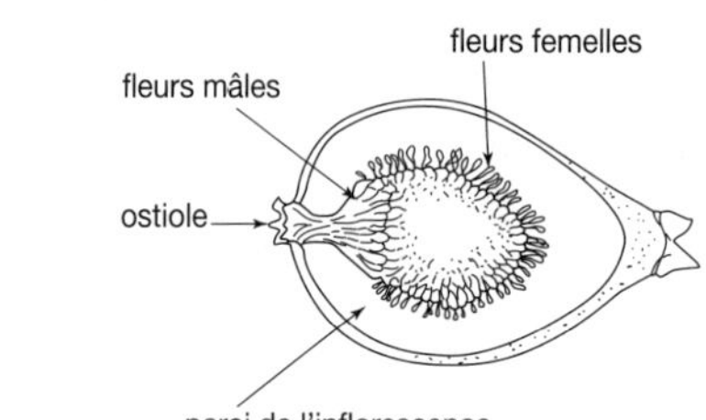

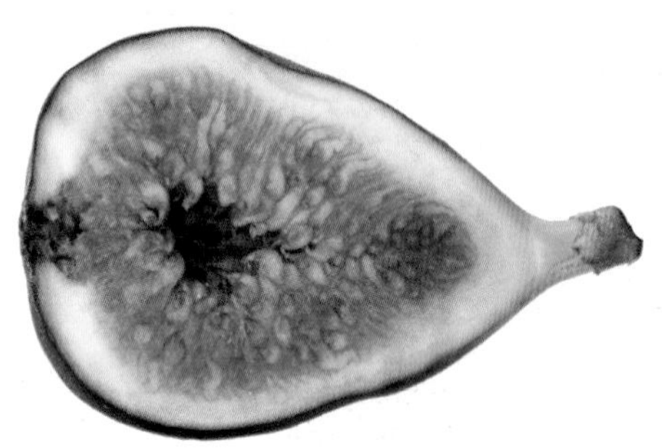

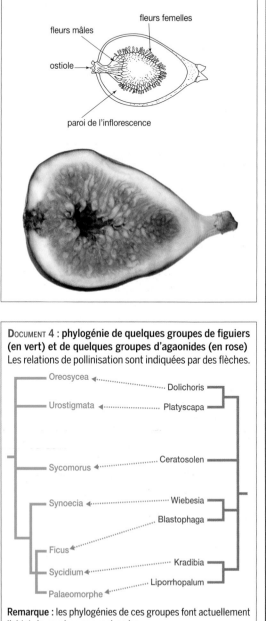

DOCUMENT 4 : **phylogénie de quelques groupes de figuiers (en vert) et de quelques groupes d'agaonides (en rose)**

Les relations de pollinisation sont indiquées par des flèches.

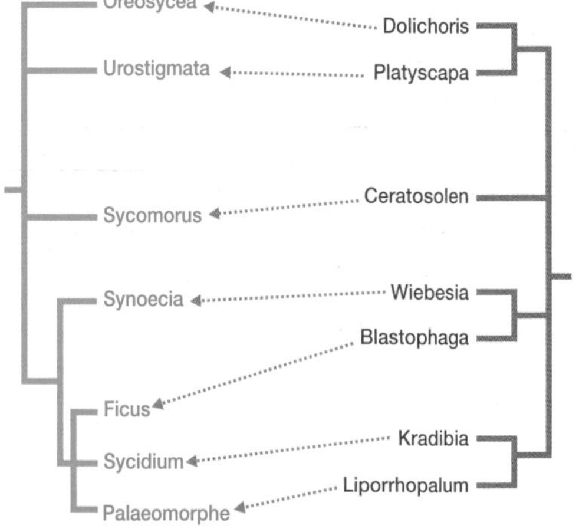

Remarque : les phylogénies de ces groupes font actuellement l'objet de nombreuses recherches.

Utiliser ses capacités expérimentales

11 Le rôle des poils absorbants Expérimenter, observer au microscope

SE PRÉPARER aux épreuves pratiques du BAC

■ Problème à résoudre

La plupart des plantes possèdent, près de l'extrémité de leurs racines, une zone couverte de poils très fins et allongés, que l'on qualifie de poils « absorbants ». On admet, en effet, que c'est par ces cellules aux parois très minces que l'eau et les ions minéraux contenus dans le sol entrent dans la plante, avant de gagner le xylème.

On cherche à prouver que ces poils racinaires sont effectivement capables d'absorber la solution du sol et de la transférer vers l'intérieur de la racine.

■ Matériel disponible

- Plantules d'arabette des dames.
- Loupe à main, loupe binoculaire, microscope.
- Pinces fines, ciseaux, scalpel.
- Béchers, verres de montre, lames et lamelles.
- Plusieurs compte-gouttes.
- Eau distillée.
- Gamme de colorants et guide d'utilisation.

Attention : la liste est non exhaustive. Vous pouvez demander du matériel complémentaire afin de mener à bien votre expérience.

■ Conception d'un protocole expérimental et réalisation

Conception de l'expérience :

- Rappelez le problème biologique étudié.
- Décrivez le principe de l'expérience.
- Énoncez les résultats attendus.

Préparation des manipulations :

- Choisissez les modes d'observation et de communication des résultats.
- Décrivez brièvement les manipulations à réaliser.
- Listez le matériel à utiliser.

■ Exploitation des résultats

La forme est laissée à votre choix.
On attend au moins :

- une représentation graphique (dessin, schéma, photographie...) d'un apex racinaire d'arabette ;
- une comparaison de cette représentation avec les *photographies* ***a*** *et* ***b*** *ci-contre* ;
- une réponse au problème posé ;
- une courte analyse critique de la démarche adoptée et des manipulations.

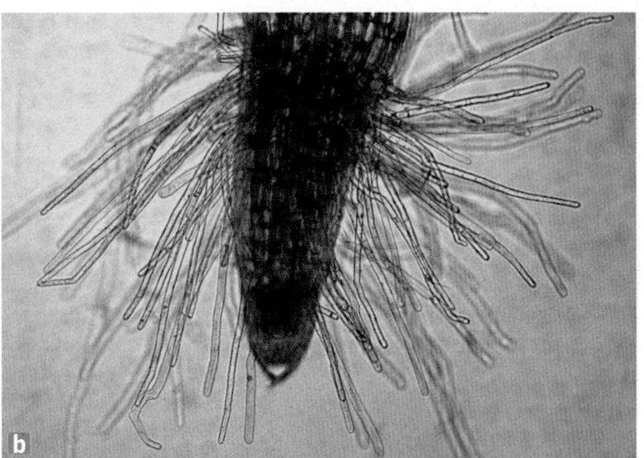

Observation d'un apex racinaire d'arabette des dames au microscope optique (× 150)
a. 5 minutes après l'exposition à un colorant rouge.
b. 30 minutes après l'exposition à un colorant rouge.

Partie 2

Les continents et leur dynamique

Les éruptions volcaniques

Éruption effusive du Kilauea, aux îles Hawaï dans le Pacifique

Éruption explosive du mont Saint-Helens, au nord-ouest des États-Unis

- Une activité volcanique **effusive** se caractérise par l'émission de **laves fluides** qui forment de longues **coulées**. Une activité volcanique **explosive** se manifeste par des **explosions violentes** accompagnées de **nuées ardentes**, mélanges de lave et de gaz brûlants.
- Le **magma** est constitué d'un mélange variable de **roches fondues** et de **gaz**. Il est contenu dans un **réservoir** situé à quelques kilomètres de profondeur sous le volcan.
- Certains magmas sont **fluides**, d'autres beaucoup plus **visqueux**. Les différents types d'éruptions sont liés à l'arrivée, en surface, de ces magmas différents.

Les ondes sismiques

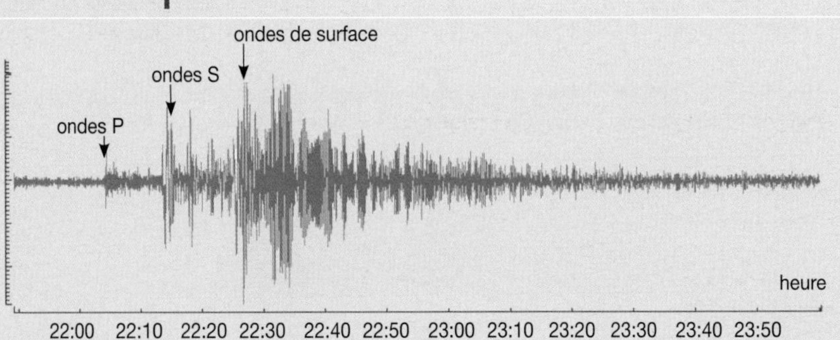

Sismogramme enregistré en Allemagne, lors du séisme de magnitude 7 survenu en Haïti, le 12 janvier 2010, à 21 h 53 min (heure GMT)

Lorsque l'on enregistre un séisme à une distance suffisante de l'épicentre, on peut repérer trois types d'ondes.

- **Les ondes de volume**

Ces ondes se propagent à l'intérieur du globe terrestre dans toutes les directions. On distingue deux catégories d'ondes de volume : les ondes P (ou premières) et les ondes S (ou secondes).

– **Les ondes P** sont les plus rapides : ce sont des ondes longitudinales de compression-dilatation capables de se propager aussi bien dans les milieux solides que dans les fluides.

– **Les ondes S** sont des ondes transversales de cisaillement. Elles ne se propagent que dans les milieux solides.

- **Les ondes de surface**

Ces ondes sont moins rapides mais de grande amplitude. Elles se propagent dans les couches superficielles du globe.

Le modèle de la tectonique des plaques

La dynamique des plaques lithosphériques

1 Les plaques se forment et s'écartent dans l'axe des dorsales

3 Les plaques se rapprochent et s'enfouissent au niveau des fosses océaniques

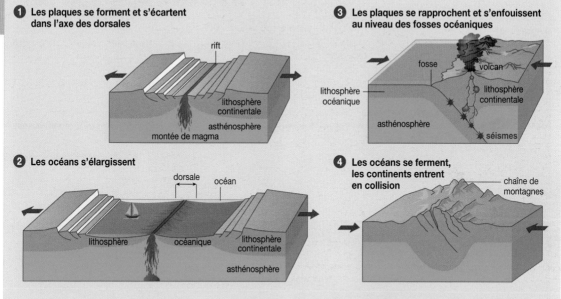

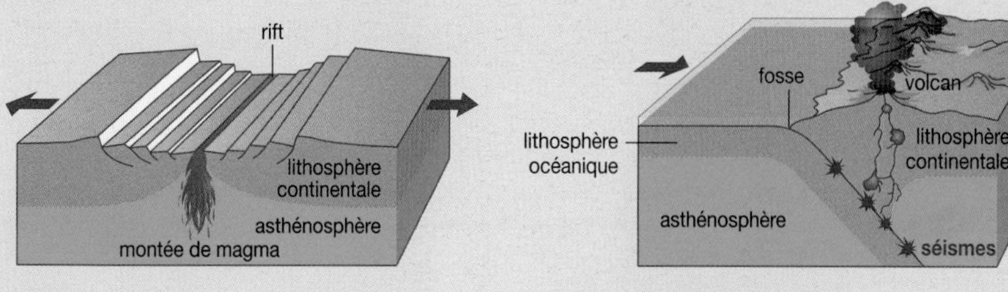

2 Les océans s'élargissent

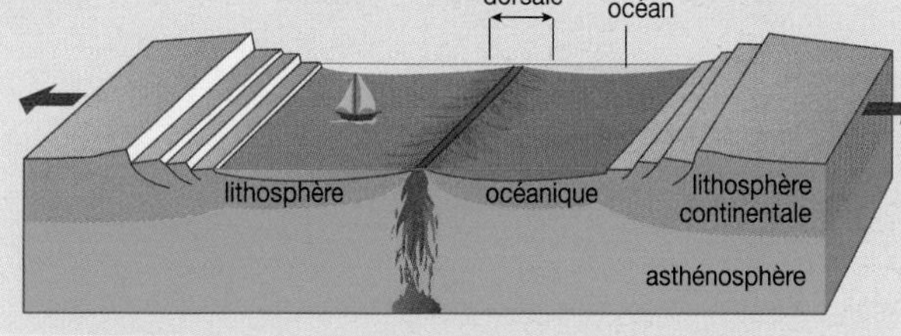

4 Les océans se ferment, les continents entrent en collision

- Dans l'**axe des dorsales océaniques**, du plancher océanique se forme, les plaques s'écartent et l'océan s'élargit (au milieu de l'océan Atlantique, par exemple).

Au niveau des **fosses océaniques**, les plaques se rapprochent ; il y a **subduction**, l'une d'elles s'enfonce dans l'asthénosphère (par exemple, la plaque de Nazca s'enfonce sous la plaque sud-américaine).

Ainsi, les plaques **se forment** au niveau des dorsales puis **disparaissent** au niveau des fosses océaniques.

- Le rapprochement de deux plaques aboutit à la **collision des continents** et à la formation des **chaînes de montagnes** par exemple, l'Himalaya.

Au cours de la collision, les roches sont soumises à de fortes pressions à l'origine de **déformations** (plis, failles).

Des plaques lithosphériques rigides mobiles sur une sphère

- Les données géologiques et les mesures par GPS permettent de définir aujourd'hui **14 plaques lithosphériques**.
- La découverte des **failles transformantes** est à l'origine de la compréhension du déplacement des plaques lithosphériques rigides sur une sphère.

Les plaques présentent des déplacements relatifs en **divergence** au niveau des dorsales, en **convergence** au niveau des fosses océaniques et en **coulissage** au niveau des failles transformantes.

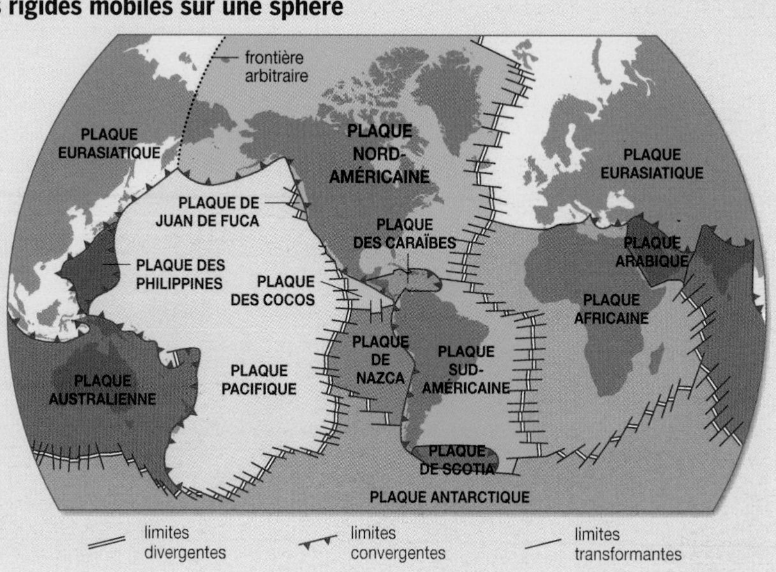

Les roches de la croûte terrestre

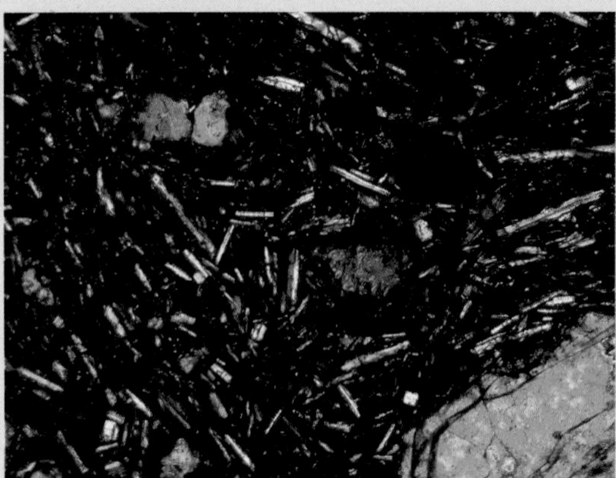
Basalte (lame mince observée en LPA)

Granite (lame mince observée en LPA)

Gabbro (lame mince observée en LPA)

La **croûte océanique** est essentiellement formée de basaltes et de gabbros.

Un **basalte** est une roche **microlitique** avec de gros cristaux (pyroxènes, olivines...), des microlites de plagioclases et de pyroxènes noyés dans du verre.

Le **gabbro** est une roche **grenue** de même composition chimique que les basaltes, mais tous ses minéraux sont bien cristallisés et jointifs.

Le **granite**, constituant principal de la croûte continentale, est une roche **grenue** composée essentiellement de feldspaths et de quartz et, accessoirement, de micas et d'amphiboles.

LPA : lumière polarisée analysée

L'altération d'un granite

Dans un massif de granite, l'eau qui s'infiltre dans les fissures provoque une **altération** de la roche. Le **granite**, **roche cohérente**, se transforme alors progressivement en une **roche meuble**, l'**arène granitique**, qui peut être entraînée par les eaux de ruissellement, ce qui dégage un amas de boules, appelé chaos.

Boules de granite dégagées par l'érosion

Arène granitique observée à la loupe binoculaire

Érosion, transport, sédimentation, roches sédimentaires

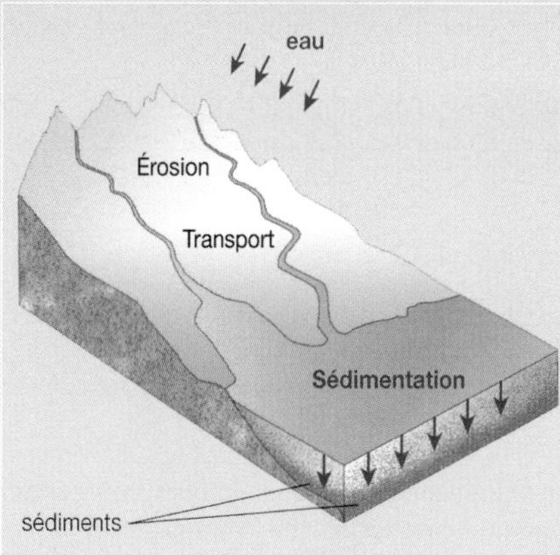

Les **particules** (galets, graviers, sables, argiles...) produites par l'érosion des roches sont **entraînées par les eaux courantes** (eau de ruissellement, cours d'eau...). Elles sont alors transportées plus ou moins loin en fonction de leur taille et de la vitesse du courant.

Les particules transportées par l'eau finissent par se déposer lorsque la vitesse du courant diminue ou s'annule : c'est la **sédimentation**.

Les particules déposées sont à l'origine des **roches sédimentaires**. Au fil du temps, les **sédiments** s'accumulent, se tassent (**compaction**), perdent de l'eau (**déshydratation**) et se cimentent : ils se transforment ainsi peu à peu en roche sédimentaire.

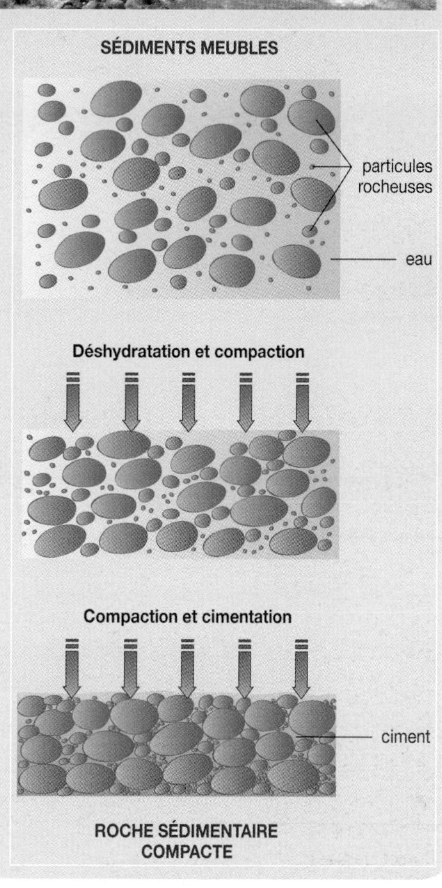

Des DOCUMENTS pour se poser des questions

L'épaisseur de la croûte continentale

Les techniques de sismique réflexion et réfraction consistent à enregistrer en surface des échos, issus de la propagation dans le sous-sol, d'une onde sismique provoquée par exemple par un camion vibreur *(ci-dessus)*. Les temps d'arrivée et l'amplitude des échos apportent des informations sur l'épaisseur et la nature des milieux traversés.

Des déformations qui racontent une histoire

Certaines déformations spectaculaires visibles en surface témoignent de l'histoire tourmentée de la croûte continentale.

Des roches très anciennes

À l'inverse de la croûte océanique relativement jeune (200 millions d'années au maximum), la croûte continentale est constituée de roches parfois très anciennes, avec des âges pouvant dépasser 4 milliards d'années ! De tels âges peuvent être déterminés grâce à « l'horloge » que constitue la désintégration des isotopes radioactifs, en utilisant un spectromètre de masse *(ci-contre)*.

LES PROBLÉMATIQUES DU CHAPITRE

- **Comment expliquer les différences d'épaisseur entre croûte continentale et croûte océanique ?**
- **Quels indices montrent un épaississement de la croûte continentale ?**
- **Comment estimer l'âge de la croûte continentale ?**

chapitre 1

La croûte continentale, une croûte épaisse et ancienne.

La croûte continentale

LES ACTIVITÉS DU CHAPITRE

Activités pratiques

La lithosphère en équilibre sur l'asthénosphère

La lithosphère est une enveloppe terrestre superficielle rigide, de 80 à 200 km d'épaisseur, qui repose en équilibre sur l'asthénosphère. *Nous allons voir ici quels modèles sont proposés par les scientifiques pour expliquer cet équilibre.*

A La répartition des masses à l'intérieur du globe terrestre

Sur Terre, le poids d'un objet est la force qui résulte de l'attraction exercée par la Terre sur cet objet. Cette force dépend de l'intensité de pesanteur terrestre g (ou gravité) : la valeur moyenne de la pesanteur terrestre est 9,81 $N \cdot kg^{-1}$.

L'intensité de la pesanteur dépend de la masse de la planète (ainsi l'intensité du poids d'un objet est beaucoup plus faible sur la Lune que sur la Terre, la Lune ayant une masse plus faible).

La gravimétrie est l'étude de l'intensité de la pesanteur terrestre et de ses variations. Cette intensité peut être calculée, en tenant compte de différents paramètres : latitude (la Terre n'est pas parfaitement sphérique), altitude (qui augmente la distance à laquelle s'exerce l'attraction), excès ou déficit de masse dû aux reliefs.

La gravité peut aussi être mesurée à l'aide de **gravimètres** au sol *(photographie)* ou à partir de l'analyse des orbites de satellites.

Doc. 1 La gravimétrie, ou étude des variations de l'intensité de pesanteur terrestre.

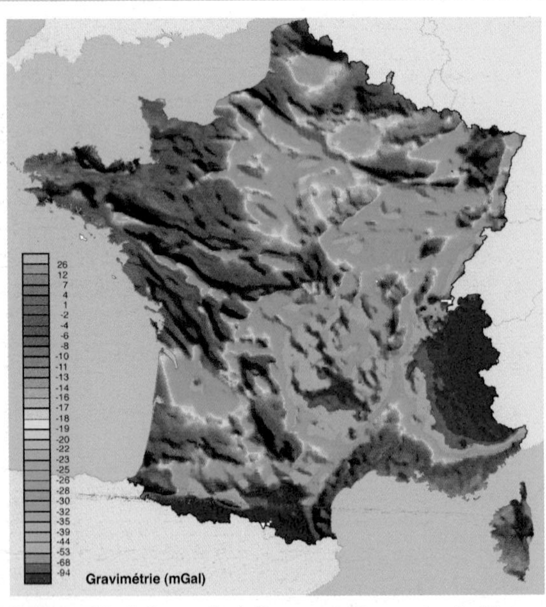

Cartographie de l'anomalie de Bouguer, en France : à noter l'importante anomalie négative correspondant à l'arc Alpin.

• Dans les régions montagneuses, on pourrait s'attendre à mesurer une valeur plus importante de la gravité, due à l'excès de masse rocheuse. En 1738, le physicien P. Bouguer, en mission dans la Cordillère des Andes, constate une anomalie au voisinage du volcan Chimborazo : tout se passe comme si la masse montagneuse n'attirait pas suffisamment la masse de son fil à plomb.

• Les mesures gravimétriques précises réalisées par la suite confirment cette particularité : la pesanteur mesurée est inférieure à la pesanteur théorique calculée que l'on devrait enregistrer dans cette région. Cette différence, appelée **anomalie de Bouguer** négative, se constate généralement dans les régions montagneuses.

L'existence d'une telle anomalie gravimétrique négative conduit à l'idée que l'excédent de masse représenté par le relief positif d'une chaîne de montagnes doit en réalité être compensé, en profondeur, par un déficit de masse. Cette compensation, qui permet l'équilibre de la lithosphère sur l'asthénosphère, est appelée **isostasie**.

Doc. 2 Les anomalies gravimétriques renseignent sur la répartition des masses en profondeur.

B Des modèles pour comprendre l'isostasie

Pour rendre compte des anomalies gravimétriques, les spécialistes ont admis qu'à une certaine profondeur, la lithosphère est soumise à une pression constante qui ne dépend pas des reliefs superficiels. À cette profondeur dite **surface de compensation**, la lithosphère est en équilibre « isostatique ». Cela signifie que la masse de chaque colonne rocheuse surplombant cette surface est la même en tout point.

Plusieurs modèles permettent d'illustrer cette théorie.

• Le modèle d'Airy

Ce modèle postule que la **masse volumique** de la croûte est constante et que cette dernière repose sur des roches de masse volumique plus importante ($\rho_0 > \rho_1$).
Ce modèle est bien adapté à la lithosphère continentale. En effet, les études sismiques révèlent l'existence de « racines crustales » sous les reliefs montagneux.

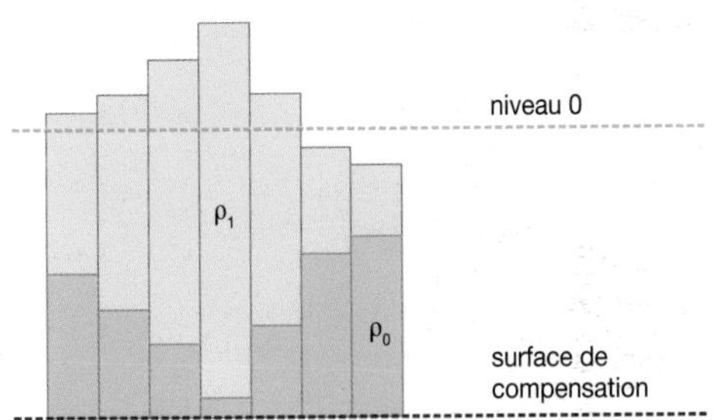

• Le modèle de Pratt

Dans ce modèle, les variations d'altitude s'expliquent par des différences latérales de masses volumiques. Plus celle-ci est importante, plus la hauteur de la colonne de roche est faible. Ce modèle est assez bien adapté à la lithosphère océanique : en s'éloignant de la dorsale océanique, elle se refroidit et sa densité augmente. Les fonds océaniques deviennent alors plus profonds.

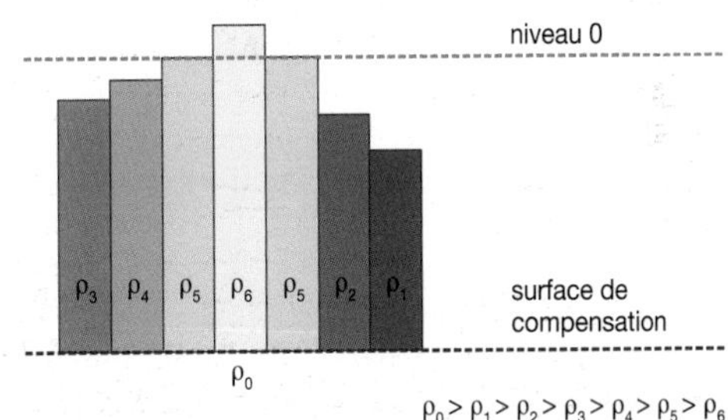

• Réaliser des modèles analogiques

Une série de tasseaux d'un même bois, percés dans le sens de la longueur, sont enfilés sur des tiges métalliques le long desquelles ils peuvent glisser. L'ensemble est placé dans un aquarium contenant de l'eau.

Dans ce second montage *(ci-dessus)*, comparable au premier, les tasseaux sont constitués de bois de différentes **densités**. Leur longueur est telle que l'extrémité inférieure des tasseaux est à peu près au même niveau.

Doc. 3 Des modèles réalisables en classe illustrant l'équilibre de la lithosphère sur l'asthénosphère.

Pistes d'exploitation

PROBLÈME À RÉSOUDRE ► Comment explique-t-on que, malgré les variations d'altitude, la lithosphère soit en équilibre sur l'asthénosphère ?

Doc. 1 et 2 Expliquez comment l'étude de la pesanteur permet d'obtenir des informations sur la répartition des masses au niveau de la croûte terrestre.

Doc. 3 Comparez les deux modèles de compensation isostatique proposés. En quoi le modèle d'Airy serait-il conforme à l'existence d'une racine crustale sous une chaîne de montagnes ?

Lexique, p. 406

L'épaisseur et la densité de la croûte continentale

Nous savons que la croûte océanique et la croûte continentale sont très différentes : nature des roches, épaisseur, densité, âge... *Les activités pratiques proposées ici vont permettre de préciser certaines caractéristiques de la croûte continentale.*

A Une estimation de l'épaisseur de la croûte continentale

UTILISATION D'UN LOGICIEL

Le réseau national « Sismo à l'École » permet de collecter des données sismiques issues de diverses stations placées dans de nombreux établissements scolaires.

Le *sismogramme ci-dessous* a été enregistré par la station AIXF (lycée Georges Duby–Luynes à Aix-en-Provence). Il correspond à un séisme très proche à proximité de Gardanne. À l'aide de logiciels spécialisés, il est possible de repérer les temps d'arrivée des ondes Pg (ondes P directes) et des ondes PmP (ondes P retard, réfléchies sur le **Moho**).

Remarque : ces trains d'ondes se sont propagés exclusivement dans la croûte continentale.

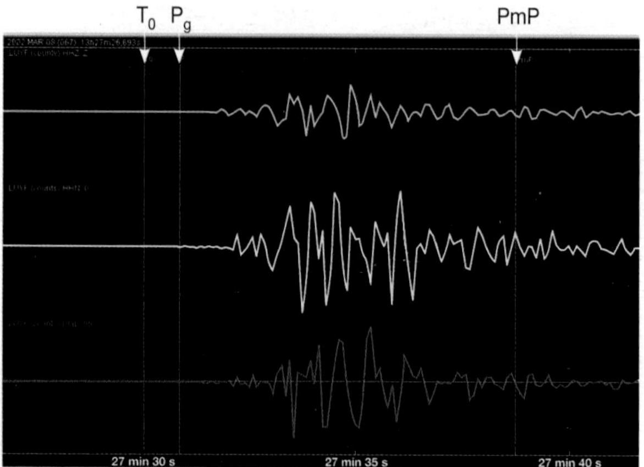

Séisme de Gardanne (magnitude 2,7 du 8 mars 2002)

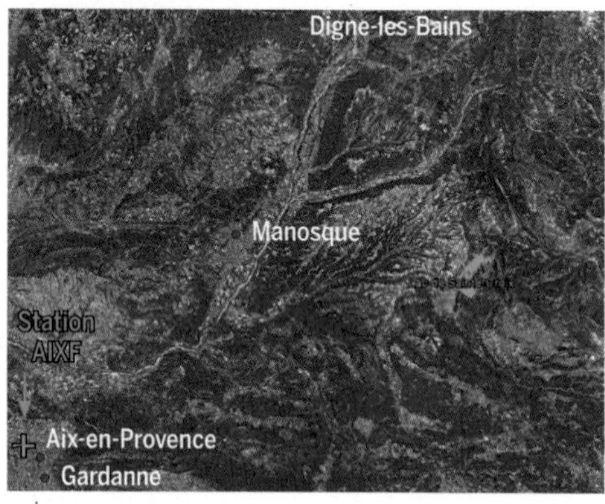

• Le même travail a été réalisé sur l'enregistrement d'un séisme survenu à Digne, le 16 février 2008. Le *tableau* regroupe les résultats de cette double étude.

	Séisme de Gardanne	Séisme de Digne
h = Profondeur du foyer (en km)	1	1
Δ = Distance épicentrale (en km)	8	110
V = Vitesse moyenne des ondes P (en $km \cdot s^{-1}$)	6,25	6,25
δt = PmP – Pg (en s)	À mesurer	4,2

Pour utiliser logiciel et données : www.bordas-svtlycee.fr

EXPLOITATION DES RÉSULTATS

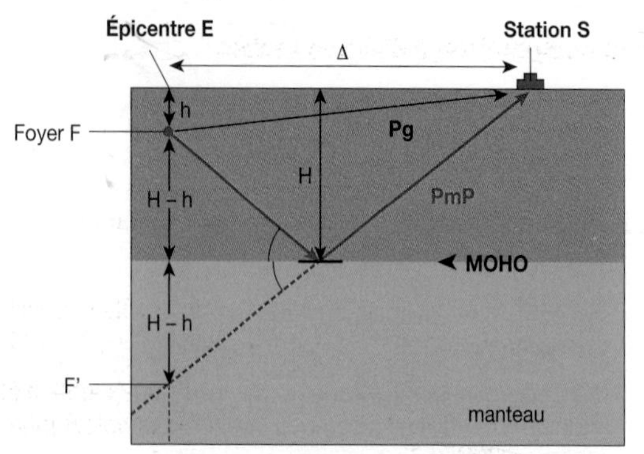

Dans le triangle EFS, en appliquant le théorème de Pythagore, il est facile de calculer le trajet parcouru par les ondes Pg, et par suite le temps mis pour parcourir ce trajet. Le triangle EF'S permet de faire le même travail pour les ondes PmP.

Le décalage δt entre les deux trains d'ondes est donc :

$$\delta t = \frac{\sqrt{(2H-h)^2+\Delta^2}}{V} - \frac{\sqrt{h^2+\Delta^2}}{V}$$

On peut déduire de cette formule que la profondeur **H** du Moho au niveau du point de réflexion est :

$$H = \frac{1}{2}\left[h + \sqrt{\left(V \times \delta t + \sqrt{h^2+\Delta^2}\right)^2 - \Delta^2}\right]$$

Doc. 1 La profondeur variable du Moho dans le sud-est de la France.

B La densité de la croûte continentale

a Échantillon de granite

- Roche magmatique plutonique
- **Composition minéralogique** : quartz et feldspaths (80 %), micas, éventuellement amphiboles.
- **Principaux éléments chimiques** (en %) :

O	Si	Al	Fe	Mg	Ca	Na	K
47,4	32,6	7,6	2,2	0,5	1,4	2,4	4,1

b Lame mince de granite observée en lumière polarisée analysée

Doc. 2 Le granite : la roche principale de la croûte continentale.

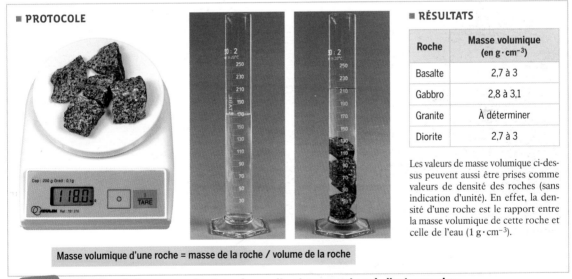

PROTOCOLE

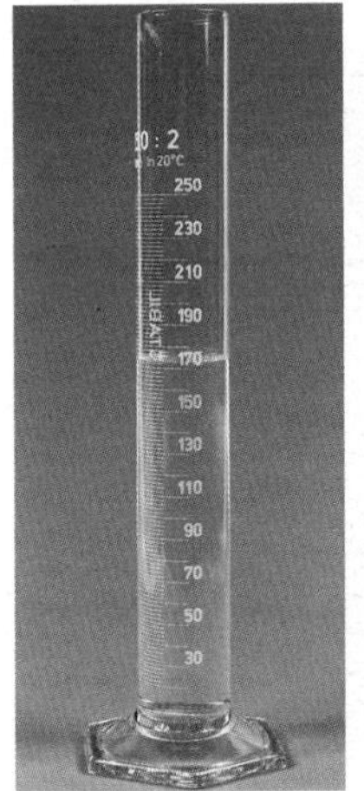

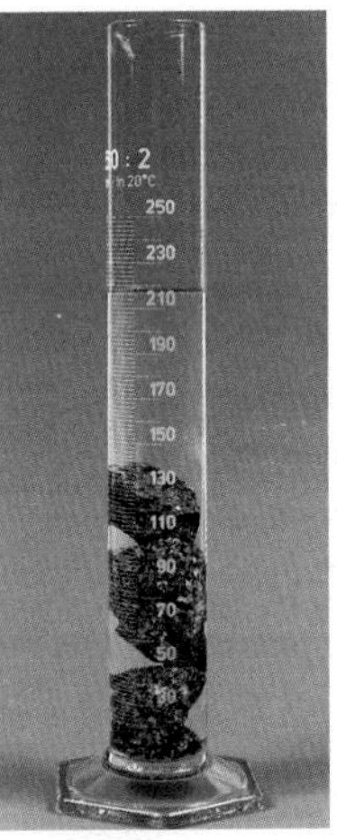

Masse volumique d'une roche = masse de la roche / volume de la roche

RÉSULTATS

Roche	Masse volumique (en $g \cdot cm^{-3}$)
Basalte	2,7 à 3
Gabbro	2,8 à 3,1
Granite	À déterminer
Diorite	2,7 à 3

Les valeurs de masse volumique ci-dessus peuvent aussi être prises comme valeurs de densité des roches (sans indication d'unité). En effet, la densité d'une roche est le rapport entre la masse volumique de cette roche et celle de l'eau ($1\ g \cdot cm^{-3}$).

Doc. 3 Estimation de la masse volumique du granite et comparaison à d'autres roches.

Pistes d'exploitation

PROBLÈME À RÉSOUDRE ► Comment estimer l'épaisseur de la croûte continentale et caractériser sa nature ?

Doc. 1 Mesurez le décalage entre les ondes Pg et PmP du séisme de Gardanne puis calculez la profondeur du Moho dans cette région.
À quel résultat conduit l'étude du séisme de Digne ? Établissez une relation avec les documents de la double page précédente.

Doc. 2 Repérez quelques minéraux du granite (voir fiches de reconnaissance de quelques minéraux, p. 402 à 405).

Doc. 3 Mesurez la masse volumique de l'échantillon étudié ici. Rappelez la différence entre roche volcanique et roche plutonique.

Lexique, p. 406

Des indices tectoniques de l'épaississement crustal

Au niveau des chaînes de montagnes, la croûte continentale présente une grande épaisseur. C'est le résultat d'une histoire tectonique complexe. *Les observations de terrain permettent de retrouver des indices de cette histoire.*

A Des indices d'une compression des roches de la croûte

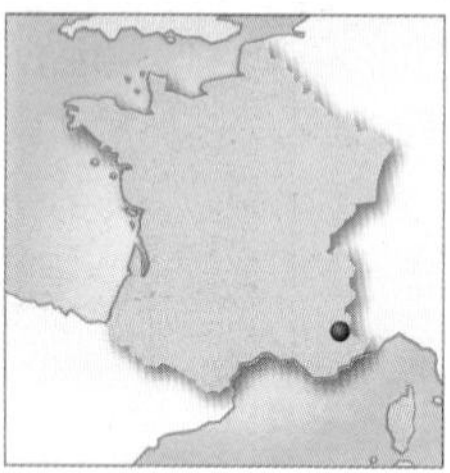

Situés au cœur des Alpes, à l'endroit même où deux plaques lithosphériques s'affrontent, les grès du Champsaur présentent des signes évidents de déformations : ils sont intensément plissés.

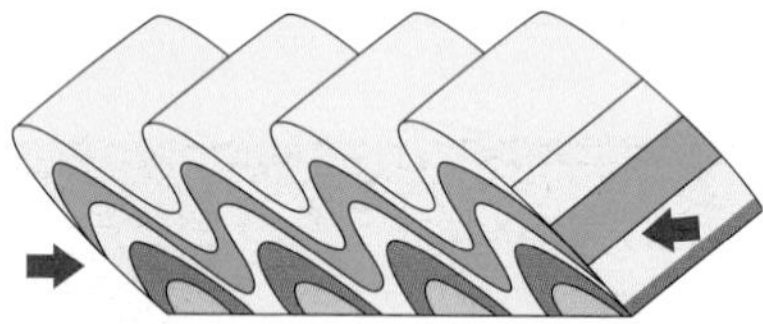

Sous l'effet des **contraintes tectoniques**, les roches se sont déformées de manière souple ; on dit qu'elles ont eu un comportement **plastique**. L'orientation générale des plis indique la direction dans laquelle les contraintes se sont exercées.

Doc. 1 Les plis, une déformation souple des roches.

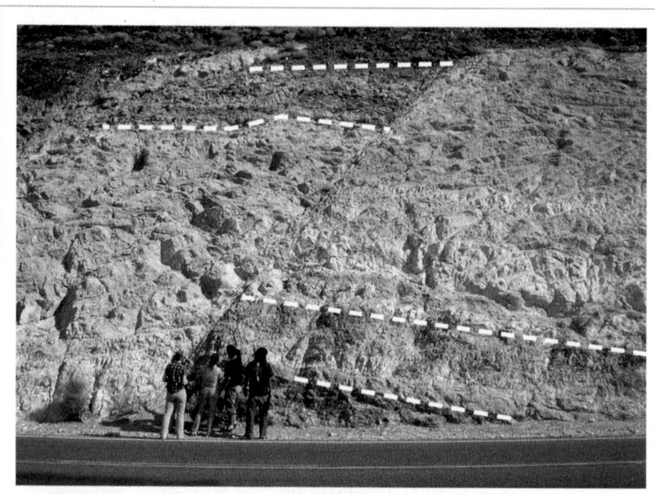

Cette photographie présente une faille remarquable, photographiée au Japon dans un talus fraîchement taillé pour la construction d'une route. C'est une **faille inverse** car le compartiment situé au-dessus du plan de faille *(à gauche sur la photographie)* a été surélevé et chevauche désormais l'autre compartiment. La série sédimentaire déformée par les contraintes tectoniques a eu ici un comportement cassant.

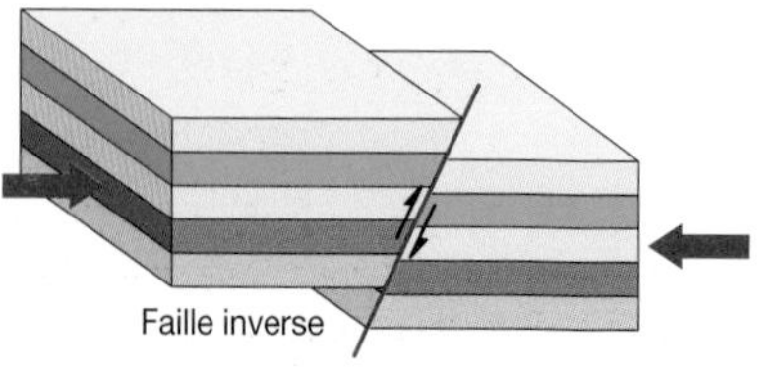

Doc. 2 Les failles, une déformation cassante des roches.

B Des empilements rocheux sur de grandes surfaces

La série sédimentaire du Lautaret, dans les Alpes (près de Briançon), présente des contacts anormaux. Ils s'interprètent par des mouvements de grande ampleur amenant en superposition des roches initialement éloignées : on nomme **nappes de charriage**, ces formations géologiques « voyageuses ». Dans les Alpes, des couches plastiques de gypse datées du Trias ont souvent constitué un « plan de glissement » qui a facilité les déplacements imposés par les contraintes tectoniques.

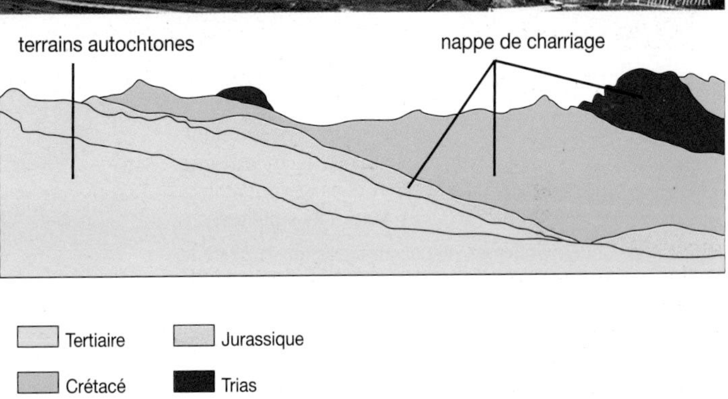

Doc. 3 Le massif du Lautaret, un ensemble rocheux « qui a voyagé ».

■ **PROTOCOLE EXPÉRIMENTAL : modéliser la déformation des roches**

Dans deux mini-aquariums faits de lames pour observations au microscope, et assemblées à l'aide de papier adhésif :
– placer une lame verticalement à une extrémité ;
– saupoudrer alternativement de la farine et du chocolat en poudre pour former des strates (tasser chaque strate dans un mini-aquarium, ne pas tasser dans l'autre) ;
– déplacer latéralement la lame verticale et observer.

Couches non tassées (souples)

Couches bien tassées (cassantes)

Doc. 4 Une modélisation pour comprendre l'épaississement de la croûte continentale.

Pour modéliser les déformations des roches : www.bordas-svtlycee.fr

Pistes d'exploitation

PROBLÈME À RÉSOUDRE ► **Quels sont les indices tectoniques montrant un épaississement de la croûte continentale ?**

Doc. 1, 2 et 4 Indiquez les contraintes tectoniques responsables des déformations observées. Quelles hypothèses pouvez-vous émettre pour expliquer les différences de comportement des roches ?

Doc. 3 Quelles anomalies pouvez-vous repérer dans la succession des strates de cette série sédimentaire ?

Doc. 1 à 4 Montrez que les contraintes tectoniques compressives contribuent à épaissir la croûte continentale.

Lexique, p. 406

Des indices pétrographiques de l'épaississement crustal

L'épaississement de la croûte continentale a pour conséquence de soumettre des roches à de nouvelles conditions de température et de pression. *L'objectif est de montrer les modifications pétrographiques associées à ces nouvelles conditions.*

A Des transformations affectant les roches de la croûte continentale

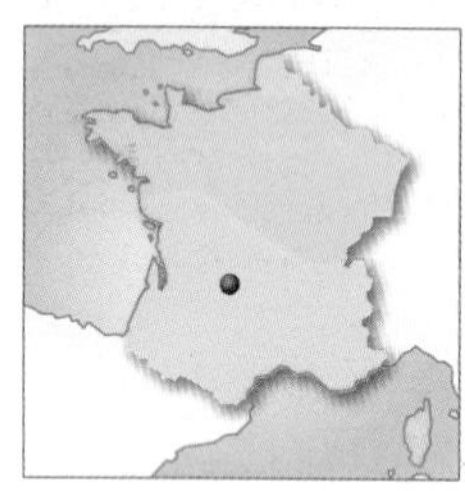

Les trois roches présentées proviennent de sites distants de 10 à 15 km et situés dans le bas Limousin (Massif central). Ces roches possèdent toutes une même composition chimique globale qui est la même que celle de roches sédimentaires argileuses appelées **pélites**.

L'observation des roches en place, sur le terrain, montre le passage très progressif des schistes aux micaschistes puis des micaschistes aux gneiss. Cette succession de roches est interprétée par les géologues comme une transformation progressive des roches sédimentaires (pélites) soumises à des conditions de pression et de température différentes. On nomme **métamorphisme** ces modifications de texture et de composition minéralogique qui se déroulent à l'état solide.

Roche R1 : schiste à séricite et chlorite

L'observation au microscope montre un alignement de petites paillettes de séricite et de chlorite (minéraux voisins des micas) qui détermine une **schistosité**. L'aspect satiné de l'échantillon est dû à la séricite, sa couleur verdâtre à la chlorite.

Roche R2 : micaschiste à grenat

La roche est essentiellement formée de micas noirs (biotite) vivement colorés en lumière polarisée analysée et de quartz de teinte grise. La schistosité est très marquée malgré les déformations dues à la présence de gros cristaux de grenat.

Roche R3 : gneiss gris

L'aspect lité de l'échantillon est dû à une alternance de lits clairs et de lits sombres. Au microscope, les feuillets clairs apparaissent formés de quartz et de feldspaths alors que les feuillets sombres sont formés de micas noirs.

Doc. 1 **Une transformation de roches sédimentaires dans la croûte continentale.**

B Les conditions d'une fusion partielle de la croûte continentale

Dans de nombreuses régions du Limousin, on peut observer sur le terrain des roches qui présentent un aspect bien particulier. En effet, ces roches sont constituées de parties gneissiques et de parties granitiques : elles sont appelées migmatites *(photographies ci-contre)*.
Les lentilles claires proviennent d'un liquide granitique résultant de la fusion partielle du gneiss. Les bordures sombres correspondent à des minéraux réfractaires à la fusion car la température était insuffisante.

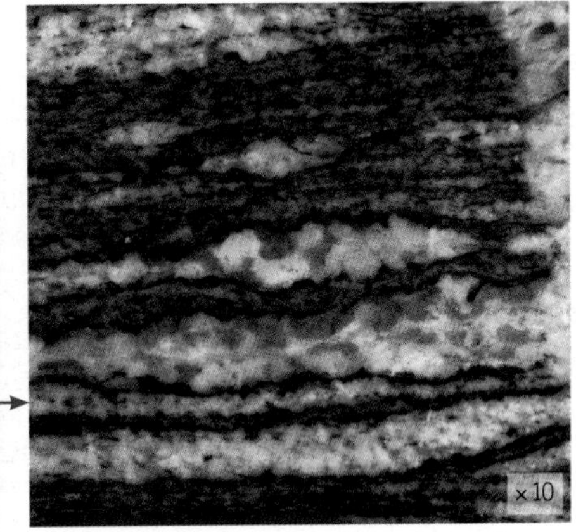

Doc. 2 Les migmatites, des roches présentant des indices de fusion partielle.

• En soumettant expérimentalement des roches à des températures et des pressions qui règnent en profondeur, les scientifiques ont défini différents domaines. En portant sur le diagramme Pression-Température l'ensemble des couples P-T pour lesquels se produit l'**anatexie** (fusion partielle de la roche), on obtient une courbe (**solidus**) qui sépare le domaine du métamorphisme, roches ayant subi une transformation à l'état solide, de celui du magmatisme, roche résultant d'une fusion partielle (les migmatites, par exemple).

• En utilisant la même technique expérimentale pour des minéraux, il est possible de définir un champ de stabilité dans un domaine de pression et de température pour chaque minéral.

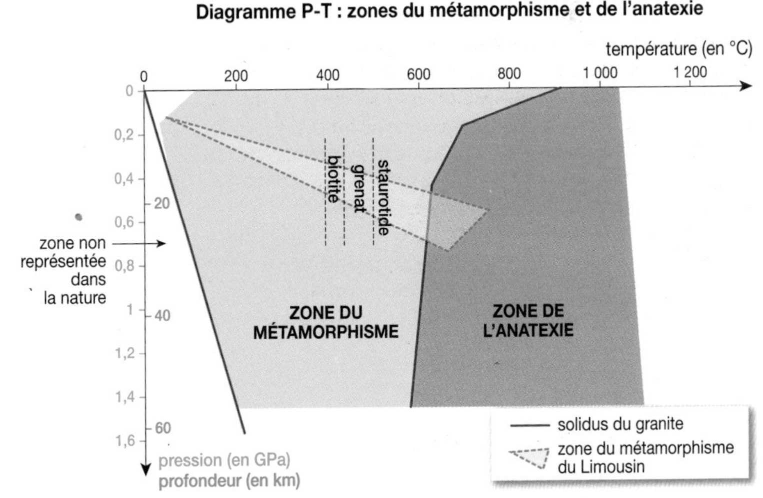

Particularités des roches du doc. 1
- La roche **R1** ne contient pas de biotite.
- La roche **R2** contient de la biotite et du grenat.
- La roche **R3** contient du grenat et de la staurotide.

Doc. 3 Des roches et des minéraux soumis expérimentalement à différentes conditions de pression et de température.

Pistes d'exploitation

PROBLÈME À RÉSOUDRE ► Quels sont les indices pétrographiques montrant un épaississement de la croûte continentale ?

Doc. 1 Décrivez les transformations subies par les roches présentées. Pourquoi ces roches sont-elles qualifiées de roches métamorphiques ?

Doc. 1 et 3 Indiquez les conditions de pression et de température dans lesquelles se sont formées les trois roches.

Doc. 1, 2 et 3 Montrez que la présence des roches métamorphiques et des migmatites est la conséquence d'un épaississement important de la croûte continentale dans cette région.

Lexique, p. 406

L'âge de la lithosphère continentale

La croûte continentale est une enveloppe terrestre beaucoup plus ancienne que la croûte océanique. *Pour déterminer l'âge de roches aussi anciennes (des centaines de millions d'années, voire des milliards d'années), les scientifiques utilisent un géochronomètre basé sur la désintégration d'isotopes radioactifs.*

A Le principe du géochronomètre rubidium/strontium

• Depuis la découverte de la radioactivité en 1896 par Becquerel, on a mis en évidence l'existence de nombreux éléments chimiques possédant des **isotopes** naturels radioactifs, qui, en se désintégrant spontanément, émettent divers rayonnements et se transforment en éléments stables. On peut doser la quantité des différents isotopes dans un échantillon à l'aide d'un spectromètre de masse qui sépare les isotopes.

• En se désintégrant, un élément radioactif « père » se transforme spontanément en un élément « fils ». C'est ainsi que le rubidium 87 (^{87}Rb) se transforme en strontium 87 (^{87}Sr).

• La désintégration de tout élément radioactif constitue une véritable « horloge » car elle se fait en suivant une loi mathématique immuable de **décroissance exponentielle** en fonction du temps : quelle que soit la quantité d'élément « père » présente au départ, il faut toujours le même temps pour que cette quantité soit réduite de moitié par désintégration. Cette durée caractéristique d'un élément est sa **demi-vie** ($t_{1/2}$).

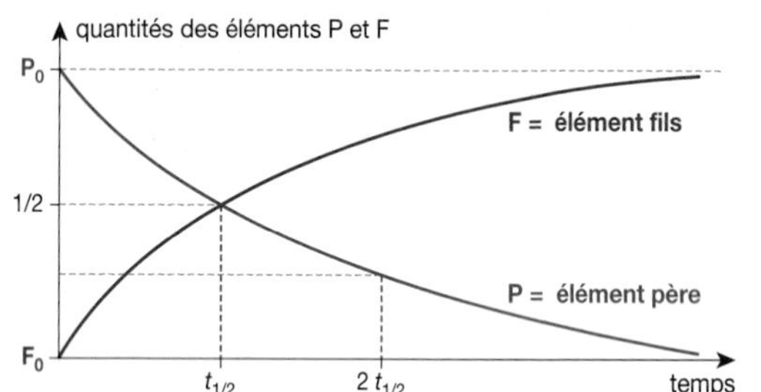

Doc. 1 Le principe physique des chronomètres géologiques.

• Rubidium et strontium sont des éléments présents dans les minéraux des roches de la croûte continentale. Le strontium présente deux isotopes stables : ^{87}Sr et ^{86}Sr. Le ^{87}Rb, quant à lui, est radioactif et se désintègre en ^{87}Sr. Au cours du temps, la quantité initiale de ^{86}Sr reste donc constante, tandis que celle de ^{87}Rb diminue au profit de ^{87}Sr, qui, elle, augmente.

Au moment de la cristallisation d'une roche, le rapport ^{87}Sr/^{86}Sr est le même pour tous les minéraux d'une roche : en effet, les minéraux incorporent la même proportion de ces deux isotopes du même élément (la proportion qui est présente dans le magma). En revanche, certains minéraux sont plus riches que d'autres en ^{87}Rb : le rapport ^{87}Rb/^{86}Sr n'est pas le même pour tous les minéraux. C'est ce que traduit la droite initiale (t = 0) du *graphique ci-contre,* parallèle à l'axe des abscisses.

• Au cours du temps, ^{87}Rb diminue au profit de ^{87}Sr. Donc le rapport ^{87}Rb/^{86}Sr diminue et le rapport ^{87}Sr/^{86}Sr augmente. Cependant, cette variation est d'autant plus importante que le minéral est riche en Rb. À un temps t, on obtient une droite avec un coefficient directeur, **a**, non nul. Une telle droite est dite **droite isochrone** car elle relie des points correspondant à des minéraux de même âge. Il est facile de comprendre que plus le temps passe, plus le coefficient directeur de cette droite est important, puisqu'il y aura encore moins de ^{87}Rb et plus de ^{87}Sr.

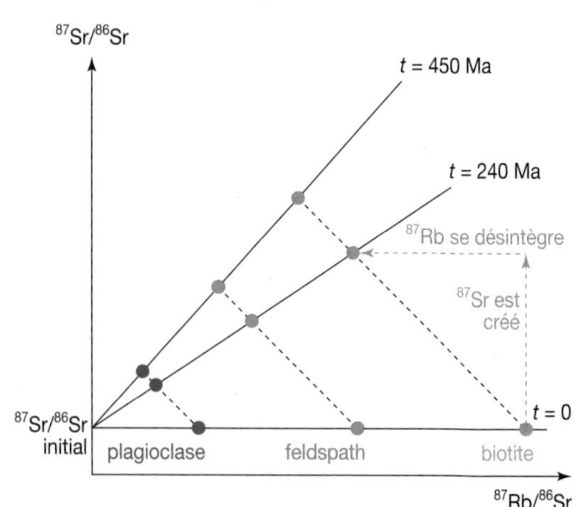

Le coefficient directeur de la droite est donc indicateur du temps écoulé depuis la **cristallisation** de la roche.

On peut démontrer mathématiquement que :

$$t = \ln(a + 1) / \lambda$$

avec λ : constante de désintégration (propre à l'élément)

^{87}Rb ⟶ ^{87}Sr
Demi-vie = $48{,}8 \cdot 10^{9}$ ans
$\lambda = 1{,}42 \cdot 10^{-11}$ an^{-1}

Doc. 2 La méthode de la droite isochrone.

B Des roches très anciennes dans la croûte continentale

• Le granite de Saint-Sylvestre appartient à un ensemble granitique situé au nord de Limoges (Haute-Vienne). C'est un granite de teinte claire, formé principalement de quartz, feldpaths et micas *(échantillon ci-contre)*. Il a été abondamment utilisé dans cette région pour la construction *(photographie ci-contre)*.

• L'étude géochronologique réalisée sur le granite de Saint-Sylvestre porte sur l'analyse de quatre minéraux. Les résultats isotopiques sont indiqués dans le *tableau ci-dessous*.

Minéral	X = $^{87}Rb/^{86}Sr$	Y = $^{87}Sr/^{86}Sr$
Feldspath potassique	15,4	0,7803
Feldspath plagioclase	4,11	0,7256
Biotite	1 884	8,69
Muscovite	592	3,3

Échantillon de granite de Saint-Sylvestre

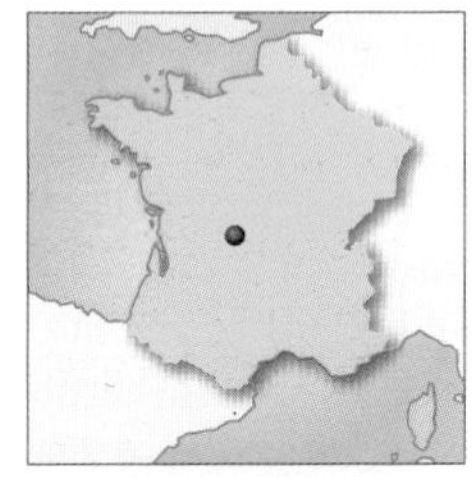

Maison en granite

Doc. 3 La détermination de l'âge d'un granite.

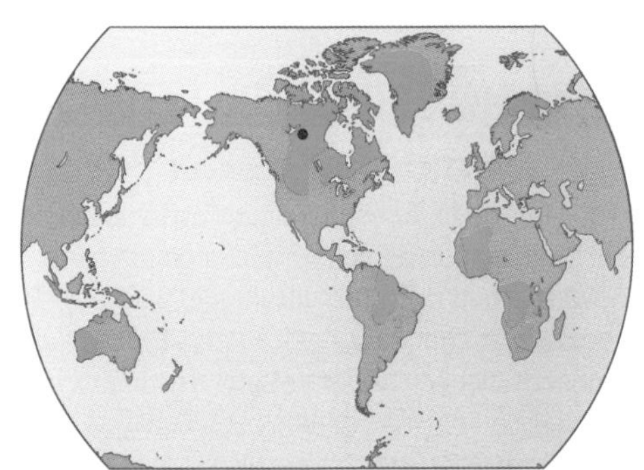

• Au début de son histoire, il y a 4,5 Ga (milliards d'années), la Terre ne comportait pas de continents. Les plages vertes sur le planisphère représentent des roches d'un âge compris entre 2,5 Ga et un peu plus de 4 Ga. On pense que ces plages correspondent aux premières masses continentales qui se sont formées sur le globe.

• Parmi les plus vieilles roches terrestres connues figurent les gneiss de la formation d'Acasta dans la région du grand Lac des Esclaves au Canada (point rouge sur le planisphère), avec un âge de 4,03 Ga. Cette datation a été faite par radiochronologie en utilisant une méthode comparable à la méthode Rb/Sr, mais avec des radioéléments différents.

Doc. 4 Des roches présentes sur Terre depuis la formation des premiers continents.

Pistes d'exploitation

PROBLÈME À RÉSOUDRE ► Comment estimer l'âge des roches de la croûte continentale ?

Doc. 1 et 2 Expliquez en quoi l'existence d'éléments radioactifs instables permet de dater un événement géologique.

Doc. 2 Décrivez l'évolution au cours du temps des rapports isotopiques $^{87}Rb/^{86}Sr$ et $^{87}Sr/^{86}Sr$ mesurables dans une roche.

Doc. 2 et 3 Déterminez l'âge du granite de Saint-Sylvestre.

Doc. 4 Comparez les âges des roches de la croûte continentale avec ceux des roches de la croûte océanique. Élargissez ensuite votre comparaison à la nature des roches, à leur densité et à l'épaisseur de ces deux croûtes.

Lexique, p. 406

chapitre 1 La croûte continentale

Au début du XXe siècle, Wegener avait postulé que l'altitude moyenne des continents (+ 100 m) et des océans (– 4 500 m) permettait d'avancer l'idée que ces deux domaines correspondent à des **croûtes terrestres différentes** : les croûtes continentale et océanique. Voici quelques caractéristiques du domaine continental.

1 La densité de la croûte continentale et la notion d'isostasie

Les roches de la croûte océanique proviennent du refroidissement de **magmas** injectés à l'axe des dorsales. Ce sont essentiellement des **basaltes**, roches volcaniques constituant la partie supérieure du plancher océanique et surmontant des **gabbros**, roches plutoniques de même composition. Cet ensemble est tapissé d'une couche sédimentaire d'autant plus épaisse que l'on se trouve éloigné de la dorsale. La croûte océanique, de 5 à 6 km d'épaisseur, repose sur le **manteau supérieur** formé de roches grenues, les **péridotites**.

Les roches de la croûte continentale et leur densité

• Les roches continentales visibles en surface présentent une grande variété (roches magmatiques, sédimentaires ou métamorphiques de compositions diverses) mais elles ne représentent qu'une faible part de la croûte continentale. Pour l'essentiel, celle-ci est constituée de roches de type **granite** : il s'agit d'une roche magmatique plutonique (entièrement cristallisée), de texture grenue, contenant surtout des feldspaths et du quartz et accessoirement des micas et des amphiboles. Par comparaison, les roches océaniques sont formées principalement de plagioclases et de pyroxènes.

Cette différence de composition minéralogique s'accompagne d'une différence de **densité** : une mesure simple de la masse volumique d'échantillons de granites et de basaltes permet de le confirmer. On peut estimer que la densité moyenne de la croûte continentale est de **l'ordre de 2,7** alors que celle de la croûte océanique est plus proche de 3. Cette différence pose le problème des relations d'équilibre entre ces croûtes et le manteau sous-jacent.

La notion d'isostasie

• En fait, croûte continentale et croûte océanique ne représentent que la partie superficielle d'un ensemble rigide beaucoup plus épais : la **lithosphère**. Nous savons que la lithosphère terrestre est divisée en un certain nombre de **plaques** d'une centaine de kilomètres d'épaisseur environ. Ces plaques, mobiles les unes par rapport aux autres, **reposent en équilibre sur l'asthénosphère**. C'est une zone du manteau terrestre moins rigide, déformable (les géologues disent « ductile »), la limite lithosphère-asthénosphère correspondant à l'isotherme 1 300 °C.

• Les **études gravimétriques** s'intéressent aux variations fines de l'**intensité de la pesanteur terrestre** (ou **gravité**), ces variations étant dues au fait que la Terre n'est pas rigoureusement sphérique, qu'elle n'est pas parfaitement plate (variations d'altitude d'un lieu à un autre) et que les masses ne sont pas forcément réparties de manière homogène à l'intérieur. Il est possible de calculer la valeur théorique de la pesanteur en un lieu donné et de la comparer à la valeur effective mesurée à l'aide de **gravimètres**. Les spécialistes constatent alors l'existence d'**anomalies** : par exemple, dans les régions montagneuses, la pesanteur mesurée est souvent inférieure à la valeur théorique attendue. Tout se passe comme si l'excès de masse représentée par la montagne était compensé en profondeur par un déficit de masse. On appelle **isostasie** cet état d'équilibre réalisé à une certaine profondeur de la Terre, dite **profondeur de compensation**.

2 L'épaisseur de la croûte continentale

Une estimation de l'épaisseur

Cet équilibre de la lithosphère sur l'asthénosphère étant admis, il est logique de penser que la croûte continentale, moins dense que la croûte océanique, peut être à la fois plus épaisse, et avoir sa surface à une altitude plus élevée. Les données sismiques permettent d'estimer l'épaisseur de la croûte. Elles sont fondées sur l'analyse de sismogrammes enregistrés par différentes stations assez proches d'un foyer sismique. Il est possible de repérer sur ces enregistrements l'arrivée d'ondes P qui ont suivi plusieurs chemins, mais à la même vitesse : des ondes P « directes » et des ondes P qui se sont enfoncées dans la croûte, puis ont été réfléchies sur une **surface de discontinuité** (« réflecteur ») et sont remontées vers la station. Un calcul assez simple fondé sur la comparaison des temps de parcours (donc des longueurs de trajet) permet d'estimer la profondeur du « réflecteur ». On nomme **Moho** cette surface qui marque la limite inférieure de la croûte et donc le contact avec le manteau supérieur.

Les variations d'épaisseur de la croûte continentale

En domaine continental, la profondeur du Moho se situe en général aux alentours de 30 km ; cette valeur représente donc l'épaisseur moyenne de la croûte continentale (à comparer avec les 6 à 7 km de la croûte océanique). La valeur obtenue par les sismologues varie toutefois beaucoup suivant les régions. Dans une région montagneuse (zone alpine par exemple), la profondeur du Moho s'abaisse notablement, jusqu'à 60 km environ.

Comme le laissaient penser les modèles concernant l'équilibre isostatique, l'excès de masse représenté par la chaîne de montagnes est compensé en profondeur par une « **racine crustale** » moins dense que le manteau supérieur.

Reste à comprendre comment, dans ces régions, la croûte continentale s'est épaissie au point d'ériger des reliefs de plusieurs kilomètres, qui surmontent des racines profondes.

3 Des indices tectoniques et pétrographiques de l'épaississement crustal

Des indices tectoniques

- Les chaînes de montagnes sont toujours le résultat d'une histoire tectonique complexe, en général dans un contexte **d'affrontement de plaques**. Sous l'effet des contraintes liées aux déplacements de ces plaques, les roches ont subi des déformations ou des déplacements parfois considérables. Un exemple très connu est celui de la collision, actuellement en cours, entre le sous-continent indien et le bloc eurasiatique, avec pour résultat l'érection des chaînes himalayennes. Les Alpes sont un autre exemple plus proche de nous.

Les géologues peuvent identifier, sur le terrain, des indices révélateurs des **contraintes compressives** qui se sont exercées.

- Les **plis**, qui affectent les séries sédimentaires, témoignent d'une déformation souple et permettent de repérer la direction générale des contraintes (perpendiculaire à l'axe des plis).
- Les **failles inverses** sont un indice de déformation cassante et traduisent un raccourcissement local de la croûte.
- Les **nappes de charriage** représentent une espèce de paroxysme : des formations géologiques de taille parfois impressionnante ont glissé sur des distances qui peuvent atteindre plusieurs dizaines de kilomètres, en chevauchant les formations en place. Ainsi, se créent des **empilements** complexes, où des roches initialement très éloignées se retrouvent en « **contact anormal** ». C'est d'ailleurs le constat de telles anomalies qui permet de repérer ces formations « voyageuses ».

Des indices pétrographiques

Au niveau d'une chaîne de montagnes, l'épaississement de la croûte continentale est lié au raccourcissement et aux empilements imposés par les contraintes tectoniques. Les roches crustales subissent les conséquences de ces conditions nouvelles. Du simple fait de l'enfouissement à des profondeurs de plusieurs kilomètres, elles sont soumises à des températures et des pressions croissantes et se transforment.

Des transformations à l'état solide

Sur le terrain, il est, par exemple, possible d'observer le passage progressif de roches sédimentaires de surface comme des roches argileuses (pélites) à des roches qui représentent des argiles de plus en plus transformées (des métapélites), car ayant été enfouies de plus en plus profondément. C'est ainsi que l'on observe successivement des **schistes**, puis des **micaschistes** et des **gneiss**.

Retenons simplement qu'à part les modifications de texture (apparition d'une schistosité), le fait marquant est la cristallisation de nouveaux minéraux. La composition chimique globale de la roche reste stable mais les minéraux se transforment progressivement : les minéraux stables sous certaines conditions ne le sont plus lorsque pression et température augmentent et interagissent chimiquement pour donner de nouveaux minéraux. Cette « transformation minérale », qui intervient alors que la roche reste à l'état solide, caractérise les **roches métamorphiques**.

Des traces de fusion partielle

Si la température et la pression s'élèvent encore plus, une partie de la roche métamorphique peut fondre et donner naissance à un magma. Ce phénomène de fusion partielle constitue ce que l'on nomme l'**anatexie**.
C'est ainsi que l'on observe des **migmatites**, c'est-à-dire des gneiss contenant des lentilles granitiques : ce granite provient de la cristallisation d'un magma, lui-même produit par la fusion des minéraux les moins réfractaires du gneiss (ceux qui ont la température de fusion la plus faible).

4 L'âge de la croûte continentale

On sait que la croûte océanique est recyclée en permanence : la croûte ancienne devenue trop dense, sombre inexorablement dans le manteau. Ainsi, on ne connaît pas de croûte océanique d'âge supérieur à quelque 200 Ma.
En revanche, la croûte continentale peut être très vieille : l'âge des gneiss d'Acasta au Canada, roches parmi les plus vieilles connues, est de 4,03 Ga. Comment ces âges sont-ils obtenus ?
Ce sont des méthodes de **radiochronologie** qui permettent de réaliser de telles datations. Elles sont fondées sur la connaissance de la **désintégration radioactive** d'éléments contenus dans les roches. Ce phénomène obéit à une loi immuable de **décroissance exponentielle** en fonction du temps, la **demi-vie** variant d'un élément à l'autre. On dispose donc de divers **géochronomètres**. Parmi eux, les éléments rubidium et strontium, présents dans les roches de la croûte continentale, permettent de dater des roches vieilles de plusieurs milliards d'années.

chapitre 1 La croûte continentale

À RETENIR

La densité de la croûte continentale et la notion d'isostasie

Bien que présentant une grande diversité, les roches continentales appartiennent pour l'essentiel à la **famille du granite**. Ce sont des **roches magmatiques plutoniques grenues**.

La **densité moyenne** de la croûte continentale est de l'ordre de 2,7.

La croûte continentale fait partie d'un ensemble rigide beaucoup plus épais, la **lithosphère**, qui repose en **équilibre** sur l'**asthénosphère** moins rigide.

On appelle **isostasie** cet état d'équilibre réalisé à une certaine profondeur de la Terre **(profondeur de compensation)** : tout se passe comme si l'excès de masse représentée par une masse montagneuse par exemple était compensé en profondeur par un déficit de masse.

L'épaisseur de la croûte continentale

Les **données sismiques** permettent d'estimer l'**épaisseur de la croûte**, c'est-à-dire connaître la profondeur à laquelle se trouve le **Moho**, surface qui marque la limite entre la croûte et le manteau supérieur.

En domaine continental, la **profondeur moyenne** du Moho est d'environ **30 km**, mais cette profondeur augmente notablement sous les chaînes de montagnes (jusqu'à 70 km environ) : on parle de « **racine crustale** » pour décrire ce phénomène.

Des indices tectoniques et pétrographiques de l'épaississement crustal

Les géologues peuvent identifier dans les chaînes de montagnes des **indices** révélateurs des **contraintes compressives** qui se sont exercées : plis, failles inverses et nappes de charriage signent un raccourcissement local de la croûte continentale.

Les **roches de la croûte**, soumises à ces contraintes, peuvent être **enfouies** à plusieurs kilomètres de profondeur. La température et la pression augmentant avec la profondeur, ces roches vont subir un ensemble de **transformations à l'état solide** engendrant des **roches** qualifiées de **métamorphiques**.

En profondeur, le terme ultime du **métamorphisme** est l'**anatexie** c'est-à-dire la **fusion partielle** des roches de la croûte. Cette fusion partielle est à l'origine de roches appelées **migmatites**.

L'âge de la croûte continentale

Contrairement à la croûte océanique qui n'est jamais âgée de plus de 200 Ma, la croûte continentale peut être très vieille, jusqu'à 4 Ga. Ces âges sont connus par des méthodes de **radiochronologie**. Ces méthodes sont basées sur la connaissance des lois qui régissent la **désintégration d'éléments radioactifs** contenus dans les roches.

Mots-clés

- Isostasie
- Granite, granitoïdes
- Racine crustale
- Plis, failles et nappes de charriage
- Métamorphisme
- Fusion partielle
- Décroissance radioactive
- Radiochronologie

Capacités et attitudes

- Recenser, extraire et organiser des informations pour comprendre le concept de l'isostasie et le principe de la radiochronologie.
- Concevoir un protocole expérimental pour déterminer la densité des roches de la croûte continentale.
- Utiliser des logiciels pour estimer l'épaisseur de la croûte continentale.
- Utiliser le microscope polarisant afin d'identifier des transformations minéralogiques (métamorphisme).
- Observer des indices sur le terrain d'épaississement crustal et utiliser des modèles afin de comprendre les déformations.

SCHÉMA BILAN LA CROÛTE CONTINENTALE

Animation

Épaisseur et densité de la croûte continentale

• Une croûte continentale moins dense que la croûte océanique et d'épaisseur variable

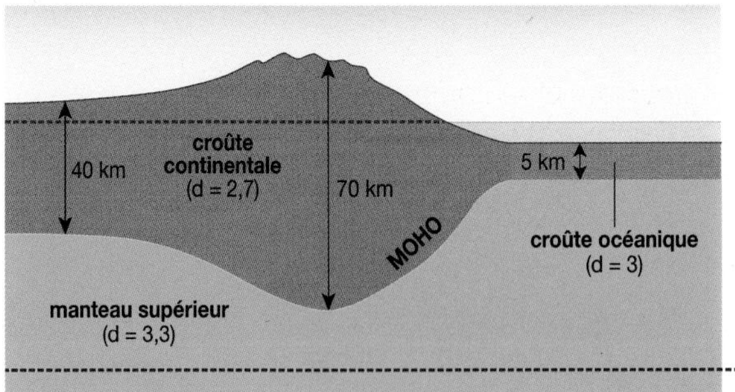

La croûte continentale est plus épaisse que la croûte océanique. Elle s'épaissit encore au niveau des chaînes de montagnes **(racine crustale)**.

• La notion d'isostasie

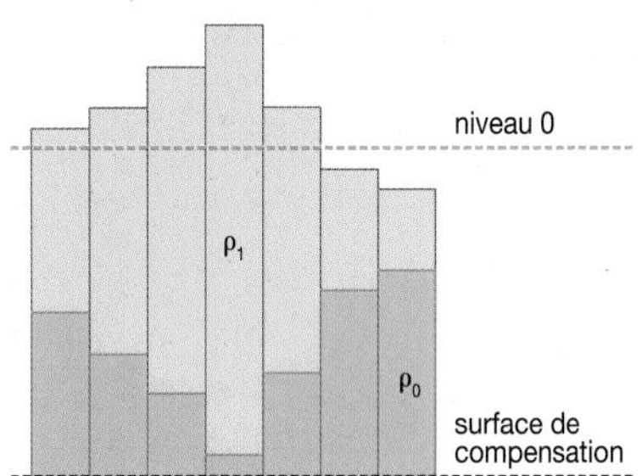

Au-dessus d'une surface profonde dite de compensation, la colonne de roches lithosphériques a partout la même masse. À ce niveau, la lithosphère est dite en **équilibre isostatique**.

Des indices d'un épaississement crustal

• Des indices tectoniques, signes d'un raccourcissement de la croûte

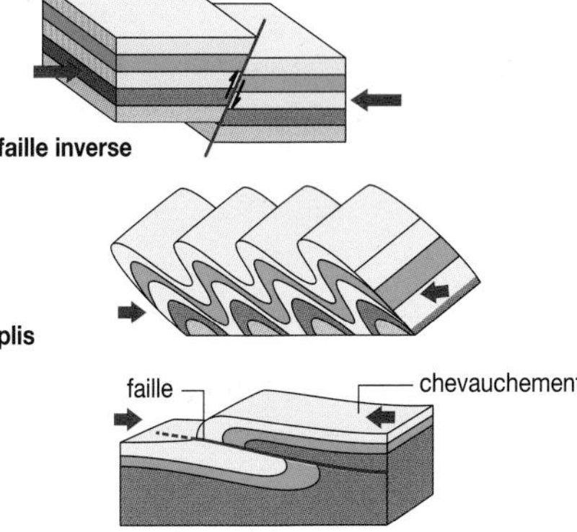

• Des indices pétrographiques, signes d'une augmentation de pression et de température

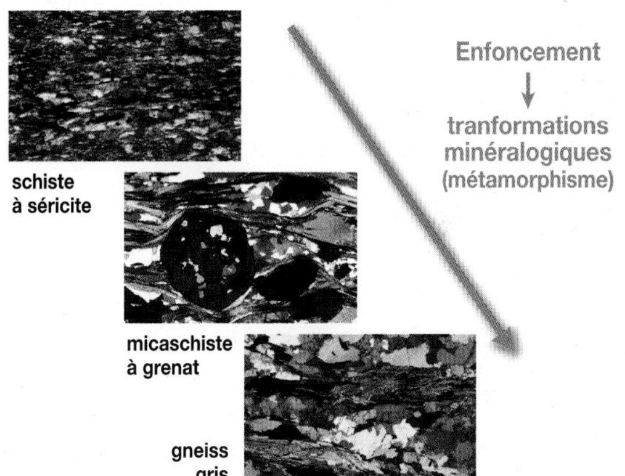

L'âge de la croûte continentale

• Les géochronomètres isotopiques

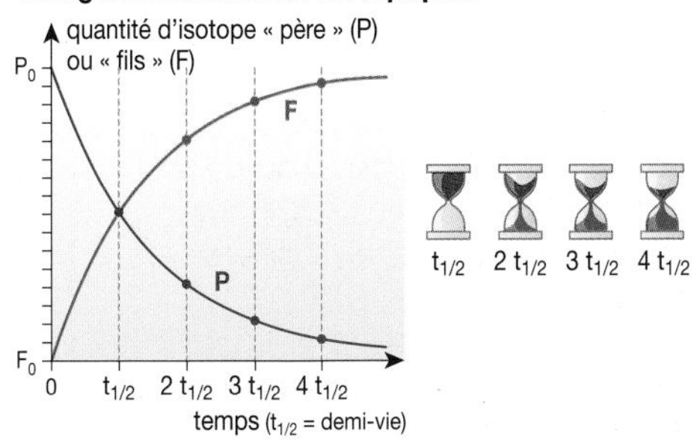

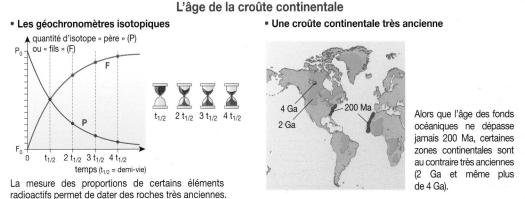

La mesure des proportions de certains éléments radioactifs permet de dater des roches très anciennes.

• Une croûte continentale très ancienne

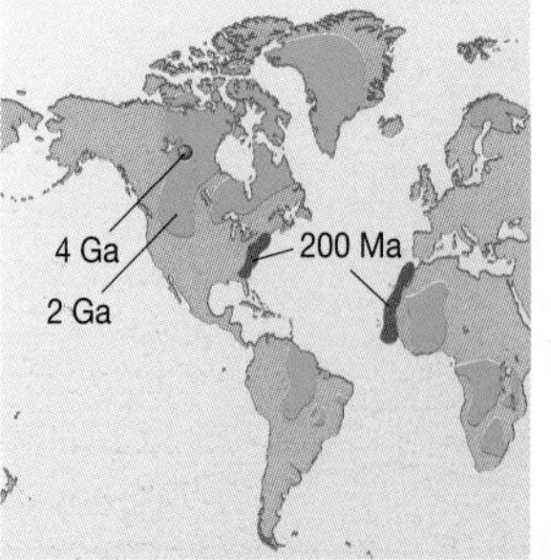

Alors que l'âge des fonds océaniques ne dépasse jamais 200 Ma, certaines zones continentales sont au contraire très anciennes (2 Ga et même plus de 4 Ga).

En France, des zones de « rifts avortés »

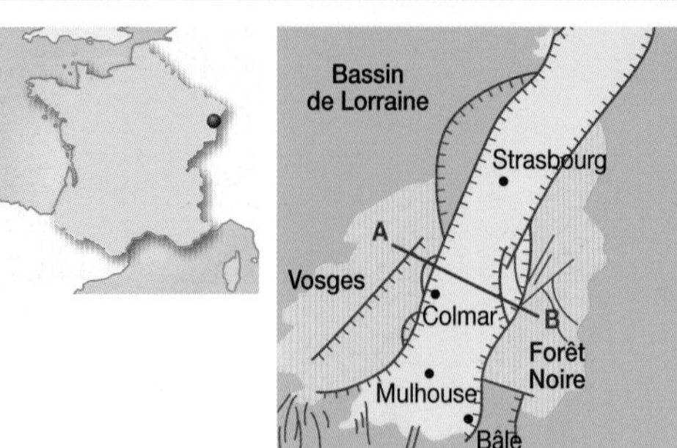

La plaine d'Alsace vue depuis le Haut Koenigsbourg

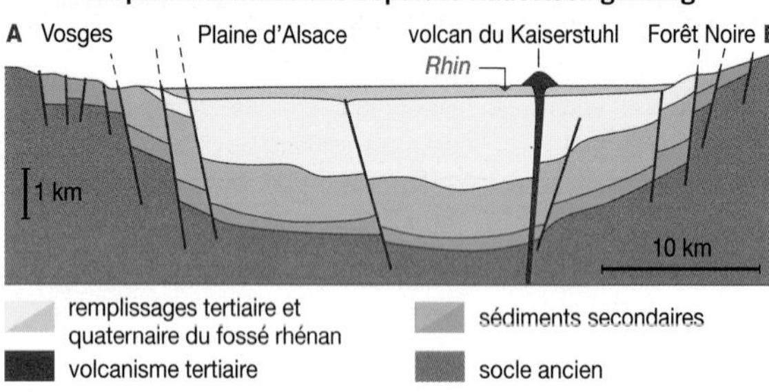

• Certaines zones situées à l'avant de l'arc alpin montrent un relief particulier : il s'agit de fossés allongés, bordés par des **zones de failles**. En France, c'est le cas de la Limagne, de la Bresse et du fossé rhénan.

Une coupe géologique réalisée perpendiculairement à l'axe du fossé rhénan *(tracé AB)* permet de constater qu'il correspond à une **zone effondrée** entre le Massif vosgien à l'ouest et la Forêt Noire à l'est (le socle cristallin s'est enfoncé de 5 km environ).

• Des études de sismique-réflexion (voir p. 146) ont permis d'estimer la **profondeur du Moho** (limite croûte-manteau supérieur) au niveau du fossé rhénan et de ses alentours *(document ci-contre)*. La remontée du Moho au niveau du fossé traduit un **amincissement de la croûte continentale**. Dans sa partie la plus amincie, la croûte présente une épaisseur de 24 km. C'est à ce niveau que se trouve le Kaiserstuhl (point rouge), formé en partie par un ancien volcan.

Rappel : L'épaisseur de la croûte continentale, de 30 km en moyenne, est importante sous les chaînes de montagnes. Par exemple, sous les Alpes, on trouve des épaisseurs d'environ 40 à 45 km.

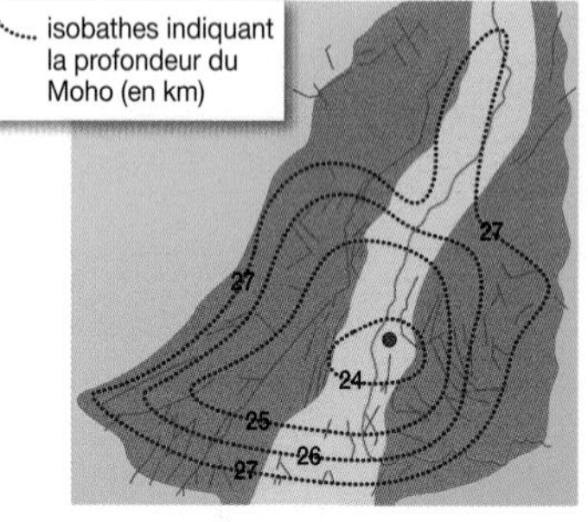

• Le *modèle ci-dessous* explique l'ensemble de ces observations. La croûte continentale soumise à des **contraintes extensives** se fracture et s'amincit par le jeu des **failles normales**. Cette phase extensive est datée du début de l'Oligocène (– 34 à – 23 Ma) pour le fossé rhénan. Du fait de l'amincissement de la croûte, le manteau à l'aplomb du fossé remonte.

Un **début de fusion** partielle des péridotites asthénosphériques peut alors être à l'origine d'un volcanisme (le volcanisme du Kaiserstuhl est daté de – 19 à – 16 Ma). Si l'extension se poursuit, la **croûte continentale se « déchire »** avec formation d'un plancher océanique entre les deux lèvres du fossé. En France, l'extension n'a pas abouti à cette « océanisation » : un tel fossé est qualifié de **rift avorté**.

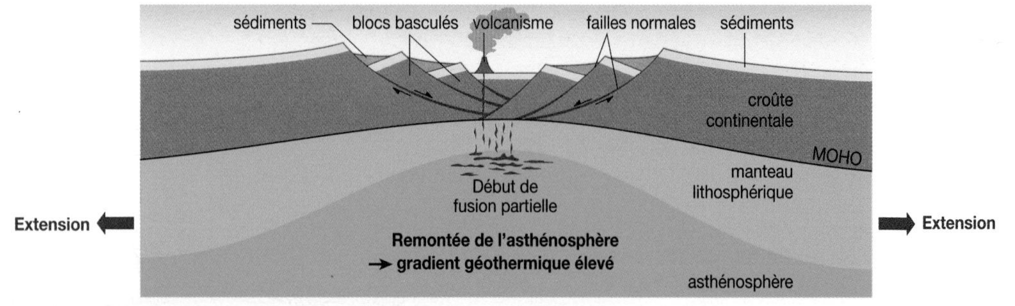

... mieux comprendre l'histoire des sciences

La construction du concept de l'isostasie

En 1738, **P. Bouguer** (1698-1758) tenta de déterminer la densité moyenne (et donc la masse) de la Terre en effectuant des mesures de la **déviation de la verticale** provoquée par l'attraction d'une montagne. Pour son étude, il choisit le volcan Chimborazo, montagne de la Cordillère des Andes qui possède une forme suffisamment régulière pour pouvoir estimer la position du **barycentre** (« centre de masse »). Bouguer avait estimé, par calcul, la déviation théorique du fil à plomb due à l'attraction du Chimborazo. Or, il s'aperçut que ses résultats étaient en réalité bien inférieurs, un peu comme si le Chimborazo était creux ! Bouguer venait de mettre en évidence qu'en profondeur la masse de la montagne était « compensée » par des masses rocheuses peu denses. Ce phénomène sera qualifié plus tard d'« **isostasie** » par le géologue américain C.E Dutton (1841-1912).

Le volcan Chimborazo (6 250 m d'altitude), situé en Équateur

... bien choisir son parcours de formation

Des métiers liés à l'étude de la topographie

Vous voulez devenir :
- ingénieur géomètre-topographe ;
- technicien géomètre-topographe

Ingénieur géomètre-topographe

BAC S
École d'ingénieurs
- **Admission :** sur concours à l'issue d'une classe préparatoire aux grandes écoles pour une école d'ingénieurs ou suite à un parcours universitaire
- **Formation :** 5 ans
- **Diplôme d'état :** Ingénieur recherche/développement

– Recherché par bureau d'étude, cabinet d'experts

Technicien géomètre-topographe

BAC S
BTS topographie
- **Admission :** l'accès au BTS se fait sur bac, dossier, entretien, voire tests
- **Formation :** 2 ans avec possibilité de poursuivre en école d'ingénieurs
- **Diplôme d'état** de technicien en topographie

– Recherché par bureau d'étude, société de topographie

Maîtriser ses connaissances

Pour s'entraîner

1 Définissez les mots ou expressions

Isostasie, pli, faille, nappe de charriage, métamorphisme, anatexie, géochronologie.

2 Vrai ou faux ?

Repérez les affirmations exactes et corrigez celles qui sont inexactes.

a. L'isostasie permet d'expliquer la présence d'une racine crustale sous les chaînes de montagnes.
b. La géochronologie est fondée sur la désintégration d'éléments radioactifs.
c. Une migmatite provient en partie du magmatisme et en partie du métamorphisme.
d. Au cours du métamorphisme, la composition chimique des roches est modifiée.
e. L'anatexie est une transformation à l'état solide de roches métamorphiques.
f. Les plis et les failles sont des déformations cassantes de la croûte.
g. Une nappe de charriage correspond au déplacement de masses rocheuses sur de grandes distances.

3 Questions à choix multiples 

Choisissez la bonne réponse pour chaque série d'affirmations.

1. **La croûte continentale :**
a. est plus épaisse que la croûte océanique ;
b. est plus dense que la croûte océanique ;
c. est constituée de granites et de gabbros ;
d. est âgée de quelques centaines de millions d'années au maximum.

2. **Les gneiss :**
a. sont des roches trouvées exclusivement dans la croûte océanique ;
b. sont des roches métamorphiques ;
c. sont des roches magmatiques ;
d. sont des roches sédimentaires.

4 Questions à réponse courte

a. À partir de quelles données scientifiques la notion d'isostasie a-t-elle été déterminée ?
b. Quelle méthode peuvent utiliser les géologues pour dater les roches de la croûte continentale ?

Objectif BAC

5 Exploitation d'un sismogramme

Le *sismogramme ci-dessous* (logiciel Sismolog), enregistré à Annemasse en Haute-Savoie, permet d'observer l'arrivée d'ondes P directes et PMP réfléchies.

OG02 19/01/91 03:12:08. 740

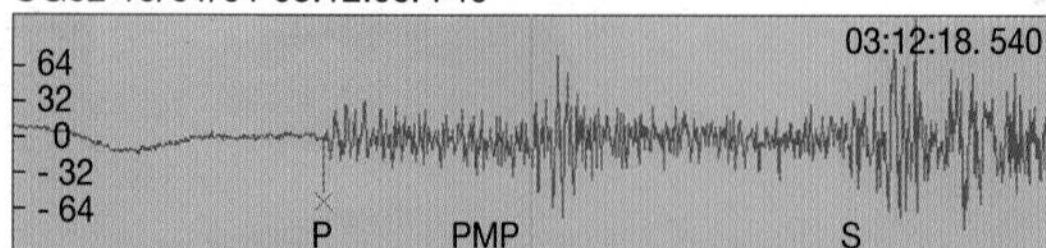

QUESTION DE SYNTHÈSE :
Connaissant la localisation du foyer sismique, expliquez comment l'analyse de ce type d'enregistrement permet d'estimer l'épaisseur de la croûte continentale *(seul le principe de la méthode est demandé).*

6 Le métamorphisme régional

A. QUESTIONS À CHOIX MULTIPLES QCM

Choisissez la bonne réponse pour chaque affirmation.

1. **Les schistes et les micaschistes :**
a. sont des roches formées dans les mêmes conditions de pressions et de températures ;
b. ont la même composition chimique ;
c. ont la même composition minéralogique ;
d. proviennent de la fusion partielle d'un granite.

2. **L'anatexie :**
a. entraîne la formation d'un magma granitique ;
b. provient d'une diminution des conditions de pression et de température dans la croûte continentale ;
c. correspond à la fusion partielle de la péridotite ;
d. est à l'origine des roches métamorphiques.

3. **Les roches métamorphiques :**
a. présentent une structure microlitique ;
b. se forment dans des conditions de pression et de température identiques ;
c. sont issues de roches transformées à l'état solide ;
d. proviennent de la fusion partielle d'un granite.

B. QUESTION DE SYNTHÈSE :
Expliquez en quoi l'étude des roches métamorphiques témoigne d'un enfouissement de plus en plus important de certaines roches de la croûte continentale.

7 Croûte continentale et croûte océanique

QUESTION DE SYNTHÈSE :
Indiquez les principaux éléments qui permettent de distinguer la croûte océanique de la croûte continentale.
Votre exposé sera accompagné de schémas.

Utiliser ses compétences

8 Une croûte continentale épaissie Pratiquer un raisonnement scientifique

QUESTION :

À partir de l'exploitation des documents présentés et de vos connaissances, expliquez les mécanismes tectoniques à l'origine de l'épaississement de la croûte continentale.

DOCUMENT 1 : **photographie d'un affleurement à Saint-Rambert-en-Bugey (Ain)**

Les roches claires sont des calcaires datés du Jurassique (– 200 à – 145 Ma). Ces calcaires surmontent des roches plus tendres (recouvertes de végétation) qui sont des marnes et des argiles du Trias (– 251 à – 200 Ma). De telles structures sont très nombreuses dans le Jura.

DOCUMENT 2 : **affleurement à Saillans, dans la Drôme**

Les tiretés rouges permettent de repérer un joint entre deux strates.

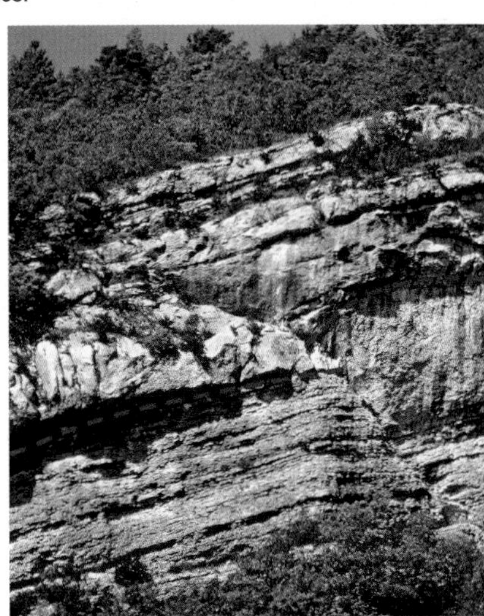

DOCUMENT 3 : **La montagne du Blayeul, au nord de Digne**

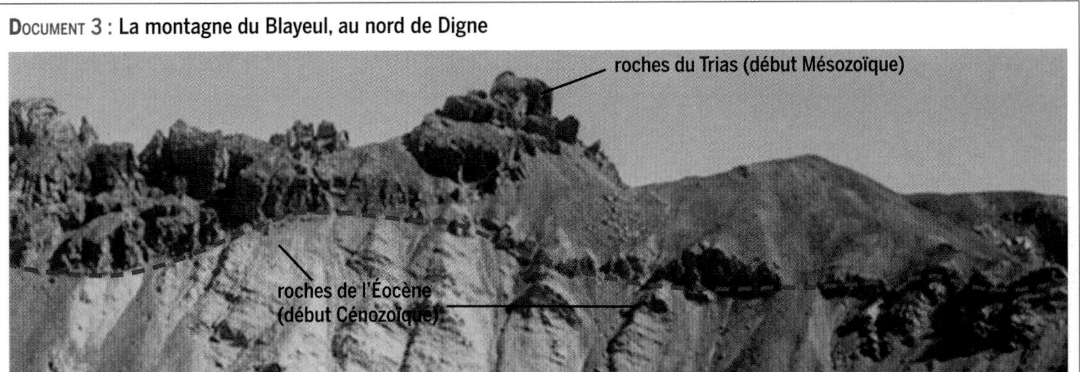

9 La croûte continentale en équilibre isostatique Utiliser l'outil mathématique, raisonner

L'épaisseur moyenne de la croûte continentale (de densité d = 2,7) est de 30 km au-dessus du manteau (d = 3,2).

QUESTION :

Indiquez la profondeur (x_1) d'une racine crustale sous une chaîne de montagnes de 3 km d'altitude moyenne, puis l'épaisseur (x_2) d'une croûte sous un océan de 4 km de profondeur moyenne (densité de l'océan = 1 environ).

Vous appuierez votre raisonnement sur la notion d'équilibre isostatique. Pour le calcul de l'épaisseur x_2, vous considérerez que la croûte océanique présente la même densité que la croûte continentale.

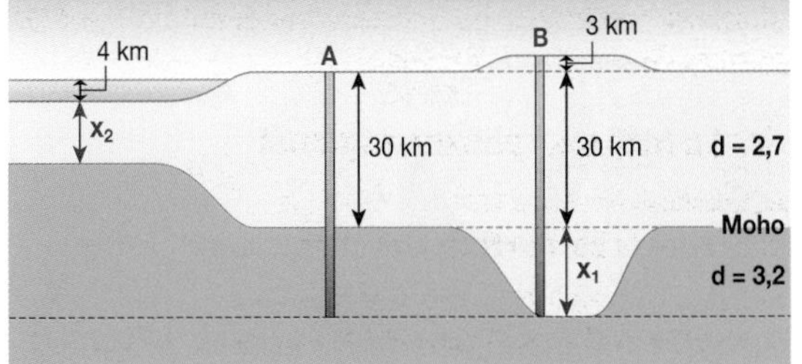

Aide : Calculez d'abord x_1 en considérant que les colonnes de roches A et B ont la même masse.

10 Datation de deux granites par la méthode Rubidium-Strontium

Raisonner, communiquer

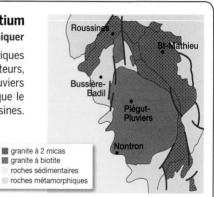

À la limite entre le Limousin et la Dordogne, affleurent deux massifs granitiques dont l'âge de mise en place a longtemps divisé les géologues. Pour certains auteurs, la mise en place du granite de Saint-Mathieu-Roussines et celle de Piégut-Pluviers *(carte ci-contre)* seraient contemporaines. En revanche, d'autres pensent que le granite de Piégut-Pluviers serait postérieur au granite de Saint-Mathieu-Roussines.

Roussines
St-Mathieu
Bussière-Badil
Piégut-Pluviers
Nontron
granite à 2 micas
granite à biotite
roches sédimentaires
roches métamorphiques

Question :

À partir de vos connaissances et des données sur les mesures isotopiques Rubidium-Strontium de ces deux massifs granitiques, déterminez l'âge de ces massifs.

• Granite de Piégut-Pluviers

n° échantillon	X = $^{87}Rb/^{86}Sr$	Y = $^{87}Sr/^{86}Sr$
01RT5738	1,97	0,7148
02RT5740	3	0,7197
03RT5743	4,87	0,7282
04RT5744	3,24	0,7213
05RT5745	2,64	0,7219
06RT5742	1,36	0,7125

• Granite de Saint-Mathieu

n° échantillon	X = $^{87}Rb/^{86}Sr$	Y = $^{87}Sr/^{86}Sr$
01RT5730	11,69	0,7696
02RT5731	8,54	0,756
03RT5732	5,09	0,7404
04RT5734	6,56	0,7448
05RT5735	9,04	0,7573
06RT1189	11,98	0,768

Remarques :

1. Dans les tableaux, RT signifie « roches totales » ; en effet, les mesures effectuées sur la roche totale à différents endroits choisis de l'affleurement donnent les mêmes résultats que des mesures effectuées sur différents minéraux dans un même échantillon.

2. Pour les formules de calcul, voir page 152.

3. Compte tenu de la précision des mesures, l'âge de mise en place des granites peut être apprécié avec une incertitude d'environ 15 millions d'années.

11 Le Moho sous les Alpes

Extraire des informations, raisonner

Exercice TYPE BAC

Question :

Après avoir tracé le Moho au niveau de la coupe AB, justifiez que le modèle « d'isostasie » d'Airy ait été retenu pour la lithosphère continentale.

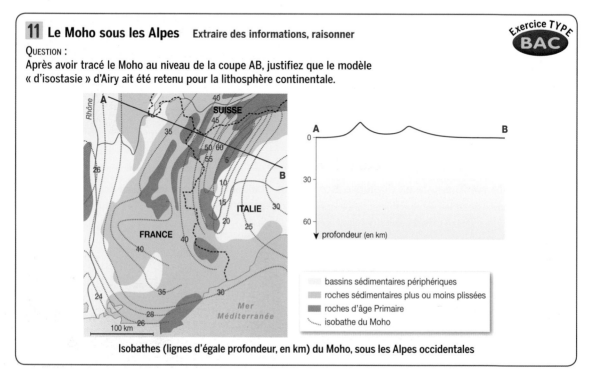

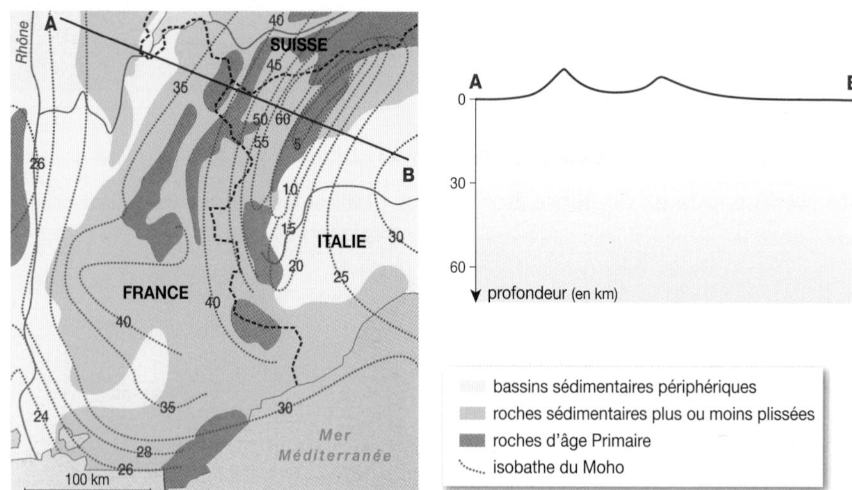

Isobathes (lignes d'égale profondeur, en km) du Moho, sous les Alpes occidentales

Utiliser ses capacités expérimentales

12 Des roches du Massif de l'Agly

Utiliser un microscope polarisant, raisonner

SE PRÉPARER aux épreuves pratiques du BAC

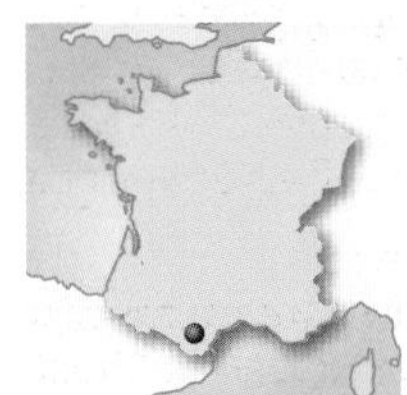

■ Problème à résoudre

Au niveau du Massif de l'Agly, dans les Pyrénées-Orientales *(carte ci-contre)*, des roches métamorphiques sont visibles en surface. Comment expliquer la présence de ces roches et leur disposition d'est en ouest ?

■ Matériel disponible

- Microscope polarisant équipé d'un dispositif d'acquisition d'images.
- Roches et lames minces.
- Fiches de reconnaissance des minéraux (p. 402 à 405).

■ Démarche de résolution

- Indiquez comment il est possible de répondre au problème posé.
- Faites les observations et sélectionnez les vues les plus intéressantes.

■ Communication et exploitation des résultats

- Indiquez les compositions minéralogiques des roches présentées.
- Placez ces roches dans le diagramme P-T ci-contre.
- À partir de l'ensemble des données, proposez une origine possible de la présence de ces roches dans le massif de l'Agly.

La production réalisée devra comporter des dessins ou des photographies annotés des observations réalisées.

■ Document complémentaire

température (en °C)
300
400
500
600
700
800
0
0,2
0,4
0,6
0,8
1
1,2
1,4
1,6
pression (en GPa)
And
Dist
Biot
And
Sill
Sill
Dist
Musc + Q
FK
Anatexie
Biot : Biotite
Dist : Disthène
And : Andalousite
Sill : Sillimanite
Musc : Muscovite
Q : Quartz
FK : Orthose

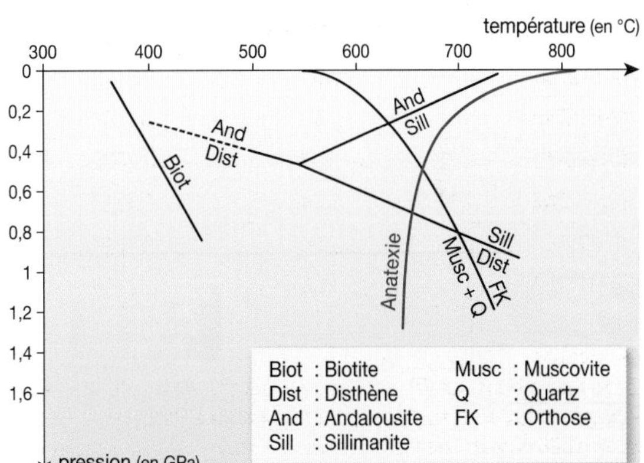

Micaschiste 1

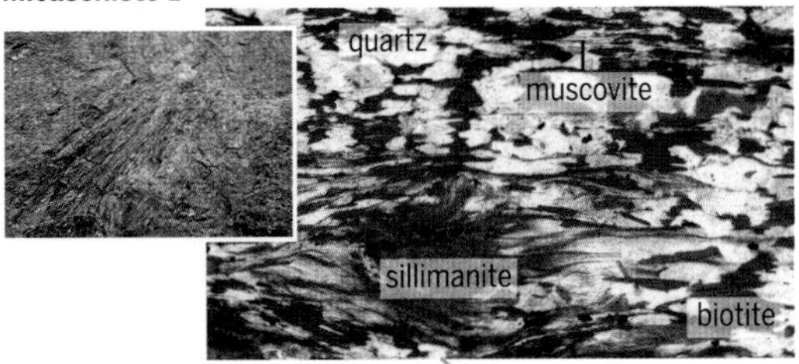

quartz
muscovite
sillimanite
biotite

Micaschiste 3

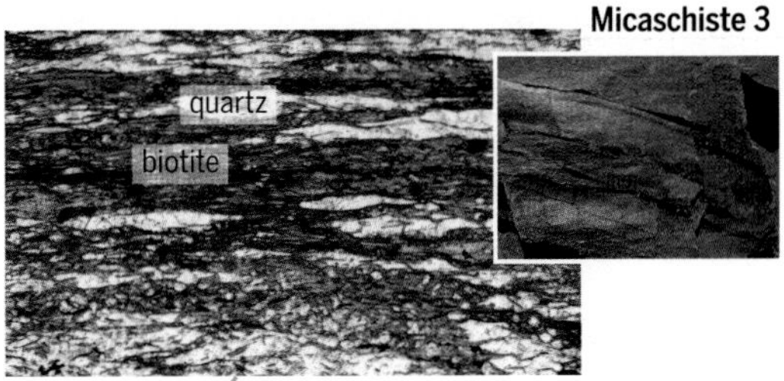

quartz
biotite

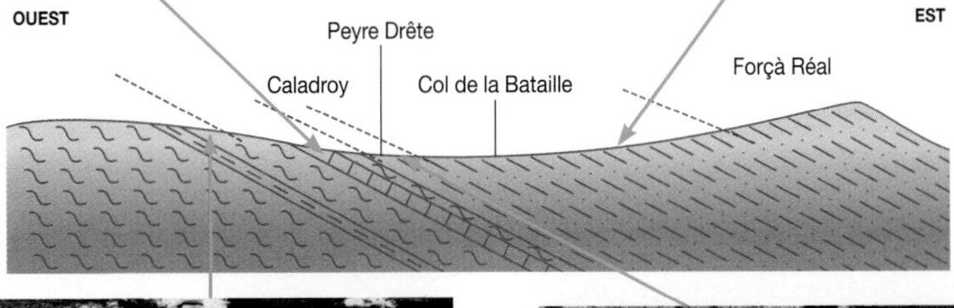

OUEST
EST
Peyre Drête
Caladroy
Col de la Bataille
Forçà Réal

Micaschiste 2

feldspath potassique + quartz
(provenant d'une fusion partielle)
biotite + sillimanite

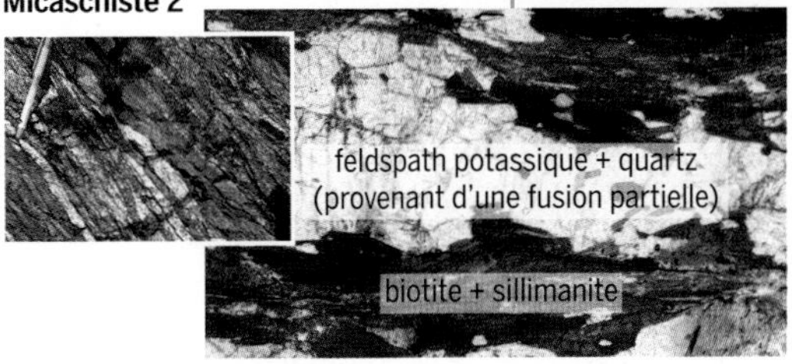

Micaschiste 4

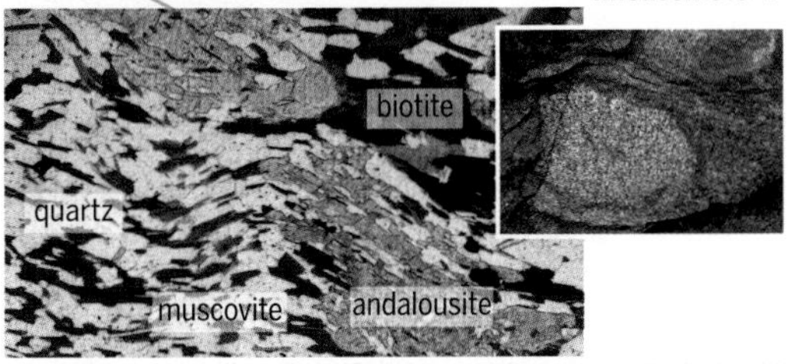

biotite
quartz
muscovite
andalousite

Des DOCUMENTS pour se poser des questions

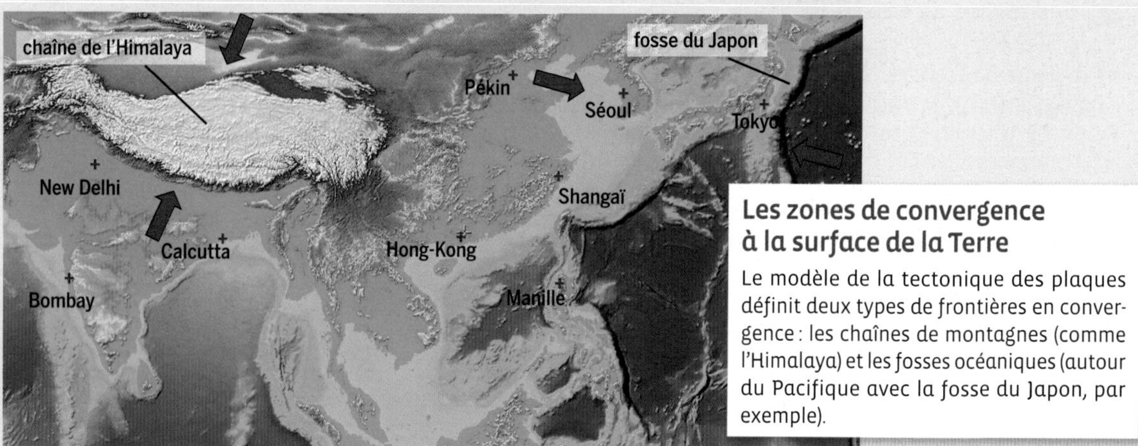

Les zones de convergence à la surface de la Terre

Le modèle de la tectonique des plaques définit deux types de frontières en convergence : les chaînes de montagnes (comme l'Himalaya) et les fosses océaniques (autour du Pacifique avec la fosse du Japon, par exemple).

Des roches surprenantes

Dans le massif du Chenaillet, près de Briançon dans les Alpes, on trouve, sur 300 à 400 m d'épaisseur, des empilements de roches dont la forme évoque les pillow-lavas que l'on peut observer au niveau d'une dorsale océanique.

Une image de sismique réflexion

Cette image obtenue par sismique réflexion sous la Vanoise dans les Alpes (programme ECORS) est parfaitement énigmatique pour le profane, mais très riche d'enseignements pour le géologue : elle fournit des informations sur la structure profonde de la chaîne de montagnes.

LES PROBLÉMATIQUES DU CHAPITRE

- Quels indices de terrain accréditent le modèle de la formation des chaînes de montagnes ?
- Comment expliquer la présence de roches océaniques en altitude ?
- Quelles sont les causes de l'enfoncement de la lithosphère océanique dans le manteau ?

Des masses considérables de croûte continentale portées en altitude.

La formation des chaînes de montagnes

LES ACTIVITÉS DU CHAPITRE

Le modèle de la formation d'une chaîne de montagnes

Les domaines de convergence lithosphérique décrits par le modèle global de la tectonique des plaques sont les zones de subduction et les zones de collision. *L'objectif est ici de préciser comment ce modèle associe subduction et collision dans la formation des chaînes de montagnes.*

A De l'ouverture océanique à la collision continentale

1. L'expansion océanique

L'accrétion océanique au niveau des dorsales est associée à la divergence des plaques. L'océan, bordé par des **marges continentales passives**, s'élargit : c'est l'expansion océanique.

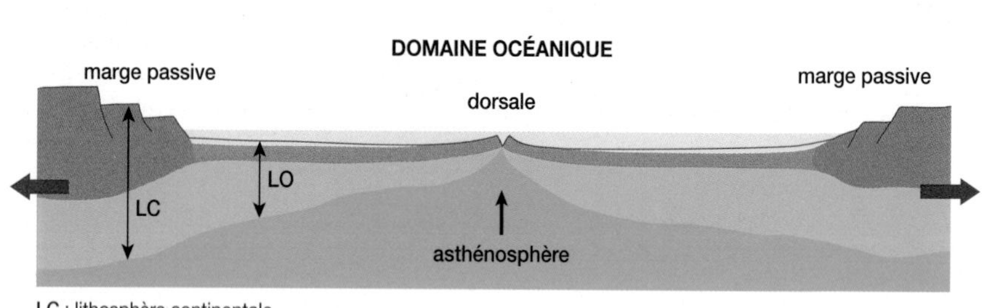

2. La fermeture océanique

Une modification des contraintes globales entraîne un rapprochement des plaques (convergence lithosphérique). L'océan se referme à la faveur d'une subduction océanique, c'est-à-dire d'un enfoncement de la lithosphère océanique dans l'asthénosphère.

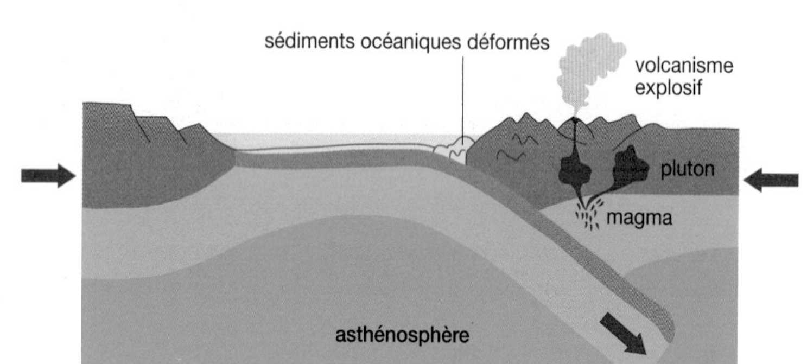

3. La collision continentale

L'océan entièrement fermé, les continents entrent en **collision** et les croûtes continentales se fracturent et s'empilent en écailles. La croûte continentale devient plus épaisse avec la présence d'une **racine crustale**. Les anciennes bordures océaniques (marges passives) sont alors déformées. Des portions de lithosphère océanique peuvent être charriées en altitude et donner des **ophiolites**. Les roches de la croûte, entraînées en profondeur, peuvent entrer en fusion partielle et former des **plutons** de **granitoïdes**.

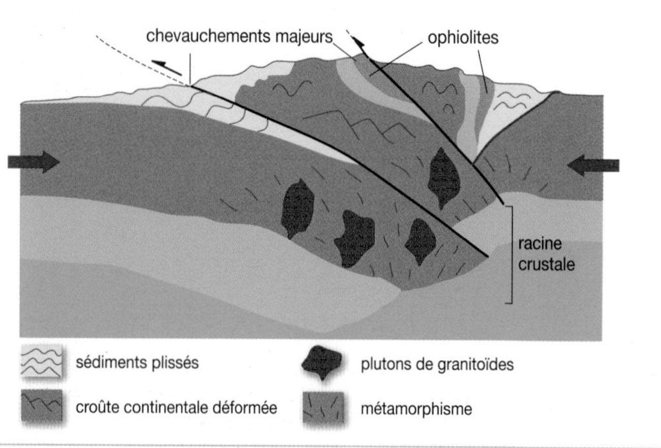

Doc. 1 Un modèle global de la formation des chaînes des montagnes.

B Les Alpes : une chaîne de montagnes conforme au modèle

La chaîne des Alpes s'étend sur près de 1 000 km de la Méditerranée jusqu'à Vienne en Autriche. Elle est, par endroits, large de 200 à 500 km, ce qui en fait le massif montagneux le plus important d'Europe. Rectilignes au nord, les Alpes se courbent dans leur partie occidentale et forment un arc qui constituera le lieu de notre étude. C'est dans cette zone que les reliefs sont les plus élevés ; le mont Blanc, le toit de l'Europe, y culmine à 4 810 mètres. Au nord et au sud, les Alpes sont bordées par de grands bassins sédimentaires qui recueillent les produits de l'érosion de la chaîne. Les Alpes sont géologiquement récentes car elles se sont soulevées durant l'ère cénozoïque.

Dans la suite du chapitre, nous allons explorer différents secteurs des Alpes franco-italiennes pour y rechercher les témoignages d'une « conformité » au modèle du document 1.

Les doubles pages d'activités pratiques correspondantes (AP) sont repérées sur la *carte géologique ci-dessous.*

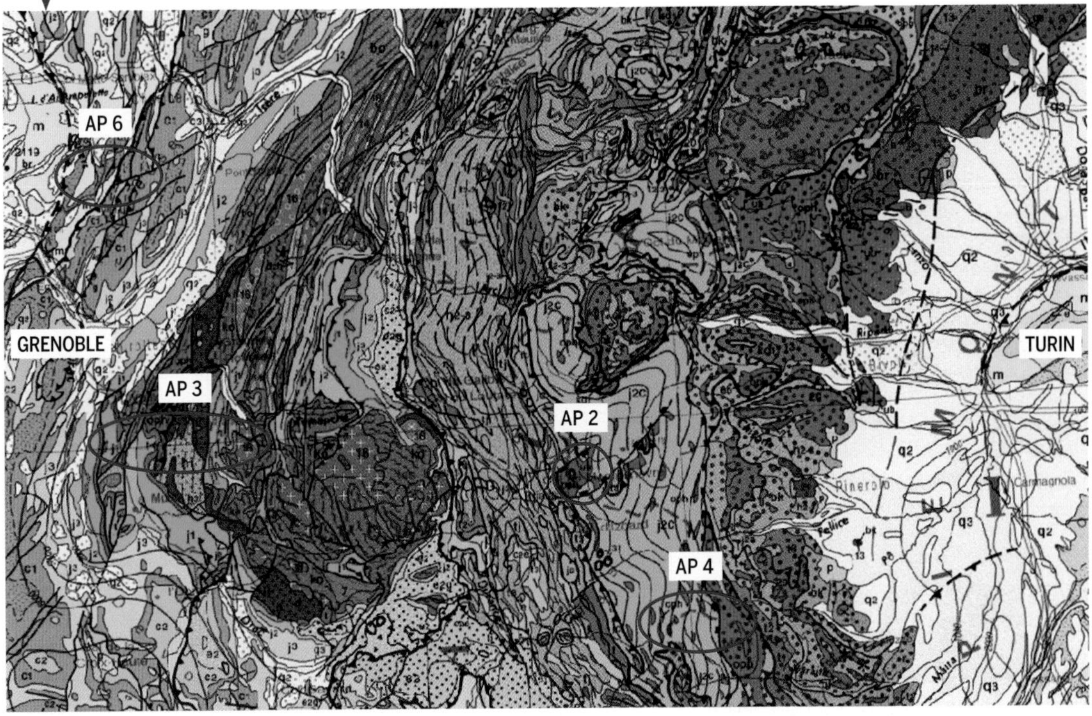

AP 6
GRENOBLE
AP 3
AP 2
TURIN
AP 4

Doc. 2 Un aperçu de la géologie alpine.

Pistes d'exploitation

PROBLÈME À RÉSOUDRE ► Quel scénario de la formation d'une chaîne de montagnes est donné par le modèle de la tectonique des plaques ?

Doc. 1 et 2 Sachant que les géologues interprètent la chaîne des Alpes comme le résultat de la collision entre une plaque continentale africaine et le continent européen, exposez le scénario de la formation de cette chaîne de montagnes.

Doc. 1 et 2 Quels indices de cette histoire peut-on espérer trouver dans la chaîne des Alpes ?

Lexique, p. 406

Les traces d'un ancien domaine océanique

D'après le modèle décrit précédemment, une ancienne lithosphère océanique sépare les continents avant qu'ils n'entrent en collision. *Lors de la collision, des lambeaux de cette lithosphère peuvent être portés en altitude : il s'agit de préciser quelles traces on peut en trouver dans une chaîne de montagnes.*

A La structure verticale de la lithosphère océanique

L'observation directe de la lithosphère océanique ne peut être réalisée qu'en des lieux précis à la surface de la Terre et à l'aide de technologies avancées.
Des submersibles, comme le Nautile de l'IFREMER, permettent d'observer directement les fonds marins jusqu'à 6000 mètres de profondeur.

Des bateaux foreurs comme le Joides Resolution sont capables de carotter le plancher océanique sur plus de 2000 mètres d'épaisseur, par 7000 m de fond (ce qui représente un train de tiges de forage de 9 km de long !).

Pillow-lavas photographiés par 3000 mètres de fond sur la dorsale médio-Atlantique

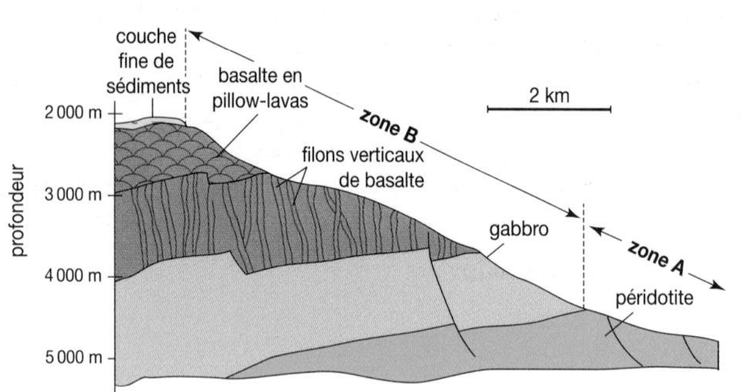

Coupe déduite des observations de la lithosphère océanique au niveau de la faille Vema (Atlantique central, au large du Venezuela)

En 1988, le submersible Nautile explore la faille Vema, une faille transformante qui décale deux blocs de dorsale, ce qui engendre une large vallée où il a été possible d'observer une portion de lithosphère océanique.

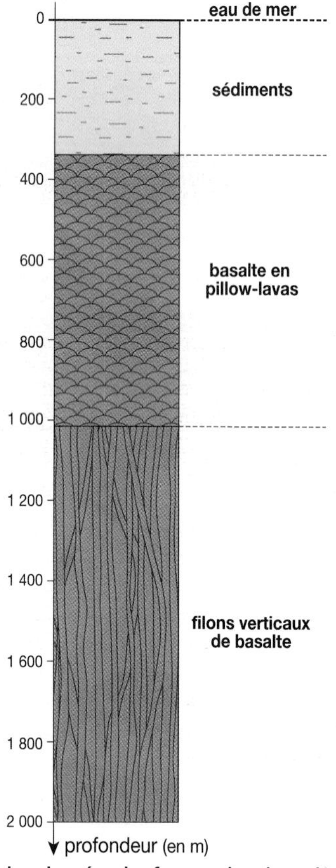

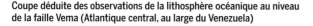

Les données des forages dans la croûte océanique

Des forages, réalisés dans l'océan Pacifique à proximité des îles Galápagos, au cours de six campagnes de 1979 à 1991, ont permis d'échantillonner des roches de la croûte océanique sur 2000 m d'épaisseur.

Doc. 1 Des observations directes de la lithosphère océanique sont possibles.

B Des roches du plancher océanique dans les Alpes

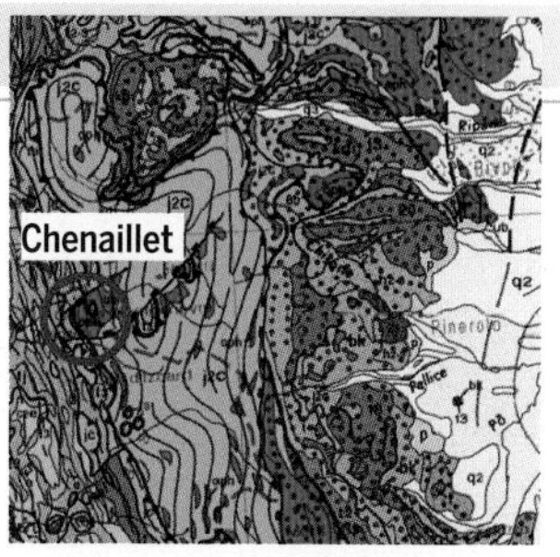

Près de Briançon, le massif du Chenaillet s'étend sur une surface d'environ 40 km^2. Dans le paysage *(photographie ci-dessous)*, trois types de roches se superposent : des **péridotites**, des **gabbros** et des **basaltes**. Leur âge est de 160 Ma. Comme en témoigne la *carte ci-contre*, de telles associations rocheuses (figurées en vert) ne sont pas rares dans les Alpes occidentales et sont toutes situées au niveau de la zone interne des Alpes à la frontière des deux plaques tectoniques, européenne et africaine, qui sont entrées en collision. Cet assemblage de roches sombres aux reflets verdâtres est qualifié de « **complexe ophiolitique** » (du grec *ophis*, serpent).

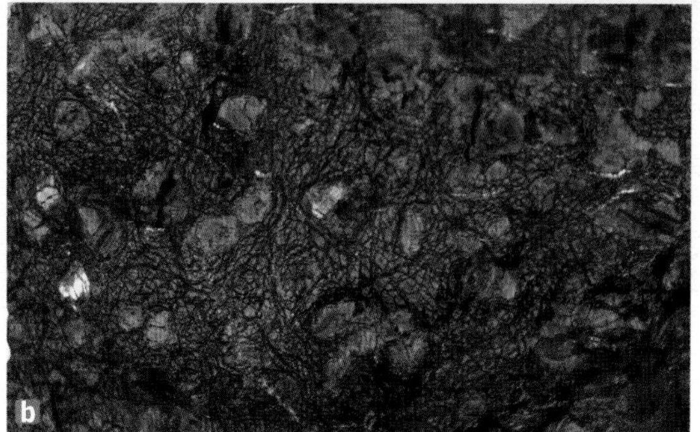

• Les **péridotites** *(photographie* **b***)* de la base de la série, très sombres, présentent des reflets verts parmi lesquels brillent de petits cristaux de pyroxènes. La surface d'échantillons de ces roches présente un aspect particulier qui évoque la peau de serpent : cette particularité est à l'origine de leur nom de **serpentinites**. Les pyroxènes et les olivines de la péridotite originelle, soumis à une intense altération hydrothermale, ont subi de profondes transformations : ils sont maintenant entourés par un minéral hydraté et vert sombre : la serpentine.

• Les basaltes du Chenaillet *(photographie* **c***)* ont l'aspect de coussins (pillow-lavas) ou de traversins d'un diamètre qui varie de 50 cm à un mètre. Ces pillow-lavas sont empilés sur 300 à 400 mètres d'épaisseur.

• Les gabbros sont peu déformés et d'une épaisseur variant de 150 à 200 mètres. Certains gabbros présentent des signes d'un **métamorphisme hydrothermal** : des auréoles d'amphiboles ou de chlorite sont visibles autour des pyroxènes. Ce sont des métagabbros de type schistes verts.

Doc. 2 Des roches « océaniques » au sommet du massif du Chenaillet.

Pistes d'exploitation

PROBLÈME À RÉSOUDRE ► Quelles sont les traces d'un ancien océan dans une chaîne de montagnes telle que les Alpes ?

Doc. 1 Citez les roches constitutives de la lithosphère océanique.

Doc. 2 Qu'est-ce qu'un complexe ophiolitique ? Quel nom peut-on donner à la limite entre les gabbros et la péridotite ?

Doc. 1 et 2 En quoi la présence de ces ophiolites en altitude indique-t-elle l'existence d'un ancien océan aujourd'hui fermé ?

Lexique, p. 406

Les traces d'une marge continentale passive

Un océan comme l'océan Atlantique est bordé de marges continentales passives. *Ces marges présentent des structures géologiques bien particulières que l'on peut observer non seulement au niveau d'une bordure océanique comme la Bretagne mais aussi au cœur d'une chaîne de montagnes telle que les Alpes.*

A Les structures géologiques d'une marge passive actuelle

- **Les unités morphologiques de la marge armoricaine**

Du continent vers le large, trois unités morphologiques composent la marge :
– le plateau continental, large de 70 km en moyenne, peu profond (0 à 200 m) et à pente très faible ;
– le talus continental, compris entre – 200 et – 3 000 m, dont la pente moyenne est de 7 % et qui est entaillé par des vallées et des canyons sous-marins ;
– le glacis continental, au pied du talus, où s'accumulent en eaux profondes les sédiments transportés depuis le continent (le glacis se raccorde à la **plaine abyssale** vers 3 500 m de profondeur).

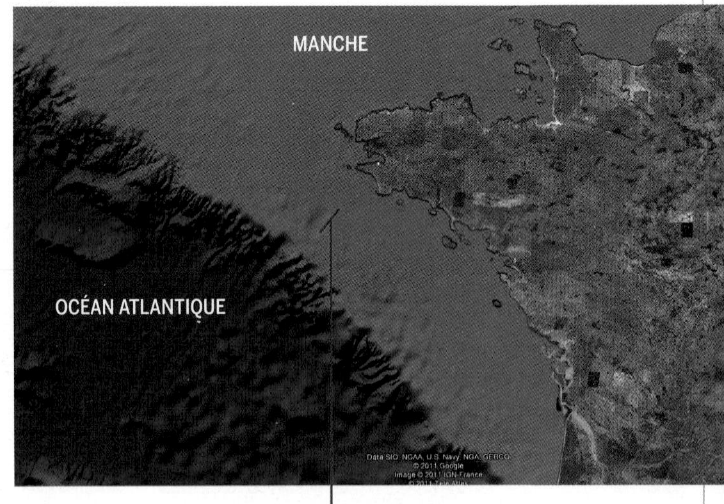

- **La structure de la marge armoricaine**

Le **profil sismique** de la marge armoricaine à l'entrée de la Manche *(ci-contre)* révèle l'existence de failles qui recoupent le socle ainsi que certaines couches sédimentaires.
Ce sont des **failles normales**, caractéristiques d'une tectonique en distension. Certaines, qualifiées de **failles listriques** ont un **pendage** qui diminue avec la profondeur. Les géologues appellent bloc basculé le bloc de croûte continentale situé entre deux failles listriques car la géométrie courbe de la faille provoque le basculement du bloc à mesure qu'il s'enfonce. Du fait de ce basculement, les sédiments qui vont combler le bassin sont beaucoup plus épais d'un côté que de l'autre : on dit que c'est une sédimentation en éventail.
L'ensemble de ces caractéristiques définit une marge continentale passive. Ces marges ont enregistré l'ouverture précoce de l'océan avec la déchirure continentale et bordent aujourd'hui l'océan Atlantique. Elles sont dites passives car l'activité géologique y est très faible.

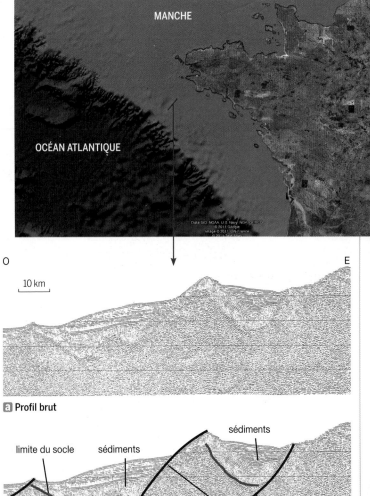

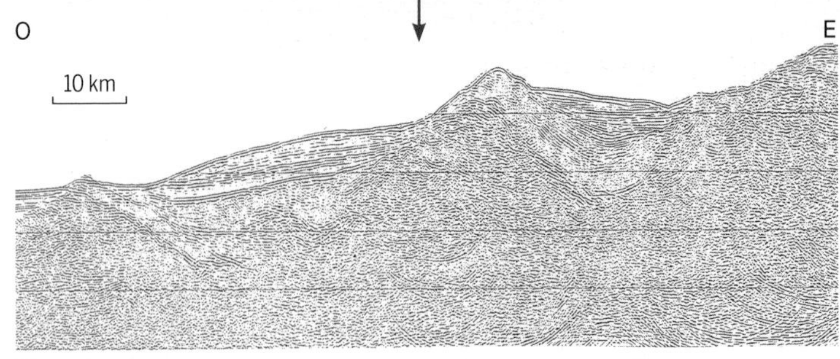

a Profil brut

limite du socle
sédiments
sédiments
blocs basculés de socle
failles listriques

b Profil interprété

Doc. 1 Une marge passive actuelle : la marge armoricaine.

B Une succession de blocs basculés dans les Alpes

Dans toute la partie située à l'ouest de l'arc alpin, il est possible de repérer un ensemble de failles normales qui séparent des blocs de croûte continentale qui ont plus ou moins basculé les uns par rapport aux autres du fait de l'inclinaison des plans de faille. Les *documents ci-après* illustrent la présence de ces blocs dans la région de l'Oisans à proximité de Grenoble.

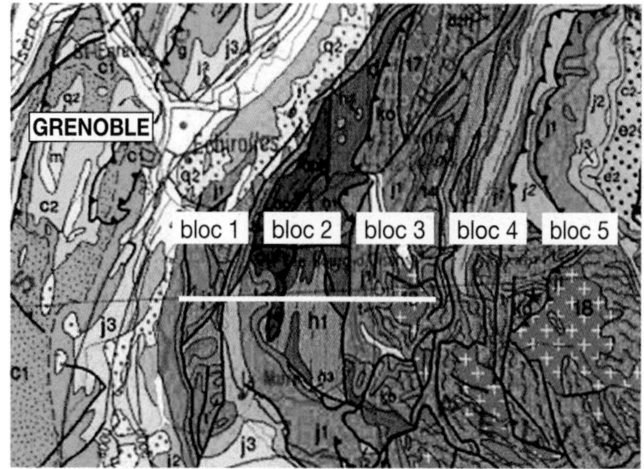

Extrait de la carte géologique. Le trait blanc correspond à la *coupe ci-dessous* (les traits noirs correspondent aux failles).

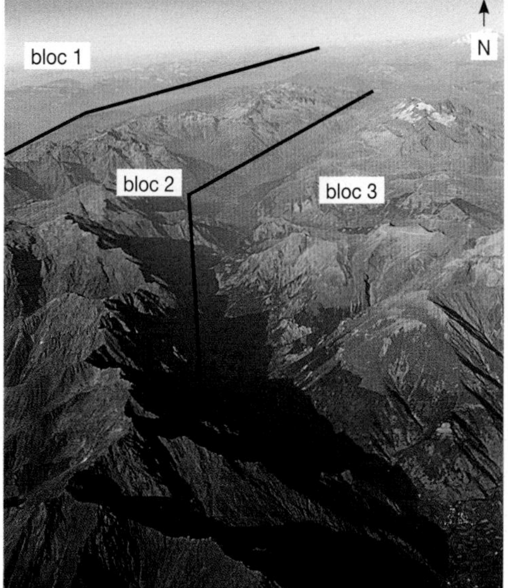

Photographie aérienne du secteur

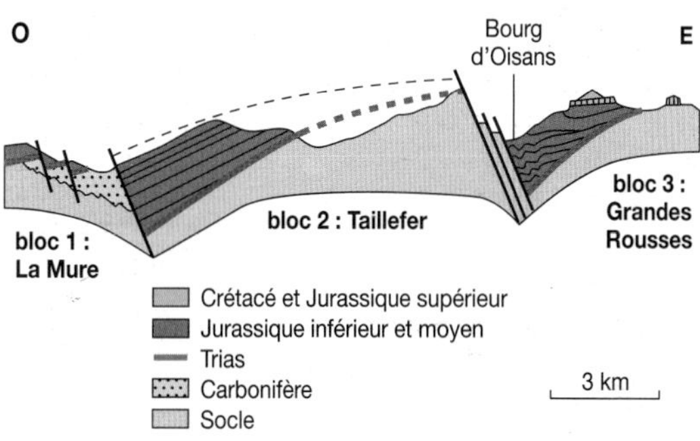

Coupe du secteur étudié

Montage photographique correspondant à la coupe

Doc. 2 À la périphérie de l'arc alpin, toute une série de blocs continentaux effondrés.

Pistes d'exploitation

PROBLÈME À RÉSOUDRE ► Quels indices témoignent de la présence d'une ancienne marge passive en bordure des continents avant leur collision ?

Doc. 1 Repérez, sur l'image, les unités morphologiques qui composent une marge continentale passive.
En quoi la disposition des sédiments au niveau d'une marge passive est-elle caractéristique ?

Doc. 1 et 2 Montrez que les observations effectuées dans la région de l'Oisans, dans la partie ouest des Alpes, témoignent d'une ancienne marge passive.

Lexique, p. 406

Les témoins d'une ancienne subduction

La fermeture océanique par subduction a des conséquences sur les roches de la lithosphère océanique : en profondeur, celles-ci se trouvent soumises à de nouvelles conditions de pression et de température.
L'objectif est, ici, de montrer que de telles roches métamorphisées peuvent être observées en altitude.

A Des transformations caractéristiques de la subduction

- **Un dispositif pour recréer les conditions régnant en profondeur dans le globe**

En laboratoire, il est possible de soumettre des associations minérales à des températures (T) et des pressions (P) comparables à celles qui règnent à différentes profondeurs dans la lithosphère, notamment dans les zones de subduction. On utilise pour cela une **cellule à enclumes de diamant** : l'échantillon est placé dans un trou, de 50 à 300 µm de diamètre, percé dans une mini-rondelle d'acier qui sert de joint et qui va être pressée entre deux diamants *(photographie ci-contre)*. L'échantillon est ensuite chauffé à l'aide de lasers infrarouge puissants. Un tel dispositif permet d'obtenir des pressions jusqu'à 500 GPa (5 millions d'atmosphères) et des températures jusqu'à 5 000 °C.

- **Les domaines de stabilité de quelques associations minérales**

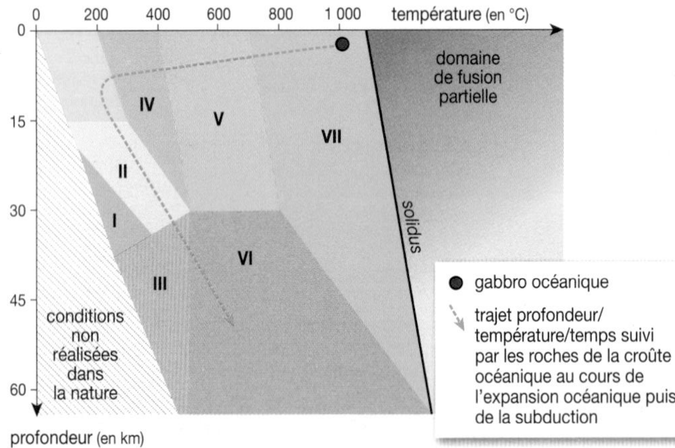

Ces expériences montrent que deux minéraux, stables dans des conditions P-T précises, commencent à réagir entre eux lorsque les conditions P-T changent et donnent naissances à de nouveaux minéraux (c'est un **métamorphisme**). Le graphe présente les domaines de stabilité de quelques associations minérales :

I : glaucophane + jadéite
II : glaucophane + plagioclase
III : grenat + jadéite +/– glaucophane
IV : chlorite + actinote + plagioclase
V : hornblende + plagioclase
VI : grenat + jadéite
VII : pyroxène + plagioclase

- **Deux exemples de réactions du métamorphisme**

Le feldspath plagioclase (Pl), le pyroxène (Px) et l'actinote (Act) ont réagi entre eux pour produire un nouveau minéral, le glaucophane (Gl), bleu en lumière polarisée analysée.

Le grenat pyrope (Gr) et le pyroxène jadéite (J) visibles sur cette lame mince d'éclogite (lumière polarisée analysée), résultent d'une réaction entre un feldspath plagioclase et le glaucophane.

Doc. 1 Des minéraux nouveaux apparaissent lors de la subduction d'un plancher océanique.

B Des roches métamorphiques dans les Alpes

Dans la vallée du Guil qui serpente dans le massif du Queyras, on peut échantillonner des roches charriées par la rivière depuis les sommets voisins. Parmi elles se trouvent des métagabbros présentant des auréoles réactionnelles de glaucophane entre les pyroxènes et les plagioclases. Ce sont des **métagabbros** de type **schiste bleu** *(photographie* **a***)*.

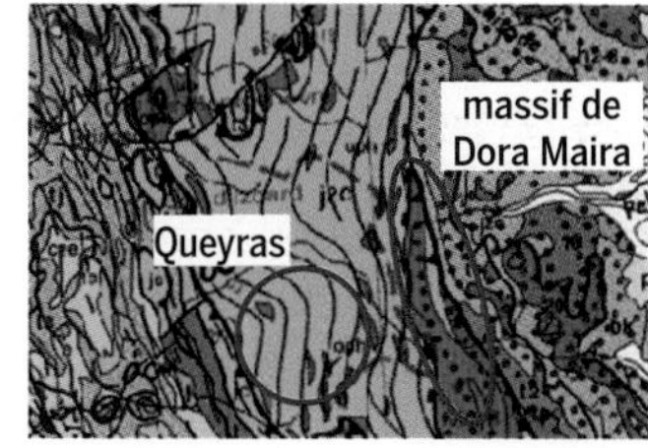

Un peu plus loin, dans le mont Viso (massif de Dora Maira en Italie), les roches, de composition chimique identique aux gabbros, sont des **éclogites** : elles contiennent de nombreux grenats associés à un pyroxène vert, la jadéite. Quelques « pyroxènes reliques » du gabbro originel (en noir) témoignent de la transformation progressive subie par la lithosphère océanique lors de la subduction *(photographie* **b***)*.

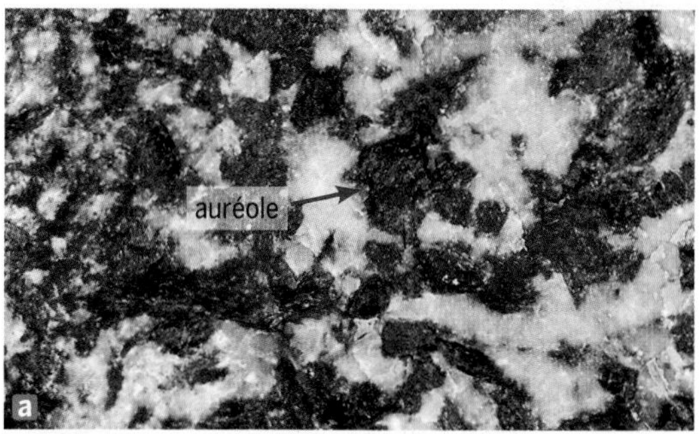

Doc. 2 Des gabbros transformés en profondeur.

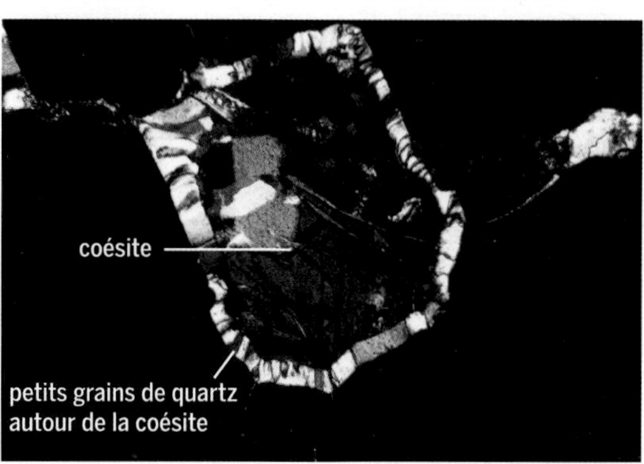

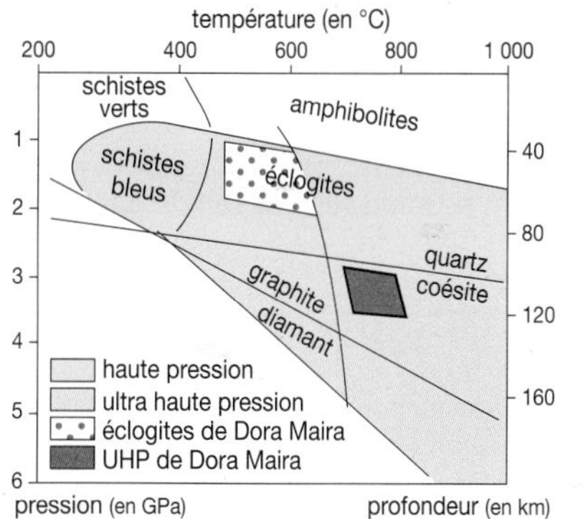

Dans le massif de la Dora Maira en Italie *(voir carte du document 2)*, on a identifié, dans des roches de la croûte continentale, une forme très particulière de quartz : la **coésite** *(photographie ci-dessus)*. Ce minéral est retrouvé habituellement dans les cratères d'impacts météoritiques ! De la même manière, de petits diamants ont été retrouvés : cela montre que la croûte continentale a été portée dans ce secteur à une ultra haute pression (UHP).

Doc. 3 Des roches continentales soumises à des conditions pression-température extrêmes.

Pistes d'exploitation

PROBLÈME À RÉSOUDRE ► Quels indices témoignent d'une subduction qui aurait fermé l'océan ?

Doc. 1 Décrivez les modifications des roches de la lithosphère océanique au cours de la subduction.

Doc. 2 Expliquez en quoi les roches du Queyras et du mont Viso témoignent de la subduction d'une ancienne lithosphère océanique.

Doc. 3 Pourquoi peut-on affirmer qu'une partie de la croûte continentale a été emportée par la subduction ?

Lexique, p. 406

Les causes de la subduction

À la surface du globe, l'âge des plus vieilles lithosphères océaniques n'excède pas 200 Ma. En effet, passée cette « limite d'âge », la lithosphère océanique s'enfonce dans l'asthénosphère et disparaît : c'est le phénomène de subduction. *Il s'agit ici de comprendre les causes de cette subduction océanique.*

A La lithosphère océanique se refroidit et s'épaissit au cours du temps

Au niveau d'une dorsale, le volcanisme se caractérise par une remontée de magma et un épanchement de lave dans la partie axiale. La lave, proche de 1200 °C, est refroidie très rapidement dans une eau à 2 °C, ce qui forme des pillow-lavas (basaltes en coussins). De plus, une circulation d'eau de mer se met en place dans les nombreuses failles affectant la lithosphère océanique. Cette circulation hydrothermale participe grandement au refroidissement de la lithosphère océanique.

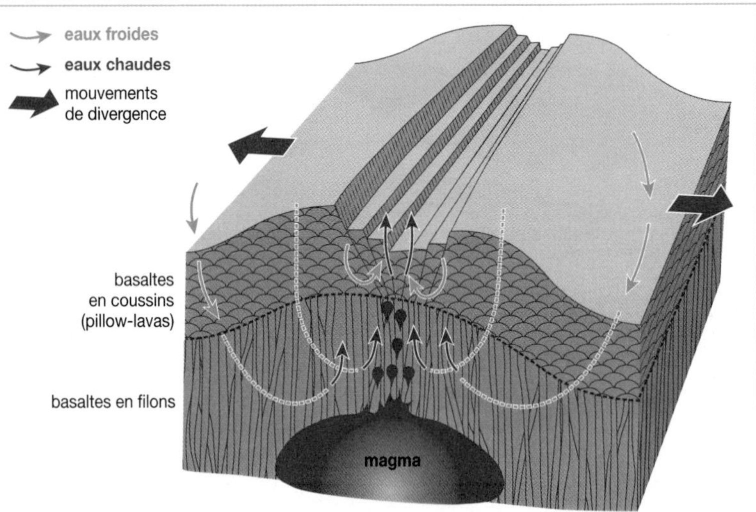

Doc. 1 Un refroidissement rapide par circulation hydrothermale au voisinage de la dorsale.

La lithosphère jeune, au voisinage de la dorsale, a une densité plus faible que celle de l'asthénosphère sur laquelle elle repose. En vieillissant, la lithosphère s'éloigne de la dorsale et se refroidit. Or, la limite entre lithosphère et asthénosphère dépend uniquement de la température et correspond à l'isotherme 1300 °C : l'épaisseur du manteau lithosphérique s'accroît donc au cours du refroidissement car le changement d'état physique qui caractérise l'asthénosphère se situe plus profondément. Le manteau ayant une densité supérieure à celle de la croûte et la proportion de manteau augmentant par rapport à la croûte, la densité de la lithosphère augmente elle aussi peu à peu. En vieillissant et en se refroidissant, la lithosphère s'enfonce donc de plus en plus dans l'asthénosphère : on parle de **subsidence thermique**. Cette subsidence explique l'approfondissement du plancher océanique jusqu'à 5 à 6 km au niveau des plaines abyssales.

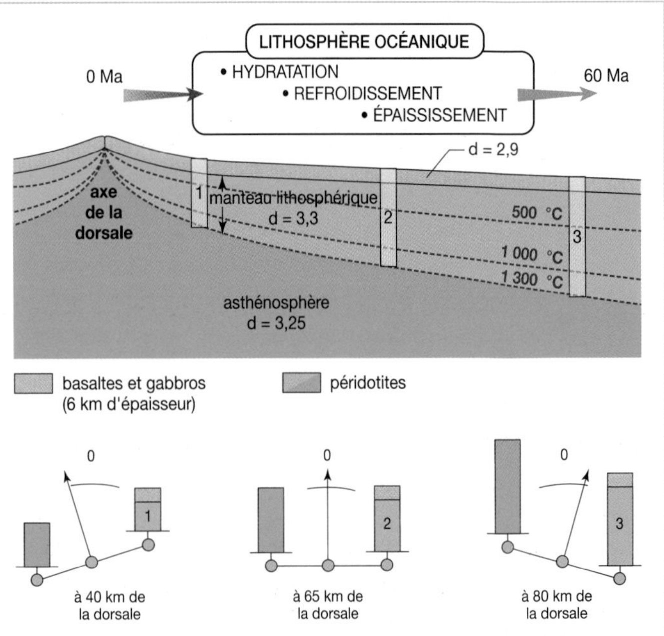

Doc. 2 En vieillissant, la lithosphère océanique continue à se refroidir et s'épaissit.

B La lithosphère océanique devient plus dense que l'asthénosphère

• En vieillissant, la lithosphère océanique devient de plus en plus dense, jusqu'à égaler puis dépasser la densité de l'asthénosphère sous-jacente. Cependant, la plaque demeure toujours en surface car elle est soutenue par deux « flotteurs » : d'une part, la lithosphère océanique plus jeune encore chaude du côté proche de la dorsale, et donc moins dense, d'autre part, la lithosphère continentale beaucoup moins dense.

• Si, à la faveur de mouvements tectoniques globaux, un mouvement de compression survient et désolidarise la plaque dense de ses flotteurs, alors l'équilibre est rompu : la lithosphère océanique plonge dans l'asthénosphère.

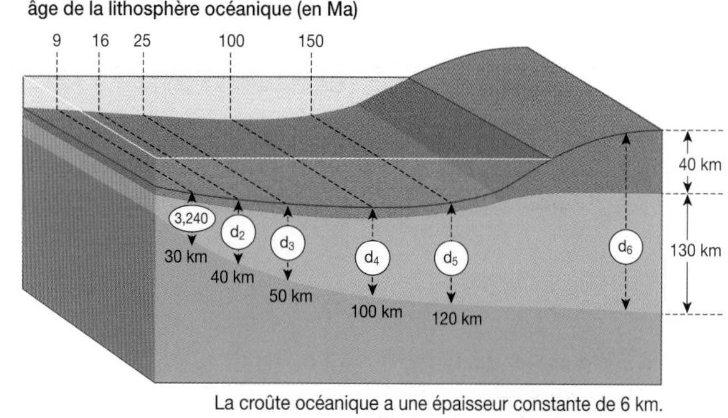

Doc. 3 Le vieillissement et la limite de flottabilité de la lithosphère océanique.

• Le contexte géodynamique

Lors de la subduction, l'augmentation de pression et de température produit des transformations minéralogiques dans les roches de la croûte océanique. Ainsi, les gabbros sont transformés en métagabbros puis en éclogites. Ces transformations s'accompagnent d'une modification de la densité des roches que l'on se propose d'évaluer expérimentalement.

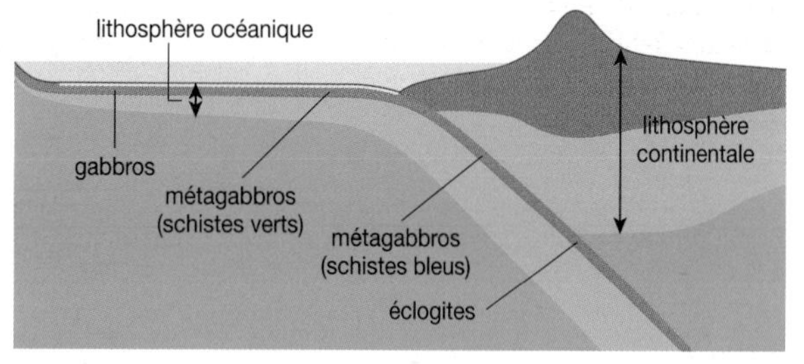

■ PROTOCOLE EXPÉRIMENTAL

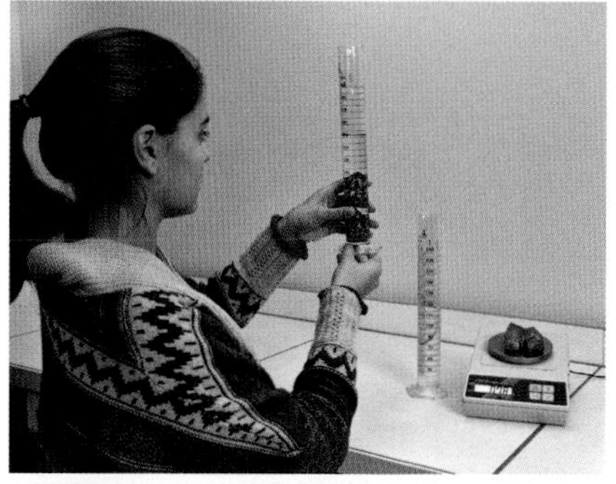

En utilisant le protocole décrit page 147 *(document 3)*, déterminer la densité d'un schiste bleu (métagabbro à glaucophane) et d'une éclogite. On rappelle que la densité s'exprime par la même valeur que la masse volumique, mais sans unité puisqu'il s'agit d'un rapport de deux masses volumiques.

■ RÉSULTATS

Roches	Densité
Gabbro	2,9 à 3,1
Métagabbro (schistes verts)	3,2
Métagabbro (schistes bleus)	à déterminer
Éclogite	à déterminer

Doc. 4 Des modifications de la densité des roches au cours de la subduction.

Pistes d'exploitation

PROBLÈME À RÉSOUDRE ➤ Quelles sont les causes de la subduction ?

Doc. 1 et 2 Décrivez l'ensemble des transformations subies par la lithosphère océanique suite à sa formation au niveau d'une dorsale océanique. Quels rôles joue l'eau de mer ?

Doc. 3 Calculez les densités d_2 à d_6. À partir de quel âge la plaque océanique peut-elle théoriquement plonger ? Pourquoi, en fait, ne plonge-t-elle que beaucoup plus tard ?

Doc. 4 Calculez la densité du métagabbro et de l'éclogite. Indiquez en quoi les résultats obtenus plaident en faveur de l'idée que des variations de la densité des roches contribuent à l'entretien de la subduction.

Lexique, p. 406

Activités pratiques 

Les traces de la collision continentale

Après la fermeture océanique, la collision des continents entraîne d'importantes modifications de la lithosphère, en surface et en profondeur. *Les structures géologiques de surface sont faciles à observer ; en revanche, il faut faire appel à d'autres techniques pour étudier les structures profondes.*

A Des lithosphères continentales qui se chevauchent

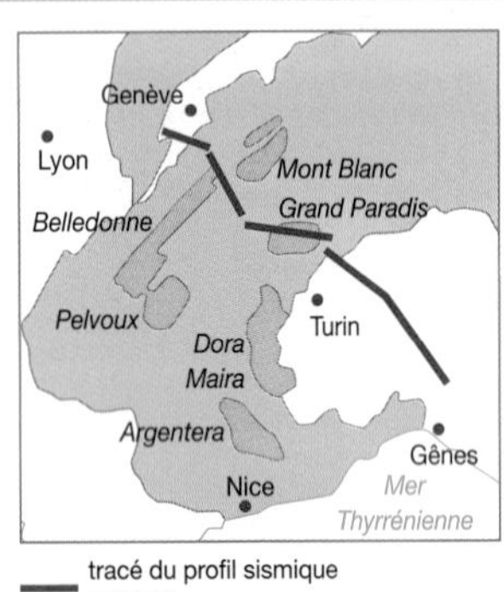

tracé du profil sismique ECORS

En provoquant des explosions ou des vibrations mécaniques en surface, les géophysiciens déclenchent la naissance d'ondes sismiques qui se propagent alors en profondeur. Si elles atteignent une interface séparant des roches aux propriétés physiques différentes, elles sont réfléchies et regagnent la surface. Ces zones, appelées réflecteurs, peuvent être par exemple des limites de strates sédimentaires ou des contacts anormaux entre des **nappes de charriage**. Une étude systématique des échos sismiques permet aux spécialistes de localiser ces différents réflecteurs et d'avoir ainsi une idée de la structure profonde de la chaîne.

Un ensemble de profils sismiques réalisés en 1986-1987 et repérés sur la *carte ci-contre* (programme « ECORS ») a permis d'obtenir une coupe nord-ouest / sud-est de la chaîne alpine (profil **a**). Le profil **b** est une interprétation synthétique de ces données.

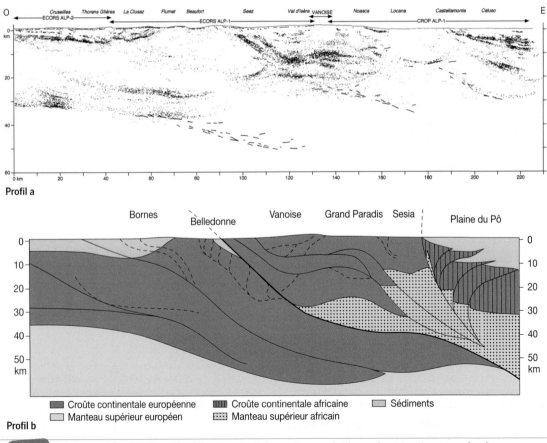

O — Cruseilles, Thorens Glières, La Clusaz, Flumet, Beaufort, Seez, Val d'Isère, VANOISE, Noasca, Locana, Castellamonte, Caluso — E

ECORS ALP-2 / ECORS ALP-1 / CROP ALP-1

Profil a

Bornes — Belledonne — Vanoise — Grand Paradis — Sesia — Plaine du Pô

Croûte continentale européenne
Manteau supérieur européen
Croûte continentale africaine
Manteau supérieur africain
Sédiments

Profil b

Doc. 1 L'échographie sismique des Alpes permet de mettre en évidence les structures profondes.

B Des modifications profondes de la lithosphère continentale

La *carte géologique ci-contre* montre en périphérie des Alpes une répétition de failles inverses à faible pendage qui constituent des contacts anormaux de chevauchements de terrains plus anciens (Crétacé, en vert) sur des terrains plus jeunes (Tertiaire, en jaune). Les géologues interprètent cela par l'empilement en profondeur de **nappes de charriage** qui se déversent de l'est vers l'ouest consécutivement à la compression alpine.

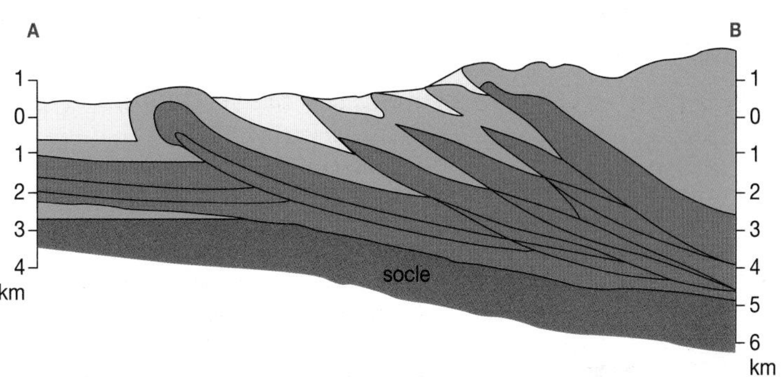

Doc. 2 Des nappes de roches empilées sur des kilomètres en profondeur.

Dans la partie ouest de l'Himalaya, au Pakistan, la tomographie montre que la plaque indienne s'enfonce en profondeur, mais avec la géométrie représentée sur la *figure ci-contre*. Dans la partie nord de l'Inde et dans la chaîne de l'Himalaya, la géologie de surface et la distribution des séismes soulignent bien le plongement vers le nord de la plaque indienne. Puis celle-ci se verticalise et finit par se renverser : la lithosphère continentale s'enfonce ainsi dans le manteau jusqu'à 800 kilomètres de profondeur. On met ainsi en évidence une véritable **subduction continentale** sous la chaîne de montagnes.

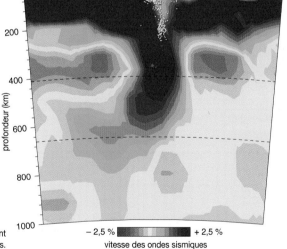

Les points blancs correspondent aux foyers des principaux séismes.

– 2,5 % + 2,5 %
vitesse des ondes sismiques

Doc. 3 La tomographie sismique sous l'Himalaya montre une subduction de lithosphère continentale !

Pistes d'exploitation

PROBLÈME À RÉSOUDRE ► Quel est le devenir de la croûte continentale au cours de la collision ?

Doc. 1 Décrivez les structures profondes mises en évidence par l'échographie sismique. Justifiez le terme de « racine crustale » sous la chaîne de montagnes.

Doc. 1 et 2 Expliquez l'épaississement de la croûte continentale au niveau d'une chaîne de montagnes.

Doc. 1 et 3 Justifiez l'expression de « subduction continentale » utilisée pour définir cette étape de la formation d'une chaîne de montagnes.

Lexique, p. 406

chapitre 2 La formation des chaînes de montagnes

Le modèle de la formation d'une chaîne de montagnes, abordé au collège, se fonde sur la tectonique des plaques lithosphériques. La subduction d'une plaque océanique s'accompagne de la création de reliefs (arcs volcaniques, accumulation de sédiments marins déformés).

En cas de fermeture totale de l'océan, les continents qui le bordaient entrent en contact : un tel affrontement provoque la surrection d'une **chaîne de montagnes** dite de **collision**. Les Alpes et l'Himalaya, par exemple, ont une telle origine. Peut-on retrouver dans ces chaînes des traces de leur histoire ?

1 Les traces d'un ancien domaine océanique

L'organisation de la lithosphère océanique

En classe de Première S, nous savons qu'au niveau des dorsales océaniques, il y a création de plancher océanique ou **accrétion**. L'origine en est la formation, à l'aplomb du rift, de magmas de composition basaltique par fusion partielle des péridotites du manteau supérieur. Ces magmas migrent vers la surface puis, en se refroidissant plus ou moins rapidement, donnent naissance aux **gabbros** et **basaltes** qui, avec les **péridotites**, constituent la **lithosphère océanique**.

Des forages ou des observations directes au fond de l'océan ont montré que ces **roches sont partout superposées de la même façon** : du haut vers le bas, basalte en pillow-lavas, basalte en filons, gabbros et enfin péridotites.

Les ophiolites, du plancher océanique au cœur des chaînes de montagnes

Dans la zone interne de l'arc alpin par exemple, les géologues ont trouvé et décrit des formations rocheuses à l'aspect de « peau de serpent » auxquelles ils ont donné le nom d'**ophiolites** (de *ophis* pour serpent). Elles sont constituées par la superposition de trois types de roches du haut vers le bas :
- des **basaltes** à l'aspect en coussins (pillow-lavas) très caractéristique ;
- des **gabbros**, roches grenues présentant de gros cristaux de pyroxènes et de plagioclases ;
- des **péridotites** très sombres avec des veinures vertes qui leur donnent un aspect particulier à l'origine du nom de serpentinites donné à ces roches.

Toutes ces roches sont les vestiges de l'ancien plancher de l'océan alpin dont des lambeaux ont été portés en altitude lors de la collision continentale.

2 Les traces d'une marge continentale passive

Une marge passive se forme lors de la naissance d'un océan

À l'inverse des marges actives (Pérou-Chili, Japon, Antilles...), une **marge océanique passive** n'est pas le siège d'une sismicité et d'un volcanisme importants. **Un tel type de marge se forme lors de la naissance de l'océan** dont elle constituera plus tard la bordure.

En effet, un océan naît de la déchirure d'un continent. La croûte continentale est étirée, ce qui aboutit à la mise en place d'un **rift continental** : des failles normales encadrent un fossé central effondré. Ensuite, une invasion marine submerge le fossé et du plancher océanique commence à se former : un bassin océanique étroit (type « mer Rouge ») s'installe. Enfin, la mer étroite s'élargit. Ainsi la bordure européenne occidentale est le vestige d'une des deux « lèvres » du rift continental qui a donné naissance à l'océan Atlantique.

Les caractéristiques d'une marge continentale passive

Au niveau d'une marge continentale passive, la croûte continentale est fracturée par un ensemble de failles normales légèrement concaves vers le haut, les **failles listriques**. Ces dernières délimitent des blocs de croûte, d'une largeur moyenne de quinze kilomètres, qui basculent les uns par rapport aux autres suite à l'étirement de la zone : on les nomme des **blocs basculés**.

Ces blocs de croûte fracturée sont recouverts de sédiments :
- certains, les plus anciens, sont basculés avec les blocs qu'ils surmontent et ont une structure caractéristique **en éventail** ;
- les plus récents recouvrent l'ensemble et ne sont ni basculés ni affectés par les failles.

Ainsi, l'âge des sédiments en éventail nous permet de connaître l'âge de l'ouverture océanique.

Des vestiges de marge océanique passive dans les Alpes

Dans la région de l'Oisans, à proximité de Grenoble, les sédiments marins du Jurassique inférieur sont très irréguliers :
- par endroits, l'épaisseur des strates peut atteindre plusieurs centaines de mètres (elles sont alors souvent formées de couches épaisses de marnes à ammonites) ;
- quelques kilomètres plus loin, l'épaisseur de ces mêmes strates n'est plus que de quelques dizaines de mètres (elles sont alors riches en matériaux détritiques).

Ces variations de sédimentation montrent que, **lors de la formation de l'océan alpin, cette région correspondait à une marge passive**. Des blocs basculés de croûte continentale ont donné naissance à une série de bassins sédimentaires. Au creux de ces bassins, contre les failles, la profondeur d'eau est importante et des sédiments de haute mer se déposent ; inversement, au niveau de la crête des blocs basculés, il se forme des hauts-fonds ou des îles, et la sédimentation y est beaucoup moins épaisse voire même absente.

3 Les témoins d'une ancienne subduction

La subduction est la conséquence du vieillissement de la croûte océanique

La **disparition de la lithosphère océanique** par **subduction** est en fait la conséquence d'une modification de ses propriétés au cours du temps.

Au niveau de la dorsale, la lithosphère nouvellement formée, mince et chaude, « flotte » sur l'asthénosphère car elle est moins dense.

À mesure qu'elle vieillit, en s'éloignant de la dorsale, la lithosphère océanique **se refroidit et son épaisseur augmente**. En effet, la limite entre lithosphère et asthénosphère dépend de l'état physique et donc de la température des matériaux.

Avec le temps, **la densité de la lithosphère océanique finit par devenir supérieure à celle du manteau asthénosphérique**. La plaque, un temps maintenue en surface par la lithosphère voisine, finit par sombrer dans le manteau à la faveur des mouvements tectoniques globaux de convergence des plaques.

Des roches métamorphiques caractéristiques d'une subduction

Les **gabbros**, roches caractéristiques du plancher océanique, subissent avec le temps des transformations métamorphiques : ils deviennent des **métagabbros**.

Les premiers métagabbros du plancher océanique vieillissant sont des « **schistes verts** » qui renferment des **chlorites** (minéraux verts témoignant d'une importante hydratation).

Lors du plongement de la lithosphère océanique, les « schistes verts » sont transformés en « **schistes bleus** », dont les reflets bleutés sont dus à la présence d'une amphibole bleue : le **glaucophane**. Enfin, si ces « schistes bleus » sont entraînés davantage en profondeur, ils sont transformés en **éclogites** : des **grenats** y apparaissent associés à un pyroxène vert, la **jadéite**.

Glaucophane, grenat et jadéite ne peuvent se former que dans les conditions de température et de pression qui caractérisent les zones de subduction. Ils témoignent en outre d'une **déshydratation** intense subie par les métagabbros.

Les traces d'un métamorphisme de subduction dans les Alpes

Les métagabbros, roches caractéristiques des zones de subduction, sont fréquents dans la zone interne des Alpes (massif du Queyras). Leur répartition géographique révèle une zonation très nette du métamorphisme dans les Alpes : d'ouest en est, on assiste à un passage progressif de roches du type schistes verts à des schistes bleus, puis à des éclogites. L'intensité du métamorphisme est donc croissante d'ouest en est, ce qui signifie que les roches y ont été portées à des températures et des pressions de plus en plus importantes. C'est donc dans ce sens que s'est effectuée la subduction qui a provoqué la disparition de l'océan alpin : **la plaque alpine a plongé sous une plaque orientale, la plaque adriatique**.

4 La collision continentale et la formation de la chaîne de montagnes

• Le terme ultime de la subduction est la collision des deux masses continentales qui bordaient l'océan disparu. Au moins au début de la collision, les matériaux continentaux ne peuvent pas être entraînés dans la subduction car leur densité est plus faible que celle du manteau asthénosphérique dans lequel la plaque plongeante s'enfonce.

La lithosphère continentale est alors contrainte de s'adapter à la **compression tectonique** :
– en profondeur, où la température est importante, les roches se déforment de manière plastique et forment des **plis** ;
– dans les zones superficielles, plus froides, les roches ont un comportement cassant et se fracturent en **failles inverses**.

La convergence se poursuivant, des **nappes de charriage**, formées par des chevauchements de terrains plus anciens sur des terrains plus jeunes, s'empilent sur de grandes épaisseurs.

Ainsi, la lithosphère continentale répond au mouvement de convergence par un raccourcissement et un épaississement : sous la chaîne de montagnes, la profondeur du Moho peut atteindre plus de 50 km (c'est la « **racine crustale** »).

• Les données récentes de la tomographie sismique, en particulier sous l'Himalaya, montrent que, malgré sa faible densité et contrairement à ce que pensaient les géologues jusqu'à une époque récente, la croûte continentale peut s'enfoncer profondément dans le manteau (sous l'Himalaya, la plaque continentale indienne s'enfonce à la verticale sur près de 1000 km de profondeur) : c'est ce que l'on appelle la **subduction continentale**.

chapitre 2 La formation des chaînes de montagnes

À RETENIR

Les traces d'un ancien domaine océanique

Les **ophiolites** sont les **vestiges de l'ancien plancher** de l'océan qui existait autrefois à l'emplacement d'une chaîne de montagnes. Ces roches, des **basaltes**, des **gabbros** et des **péridotites** sont les mêmes que celles que l'on peut observer dans un plancher océanique actuel âgé et elles sont superposées de la même façon.

Les traces d'une marge continentale passive

Une **marge passive actuelle**, comme celle de la marge européenne de l'océan Atlantique, s'est formée au moment de la naissance de l'océan qu'elle borde aujourd'hui. Elle est fracturée par un ensemble de **failles listriques** qui délimitent des **blocs basculés de croûte** sur lesquels s'est déposée, au moment de l'ouverture océanique, une **sédimentation « en éventail »**.

Ces caractéristiques se retrouvent au cœur des Alpes (région de l'Oisans par exemple) : ce sont les **vestiges d'une ancienne marge océanique passive**, formée lors de l'**ouverture de l'océan alpin**.

Les témoins d'une ancienne subduction

La **subduction** est la conséquence du **vieillissement** du plancher océanique. En effet, à mesure qu'elle vieillit en s'éloignant de la dorsale, la lithosphère océanique se **refroidit**, son **épaisseur** et sa **densité augmentent**. La densité de la lithosphère océanique finit par devenir **supérieure** à celle du manteau asthénosphérique ce qui entraîne inéluctablement son plongement dans le manteau.

Les **gabbros**, roches caractéristiques du plancher océanique, subissent avec le temps des **transformations métamorphiques** : ils deviennent des **métagabbros**. Au cours du vieillissement du plancher, mais avant la subduction, ils ont été transformés en schistes verts ; au cours de la subduction, ces schistes verts deviennent des schistes bleus puis des éclogites.

De telles roches, **caractéristiques des zones de subduction**, sont fréquentes dans la zone interne des Alpes (massif du Queyras) et témoignent d'une **ancienne subduction** dans l'histoire de cette chaîne de montagnes.

La collision continentale et la formation de la chaîne de montagnes

Lors de la collision, la lithosphère continentale s'adapte à la **compression tectonique** en se raccourcissant avec formation de **plis**, de **failles inverses** et de **nappes de charriage**.

Globalement, la croûte s'épaissit au niveau de la chaîne de montagnes, la profondeur du Moho pouvant atteindre plus de 50 km.

Enfin, des données récentes mettent en évidence une **subduction continentale**.

Mots-clés

- Ophiolites
- Marge continentale passive
- Failles normales et blocs basculés
- Subduction
- Métagabbros
- Collision continentale
- Nappes de charriage

Capacités et attitudes

- Recenser, extraire et organiser des informations pour comprendre :
  - le contexte de formation des chaînes de montagnes ;
  - les causes de la subduction océanique.
- Utiliser le microscope polarisant pour identifier les transformations minéralogiques subies par un gabbro au cours de la subduction.
- Utiliser des cartes géologiques pour repérer des ensembles lithologiques régionaux.
- Repérer sur le terrain des indices associés à l'histoire d'une chaîne de montagnes.

SCHÉMA BILAN LA FORMATION DES CHAÎNES DE MONTAGES

ANIMATION

Les traces d'une histoire océanique de la chaîne

• Les traces d'une ancienne marge passive, témoignage de l'ouverture d'un océan

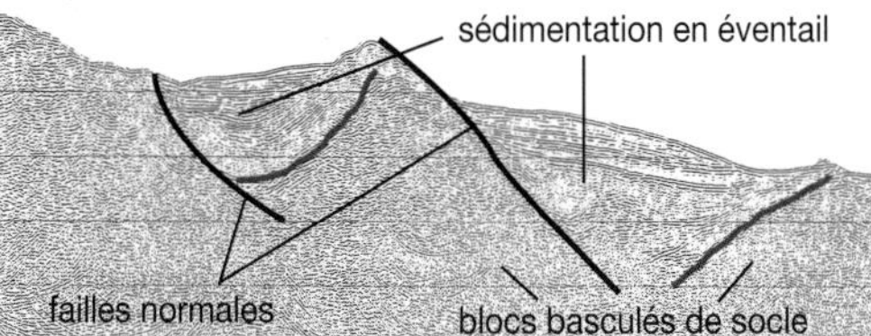

Marge passive actuelle

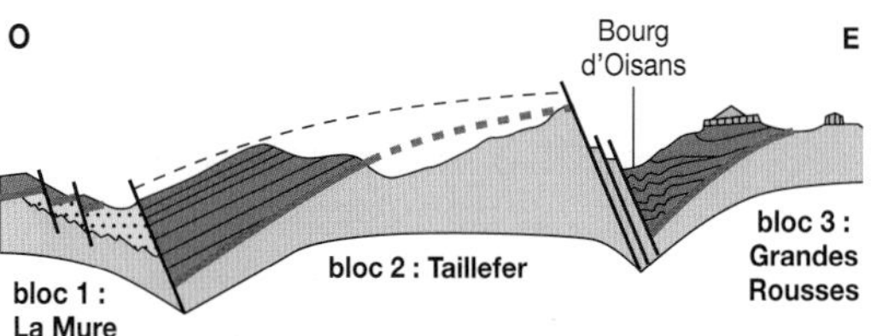

Ancienne marge passive dans les Alpes

• Les ophiolites, témoignage d'un océan en expansion

▲ Des roches superposées comme dans un plancher océanique actuel

Des basaltes en pillow-lavas caractéristiques ▶

Les traces d'une ancienne subduction

• Des métagabbros et des éclogites qui signent une subduction de la croûte océanique

Métagabbro à glaucophane

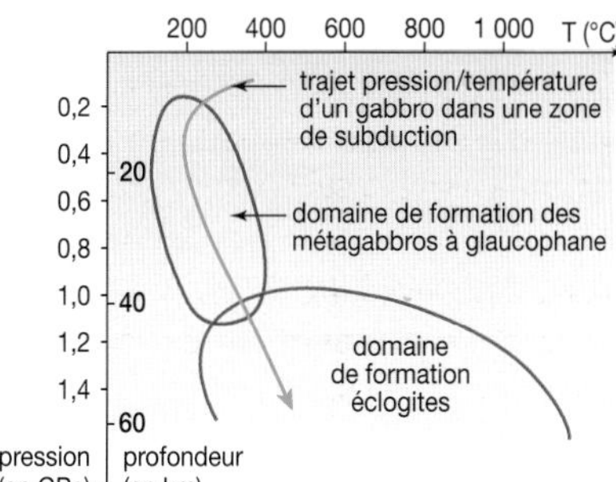

Éclogite à grenat

Les traces de la collision continentale

• Un empilement de nappes de charriage

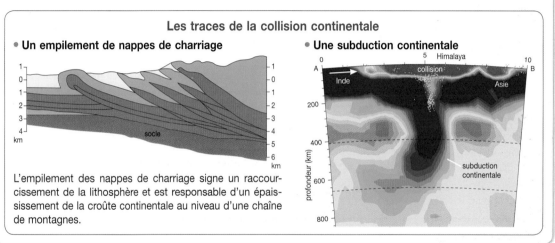

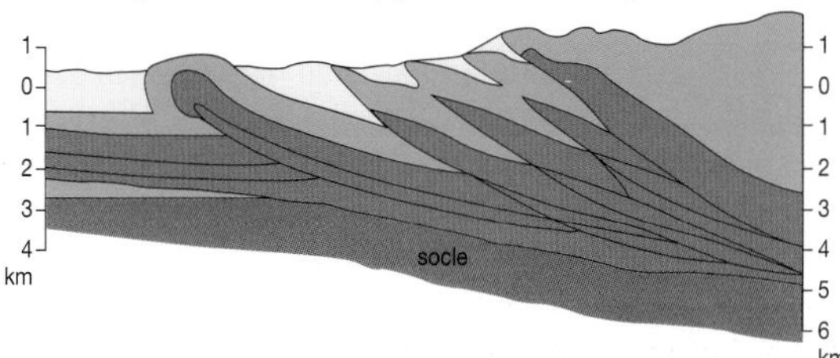

L'empilement des nappes de charriage signe un raccourcissement de la lithosphère et est responsable d'un épaississement de la croûte continentale au niveau d'une chaîne de montagnes.

• Une subduction continentale

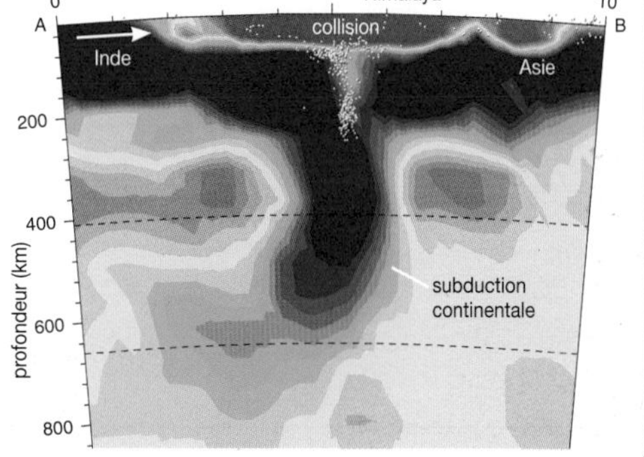

Découvrir une chaîne de montagnes formée de lithosphère océanique

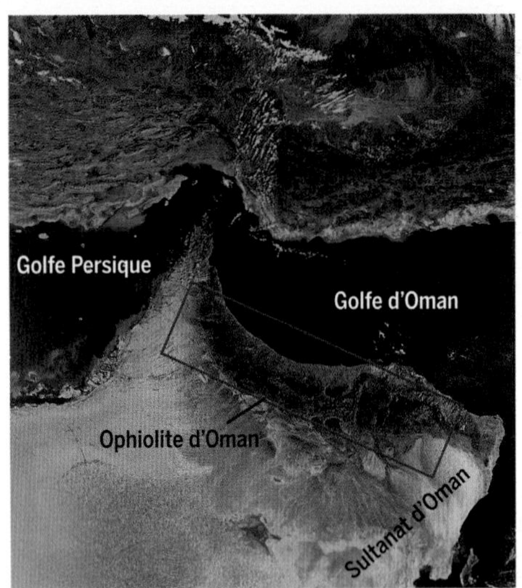

• Le Sultanat d'Oman est un pays du Moyen-Orient, situé dans la péninsule d'Arabie. Au nord du pays se dresse un massif montagneux (repéré par le cadre rouge sur la *vue satellitale ci-contre*) qui s'étend sur 500 km de long. Ce relief imposant *(photographie ci-dessous)* est qualifié de « **plus belle ophiolite du monde** ».

• En parcourant le massif, on découvre les différentes roches qui composent ce complexe ophiolitique. Des **laves en coussins** très caractéristiques sont visibles en surface (**a**). Elles surmontent des filons basaltiques recoupant des **gabbros**. Sous ces complexes filoniens, des gabbros massifs sont visibles au-dessus de **péridotites**, roches appartenant au manteau (**b**). Le Moho, limite séparant la croûte du manteau supérieur, est donc ici visible en surface !

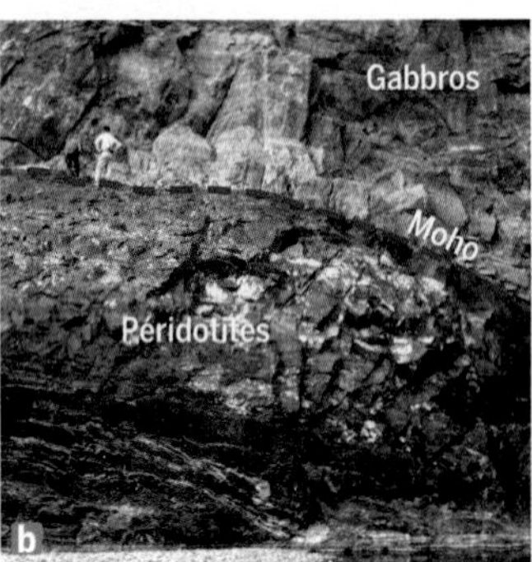

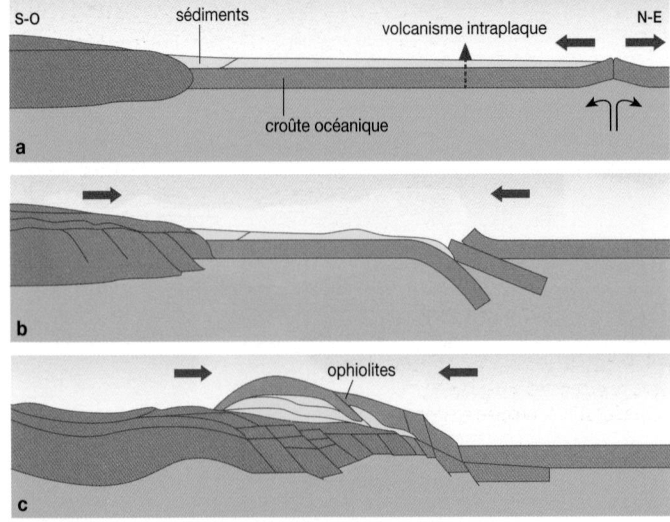

• Le modèle permettant de comprendre la présence d'une telle portion de lithosphère océanique sur le continent fait appel au phénomène d'**obduction** : il s'agit du charriage d'une portion de lithosphère océanique sur le continent.

Dans le cas de l'ophiolite d'Oman, le scénario à l'origine du massif ophiolitique est présenté ci-contre. Il y a 100 Ma, un océan était présent entre la péninsule arabique et l'Iran *(schéma **a**)*. Les contraintes s'inversant, l'océan s'il est refermé par subduction, il y a 90 Ma (*schéma* **b**). Cependant, la subduction a été bloquée par la présence d'un arc volcanique sur le plancher océanique. Ainsi, la convergence se poursuivant, c'est toute une portion de lithosphère océanique qui s'est désolidarisée du manteau et qui a été **charriée sur le continent**, il y a 80 Ma (*schéma* **c**).

… mieux comprendre l'histoire des sciences

De la montagne des esprits à la montagne des scientifiques

• **Les montagnes, des lieux « maudits »**
Les montagnes n'ont pas toujours été des lieux touristiques propices à l'escalade et à la pratique du ski ! Dans l'inconscient collectif, elles ont été considérées, jusqu'au XVIIe siècle, comme la demeure des esprits malins et de l'âme des défunts. Le **mont Blanc** ne portait pas de nom si ce n'est celui de « montagne maudite ».

• **Des mesures scientifiques au mont Blanc**
À la fin du XVIIIe siècle, le futur mont Blanc commence à faire l'objet de toutes les attentions. Ainsi, **H.-B. de Saussure** organise la première expédition scientifique sur le « toit de l'Europe » *(peinture ci-contre)*. L'intérêt des scientifiques pour le mont Blanc s'amplifie alors et la montagne sera de mieux en mieux connue, à la faveur du développement de l'alpinisme. Plus tard, deux **observatoires scientifiques** y seront construits. Au XIXe siècle, il devient l'un des attraits touristiques majeurs des Alpes.

En août 1787, un an après les chamoniards Balmat et Paccard, le naturaliste genevois de Saussure (1740-1799), accompagné de 17 guides, réussit l'ascension du mont Blanc : c'est la naissance de l'alpinisme.

… bien choisir son parcours de formation

Des métiers liés à l'étude des structures profondes de la croûte terrestre

Vous voulez devenir :
- Technicien géophysicien ;
- Géophysicien ?

Géophysicien

BAC S
• **Université :** plusieurs masters spécialisés, recherche ou professionnel (bac + 5)
• **École d'ingénieurs :** concours à l'issue d'une classe préparatoire aux grandes écoles
• **Diplôme d'état :** Ingénieur recherche / développement

– Recrutement limité, surtout dans l'activité pétrolière

Technicien géophysicien

BAC S
BTS ou IUT « Géologie appliquée »
• **Admission :** sur dossier
• **Formation :** 2 ans, possibilité de poursuivre en Université ou écoles d'ingénieurs
• **Diplôme d'état :** Technicien en géophysique

– Travail sur le terrain
– Des débouchés

Maîtriser ses connaissances

Pour s'entraîner

1 Définissez les mots ou expressions

Subduction, ophiolite, marge continentale passive, métamorphisme, schiste bleu, éclogite, collision, subduction continentale.

2 Vrai ou faux ?

Repérez les affirmations exactes et corrigez celles qui sont inexactes.

a. Une marge continentale passive présente une intense activité sismique.
b. Au cours de l'histoire des Alpes, une subduction océanique a précédé la collision.
c. De nombreuses failles inverses découpent une marge continentale passive.
d. Au cours de son histoire, la lithosphère océanique conserve la même densité.
e. Au cours de la collision, la croûte s'épaissit par empilement de nappes rocheuses.
f. La collision continentale correspond à un chevauchement de plaques lithosphériques.

3 Questions à réponse courte

a. Indiquez les différentes étapes de l'histoire d'une chaîne de montagnes.

b. Expliquez la cause principale de la subduction océanique.

c. Quels indices d'une ancienne subduction trouve-t-on dans une chaîne de collision ?

d. Quels sont, dans les Alpes, les témoins d'une ancienne marge continentale passive ?

4 Justifiez ces affirmations

a. Des contraintes distensives et compressives ont affecté la lithosphère dans les Alpes.

b. Schiste bleu et éclogite sont des métagabbros.

c. Une subduction continentale peut se produire sous une chaîne de montagnes.

d. La lithosphère océanique est beaucoup plus jeune que la lithosphère continentale.

Objectif BAC

5 Les ophiolites du Chenaillet

La *photographie ci-dessous* montre des laves en coussin dans le massif du Chenaillet (Alpes, près de Briançon).

Question de synthèse :

Rappelez l'origine de ces roches et expliquez leur présence à cette altitude.

Votre exposé sera accompagné de schémas.

6 Les métagabbros du Queyras et du mont Viso

A. Questions à choix multiples 

Choisissez la bonne réponse pour chaque série d'affirmations.

1. **Les schistes bleus :**

a. sont des roches magmatiques ;

b. proviennent d'une transformation de roches de la croûte continentale ;

c. ont une composition chimique voisine de celle d'un gabbro ;

d. ont la même composition minéralogique qu'un gabbro.

2. **Les éclogites :**

a. sont constituées des mêmes minéraux que ceux présents dans les schistes bleus ;

b. traduisent un enfoncement important des gabbros dans le manteau au cours de la subduction ;

c. sont des roches magmatiques ;

d. sont constituées majoritairement de quartz.

B. Question de synthèse :

Expliquez la présence dans les Alpes des métagabbros du Queyras et du mont Viso.

Votre exposé sera accompagné de schémas.

Utiliser ses compétences

7 L'Himalaya, une chaîne de collision Pratiquer une démarche scientifique

QUESTION :
À partir de l'exploitation des documents et de vos connaissances, montrez que l'Himalaya présente des caractéristiques d'une chaîne de collision.

DOCUMENT 1 : photographie des péridotites de Spongtang au Ladakh (nord de l'Inde)

Le contact de base des nappes ophiolitiques correspond à la limite neigeuse. Elles surmontent des séries de roches argileuses (pélites) et calcaires.

DOCUMENT 2 : photographie d'un échantillon d'éclogite de la vallée du Kaghan dans l'Himalaya et graphique représentant le champ de stabilité de la coésite

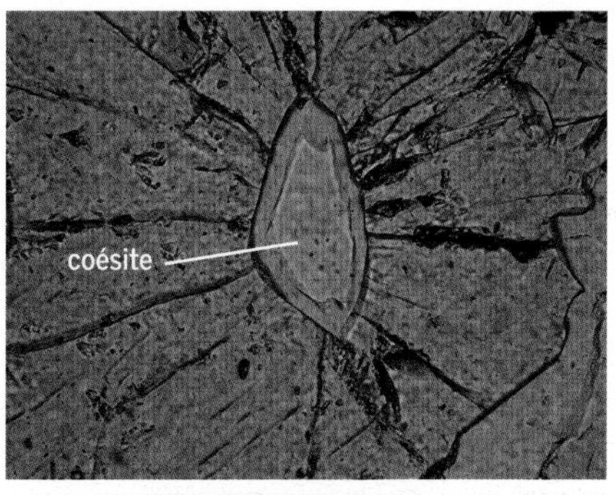

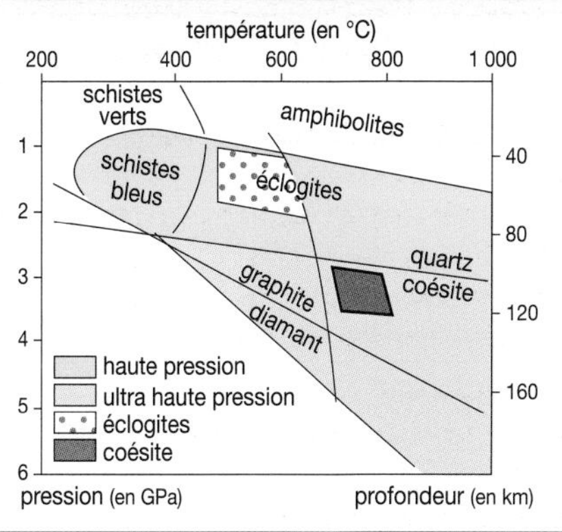

DOCUMENT 3 : carte géologique simplifiée d'une partie de l'Himalaya correspondant à la zone délimitée en rouge sur l'image satellitale ci-dessous et coupe géologique selon le profil nord-sud AB

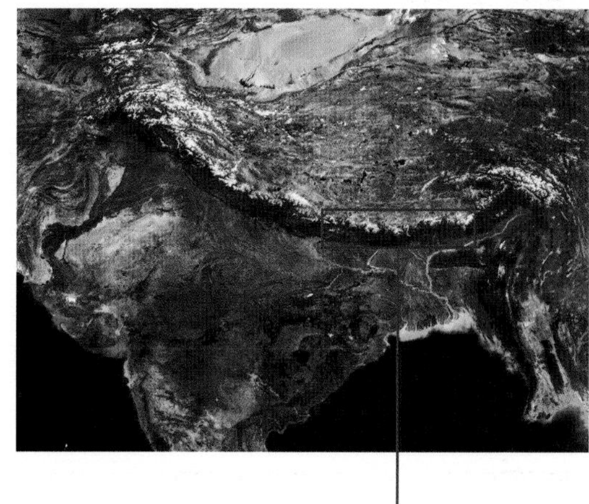

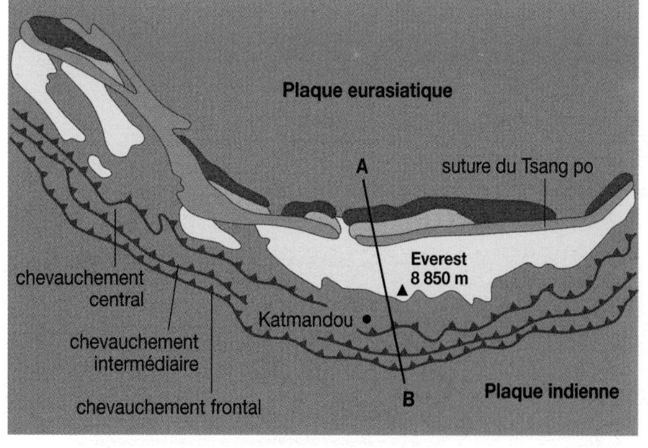

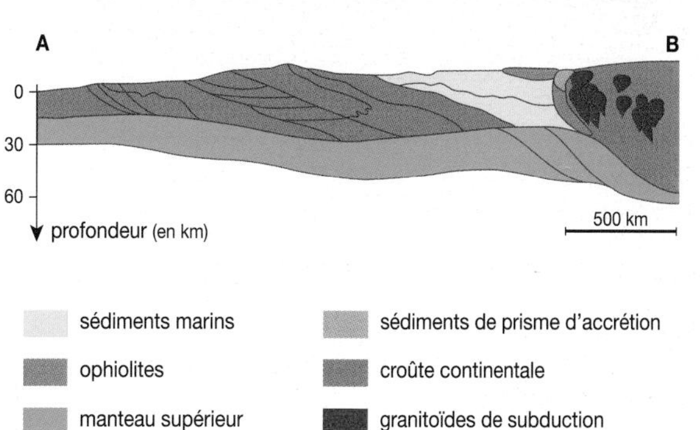

8 La traction d'une plaque en subduction

Extraire et mettre en relation des informations

QUESTION :

Expliquez pourquoi la plaque océanique subit une traction exercée par la lithosphère océanique plongeante.

• La croûte océanique présente une épaisseur constante de 6 km. En revanche, la lithosphère océanique s'épaissit en vieillissant et son épaisseur peut être calculée grâce à la formule :

$$e = 9{,}5\sqrt{t}$$

avec l'épaisseur **e** en km et le temps **t** en Ma.

• **Les densités** des différentes enveloppes sont les suivantes :

croûte continentale	2,82
croûte océanique	3,00
manteau lithosphérique	3,30
asthénosphère	3,25

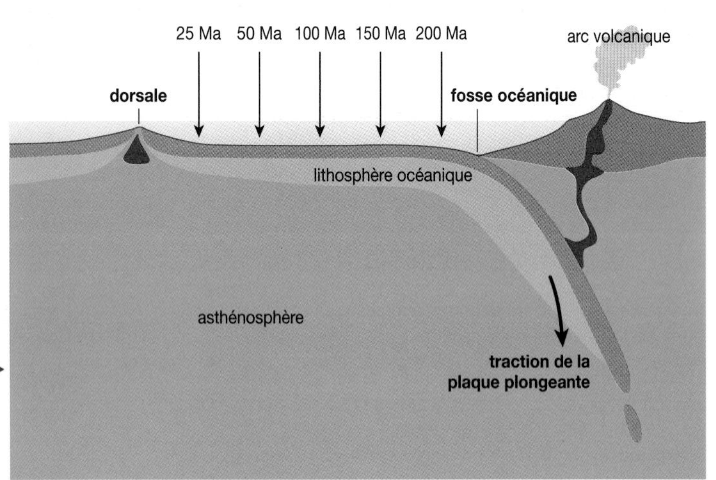

Modèle de l'évolution d'une lithosphère océanique depuis son accrétion au niveau d'une dorsale jusqu'à son enfouissement par subduction *(les chiffres indiquent l'âge de la lithosphère, en millions d'années).*

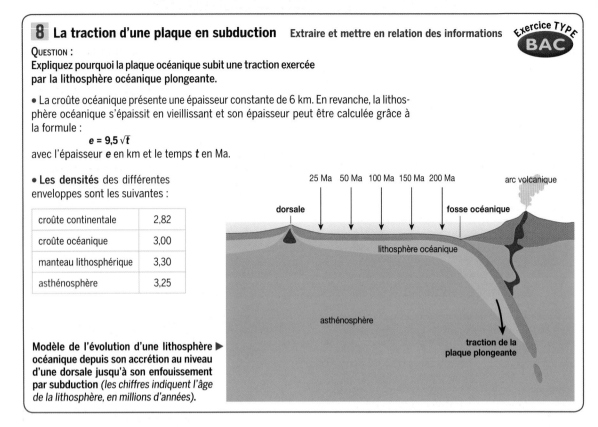

9 Le massif de l'Oisans, témoin de l'histoire alpine

Extraire des informations, raisonner

QUESTION :

À partir de l'exploitation du document et de vos connaissances, montrez que ce massif a enregistré plusieurs phases de l'histoire des Alpes.

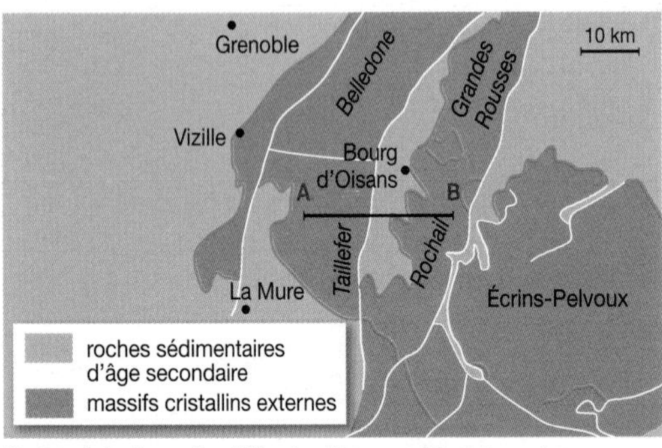

Carte géologique simplifiée des Alpes occidentales externes

La *coupe ci-contre* présente les structures tectoniques et les terrains présents dans la vallée d'Ornon entre les massifs du Taillefer et du Rochail.

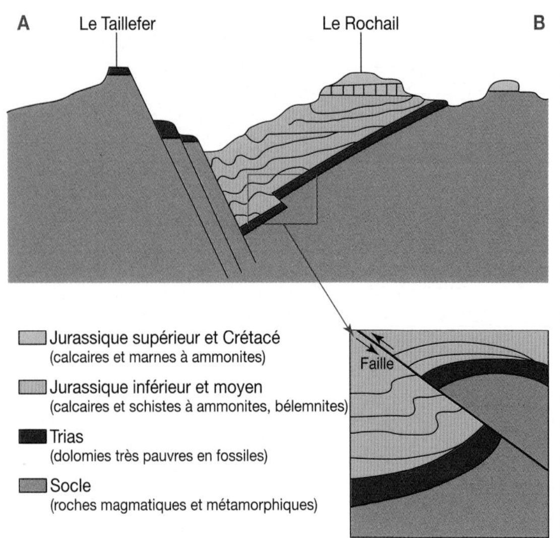

Utiliser ses capacités expérimentales

10 L'histoire des Alpes racontée par les métagabbros

Utiliser un microscope polarisant, raisonner, communiquer

SE PRÉPARER aux épreuves pratiques du BAC

■ Problème à résoudre

Dans les Alpes, il est possible d'observer différentes roches que l'on regroupe sous l'appellation de « métagabbros ». On se propose de montrer que l'observation, au microscope, de lames minces de ces échantillons indique qu'une subduction a précédé la collision.

■ Matériel disponible

- Microscope polarisant équipé d'un dispositif d'acquisition d'images.
- Diagramme P/T.
- Roches et lames minces.
- Fiche de reconnaissance des minéraux du métamorphisme (voir pages 402 à 405).

■ Conception et mise en œuvre d'une démarche

- Expliquez comment l'observation de certains minéraux permet de répondre au problème posé.
- Réalisez les observations et sélectionnez quelques vues pertinentes.

■ Communication et exploitation des résultats

La forme est laissée au choix, mais la production réalisée devra comporter :
- des dessins ou des photographies des observations réalisées, indiquant la composition minéralogique des roches étudiées ;
- la place des roches étudiées dans le diagramme P/T fourni ;
- un raisonnement qui répond au problème à résoudre.

Document 1 : diagramme Pression-Température avec les domaines de stabilité de différentes associations minérales

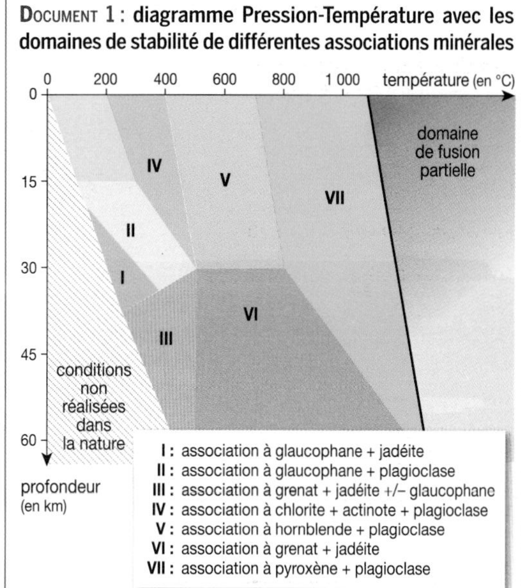

Document 2 : roches et lames minces de différents métagabbros récoltés dans les Alpes

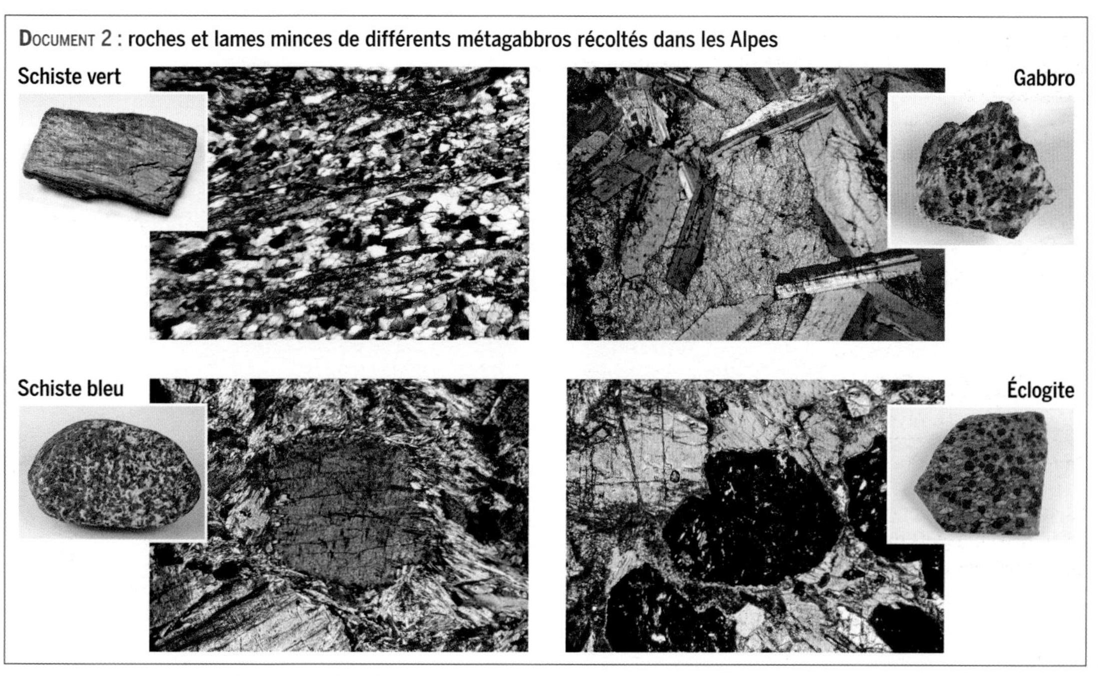

Des DOCUMENTS pour se poser des questions

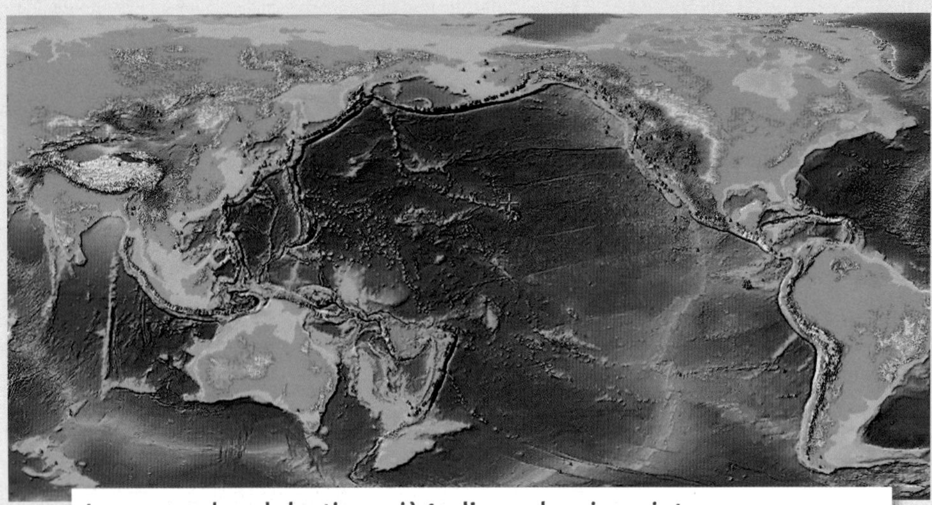

Les zones de subduction : siège d'un volcanisme intense

Le pourtour de l'océan Pacifique est le siège de manifestations sismiques et volcaniques violentes (« ceinture de feu »). Par ailleurs, on y observe des fosses océaniques profondes. Ces caractéristiques sont typiques des zones de subduction.

Les zones de subduction, siège d'une production de croûte continentale

La croûte océanique se forme par accrétion au niveau des dorsales. De la croûte continentale se forme, quant à elle, au niveau des zones de subduction. Cette accrétion continentale a été particulièrement importante au début de l'histoire de la Terre (*photographie ci-contre* : les gneiss d'Amitsoq au Groenland, croûte continentale âgée de 3,8 Ga).

LES PROBLÉMATIQUES DU CHAPITRE

- Quelles sont les caractéristiques du volcanisme des zones de subduction ?
- Quelle est l'origine du magmatisme des zones de subduction ?
- Comment expliquer la production de matériaux continentaux au niveau des zones de subduction ?

chapitre 3

Une production actuelle de croûte continentale dans la cordillère des Andes.

Zones de subduction et production de croûte continentale

LES ACTIVITÉS DU CHAPITRE

Le volcanisme des zones de subduction

On distingue deux grands types de manifestations volcaniques : le volcanisme effusif et le volcanisme explosif. Ce dernier, particulièrement dangereux, est systématiquement observé au niveau des zones de subduction. *L'étude des produits rejetés au cours de ces éruptions permet d'expliquer leur caractère explosif.*

A Un volcanisme explosif

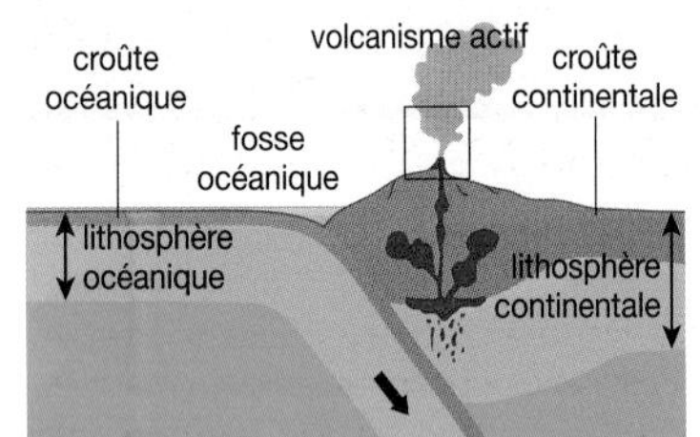

Les éruptions volcaniques peuvent être classées en fonction d'un Indice d'Explosivité Volcanique (indice VEI). Cet indice est défini à partir de différentes observations : volume de **téphras** (matières solides éjectées au cours de l'éruption), hauteur de la colonne éruptive... Le *tableau ci-dessous* présente les caractéristiques attribuées à chaque indice (l'échelle des indices est ouverte, c'est-à-dire qu'il n'est pas exclu que des manifestations encore plus violentes soient un jour observées).

VEI	Description	Hauteur de la colonne éruptive	Volume éjecté	Exemples
0	non explosif	< 100 m	> 10^3 m³	Kilauea (Hawaï), point chaud
1	modéré	100-1000 m	> 10^4 m³	Stromboli (Italie)
2	explosif	1-5 km	> 10^6 m³	Galeras (Colombie, 1992)
3	catastrophique	3-15 km	> 10^7 m³	Nevado del Ruiz (Colombie, 1985)
4	cataclysmique	10-25 km	> 0,1 km³	Galunggung (Indonésie, 1982)
5	paroxystique	> 25 km	> 1 km³	Vésuve (Italie, 79) ; Mt St Helens (États-Unis, 1980)
6	colossal	> 25 km	> 10 km³	Krakatoa (Indonésie, 1883)
7	mégacolossal	> 25 km	> 100 km³	Santorin (Grèce, 1600 avant J.-C.)
8	apocalyptique	> 25 km	> 1000 km³	Super volcan de Toba (Indonésie, 74 000 ans)

Doc. 1 L'indice d'explosivité des éruptions volcaniques.

Une éruption explosive telle que celle du Guagua Pichincha (Équateur) libère une quantité importante de matériaux solides (cendres, blocs) et de gaz sous forme de **nuées ardentes** et de colonnes éruptives qui peuvent atteindre plus de 15 km d'altitude. Les gaz volcaniques émis sont surtout constitués de vapeur d'eau (de 70 à 90 %). Les autres gaz présents (CO_2, SO_2, N_2, H_2, CO, SO_2...) peuvent, en réagissant avec l'eau ou l'hydrogène, former de nombreux composés toxiques comme l'acide chlorhydrique, l'acide fluorhydrique, l'acide sulfurique ou le sulfure d'hydrogène.

Les gaz rejetés sont initialement dissous au sein du magma profond. C'est le dégazage de ce magma qui joue un rôle déterminant dans le déclenchement de l'éruption d'une part, et dans le type éruptif, d'autre part. En effet, c'est le dégazage qui constitue le « moteur » assurant l'ascension du magma depuis la chambre magmatique vers la surface. Dans le cas où le magma est particulièrement visqueux, l'expulsion des gaz est freinée et ceux-ci génèrent alors des pressions qui deviennent colossales ; l'éruption devient explosive, voire cataclysmique.

Une explosion du Guagua Pichincha, volcan situé en Équateur, à 14 km à l'ouest de Quito, la capitale ▶

Doc. 2 Les produits rejetés lors d'une éruption explosive.

B Des laves à viscosité élevée

• **Les explosions peuvent produire des nuées ardentes**

Nuée ardente dévalant les pentes du mont Saint-Helens après l'explosion de son sommet (1980)

Lorsque la pression des gaz dans la chambre magmatique devient trop importante, le sommet du volcan, formé de laves refroidies, est pulvérisé par une gigantesque explosion qui donne naissance à une nuée ardente. Il s'agit d'un aérosol composé de gaz, de cendres et de blocs de toutes tailles, porté à haute température (plusieurs centaines de degrés Celsius) qui dévalent les pentes du volcan à grande vitesse (200 à 600 km par heure).

• **Un dôme de lave obstrue la cheminée volcanique**

Dôme de lave visqueuse en formation au fond du cratère après l'explosion du mont Saint-Helens (1984)

Après une série d'explosions, le sommet du volcan présente un énorme cratère (ici, 2,5 km de diamètre) dans lequel débouche une cheminée volcanique. De la lave monte alors dans cette cheminée, mais comme elle est trop visqueuse pour pouvoir s'écouler, elle forme un dôme. Ce dôme se refroidit et obstrue totalement la cheminée ; les gaz vont donc s'accumuler au-dessous jusqu'au prochain épisode explosif.

Doc. 3 Des éruptions explosives liées à la viscosité des magmas.

La composition chimique du magma joue un rôle clé dans la détermination de sa viscosité, c'est-à-dire dans la résistance qu'il manifeste face à l'écoulement. Cette résistance est fonction des frictions internes provenant des différentes liaisons chimiques à l'intérieur du liquide et notamment de la liaison Si–O qui constitue le facteur le plus important. Les laves sont donc d'autant plus visqueuses qu'elles sont riches en silice.

Au niveau des volcans des zones de subduction, les magmas et donc les laves (qui résultent du dégazage du magma) sont essentiellement de nature andésitique et rhyolitique. Le *tableau* et le *graphe ci-dessous* permettent de mettre en relation la viscosité de ces laves avec leur teneur en silice. Ils permettent aussi d'effectuer une comparaison avec le basalte, lave fluide formant des coulées, caractéristique des volcans effusifs (Hawaï, La Réunion...).

Teneur en silice (SiO_2)	Nature chimique du magma
44 à 50 %	basaltique
54 à 63 %	andésitique
68 à 77 %	rhyolitique

Ordre de grandeur de la viscosité (en poises) de plusieurs types de lave

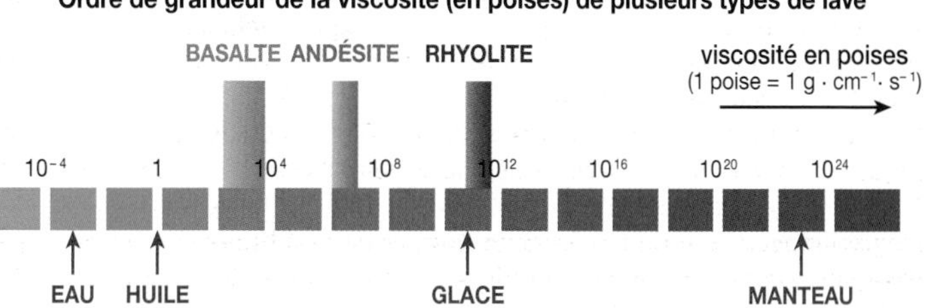

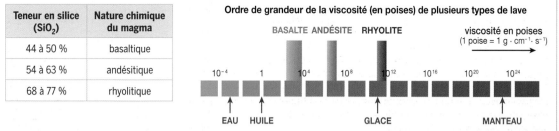

Doc. 4 Une relation entre viscosité et teneur en silice.

Pistes d'exploitation

PROBLÈME À RÉSOUDRE ▶ **Quelles sont les particularités du volcanisme des zones de subduction ?**

Doc. 1 Expliquez en quoi les volcans des zones de subduction sont parmi les plus dangereux.

Doc. 2 Indiquez le gaz principal rejeté lors de l'éruption volcanique.

Doc. 3 Expliquez l'explosivité des volcans des zones de subduction.

Doc. 4 Comparez les viscosités des laves basaltiques avec celles des laves des zones de subduction.

Lexique, p. 406

Les roches magmatiques des zones de subduction

Les zones de subduction présentent un magmatisme intense et donc une importante production de roches magmatiques. *Observons ici quelques roches caractéristiques des zones de subduction issues du refroidissement des magmas, en surface ou en profondeur.*

A Des roches volcaniques

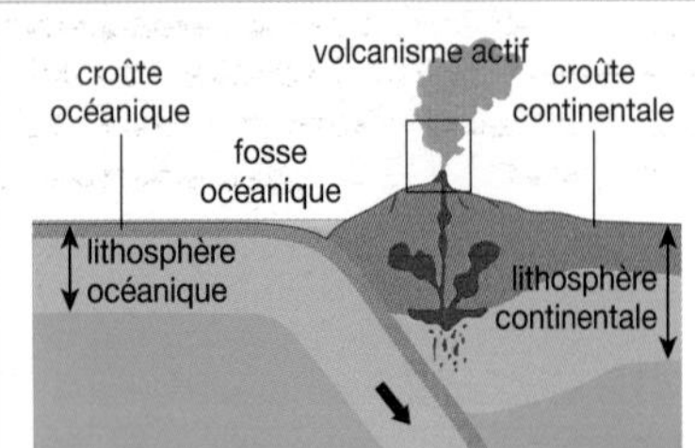

Au niveau de l'arc volcanique, une quantité importante de lave visqueuse est produite à chaque éruption. Le refroidissement en surface de ces laves engendre la formation d'une grande diversité de roches qualifiées de volcaniques. Parmi celles-ci, l'andésite et la rhyolite sont caractéristiques des zones de subduction.

• L'ANDÉSITE

a Un échantillon d'andésite

b Lame mince d'andésite observée en lumière polarisée analysée

L'andésite

- **Roche magmatique volcanique**
- **Structure microlitique**
- **Composition minéralogique :**
  – phénocristaux de plagioclases, d'amphiboles, de pyroxènes, de biotite ;
  – microlites d'amphiboles et de plagioclases ;
  – verre (partie non cristallisée).

• LA RHYOLITE

a Un échantillon de rhyolite

b Lame mince de rhyolite observée en lumière polarisée analysée

La rhyolite

- **Roche magmatique volcanique**
- **Structure microlitique**
- **Composition minéralogique :**
  – phénocristaux de quartz, d'amphiboles, de feldspath potassique et plagioclases, de biotite ;
  – microlites de quartz et de feldspaths ;
  – verre (partie non cristallisée).

Doc. 1 Des roches volcaniques des zones de subduction : andésite et rhyolite.

B Des roches plutoniques

Au cours d'une éruption volcanique, une partie du magma n'atteint pas la surface et refroidit en profondeur. Les roches ainsi formées sont appelées **roches plutoniques.** Elles n'affleurent en surface que des millions d'années après leur formation, suite à une érosion importante. Au niveau des zones de subduction, une grande variété de roches plutoniques peut se former. La diorite est une des plus caractéristiques.

• LA DIORITE

a Un échantillon de diorite

b Lame mince de diorite observée en lumière polarisée analysée

La diorite
- Roche magmatique plutonique
- Structure grenue
- Composition minéralogique : plagioclases, amphiboles, biotite et muscovite, pyroxènes.

Doc. 2 Une roche plutonique caractéristique : la diorite.

Composition minéralogique des roches plutoniques des zones de subduction (en %)

	Granite (ou rhyolite*)	Diorite (ou andésite*)	Basalte (pour comparaison)
Quartz	30,5	–	–
Orthose	35,5	–	–
Plagioclases	14	60	50
Biotite, muscovite	10	5	–
Pyroxènes	–	12	25 à 40
Amphiboles	8	20	–
Olivine (péridot)	–	–	10 à 25
Magnétite (Fe_3O_4)	–	–	2 à 3

* Rhyolite et andésite présentent respectivement les mêmes minéraux que granite *et* diorite, mais sous forme de phénocristaux noyés dans du verre.

Composition chimique en oxydes (en %)

	SiO_2	Al_2O_3	FeO MgO	Na_2O K_2O	CaO	H_2O
Quartz	100	0	0	0	0	0
Orthose	66,67	11,11	0	22,22	0	0
Plagioclases	50,35	33,23	0	4,12	11,67	0
Biotite	35,3	5,88	35,3	11,76	0	11,76
Muscovite	46,1	23,1	0	15,4	0	15,4
Pyroxènes	50	0	50	0	0	0
Amphiboles	50	0	43,75	0	0	1,25

Formules chimiques des principaux minéraux
- Quartz : SiO_2
- Feldspath, orthose : $KAlSi_3O_8$
- Plagioclases : $CaAl_2Si_2O_8$; $NaAlSi_3O_8$
- Biotite (mica noir) : $K(Fe,Mg)_3AlSi_3O_{10}(OH)_2$
- Muscovite (mica blanc) : $KAl_2(AlSi_3O_{10})(OH)_2$
- Pyroxènes : $Ca(Fe,Mg)Si_2O_6$
- Amphiboles : $NaCa_2(Mg,Fe,Al)_5[(Si,Al)_8O_{22}](OH)_2$

Doc. 3 Des roches riches en minéraux hydroxylés.

Pistes d'exploitation

PROBLÈME À RÉSOUDRE ► Quelles sont les caractéristiques des roches magmatiques des zones de subduction ?

Doc. 1 et 2 Observez, à l'œil nu et au microscope, les roches présentées. Identifiez les minéraux dans les lames minces à l'aide des Fiches d'identification (p. 402 à 405).

Doc. 3 Comparez les compositions minéralogiques des roches des zones de subduction et du basalte.

Doc. 3 Quelle(s) hypothèse(s) pouvez-vous émettre quant à l'origine de l'eau dans les roches étudiées ?

Lexique, p. 406

La genèse des magmas des zones de subduction

La formation d'un magma au niveau des dorsales océaniques provient de la fusion partielle des péridotites par décompression du manteau à l'aplomb de la dorsale. *Le contexte géodynamique des zones de subduction ne permet pas cette décompression. Il y a pourtant formation de magma au niveau de ces zones.*

A Les conditions d'une fusion partielle du manteau en zone de subduction

- **Données thermiques et sismiques en zone de subduction**

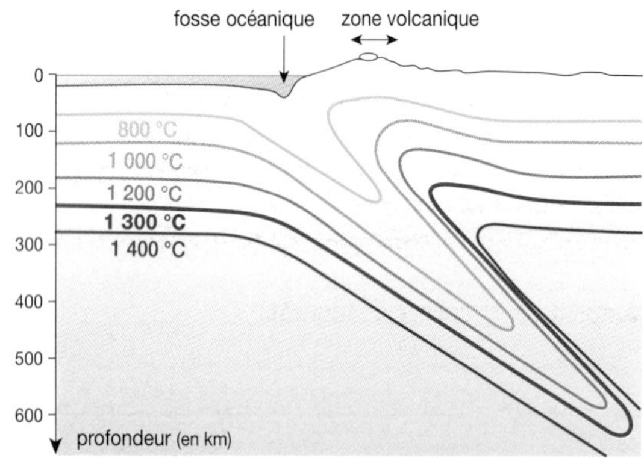

Modèle des isothermes en zone de subduction

En utilisant les mesures de flux thermique au niveau des zones de subduction et par calcul, les géophysiciens proposent un modèle des variations de températures en profondeur. On rappelle que l'isotherme 1 300 °C correspond à la limite lithosphère-asthénosphère.

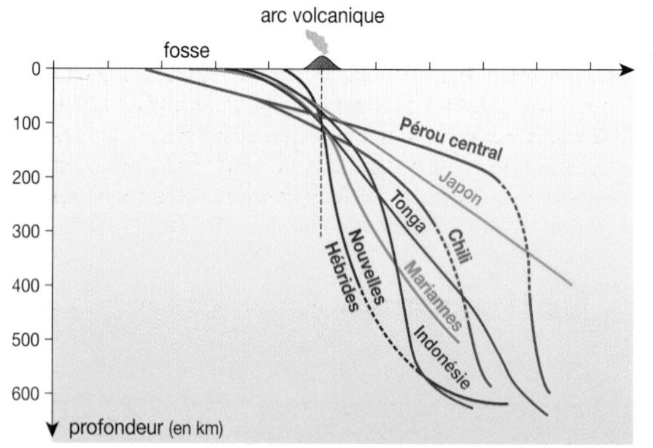

Localisation du volcanisme par rapport au plan de Benioff dans différentes zones de subduction

Le long des zones de subduction, la plupart des volcans actifs sont situés à l'aplomb du plan de Benioff, défini par l'alignement des foyers sismiques en profondeur. On constate que, quel que soit l'angle d'enfoncement de la plaque, l'ensemble des plans se recoupent entre 80 et 150 km de profondeur sous les volcans actifs.

- **Conditions expérimentales de fusion partielle de la péridotite**

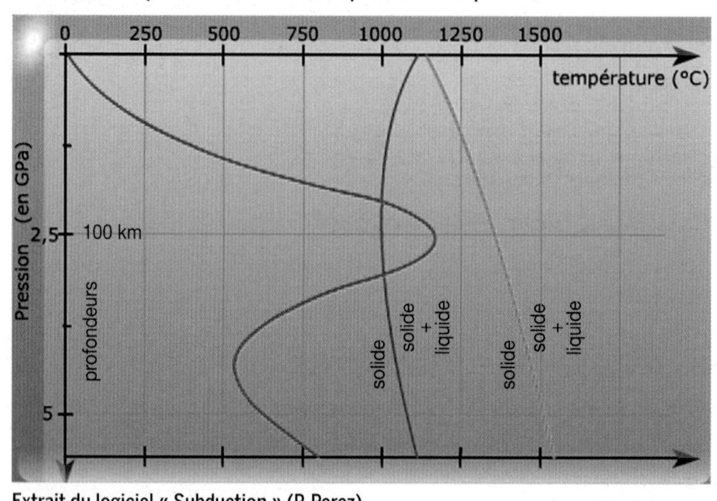

Extrait du logiciel « Subduction » (P. Perez)

Le *diagramme ci-contre* représente l'évolution de la température en fonction de la profondeur, à la verticale de l'arc magmatique d'une zone de subduction. Les deux courbes de solidus représentent les conditions de température et de pression de début de fusion de la péridotite, l'une pour des péridotites en milieu dépourvu d'eau, l'autre pour des péridotites en présence de vapeur d'eau.

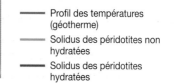

- Profil des températures (géotherme)
- Solidus des péridotites non hydratées
- Solidus des péridotites hydratées

Doc. 1 Les conditions de température et de pression dans le manteau, au niveau d'une zone de subduction.

B La déshydratation des roches de la croûte océanique

Nous avons vu, *page 172*, qu'en vieillissant, les gabbros de la croûte océanique se transforment en une série de roches métamorphiques appelées métagabbros. En fonction des minéraux qu'ils contiennent, de leur disposition et de leur couleur, on distingue d'abord des schistes verts, roches qui se forment au cours du vieillissement de la croûte et qui sont riches en minéraux hydratés, chlorite et actinote notamment. Ces schistes verts sont entraînés dans la subduction avec la plaque plongeante et sont transformés en schistes bleus dans lesquels chlorite et actinote sont remplacés par le glaucophane (amphibole sodique), minéral beaucoup moins hydraté que la chlorite (2 % contre 10 à 12 %).

Enfin, plus profondément, les schistes bleus sont transformés en éclogites où prédominent les minéraux anhydres comme la jadéite (pyroxène sodique) et le grenat.

Ces transformations résultent de réactions chimiques (les réactions du métamorphisme) qui s'opèrent à l'état solide entre minéraux voisins et qui s'accompagnent d'une déshydratation progressive au cours de l'enfoncement. L'eau libérée par ces réactions diffuse dans les péridotites sus-jacentes.

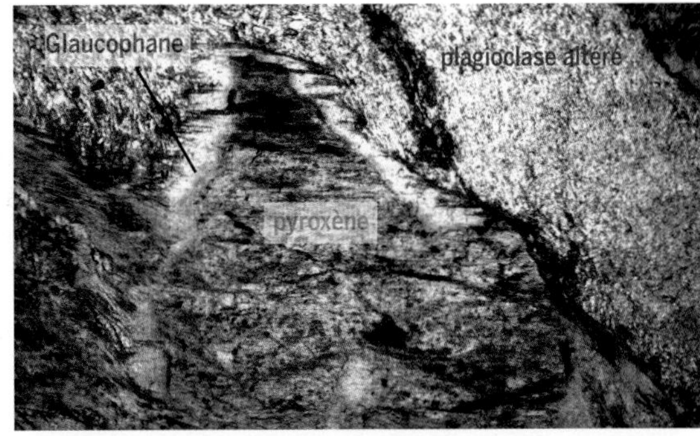

Un exemple de réaction entre deux minéraux voisins : la réaction 3 ci-dessous

Quelques réactions du métamorphisme

Réaction 1 : plagioclase + pyroxène + eau → amphibole verte
Réaction 2 : plagioclase + amphibole verte + eau → chlorite + actinote
Réaction 3 : pyroxène + plagioclase → glaucophane + eau
Réaction 4 : plagioclase + glaucophane → grenat pyrope + jadéite + eau

Doc. 2 Des réactions du métamorphisme au cours du temps dans la croûte océanique.

Le *schéma ci-contre* représente une coupe synthétique d'une marge active telle qu'on l'imagine actuellement. Elle montre les conséquences du métamorphisme (avec l'hydratation et la déshydratation de la croûte océanique), les lieux de formation des magmas, de la remontée de ces magmas et de leur arrivée en surface ou de leur refroidissement en profondeur.

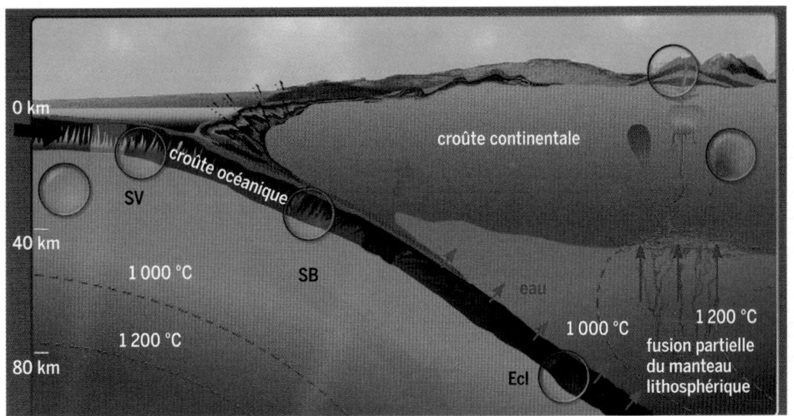

Extrait du logiciel « Subduction » (P. Perez)
SV : métagabbros dans le domaine des schistes verts ;
SB : métagabbros dans le domaine des schistes bleus ;
Ecl : métagabbros dans le domaine des éclogites.

Doc. 3 La déshydratation de la croûte océanique au cours de la subduction.

Pistes d'exploitation

PROBLÈME À RÉSOUDRE ► Comment expliquer la formation du magma dans les zones de subduction ?

Doc. 1 Déterminez les conditions de fusion partielle de la péridotite dans un contexte de subduction.

Doc. 2 En utilisant le diagramme de la page 172, replacez les réactions du métamorphisme citées dans l'histoire d'un gabbro océanique.

Doc. 2 et 3 Établissez une relation entre les réactions du métamorphisme et la genèse de magmas dans une zone de subduction.

Lexique, p. 406

La mise en place de nouveaux matériaux continentaux

La croûte océanique prend naissance au niveau des dorsales océaniques. La croûte continentale, quant à elle, se forme au niveau des zones de subduction, grâce au magmatisme intense qui caractérise ces zones. *Précisons les mécanismes qui ont permis la production de matériaux continentaux.*

A L'accrétion continentale

L'apport de magma sous la coûte continentale et à l'intérieur de celle-ci permet la formation de nouveaux matériaux continentaux *(carte ci-contre)*. Ce magmatisme de subduction est le principal « fabricant » de croûte continentale moderne : on qualifie cette production d'**accrétion continentale**.

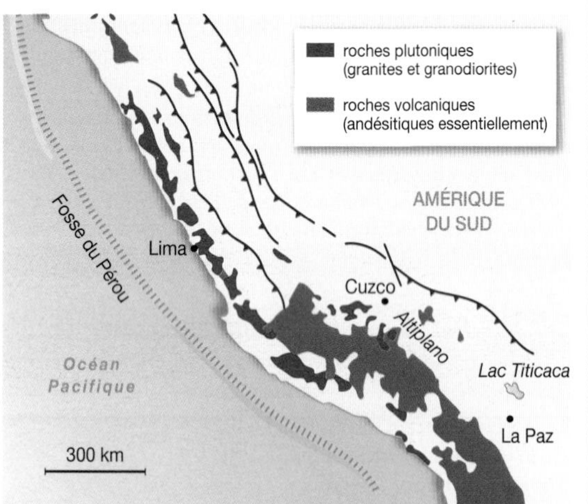

Localisation des roches d'origine magmatique dans la cordillère des Andes (ici, au niveau du Pérou)

Doc. 1 Une production de croûte continentale en Amérique du Sud.

• Des vestiges des premiers continents

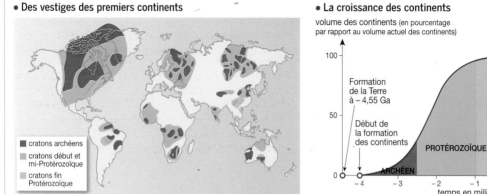

cratons archéens
cratons début et mi-Protérozoïque
cratons fin Protérozoïque

Les géologues repèrent à la surface du globe des **cratons** plus ou moins anciens, c'est-à-dire des domaines continentaux qui sont restés à peu près stables depuis leur formation *(planisphère ci-dessus)*.
C'est l'estimation de l'aire de ces différents cratons en fonction de leur âge qui a permis d'établir la *courbe ci-contre*.

• La croissance des continents

volume des continents (en pourcentage par rapport au volume actuel des continents)
100
50
0
Formation de la Terre à – 4,55 Ga
Début de la formation des continents
ARCHÉEN
PROTÉROZOÏQUE
PHANÉROZOÏQUE
– 4 – 3 – 2 – 1 0
temps en milliards d'années (Ga)

Si l'importance de l'accrétion continentale n'a pas été constante au cours du temps, ce ne serait plus le cas aujourd'hui. En effet, on considère qu'actuellement, création et destruction de la croûte continentale s'équilibrent à peu près et donc que la surface totale de croûte continentale ne change pratiquement plus.

Doc. 2 Une production irrégulière de croûte continentale au cours des temps géologiques.

B Une production de roches de composition granitique

Au cours de leur montée vers la surface, les magmas provenant de la fusion partielle des péridotites du manteau sont piégés dans la profondeur de la croûte continentale. Ils se refroidissent alors lentement et subissent différentes transformations qui modifient leur composition chimique. Il se forme ainsi une grande diversité de roches plutoniques de composition granitique.

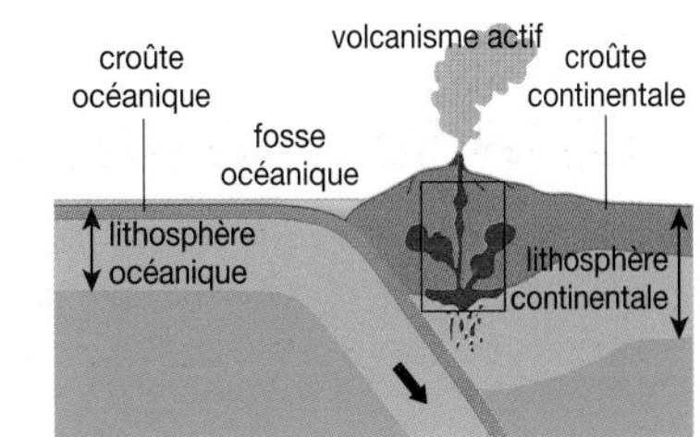

Les couleurs des minéraux, dans les cercles, correspondent aux couleurs des flèches du schéma.

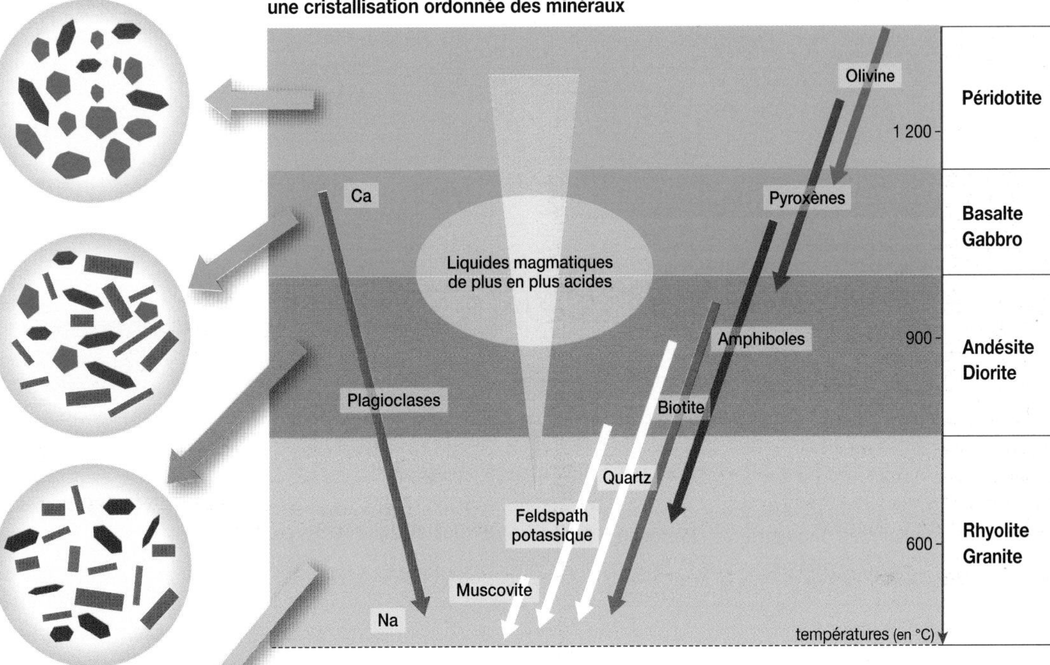

Lors du refroidissement très lent de ces magmas, les minéraux commencent à cristalliser. Ce sont les minéraux les plus pauvres en silice qui cristallisent en premier : olivine, pyroxène, plagioclase calcique. En conséquence, au cours du temps, le liquide magmatique résiduel devient de plus en plus riche en silice. Ce phénomène, nommé **différenciation magmatique** par **cristallisation fractionnée**, permet d'expliquer la formation d'une grande variété de roches de composition granitique (granitoïdes, andésites...) à partir d'un magma originel de composition basaltique. Par ailleurs, ces magmas basiques peuvent aussi devenir plus acides (plus riches en silice) par **contamination**, c'est-à-dire par apport de silice provenant de la croûte continentale encaissante.

Doc. 3 Une différenciation magmatique par cristallisation fractionnée à l'origine de roches granitiques.

Pistes d'exploitation

PROBLÈME À RÉSOUDRE ► Quels sont les mécanismes permettant la production de nouveaux matériaux continentaux ?

Doc. 1 Qu'appelle-t-on accrétion continentale ?

Doc. 2 Décrivez la production de croûte continentale au cours des temps géologiques.

Doc. 3 Expliquez comment un magma de composition basaltique (pauvre en silice) peut donner des roches de composition granitique (riches en silice).

Lexique, p. 406

chapitre 3 Zones de subduction et production de croûte continentale

Au niveau des dorsales océaniques, il se produit une création permanente de lithosphère océanique par accrétion. La lithosphère océanique âgée, en revanche, disparaît dans les profondeurs du globe au niveau des zones de subduction. Ces dernières sont marquées par une intense activité magmatique qui aboutit à une production de croûte continentale.

1 Le volcanisme des zones de subduction

Un volcanisme explosif

Les zones de subduction sont qualifiées de **marges océaniques actives** car l'activité sismique et volcanique y est intense : c'est le cas d'une grande partie du pourtour de l'océan Pacifique (« la ceinture de feu »), ou encore de la région des Antilles. Les édifices volcaniques sont alignés parallèlement à la marge ; les éruptions se caractérisent souvent par leur violence qui peut provoquer, dans les zones habitées, des dégâts considérables.

Les éruptions volcaniques peuvent être classées en fonction d'un **indice d'explosivité volcanique** (VEI en anglais). Ce dernier est défini à partir de différentes observations : volume de téphras (matières solides éjectées au cours de l'éruption), hauteur de la colonne éruptive, etc. Ainsi, une éruption non explosive comme celle d'un volcan d'Hawaï a un VEI de 0 alors que l'éruption colossale du Krakatoa en 1883 (qui a éjecté plus de 10 km^3 de téphras et formé une colonne de cendres haute de plus de 25 km) est classée 6. On retrouve les traces d'éruptions encore plus violentes, apocalyptiques, d'indices 7, 8, voire plus.

Notons qu'une éruption explosive est aussi caractérisée par l'émission d'une grande quantité de **vapeur d'eau**.

Une explosivité liée à la richesse en silice du magma

La composition chimique d'un magma joue un rôle clé dans la détermination de sa viscosité, c'est-à-dire dans la résistance qu'il manifeste face à l'écoulement. Cette résistance est fonction des frictions internes provenant des différentes liaisons chimiques à l'intérieur du liquide et notamment de la liaison Si–O. Ce facteur étant le plus important, les laves sont donc d'autant plus **visqueuses** qu'elles sont **riches en silice**. Or, les magmas produits dans les zones de subduction sont riches en silice *(voir plus loin)*.

Lors d'un épisode éruptif, la lave, trop visqueuse pour pouvoir s'écouler facilement, se refroidit en formant un véritable « bouchon » dans la cheminée volcanique. Les gaz provenant du dégazage du magma s'accumulent alors dans la cheminée et, lorsque la pression des gaz devient trop importante, elle pulvérise le bouchon et, souvent, toute la partie sommitale du volcan est décapitée. Cette gigantesque explosion donne naissance à un énorme panache volcanique et à une **nuée ardente**, aérosol composé de gaz, de cendres et de blocs de toutes tailles, porté à haute température (plusieurs centaines de degrés Celsius) et dévalant les pentes du volcan à grande vitesse (200 à 600 km par heure).

2 Les roches magmatiques des zones de subduction

Des roches volcaniques et des roches plutoniques

Dans les zones de subduction coexistent des roches volcaniques et des roches plutoniques.

Les **roches volcaniques**, principalement des **andésites** et des **rhyolites**, présentent une structure **microlitique** : la plus grande partie de la roche est formée de microlites (cristaux microscopiques en aiguilles) noyés dans un verre non cristallisé. Une telle structure révèle un **refroidissement rapide** du magma en surface à la suite d'une éruption.

Les **roches plutoniques**, essentiellement des **granitoïdes**, présentent une structure **grenue** : elles sont entièrement cristallisées et composées de grains jointifs (des cristaux visibles à l'œil nu et non orientés dans un plan particulier). Une telle structure révèle un **refroidissement lent** en profondeur, à l'intérieur d'une grosse « bulle » que l'on appelle un pluton.

Roches volcaniques et roches plutoniques des zones de subduction ont une **composition chimique apparentée** indiquant qu'elles se forment à partir de la cristallisation d'un même type de magma.

Des roches riches en minéraux hydroxylés

Les granitoïdes de la croûte continentale contiennent des **minéraux hydroxylés** (riches en groupements OH), principalement les **micas** (biotite et muscovite) dans lesquels ces groupements représentent entre 12 et 15 % d'eau, et les **amphiboles** (1,5 % d'eau environ).

Les différences de température de fusion et de composition chimique entre les roches de la croûte continentale et celles de la croûte océanique sont telles que les magmas qui se forment en zone de subduction ne peuvent pas provenir d'une fusion des matériaux de la plaque plongeante. Ils doivent donc avoir pour origine une fusion partielle du manteau de la plaque lithosphérique chevauchante, au-dessus du plan de Benioff.

Or, les **péridotites** du manteau sont composées essentiellement de **pyroxènes** et d'**olivine**, **minéraux anhydres**, c'est-à-dire dépourvus de groupements OH.

Se pose alors le problème de l'origine de l'eau dans les minéraux des roches de la croûte continentale.

3 La genèse des magmas en zone de subduction

L'origine des magmas

À la profondeur où sont produits ces magmas dans une zone de subduction, la température est insuffisante pour faire fondre des péridotites, du moins si ces roches sont anhydres. En revanche, des études expérimentales ont montré que l'**hydratation** des péridotites **abaisse leur point de fusion**. Ainsi, il semble que la fusion partielle du manteau à l'origine des magmas granitiques soit due à l'hydratation de la plaque chevauchante.

L'origine de l'eau nécessaire à la fusion des péridotites

La croûte océanique qui subit la subduction est une croûte très hydratée : lors de leur histoire océanique, les basaltes et gabbros qui la constituent ont en effet été transformés par les circulations hydrothermales. Des minéraux verts tels que la **chlorite**, un minéral très riche en eau, se sont formés, donnant à ces roches un faciès particulier, celui des **schistes verts**.

Lors de la subduction, le métamorphisme, qui transforme les **schistes verts** en **schistes bleus** puis en **éclogites**, se caractérise par une déshydratation progressive des roches car les minéraux nouveaux qui se forment sont de plus en plus pauvres en eau. Ce processus libère donc une quantité considérable d'eau qui quitte la plaque plongeante et percole dans le manteau de la plaque chevauchante. L'hydratation de ce manteau diminue sa température de fusion.

Vers 100 à 150 km de profondeur, à l'aplomb de l'arc magmatique, les conditions d'une fusion partielle sont réunies : la température s'est élevée suffisamment pour que le point de fusion de la péridotite hydratée soit atteint. Cette fusion partielle du manteau donne naissance à des magmas. Plus en profondeur, la température est insuffisante pour provoquer la fusion partielle : la genèse de magmas est donc un phénomène très localisé.

4 La production de nouveaux matériaux continentaux

Une évolution de la composition chimique des magmas

La fusion partielle des péridotites hydratées produit un **magma originel de composition basaltique**. La composition chimique de ce dernier se modifie ensuite :
– son refroidissement très lent s'accompagne d'une cristallisation progressive, qui commence par celle des minéraux les plus pauvres en silice (ce qui enrichit le magma résiduel en silice) ;
– il peut aussi s'enrichir en silice en fondant les matériaux de la croûte continentale encaissante.

Finalement, les roches magmatiques produites, qu'elles soient volcaniques ou plutoniques, sont essentiellement de **composition granitique ou dioritique**.

La mise en place des roches des zones de subduction

Les magmas, produits vers 100 à 150 km de profondeur, migrent vers la surface car leur température est beaucoup plus élevée que celle des matériaux encaissants.

Les **roches volcaniques** proviennent de magmas très chauds qui migrent rapidement vers la surface à travers les matériaux du manteau et de la croûte sus-jacents.

Près de la surface (quelques kilomètres de profondeur), ces magmas s'accumulent dans une chambre magmatique jusqu'à ce qu'une éruption volcanique les fasse parvenir en surface.

Les **roches plutoniques**, en revanche, proviennent de magmas qui ne gagnent pas la surface. Ces magmas forment d'énormes « bulles » qui migrent vers la surface sans jamais l'atteindre, car leur température n'est pas suffisamment supérieure à celle des matériaux encaissants. Ces magmas cristallisent donc en profondeur en formant des **plutons de granitoïdes** que l'érosion dégagera plusieurs millions d'années plus tard.

L'accrétion continentale

La production de magmas dans une zone de subduction est le principal « fabricant » de croûte continentale récente : on qualifie cette production d'**accrétion continentale**. L'étude des domaines continentaux anciens a conduit les géologues à admettre que cette accrétion n'a pas été constante au cours du temps : très importante entre – 3 et – 1 Ma, elle a beaucoup diminué ensuite. Aujourd'hui, création et destruction de la croûte continentale s'équilibrent à peu près, la surface totale de croûte continentale ne change donc pratiquement plus.

Zones de subduction et production de croûte continentale

À RETENIR

Les zones de subduction, des zones marquées par un volcanisme explosif

L'activité sismique et volcanique des zones de subduction est intense. On qualifie donc ces zones de **marges océaniques actives**. Les éruptions volcaniques y sont caractérisées par une forte **explosivité**.

Cette explosivité est liée à la **richesse en silice du magma**. En effet, plus un magma est pauvre en silice, plus il est fluide et plus les éruptions sont « calmes ». En revanche, plus un magma est riche en silice, plus il est visqueux et plus les éruptions sont explosives.

Les roches magmatiques des zones de subduction

Les **roches volcaniques**, principalement des **andésites** et des **rhyolites**, présentent une structure **microlitique** qui révèle un **refroidissement rapide** du magma.

Les **roches plutoniques**, essentiellement des **granitoïdes**, présentent une structure **grenue** qui révèle un **refroidissement lent** du magma en profondeur.

Toutes ces roches, de **composition chimique apparentée**, contiennent des **minéraux hydroxylés** (riches en groupements OH), alors que les **péridotites** du manteau n'en contiennent pas.

La genèse des magmas en zone de subduction

À la profondeur où sont produits ces magmas, la température est insuffisante pour faire fondre des **péridotites anhydres**. En revanche, des **péridotites hydratées** peuvent fondre à cette température.

La **fusion partielle** du manteau à l'origine des magmas est due à l'**hydratation de la plaque chevauchante**. L'eau nécessaire provient des transformations métamorphiques subies par les gabbros de la croûte océanique plongeante : les minéraux nouveaux qui se forment sont de plus en plus pauvres en eau. L'eau libérée percole dans le manteau sus-jacent, diminuant ainsi sa température de fusion.

La production de nouveaux matériaux continentaux

Les **magmas** provenant d'une fusion partielle des péridotites du manteau sont initialement basaltiques. Ils subissent ensuite une **évolution complexe** qui donne naissance à des magmas granodioritiques. Les roches magmatiques produites dans les zones de subduction forment en surface des **édifices volcaniques** et, en profondeur, des **plutons granitiques** qui n'affleureront en surface que des millions d'années plus tard.

La production de magmas dans une zone de subduction est à l'origine de la création d'une quantité considérable de croûte continentale : c'est l'**accrétion continentale**.

Mots-clés

- Roches volcaniques
- Roches plutoniques
- Andésite, granitoïdes
- Déshydratation de la croûte océanique
- Fusion partielle
- Accrétion continentale

Capacités et attitudes

- Recenser, extraire et organiser des informations pour comprendre :
  - les caractéristiques du volcanisme associé aux zones de subduction ;
  - le rôle de l'eau dans l'origine du magmatisme des zones de subduction ;
  - l'accrétion continentale.
- Utiliser des logiciels pour comprendre les conditions de fusion partielle du manteau en zone de subduction.
- Utiliser le microscope polarisant afin d'identifier les minéraux de roches volcaniques et plutoniques.

SCHÉMA BILAN — ZONES DE SUBDUCTION ET PRODUCTION DE CROÛTE CONTINENTALE

Animation

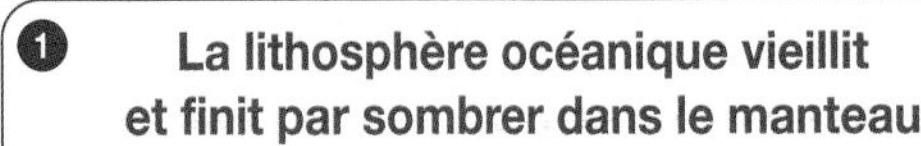

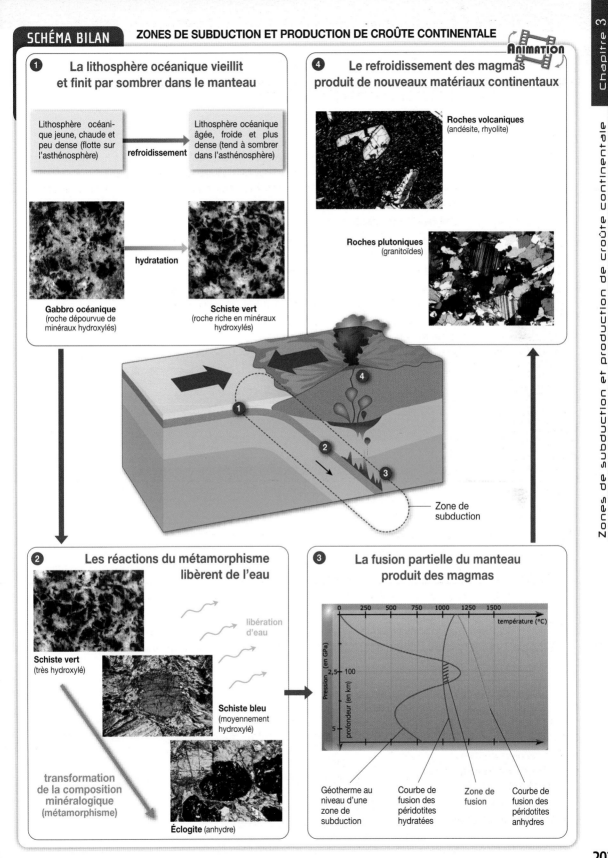

❶ La lithosphère océanique vieillit et finit par sombrer dans le manteau

Lithosphère océanique jeune, chaude et peu dense (flotte sur l'asthénosphère) → **refroidissement** → Lithosphère océanique âgée, froide et plus dense (tend à sombrer dans l'asthénosphère)

Gabbro océanique (roche dépourvue de minéraux hydroxylés) → **hydratation** → **Schiste vert** (roche riche en minéraux hydroxylés)

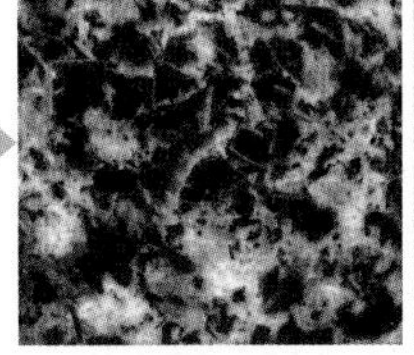

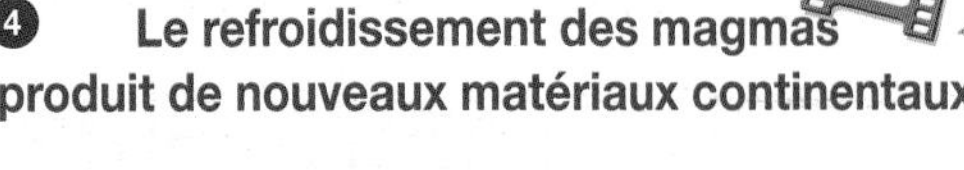

❹ Le refroidissement des magmas produit de nouveaux matériaux continentaux

Roches volcaniques (andésite, rhyolite)

Roches plutoniques (granitoïdes)

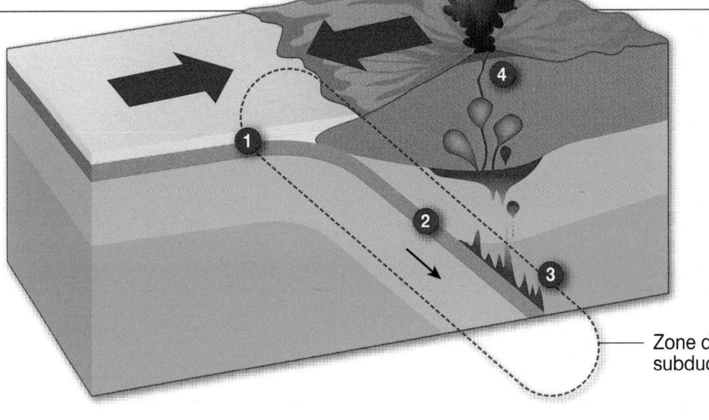

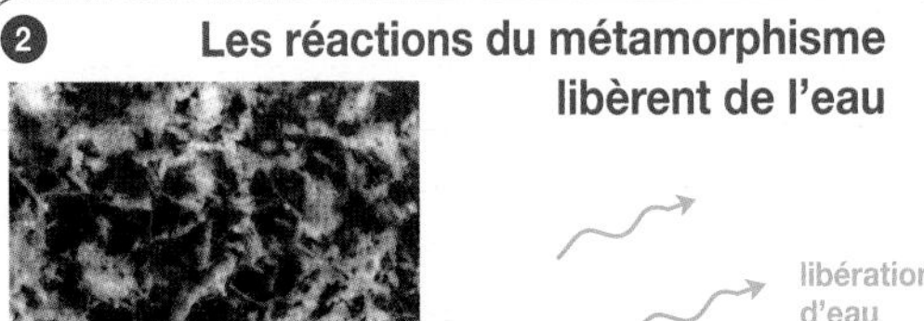

❷ Les réactions du métamorphisme libèrent de l'eau

Schiste vert (très hydroxylé)

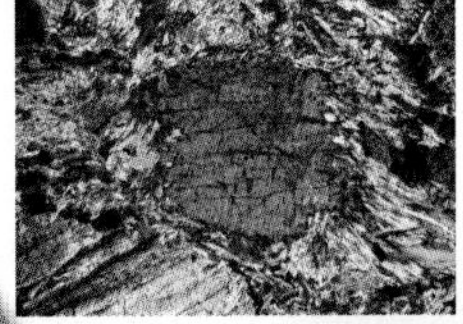

Schiste bleu (moyennement hydroxylé)

libération d'eau

transformation de la composition minéralogique (métamorphisme)

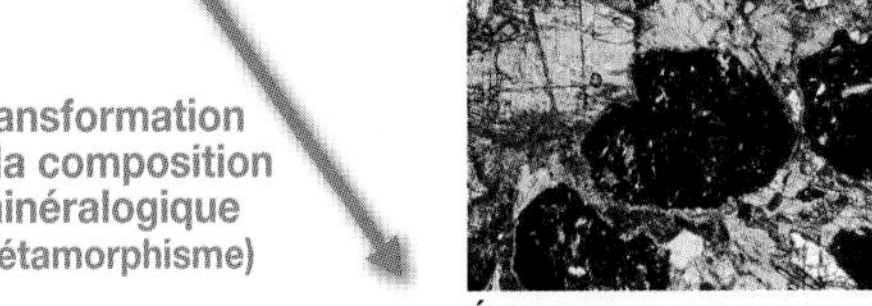

Éclogite (anhydre)

❸ La fusion partielle du manteau produit des magmas

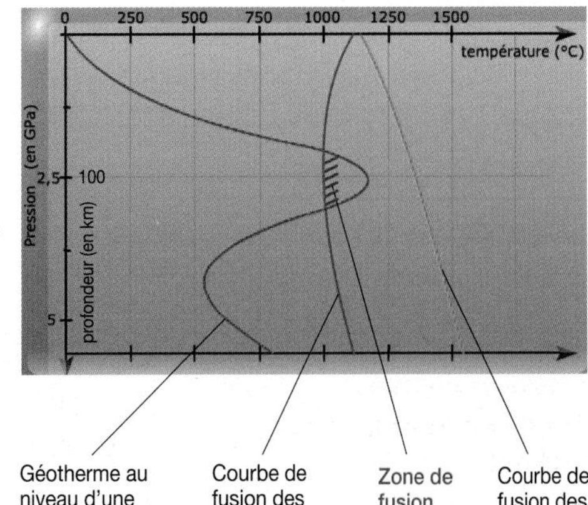

Découvrir une zone de subduction en Europe

• Le sud de l'Italie est caractérisé, d'un point de vue géologique, par la présence de plusieurs volcans. Depuis l'éruption cataclysmique de l'an 79, qui détruisit Herculanum et Pompéi, le **Vésuve** *(ci-contre)* n'a connu que des épisodes éruptifs moins importants. En revanche, l'**Etna**, en Sicile, présente actuellement une intense activité *(ci-dessous)*.

La baie de Naples avec le Vésuve en arrière-plan

Colonne de cendres « crachée » par l'Etna, au cours de l'éruption du 5 janvier 2012

• L'Italie se trouve actuellement au niveau de limites de plaques lithosphériques en **convergence** :
– au sud, subduction de la plaque africaine sous la plaque européenne ;
– à l'est, collision de la micro-plaque apulienne et de la plaque européenne.
Les nombreux édifices volcaniques, sous-marins ou aériens, sont situés à proximité de ces limites de plaques *(carte ci-contre)*.

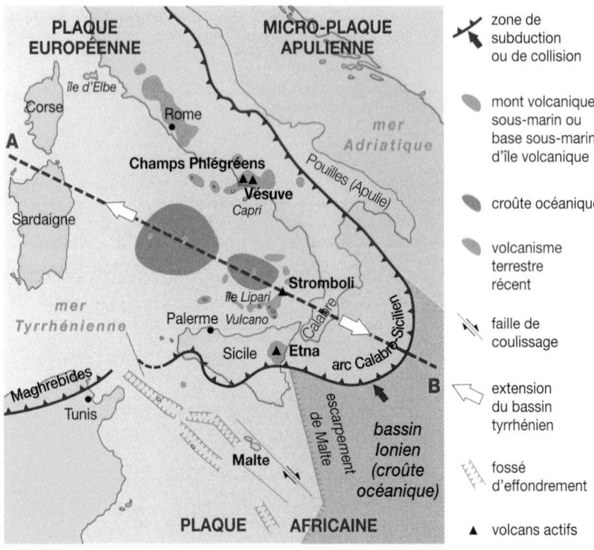

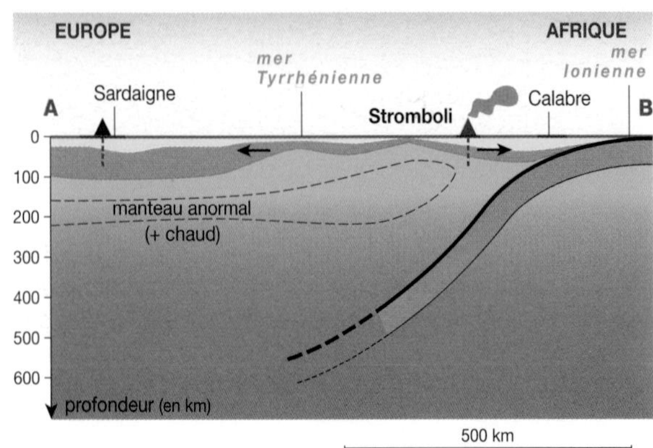

• Le *modèle ci-contre* illustre la **subduction** de la plaque africaine sous la plaque européenne. Il correspond à une coupe simplifiée selon le profil **AB** *(carte ci-dessus)*.

Du fait de la déshydratation de la plaque plongeante, une **fusion partielle du manteau** entraîne la formation de magma. Ce dernier est à l'origine du volcanisme explosif qui caractérise les édifices volcaniques italiens en surface.

Le Vésuve, source d'inspiration infinie pour les peintres

De très nombreux peintres vont trouver dans les éruptions du Vésuve une source d'inspiration. Leur vision de cette manifestation spectaculaire de l'activité interne de la Terre va s'exprimer à travers des dizaines d'œuvres. En voici trois exemples.

W. Turner, le « peintre de la lumière », nous montre ici une éruption lumineuse du Vésuve, au centre du tableau. Les **couleurs chaudes** dominent dans cette œuvre, où le ciel, tourmenté par cette éruption, se reflète dans une mer en mouvement. Quelques spectateurs, bien petits devant un tel événement, assistent à l'éruption.

Éruption du Vésuve de 1817, par William Turner (1775-1851)

L'éruption du Vésuve, par Pierre-Jacques Volaire (1729-1799)

Dans ce tableau, le peintre donne une grande importance au **panache volcanique** et suggère une éruption particulièrement puissante qui contraste avec le calme apparent des personnages du premier plan.

Le Vésuve depuis Posíllipo, par Joseph Wright (1734-1797)

L'auteur, célèbre par sa technique du **clair-obscur**, accentue ici le contraste entre l'éruption du Vésuve, qui illumine l'arrière-plan d'une lueur rougeoyante, et l'ambiance sombre des autres plans, baignés par la seule clarté de la Lune.

Maîtriser ses connaissances

Pour s'entraîner

1 Définissez les mots ou expressions

Lave visqueuse, andésite, diorite, granitoïdes, accrétion continentale.

2 Questions à choix multiples 

Choisissez la bonne réponse pour chaque série d'affirmations.

1. **Andésite et rhyolite :**
a. sont des roches volcaniques ;
b. sont des roches plutoniques ;
c. sont des roches métamorphiques ;
d. ont des compositions minéralogiques identiques.

2. **La croûte continentale :**
a. est produite au niveau des dorsales océaniques ;
b. provient entièrement du magmatisme des zones de subduction ;
c. a été produite de façon régulière au cours des temps géologiques ;
d. présente, à l'heure actuelle, une augmentation rapide de son volume global à la surface de la Terre.

3 Vrai ou faux ?

Repérez les affirmations exactes et corrigez celles qui sont inexactes.

a. Les zones de subduction sont caractérisées par un volcanisme de type effusif.
b. La viscosité d'une lave est liée à sa richesse en silice.
c. Les roches magmatiques des zones de subduction sont caractérisées par une richesse en minéraux hydroxylés.
d. La déshydratation des métagabbros de la croûte océanique entraîne la fusion partielle de la croûte océanique.
e. La cristallisation fractionnée d'un magma entraîne un appauvrissement en silice des liquides résiduels.
f. La cristallisation totale d'un magma donne toujours un granite.

4 Questions à réponse courte

a. Expliquez les différences et les similitudes entre une andésite et une diorite.
b. Quelles sont les conditions de fusion partielle du manteau dans un contexte de subduction ?

Objectif BAC

5 L'explosivité des éruptions volcaniques

Éruption explosive du Pichincha, en Équateur

Éruption effusive du Kilauea, à Hawaï

Question de synthèse :

Expliquez le caractère explosif des volcans des zones de subduction.

Vous appuierez votre argumentation sur une comparaison de la composition des laves et des roches formées au cours des éruptions explosives (andésite, rhyolite par exemple) et effusives (basalte par exemple).

6 Le magmatisme des zones de subduction

A. Questions à choix multiples 

Choisissez la bonne réponse pour chaque série d'affirmations.

1. **La rhyolite :**
a. est une roche magmatique plutonique ;
b. est une roche magmatique volcanique ;
c. provient d'un refroidissement très lent du magma ;
d. est l'équivalent plutonique de la diorite.

2. **Les granitoïdes :**
a. appartiennent à la famille des roches sédimentaires ;
b. sont des roches volcaniques ;
c. sont pauvres en silice ;
d. sont principalement composés de quartz, de feldspaths et de micas.

3. **Le magma des zones de subduction :**
a. s'enrichit en silice dans la croûte continentale ;
b. se refroidit rapidement dans la croûte ;
c. provient de la fusion partielle de la croûte océanique ;
d. permet la formation de croûte océanique.

B. Question de synthèse :

Expliquez en quoi l'étude des roches magmatiques permet de penser que les zones de subduction sont les lieux de formation de la croûte continentale.

Utiliser ses compétences

7 Le rôle de l'eau dans la fusion partielle du manteau
Extraire des informations, raisonner

QUESTION :

À partir de l'exploitation des documents, montrez que l'eau des océans joue un rôle majeur dans la fusion partielle du manteau au niveau des zones de subduction.

DOCUMENT 1 : réactions entre des minéraux d'un gabbro océanique au cours de son histoire (observations au microscope)

Un exemple de réaction entre deux minéraux voisins d'un gabbro, lors de sa transformation en métagabbro de type schiste vert, au cours de son vieillissement dans le plancher océanique : *réaction 1 ci-dessous.*

Un exemple de réaction entre deux minéraux voisins d'un schiste vert, lors de sa transformation en métagabbro de type schiste bleu, au cours de la subduction : *réaction 3 ci-dessous.*

DOCUMENT 2 : quelques réactions du métamorphisme

Réaction 1 : plagioclase + pyroxène + eau → amphibole verte
Réaction 2 : plagioclase + amphibole verte + eau → chlorite + actinote
Réaction 3 : pyroxène + plagioclase + actinote → glaucophane + eau
Réaction 4 : albite + glaucophane → grenat pyrope + pyroxène jadéite + eau

DOCUMENT 3 : conditions expérimentales de fusion partielle des péridotites

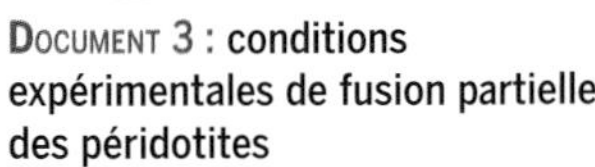

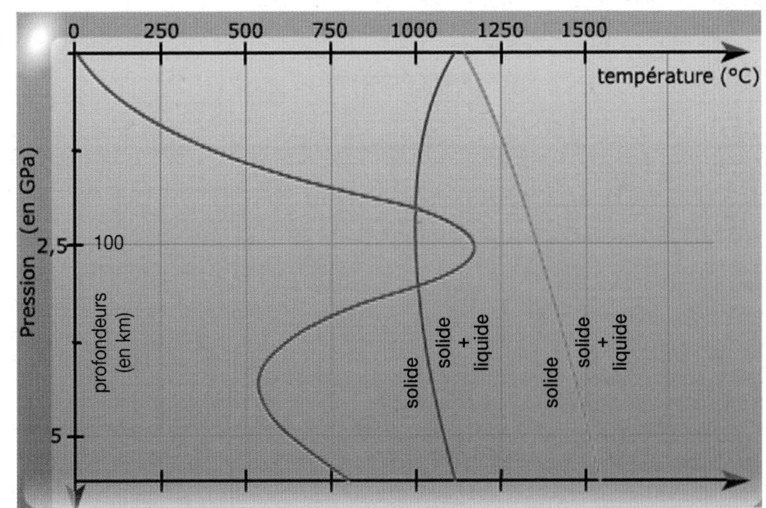

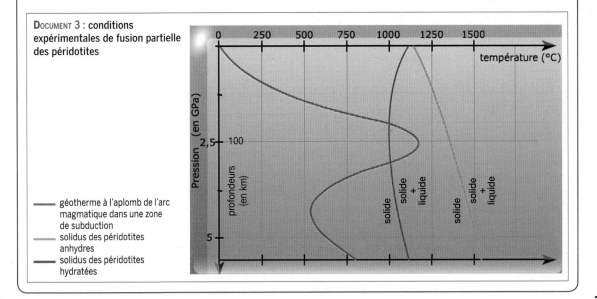

géotherme à l'aplomb de l'arc magmatique dans une zone de subduction
solidus des péridotites anhydres
solidus des péridotites hydratées

8 Formation de la croûte terrestre au cours des temps géologiques

Extraire et mettre en relation des informations

QUESTION :

Expliquez la double origine de la croûte continentale au cours des temps géologiques.

• Avant 2,5 milliards d'années (Archéen)
La Terre était plus chaude, le gradient géothermique (flèche mauve) était plus élevé qu'actuellement.

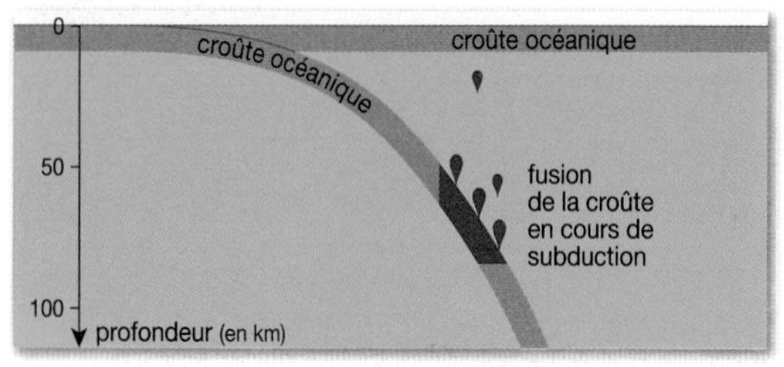

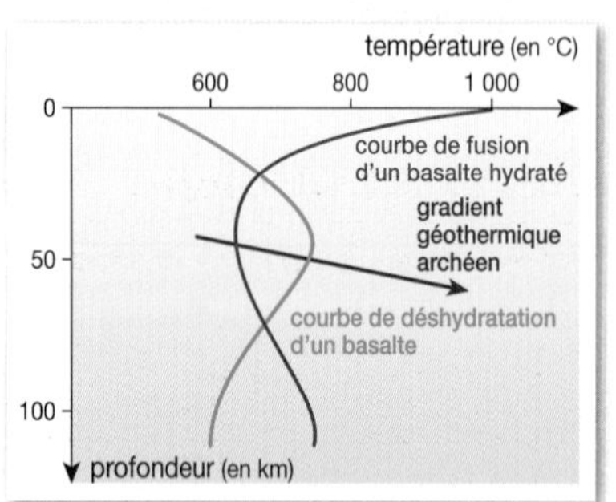

• Après 2,5 milliards d'années
La Terre s'étant refroidie, le gradient géothermique a diminué.

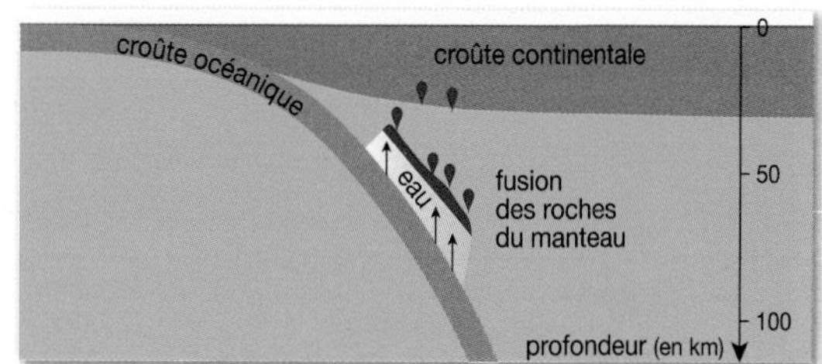

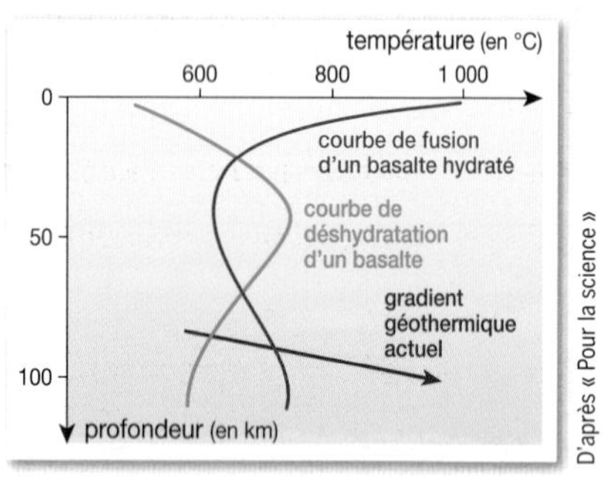

D'après « Pour la science »

9 La cristallisation fractionnée

Extraire des informations, raisonner

QUESTION :

À partir de l'exploitation du diagramme, vous expliquerez la formation des roches magmatiques typiques dans les zones de subduction.

Diagramme de Bowen

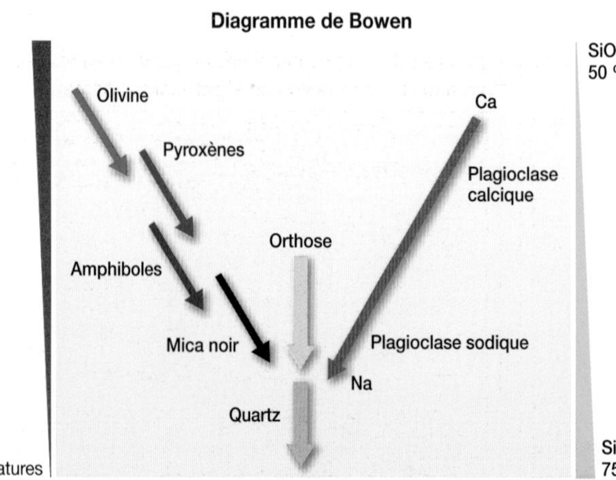

Ce diagramme illustre les modalités de cristallisation des minéraux dans un magma soumis à un refroidissement progressif.
De haut en bas, la température est décroissante (colonne de gauche) alors que la teneur en silice est croissante (colonne de droite).

Aide : Envisagez l'évolution progressive d'un magma en décrivant ce qui se passe à différents niveaux horizontaux successifs.

Utiliser ses capacités expérimentales

SE PRÉPARER aux épreuves pratiques du BAC

10 Une grande diversité de roches magmatiques dans les zones de subduction

Utiliser un logiciel, utiliser le microscope polarisant, raisonner

■ Problème à résoudre

En utilisant les potentialités du logiciel Magma, montrez qu'il est possible d'obtenir une grande diversité de roches à partir d'un même magma, au niveau d'une zone de subduction.

■ Matériel disponible

- Logiciel Magma (SCEREN-CNDP).
- Fiche d'aide du logiciel.
- Microscope polarisant.
- Roches et lames minces des roches des zones de subduction.

■ Mise en œuvre d'une démarche et exploitation des résultats

- Recherchez les compositions minéralogiques obtenues à partir du refroidissement d'un magma basaltique ou andésitique (de nombreux paramètres peuvent être modifiés : teneur en silice, teneur en eau, vitesse de refroidissement...).
- Nommez les roches théoriquement obtenues *(voir p. 192 et 193)*.
- Comparez avec les lames minces des roches concernées.
- Présentez les résultats de votre étude : on attend au minimum quatre cas différents.

Échantillon et lame mince d'une andésite

Quelques exemples de cristallisations virtuelles obtenues à partir du logiciel Magma

Exemple 1 : magma de composition andésitique refroidi lentement

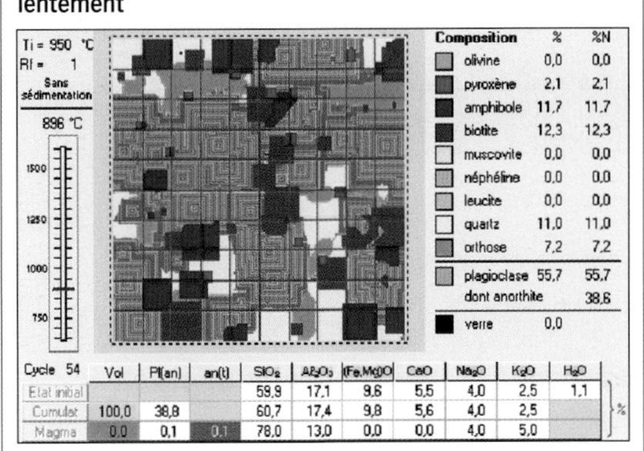

Composition	%	%N
olivine	0,0	0,0
pyroxène	2,1	2,1
amphibole	11,7	11,7
biotite	12,3	12,3
muscovite	0,0	0,0
néphéline	0,0	0,0
leucite	0,0	0,0
quartz	11,0	11,0
orthose	7,2	7,2
plagioclase	55,7	55,7
dont anorthite		38,6
verre	0,0	

Cycle 54	Vol	Pl(an)	an(t)	SiO_2	Al_2O_3	(Fe,Mg)O	CaO	Na_2O	K_2O	H_2O
Etat initial				59,9	17,1	9,6	5,5	4,0	2,5	1,1
Cumulat	100,0	38,8		60,7	17,4	9,8	5,6	4,0	2,5	
Magma	0,0	0,1	0,1	78,0	13,0	0,0	0,0	4,0	5,0	

Exemple 2 : magma de composition andésitique refroidi rapidement

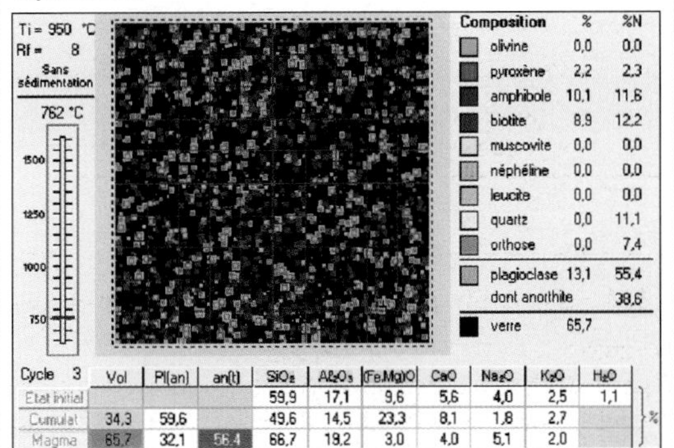

Composition	%	%N
olivine	0,0	0,0
pyroxène	2,2	2,3
amphibole	10,1	11,6
biotite	8,9	12,2
muscovite	0,0	0,0
néphéline	0,0	0,0
leucite	0,0	0,0
quartz	0,0	11,1
orthose	0,0	7,4
plagioclase	13,1	55,4
dont anorthite		38,6
verre	65,7	

Cycle 3	Vol	Pl(an)	an(t)	SiO_2	Al_2O_3	(Fe,Mg)O	CaO	Na_2O	K_2O	H_2O
Etat initial				59,9	17,1	9,6	5,6	4,0	2,5	1,1
Cumulat	34,3	59,6		49,6	14,5	23,3	8,1	1,8	2,7	
Magma	65,7	32,1	56,4	66,7	19,2	3,0	4,0	5,1	2,0	

Exemple 3 : magma initial de composition andésitique très enrichi en silice et en eau et refroidi lentement

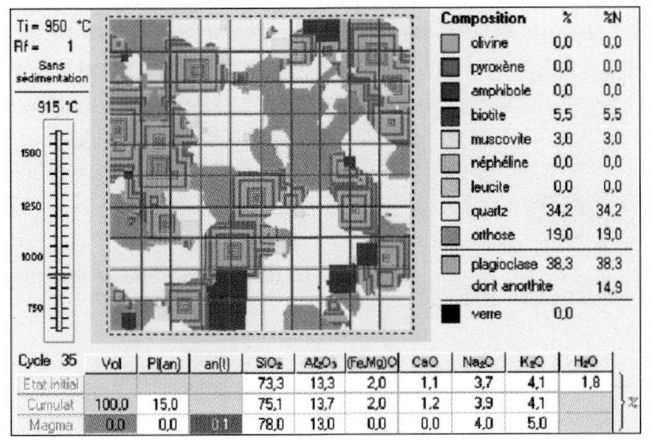

Composition	%	%N
olivine	0,0	0,0
pyroxène	0,0	0,0
amphibole	0,0	0,0
biotite	5,5	5,5
muscovite	3,0	3,0
néphéline	0,0	0,0
leucite	0,0	0,0
quartz	34,2	34,2
orthose	19,0	19,0
plagioclase	38,3	38,3
dont anorthite		14,9
verre	0,0	

Cycle 35	Vol	Pl(an)	an(t)	SiO_2	Al_2O_3	(Fe,Mg)O	CaO	Na_2O	K_2O	H_2O
Etat initial				73,3	13,3	2,0	1,1	3,7	4,1	1,8
Cumulat	100,0	15,0		75,1	13,7	2,0	1,2	3,9	4,1	
Magma	0,0	0,0	0,1	78,0	13,0	0,0	0,0	4,0	5,0	

Exemple 4 : magma initial de composition andésitique, très enrichi en silice et en eau et refroidi rapidement

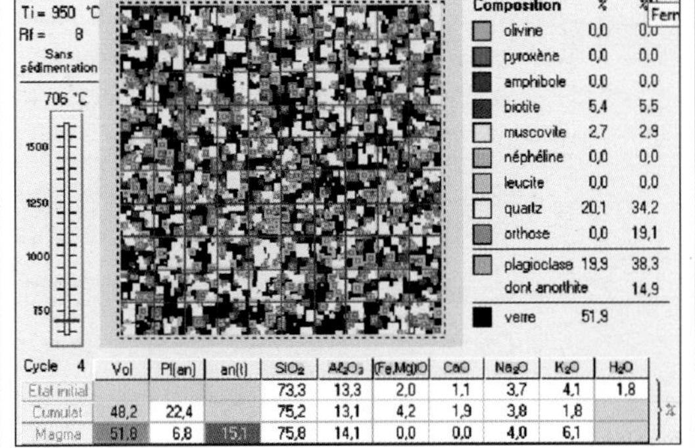

Composition	%	%N
olivine	0,0	0,0
pyroxène	0,0	0,0
amphibole	0,0	0,0
biotite	5,4	5,5
muscovite	2,7	2,9
néphéline	0,0	0,0
leucite	0,0	0,0
quartz	20,1	34,2
orthose	0,0	19,1
plagioclase	19,9	38,3
dont anorthite		14,9
verre	51,9	

Cycle 4	Vol	Pl(an)	an(t)	SiO_2	Al_2O_3	(Fe,Mg)O	CaO	Na_2O	K_2O	H_2O
Etat initial				73,3	13,3	2,0	1,1	3,7	4,1	1,8
Cumulat	48,2	22,4		75,2	13,1	4,2	1,9	3,8	1,8	
Magma	51,8	6,8	15,1	75,8	14,1	0,0	0,0	4,0	6,1	

Des DOCUMENTS pour se poser des questions

La disparition des reliefs au cours du temps

Ces croupes granitiques vallonnées au cœur du Limousin (massif des Monédières) sont les vestiges d'une chaîne de montagnes qui, il y a environ 300 millions d'années, se dressait à l'ouest de l'Europe et ressemblait aux Alpes actuelles.

L'altération des roches

Dès qu'elles sont portées en altitude, les roches sont altérées sous l'effet de processus physiques, chimiques et biologiques. Soumis à l'action de l'eau en particulier, les minéraux d'une roche sont transformés, comme le montre cette surface d'un granite altéré.

Des roches formées en profondeur affleurent en surface

D'après le modèle de formation des chaînes de montagnes (voir p. 144), des granites se forment en profondeur suite à la collision continentale. Dans les régions d'anciens massifs montagneux, on trouve aujourd'hui ces granites en surface (par exemple, ci-contre, le granite rose de Ploumanac'h, âgé de 300 millions d'années, dans le Massif armoricain).

LES PROBLÉMATIQUES DU CHAPITRE

- Comment expliquer la disparition des chaînes de montagnes ?
- Comment les roches sont-elles dégradées ?
- Que deviennent les produits de l'altération ?
- Comment expliquer la présence en surface de roches continentales très anciennes ?

chapitre 4

Les eaux de ruissellement et les eaux courantes, des agents d'érosion importants.

La disparition des reliefs

LES ACTIVITÉS DU CHAPITRE

L'aplanissement des chaînes de montagnes

L'observation des massifs montagneux permet de distinguer les chaînes de montagnes anciennes des chaînes de montagnes récentes. En effet, les massifs anciens présentent des reliefs beaucoup moins élevés. *Au cours des temps géologiques, les chaînes de montagnes sont aplanies.*

A Les massifs montagneux en France

Paysage du Massif armoricain

Paysage du Massif central

Paysage des Pyrénées

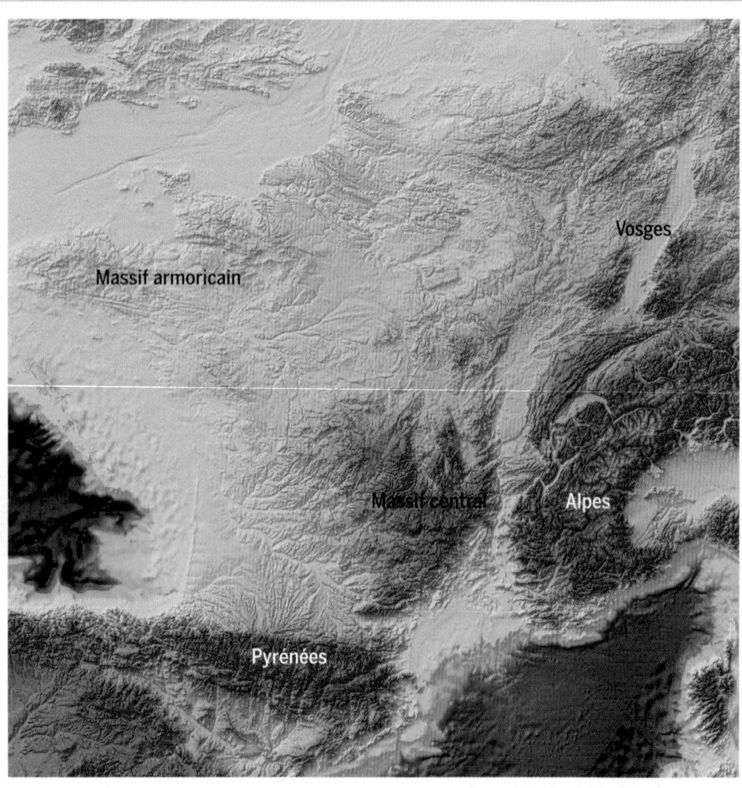

Modèle numérique du relief de la France : il s'agit d'une représentation de la topographie construite par ordinateur à partir de données d'altitude du terrain (réalisé par J.-D. Champagnac, Swiss Federal Institute of Technology).

Les principaux massifs montagneux français se distinguent par une variété de paysage et de relief. Les géologues distinguent ces massifs selon leur ancienneté dans l'échelle des temps géologiques. En effet, le Massif armoricain, le Massif central et le Massif vosgien se sont formés à la fin de l'ère primaire, entre – 360 et – 250 millions d'années.

Les Pyrénées et les Alpes sont des chaînes de montagnes dont la formation a débuté plus récemment au cours de l'ère tertiaire (Cénozoïque), il y a 30 à 40 millions d'années.

Paysage des Alpes

Doc. 1 Des chaînes de montagnes d'âges différents.

B La destruction des reliefs au cours du temps

L'érosion d'une chaîne de montagnes s'accompagne d'une remontée vers la surface des roches profondes, qui, ainsi, se refroidissent. Or, dans certains minéraux, il est possible de repérer des traces qui dépendent de la température et qui permettent une datation. On peut donc établir une **thermochronologie**, c'est-à-dire une histoire thermique de ces minéraux.
L'apatite, par exemple, est un minéral qui contient de l'uranium. L'isotope ^{238}U, radioactif, se désintègre spontanément à un rythme connu, ce qui provoque un désordre du réseau cristallin, appelé **trace de fission** *(photographie ci-contre)*. L'observation et le comptage de ces traces, dans un minéral actuellement recueilli à la surface, permettent de déterminer à quelles époques ce minéral a franchi l'isotherme 110 °C, puis l'isotherme 60 °C (la technique précise est trop complexe pour être expliquée ici).
En établissant une hypothèse sur le **gradient géothermique** de l'époque sous la chaîne de montagnes, on peut évaluer la distance verticale qui séparait ces deux isothermes.
Si l'on suppose que l'altitude de la chaîne a peu changé durant cette période, la hauteur franchie par l'apatite correspond à la hauteur de roches qui a été déblayée en surface pendant le même temps $t = (x - y)$ Ma.
Un calcul simple permet alors d'estimer la vitesse d'exhumation de la chaîne de montagnes, encore appelée **vitesse d'érosion**.

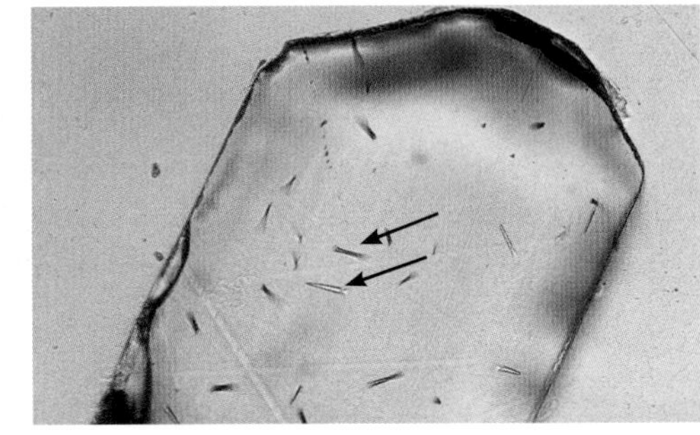

Cristal d'apatite avec ses traces de fissions spontanées

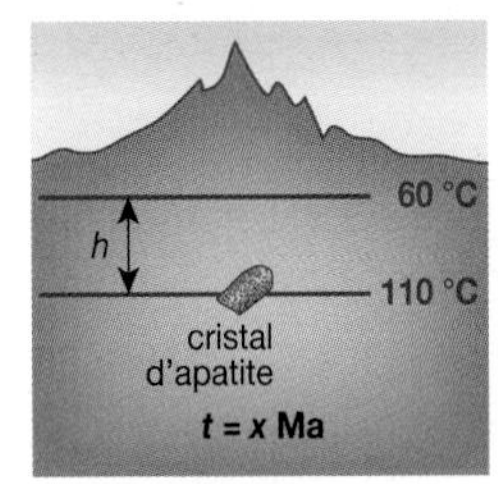

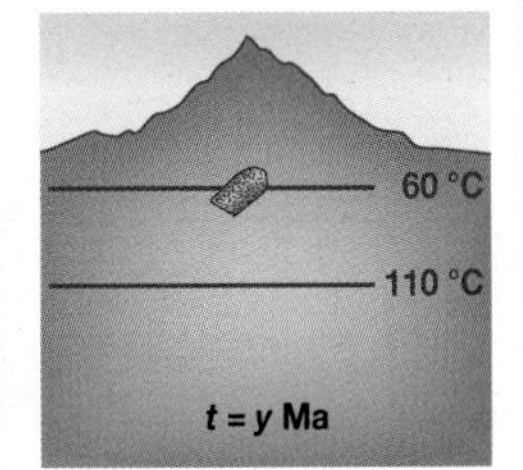

Doc. 2 **Une technique d'estimation de la vitesse d'érosion d'une chaîne de montagnes : la thermochronologie.**

Dans les Alpes centrales, les données thermochronologiques montrent que, depuis 38 Ma, une épaisseur de roches de 24 km (à comparer avec l'altitude moyenne régionale de 2 km) aurait été enlevée du dôme Lépontin (Alpes suisses), avec une augmentation du taux d'érosion depuis 5 millions d'années.
Au niveau de la chaîne de l'Himalaya, c'est une épaisseur de 20 à 25 km de roches qui a été enlevée depuis 20 millions d'années.
D'une façon plus générale, il est possible de définir, approximativement, l'évolution de l'altitude d'une chaîne de montagnes au cours du temps *(graphique ci-contre)* :
– par l'estimation des volumes de sédiments issus de l'érosion de diverses chaînes de montagnes anciennes et déposés dans les bassins océaniques ;
– par l'estimation des volumes restants des chaînes.

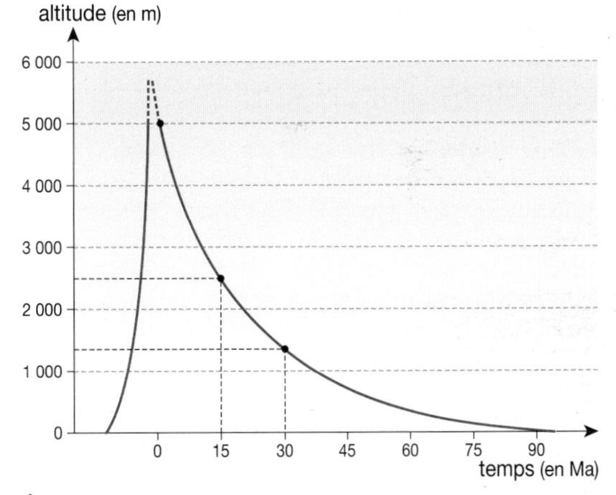

Évolution de l'altitude d'une chaîne de montagnes en fonction du temps

Doc. 3 **Quelques dizaines de millions d'années pour aplanir une chaîne de montagnes.**

Pistes d'exploitation

PROBLÈME À RÉSOUDRE ► **Quel est, approximativement, le temps nécessaire pour qu'une chaîne de montagnes s'aplanisse ?**

Doc. 1 Comparez les paysages montagneux des différents massifs français.

Doc. 2 Expliquez en quoi la thermochronologie permet d'estimer une vitesse d'érosion.

Doc. 3 Donnez un ordre de grandeur de la vitesse d'érosion dans les Alpes et dans l'Himalaya aux échelles de temps indiquées. Montrez que les vitesses d'érosion trouvées ne sont pas en correspondance avec l'évolution de l'altitude d'une chaîne de montagnes au cours du temps.

Lexique, p. 406

L'altération des roches

L'érosion permet d'enlever une quantité importante de roches aux chaînes de montagnes, modifiant ainsi le relief. Dans un premier temps, les roches sont dégradées ou altérées. *On distingue deux types d'altération : l'altération physique et l'altération chimique.*

A L'altération physique

Un certain nombre d'agents sont responsables de la désagrégation mécanique des roches et donc d'une modification du relief. Les principaux agents sont le gel, la glace, les variations de température et les végétaux.

• L'action du gel

Dans les régions où l'eau subit des phénomènes de gel-dégel, elle peut entraîner la fracturation des roches. En effet, en passant de l'état liquide à l'état solide, le volume de l'eau augmente d'environ 10 %. Ainsi, quand l'eau infiltrée dans les fissures d'une roche gèle, l'augmentation du volume d'eau provoque l'éclatement de la roche (« geler à pierre fendre » !).

• L'action des variations de température

Les variations brutales de température (par exemple entre le jour et la nuit) peuvent entraîner la désagrégation d'une roche, surtout si celle-ci est composée de minéraux n'ayant pas le même **coefficient de dilatation**. Ce phénomène est particulièrement important en haute montagne et dans les déserts.

• L'action des glaciers

La pression exercée sur les roches par le déplacement des glaciers peut les transformer en matériaux très fins (limons, poussières…), on parle de « farine glaciaire ». Celle-ci peut être visible après le retrait du glacier comme sur la *photographie ci-contre*.

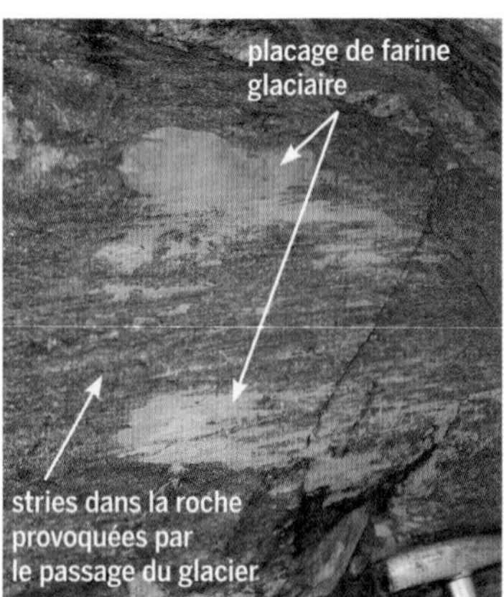

• L'action des végétaux

Le développement des racines peut entraîner l'agrandissement des fissures au sein des roches et faciliter leur altération *(photographie)*. De plus, les racines ont tendance à acidifier le milieu. Ce rejet d'ions H^+ peut interférer avec des cations qui constituent les minéraux des roches environnantes et, ainsi, favoriser l'altération chimique.

Doc. 1 Des roches soumises aux facteurs climatiques et biologiques.

B L'altération chimique

La principale réaction chimique responsable d'une altération est l'hydrolyse, c'est-à-dire la destruction des minéraux par l'eau. Dans le cas d'un granite soumis à l'action de l'eau, on constate des auréoles d'altération autour des micas et des feldspaths *(photographies)*. Ces minéraux appartiennent à la famille des silicates, c'est-à-dire qu'ils présentent une charpente formée par des molécules SiO_4 entre lesquelles se trouvent différents cations (K^+, Na^+...). Sous l'action de l'eau, ces cations vont être mis en solution de façon plus ou moins importante. Ainsi, la structure du minéral est modifiée avec formation de nouveaux minéraux et d'ions pouvant être lessivés.

L'altération par hydrolyse de la muscovite (mica blanc présent dans le granite) entraîne la formation de l'illite, un minéral argileux, pouvant lui-même être altéré par la suite.

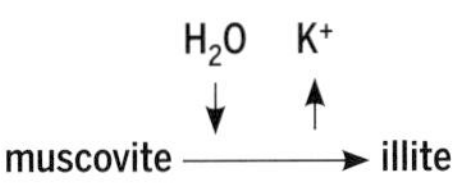

Granite altéré observé à l'œil nu

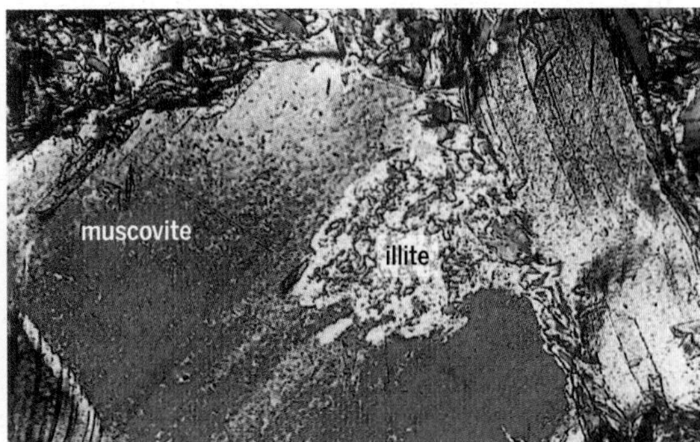

Lame mince d'un granite altéré observée au microscope en lumière polarisée analysée

Doc. 2 L'altération par le phénomène d'hydrolyse.

Les ions constituant les différents cristaux d'une roche ne réagissent pas tous de la même façon au cours du phénomène d'hydrolyse. La molécule d'eau va se comporter comme un **dipôle** dont la force d'attraction, vis-à-vis d'un ion, va déterminer la solubilité de cet ion. Cette force d'attraction dépend du **potentiel ionique** (PI), c'est-à-dire du rapport entre la charge Z de l'ion et son rayon ionique R.

Le *diagramme ci-contre* permet de déterminer trois classes d'ions en fonction de leurs potentiels ioniques :
– les **cations solubles** : ils ont une charge faible et sont attirés par l'eau, formant des éléments solubles pouvant ainsi être évacués vers les océans et constituer des calcaires, par exemple ;
– les **cations précipitants** : ils sont insolubles et précipitent sous la forme d'hydroxydes (ils sont à l'origine de gisements métallifères, par exemple, de bauxite) ;
– les **oxyanions solubles** : avec un petit diamètre et une charge élevée, ils sont solubles et peuvent être évacués vers les océans où ils se recombineront avec les cations solubles permettant ainsi la formation de carbonates, sulfates ou phosphates, par exemple.

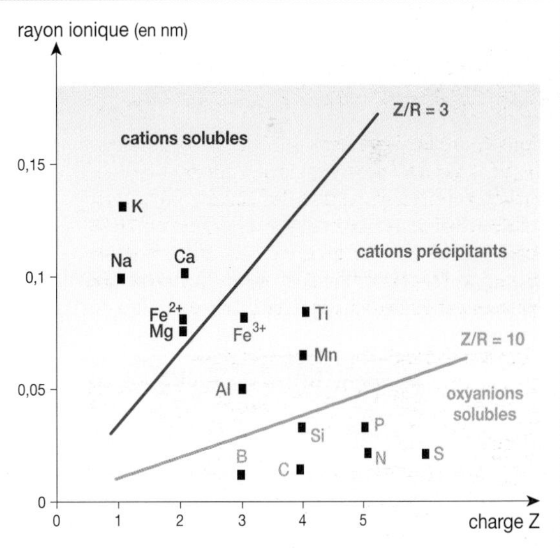

Doc. 3 La solubilité des ions dépend de leur potentiel ionique.

Pistes d'exploitation

PROBLÈME À RÉSOUDRE ► Quels sont les mécanismes à l'origine de l'altération des roches ?

Doc. 1 Quels agents d'érosion sont ici mis en évidence ?

Doc. 2 Montrez que l'hydrolyse entraîne une modification de la structure des minéraux.

Doc. 3 Expliquez en quoi la solubilité des ions détermine la formation de futures roches.

Doc. 1, 2 et 3 Montrez que l'eau est l'agent principal de l'altération des roches.

Lexique, p. 406

Le transport des produits issus de l'altération

L'érosion correspond à la diminution des reliefs résultant du départ des produits de l'altération. Ces derniers, principalement transportés par l'eau, se déposent plus ou moins loin sous forme de sédiments et sont à l'origine des roches sédimentaires. *Voyons ici l'importance et les modalités de ce transport.*

A Le transport des éléments par les cours d'eau

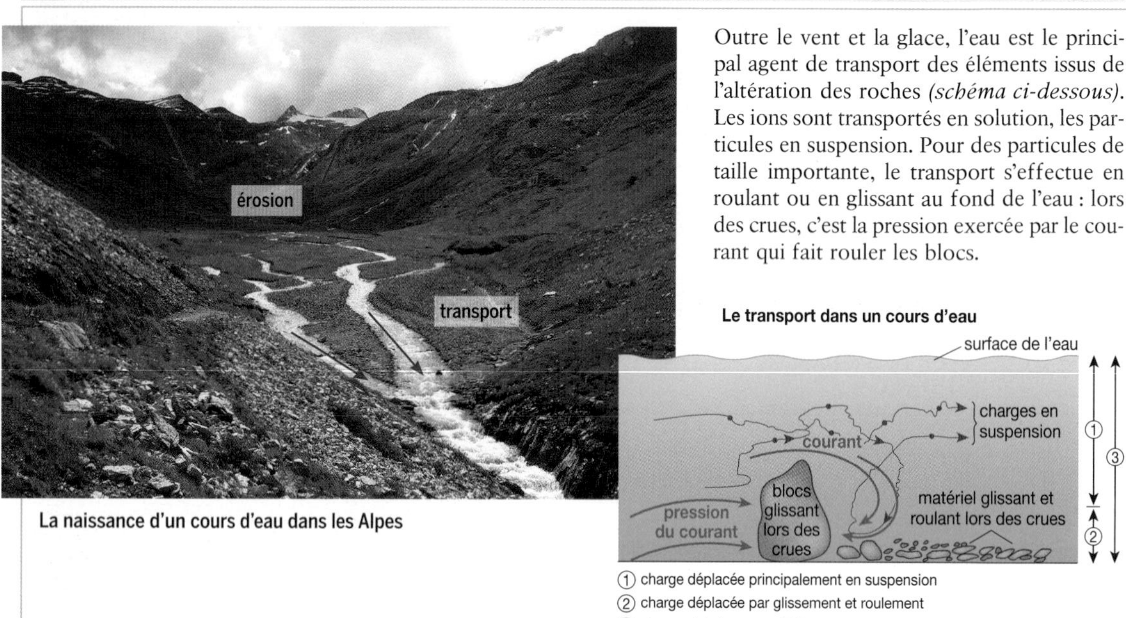

La naissance d'un cours d'eau dans les Alpes

Outre le vent et la glace, l'eau est le principal agent de transport des éléments issus de l'altération des roches *(schéma ci-dessous)*. Les ions sont transportés en solution, les particules en suspension. Pour des particules de taille importante, le transport s'effectue en roulant ou en glissant au fond de l'eau : lors des crues, c'est la pression exercée par le courant qui fait rouler les blocs.

Doc. 1 Les rivières et les fleuves transportent des éléments en suspension et en solution.

L'Isère en crue en mai 2008

© NM

Il est possible de déterminer la **charge sédimentaire** d'un cours d'eau, c'est-à-dire la masse de sédiments transportés par unité de temps à travers une section transversale. Parmi la matière transportée, on distingue la matière en suspension (MES) et la matière dissoute totale (MDT). Il est possible, à l'aide d'un préleveur automatique, d'analyser des échantillons d'eau et de mesurer les concentrations en MES et en MDT.

De telles mesures ont été réalisées sur l'Isère au niveau de la ville de Grenoble (point rouge sur la carte). Le bassin de l'Isère, situé en amont, apporte au Rhône une quantité importante de matières issues principalement des Alpes.

La répartition des flux annuels de MES et de MDT est sensiblement équivalente, respectivement de 2 $Mt \cdot an^{-1}$ (mégatonnes par an) et de 1,73 $Mt \cdot an^{-1}$. Le flux annuel de MES devient véritablement prépondérant sur le transit de MDT lors de crues importantes *(photographie)*.

Ces mesures permettent de dresser un bilan d'érosion sur le bassin de l'Isère qui serait en moyenne de 350 $t \cdot km^{-2} \cdot an^{-1}$, soit, compte tenu de la superficie du bassin, une érosion totale de 3,73 $Mt \cdot an^{-1}$.

Doc. 2 La charge sédimentaire d'un cours d'eau, l'Isère par exemple, provient de l'érosion.

B Le dépôt des produits de l'érosion dans des bassins sédimentaires

Les éléments mis en suspension ou en solution par l'altération des roches continentales rejoignent finalement un bassin océanique. Lorsque le fleuve a une influence dominante sur le milieu marin, un delta se forme. C'est le cas, par exemple, de la formation du delta du Rhône dans le sud-est de la France. Mais, c'est dans l'est de l'Inde et au Bangladesh que se trouve le plus grand delta du monde, couvrant une superficie de 105 000 km², le delta du Gange *(photographie ci-contre)*. Il est formé par les apports des fleuves Gange et Brahmapoutre.

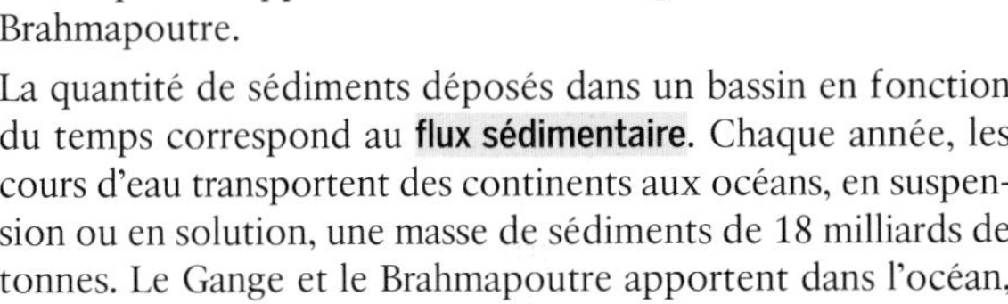

La quantité de sédiments déposés dans un bassin en fonction du temps correspond au **flux sédimentaire**. Chaque année, les cours d'eau transportent des continents aux océans, en suspension ou en solution, une masse de sédiments de 18 milliards de tonnes. Le Gange et le Brahmapoutre apportent dans l'océan, à eux seuls, de 1 à 2 milliards de tonnes de sédiments par an.

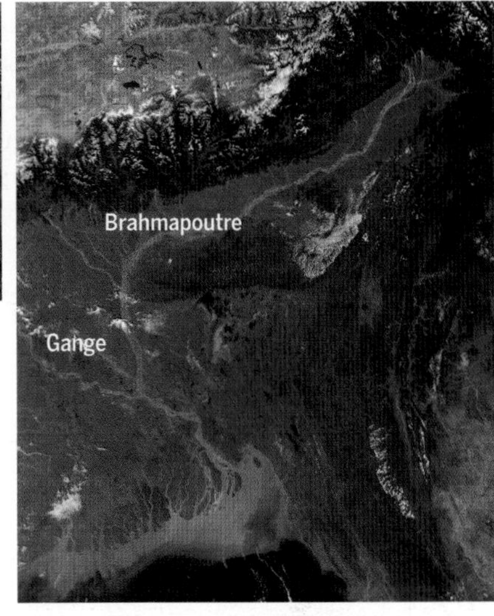

Image satellitale du delta du Gange

Doc. 3 L'apport de sédiments dans un bassin océanique : le delta du Gange.

À partir de l'estimation des flux sédimentaires pour les grands bassins fluviaux de la planète et en considérant une densité moyenne des continents égale à 2,7, il est possible, malgré des incertitudes, d'estimer le volume de roches enlevé chaque année aux continents. En connaissant les surfaces continentales concernées par chaque bassin fluvial, une vitesse d'érosion totale par bassin peut être calculée *(voir ci-contre)*. Le chiffre global de l'érosion avoisinerait 100 à 150 mm par millier d'années.

Les records de vitesse d'érosion sont atteints pour les bassins de chaîne active, si l'on excepte le Huang He (fleuve Jaune), dont le bassin est rendu très sensible à l'érosion par les activités humaines (déforestation, exploitations agricoles sur des terrains en pente...).

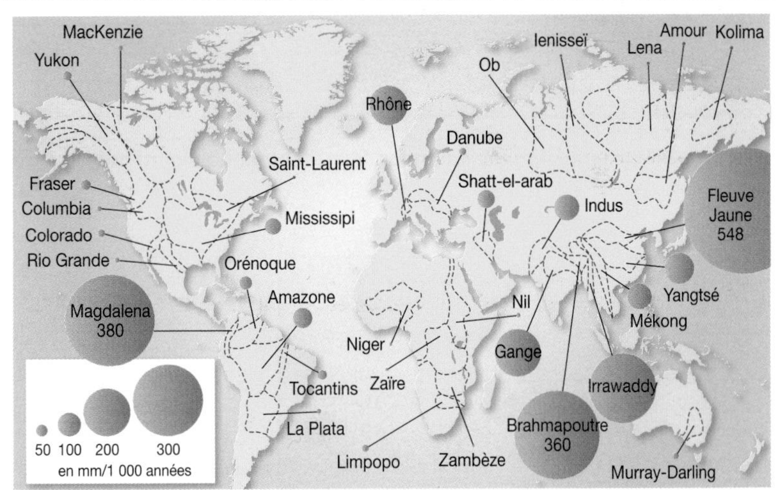

Vitesse de dénudation totale (physique et chimique) des continents calculée pour les grands bassins fluviaux

Doc. 4 Des vitesses d'érosion des continents déduites des flux sédimentaires.

Pistes d'exploitation

PROBLÈME À RÉSOUDRE ► Que deviennent les produits issus de l'érosion ?

Doc. 1 et 2 Décrivez le transport des produits de l'érosion par un cours d'eau. Établissez un lien entre la charge sédimentaire d'un cours d'eau et l'érosion.

Doc. 4 Comparez les vitesses d'érosion des différents bassins fluviaux de la planète.

Doc. 1 à 4 Montrez que l'altération et l'érosion contribuent à l'effacement des reliefs.

Lexique, p. 406

Des réajustements isostatiques

Les vitesses d'érosion trouvées actuellement dans les montagnes jeunes entraîneraient un aplanissement de la chaîne de montagnes en quelques millions d'années. Or, plusieurs dizaines de millions d'années sont nécessaires. *La remontée de roches profondes par un réajustement isostatique explique cette différence.*

A Des roches plutoniques en surface grâce à l'isostasie

Les techniques de géochronologie, notamment la méthode Rubidium-Strontium *(décrite page 152)*, permettent de dater les granites présents à l'affleurement dans les massifs anciens tels que le Massif central ou le Massif armoricain. Cette méthode de datation permet de dater le moment de la cristallisation des minéraux, c'est-à-dire la « fermeture du système » (température au-dessous de laquelle il n'y a plus de fuite d'éléments radioactifs hors des cristaux). Connaissant la température de cristallisation des minéraux et le **gradient géothermique** moyen sous la chaîne de montagnes, on peut déterminer la profondeur à laquelle le magma a cristallisé.
Des mesures réalisées sur différents granites du Massif central, tous âgés d'un peu plus de 300 millions d'années, indiquent des profondeurs allant de 10 à 15 km.

◀ **Paysage granitique du mont Lozère**

Doc. 1 Des granites formés en profondeur affleurent, aujourd'hui, en surface.

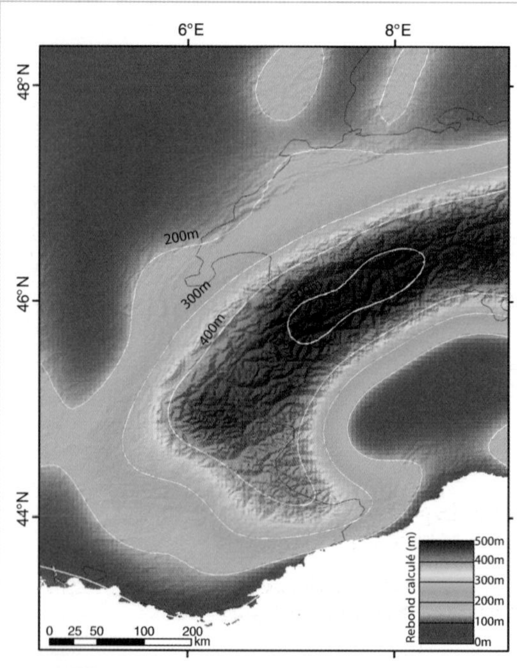

En mesurant les dépôts sédimentaires dans les **bassins périalpins**, les géologues ont pu estimer le volume de sédiments qui a quitté la chaîne. À partir de cette estimation, un modèle d'érosion a été élaboré, puis le *modèle présenté ci-contre* a été construit. Ce modèle met en évidence une remontée isostatique liée à l'érosion dans les Alpes : c'est le rebond isostatique (le principe général de l'isostasie est défini aux *pages 144 et 145*).

On parle de rebond isostatique car l'érosion, en enlevant du matériel continental, allège les masses rocheuses en surface, ce qui entraîne une remontée de croûte continentale profonde pour rétablir l'équilibre gravitaire.

La remontée de roches profondes est estimée à 500 mètres en un million d'années (soit 0,5 mm/an) dans la zone interne des Alpes. En s'éloignant de cette zone, la remontée isostatique est de plus en plus faible, jusqu'à 200 mètres seulement dans la zone périalpine.

◀ **Modèle du rebond isostatique lié à l'érosion dans les Alpes**

Doc. 2 Relation entre l'érosion et la remontée isostatique dans les Alpes.

B Des modèles illustrant la remontée de roches profondes par isostasie

Le rééquilibrage isostatique par rapport à l'érosion se fait dans une proportion de 4/5, c'est-à-dire que, pour 5 m d'érosion, il y a une remontée de 4 m (ou 800 m de rebond pour 1 km d'érosion).
Le taux initial d'érosion de la chaîne est évalué à 1 mètre par 1 000 ans (soit 1 000 m · Ma^{-1}), ce qui donne un taux net d'abaissement de la chaîne de 200 m · Ma^{-1}.
Le *modèle global présenté ci-dessous* montre comment des roches plutoniques, formées à la base de la croûte continentale épaissie par la collision, affleurent en surface quelques millions d'années plus tard.

Temps

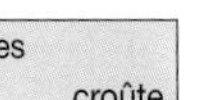

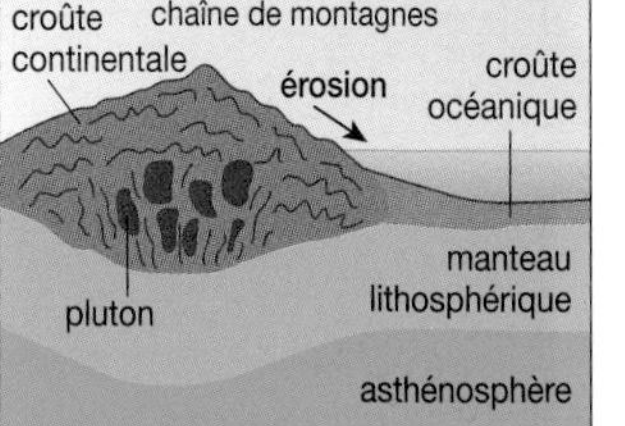

exemple : les Alpes

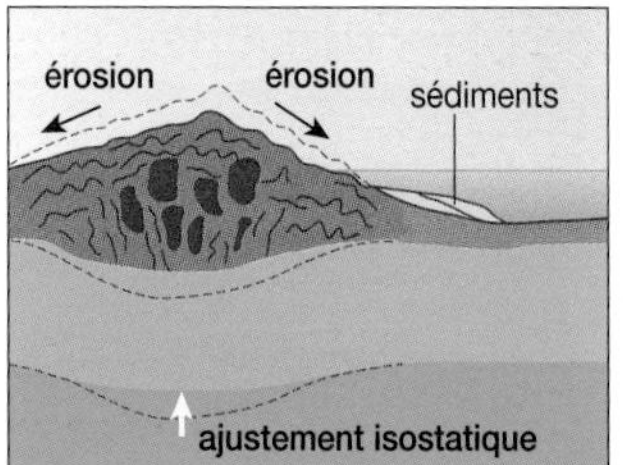

exemple : le Massif central

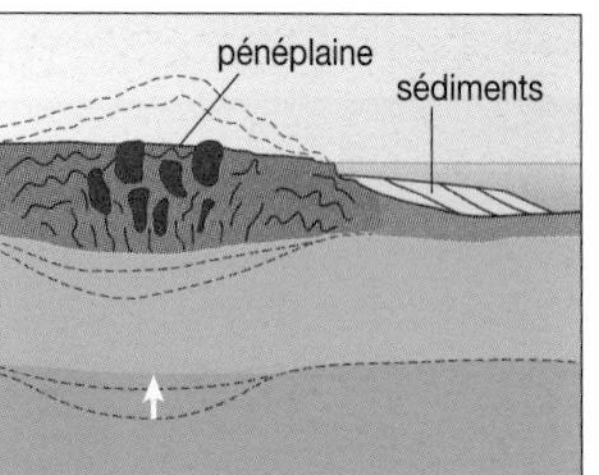

Doc. 3 Un modèle de remontée de roches plutoniques liée à l'isostasie.

On souhaite montrer que lorsque l'érosion enlève du matériel léger en surface, cela entraîne une remontée de matériaux profonds par réajustement isostatique.

PROTOCOLE

Une planche est découpée de manière à simuler une masse continentale avec sa **racine crustale** sous une chaîne de montagnes. En surface, des triangles de bois prédécoupés dans la masse peuvent être enlevés pour simuler l'érosion de la chaîne de montagnes.
La planche, légèrement lestée à la base pour qu'elle ne bascule pas, est placée dans un aquarium à moitié rempli d'eau. On trace un repère sur la vitre au niveau du bas de la racine crustale. On enlève les triangles prédécoupés, puis on observe.

RÉSULTATS

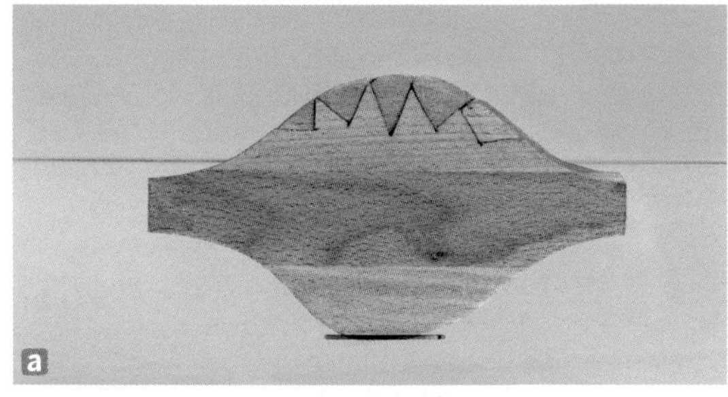

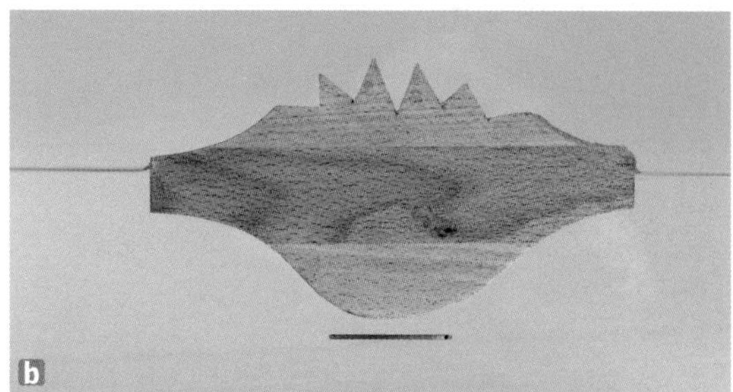

Doc. 4 Un modèle réalisable en classe.

Pistes d'exploitation

PROBLÈME À RÉSOUDRE ► En quoi l'isostasie peut-elle expliquer la présence en surface de roches plutoniques formées au cours d'une orogenèse ?

Doc. 1 Montrez que la technique d'étude des granites ne permet pas de connaître la profondeur de formation du magma.

Doc. 2 En quoi le modèle proposé établit-il un lien entre l'érosion et l'isostasie ?

Doc. 1 à 4 Expliquez le rôle joué par l'isostasie dans l'aplanissement des chaînes de montagnes.

Lexique, p. 406

L'étirement des chaînes de montagnes

Les chaînes de montagnes se forment par épaississement crustal suite à la collision continentale, avec une compression importante des terrains. Paradoxalement, une extension est constatée au cœur de certaines chaînes de montagnes récentes. *Celle-ci pourrait alors participer à l'aplanissement de la chaîne.*

A Des indices d'une extension au cœur des Alpes

- **Des observations de terrain**

Dans la zone interne des Alpes, il est fréquent d'observer des failles dites normales (traits rouges), comme dans le parc national des Écrins, au niveau de la Tête de La Rochaille et d'Oréac *(photographie ci-contre)*. Ces failles entraînent un affaissement du bloc rocheux situé au-dessus de la faille (toit) : ce type de faille se forme lors d'une extension des terrains.

Des failles normales découpent les roches dans les Alpes internes

- **Des données sismiques interprétées**

De nombreux séismes se produisent chaque année dans les Alpes. L'enregistrement des ondes sismiques apporte de nombreuses informations, notamment sur la localisation précise du foyer sismique et sur les directions de déplacement des roches le long de la faille. On en déduit les forces tectoniques qui s'appliquent sur les roches : extension, compression ou coulissage *(schémas ci-dessous)*.
Des symboles représentant ces différentes contraintes sont alors positionnés géographiquement à l'aplomb de chaque foyer sismique *(carte ci-contre)*.

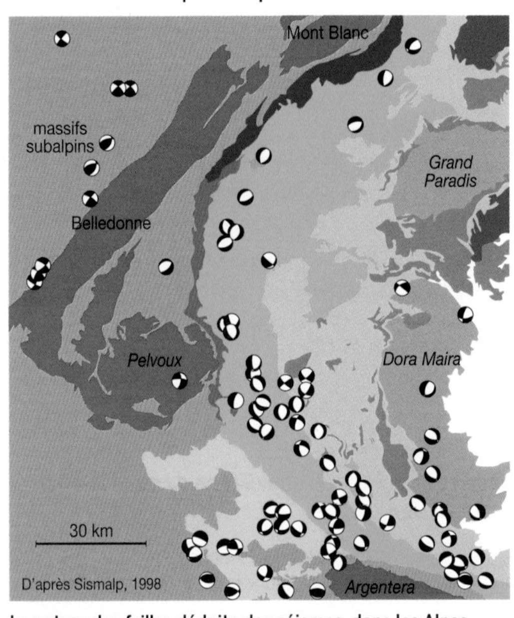

La nature des failles déduite des séismes, dans les Alpes

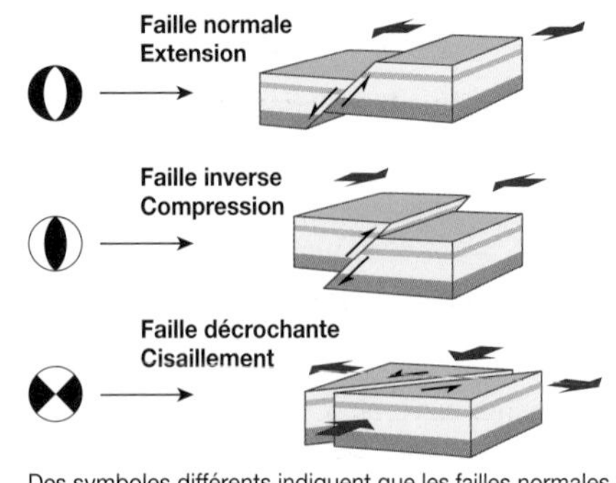

Des symboles différents indiquent que les failles normales ou inverses peuvent aussi être en partie décrochantes.

Doc. 1 Des observations de terrain et des données sismiques dans les Alpes.

B L'étirement entraîne un aplanissement des chaînes de montagnes

• Données géodésiques

Un réseau de 14 stations GPS permanentes, installé dans les Alpes occidentales, enregistre des données en continu depuis la fin de l'année 1997 (réseau REGAL). Les données sont récupérées quotidiennement.

Ces mesures permettent d'évaluer les déformations de la croûte terrestre et mettent en évidence des déplacements de quelques millimètres. Les résultats sont surprenants : plutôt que de confirmer l'idée généralement admise d'un raccourcissement de l'ensemble de la chaîne du fait de la convergence, ces résultats montrent une extension est-ouest dans la partie centrale des Alpes occidentales. Ainsi, Lyon s'éloigne actuellement de Turin d'environ 0,5 mm/an.

Une station GPS du réseau REGAL

• Données sismotectoniques

L'étude des relations entre séismes et tectonique *(voir document 1)* permet d'établir les déformations régionales dans les Alpes : les zones en extension sont en bleu, les zones en compression sont en rouge.

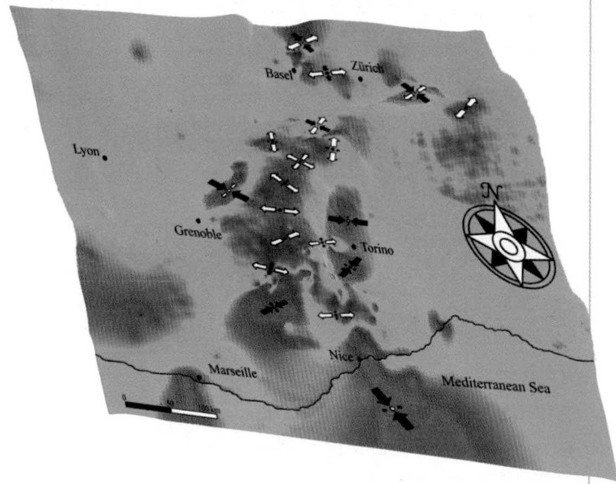

Doc. 2 Des mesures géodésiques en accords avec des données sismotectoniques dans les Alpes.

À la suite de la phase active de collision avec compression latérale, charriages et épaississement de la croûte et de la lithosphère, un équilibre entre les forces tectoniques et les forces gravitaires est atteint. La croûte épaisse et légère est en équilibre (isostasie) sur le manteau plus dense. En enlevant de la matière, l'érosion perturbe cet équilibre et entraîne un soulèvement par réajustement isostatique.

Actuellement, au niveau des Alpes (**a**), les géologues constatent une extension au cœur de la chaîne, ce qui entraîne une compression en bordure. Les mouvements aux limites de la chaîne sont nuls : la convergence entre la plaque européenne et la plaque adriatique semble stoppée.

L'ensemble de ces processus créerait des conditions favorables à la réalisation de l'aplanissement final de la chaîne. Le schéma **b** illustre une évolution possible de la chaîne des Alpes.

a
Déplacements nuls aux limites de la chaîne
extension
compression
érosion
compression
PLAQUE EUROPÉENNE
PLAQUE ADRIATIQUE
asthénosphère

b
Aplanissement de la chaîne

forces tectoniques — gravité — isostasie

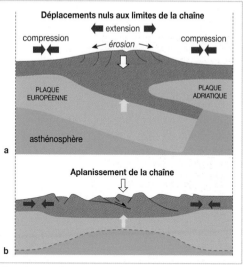

Doc. 3 Un modèle de « l'effondrement » gravitaire d'une chaîne de montagnes.

Pistes d'exploitation

PROBLÈME À RÉSOUDRE ► **En quoi l'extension constatée dans les chaînes de montagnes pourrait-elle participer à la disparition des reliefs ?**

Doc. 1 Montrez que la plupart des failles actives dans les Alpes indiquent une extension.

Doc. 2 En quoi les résultats des mesures géodésiques sont-ils en conformité avec les études sismiques ?

Doc. 1, 2 et 3 Expliquez comment des phénomènes tectoniques participent à la disparition des reliefs.

Lexique, p. 406

chapitre 4 La disparition des reliefs

Nous savons que les paysages évoluent, notamment sous l'action de l'eau. L'eau érode les roches, transporte les matériaux issus de l'érosion puis les dépose ; ces dépôts sont à l'origine des roches sédimentaires. En classe de Terminale, nous allons essayer de comprendre quelles peuvent être les conséquences de ces phénomènes au niveau des chaînes de montagnes.

1 L'aplanissement des chaînes de montagnes

Une opposition entre montagnes jeunes et montagnes anciennes

Les géologues distinguent des massifs anciens et des chaînes de montagnes récentes. Le Massif armoricain, le Massif central et les Vosges sont des massifs anciens qui se sont formés à la fin de l'ère primaire, entre – 360 et – 250 millions d'années. Les Pyrénées et les Alpes, en revanche, sont des chaînes de montagnes dont les reliefs ont commencé à être formés, il y a 30 à 40 millions d'années seulement.

Chaînes anciennes et chaînes récentes se distinguent par une variété de paysages et de reliefs. En particulier, les plus hauts sommets des massifs anciens dépassent rarement 1000 mètres d'altitude alors que, dans les Alpes, plusieurs dizaines de sommets dépassent 4000 mètres. Ces différences d'altitude s'expliquent par la longue érosion subie par les massifs anciens.

Une estimation de la vitesse d'érosion

L'estimation de la vitesse d'érosion d'une chaîne de montagnes est complexe. Elle peut se fonder sur une estimation de la masse des matériaux transportés puis déposés par tous les cours d'eau issus de cette chaîne de montagnes *(voir plus loin)*.

Elle peut aussi être réalisée par thermochronologie. Cette technique consiste à estimer la vitesse de remontée vers la surface des roches profondes en se fondant sur des traces présentes dans certains minéraux qui sont dépendantes de la température de la roche. On peut, par exemple, déterminer à quelles époques un minéral a franchi l'isotherme 110 °C, puis l'isotherme 60 °C, lors de cette remontée.

En faisant une hypothèse sur le **gradient géothermique** de l'époque sous la chaîne de montagnes, on peut évaluer la distance verticale qui séparait ces deux isothermes. Et, si l'on suppose que l'altitude de la chaîne a peu changé durant cette période, la hauteur franchie par le minéral correspond à la hauteur de roches qui a été déblayée en surface pendant le même temps. Un calcul simple permet alors d'estimer la vitesse d'**érosion**.

Les résultats montrent par exemple que, dans les Alpes centrales, une épaisseur de roches de 24 km a été enlevée depuis – 38 Ma.

2 L'altération des roches

Les roches subissent une **altération physique** et une **altération chimique**, puis sont déblayées par l'eau de ruissellement, les glaciers ou le vent. Ainsi, l'érosion enlève une quantité importante de roches aux chaînes de montagnes et modifie le relief.

Une altération physique

Un certain nombre d'agents sont responsables de la désagrégation mécanique des roches et donc d'une modification du relief. Les principaux agents sont le gel, la glace, les variations de température et les végétaux.

Dans les régions où l'eau subit des phénomènes de **gel-dégel**, elle peut entraîner la fracturation des roches. En effet, en se solidifiant, l'eau augmente de volume d'environ 10 %. Ainsi, quand l'eau infiltrée dans les fissures d'une roche gèle, elle provoque l'éclatement de la roche (d'où l'expression « geler à pierre fendre »).

La pression et les frottements exercés sur les roches par le **déplacement des glaciers** peuvent les transformer en matériaux très fins (limons, poussières…) : on parle de « farine glaciaire ».

Les **variations brutales de température** (par exemple, entre le jour et la nuit) peuvent entraîner la désagrégation d'une roche, surtout si celle-ci est composée de minéraux n'ayant pas le même **coefficient de dilatation**. Ce phénomène est particulièrement important en haute montagne et dans les déserts.

Enfin, les **racines des végétaux**, en se développant, agrandissent des fissures et contribuent à la désagrégation des roches.

Une altération chimique

La principale réaction chimique responsable d'une altération est l'**hydrolyse**, c'est-à-dire la destruction des minéraux par l'eau. Dans le cas d'un granite soumis à l'action de l'eau, on constate des auréoles d'altération autour des micas et des feldspaths. Ces minéraux appartiennent à la famille des **silicates**, c'est-à-dire qu'ils présentent une charpente formée par des molécules SiO_4 entre lesquelles se trouvent différents cations (K^+, Na^+...). Sous l'action de l'eau, ces cations vont être mis en solution de façon plus ou moins importante. Ainsi, la structure du minéral est modifiée avec formation de nouveaux minéraux et lessivage de certains ions.

Dans les différents cristaux, les ions ne réagissent pas tous de la même façon au cours du phénomène d'hydrolyse :
- certains **cations** sont **solubles** (Ca^{2+}, Mg^{2+}...), ils peuvent être évacués vers les océans et constituer des calcaires, par exemple ;
- d'autres **cations** sont **insolubles** (Al^{3+}...) et précipitent sous la forme d'hydroxydes (ils sont à l'origine de gisements métallifères, par exemple de bauxite) ;
- enfin, certains **anions** sont **solubles** (PO_4^{3-}, SO_4^{2-}...) et peuvent être évacués vers les océans où ils réagiront avec les cations solubles permettant ainsi la formation de carbonates, sulfates ou phosphates, par exemple.

3 Transport et dépôt des produits issus de l'altération

Le transport par les eaux courantes

L'eau est le principal agent de transport des éléments issus de l'altération des roches. Les ions sont transportés en solution, et les particules peuvent rester en suspension tant que la force du courant est suffisante. On définit la **charge sédimentaire** d'un cours d'eau comme l'ensemble des matières en suspension et des matières dissoutes qu'il peut transporter.

Par l'analyse d'échantillons d'eaux sur de longues périodes, il est possible de dresser un bilan d'érosion sur l'ensemble du bassin d'un cours d'eau.

Des flux sédimentaires très variables

Finalement, la charge sédimentaire résiduelle d'un cours d'eau rejoint un bassin océanique où elle se dépose. On appelle **flux sédimentaire** la quantité de sédiments déposés dans un bassin en fonction du temps : par exemple, 1 à 2 milliards de tonnes de sédiments sont déposés annuellement par le Gange, dans le Golfe du Bengale. Ces sédiments sont à l'origine des roches sédimentaires, mais les mécanismes de transformation des sédiments en roches ne sont pas au programme de la classe de Terminale.

À partir de l'estimation des flux sédimentaires pour les grands bassins fluviaux de la planète et en considérant une densité moyenne des continents égale à 2,7, il est possible, malgré des incertitudes, d'estimer le volume de roches enlevé chaque année aux continents. En connaissant les surfaces continentales concernées par chaque bassin fluvial, une vitesse d'érosion totale par bassin peut être calculée. Les records de vitesse d'érosion sont atteints pour les bassins des chaînes de montagnes jeunes (Himalaya, Alpes...).

4 L'intervention de phénomènes tectoniques

Des réajustements isostatiques

Dans les massifs anciens tels que le Massif central ou le Massif armoricain affleurent des granites âgés de plus de 300 millions d'années et qui se sont formés à des profondeurs allant de 10 à 15 km.

Cette mise à l'affleurement des roches formées en profondeur n'est pas le seul fait de l'érosion. En effet, l'allègement des masses rocheuses en surface dû à l'érosion entraîne une remontée de croûte continentale profonde pour rétablir l'équilibre isostatique : on parle de **rebond isostatique**. On estime que, pour 100 mètres d'érosion, il y a une remontée de la chaîne de 80 mètres.

Ceci permet de comprendre pourquoi une chaîne de montagnes reste « jeune » très longtemps : la baisse d'altitude engendrée par l'érosion est en grande partie compensée par la remontée isostatique.

Un effondrement gravitaire de la chaîne de montagnes

Les chaînes de montagnes se forment par épaississement crustal, suite à la collision continentale, avec une compression importante des terrains. Paradoxalement, une extension est constatée au cœur de certaines chaînes de montagnes récentes. Ainsi, dans la zone axiale des Alpes, on observe de très nombreuses **failles normales récentes** qui traduisent une extension des terrains.

Des données sismiques et des données géodésiques ont confirmé cette extension est-ouest dans la partie centrale des Alpes occidentales. Ainsi, Lyon s'éloigne actuellement de Turin d'environ 0,5 mm par an.

Les géologues expliquent ces observations de la manière suivante :
- vers la fin de la phase active de collision, l'épaississement de la croûte et de la lithosphère aboutit à un équilibre entre les forces tectoniques et les forces gravitaires (la croûte épaisse et légère est en équilibre sur le manteau plus dense) ;
- l'érosion perturbe cet équilibre en enlevant de la matière et entraîne un soulèvement par réajustement isostatique ;
- à la fin du processus de convergence, la compression étant très réduite, un « effondrement » de la chaîne dans sa région centrale se produit sous l'effet du poids des reliefs.

L'ensemble de ces processus crée des conditions favorables à la réalisation de l'aplanissement final de la chaîne.

chapitre 4 La disparition des reliefs

À RETENIR

L'aplanissement des chaînes de montagnes

Les **massifs anciens** (Massif central, Massif armoricain et Vosges) sont les vestiges d'anciennes chaînes de montagnes dont les reliefs étaient comparables à ceux d'une **chaîne récente** (Alpes, Pyrénées). Ces différences d'altitude actuelles s'expliquent par la longue **érosion** subie par les massifs anciens.

Différentes méthodes permettent d'estimer la **vitesse d'érosion** d'une chaîne de montagnes.

L'altération des roches

Les roches subissent une désagrégation physique et une altération chimique.

Différents agents sont responsables de la **désagrégation mécanique** des roches et donc d'une modification du relief : les principaux sont le **gel**, la **glace**, les **variations de température** et les **végétaux**.

Le principal agent de l'**altération chimique** des roches est l'**eau** : de nombreux minéraux subissent une **hydrolyse**. La structure des minéraux (par exemple des feldspaths et des micas) est modifiée avec formation de nouveaux minéraux et libération d'ions qui peuvent être lessivés.

Transport et dépôt des produits issus de l'altération

L'eau est le principal **agent de transport** des éléments issus de l'altération des roches. Les ions sont transportés en solution, les particules en suspension. On définit la **charge sédimentaire** d'un cours d'eau comme l'ensemble des matières en suspension et des matières dissoutes qu'il peut transporter.

Les matériaux transportés rejoignent finalement un bassin océanique où ils se déposent. On appelle **flux sédimentaire** la quantité de sédiments déposés dans un bassin en fonction du temps. À partir de l'estimation des flux sédimentaires pour les grands bassins fluviaux de la planète, il est possible d'évaluer approximativement le volume de roches enlevé chaque année aux continents.

L'intervention de phénomènes tectoniques

La mise à l'affleurement de roches formées en profondeur il y a des centaines de millions d'années n'est pas le seul fait de l'érosion. En effet, à mesure que l'érosion « allège » la chaîne de montagnes, la croûte continentale profonde remonte par **réajustement isostatique**. La baisse d'altitude engendrée par l'érosion est ainsi en grande partie compensée par la remontée isostatique.

Vers la fin du processus de convergence, la compression étant très réduite, la chaîne de montagnes a tendance à **s'effondrer** dans sa région centrale par le jeu de nombreuses **failles normales**.

Mots-clés

- Agent d'érosion
- Désagrégation d'une roche
- Altération d'une roche
- Charge sédimentaire d'un cours d'eau
- Flux sédimentaire
- Vitesse d'érosion
- Réajustement isostatique

Capacités et attitudes

- Recenser, extraire et organiser des informations pour comprendre :
  - l'aplanissement progressif des chaînes de montagnes ;
  - le rôle de l'eau dans l'érosion des reliefs ;
  - le rôle de phénomènes tectoniques dans la disparition des reliefs.
- Utiliser le microscope polarisant afin d'identifier l'altération chimique des minéraux d'une roche.
- Utiliser des modèles pour simuler le réajustement isostatique.

SCHÉMA BILAN — LA DISPARITION DES RELIEFS

ANIMATION

Un aplanissement des chaînes de montagnes dû à l'érosion

1 ÉROSION

L'eau est le principal agent d'altération des roches. Cette altération se fait par hydrolyse des minéraux.

2 TRANSPORT

Les produits de l'érosion des reliefs sont transportés, sous forme solide ou soluble, par les eaux courantes.

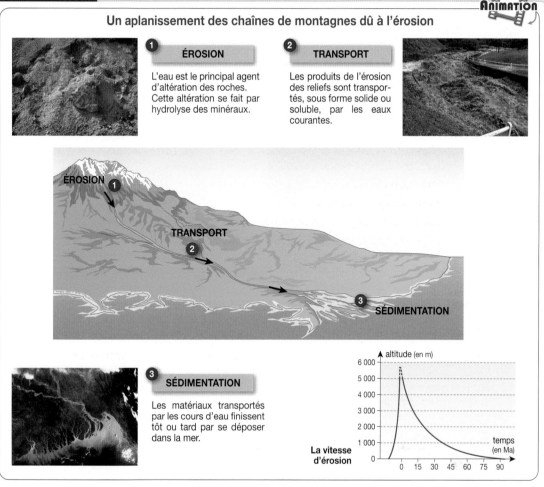

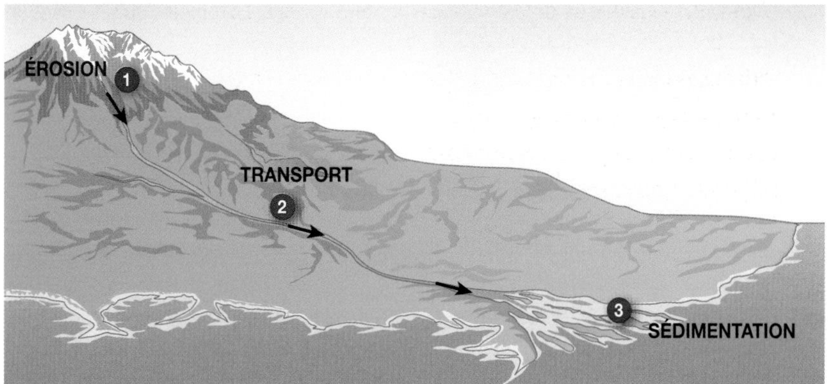

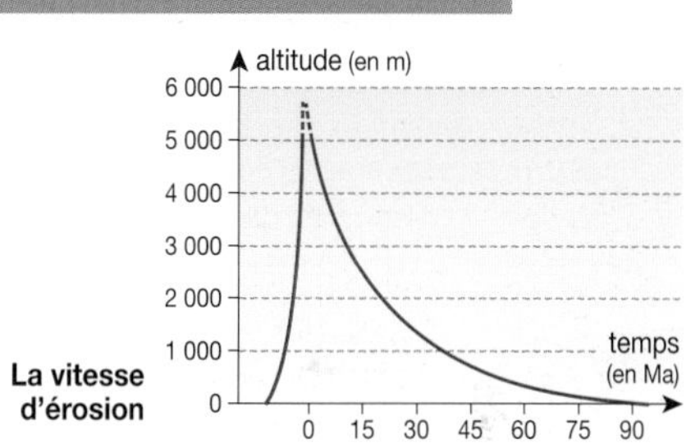

3 SÉDIMENTATION

Les matériaux transportés par les cours d'eau finissent tôt ou tard par se déposer dans la mer.

La vitesse d'érosion

L'intervention de phénomènes liés à la dynamique du globe

• Des réajustements isostatiques

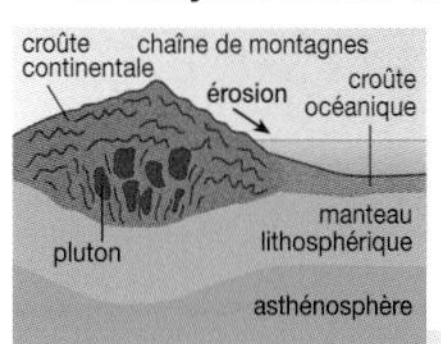

Des roches formées en profondeur...

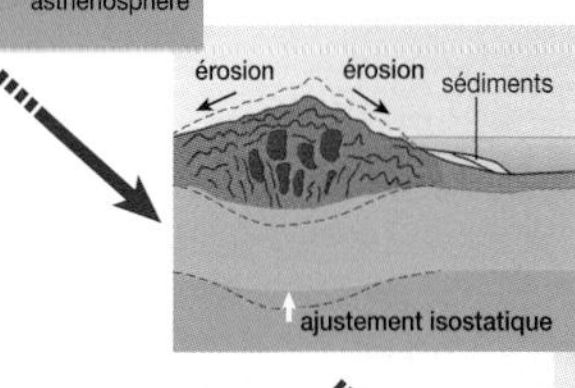

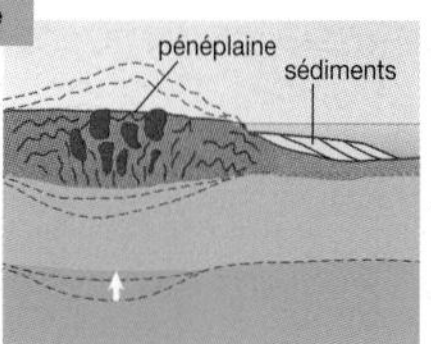

... finissent par affleurer en surface.

• Des effondrements liés à une distension

Le jeu de failles normales dans la zone centrale de la chaîne contribue à la disparition des reliefs.

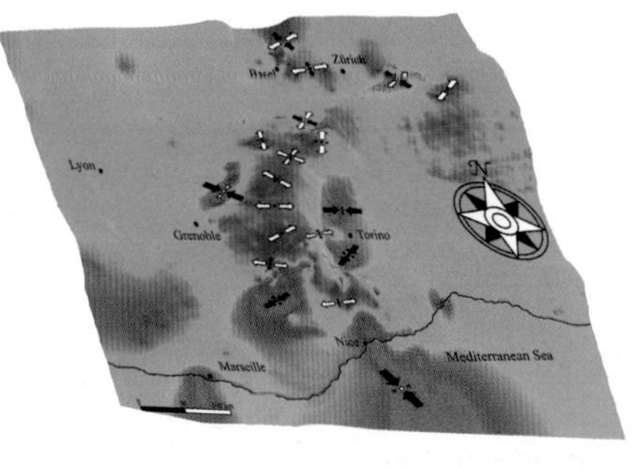

Découvrir de spectaculaires figures d'érosion

• Dans le sud-ouest des États-Unis, au nord de l'Arizona, se trouvent les Buttes du Coyote, formations géologiques remarquables (et site touristique très réglementé). En effet, on peut y voir des **figures d'érosion** spectaculaires et uniques au monde, comme « La Vague » *(photographie ci-contre)*. Il s'agit de fines **couches de grès** (datées de – 190 Ma), plus ou moins dures, usées par l'action du vent et de la pluie.

• Le parc national des Arches se trouve au sud de l'Utah (ouest des États-Unis). Il doit son nom à la présence de près de 2 000 **arches** comme celle de la *photographie ci-contre*. L'action combinée de l'eau et de fortes amplitudes thermiques a enlevé les grès les plus tendres tout en laissant les parties supérieures les plus résistantes, créant ainsi une ouverture. Avec le temps, cette « fenêtre » s'agrandit, l'arche devenant de plus en plus fine. Elle finira par s'effondrer progressivement, comme cela s'est produit, en 1991, au niveau de Landscape Arch où des blocs de grès se sont séparés de l'arche.

• Ce « **rocher champignon** », dans le désert de Libye, est une figure caractéristique des zones arides soumises à l'érosion éolienne. En effet, sous l'**action abrasive des grains de sable** transportés par le vent, les roches sont usées : on parle de **corrasion**.
L'efficacité maximale de l'usure se situe vers 1 à 1,50 m de hauteur, zone où la plus grande partie des grains de sable qui se déplacent vient frapper le rocher. Plus haut d'une part, au ras du sol d'autre part, l'action érosive est moins importante.

• En Turquie, dans la région de Cappadoce, se dressent des formations géologiques spectaculaires. Il s'agit de « **cheminées de fée** » ou « demoiselles coiffées » formées de plusieurs couches de roches. Une couche supérieure basaltique (ancienne coulée de lave), foncée et résistante, recouvre une couche d'ignimbrites (roches formées de débris de lave), plus friable.
La coulée de lave a été en grande partie déblayée par l'érosion, mais certains blocs de basalte sont restés en place, protégeant ainsi les terrains sous-jacents de l'érosion par les eaux de ruissellement. Ainsi, se forment des « cheminées » dont tous les chapeaux sont à la même hauteur (la base de l'ancienne coulée).

Cheminées de Göreme en Cappadoce (Turquie)

Maîtriser ses connaissances

Pour s'entraîner

1 Définissez les mots ou expressions

Érosion, altération, vitesse d'érosion, sédimentation, flux sédimentaire, réajustement isostatique, recyclage de la lithosphère continentale.

2 Vrai ou faux ?

Repérez les affirmations exactes et corrigez celles qui sont inexactes.

a. Il y a 300 Ma, se dressait en Europe une chaîne de montagnes du type Himalaya.

b. L'ordre de grandeur des vitesses d'érosion actuelles est le mètre par an.

c. 100 millions d'années sont nécessaires à l'aplanissement d'une chaîne de montagnes.

d. Tous les produits de l'altération sont transportés.

e. Tous les produits de l'altération sont transportés en suspension dans l'eau.

f. Les réajustements isostatiques permettent d'expliquer la remontée de roches profondes en surface.

g. Les Alpes ne sont affectées que par des contraintes tectoniques compressives.

3 Questions à réponse courte

a. Indiquez les principaux mécanismes qui permettent l'aplanissement d'une chaîne de montagnes.

b. Quelle est l'origine des sédiments déposés par le Gange, au niveau de son delta ?

c. Expliquez la relation entre l'érosion et les réajustements isostatiques au niveau d'une chaîne de montagnes.

d. Quelle est la conséquence de la présence de failles normales actives au cœur des Alpes ?

4 Justifiez ces affirmations

a. Le Massif armoricain est une chaîne de montagnes plus ancienne que les Alpes.

b. L'eau est le principal agent d'altération des roches.

c. Les flux sédimentaires permettent d'estimer les vitesses d'érosion.

d. Sans les réajustements isostatiques, quelques millions d'années seraient suffisants pour aplanir une chaîne de montagnes.

Objectif BAC

5 L'altération des roches

La *photographie ci-dessous* montre la surface d'un granite altéré.

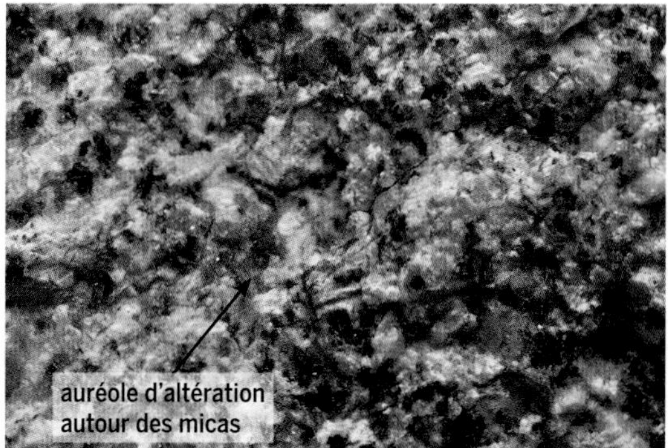

Question de synthèse :

Expliquez l'action de l'eau dans l'altération d'un granite.

6 La formation du delta du Rhône

Question de synthèse :

Expliquez l'ensemble des phénomènes géologiques à l'origine de la formation du delta du Rhône.

7 L'aplanissement des chaînes de montagnes

A. Questions à choix multiples 

Choisissez la bonne réponse pour chaque série d'affirmations.

1. **L'altération et l'érosion des roches :**
a. sont les seuls mécanismes permettant l'aplanissement d'une chaîne de montagnes ;
b. ne débutent que lorsque l'altitude de la montagne est maximale ;
c. débutent dès l'apparition des premiers reliefs ;
d. sont les résultats de la seule action de l'eau.

2. **Érosion et réajustements isostatiques :**
a. sont deux mécanismes indépendants l'un de l'autre ;
b. sont interdépendants ;
c. participent à l'élévation des reliefs ;
d. participent à l'enfouissement des roches de surface.

B. Question de synthèse :

Expliquez les mécanismes mis en jeu dans l'aplanissement d'une chaîne de montagnes.

Votre exposé sera accompagné de schémas.

Utiliser ses compétences

8 Une roche latéritique : la bauxite

Exploiter un ensemble de documents en relation avec les connaissances, pratiquer une démarche scientifique

Question :
À partir de l'exploitation des documents et de vos connaissances, expliquez la formation d'une roche latéritique comme la bauxite.

La bauxite doit son nom à sa découverte, en 1821, aux environs des Baux-de-Provence

Document 1 : les caractéristiques de la bauxite
La bauxite est une roche dite « latéritique », assez tendre, de couleur blanche, jaunâtre ou rouge *(photographie)*. Elle contient une quantité importante d'alumine (au moins 40 % d'Al_2O_3) et d'oxyde de fer. Cette roche est exploitée comme minerai d'aluminium.
La bauxite se forme en milieu tropical à partir de l'altération du granite. La bauxite des Baux-de-Provence s'est formée à la fin de l'ère secondaire (Mésozoïque).

Document 2 : une cuirasse latéritique en milieu tropical

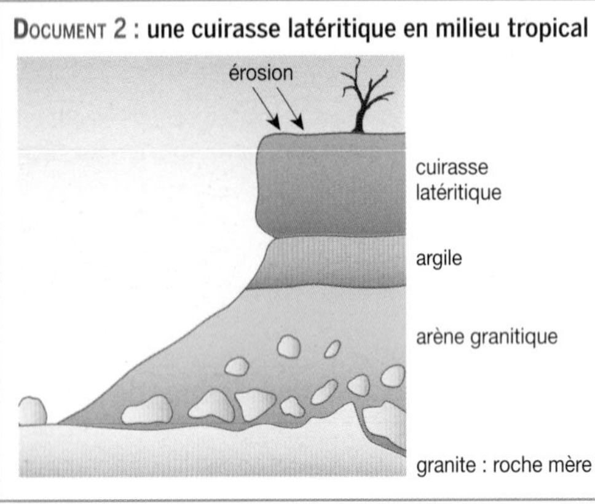

Document 3 : solubilité des ions selon le diagramme de Goldschmidt

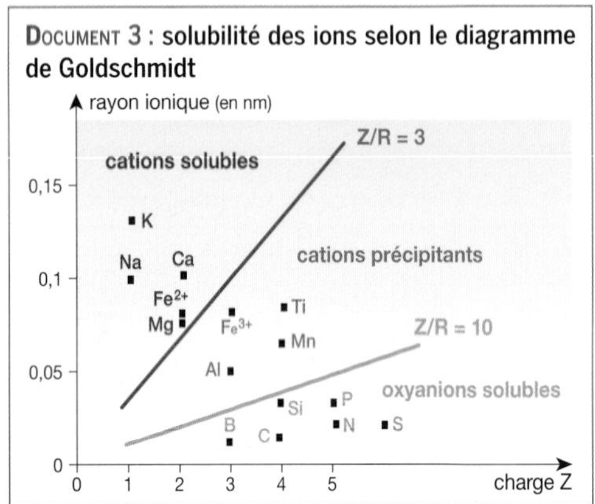

9 Le Massif armoricain

Extraire des informations, raisonner

Question :
À partir de vos connaissances et de l'exploitation de la carte géologique et de sa notice, expliquez la présence de granites en surface dans le Massif armoricain.

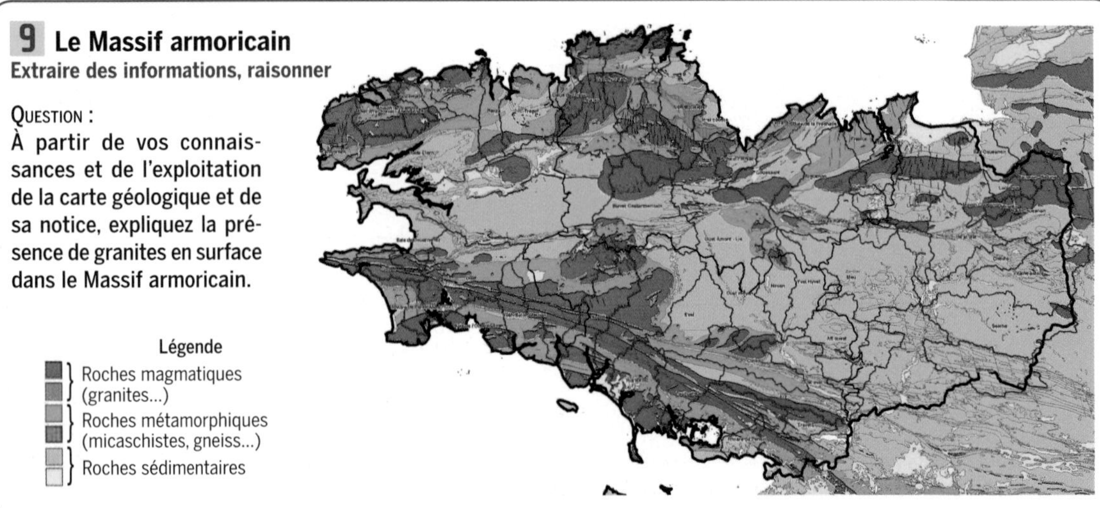

Légende
- Roches magmatiques (granites...)
- Roches métamorphiques (micaschistes, gneiss...)
- Roches sédimentaires

Utiliser ses capacités expérimentales

10 Les chaînes de montagnes en France — Utiliser des cartes géologiques

SE PRÉPARER aux épreuves pratiques du BAC

■ Problème à résoudre

À partir de l'ensemble des potentialités du site Infoterre (BRGM), justifiez les termes de chaînes de montagnes « anciennes » et chaînes de montagnes « récentes » en France.

■ Matériel disponible

- Site Infoterre du BRGM.
- Fiche d'aide à l'utilisation du site.

■ Mise en œuvre d'une démarche

- Affichez la carte géologique de la France (version détaillée ou version simplifiée) et sa notice.
- Vous pouvez zoomer sur une région, un lieu précis, relever la topographie, la nature géologique des terrains.

■ Exploitation et communication des résultats

- Présentez les résultats de votre étude sous la forme d'un tableau comparatif. On attend la comparaison au minimum de deux massifs montagneux.
- Justifiez les qualificatifs de montagnes « anciennes » et montagnes « récentes » que l'on peut attribuer aux massifs étudiés.

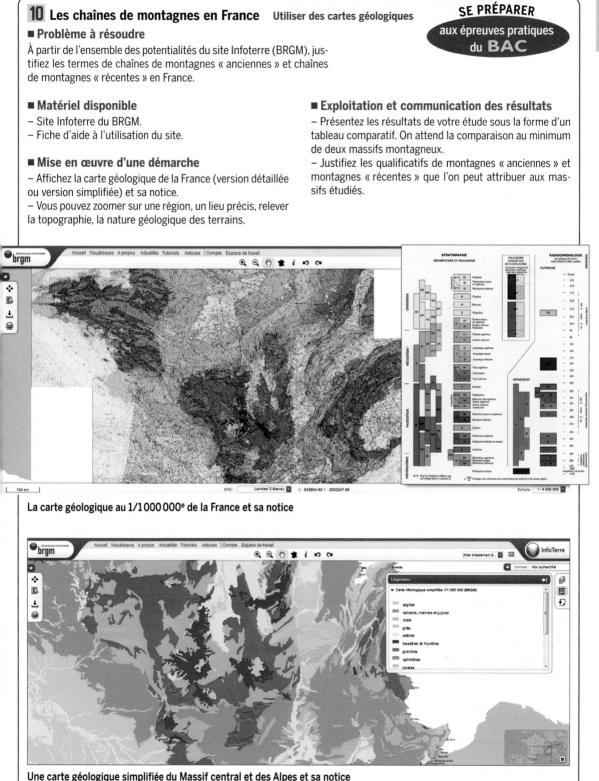

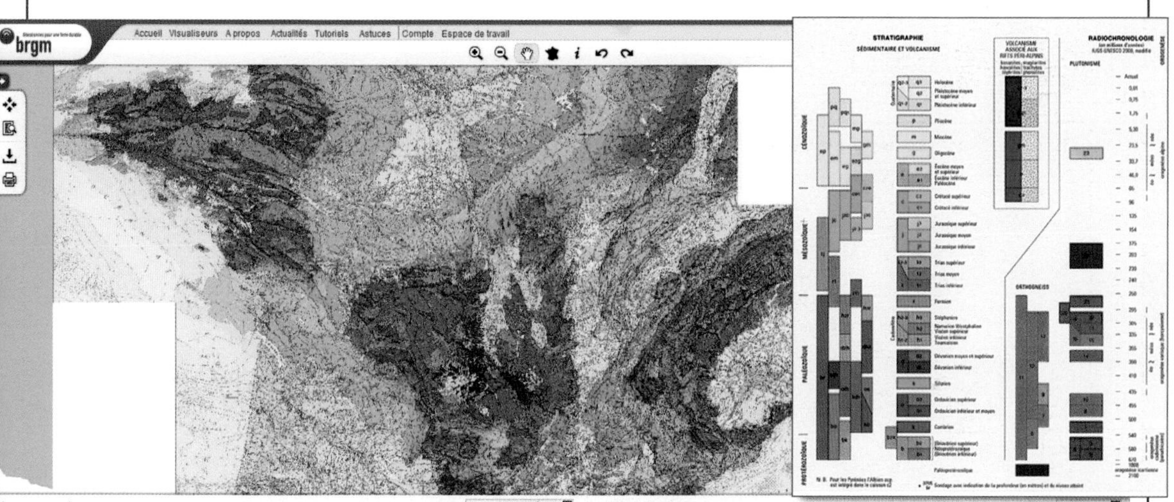

La carte géologique au 1/1 000 000e de la France et sa notice

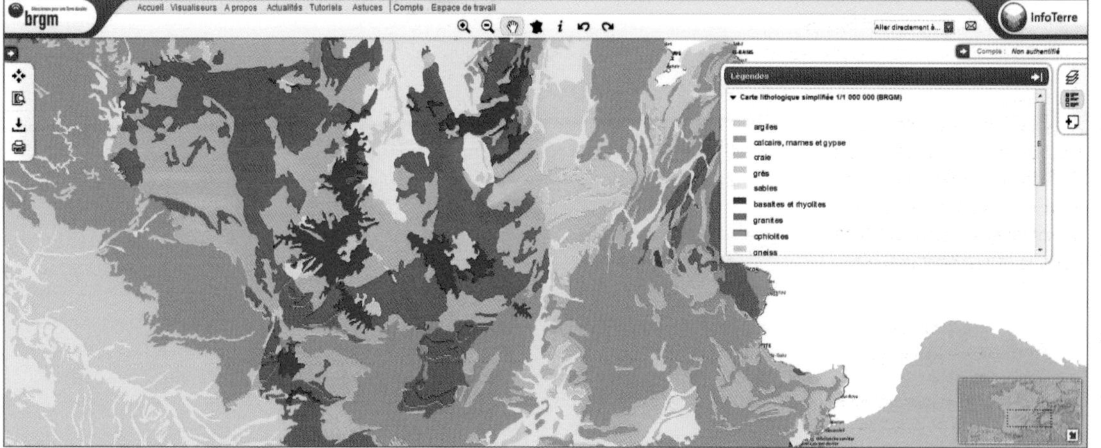

Une carte géologique simplifiée du Massif central et des Alpes et sa notice

Cycle des matériaux de la croûte continentale

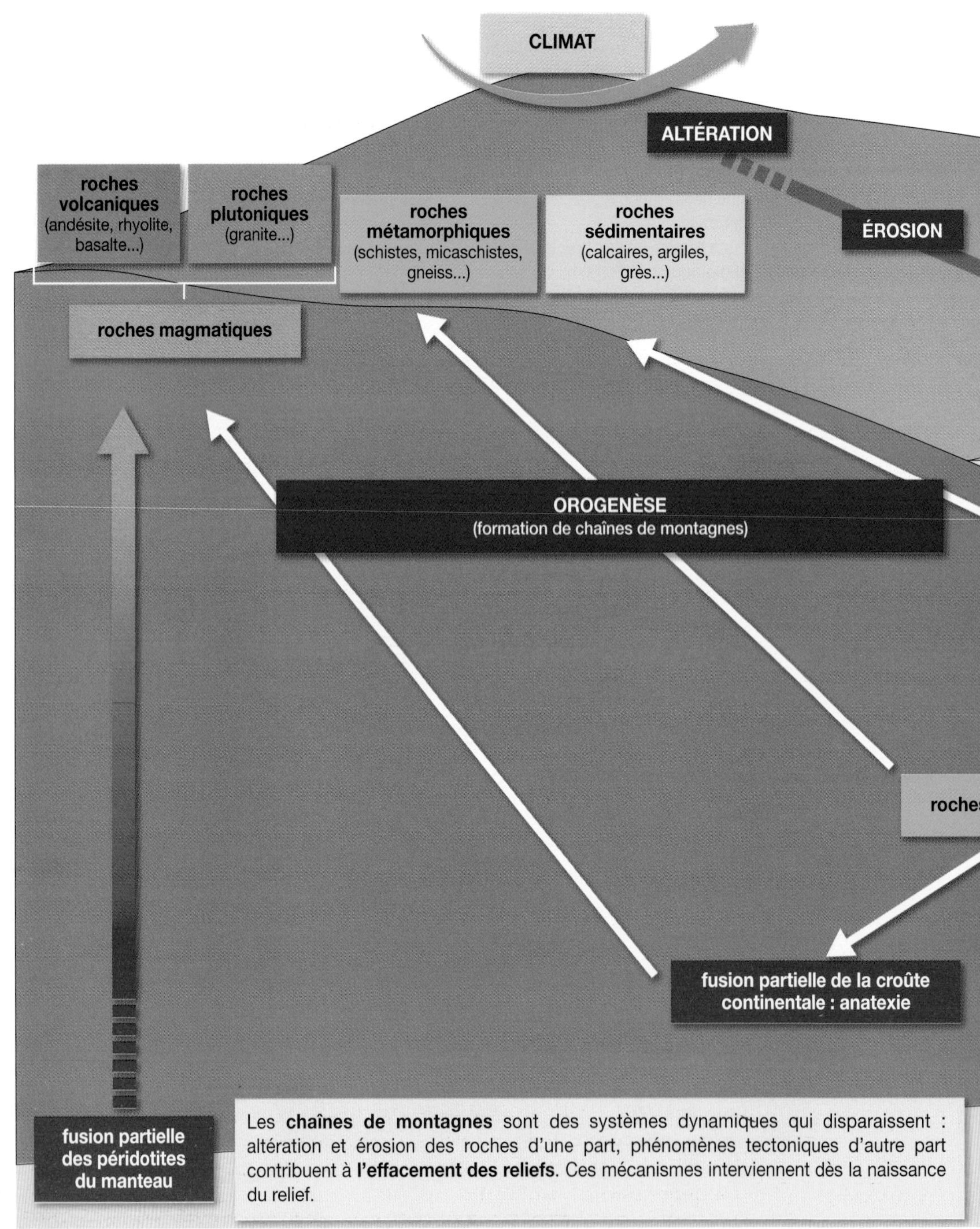

Les **chaînes de montagnes** sont des systèmes dynamiques qui disparaissent : altération et érosion des roches d'une part, phénomènes tectoniques d'autre part contribuent à **l'effacement des reliefs**. Ces mécanismes interviennent dès la naissance du relief.

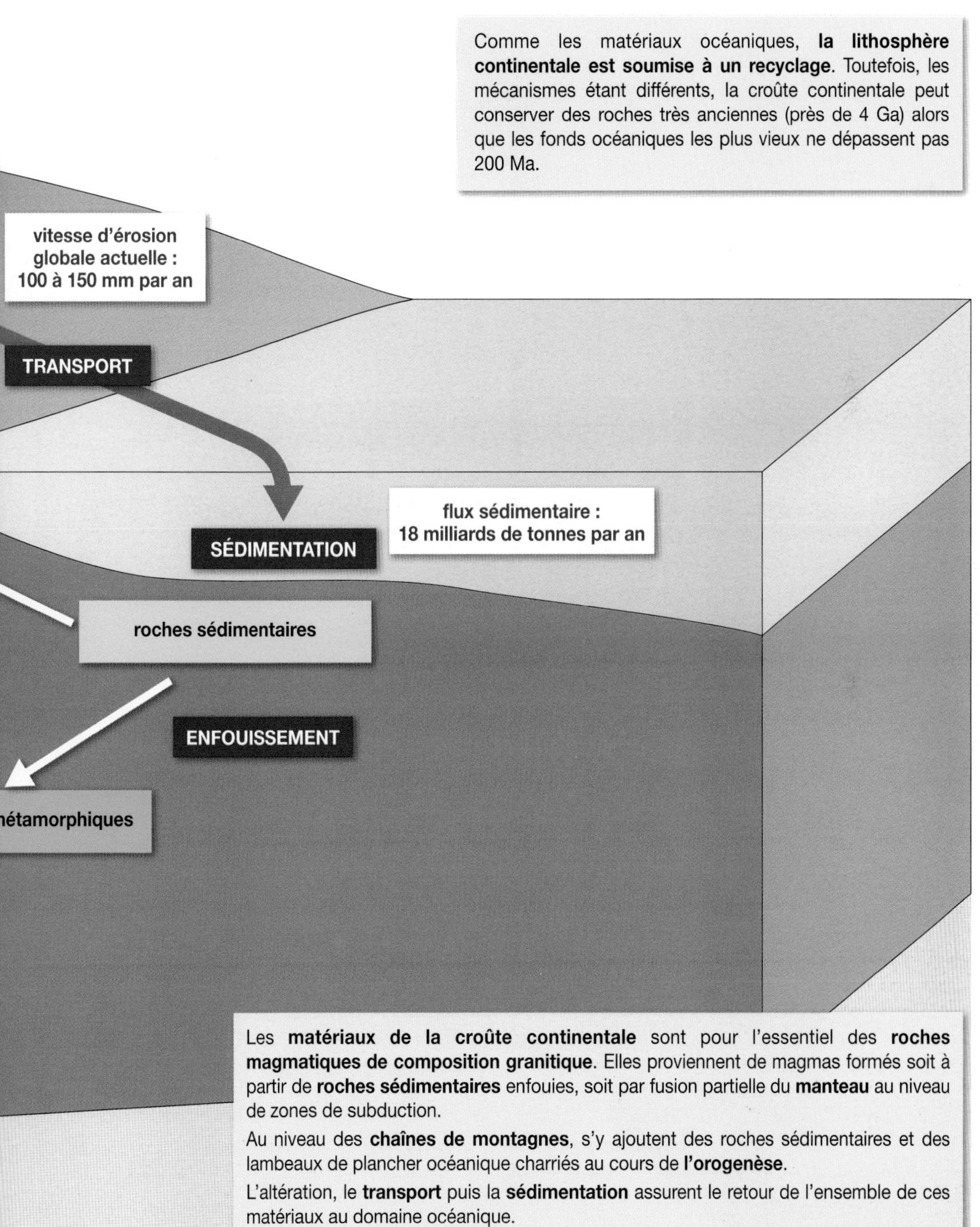

Comme les matériaux océaniques, **la lithosphère continentale est soumise à un recyclage**. Toutefois, les mécanismes étant différents, la croûte continentale peut conserver des roches très anciennes (près de 4 Ga) alors que les fonds océaniques les plus vieux ne dépassent pas 200 Ma.

Les **matériaux de la croûte continentale** sont pour l'essentiel des **roches magmatiques de composition granitique**. Elles proviennent de magmas formés soit à partir de **roches sédimentaires** enfouies, soit par fusion partielle du **manteau** au niveau de zones de subduction.

Au niveau des **chaînes de montagnes**, s'y ajoutent des roches sédimentaires et des lambeaux de plancher océanique charriés au cours de **l'orogenèse**.

L'altération, le **transport** puis la **sédimentation** assurent le retour de l'ensemble de ces matériaux au domaine océanique.

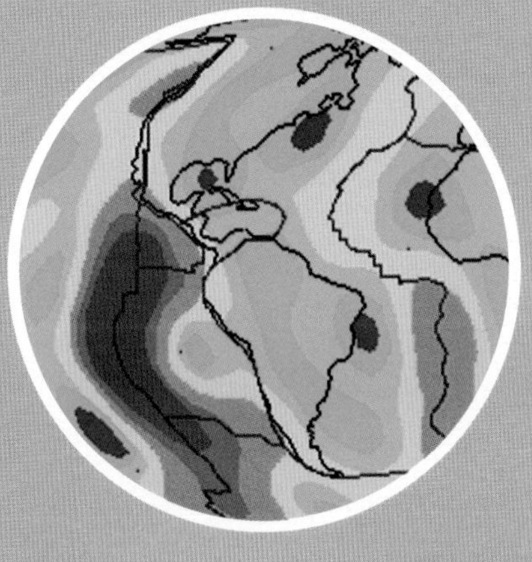

Partie 3

Enjeux planétaires contemporains

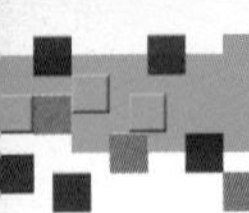

La structure thermique du globe terrestre

L'augmentation de la température avec la profondeur

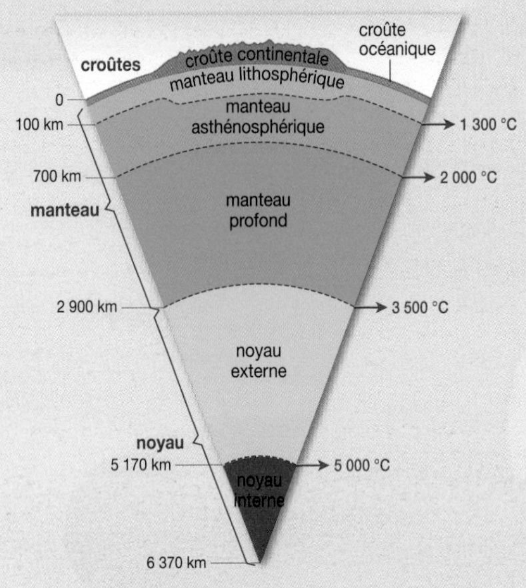

- L'augmentation de la température avec la profondeur est en **moyenne de 30 °C par kilomètre** : c'est le **gradient géothermique**. Ce gradient présente des **variations** importantes. Il est, par exemple, beaucoup plus **élevé dans les régions volcaniques**, ce qui explique la présence de sources chaudes, de geysers... dans ces régions.

- L'homme exploite cette énergie interne du globe, ou **énergie géothermique**, pour chauffer les habitations ou encore produire de l'électricité dans des centrales géothermiques.

Des précisions apportées par la tomographie sismique

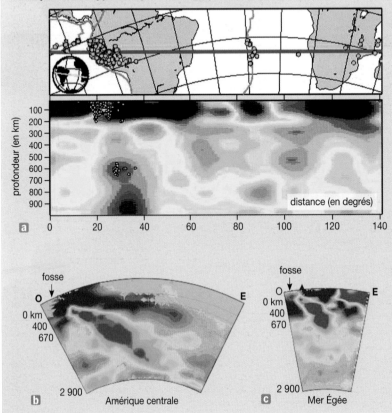

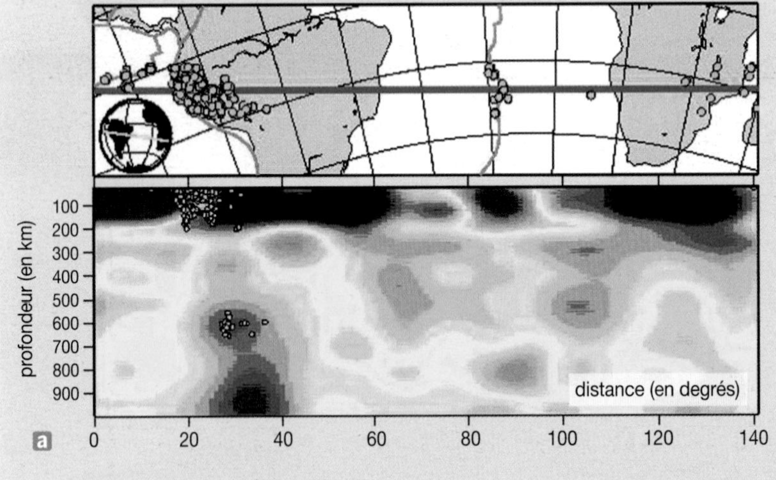

fosse
O
E
0 km
400
670
2 900
b Amérique centrale

fosse
O
E
0 km
400
670
2 900
c Mer Égée

- La **tomographie sismique**, fondée sur la vitesse de propagation des ondes sismiques, permet de repérer, dans le globe terrestre, des **zones plus froides que la moyenne** (en bleu) et des **zones plus chaudes que la moyenne** (en rouge).

- Ces anomalies thermiques peuvent être mises en relation avec la **dynamique de la lithosphère** :
  - une zone chaude suggère une **montée magmatique** près de la surface ;
  - une zone froide anormalement profonde suggère un enfoncement d'une plaque lithosphérique dans le manteau, c'est-à-dire une **zone de subduction**.

Énergies fossiles et énergies renouvelables

Les sources d'énergie utilisées par l'Homme

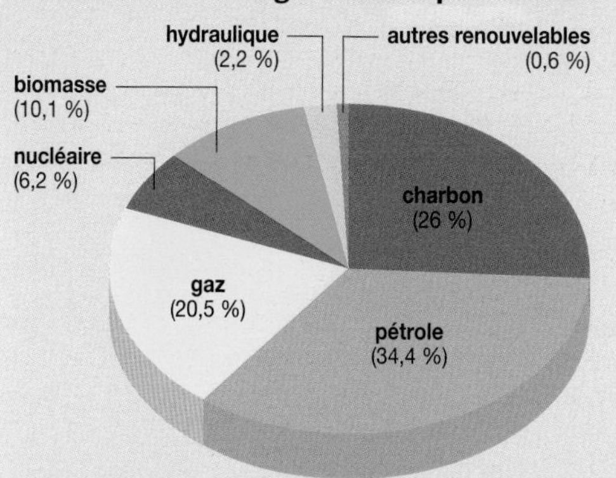

- L'homme tire des **combustibles fossiles** la majeure partie de l'énergie dont il a besoin pour ses activités. Toutes ces énergies correspondent à de la matière organique qui a été fossilisée, donc, indirectement, à de l'énergie solaire.
- Hormis l'énergie géothermique, les **énergies renouvelables**, elles aussi, ont pour origine l'énergie solaire, soit directement (solaire photovoltaïque, par exemple), soit indirectement (biomasse, éolien ou hydroélectrique).

Les problèmes liés à l'utilisation des énergies non renouvelables

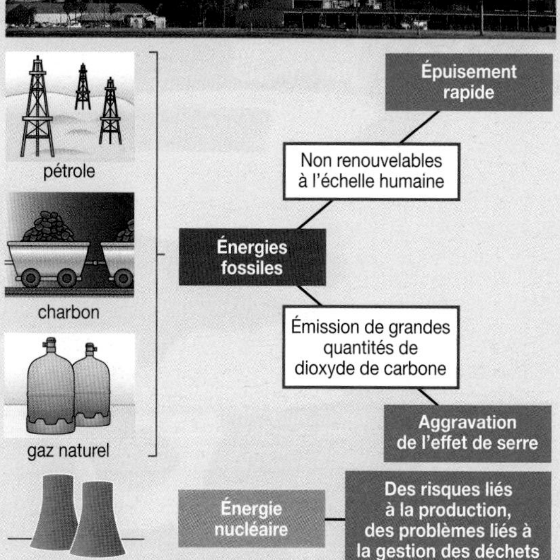

- Les sources d'énergies fossiles nécessitent **des millions d'années** pour se former et sont **non renouvelables** à l'échelle humaine. Leur **épuisement** est prévisible dans un bref délai du fait d'une demande énergétique qui ne cesse d'augmenter.
- Contrairement aux énergies fossiles, l'**énergie nucléaire** n'émet pas de grandes quantités de dioxyde de carbone, mais elle présente des **risques** et des **problèmes** liés à son exploitation.

Les énergies renouvelables et le développement durable

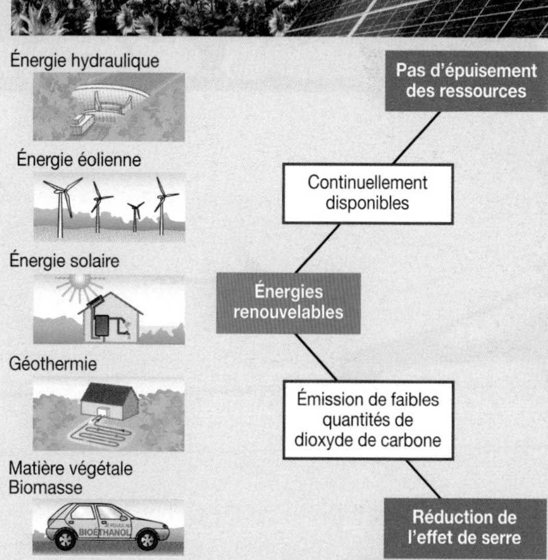

- Les **énergies renouvelables** proviennent de sources d'énergie qui **ne s'épuisent pas** au fur et à mesure qu'on les consomme ou qui se renouvellent facilement comme les végétaux.
- Ces énergies, qui émettent **moins de dioxyde de carbone** que les énergies fossiles, représentent donc des solutions qui permettent de concilier besoins énergétiques et **développement durable**.

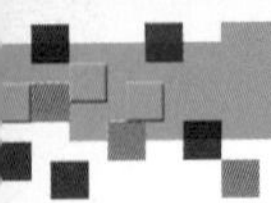

L'agriculture : un défi alimentaire mondial

- Depuis qu'il n'est plus simplement chasseur-cueilleur, l'homme pratique l'**agriculture** à des fins alimentaires.
- Les végétaux chlorophylliens étant les premiers maillons des **chaînes alimentaires**, la production végétale est à la base des aliments, que ceux-ci soient d'origine végétale ou animale.
- L'accroissement de la **population mondiale** constitue un défi : nourrir neuf milliards d'êtres humains est un enjeu planétaire pour ce XXIe siècle.

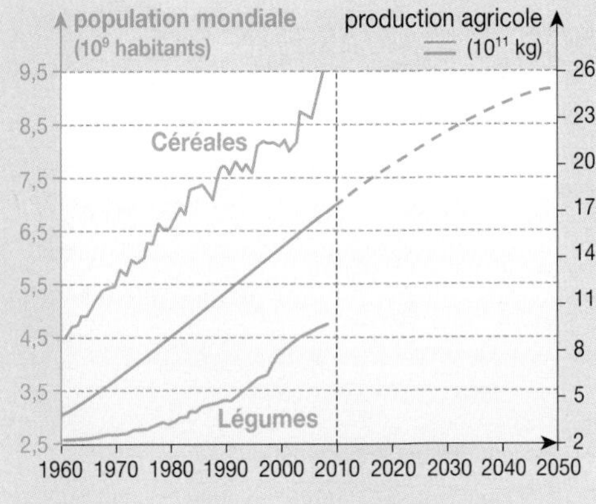

Les agrosystèmes : des écosystèmes transformés

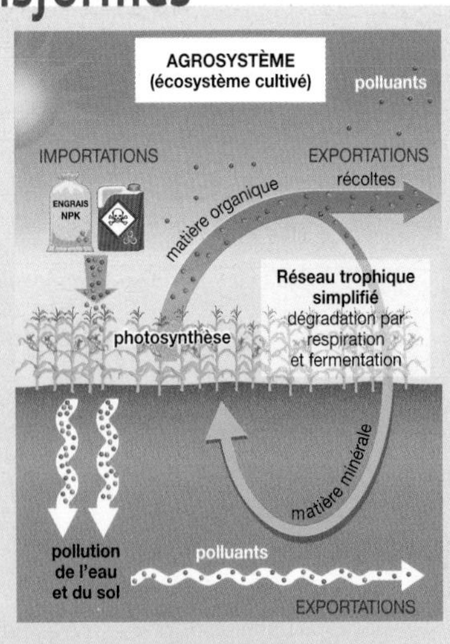

- Aujourd'hui, un **agrosystème**, un champ de blé par exemple, est un écosystème profondément transformé dans un but productif par l'action de l'homme.
- La **biodiversité** est maintenue à un niveau très bas par différentes pratiques : déforestation, désherbage mécanique ou chimique, travail du sol, paillage...

Le développement des herbivores et des champignons est maîtrisé par l'utilisation de **pesticides**.

- La productivité est énorme, du fait de la **sélection des semences**, de l'utilisation d'**engrais** et de l'irrigation.

Les **pratiques agricoles** font intervenir des machines sophistiquées intégrant les technologies les plus modernes.

L'origine des graines des plantes à fleurs

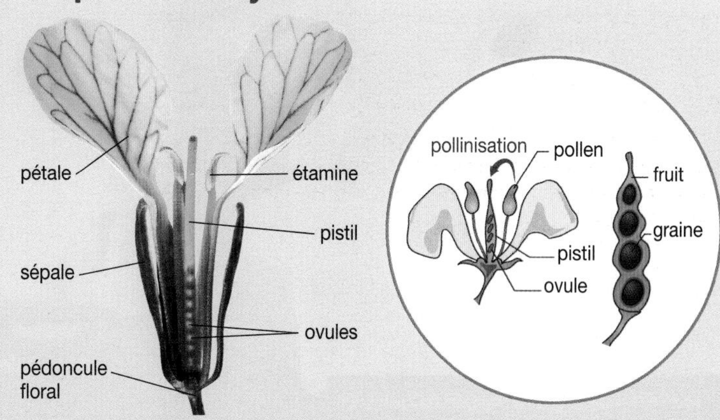

- Cultiver des plantes suppose d'en assurer la **reproduction**. C'est une nécessité si l'on souhaite récolter des graines ou des fruits, mais aussi si l'on souhaite disposer de **semences**.
- La formation des graines nécessite le transport et le dépôt du **pollen** sur le **pistil** de la fleur (pollinisation) pour permettre la fécondation.

L'amélioration des plantes

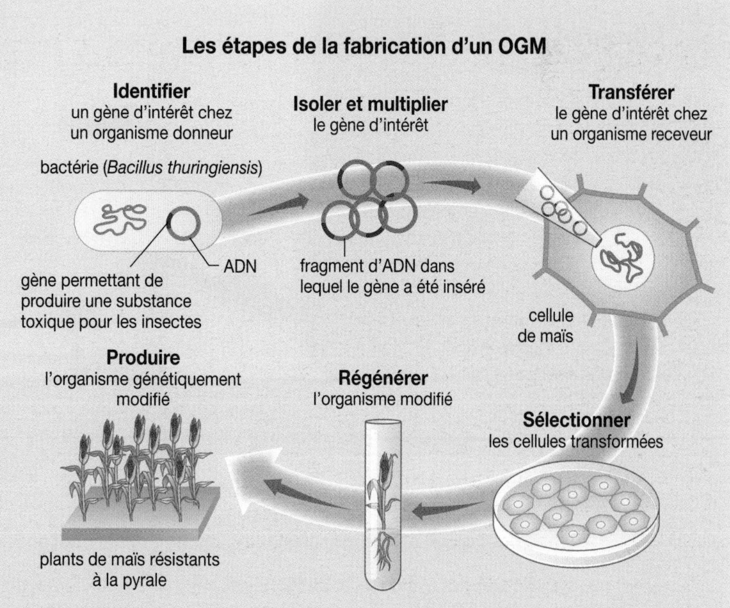

- Depuis longtemps, l'homme cherche à améliorer les plantes qu'il cultive. Différentes pratiques y concourent : certaines sont empiriques, d'autres résultent d'une application de **connaissances scientifiques**.
- C'est le cas de la production d'**organismes génétiquement modifiés** (OGM). La production d'OGM comme le maïs résistant aux insectes ravageurs *(photographie ci-dessus)* est, aujourd'hui, l'objet de controverses.

Des DOCUMENTS pour se poser des questions

Une manifestation spectaculaire de la chaleur interne du globe

Le geyser « Old Faithful » dans le parc du Yellowstone, aux États-Unis, fait jaillir par intermittence de l'eau bouillante à plus de 50 mètres de hauteur. Des mesures effectuées ont révélé une température de 118 °C à 20 mètres de profondeur.

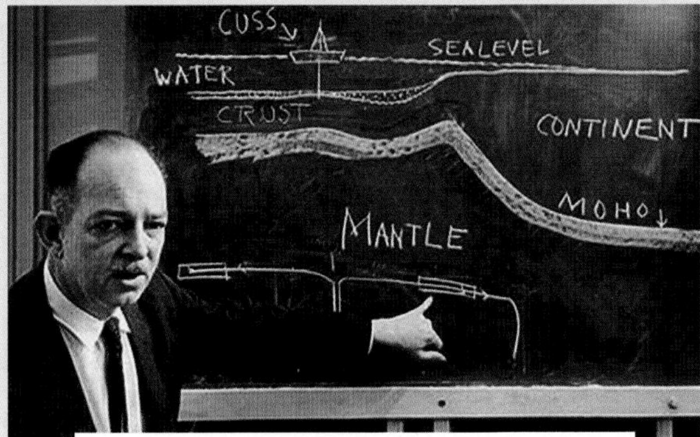

Chaleur interne du globe et mobilité des plaques lithosphériques

Dès 1960, Hess développe une nouvelle théorie pour expliquer la mobilité lithosphérique et les manifestations associées : il existerait de grands mouvements de convection dans le manteau terrestre, à l'origine des mouvements lithosphériques. Ces déplacements correspondraient notamment à des courants chauds ascendants et à des courants froids descendants.

Une exploitation de l'énergie géothermique

Certains pays exploitent déjà depuis longtemps l'énergie géothermique pour produire de l'électricité. La France, un peu en retard en ce domaine, possède une centrale géothermique en Guadeloupe (la centrale de Bouillante qui produit 8 % de l'électricité consommée dans l'île) et, en métropole, une centrale expérimentale à Soultz-sous-Forêts dans le Bas-Rhin.

LES PROBLÉMATIQUES DU CHAPITRE

- **Comment varie la température des roches en profondeur ?**
- **Quelle est l'origine de la chaleur interne de la Terre ? Comment est-elle libérée en surface ?**
- **Comment les propriétés thermiques du globe permettent-elles d'expliquer la dynamique de la lithosphère ?**
- **Comment l'Homme peut-il exploiter les ressources géothermiques ?**

En Islande, un lac de plus de 200 m de long, le blue lagoon, est maintenu toute l'année à 40 °C grâce aux eaux rejetées par la centrale géothermique voisine.

Géothermie et propriétés thermiques de la Terre

LES ACTIVITÉS DU CHAPITRE

Gradient géothermique et flux géothermique

L'existence d'un flux de chaleur d'origine interne, variable d'une région à l'autre, est attestée par de nombreuses manifestations : sources chaudes, température élevée du sous-sol... *Nous préciserons ici les caractères de ce flux géothermique.*

A Des manifestations locales d'un flux thermique d'origine interne

Source thermale du Par à Chaudes-Aigues (Cantal) : l'eau jaillit à 82 °C, ce qui en fait une des sources les plus chaudes d'Europe.

Les sources hydrothermales des fonds océaniques (« fumeurs noirs ») libèrent des fluides riches en éléments chimiques à très haute température (350 °C). Les **geysers** sont des sources d'eau chaude jaillissant par intermittence en projetant de l'eau et de la vapeur à une température de près de 200 °C. Ces deux exemples sont des manifestations évidentes de l'énergie interne du globe. En France, plus de 1200 sources thermales sont connues.

Quelques stations thermales françaises

Villes thermales	Température de l'eau des sources (en °C)	Départements
Aix-en-Provence	33	Bouches-du-Rhône
Bains-les-Bains	51	Vosges
Cauterets	53	Hautes-Pyrénées
◄ Chaudes-Aigues	82	Cantal
Dax	64	Landes
Le Mont-Dore	42	Puy-de-Dôme
Bouillante	30 à 80	Guadeloupe
Salazie	32	La Réunion

Doc. 1 Des manifestations hydrothermales révélatrices.

Jusqu'à la fin du XXe siècle, les mines de potasse alsaciennes ont été exploitées pour extraire du chlorure de potassium (KCl), utilisé essentiellement comme engrais. Ce très important gisement salifère est constitué de deux couches principales superposées, distantes d'environ 20 mètres ; le minerai (sylvinite) contient 25 % de KCl, 60 % de NaCl et 15 % d'éléments insolubles. Il correspond à des couches épaisses d'**évaporites** déposées au Tertiaire, lorsque le fossé alsacien était périodiquement envahi par la mer. L'enfoncement progressif de la région a enfoui ces couches salines à des profondeurs comprises entre 400 et 1100 mètres.

Au fond des puits, à une profondeur de 800 mètres, la température des parois atteint 47 °C. Malgré les systèmes de ventilation très puissants, les mineurs pouvaient perdre par transpiration plusieurs litres d'eau au cours d'une journée.

Doc. 2 Une température élevée à « faible » profondeur.

B Mesure du gradient et du flux géothermiques

Plus on s'enfonce dans le sous-sol, plus la température augmente. Le **gradient géothermique** mesure l'importance de cette variation de température avec la profondeur. Le principe de sa mesure est simple : il suffit de noter les températures observées dans des puits de mines ou des forages. Il est alors facile de calculer quelle est l'augmentation moyenne de température par 100 mètres de profondeur (ou par km). En moyenne, le gradient vaut environ 3 °C pour 100 mètres, mais il est variable d'une région à l'autre avec des valeurs comprises entre 1 et 10 °C pour 100 mètres.

Une mesure du gradient géothermique en Alsace

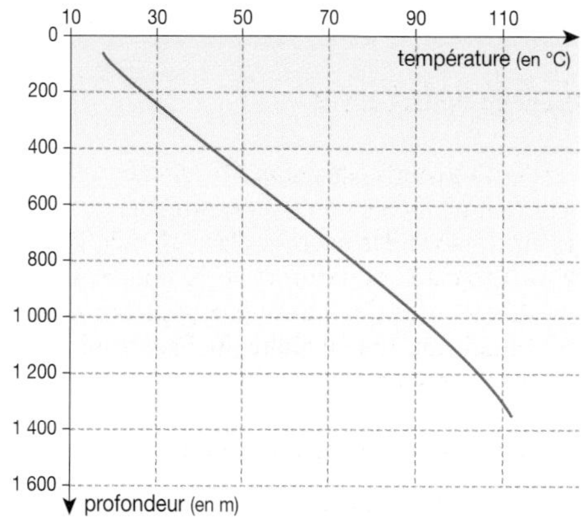

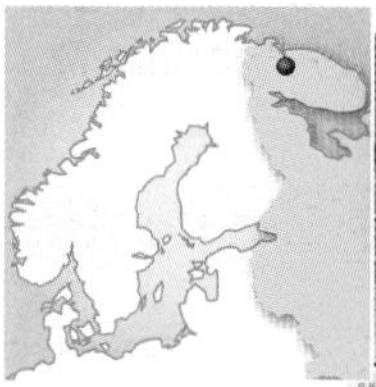

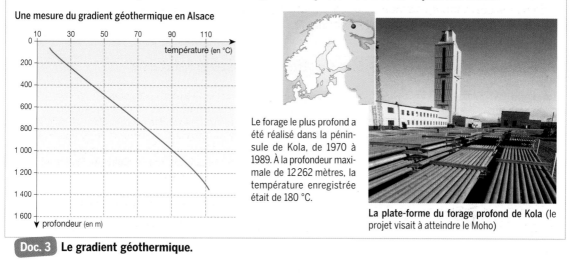

Le forage le plus profond a été réalisé dans la péninsule de Kola, de 1970 à 1989. À la profondeur maximale de 12 262 mètres, la température enregistrée était de 180 °C.

La plate-forme du forage profond de Kola (le projet visait à atteindre le Moho)

Doc. 3 Le gradient géothermique.

Le **flux géothermique** est la quantité d'énergie thermique provenant des profondeurs de la Terre et traversant une unité de surface terrestre par unité de temps. Il s'exprime en watts par mètre carré ($W \cdot m^{-2}$) et permet d'évaluer le transfert de chaleur de la profondeur vers la surface de la Terre.

Il est possible de mesurer la conductivité thermique d'un échantillon de roche *(photographie)* : c'est le flux thermique ou flux de chaleur, transféré par conduction, par la roche soumise à un gradient de température de 1 kelvin par mètre (en $K \cdot m^{-1}$).

Si l'on considère une couche rocheuse homogène, on peut donc établir que :

Flux géothermique ($W \cdot m^{-2}$) = conductivité thermique × gradient géothermique ($K \cdot m^{-1}$)

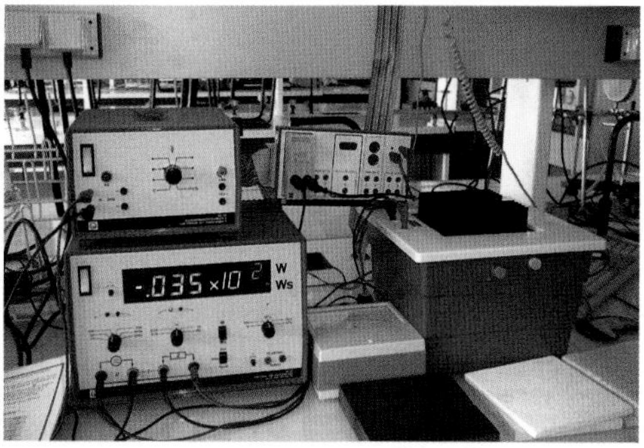

Quelques résultats

Type de matériau	Conductivité thermique (en $W \cdot m^{-1} \cdot K^{-1}$)
Granite	2,5 à 3,8
Péridotite	4,2 à 5,8
Gabbro basalte	1,7 à 2,5
Calcaire	1,7 à 3,3
Argent	420
Eau	6
Bois	0,1

Les roches terrestres sont de mauvais conducteurs thermiques (même si le bois est encore un plus « mauvais » conducteur et donc un très bon isolant).
Les roches freinent les transferts d'énergie interne et permettent ainsi une forme de stockage de chaleur.

Doc. 4 Le calcul du flux géothermique.

Pistes d'exploitation

PROBLÈME À RÉSOUDRE ▸ Quelles sont les caractéristiques du flux géothermique ?

Doc. 1 et 2 Recherchez des indices de l'existence d'une énergie interne.

Doc. 3 Comparez la valeur du gradient géothermique en Alsace et dans la péninsule de Kola.

Doc. 4 Donnez la valeur théorique du flux géothermique dans une zone granitique et dans une zone sédimentaire (on admettra un gradient géothermique moyen).

Lexique, p. 406

Contexte géologique et ressource géothermique locale

La connaissance du flux géothermique d'une région et du contexte géologique local permet d'établir s'il est possible de récupérer de l'énergie thermique d'origine profonde. *Nous allons voir comment identifier des ressources géothermiques potentielles en France.*

A Le flux géothermique en France et la géologie du sous-sol

La recherche des ressources géothermiques nécessite de connaître le gradient géothermique et le flux géothermique. Des mesures, réalisées en France métropolitaine ont permis d'établir les *cartes ci-contre* : la carte des isothermes (ligne d'égale température) à une profondeur de 5 000 mètres à gauche et la carte des mesures de flux géothermique à droite. Le cas de la France d'outre-mer sera évoqué plus loin.

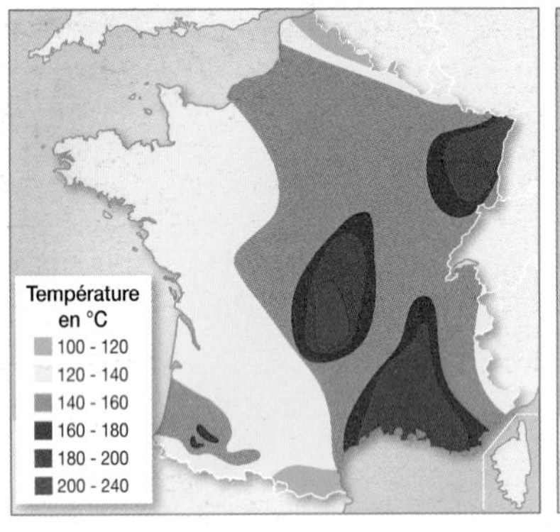

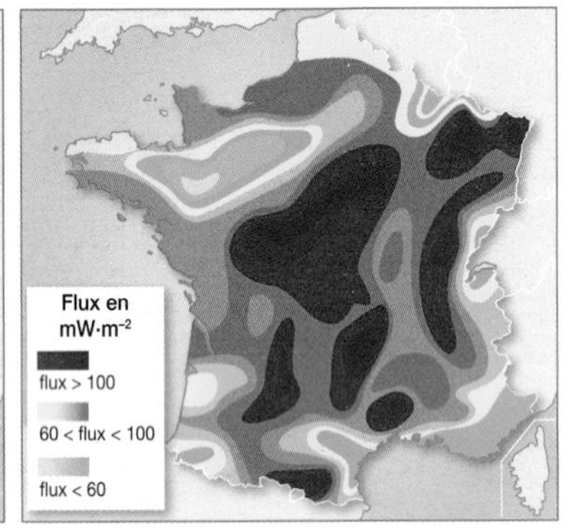

Doc. 1 Gradient et flux géothermiques en France.

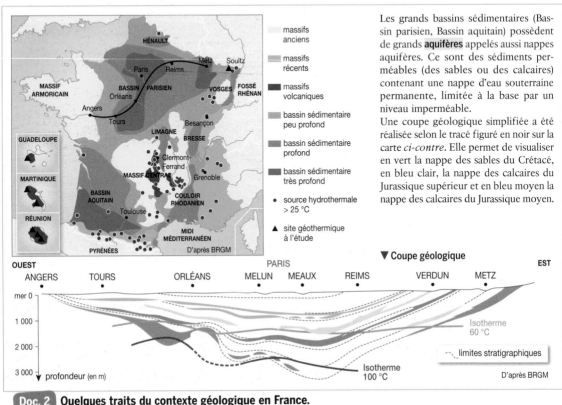

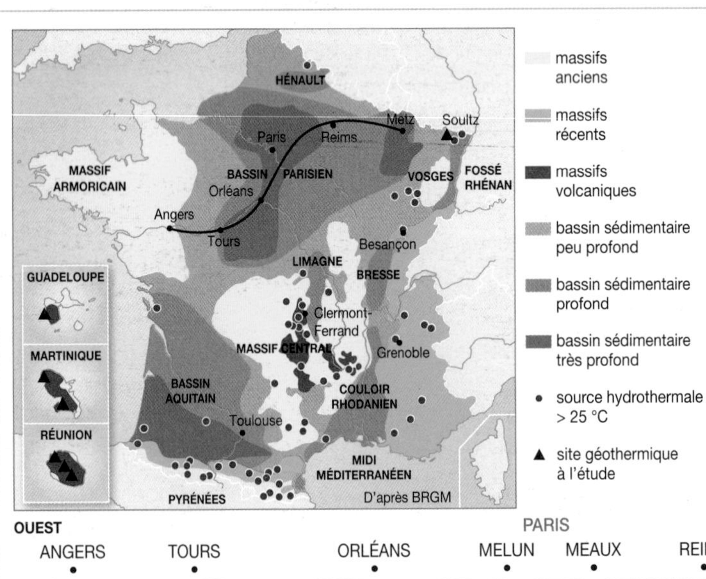

Les grands bassins sédimentaires (Bassin parisien, Bassin aquitain) possèdent de grands **aquifères** appelés aussi nappes aquifères. Ce sont des sédiments perméables (des sables ou des calcaires) contenant une nappe d'eau souterraine permanente, limitée à la base par un niveau imperméable.

Une coupe géologique simplifiée a été réalisée selon le tracé figuré en noir sur la carte *ci-contre*. Elle permet de visualiser en vert la nappe des sables du Crétacé, en bleu clair, la nappe des calcaires du Jurassique supérieur et en bleu moyen la nappe des calcaires du Jurassique moyen.

▼ Coupe géologique

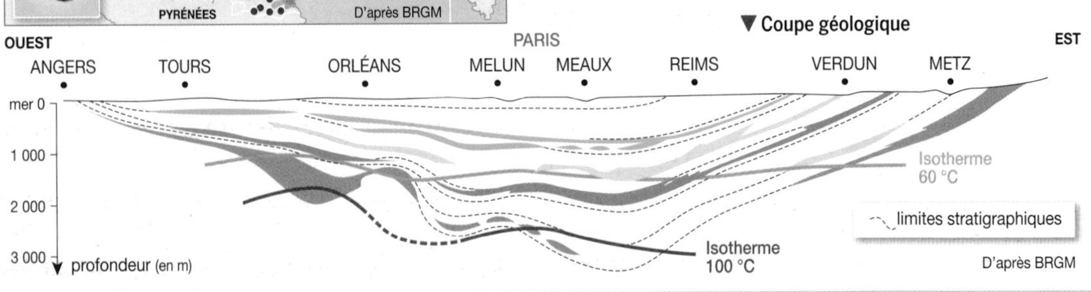

Doc. 2 Quelques traits du contexte géologique en France.

B Les ressources potentielles en France

L'utilisation de la chaleur naturelle du sous-sol en tant que source d'énergie peut être de trois types :
– la **géothermie très basse énergie** qui exploite des aquifères peu profonds dont les eaux ont une température inférieure à 30 °C, ou qui utilise directement l'énergie thermique contenue dans les roches peu profondes du sous-sol (on utilise cette ressource pour le chauffage et la climatisation grâce à une pompe à chaleur) ;
– la **géothermie basse énergie** qui utilise des aquifères à des températures comprises entre 30 °C et 100 °C, la chaleur pouvant être directement utilisée pour le chauffage ;
– la **géothermie moyenne et haute énergie**, utilisant des fluides ou de la vapeur jusqu'à 250 °C, permet de produire de l'électricité par l'intermédiaire de turbines.

Fichier kmz pour Google Earth élaboré par Ludovic Delorme (site SVT de l'Académie de Montpellier). ▶

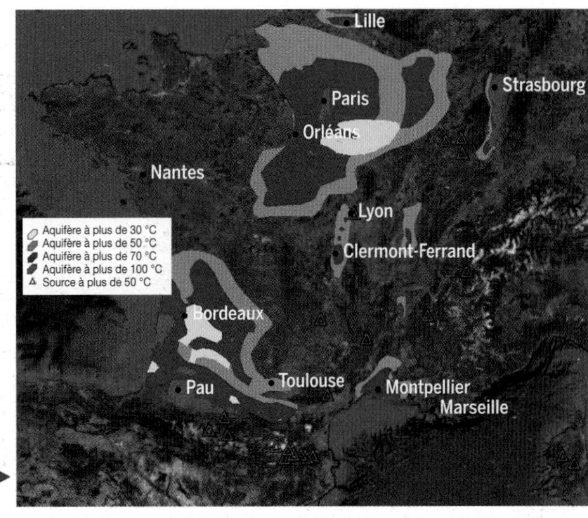

Doc. 3 Les potentialités de la géothermie, en France.

Depuis fin 2002, un vaste projet d'inventaire des **potentialités géothermiques** du territoire métropolitain a été engagé. Des atlas régionaux sont disponibles pour permettre une étude raisonnée d'une possible implantation géothermique. Le potentiel géothermique dans la région d'Orléans a été étudié et cartographié *(ci-dessous)*.

Deux forages ont été réalisés au niveau de la zone étudiée *(ci-dessous)*. La profondeur piézométrique ou **niveau piézométrique** est le niveau atteint par l'eau lorsqu'un forage est effectué dans un aquifère.

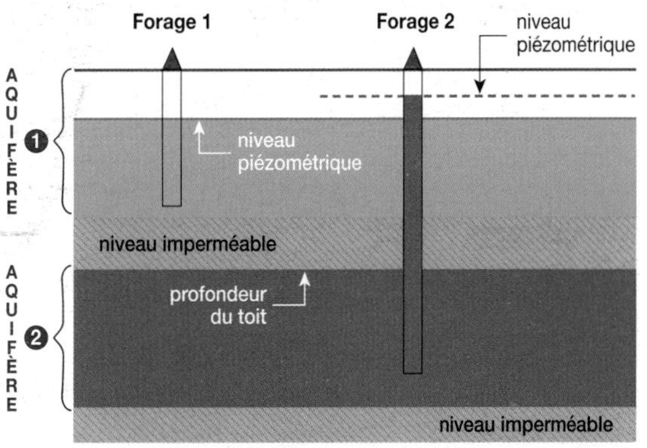

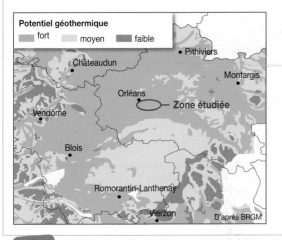

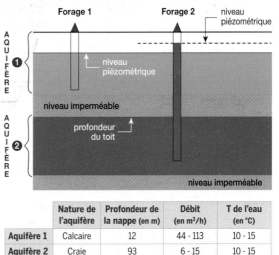

	Nature de l'aquifère	Profondeur de la nappe (en m)	Débit (en m^3/h)	T de l'eau (en °C)
Aquifère 1	Calcaire	12	44 - 113	10 - 15
Aquifère 2	Craie	93	6 - 15	10 - 15

Doc. 4 Un exemple d'étude de faisabilité géothermique.

Pour consulter des atlas régionaux :
www.bordas-svtlycee.fr

Pistes d'exploitation

PROBLÈME À RÉSOUDRE ▶ Comment identifier des ressources géothermiques potentielles ?

Doc. 1 et 2 Comparez les deux cartes proposées en relevant les concordances entre gradient et flux géothermique. Expliquez en quoi la nature du sous-sol conditionne la possibilité d'une exploitation géothermique.

Doc. 3 Quelles régions présentent un potentiel intéressant ?

Doc. 4 Expliquez avec l'ensemble des données à votre disposition pourquoi l'aquifère n° 1 est un aquifère au fort potentiel géothermique.

Lexique, p. 406

Flux géothermique et contexte géodynamique

Le flux géothermique conditionne l'exploitation de l'énergie du sous-sol. Sa valeur, inégale d'un lieu à un autre, dépend de la conductivité thermique des roches, mais aussi du gradient géothermique. *Les sites géothermiques actuellement exploités permettent de comprendre le lien entre tectonique des plaques et géothermie.*

A Un flux géothermique hétérogène

Le flux de chaleur a été déterminé avec précision sur plus de 24 000 stations réparties aussi bien sur de la croûte continentale que sur de la croûte océanique *(carte ci-contre)*.
À partir de ces résultats et en complétant par des **interpolations** pour les zones non étudiées, il a été possible de proposer une carte mondiale des variations du flux géothermique *(carte ci-dessous)*.

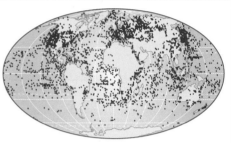

Des données de terrain nombreuses

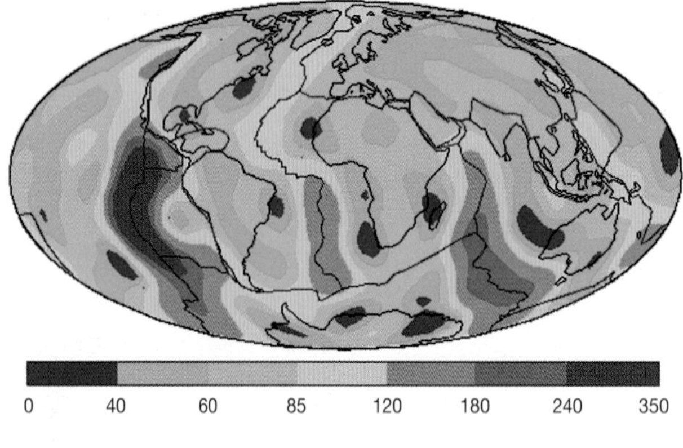

Le flux géothermique mondial ($mW \cdot m^{-2}$)

Si le flux géothermique moyen est de 87 $mW \cdot m^{-2}$, celui-ci présente néanmoins des variations régionales importantes. C'est ainsi qu'en moyenne, il n'est que de 65 $mW \cdot m^{-2}$ environ sur les continents alors qu'il est de l'ordre de 100 $mW \cdot m^{-2}$ dans les domaines océaniques.

Par ailleurs, on peut noter une association entre zones tectoniques (dorsales océaniques, zones de subduction par exemple) et anomalies du flux de chaleur.

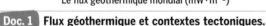

Doc. 1 Flux géothermique et contextes tectoniques.

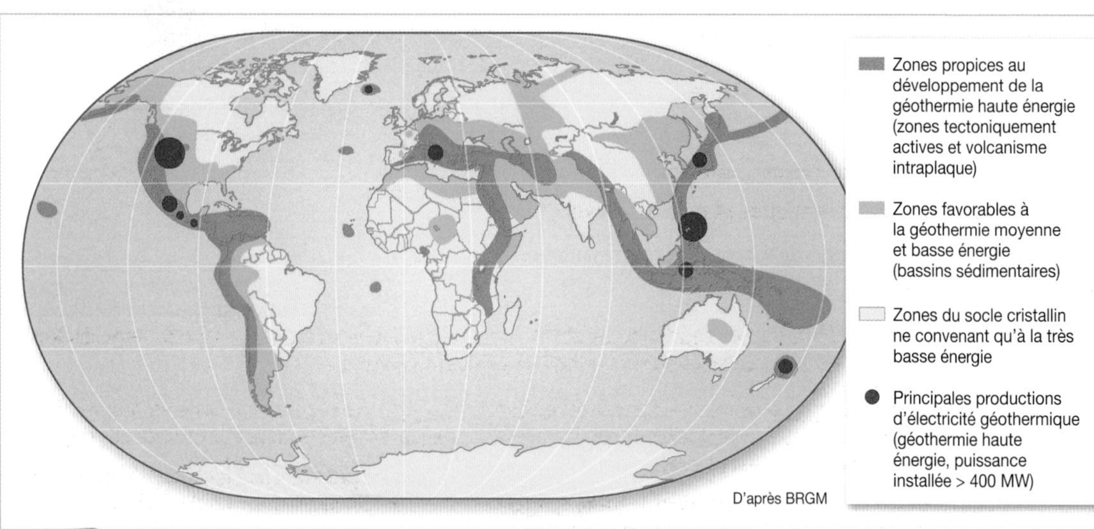

Doc. 2 Zones propices au développement de la géothermie haute énergie.

B Ressources géothermiques de haute énergie et dynamique lithosphérique

Contrairement à la France métropolitaine où la géothermie moyenne et basse énergie est la seule possible, la Guadeloupe représente un bel exemple de géothermie haute énergie. Le champ géothermique de Bouillante est situé au voisinage du volcan de la Soufrière, donc dans une zone volcanique associée à la subduction de la plaque nord-américaine sous la plaque Caraïbe.

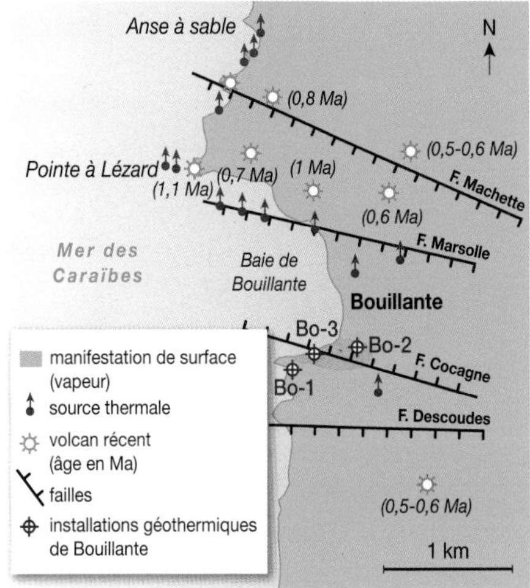

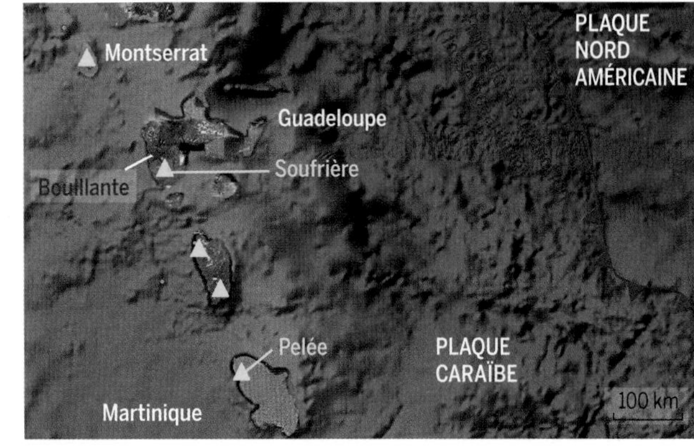

L'eau de mer et l'eau de pluie s'infiltrent en profondeur dans le sol, circulent dans les fractures de la roche et se réchauffent à son contact avant de remonter vers la surface où de nombreuses manifestations hydrothermales sont repérables. Les installations géothermiques **(Bouillante 1, 2)** prélèvent l'eau chaude en profondeur et fournissent à peu près 9 % de la consommation électrique de la Guadeloupe.

Bouillante 1 (depuis 1986)	**Bouillante 2** (depuis 2004)
• Profondeur du puits : 350 m	• Profondeur des puits : plus de 1 000 m
• Température : 250 °C	• Température : 250 °C

De nouvelles installations sont en cours de réalisation vers la pointe à Lézard, au nord de la baie de Bouillante.

Doc. 3 Ressources géothermiques et contexte de subduction.

Le parc du Yellowstone est mondialement connu pour ses manifestations hydrothermales remarquables et notamment pour ses centaines de geysers *(voir p. 236)*. Il correspond à un super volcan situé à l'aplomb d'un point chaud, sous la plaque nord-américaine. Cette région représente une ressource géothermique remarquable.

De nombreux champs géothermiques (Californie, Nevada, Utah, Hawaï) sont exploités aux États-Unis ; ils produisent une quinzaine de TWh/an (térawattheure par an), soit 0,4 % des besoins (1 TWh = 10^{12} Wh).

Âge des formations volcaniques

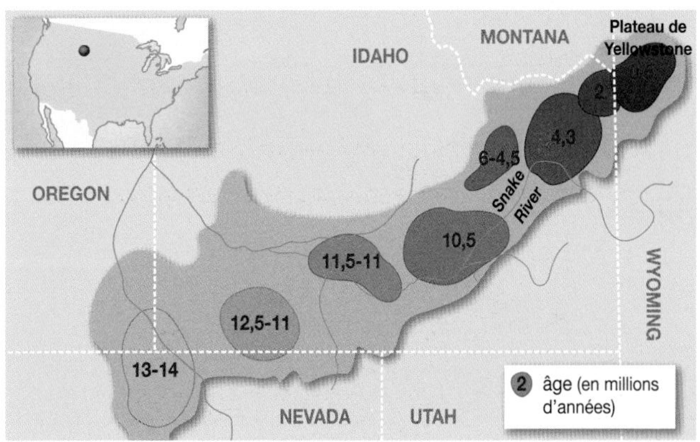

Doc. 4 Ressources géothermiques et points chauds.

Pistes d'exploitation

PROBLÈME À RÉSOUDRE ► Comment la géodynamique interne permet-elle de comprendre la répartition des ressources géothermiques de haute énergie ?

Doc. 1 Identifiez les zones géographiques où le flux géothermique est particulièrement élevé ou particulièrement faible. Précisez, à l'aide de vos acquis, le contexte tectonique de ces zones.

Doc. 2 Recherchez le contexte tectonique dans lequel se situent les plus grandes exploitations de géothermie haute énergie.

Doc. 3 Repérez les indices d'un flux géothermique localement élevé et expliquez-en l'origine.

Doc. 4 Argumentez l'idée que Yellowstone marque l'emplacement d'un point chaud.

Lexique, p. 406

Origine du flux thermique et transferts d'énergie

Par endroits, le flux géothermique très élevé traduit un transfert important de chaleur d'origine profonde vers la surface. *Il s'agit d'expliquer l'origine de cette chaleur interne et de comprendre les mécanismes thermodynamiques capables d'assurer des transferts de chaleur dans un milieu.*

A L'origine de l'énergie interne du globe

Au cours de la formation de la Terre par **accrétion**, les impacts des différents corps célestes ont dégagé une quantité de chaleur colossale. Les couches superficielles ont assez rapidement évacué cette chaleur initiale pour former une croûte solide. En revanche, les couches internes conservent encore, depuis cette époque, une chaleur dite résiduelle.

Cependant, cette chaleur est très secondaire par rapport à la chaleur constamment produite par la **désintégration naturelle** des isotopes radioactifs de certains éléments chimiques présents dans les roches terrestres : uranium (^{238}U et ^{235}U), thorium (^{232}Th) et potassium (^{40}K).

Le noyau atomique instable des isotopes radioactifs se fragmente spontanément en libérant un rayonnement et de l'énergie thermique.

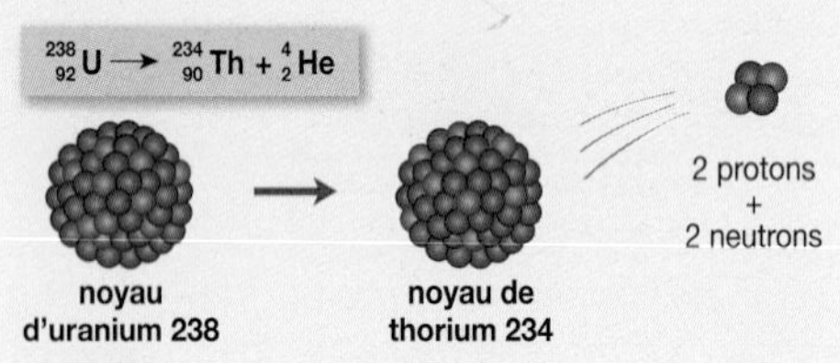

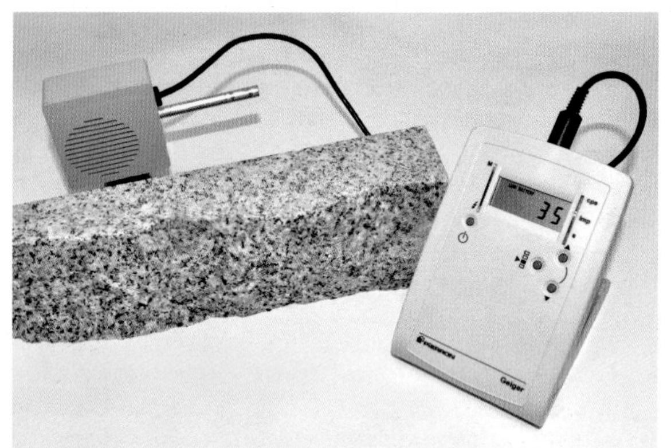

Mesure de la radioactivité d'une barre de roche

Matériau	Nombre de désintégrations par minute (en cpm)
Granite (Flamanville)	45
Basalte	21
Péridotite	37
Échantillon de strontium 90	960

Quelques résultats de mesures

Doc. 1 Certaines roches contiennent des éléments chimiques radioactifs.

• On estime que le flux de la chaleur d'origine profonde libérée à la surface de la Terre représente une puissance totale d'environ 42 térawatts (1 TW = 10^{12} W). On cherche à estimer la quantité d'énergie thermique produite, ainsi que la part de chacune des enveloppes internes dans cette production. Il s'agit de rechercher si production et libération d'énergie thermique sont équivalentes.

• Le *tableau ci-contre* donne la puissance thermique émise en $\mu W \cdot kg^{-1}$ pour chacun des éléments radioactifs, la concentration de ces éléments en ppm dans chacune des enveloppes du globe et enfin la masse de chacune de ces enveloppes.

		Chaleur émise (en $\mu W \cdot kg^{-1}$)		
		Uranium (U)	**Thorium (Th)**	**Potassium (K)**
		95,2	25,6	0,003 48
Enveloppes	**Masse des enveloppes**	**Concentration (en ppm*)**		
Croûte continentale	$1{,}38 \times 10^{22}$ kg	1,6	5,8	20 000
Croûte océanique	$6{,}90 \times 10^{21}$ kg	0,9	2,7	4 000
Manteau	$3{,}70 \times 10^{24}$ kg	0,02	0,1	200
Noyau	$2{,}32 \times 10^{24}$ kg	0,000 01	0,0001	1

* partie par million

Doc. 2 La part des différentes enveloppes dans la production d'énergie thermique.

B Les mécanismes des transferts d'énergie thermique dans un milieu

• La **conduction** est un transfert de chaleur, dans un solide ou un fluide, qui résulte de la différence de température entre deux régions d'un même milieu, ou entre deux milieux en contact, et qui se réalise sans déplacement global de matière : l'énergie thermique se transmet de proche en proche par modification de l'agitation des atomes. Par exemple, une barre de métal chauffée à une extrémité devient de plus en plus chaude à l'autre extrémité.

• La **convection**, en revanche, est un mode de transfert thermique qui implique un déplacement de matière dans le milieu. On peut mettre en évidence ces déplacements en plaçant dans un bécher deux couches d'huile, la couche inférieure étant colorée par de la poussière de craie. On chauffe ensuite le dessous du bécher, dans sa partie centrale. L'huile du fond du bécher se réchauffe (sa masse volumique diminue donc) et se déplace alors verticalement sous l'effet de la poussée d'Archimède. En remontant, l'huile se refroidit et plonge le long des parois du bécher. De tels déplacements s'appellent des **mouvements de convection**.

Modélisation du déplacement de matière par convection

Protocole détaillé :
www.bordas-svtlycee.fr

Doc. 3 Deux mécanismes de transfert de chaleur dans un milieu.

■ **PROTOCOLE**

– Une première série de mesures est réalisée en positionnant les sondes et le thermoplongeur comme sur le *schéma ci-dessous*.

– Une seconde série de mesures est réalisée en descendant le thermoplongeur près du fond, au niveau de la sonde 1.

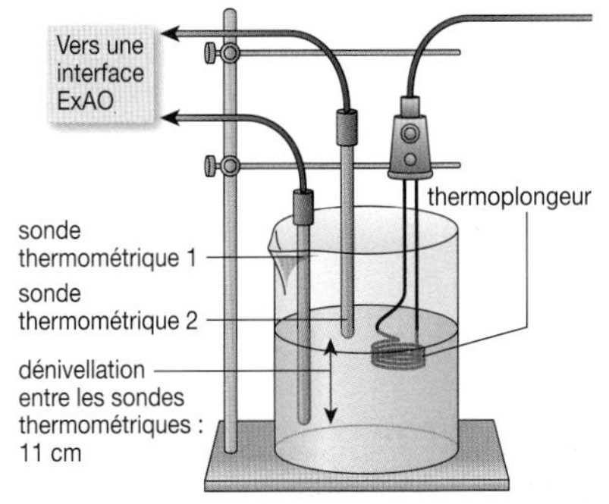

■ **RÉSULTATS**

– Dans la première série de mesures, il n'y a pas de déplacement du liquide au sein du bécher : les transferts de chaleur se font par conduction.

– Dans la deuxième série de mesures, en revanche, il y a des déplacements du liquide dans le bécher : c'est de la convection.

	Températures (en °C)			
	Conduction		Convection	
Temps (s)	Sonde 1 (au fond)	Sonde 2 (en surface)	Sonde 1 (au fond)	Sonde 2 (en surface)
30	11,7	18,4	29,9	26,2
60	11,7	27,5	24,8	30
90	11,8	36,2	26,7	31,8
120	12,1	40,7	28,6	33,4
150	12,1	44	34	35,1
180	12,6	47,8	34,2	38,4
210	12,6	51,1	35,9	40,1
240	12,9	54,8	37,9	41,6
270	13,1	58,6	39,4	43,1
300	13,1	61,8	41,3	44,7
330	13,6	64,5	43,1	46,4
360	13,9	67,9	44,5	47,8
390	14	70,3	46,4	49,5
420	14	72,7	48	50,6

Doc. 4 Efficacité des transferts de chaleur par conduction et convection : utilisation d'un dispositif d'ExAO.

Pistes d'exploitation

PROBLÈME À RÉSOUDRE ► **Comment expliquer l'origine de l'énergie interne du globe et quels mécanismes thermodynamiques sont susceptibles d'assurer son transfert vers la surface ?**

Doc. 1 et 2 À l'aide d'un tableur, utilisez les données du document 2 pour calculer la puissance produite par chacune des enveloppes du globe terrestre. Précisez la source principale de cette énergie.

Doc. 3 et 4 À l'aide d'un tableur, tracez les courbes d'évolution des températures correspondant aux mesures ExAO. Comparez le transfert de chaleur qui s'effectue entre les deux sondes dans chacun des deux cas.
Indiquez alors le mode de transfert de la chaleur le plus efficace.

Lexique, p. 406

Les transferts d'énergie et la dynamique interne

Deux modes de transferts d'énergie thermique, la conduction et la convection, ont été présentés. *On cherche maintenant à apporter des preuves de l'existence de ces mécanismes de transferts de chaleur depuis les zones profondes du globe vers la surface et à faire le lien avec la dynamique interne de la Terre.*

A Les transferts d'énergie thermique au sein du globe terrestre

S'il est facile de calculer le gradient géothermique (en $°C \cdot m^{-1}$) dans les premiers kilomètres de la croûte, au-delà, les géophysiciens utilisent des informations complexes : données sismologiques, étude expérimentale des transformations de minéraux soumis à des pressions et températures élevées…

Toutes ces données permettent d'établir le gradient géothermique moyen au sein du globe terrestre *(graphe ci-contre)*. Néanmoins, ce gradient n'est pas partout le même comme le montrent les données de tomographie sismique du document 2.

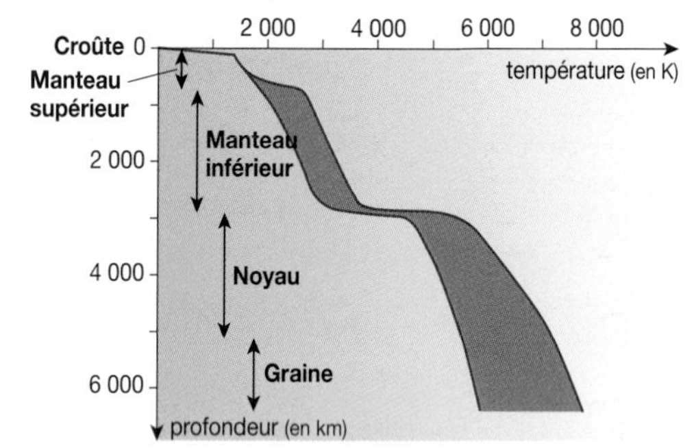

Doc. 1 Évolution du gradient géothermique avec la profondeur.

La **tomographie sismique** (dont le principe a été vu en classe de Première S) permet de « cartographier » les températures à différentes profondeurs dans le manteau terrestre. Les *planisphères ci-dessous* correspondent à la répartition des températures à 100, 200, 300 et 450 km de profondeur. On constate que la température, à une profondeur donnée, présente d'importantes variations latérales. La juxtaposition latérale, ou verticale, de zones à des températures différentes va obligatoirement, d'après les lois de la thermodynamique, induire des transferts de chaleur.

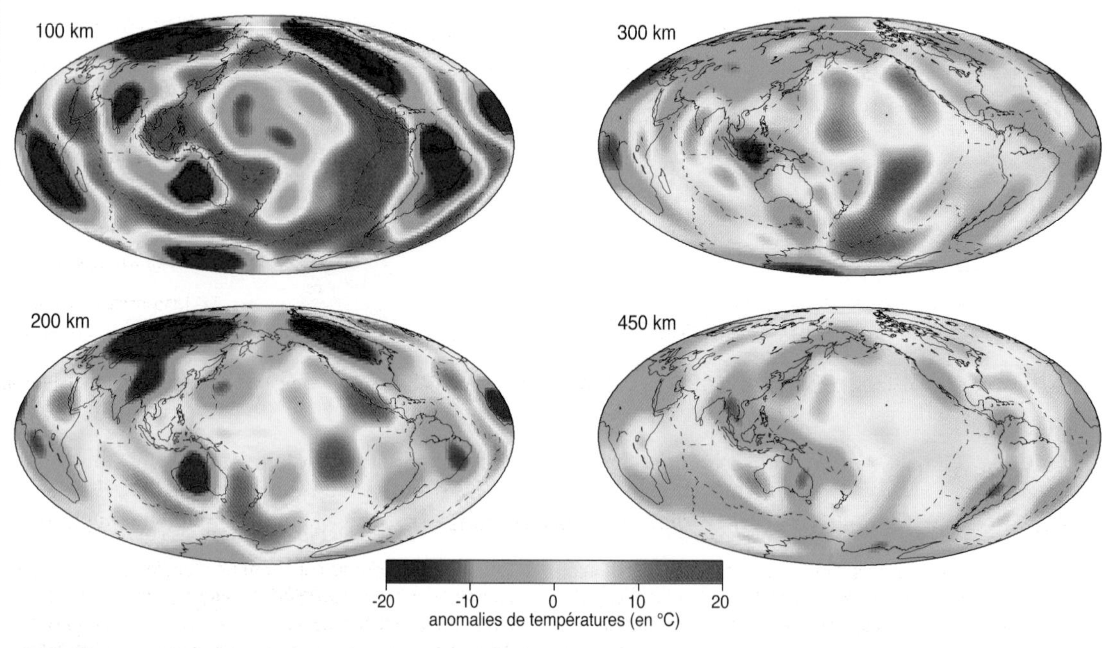

Doc. 2 Des variations latérales et verticales du gradient géothermique dans le manteau.

B La convection mantellique et la dynamique lithosphérique

Nous avons vu *page 244* que c'est essentiellement au niveau du manteau qu'intervient la production d'énergie thermique. En effet, c'est à son niveau que les éléments radioactifs sont les plus abondants. Cette énergie doit être évacuée.

Les roches constituant le manteau terrestre sont de très mauvais conducteurs de chaleur : les transferts par conduction sont donc quantitativement peu importants. C'est par convection que va se faire l'essentiel des transferts thermiques. En effet, même si le manteau est formé de roches solides, des mouvements de convection sont possibles : les roches chaudes sont suffisamment plastiques pour permettre des déplacements de matière de quelques cm par an, ce qui, à l'échelle des temps géologiques, permet d'importants transferts de matière au sein du manteau.

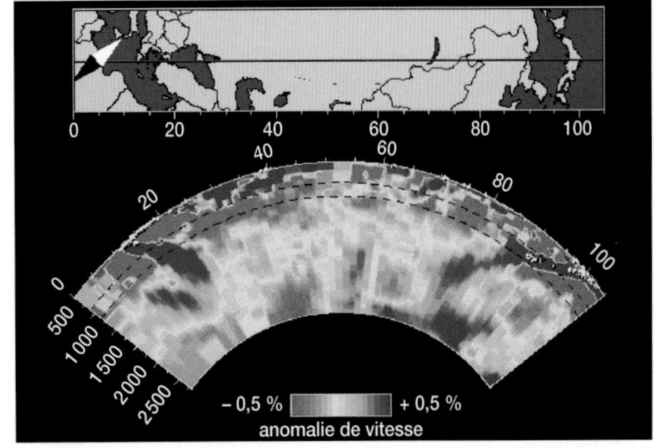

Les données de tomographie sismique (ici, une coupe allant de l'Europe à l'Asie) permettent d'imaginer un modèle de convection avec, par endroits, des plongements de la lithosphère froide et, par ailleurs, des remontées de matériaux du manteau chauffés dans la masse.

Doc. 3 La tomographie sismique à l'appui d'un modèle de convection.

• Les simulations numériques comme celle présentée ci-contre sont rendues possibles grâce aux progrès des moyens de calcul. Elles permettent aux chercheurs de modéliser ce qui peut se passer dans le manteau : convection par remontée de matière chaude et plongement de matière froide.

• Par ailleurs, des panaches de matière chaude remontant de la limite noyau-manteau jusqu'en surface (les points chauds vus en classe de Première S) jouent également un rôle important dans l'évacuation de la chaleur interne du globe.

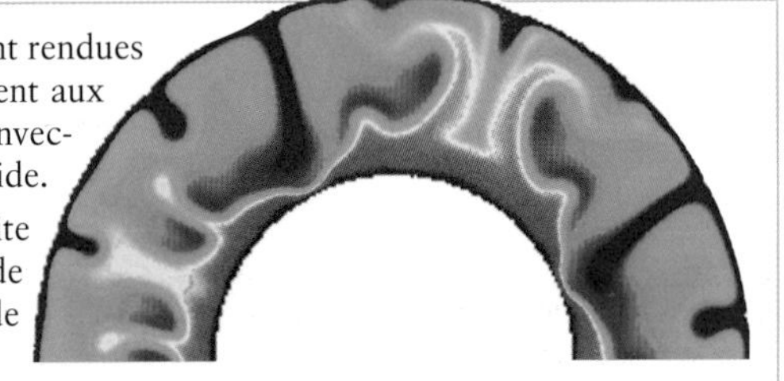

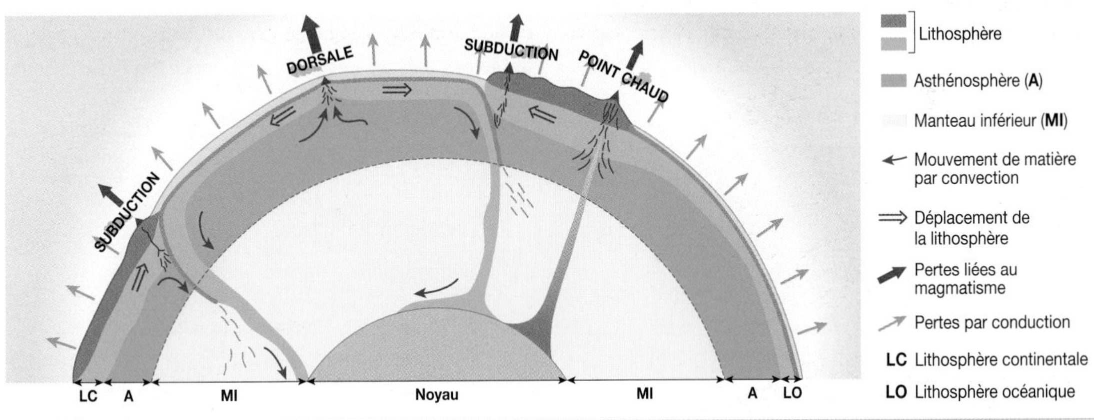

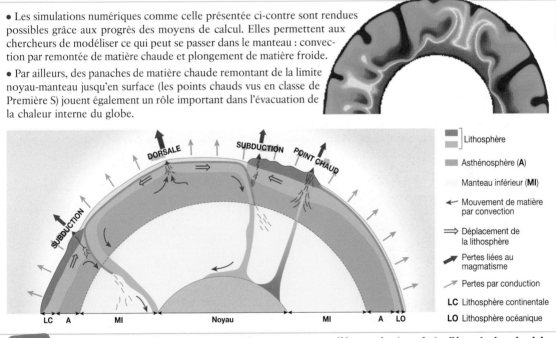

Doc. 4 Des simulations numériques permettent de proposer un modèle pour les transferts d'énergie dans le globe.

Pistes d'exploitation

PROBLÈME À RÉSOUDRE ► Comment peut-on modéliser les transferts d'énergie thermique dans le globe ?

Doc. 1 et 2 Donnez des exemples précis de variations latérales et verticales de la température. Précisez à quel contexte géodynamique global correspondent ces variations.

Doc. 1 à 4 Expliquez comment un modèle de convection du manteau permet d'une part de rendre compte d'une évacuation de la chaleur produite par la Terre, d'autre part de proposer une vision globale de la géodynamique terrestre.

Lexique, p. 406

L'exploitation par l'homme de l'énergie géothermique

La production d'énergie thermique par le globe est une ressource renouvelable à l'échelle humaine.
Il est donc envisageable de développer les exploitations géothermiques pour diversifier les ressources énergétiques nécessaires aux activités humaines.

A Des exploitations géothermiques adaptées aux contraintes locales

L'utilisation des sources chaudes est très ancienne puisque des recherches attestent de l'existence, en Chine, de piscines datant de 3 000 ans avant J.-C.
Tout au long de l'histoire des civilisations, en particulier dans la Rome antique, la pratique des thermes s'est multipliée et, depuis un siècle, les exploitations industrielles se sont développées pour la production d'électricité et de chauffage urbain mais aussi dans les domaines aquacole et agricole.

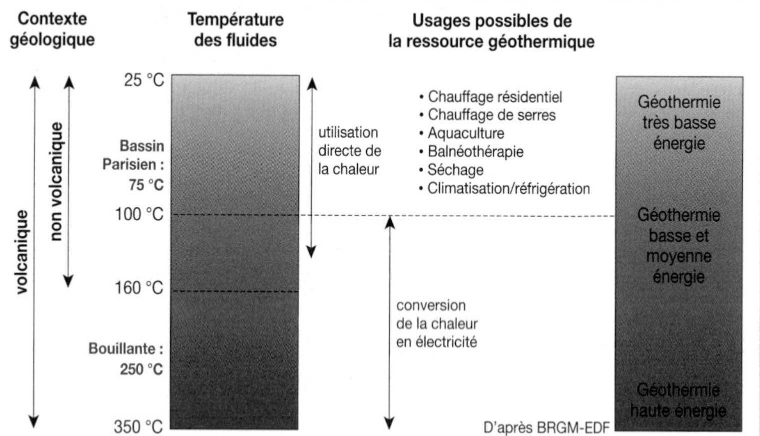

Doc. 1 Des usages adaptés aux contraintes géologiques locales.

En France, la température au niveau du sol est en général de 10 à 14 °C ; en profondeur, elle augmente, en moyenne, de 4 °C tous les 100 m (gradient géothermique). Il est possible d'utiliser cette ressource pour mettre en œuvre des systèmes géothermiques de chauffage et de climatisation qui seront, suivant les cas, de basse ou de très basse énergie.

• Un exemple de système « basse énergie »

Construite en 1963, la Maison de la Radio, à Paris, bénéficie d'un système de chauffage et de climatisation qui puise l'eau d'un aquifère à 600 m de profondeur. Cette eau, d'une température de 27 °C, alimente les systèmes de chauffage et de climatisation des studios de radio et de télévision situés dans la « petite couronne » du bâtiment avant d'être rejetée à 7 °C dans les égouts.

• Un exemple de système « très basse énergie »

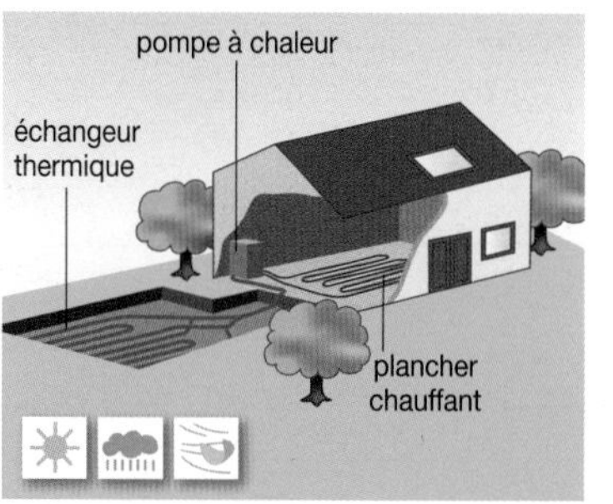

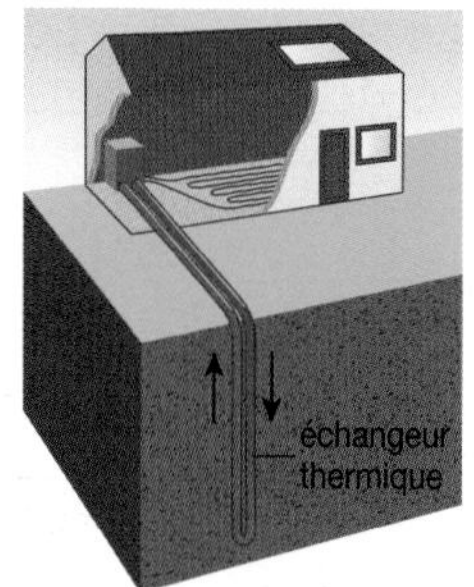

L'énergie du sous-sol est ici captée grâce à des tuyaux enterrés, soit à quelques dizaines de centimètres de profondeur, soit dans un ou plusieurs forages à environ 100 mètres de profondeur. Dans ces tuyaux circule un fluide qui est réchauffé par le sol, mais sa température n'est pas suffisante pour chauffer directement l'habitation. On utilise une pompe à chaleur qui prélève cette énergie à basse température pour la transférer, à une température suffisante, à un deuxième réseau destiné à chauffer l'habitation (plancher chauffant, par exemple).

Doc. 2 Une possibilité de chauffage grâce à la géothermie basse et très basse énergie.

B La géothermie : une alternative ambitieuse pour le futur

Le Bassin rhénan est un fossé d'effondrement qui s'est rempli de dépôts au Tertiaire et au Quaternaire. Il présente le gradient géothermal le plus élevé de France métropolitaine : jusqu'à 10 °C par 100 mètres. À 5 km de profondeur, la température atteint 250 °C. Dans cette région, un programme de recherche a démarré en 1987 à Soultz-sous-Forêts, avec la perspective de pouvoir exploiter à terme l'énergie thermique des roches chaudes profondes (et non plus celle des aquifères).
Mais, en l'absence d'eau, cette énergie est difficile à capter. L'idée est donc venue de créer artificiellement des réservoirs géothermiques en profondeur, en fracturant les roches et en leur injectant de l'eau. Cette idée, inventée par les Américains dans les années 1970, correspond à ce que l'on appelle la «géothermie des roches chaudes fracturées». Le début de l'exploitation a commencé en 2008.

1. Injection d'eau froide à 5 000 m de profondeur par le puits central.
2. Circulation d'eau dans les fractures et réchauffement au contact de la roche chaude (200 °C).
3. Extraction de l'eau réchauffée du sous-sol par deux puits de production.
4. En surface, transformation par l'intermédiaire d'un échangeur thermique de l'eau chaude du circuit primaire en vapeur dans le circuit secondaire pour entraîner une turbine qui produit de l'électricité.

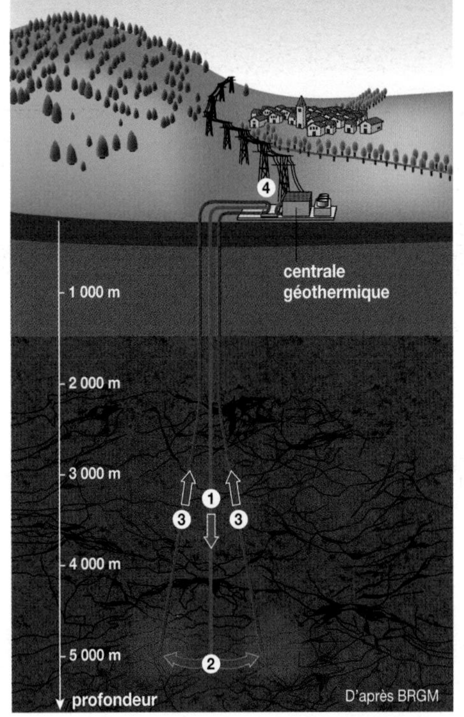

Doc. 3 **La « géothermie des roches chaudes fracturées ».**

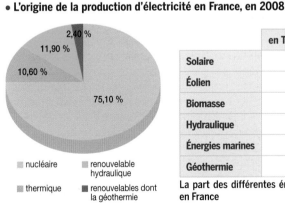

- **L'origine de la production d'électricité en France, en 2008**

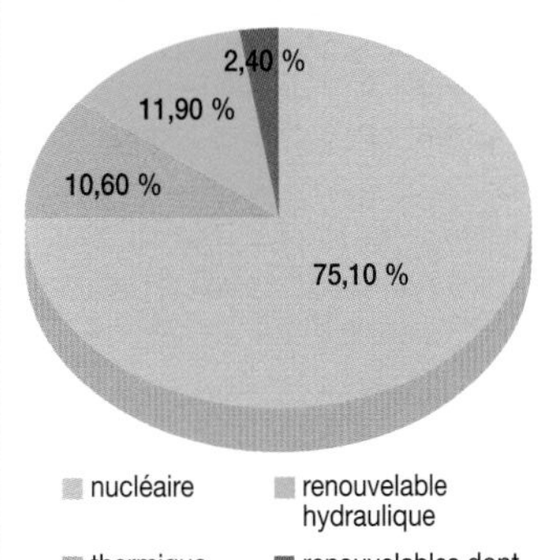

	en TWh par an	en %
Solaire	0,062	0,10
Éolien	5,8	7,60
Biomasse	4,3	5,70
Hydraulique	65	85,80
Énergies marines	0,51	0,70
Géothermie	0,089	0,10

La part des différentes énergies renouvelables en France

- **L'origine de la production d'électricité dans le monde, en 2008**

	en TWh par an	en %
Thermique	13 641	67,6
Nucléaire	2 724	13,6
Géothermie	557	2,8
Autres énergies renouvelables	2 690	13,3

En 2008, la production d'électricité par géothermie était en augmentation de 11 % par rapport à 2007.

Doc. 4 **Part de la géothermie dans la production d'énergie dans le monde.**

Pistes d'exploitation

PROBLÈME À RÉSOUDRE ► **Quelle part, actuelle et à venir, la géothermie peut-elle avoir dans l'approvisionnement énergétique de la France ?**

Doc. 1 à 4 Après avoir comparé l'origine de la production d'électricité en France et dans le monde, montrez à travers l'ensemble des documents proposés et en utilisant vos connaissances, qu'il est raisonnablement possible d'envisager, en France, une diversification et une augmentation de l'exploitation de l'énergie géothermique.

Lexique, p. 406

chapitre 1 Géothermie et propriétés thermiques de la Terre

À la surface de la Terre, deux sources d'énergie inépuisables à l'échelle humaine sont disponibles : l'énergie solaire et l'énergie géothermique.

L'énergie solaire, indispensable au maintien d'une température compatible avec la vie sur notre planète, permet le fonctionnement des écosystèmes planétaires.

L'énergie provenant de l'intérieur du globe, ou énergie géothermique, constitue le moteur de la tectonique des plaques. Bien que représentant une puissance disponible des milliers de fois plus faible que l'énergie solaire, cette énergie peut s'avérer une ressource intéressante pour subvenir aux besoins des populations humaines.

1 Gradient et flux géothermiques témoignent d'une énergie interne

La Terre libère de la chaleur d'origine profonde

De nombreuses manifestations à la surface du globe attestent de la présence de matériaux chauds en profondeur. C'est le cas des sources hydrothermales qui libèrent des fluides chauds, mais aussi des éruptions volcaniques qui sont des manifestations ponctuelles et brutales de la libération d'énergie interne. Enfin, l'augmentation de la température avec la profondeur est une réalité bien connue des mineurs : plus une mine est profonde, plus il y fait chaud.

Le gradient et le flux géothermiques mesurent cette libération d'énergie

- Des forages permettent de mesurer l'élévation de température avec la profondeur, ou **gradient géothermique** ; sa valeur est en moyenne de 3 °C pour 100 m, soit 30 °C par kilomètre.

- Le **flux géothermique**, mesuré en $W \cdot m^{-2}$, correspond à la dissipation d'énergie provenant des profondeurs de la Terre et traversant une surface donnée en un temps donné. Une telle mesure permet d'évaluer le transfert de chaleur de la profondeur vers la surface. Il dépend du gradient géothermique mais aussi de la conductivité thermique des roches ; sa valeur moyenne est de 65 $mW \cdot m^{-2}$. 95 % de la libération d'énergie interne est ainsi dissipée de façon diffuse, les 5 % restant correspondant à des événements localisés et brefs : séismes et éruptions volcaniques.

Gradient et flux géothermique varient selon le contexte géodynamique

Le flux géothermique présente des variations importantes d'une région à l'autre : il est, par exemple, un peu plus élevé au niveau des océans que sur les continents.

– Dans le domaine océanique, les zones à flux de chaleur élevé sont les dorsales océaniques d'une part, les arcs volcaniques liés à la subduction et les points chauds d'autre part. En revanche, le flux de chaleur est faible au niveau des zones stables (plateau continental et plaines abyssales) de même qu'au niveau des fosses associées à la subduction.

– Sur les continents, un flux géothermique élevé est observé dans les régions volcaniques mais aussi dans certains bassins sédimentaires où la croûte est amincie. Ainsi, en France métropolitaine, le flux géothermique est relativement élevé dans des bassins d'effondrement comme l'Alsace ou la Limagne.

2 Origine du flux géothermique et modalités du transfert d'énergie

Une origine principale : la désintégration d'éléments radioactifs

La chaleur de la Terre provient essentiellement (à 90 %) de la désintégration naturelle des isotopes radioactifs de certains éléments chimiques présents dans les roches du globe : uranium (^{238}U et ^{235}U), thorium (^{232}Th) et potassium (^{40}K). Le noyau atomique instable des isotopes radioactifs se fragmente spontanément en libérant un rayonnement et de l'énergie thermique. Même si le manteau est moins concentré en ces isotopes que la croûte terrestre, sa masse énorme lui permet de jouer le rôle prépondérant dans la production d'énergie interne.

Deux mécanismes de transfert inégalement efficaces

L'énergie thermique produite est transférée au sein des enveloppes du globe selon deux modalités : la conduction et la convection.

La **conduction** correspond à un transfert de chaleur de proche en proche. Il n'y a pas dans ce cas de déplacement de matière (mais seulement, à l'échelle atomique, modification de l'agitation des atomes). L'échange thermique entre une région chaude et une région voisine plus froide se matérialise par un fort gradient thermique (par exemple, dans la croûte, 30 °C · km^{-1}). L'efficacité de ce transfert dépend de la conductivité du matériau.

La **convection**, en revanche, correspond à un transfert de chaleur avec un déplacement de matériau qui conserve pratiquement sa température (le gradient thermique est alors très faible, de 0,3 °C · km^{-1} par exemple). Ce mécanisme de transfert d'énergie, très efficace, se met en place lorsqu'un matériau chaud et peu dense est surmonté par un matériau froid et plus dense. La matière chaude a tendance à s'élever et, à terme, à se refroidir ; à l'inverse, la matière plus froide et plus dense a tendance à descendre et, à terme, à s'échauffer. Des **cellules de convection** s'organisent alors.

Un modèle thermique du globe

On peut considérer la Terre comme une sphère dans laquelle existe une **convection lente dans le manteau** à l'origine des remontées et des descentes asthénosphériques. Celles-ci sont à l'origine de la dynamique lithosphérique et donc aussi à l'origine des manifestations de surface. Ces cellules de convection sont repérables par tomographie sismique. Ainsi, c'est la dissipation d'énergie interne du globe qui « fait bouger » les plaques.
De part et d'autre de cette zone convective existent deux couches où règne la **conduction** : la **lithosphère** et l'**interface noyau/manteau**. C'est la conduction à travers la lithosphère qui est responsable du flux géothermique mesuré. Ainsi, l'énergie interne est efficacement transférée par convection de la profondeur vers la surface puis dissipée par conduction à travers la lithosphère. Le globe terrestre se refroidit ainsi très progressivement.

3 L'énergie géothermique est utilisée par l'homme

Une ressource inépuisable à l'échelle humaine

L'énergie géothermique est utilisée par l'homme avec deux objectifs principaux : d'une part, la production de chaleur (chauffage individuel, collectif et industriel), d'autre part, la production d'électricité.
En 2010, on a estimé que l'énergie géothermique utilisée dans le monde correspondait à une puissance installée d'environ 50 GW (gigawatt) pour le chauffage et seulement 10,7 GW pour la production d'électricité. Au total, cela représente à peine 1 % de la consommation mondiale d'énergie. En fait, ce prélèvement d'énergie géothermique par l'homme est infime par rapport à l'énergie interne dissipée par la Terre ; on peut donc considérer que cette énergie est une ressource inépuisable à l'échelle humaine.

Les ressources géothermiques dépendent du contexte géologique

Sur les continents, le gradient géothermique est en moyenne de 20 à 30 degrés par kilomètre, mais ce gradient varie beaucoup selon les régions. De 3 °C pour 100 m (régions granitiques et les grands bassins sédimentaires), il peut atteindre jusqu'à 1000 °C pour 100 m (dans les régions volcaniques, les zones de rift comme en Islande ou en Nouvelle-Zélande). Une valeur intermédiaire de 10 °C pour 100 m environ se rencontre dans les bassins d'effondrement comme la Limagne ou l'Alsace.

Deux grands types d'utilisation de l'énergie géothermique

• L'utilisation à des fins de chauffage

Il s'agit principalement d'extraire la chaleur contenue dans la croûte terrestre afin de l'utiliser pour les besoins en chauffage. Pour cela :
- on peut utiliser l'énergie du sous-sol (captée à quelques mètres ou quelques dizaines de mètres de profondeur) grâce à des pompes à chaleur pour les besoins du chauffage individuel ;
- on peut également récupérer de l'énergie dans un **aquifère**, nappe d'eau souterraine permanente située entre quelques centaines et plusieurs milliers de mètres de profondeur, et dont la température est comprise entre 30 et 100 °C (la principale utilisation dans ce cas est le chauffage urbain).

• L'utilisation pour la production d'électricité

Actuellement, on dénombre dans le monde 350 **centrales géothermiques** qui produisent de l'électricité, la plupart étant situées dans des zones de subduction, des zones de dorsales ou de points chauds.

Dans les régions à très fort gradient géothermique, des forages (de 500 à 2000 m de profondeur en moyenne) permettent de récupérer de la vapeur d'eau bouillante qui jaillit avec suffisamment de pression pour alimenter une turbine. C'est, par exemple, le cas de la centrale de Bouillante en Guadeloupe.

Une autre technique consiste à réaliser des forages de 5000 mètres de profondeur, assez proches l'un de l'autre, puis de fracturer les roches entre ces forages. L'eau aspirée par un des puits est à 200 °C environ ; elle est exploitée pour produire de l'électricité puis réinjectée dans le sous-sol par l'autre forage, en un cycle permanent. C'est le principe du fonctionnement de la centrale de Soultz-Sous-Forêts, dans le Bas Rhin.

chapitre 1 Géothermie et propriétés thermiques de la Terre

À RETENIR

Gradient et flux géothermique

La **libération d'énergie interne** se traduit, en surface, par de nombreuses **manifestations** : geysers, sources hydrothermales mais aussi éruptions volcaniques.

Le **gradient géothermique** mesure l'augmentation de température lorsque l'on s'enfonce dans le sous-sol. Sa valeur moyenne est de **30 °C par kilomètre**.

Le **flux géothermique** correspond à la dissipation permanente d'énergie interne à la surface du globe. Il dépend du gradient géothermique mais aussi de la nature des roches, et donc de leur conductivité thermique. Sa valeur moyenne est de **65 $mW \cdot m^{-2}$**.

Le **flux géothermique varie selon le contexte géologique** : il est particulièrement élevé au niveau des dorsales, des points chauds, des arcs volcaniques associés aux zones de subduction.

Origine du flux géothermique et modalités du transfert d'énergie

La majeure partie de l'énergie interne est issue de la **désintégration radioactive** de certains **isotopes** présents dans les roches. Le manteau terrestre en produit la plus grande part.

La **conduction** et la **convection** représentent les deux modes de transfert de la chaleur depuis la profondeur vers la surface.

La **conduction** à travers la lithosphère, **transfert de chaleur sans déplacement de matière**, permet la dissipation de la majeure partie de l'énergie produite.

La **convection**, en revanche, est un **transfert avec des déplacements de matière** qui s'organisent en **cellules de convection**. C'est d'une part un moyen très efficace pour véhiculer de l'énergie thermique, d'autre part le **moteur du déplacement des plaques** lithosphériques.

La géothermie, une ressource énergétique

L'**énergie géothermique** est utilisée par l'homme avec deux objectifs principaux : la production de **chaleur** pour le chauffage et la production d'**électricité**. Mais ce prélèvement d'énergie est infime par rapport à l'énergie interne dissipée par la Terre ; on peut donc considérer que cette énergie est une **ressource inépuisable** à l'échelle humaine.

Les ressources géothermiques dépendent du **contexte géologique** : elles sont importantes dans les **régions volcaniques**, les **zones de rift** comme l'Islande et, dans une moindre mesure, dans les **bassins d'effondrement** (l'Alsace, par exemple).

La **géothermie « haute énergie »** utilise directement les fluides très chauds afin de produire de l'**électricité**. La **géothermie « basse énergie »** récupère de l'énergie thermique à faible profondeur dans le sol ou le sous-sol à des fins de **chauffage**.

Mots-clés

- Gradient géothermique
- Flux géothermique
- Désintégration radioactive
- Conduction, convection
- Géothermie haute et moyenne énergie
- Géothermie basse énergie
- Centrale géothermique

Capacités et attitudes

- Recenser des informations relatives au gradient et au flux géothermiques.
- Exploiter des données concernant des ressources géothermiques locales.
- Exploiter des documents (images satellitales, cartes, etc.) pour établir le lien entre ressources géothermiques et contexte géodynamique.
- Réaliser un modèle analogique des transferts de chaleur.
- Utiliser un dispositif d'ExAO pour réaliser des mesures de conduction et de convection.
- Replacer les enjeux de la géothermie dans la problématique énergétique mondiale.

SCHÉMA BILAN GÉOTHERMIE ET PROPRIÉTÉS THERMIQUES DE LA TERRE

Animation

La Terre produit et libère de l'énergie interne

• Au sein de la Terre, la source principale de **chaleur** est la **radioactivité naturelle** d'éléments chimiques dispersés dans l'ensemble des roches terrestres (**uranium, thorium**...).

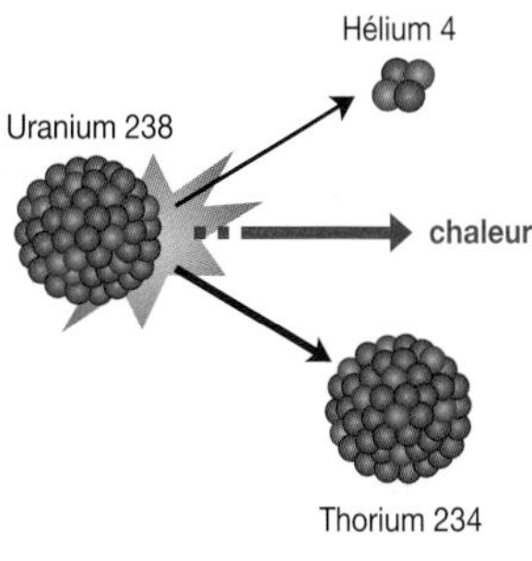

Exemple : désintégration de $^{238}_{92}U$

• Cette **chaleur d'origine interne** parvient en surface. C'est le **flux géothermique**, variable selon les régions. La puissance totale libérée à la surface de la Terre est environ de **42 térawatts** (1TW = 10^{12} W).

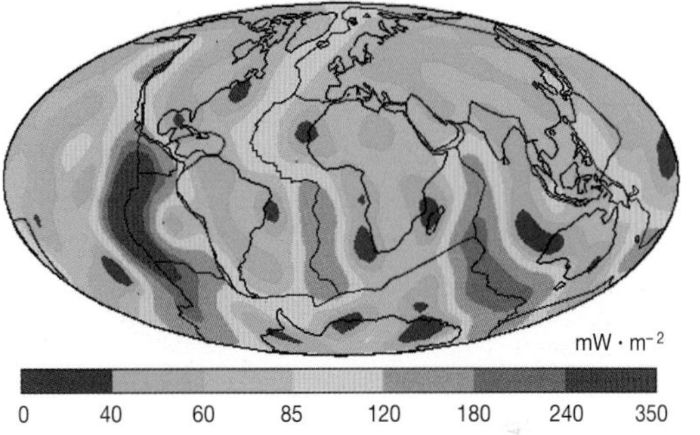

Les transferts de chaleur

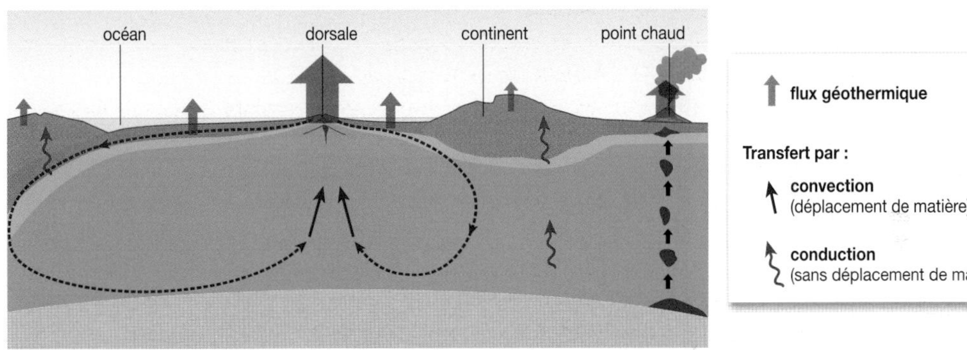

Les hommes utilisent l'énergie interne du globe

• **La géothermie à basse énergie** utilise la chaleur puisée dans le sol pour le chauffage individuel ou collectif.

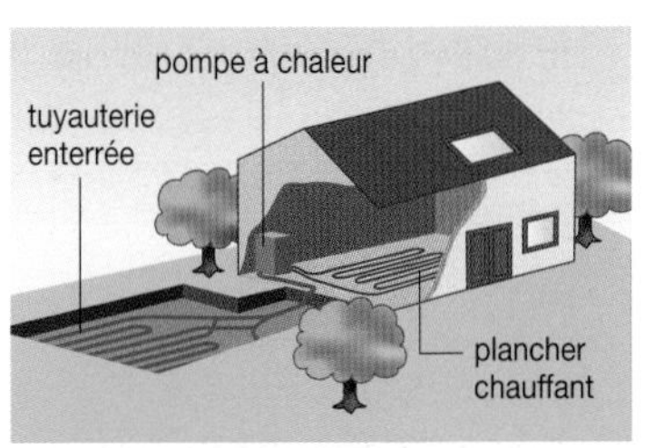

• **Température :** quelques degrés
• **Profondeur :** quelques mètres

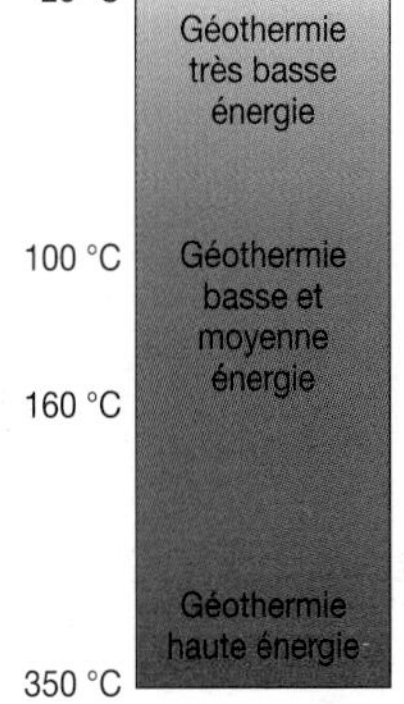

• **La géothermie à haute énergie** utilise de la vapeur d'eau très chaude pour produire de l'électricité.

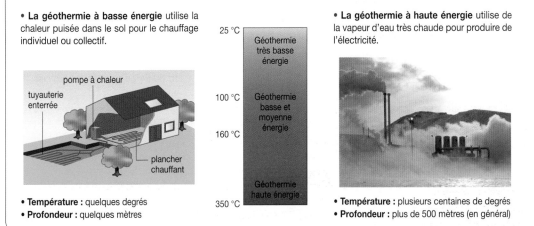

• **Température :** plusieurs centaines de degrés
• **Profondeur :** plus de 500 mètres (en général)

Microsismicité et géothermie des roches chaudes fracturées

À Soultz-sous-Forêts, en Alsace, l'exploitation géothermique utilise la technique des « **roches chaudes fracturées** ». De l'eau chaude est injectée à très forte pression dans le sous-sol afin d'élargir les fractures naturelles existantes.

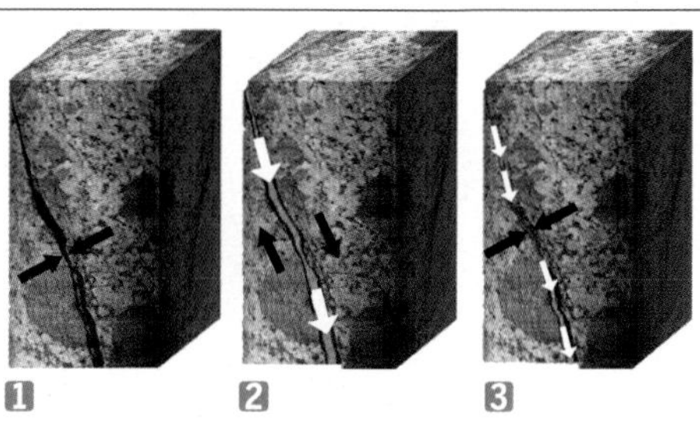

Étape 1 : état initial avant stimulation
La faille est plus ou moins colmatée par des dépôts hydrothermaux.

Étape 2 : pendant la stimulation hydraulique
Les injections d'eau sous pression (flèches blanches) provoquent le glissement de la faille (flèches noires) ce qui déclenche un microséisme.

Étape 3 : après l'arrêt des injections
Les contraintes reviennent progressivement à leur état initial. Le « chemin géothermal » est conservé (flèches blanches).

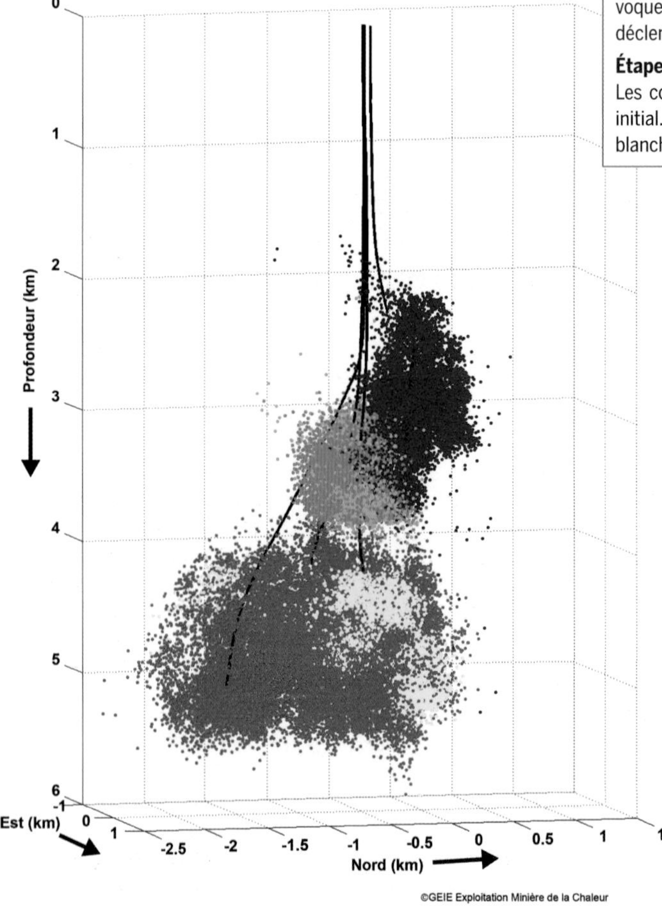

◄ « Nuages » microsismiques enregistrés lors des différentes stimulations hydrauliques effectuées à Soultz-sous-Forêts de 1993 (en bleu foncé) à 2005 (en gris)

Lors des premiers essais de fracturation des roches, l'injection massive d'eau sous pression a engendré une **activité microsismique** importante. La plupart des dizaines de milliers de microséismes ainsi déclenchés n'ont pas été ressentis en surface car leur magnitude était inférieure à 1,8. Toutefois, quelques séismes plus importants ont été enregistrés ; le plus fort est intervenu en 2003 et a atteint une magnitude de 2,9.

Après l'arrêt des injections massives, cette activité a diminué fortement.

La phase de fracturation terminée, des essais de **circulation d'eau** ont été réalisés. Ils ont déclenché également une activité sismique, mais beaucoup moins importante et les magnitudes maximales sont restées telles qu'aucune secousse n'a été ressentie en surface.

… mieux comprendre l'histoire des sciences

Le premier puits artésien à Paris

La présence de nappes aquifères sous pression, dans le sous-sol parisien, est à l'origine de la réalisation de **puits artésiens** dans la capitale. En 1833, l'entrepreneur Louis-Georges Mulot débute un forage au centre de l'avenue de Breteuil ; au bout de sept années d'efforts, le puits est alors profond de 548 m, et l'eau jaillit enfin avec un débit de plus de 800 m^3 par jour. En 1904, un monument, la fontaine du Puits de Grenelle, est érigé sur le forage *(gravure ci-contre)*. Cette tour se trouvait à l'emplacement actuel du monument dédié à Louis Pasteur, place de Breteuil. Par la suite, au cours du XIXe siècle et au début du XXe, le nombre de puits augmente, ce qui aboutit à un arrêt de l'artésianisme (ce ne sont plus des sources jaillissantes). L'objectif principal de ces forages était à l'époque la production d'une **eau de qualité** et bon marché.

Dans la deuxième moitié du XXe siècle, de nombreux autres puits sont forés, cette fois à des fins de **chauffage géothermique**. La nappe la plus connue et la plus exploitée est celle du Dogger (un étage du Jurassique) qui s'étend dans toute la région Île-de-France. Ce réservoir calcaire, qui s'étend sur 15 000 km^2, offre des températures variant entre 56 et 85 °C.

… bien choisir son parcours de formation

Les métiers liés à la géothermie

Vous voulez devenir :
- géothermicien ;
- ingénieur en géothermie ;
- hydrogéologue ?

Ingénieur en géothermie

Bac S
École d'ingénieurs

- **Admission :** sur concours, à l'issue d'une classe préparatoire aux grandes écoles pour une école d'ingénieurs ou suite à un parcours universitaire.
- **Formation :** 5 ans
- **Diplôme d'état :** Ingénieur recherche / développement

– Sélectif pour les différentes écoles d'ingénieurs

Géothermicien

Bac S
IUT génie thermique et climatique

- **Admission :** accès après le bac sur dossier, entretien, voire tests
- **Formation :** 2 ans avec possibilité de poursuivre en licence professionnelle
- **Diplôme d'état** de technicien en géothermie

– En plein essor mais peu d'emplois
– Emplois très régionalisés

Hydrogéologue

Bac S
Université : parcours géologie appliquée, hydrogéologie

- **Admission :** 1er et 2e cycles universitaires (sciences de la Terre) : Master pro ou recherche (5 ans) Troisième cycle : DESS, DEA ou doctorat (3 ans)
- **Formation :** 8 ans
- **Diplôme d'état :** doctorat

– Très sélectif
– Études très longues

Maîtriser ses connaissances

Pour s'entraîner

1 Définissez les mots ou expressions

Gradient géothermique, flux géothermique, convection, conduction, désintégration radioactive.

2 Vrai ou faux ?

Repérez les affirmations exactes et corrigez celles qui sont inexactes.

a. L'exploitation de ressources géothermiques est toujours liée à l'existence de roches réservoir constituant un aquifère.
b. L'homme utilise une infime partie de l'énergie dissipée par le globe.
c. L'énergie géothermique est la première source d'énergie utilisée pour le chauffage des habitations en France.
d. L'énergie géothermique est une alternative intéressante à l'utilisation des énergies fossiles car non polluante et renouvelable.

3 Questions à choix multiples 

Choisissez la bonne réponse parmi cette série d'affirmations.

La décision d'exploiter de façon rentable un aquifère comme ressource géothermique dépend exclusivement :
a. de la profondeur de la nappe aquifère ;
b. de la température de l'eau de l'aquifère ;
c. de l'épaisseur et de la perméabilité de l'aquifère ;
d. des caractéristiques hydrogéologiques de la nappe aquifère.

4 Argumentez une affirmation

En France, l'énergie géothermique utilisable par l'homme est variable d'un endroit à l'autre.

Objectif BAC

5 L'énergie géothermique

A. Question de synthèse :

En utilisant les notions de gradient géothermique et de flux géothermique, expliquez à l'aide du *document ci-dessous*, les raisons pour lesquelles l'Islande est un pays pouvant exploiter de façon rentable l'énergie géothermique.

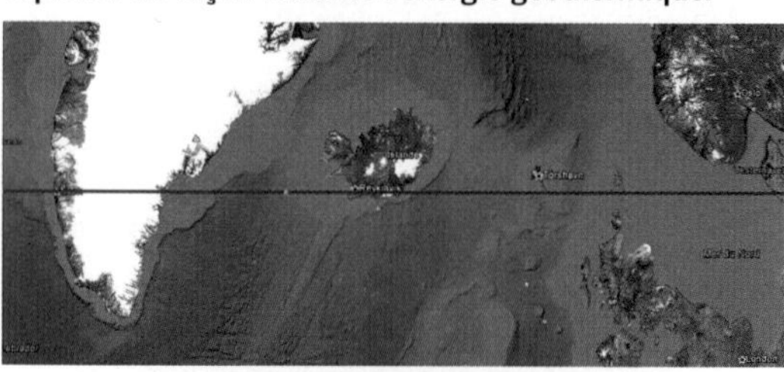

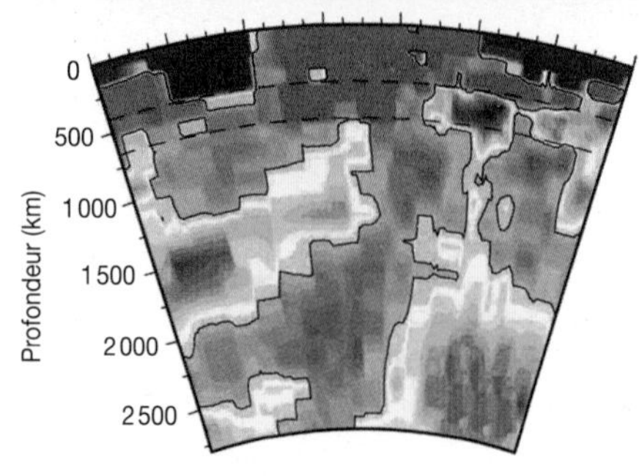

Anomalies de vitesse des ondes P par rapport à une moyenne : valeurs obtenues de 0 à 2500 km de profondeur, au niveau de la coupe indiquée en rouge sur la *carte au-dessus*.

B. Questions à choix multiples 

Choisissez la bonne réponse pour chaque série d'affirmations.

1. **Le flux géothermique :**
a. est identique au gradient géothermique ;
b. est mesuré en °C · m^{-1} ;
c. est géographiquement et temporellement constant sur le globe ;
d. est faible au niveau des zones tectoniquement stables.

2. **La géothermie haute énergie :**
a. est utilisée principalement pour chauffer les bâtiments ;
b. est utilisée pour produire de l'électricité ;
c. nécessite obligatoirement une fracturation des roches situées en profondeur ;
d. est exploitée uniquement dans des zones tectoniques correspondant à des frontières de subduction ou de collision.

3. **Les transferts d'énergie interne :**
a. s'accompagnent toujours d'une perte importante d'énergie ;
b. correspondent toujours à un déplacement de matière ;
c. sont unidirectionnels (du noyau vers la croûte) ;
d. obéissent à deux mécanismes distincts, la convection et la conduction.

6 L'énergie interne du globe terrestre

Question de synthèse :

Après avoir précisé l'origine de l'énergie interne du globe terrestre, vous indiquerez quelles peuvent être les différentes manifestations en surface de la libération de cette énergie.

7 Gradient géothermique et gisement de pétrole Exploiter un graphique et proposer une hypothèse

D'un point de vue pétrolier, la province orientale algérienne (déjà très exploitée) est très riche en hydrocarbures légers, contrairement à la province occidentale. Cinq forages pétroliers sont réalisés dans des localités dont les *coordonnées sont indiquées ci-dessous*. À cette occasion, des mesures de températures sont réalisées en fonction de la profondeur atteinte.

QUESTION :

Après avoir calculé les degrés géothermiques* dans chacun de ces cinq sites, proposez une explication au fait qu'aucune trace exploitable d'hydrocarbures n'ait été trouvée proche du gisement HBZ-1, à la différence du gisement TO1.

Forage	X (longitude)	Y (latitude)
ER-1	1° 42' 54" W	31° 32' 58" N
CBM-1	2° 22' 46" W	31° 27' 56" N
HBZ-1	1° 07' 44" W	30° 07' 44" N
AM-1	0° 29' 00" W	27° 18' 10" N
T01	6° 27' 32" E	30° 04' 18" N

* degré géothermique : distance moyenne en profondeur nécessaire à l'élévation de 1 °C de la température de la Terre.

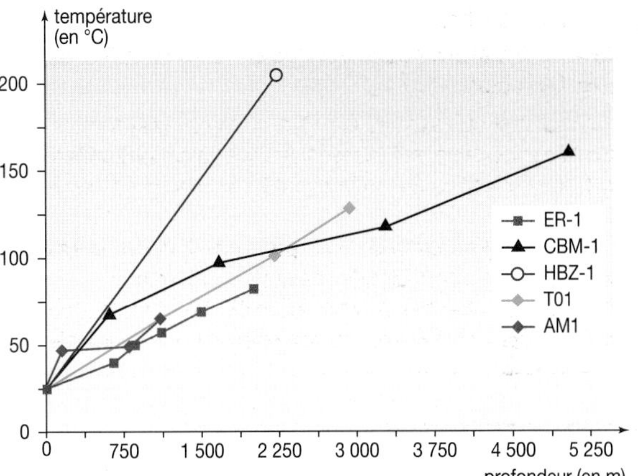

8 Potentiel géothermique en Lorraine Extraire des informations, choisir parmi plusieurs propositions

Exercice TYPE BAC

Certaines roches de la région Lorraine sont de bons aquifères : il s'agit des strates datées du Kimméridgien, Oxfordien, Dogger, Muschelkalk et Trias inférieur. Le potentiel géothermique d'une zone dépend de la surface d'affleurement de l'aquifère mais aussi de sa perméabilité, de son épaisseur et de la proximité de la surface.

Remarque : perméabilité des roches : grès > calcaires > marnes

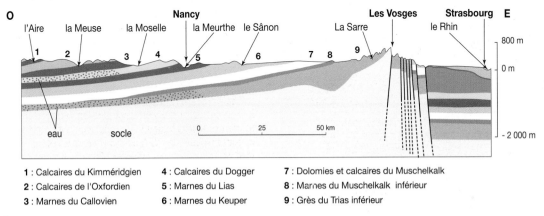

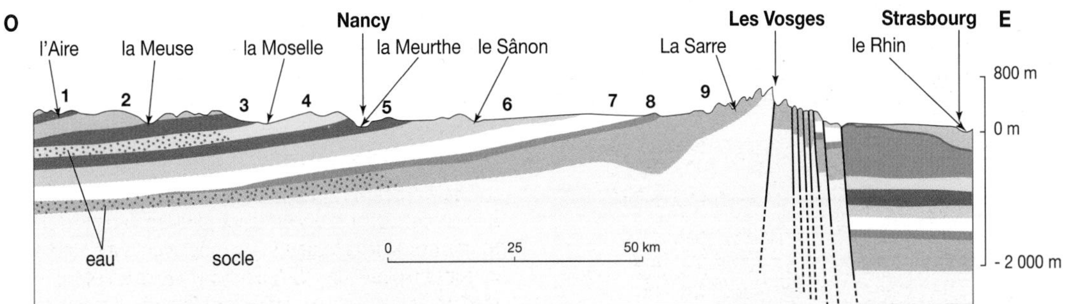

1 : Calcaires du Kimméridgien
2 : Calcaires de l'Oxfordien
3 : Marnes du Callovien
4 : Calcaires du Dogger
5 : Marnes du Lias
6 : Marnes du Keuper
7 : Dolomies et calcaires du Muschelkalk
8 : Marnes du Muschelkalk inférieur
9 : Grès du Trias inférieur

QUESTION :

Indiquez si les propositions sont justes ou fausses en argumentant chacune de vos réponses à l'aide du *document ci-dessus* :

a. Les calcaires du Dogger sont de bons aquifères.
b. Le potentiel géothermique de la région de Nancy est faible.
c. Les dolomies et calcaires du Muschelkalk possèdent un fort potentiel géothermique.
d. Les grès du Trias inférieur possèdent un excellent potentiel géothermique.

9 La géothermie haute énergie de Larderello (Italie)

Pratiquer une démarche scientifique, argumenter

En Italie, dans la région de Grossetto (parc de Lagoni del Sasso), de nombreuses curiosités ont été observées dès la plus haute Antiquité : sources chaudes, souffles de vapeur… Longtemps jugées comme d'origine surnaturelle, ces manifestations ont une origine géologique particulière et sont actuellement exploitées comme ressource géothermique de haute énergie à Larderello.

Question :

Montrez que les informations apportées par les documents 1, 2 et 3 peuvent être reliées aux manifestations géothermiques observables dans cette région.

Document 1 : coupe géologique simplifiée selon le trait de coupe A-B visible sur la carte, à gauche

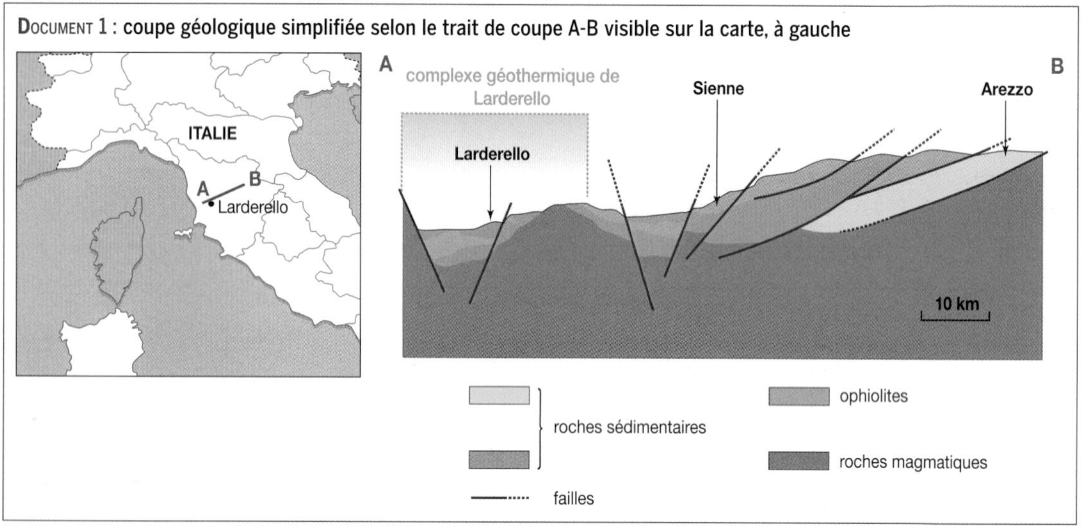

Document 2 : flux géothermique (en $mW \cdot m^{-2}$) dans la zone concernée

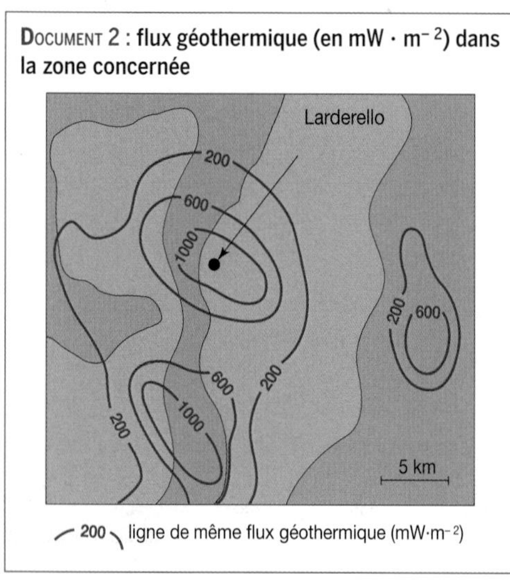

Document 3 : profondeur du toit du Moho (en km) dans la zone concernée

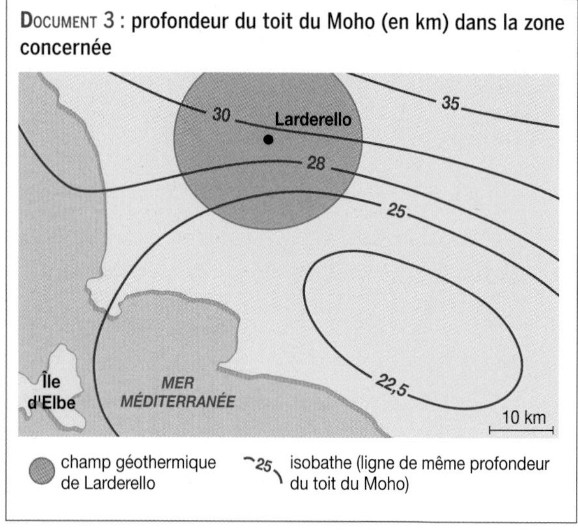

Utiliser ses capacités expérimentales

10 Les transferts d'énergie thermique à Bouillante

Concevoir et réaliser un protocole, communiquer, raisonner

SE PRÉPARER aux épreuves pratiques du BAC

■ Problème à résoudre

À Bouillante, en Guadeloupe, on exploite la géothermie haute énergie en relation avec l'existence d'un flux géothermique élevé lié au fonctionnement de la zone de subduction des petites Antilles. On souhaite modéliser les deux types de transferts d'énergie thermique de la profondeur vers la surface.

■ Conception et réalisation d'un protocole expérimental

– Le graphique du document complémentaire montre les caractéristiques de deux types de transferts d'énergie thermique (rappel : le transfert d'énergie thermique est la façon dont l'énergie est transmise de la profondeur vers la surface).
– Après avoir défini et caractérisé ces deux types de transferts, concevez un protocole permettant de modéliser ces transferts. Votre protocole comportera deux enregistrements successifs positionnant différemment les sondes.
– Réalisez le protocole.

■ Exploitation et communication des résultats

– Présentez les résultats graphiques obtenus, après les avoir rendu présentables avec le logiciel utilisé.
– Confrontez les résultats obtenus aux mesures réalisées dans les différents forages de Bouillante.
– Répondez au problème posé en qualifiant les mécanismes de transfert mis en jeu.

■ Un exemple de résultats (sous forme de tableaux)

	Température initiale (t = 0)	Température finale (t = 15 min)
Sonde A	46,5 °C	46,9 °C
Sonde B	47,2 °C	47,7 °C

	Température initiale (t = 0)	Température finale (t = 15 min)
Sonde A	54,2 °C	63,5 °C
Sonde B	48,2 °C	54,2 °C

■ Matériel disponible

– Chaîne d'acquisition ExAO avec deux sondes et capteurs thermométriques.
– Plaque chauffante thermostatique.
– Cristallisoir ou aquarium d'une hauteur de 20 cm.
– Deux supports de sonde ajustables en hauteur.

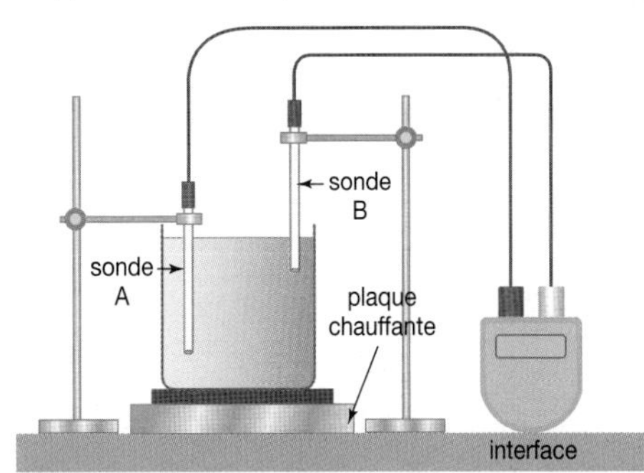

■ Document complémentaire

Températures mesurées pour différentes profondeurs au cours de 4 sondages sur le site de Bouillante

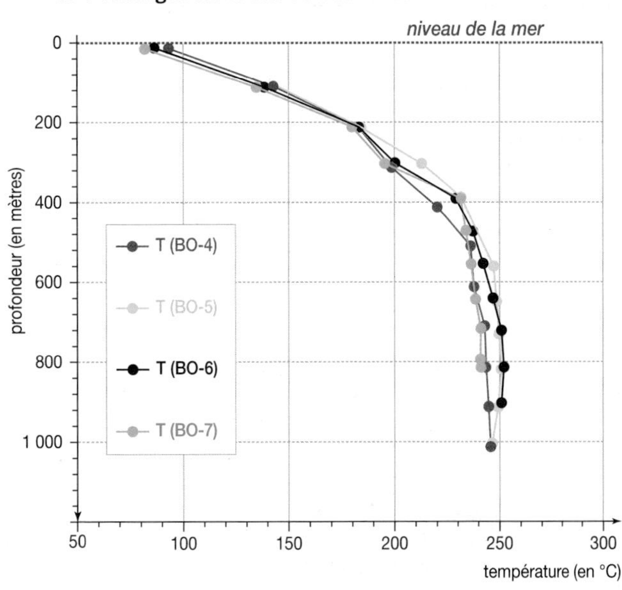

Des DOCUMENTS pour se poser des questions

Du grain pour le pharaon

Ces hommes chargent de lourds sacs de grains à bord de bateaux royaux. D'après N. Guilhou, chercheuse au CNRS, le titre de cette fresque précise : *« Charger les barges d'orge et de blé ».* Les hommes s'interpellent : *« Allons-nous ainsi passer la journée à porter de l'orge et du blé blond ? Les greniers sont pleins, et les barges lourdement chargées ! ».*

Un enjeu pour l'humanité du XXIe siècle

Base de l'alimentation humaine et de nombreux autres usages, les plantes cultivées inquiètent, aujourd'hui, par la baisse de leur biodiversité.

DEPUIS QUELQUES TEMPS, JE TROUVE À MON BLÉ QUELQUE-CHOSE DE CHANGÉ...
BLEBLEBLEBLEBLEBLEBLEBL
G.MICHNIK

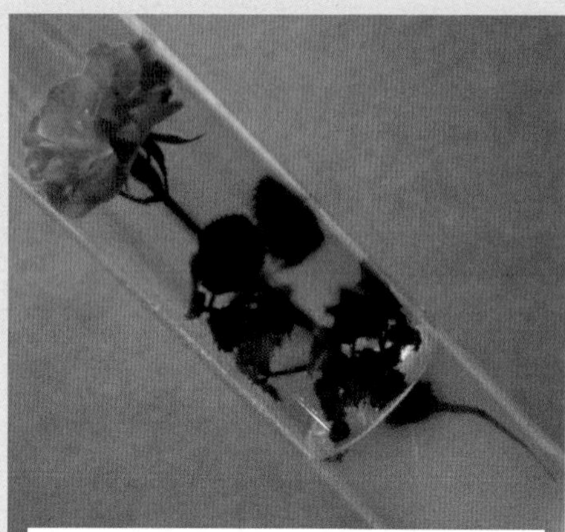

Le plus petit rosier du monde ?

La compréhension du fonctionnement des plantes a tellement progressé depuis un siècle que les biologistes peuvent obtenir une plante fleurie minuscule, à partir d'une seule cellule !

LES PROBLÉMATIQUES DU CHAPITRE

- Comment des plantes sauvages ont-elles été domestiquées ?
- Quelle est l'origine de la diversité des variétés cultivées ?
- Comment la génétique, la biologie cellulaire et moléculaire ont-elles révolutionné la sélection végétale ?
- En quoi les plantes cultivées constituent-elles un enjeu planétaire ?

Il y a 7000 ans, les Amérindiens ont obtenu, à partir d'une plante sauvage, une grande diversité de variétés de maïs, dont certaines sont encore cultivées.

La plante domestiquée

LES ACTIVITÉS DU CHAPITRE

Des plantes sauvages aux plantes cultivées

Plus de 10 000 ans d'agriculture ont permis aux sociétés humaines de façonner peu à peu des espèces végétales sauvages pour les adapter à leurs besoins et contraintes. *L'exemple du blé nous permettra de comprendre comment s'effectuent ces transformations.*

A La domestication : une très longue histoire d'hommes et de plantes

Il y a 11 500 ans, dans un contexte de réchauffement du climat, certains groupes humains se sédentarisent : au Proche-Orient par exemple, les hommes commencent à cultiver des céréales (**engrain**, **amidonnier**...).

À l'origine, les graines de ces blés sauvages tombent au sol ; elles se ressèment donc spontanément, mais leur récolte est difficile. Les vestiges archéologiques montrent qu'après environ mille ans de culture de ces variétés, apparaissent des formes mutantes : les épis ne se fragmentent plus et les graines ne tombent pas au sol. Si la plante ne se ressème plus seule, la récolte, en revanche, est grandement facilitée.

On retrouve donc la trace d'une domestication de ces céréales : génération après génération, les cultivateurs ont involontairement sélectionné les plantes les mieux adaptées à la culture. Celles-ci ont progressivement perdu leurs capacités à survivre hors des champs.

Quelques caractéristiques de plantes de la famille du blé

	Égilope de Sears	Égilope de Tausch	Engrain	Amidonnier	Blé dur	Blé tendre
Caryotype	$2n = 14$	$2n = 14$	$2n = 14$	$4n = 14 + 14$	$4n = 14 + 14$	$6n = 14 + 14 + 14$
Mode de vie	uniquement sauvage	uniquement sauvage	formes sauvages et domestiques	formes sauvages et domestiques	uniquement domestique	uniquement domestique
Dispersion spontanée des grains	oui	oui	oui	faible et tardive	non	non
Enveloppes protectrices adhérentes	oui	oui	oui	oui	non	non
Résistance au froid et à l'humidité	non	non	non	non	non	oui
Rendements	très faibles	très faibles	faibles	faibles	élevés	élevés
Utilisations alimentaires	non	non	pâtes non levées	semoules pâtes non levées	semoules pâtes non levées	pâtes levées (pain)

Les blés domestiqués vont continuer à évoluer tout au long de l'histoire, notamment grâce à des innovations génétiques qui se produisent spontanément. Ainsi, l'hybridation naturelle de l'amidonnier cultivé (tétraploïde et donc résultat lui-même d'une hybridation) et d'une **égilope** (céréale sauvage) a donné naissance, il y a environ 8 500 ans, à un blé hexaploïde dont la farine possède une propriété remarquable : elle permet de fabriquer du pain. Ce nouveau blé « tendre » va connaître un développement remarquable, le blé « dur » étant toujours cultivé pour produire des semoules.

Doc. 1 Des blés sauvages aux blés dont on fait le pain et la semoule.

B La naissance d'une biodiversité façonnée par les agriculteurs

Depuis des millénaires, les plantes cultivées germent, se développent, fructifient sous l'œil attentif des agriculteurs. Ils repèrent chaque année les individus les plus résistants aux maladies, aux intempéries, ceux qui produisent les meilleurs résultats… et choisissent leurs prochaines semences parmi ces « meilleurs » individus.
Cette méthode de sélection modifie très lentement les caractéristiques génétiques de la population de départ, sans jamais l'uniformiser. Les critères de sélection pouvant varier selon les lieux et au cours du temps, elle est à l'origine de l'immense diversité des variétés dites « de pays », ou « paysannes ».

Modélisation simple d'une sélection massale

Dans ce modèle, les graines récoltées sont d'autant plus intéressantes pour constituer la semence de l'année suivante qu'elles sont foncées. Mais le tri des graines est une tâche difficile, aux résultats imparfaits !

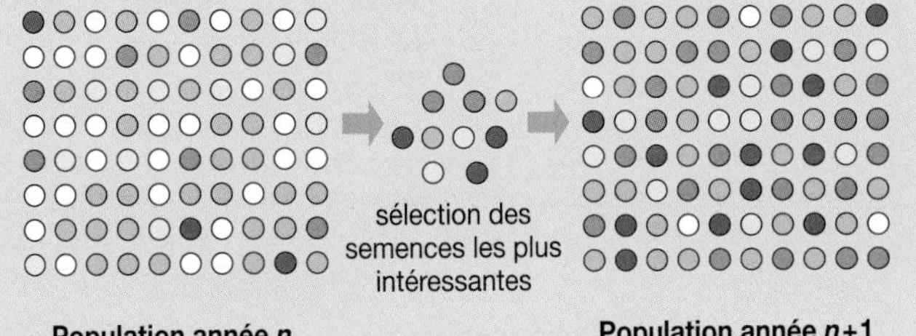

Depuis la plus haute Antiquité, les agriculteurs trient les plantes les plus performantes pour les multiplier.

Doc. 2 **Le principe d'une sélection paysanne, locale et au long cours.**

◀ **Blé rouge d'Écosse**
Sa rusticité en fait l'une des plus précieuses variétés pour les pays à climat rigoureux. Il ne se laisse presque jamais coucher ni par les vents ni la pluie. Le blé rouge d'Écosse doit être semé de bonne heure à l'automne. Cette variété convient bien aux terres moyennes ou fortes du centre de la France, surtout aux parties un peu montagneuses en terrain granitique ou schisteux.

Blé carré de Sicile ▶
Cette variété se cultive comme blé de printemps. C'est l'un des plus prompts à mûrir. C'est une bonne variété pour les terres chaudes, légères ou calcaires ; les épis, quoique petits, sont très pleins et le rendement est bon en grain comme en paille.
(D'après Vilmorin-Andrieux, 1880)

Doc. 3 **Les variétés de pays, une remarquable adaptation aux conditions locales.**

Pistes d'exploitation

PROBLÈME À RÉSOUDRE ▶ **Comment, au cours de l'histoire, les agriculteurs ont-ils progressivement façonné certaines plantes pour les adapter à leurs attentes ?**

Doc. 1 Montrez que la domestication du blé repose sur la sélection par l'Homme, de caractéristiques génétiques différentes de celles qui sont favorables à la plante sauvage.

Doc. 2 et 3 Expliquez comment la sélection massale peut aboutir à la formation de variétés de pays génétiquement très diversifiées.

Lexique, p. 406

La sélection scientifique des végétaux

Depuis la fin du XIXe siècle, les scientifiques sont capables de produire, en quelques années seulement, de nouvelles variétés végétales aux multiples qualités agronomiques et technologiques. *Nous verrons, à partir d'un exemple, quelles sont leurs méthodes pour obtenir de telles variétés scientifiquement « améliorées ».*

A Sélectionner des lignées homogènes et stables

1. Sélection de départ

Le sélectionneur choisit des plantes dans une population hétérogène (variété de pays) ou dans une population issue d'un croisement préalable.

2. Obtention de lignées pures

Le sélectionneur provoque l'**autofécondation** des plantes pour augmenter peu à peu leur **taux d'homozygotie**.

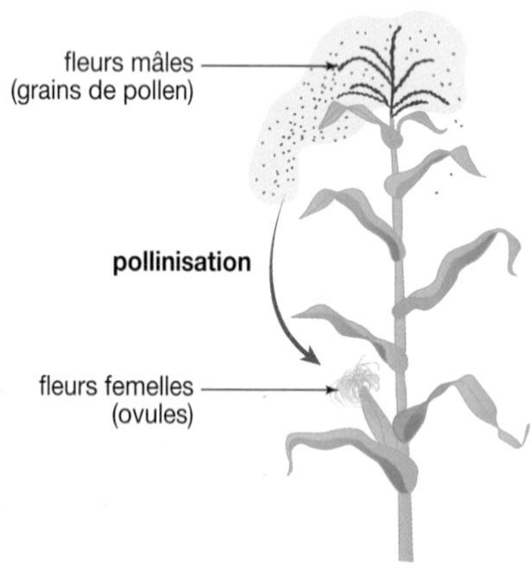

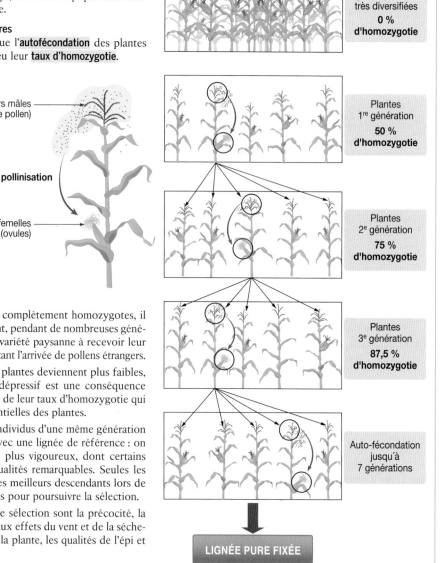

Pour obtenir des plantes complètement homozygotes, il faut forcer artificiellement, pendant de nombreuses générations, les plantes de la variété paysanne à recevoir leur propre pollen, tout en évitant l'arrivée de pollens étrangers.

À chaque génération, les plantes deviennent plus faibles, plus fragiles. Cet effet dépressif est une conséquence directe de l'augmentation de leur taux d'homozygotie qui masque les qualités potentielles des plantes.

C'est pourquoi tous les individus d'une même génération sont également croisés avec une lignée de référence : on obtient des descendants plus vigoureux, dont certains peuvent exprimer des qualités remarquables. Seules les plantes ayant engendré les meilleurs descendants lors de ce test sont alors retenues pour poursuivre la sélection.

Les principaux critères de sélection sont la précocité, la résistance aux maladies, aux effets du vent et de la sécheresse, l'aspect général de la plante, les qualités de l'épi et des grains.

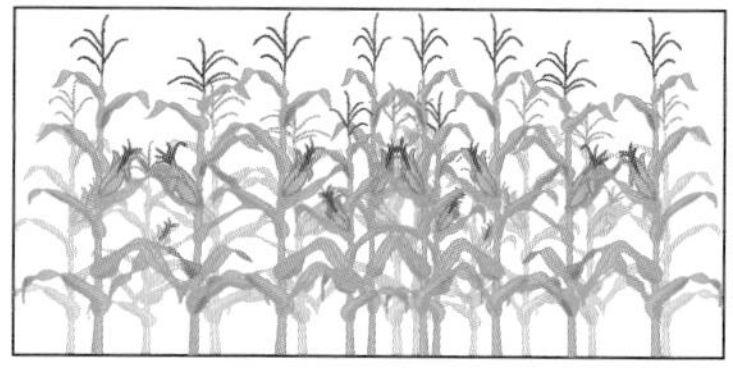

Plantes génétiquement très diversifiées
0 % d'homozygotie

Plantes 1re génération
50 % d'homozygotie

Plantes 2e génération
75 % d'homozygotie

Plantes 3e génération
87,5 % d'homozygotie

Auto-fécondation jusqu'à 7 générations

LIGNÉE PURE FIXÉE

Doc. 1 Un patient travail de sélection permet d'obtenir des lignées pures de maïs.

B Croiser les lignées pour obtenir des hybrides aux qualités nouvelles

On dispose de deux lignées pures de maïs issues de sept générations d'autofécondations successives. Chacune présente des points forts et des points faibles. Chaque lignée étant stable, les gamètes qu'elle produit sont tous identiques. En effectuant une fécondation entre ces deux lignées, on obtient donc une génération F1 aux caractéristiques homogènes.

Souvent, les individus F1 présentent une **vigueur hybride** (ou effet d'hétérosis) qui leur confère une valeur nettement supérieure à celles des deux lignées parentales.
Comme le montre l'exemple suivant, ces croisements peuvent aussi permettre de cumuler chez les hybrides F1 les qualités de chacun des parents, sans en retrouver les défauts.

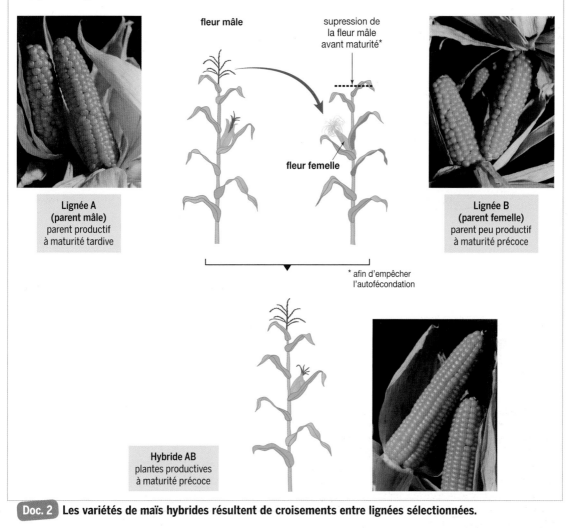

Lignée A (parent mâle)
parent productif
à maturité tardive

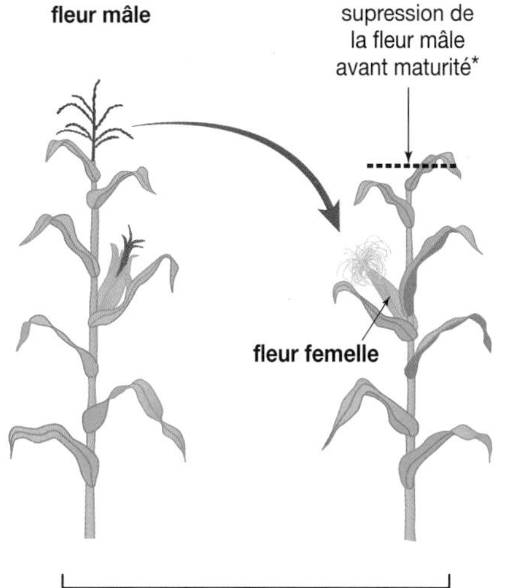

Lignée B (parent femelle)
parent peu productif
à maturité précoce

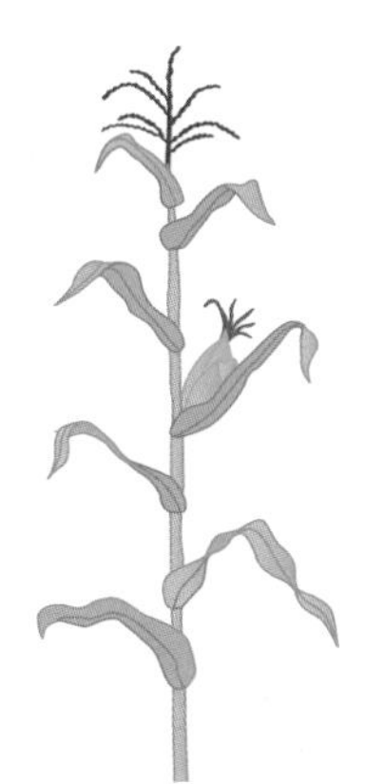

Hybride AB
plantes productives
à maturité précoce

Doc. 2 Les variétés de maïs hybrides résultent de croisements entre lignées sélectionnées.

Pistes d'exploitation

PROBLÈME À RÉSOUDRE ► Quels sont les principes de base qui président à la sélection scientifique de nouvelles variétés végétales ?

Doc. 1 Que cherchent les sélectionneurs en pratiquant des autofécondations répétées sur les plantes les plus intéressantes ?

Doc. 1 Quel taux d'homozygotie obtiennent-ils après sept générations d'autofécondations successives ?

Doc. 2 Faites l'interprétation chromosomique de ce croisement. Pourquoi les plantes AB sont-elles toutes identiques ?

Doc. 2 Quelles seraient les caractéristiques de plantes issues du croisement des maïs hybrides ? Quels problèmes cela poserait-il à l'agriculteur ?

Lexique, p. 406

Sélection et biotechnologies végétales

Depuis une cinquantaine d'années, les progrès des techniques expérimentales et de la biologie cellulaire et moléculaire permettent l'émergence d'une nouvelle discipline : les biotechnologies. *Nous verrons que l'innovation végétale ne se fait désormais plus seulement au champ, mais aussi au laboratoire.*

A La biologie cellulaire au service de la création végétale

Les cultures **in vitro** végétales sont des cultures d'**explants**, menées sur un **milieu synthétique** et **stérile**, dans un environnement contrôlé (température, éclairement...), et dans un espace réduit (tubes ou flacons de verre). Ces techniques de laboratoire permettent de générer une plante entière à partir d'une seule cellule ! Leurs applications dans le domaine de l'amélioration des plantes cultivées sont nombreuses. Par exemple, l'ajout de polyéthylène glycol au milieu de culture permet de faire varier la disponibilité de l'eau et donc de tester l'adaptation des plantes au stress hydrique ; l'introduction de spores de champignons parasites dans les tubes de culture permet de tester la résistance des plantes aux maladies.

■ **PROTOCOLE EXPÉRIMENTAL**

– Travailler avec des instruments et des flacons stériles, sur une paillasse désinfectée à l'eau de Javel.
– Prélever un germe, le stériliser dans l'alcool puis l'eau de Javel ; le rincer à l'eau stérile.
– Tronçonner le germe (conserver au moins un bourgeon par morceau).
– Enfoncer un tronçon par sa face inférieure dans le milieu de culture en laissant dépasser le bourgeon.
– Boucher le flacon (réserver un passage pour l'air à travers une mèche de coton).
– Placer le flacon à la lumière du jour (16 h sur 24) entre 18 et 20 °C.

Réaliser une culture *in vitro* de pommes de terre

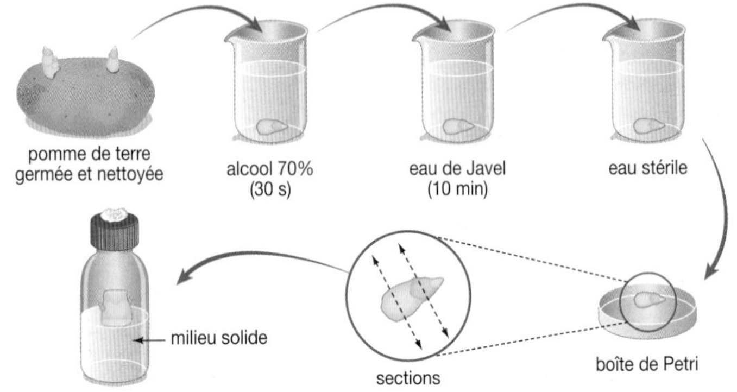

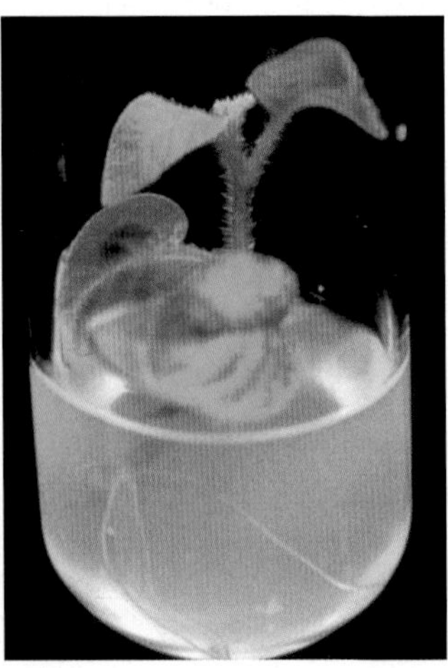

La culture *in vitro* de la pomme de terre permet de sélectionner rapidement des plantes saines (sans virus), résistantes aux maladies, à la sécheresse... Elle permet aussi de conserver dans très peu d'espace des milliers de variétés.

Protocole détaillé : www.bordas-svtlycee.fr

Doc. 1 Les cultures *in vitro* permettent de générer une plante entière à partir de ses cellules.

B La biologie moléculaire au service de la création végétale

• La découverte de la structure de l'ADN, dans les années 1950, a ouvert la voie à l'étude très précise du génome des plantes cultivées. On a ainsi mis au point des techniques de marquage moléculaire. Un **marqueur moléculaire** est une sorte d'étiquette associée à un secteur d'une molécule d'ADN. Sa présence peut être révélée par l'**électrophorèse** des fragments d'ADN obtenus après digestion par des **enzymes de restriction.**
Selon le génotype des cellules, les bandes correspondant aux divers fragments d'ADN pourront exister ou non et occuperont des positions variables sur le gel d'électrophorèse. Le repérage de ces bandes permet donc de connaître le génotype de la plante étudiée.

• La sélection assistée par marqueurs est aujourd'hui couramment utilisée, car elle permet de gagner plusieurs années dans le processus de création variétale. L'*illustration ci-contre* en donne un exemple.
On croise une variété de tournesol sensible au **mildiou** [S] et une variété résistante à cette maladie [R]. Pour trier, parmi les **plantules** issues de ce croisement, celles qui sont porteuses du gène de résistance au mildiou, on peut les cultiver et comparer leurs phénotypes… mais cela prendra plusieurs mois. On peut aussi comparer directement leurs génotypes en utilisant un marqueur moléculaire lié au gène de résistance.
Le fragment 1 caractérise le gène de sensibilité au mildiou. Les fragments 2 et 3 sont indépendants de ce caractère.

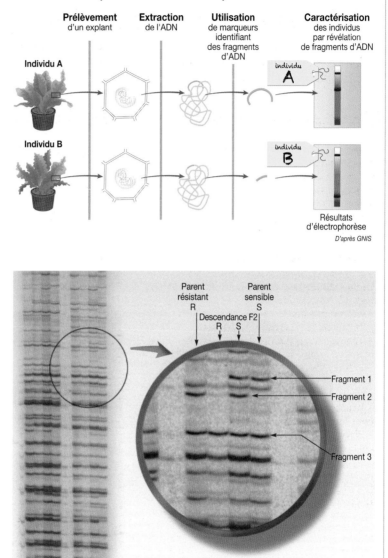

Principe de l'utilisation de marqueurs moléculaires

Prélèvement d'un explant

Extraction de l'ADN

Utilisation de marqueurs identifiant des fragments d'ADN

Caractérisation des individus par révélation de fragments d'ADN

Individu A

Individu B

individu A

individu B

Résultats d'électrophorèse

D'après GNIS

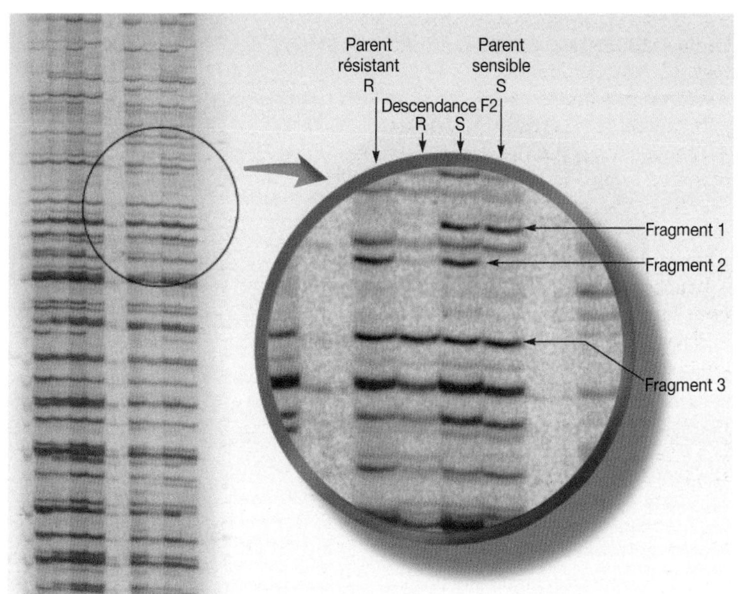

Doc. 2 Les marqueurs moléculaires permettent de choisir les individus les plus intéressants.

Pistes d'exploitation

PROBLÈME À RÉSOUDRE ► **Comment les biotechnologies ont-elles révolutionné les méthodes classiques de la sélection végétale ?**

Doc. 1 Proposez un protocole expérimental permettant de sélectionner parmi plusieurs variétés de pommes de terre celles qui résistent le mieux à la sécheresse.

Doc. 1 Recherchez d'autres applications des cultures *in vitro*.

Doc. 2 Interprétez les résultats du test permettant de sélectionner les individus résistants au mildiou.

Doc. 2 Montrez que l'utilisation des marqueurs moléculaires permet d'accélérer la sélection de variétés intéressantes.

Lexique, p. 406

L'obtention de plantes transgéniques

Contrairement à la sélection classique, les techniques du génie génétique permettent, aujourd'hui, de s'affranchir complètement des limites naturelles de la reproduction sexuée et de ne transférer chez la plante que le gène intéressant. *L'étude d'un exemple nous permettra d'aborder ces techniques très complexes.*

A De la construction génétique au transfert de gène

La technique de **transgénèse** la plus courante repose sur la capacité naturelle d'une bactérie du sol *(Agrobacterium tumefaciens)* à infecter les cellules végétales en transférant, dans leurs chromosomes, un segment de **plasmide** : l'ADN-T. On peut remplacer *in vitro* l'ADN-T par n'importe quelle autre séquence d'ADN. Le plasmide pourra ainsi servir de **vecteur** pour transférer un **gène d'intérêt** à des cellules végétales. C'est ce qui a été fait pour rendre une variété de soja tolérante au glyphosate. Cet herbicide agit en se fixant sur l'enzyme S, d'importance vitale pour toutes les plantes. On a découvert que certaines bactéries sont tolérantes au glyphosate, car elles possèdent une enzyme R, comparable à l'enzyme S, mais sur laquelle le glyphosate ne peut se fixer. On a donc « armé » des plasmides d'*A. tumefaciens* avec le gène de l'enzyme R. Les bactéries *A. tumefaciens* ainsi préparées sont cultivées pour disposer d'un grand nombre de plasmides vecteurs, avant de les mettre en présence des cellules du soja.

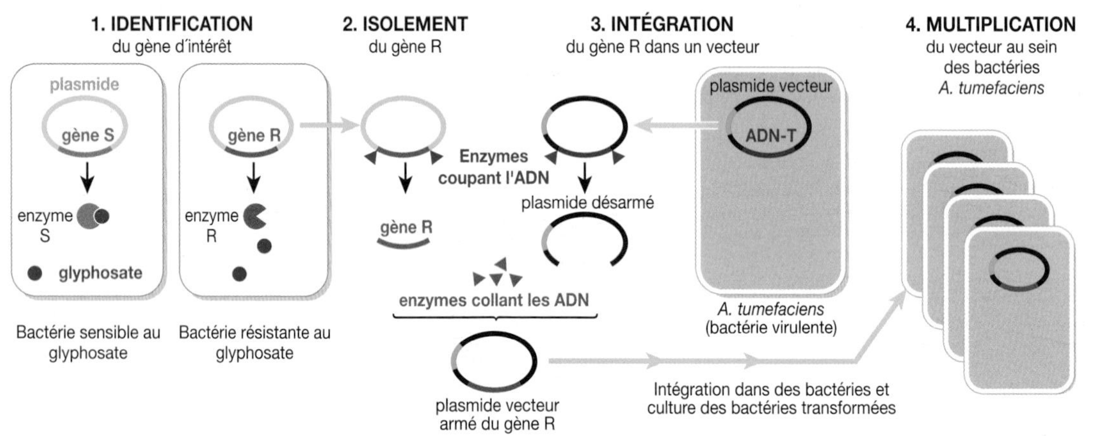

Doc. 1 **Étape 1 : Identifier un gène d'intérêt et préparer son transfert.**

On cultive ensuite sur un même milieu des fragments de feuilles de soja et les bactéries armées du gène R. Les cellules végétales libèrent des molécules qui activent un groupe de gènes bactériens (gènes Vir).

Les protéines ainsi fabriquées sont des facteurs de **virulence** : elles provoquent l'entrée du gène R dans certaines cellules du soja, et leur intégration dans les chromosomes.

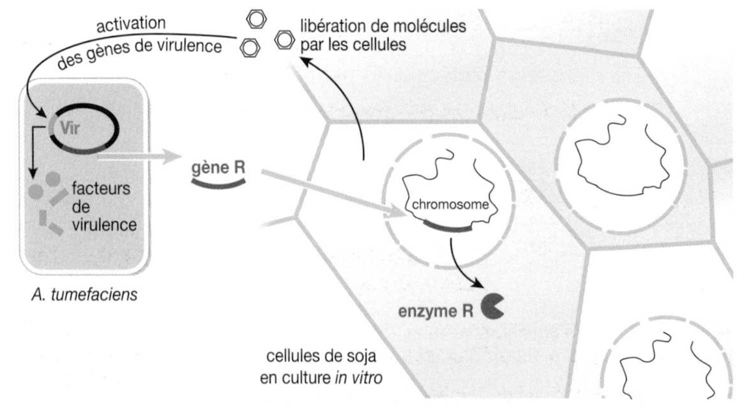

Doc. 2 **Étape 2 : Transférer le gène d'intérêt vers les cellules de la plante cible.**

B Des cellules aux plantes transgéniques

Pour éliminer les bactéries, on lave les fragments de feuilles, puis on les cultive *in vitro*. Il se forme alors des cals (massifs de cellules indifférenciées). L'ajout de glyphosate au milieu de culture élimine, en principe, tous les cals non transgéniques, ou ceux dont le **transgène** ne s'exprime pas assez. On place alors les cals survivants sur des milieux de culture permettant leur transformation en plantules.

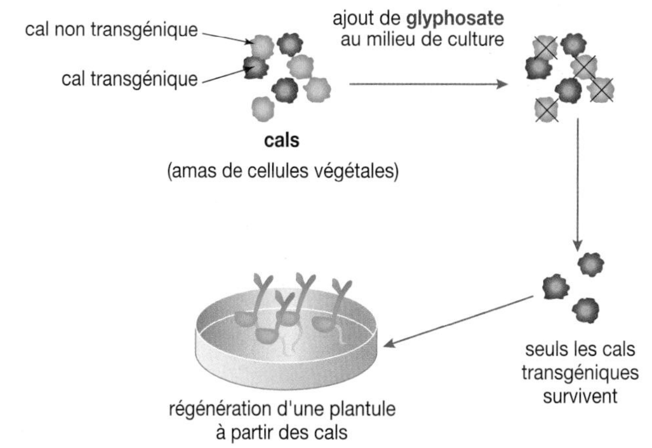

Les plants de soja obtenus sont cultivés *in vitro*, puis sous serre et reproduits par autofécondation.

Doc. 3 Étape 3 : Sélectionner les cellules transformées et régénérer des plantes entières.

Chacune des plantes ainsi obtenues est d'abord soumise à des tests génétiques visant à vérifier la présence et le nombre d'exemplaires du gène R.

Les plantes qui ont donné des résultats positifs à ces premiers tests sont ensuite soumises à un second test visant à vérifier la présence de la protéine R et son abondance. Pour cela, les protéines cellulaires sont extraites par broyage, puis déposées dans des puits au fond desquels sont fixés des **anticorps** spécifiques de la protéine R. Si celle-ci est présente, elle se fixe sur les anticorps. Une réaction colorée permet alors de révéler son abondance, proportionnelle à l'intensité de la coloration.

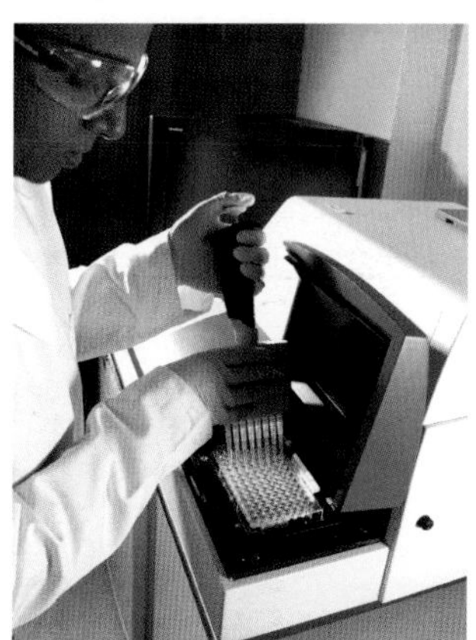

Remplissage des puits à l'aide d'une micropipette

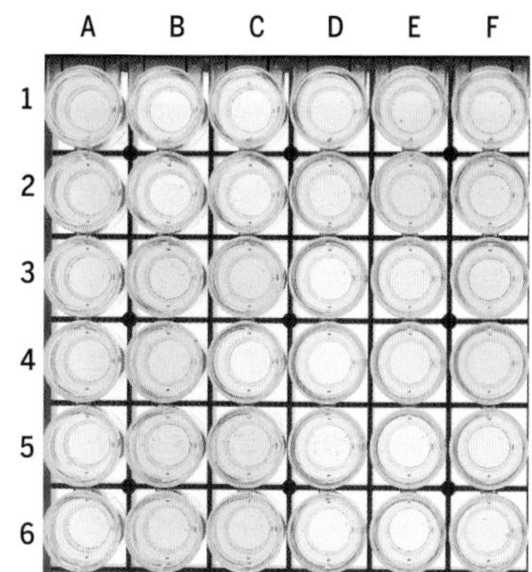

Plaque de résultats (chaque puits correspond à une plante testée)

Doc. 4 Étape 4 : Évaluer les plantes transformées.

Pistes d'exploitation

PROBLÈME À RÉSOUDRE ► **Quelles techniques permettent de transférer un gène d'une bactérie vers une plante ?**

Doc. 1 et 2 Pour quelle raison cherche-t-on à intégrer le gène R dans le plasmide d'*A. tumefaciens* ?

Doc. 3 Justifiez l'ajout de glyphosate au milieu de culture sur lequel se développent les cals.

Doc. 4 Parmi les plantes transgéniques comparées par cette technique, repérez celles qui expriment le mieux la protéine R. Expliquez votre raisonnement.

Lexique, p. 406

Les semences, un enjeu contemporain

La sélection variétale, la production, la conservation et les échanges de semences ont profondément changé au cours du XXe siècle, accompagnant l'essor d'une agriculture industrielle et mondialisée. *Face aux défis alimentaires et environnementaux actuels, la question des semences constitue un enjeu majeur.*

A Controverse autour des performances et de la biodiversité des cultures

On considère qu'à partir de 1950, environ 60 % de l'augmentation des rendements est attribuable aux qualités génétiques des **variétés élites**, donc à la sélection « moderne » menée par la recherche publique et privée (**semenciers**). Le reste serait dû aux progrès des techniques de culture (irrigation, fertilisation…).

La sélection moderne a fait exploser les rendements du blé

Année	1862	1910	1950	1961	1964	1972	1980	1990	2000	2009
Rendement moyen du blé (q/ha)	10	10	16	24	31	46	52	65	76	74

La plante élite n'est généralement « supérieure » que parce qu'elle est cultivée dans un environnement particulier qui lui est très favorable, avec des apports suffisants d'eau, d'engrais et de pesticides. On constate souvent que, dans les environnements plus difficiles, elle est au contraire nettement inférieure aux variétés paysannes qui s'y sont adaptées.

L'utilisation de variétés élites s'accompagne donc de pratiques agricoles intensives, coûteuses en énergie non renouvelable, polluantes, et qui contribuent au réchauffement climatique.

D'après BEDE/RSP, 2009.

Doc. 1 Le prix environnemental de la performance agronomique est-il trop élevé ?

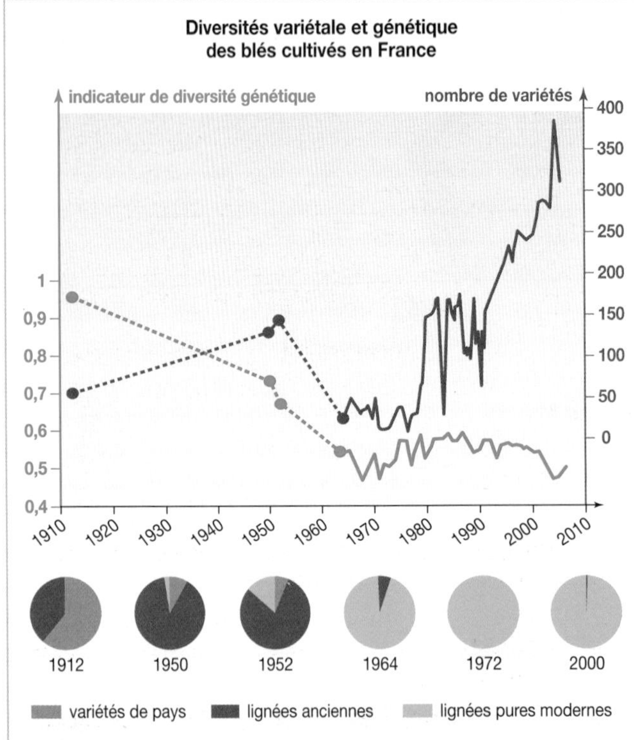

Au XIXe siècle, les **« variétés de pays »** sont cultivées et font l'objet d'une sélection paysanne. Leur hétérogénéité génétique est très forte : sous une même appellation, on trouve alors des plantes semblables, mais aux génomes diversifiés.

La sélection moderne, scientifique, apparaît avec l'industrialisation et les nouvelles pratiques agricoles. Les **« lignées anciennes »** qui en résultent sont plus nombreuses et génétiquement bien plus homogènes que les variétés de pays.

Une nouvelle période de création variétale s'ouvre après la Seconde Guerre mondiale : toute nouvelle variété doit désormais obtenir une autorisation administrative pour être commercialisée. Les critères imposés par la réglementation font que ces **« lignées pures modernes »** sont encore plus homogènes que les précédentes. Dès 1964, elles deviennent le seul type de variétés cultivées et autorisées à la commercialisation.

Ainsi, le nombre de variétés ne cesse d'augmenter mais la diversité génétique intra et inter variétale ne cesse au contraire de diminuer.

D'après *La Fondation pour la Recherche sur la Biodiversité*, 2011.

Doc. 2 La biodiversité cultivée est-elle menacée ?

B Perspectives d'avenir : quelles semences pour demain ?

La biodiversité intra et inter variétale peut constituer un atout majeur pour un renouveau des variétés paysannes. Mieux adaptées aux aléas climatiques et à la diversité des terroirs, plus économes en **intrants**, elles se distinguent aussi par leurs qualités nutritionnelles et **organoleptiques**. Pour certains agriculteurs, ces variétés entrent dans une démarche plus large de reconquête de leur autonomie vis-à-vis des agro-industries. Pour les semenciers, elles constituent un formidable réservoir de gènes pour améliorer les variétés existantes.

Voici les résultats d'essais menés en 2010 sur différentes variétés de blé (terres fertiles et profondes, pas d'enherbement, climat sec) :

Nom de la variété	Type de variété	Hauteur des épis à maturité (cm)	Sensibilité à la verse (1 = très bon ; 5 = couché)	Rendement en grains (q/ha)	Rendement en paille (q/ha)	% de protéines
Attlass	« moderne »	100	1	63,4	25	13,5
Bladette	paysanne	160	1,5	59,3	55	16
Riema	paysanne	180	2	44	50	16,2
Alauda	paysanne	150	1	64,3	52	15,4
Rojo de Sabando	paysanne	160	2,5	56,5	62	15,7

Coordination agrobiologique des Pays de la Loire.

Équipés d'une petite moissonneuse-batteuse conçue pour la recherche agronomique, ces agriculteurs récoltent un blé de variété paysanne afin d'en évaluer les performances.

Doc. 3 Vers le renouveau des variétés paysannes ?

Débutée en 1996, la culture de plantes OGM couvrait 8 % des surfaces cultivées dans le monde en 2007 ; 21 pays et 8,5 millions d'agriculteurs sont concernés. La diversité des cultures OGM est encore très faible : quatre espèces de grande culture *(voir ci-contre)* et deux caractères transgéniques ont été développés (résistance aux herbicides et plante insecticide). Mais d'autres espèces et de nouveaux caractères pourraient très vite être commercialisés. Les plantes transgéniques pourraient alors rendre des services dans les domaines de la sécurité alimentaire, de la pharmacie, des matériaux innovants, des énergies renouvelables…

Pour les opposants aux OGM, le développement des cultures transgéniques pose cependant de nombreux problèmes :
- Appropriation du vivant par les firmes semencières grâce à des **brevets**.
- Marché des semences transgéniques en situation de quasi-monopole.
- Effets sur la santé humaine et animale insuffisamment évalués.
- Effets négatifs sur l'environnement (pertes de biodiversité, pollution par les herbicides, dissémination de transgènes).
- Apparition de mauvaises herbes et d'insectes résistants.

Part des surfaces OGM dans le monde, pour quatre espèces de grande culture, en 2007

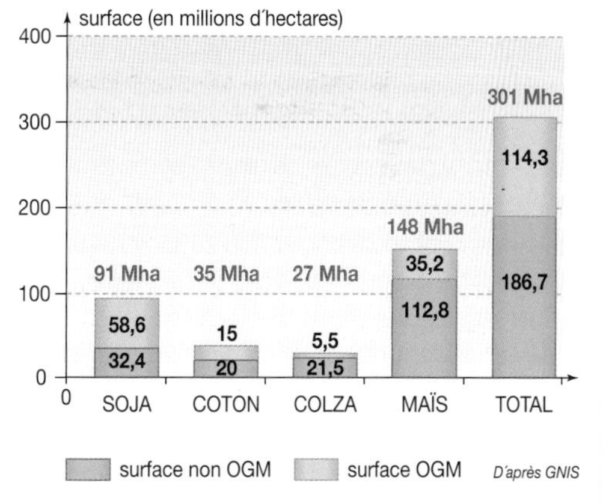

D'après GNIS

Doc. 4 Vers l'hégémonie des variétés transgéniques ?

Pistes d'exploitation

PROBLÈME À RÉSOUDRE ► Les variétés modernes sont-elles en tous points meilleures que les variétés plus anciennes ? Celles-ci sont-elles vouées à disparaître ?

Doc. 1 Quelle est la variation de rendement du blé due à la sélection moderne, entre 1950 et 2009 (à exprimer en pourcentage) ?

Doc. 1 et 2 Quels problèmes posent les variétés modernes par rapport aux variétés anciennes ?

Doc. 3 Comparez les résultats obtenus pour les variétés paysannes et pour la variété « moderne ». Dressez le bilan de ce test.

Doc. 4 Montrez que les cultures OGM se développent rapidement à l'échelle mondiale.

Lexique, p. 406

chapitre 2 La plante domestiquée

L'utilisation des plantes par l'homme est une très longue histoire, qui commence par la cueillette, se développe avec l'agriculture, et se poursuit, aujourd'hui, par l'utilisation des technologies les plus modernes. En effet, les plantes sont à la base de l'alimentation humaine et constituent également des ressources dans d'autres domaines (industrie pharmaceutique, biocarburants, etc.). Maîtriser l'exploitation des plantes constitue donc un enjeu majeur pour l'humanité.

1 La domestication des plantes sauvages

De la cueillette à la culture de plantes sauvages

Il y a environ 10 000 ans, un long processus d'évolution a conduit certaines communautés de chasseurs-cueilleurs du Moyen-Orient, d'Amérique centrale, de Chine ou d'Indonésie à **cultiver des plantes sauvages** pour leur alimentation, leurs habits, leur médecine... Au Proche-Orient par exemple, les hommes commencent à cultiver des céréales. À partir de ces foyers d'origine, l'agriculture s'est ensuite répandue à travers le monde.

Des plantes sauvages aux plantes domestiques

Progressivement isolées des populations naturelles, les populations de plantes cultivées ont lentement divergé, du point de vue génétique, de leurs cousines sauvages. Une **sélection naturelle** s'est produite sous l'effet des pratiques culturales :

- La diversité génétique naturelle s'est considérablement réduite. Par exemple, les plantes dont le rythme de croissance était nettement plus lent ou plus rapide que la moyenne ont eu moins de chance d'être récoltées et semées. Génération après génération, les cycles de développement des individus sont donc devenus plus homogènes.
- Des caractères normalement indispensables aux plantes sauvages ont été éliminés au profit de caractères mutés, normalement défavorables dans la nature : par exemple, les graines capables de se détacher seules de la plante mère ont eu moins de chance d'être récoltées et semées que celles qui restaient attachées à la plante.

Ce processus a fait, en quelques siècles, apparaître des plantes génétiquement mal adaptées à la vie sauvage, et au contraire **bien adaptées à la vie domestique**.

2 Une biodiversité cultivée d'origine paysanne

Les paysans sont des cultivateurs, mais aussi des sélectionneurs

Les paysans cherchent depuis toujours à éliminer les plantes dont la croissance est anormale, celles dont la récolte est décevante... Inversement, ils conservent et ressèment les semences des individus qui correspondent le mieux à leurs attentes. Répétée pendant des millénaires, cette sélection empirique, ou **sélection massale**, a contribué à améliorer les performances des cultures, mais de façon lente et limitée : la population végétale ainsi sélectionnée conserve une importante diversité génétique, si bien qu'elle présente des **caractères hétérogènes et variables d'une génération à l'autre**. De plus, seuls les caractères directement perceptibles (aspect visuel, goût...) peuvent être sélectionnés.

Au fil des siècles se forme une biodiversité cultivée

Pour chaque espèce cultivée, les critères de sélection ont pu varier selon les régions et les époques. Par ailleurs, la sélection naturelle (effets du sol, du climat...) n'a jamais cessé de s'exercer sur les populations de plantes cultivées, et les guerres, famines, voyages d'exploration... ont souvent perturbé ces processus évolutifs.

Tout cela a lentement différencié, au sein de chaque espèce cultivée, les populations les unes des autres. Ainsi, se sont formées des milliers de **variétés paysannes** (ou variétés-populations).

3 La sélection scientifique des plantes cultivées

La révolution industrielle et la naissance de la génétique bouleversent les pratiques

Au cours du XIXe siècle, la modernisation de l'agriculture européenne et l'industrialisation des filières de transformation nécessitent des plantes calibrées, adaptées aux machines. Il est, de plus, nécessaire d'améliorer les rendements agricoles pour rentabiliser les machines et nourrir une population croissante. Hétérogènes, variables dans le temps et peu productives, les variétés paysannes ne conviennent plus. Au début du XXe siècle, avec la diffusion des **lois de l'hérédité** découvertes par Mendel, en 1866, s'ouvre alors l'époque de la **sélection scientifique** des plantes cultivées.

La sélection scientifique et l'obtention de plantes « élites »

Le scientifique sélectionneur effectue un tri dans la diversité des variétés-populations pour repérer les meilleures plantes. Celles-ci sont alors soumises à des **autofécondations** successives. À chaque génération, un **tri** est effectué, pour ne garder que les individus les plus intéressants. Le sélectionneur aboutit ainsi, en une dizaine de générations, à des **lignées pures** (ou **variétés lignées**), génétiquement **homogènes et stables**, qui peuvent être commercialisées. Mais chez certaines espèces, l'homozygotie affaiblit considérablement les plantes de lignées pures. Les croisements entre lignées pures servent alors à retrouver chez l'hybride la vigueur perdue : c'est l'**effet d'hétérosis**. Les croisements entre lignées servent aussi à obtenir des **variétés hybrides** combinant les caractères intéressants de chacun des deux géniteurs.

Modifier et sélectionner les plantes au laboratoire : biotechnologies et génie génétique

Progressivement maîtrisées au cours du XXe siècle, les techniques de **culture *in vitro*** permettent de régénérer une plante entière à partir de quelques cellules. La sélection peut alors s'effectuer au laboratoire, sur des cellules, ce qui est bien plus économique et rapide qu'au champ. Les cultures *in vitro* sont aussi utilisées pour créer de la diversité en provoquant des mutations dans les cellules végétales afin d'obtenir des plantes aux caractéristiques nouvelles (**mutagenèse**), ou encore en forçant des cellules végétales privées de leurs parois (**protoplastes**) à fusionner, pour obtenir des hybrides entre espèces différentes.

À partir de 1970, les scientifiques mettent au point des techniques permettant de découper l'ADN, de visualiser les fragments obtenus, d'obtenir la séquence exacte des nucléotides. Ces découvertes sont utilisées pour rendre encore plus efficace la sélection végétale (**sélection assistée par marqueurs**).

Vingt ans plus tard, les techniques du **génie génétique** permettent de transférer des gènes provenant de n'importe quel être vivant chez des végétaux. La **transgénèse** ouvre alors de nouvelles perspectives :

- Elle est indépendante de la reproduction sexuée, ce qui permet de transférer des caractères provenant d'espèces très différentes (bactéries, animaux...).
- Lors d'un croisement, de nombreux caractères sont modifiés chez les descendants. Avec la transgénèse, la plante qui reçoit le transgène conserve toutes ses autres qualités.

4 Enjeux contemporains autour des plantes cultivées

Enjeux autour de l'utilisation des plantes cultivées

En un siècle, la sélection scientifique a permis l'explosion de la productivité des plantes et a rendu les plantes et les récoltes conformes aux attentes de l'industrie et des consommateurs. Ce mouvement n'est pas fini : la croissance démographique, l'occidentalisation des modes de vie nécessitent encore des **gains de productivité**. Il faut aussi créer des plantes pour de **nouveaux usages** : dépollution des sols, production d'agrocarburants, de nouveaux matériaux et médicaments...

Enjeux autour de l'environnement et de la biodiversité cultivée

Les nouvelles plantes cultivées devront être adaptées aux **changements climatiques**, aux nécessités d'une agriculture plus respectueuse de la **santé**, de l'**environnement** (réduction des consommations d'eau, d'engrais et de pesticides) et respectant mieux la **biodiversité cultivée**. Celle-ci a en effet **fortement diminué depuis un siècle** du fait du remplacement des variétés paysannes par des variétés élites, puis du développement des variétés transgéniques : ces plantes « modernes » présentent, en effet, une faible diversité intra et inter-variétale. Cela réduit la **capacité d'adaptation** des cultures aux stress climatiques, aux maladies, à la diversité des sols, et appauvrit le **choix** proposé aux cultivateurs, aux transformateurs et aux consommateurs. C'est pourquoi certains agriculteurs souhaitent **réhabiliter les variétés paysannes**. Ils se heurtent à des difficultés techniques, mais aussi juridiques.

Enjeux autour de la propriété des plantes cultivées

La création de nouvelles variétés végétales est une activité très coûteuse. C'est pourquoi, depuis une cinquantaine d'années, de nouveaux **règlements et lois** ont été élaborés pour **protéger les intérêts des industriels** de la semence. Ces textes limitent, voire interdisent, le commerce et l'échange d'autres semences que celles produites par les semenciers, ce qui oblige les cultivateurs à se fournir en semences auprès de ces industriels. Aujourd'hui, la protection juridique s'étend parfois aux gènes des végétaux. Le statut juridique de la biodiversité cultivée fait débat : sa privatisation est-elle le prix à payer pour que se poursuive le travail de création variétale, ou doit-on la considérer comme un **bien commun**, hérité de nos ancêtres cultivateurs ?

chapitre 2 La plante domestiquée

À RETENIR

La domestication des plantes

Il y a des milliers d'années, les hommes ont commencé à cultiver certaines **plantes sauvages**. Progressivement, sous l'effet des pratiques culturales, ces plantes ont **évolué**, perdant des caractères essentiels à la vie sauvage, acquérant d'autres caractères facilitant leur culture et leur récolte. Ces plantes sont ainsi devenues en quelques siècles des **plantes domestiques**.

Une biodiversité cultivée d'origine paysanne

Les paysans ont, génération après génération, éliminé les plantes les moins intéressantes et multiplié les meilleurs individus. Cette **sélection massale** a très lentement amélioré les performances des plantes cultivées.

Confrontées aux climats, aux sols, aux critères de sélection massale différents d'une région à l'autre, les populations d'une même espèce de plantes cultivées ont évolué chacune à leur façon, donnant naissance à de nombreuses **variétés paysannes**.

La sélection scientifique des plantes cultivées

Depuis un siècle la sélection des plantes est une industrie, qui repose sur des **méthodes scientifiques** et a bénéficié des progrès de la biologie et de la génétique.

À partir des variétés anciennes on obtient ainsi, en quelques années, des **lignées pures**, génétiquement stables et homogènes. Des **variétés hybrides** sont créées par croisements entre lignées pures.

Dans la seconde moitié du XXe siècle, les **biotechnologies** et le **génie génétique** ont permis d'accélérer et d'amplifier encore le processus de création variétale.

Enjeux contemporains autour des plantes cultivées

Pour relever les multiples défis de notre époque (énergétique, climatique, démographique...) l'humanité doit continuer à créer de nouvelles plantes. Celles-ci devront répondre à de **nouveaux besoins**, être **plus productives**, permettre une agriculture plus respectueuse de la **santé**, de l'**environnement**, de la **biodiversité**... et se révéler rentables économiquement.

Cela pose le problème du **statut juridique des plantes cultivées et de leurs gènes**, considérés par les uns comme un patrimoine à gérer collectivement, par les autres comme des matières premières à valoriser grâce à des droits de propriété privée.

Mots-clés

- Domestication, biodiversité cultivée
- Sélection massale, variété paysanne
- Sélection scientifique, lignée pure, variété hybride, hétérosis
- Biotechnologie, culture *in vitro*
- Transgénèse, OGM

Capacités et attitudes

- Comparer une plante cultivée et son ancêtre sauvage supposé.
- Recenser, extraire et exploiter des informations afin de reconnaître les différents types de modification génétique d'une plante.
- Percevoir le lien entre sciences du vivant et techniques de modification génétique des plantes.
- Manipuler pour mener à bien une culture *in vitro* et expérimenter pour sélectionner des plantes.
- Faire preuve d'esprit critique quant aux impacts des progrès scientifiques et techniques sur la société et l'environnement.

SCHÉMA BILAN LA PLANTE DOMESTIQUÉE

ANIMATION

Des milliers d'années de sélection paysanne

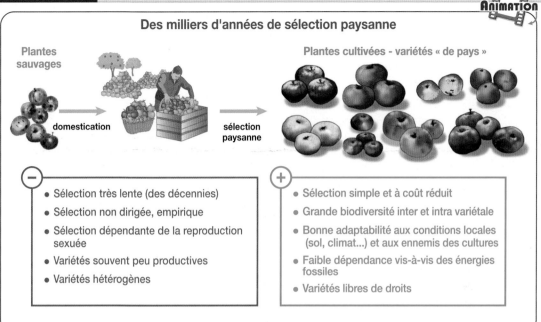

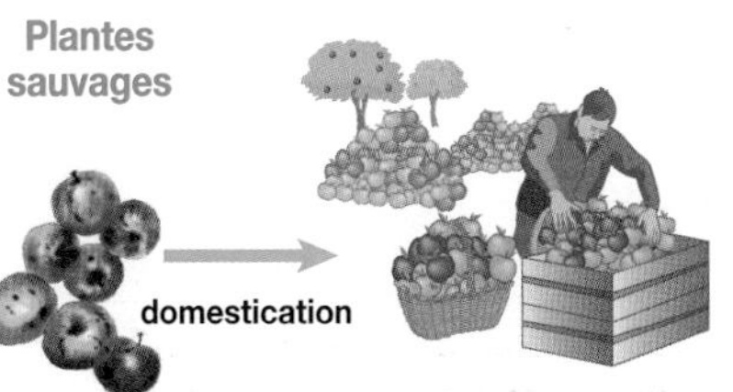

–

- Sélection très lente (des décennies)
- Sélection non dirigée, empirique
- Sélection dépendante de la reproduction sexuée
- Variétés souvent peu productives
- Variétés hétérogènes

+

- Sélection simple et à coût réduit
- Grande biodiversité inter et intra variétale
- Bonne adaptabilité aux conditions locales (sol, climat...) et aux ennemis des cultures
- Faible dépendance vis-à-vis des énergies fossiles
- Variétés libres de droits

Un siècle de sélection scientifique

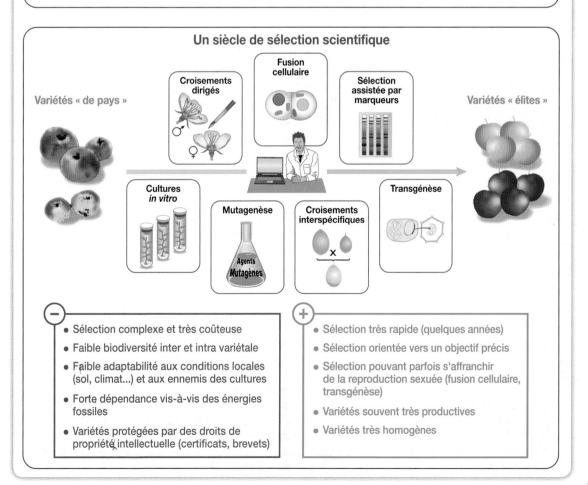

Variétés « de pays »

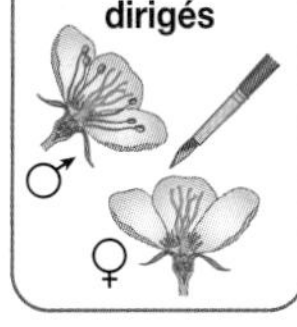

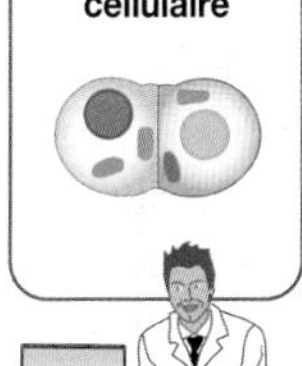

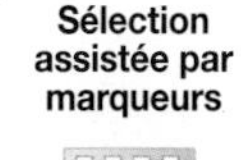

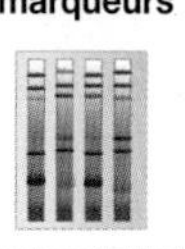

Variétés « élites »

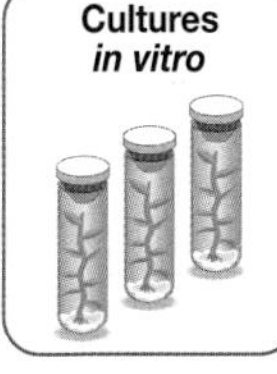

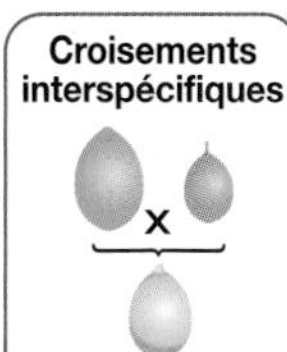

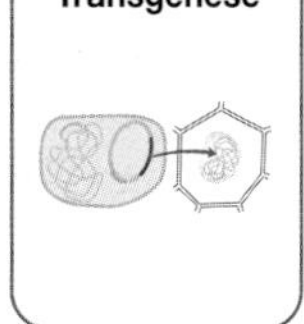

–

- Sélection complexe et très coûteuse
- Faible biodiversité inter et intra variétale
- Faible adaptabilité aux conditions locales (sol, climat...) et aux ennemis des cultures
- Forte dépendance vis-à-vis des énergies fossiles
- Variétés protégées par des droits de propriété intellectuelle (certificats, brevets)

+

- Sélection très rapide (quelques années)
- Sélection orientée vers un objectif précis
- Sélection pouvant parfois s'affranchir de la reproduction sexuée (fusion cellulaire, transgénèse)
- Variétés souvent très productives
- Variétés très homogènes

Comment conserver la biodiversité des plantes cultivées ?

• Depuis des millénaires, la conservation dynamique, au champ

L'agriculture traditionnelle est à l'origine de la biodiversité cultivée : les communautés paysannes pratiquent, de façon intentionnelle ou non, une **sélection massale** au long cours. C'est donc au champ que les variétés paysannes se forment et sont conservées.

Cette conservation n'a rien de figé, bien au contraire : face à la nécessité d'une adaptation permanente des plantes aux contraintes de l'époque et du terroir, certains génotypes sont favorisés, d'autres tendent à disparaître. Les paysans sont donc tout à la fois **cultivateurs**, **sélectionneurs** et **conservateurs** d'une biodiversité végétale qu'ils font évoluer selon leurs besoins, au fil des récoltes, et dont ils gèrent localement les droits d'usage.

La station de El Batan, au nord de Mexico, héberge la plus grande collection de semences de maïs au monde, conservées à une température de – 19 °C

• Au XXe siècle, la conservation dans les banques de semences

La sélection végétale menée par des scientifiques pour répondre aux besoins de l'industrie agro-alimentaire vise à homogénéiser et à stabiliser les variétés, en réduisant drastiquement leur diversité génétique.

Inadaptées aux standards industriels, parfois interdites de commercialisation par les états, les variétés paysannes sont délaissées, leur conservation au champ peu à peu abandonnée. La conservation devient alors l'affaire des **états** et de l'**industrie** : les variétés modernes et paysannes sont stockées dans des **« banques de semences »** réfrigérées ; leur usage est destiné essentiellement aux semenciers et à la recherche scientifique.

Dans les campagnes, la biodiversité cultivée ne cesse de diminuer et les agriculteurs voient leur rôle se réduire à celui de cultivateurs.

• Au XXIe siècle, la conservation des gènes dans des banques de séquences informatisées ?

La collecte des échantillons vivants à destination des banques de semences devient plus difficile à mesure qu'au champ, la biodiversité cultivée s'amenuise. À l'heure où, au contraire, le séquençage des génomes se banalise, la tendance est de ne plus entretenir les échantillons vivants, mais de stocker les **fragments d'ADN** issus des végétaux dans des plasmides bactériens, ou même de stocker les séquences sous forme de **fichiers numériques**.

Mais cela ne remplace pas le vivant puisqu'on ne sait toujours pas régénérer une plante à partir de son ADN. Parallèlement, des projets d'initiative locale, étatique ou internationale, visent à redonner de l'élan à la conservation traditionnelle au champ, garante d'une biodiversité dynamique.

... comprendre l'histoire des sciences

2012 : vers une nouvelle révolution agricole ?

Les graines produites par les plantes à reproduction sexuée sont naturellement toutes différentes les unes des autres et différentes des plantes parentales ayant fourni les gamètes mâles et femelles. C'est une conséquence directe de la méiose, qui recombine les allèles parentaux. Une équipe internationale de chercheurs travaillant sur la plante modèle *Arabidopsis thaliana* (arabette des dames) a réussi à obtenir des **graines clonales**, c'est-à-dire génétiquement identiques à la plante mère qui les produit. Ils ont pour cela fait muter trois gènes chez la plante mère, ce qui provoque le **remplacement de la méiose par une mitose ordinaire** (plante mère mutée « MiMe »). On obtient ainsi des gamètes femelles diploïdes, génétiquement identiques à la plante mère. La fécondation est alors effectuée avec des gamètes mâles produits par une autre lignée mutante (plante père mutée « GEM ») chez laquelle **les chromosomes s'éliminent spontanément après la fécondation**. De telles manipulations restent complexes mais, dans un proche avenir, elles pourraient servir à produire de façon rapide et peu coûteuse des semences clonales, rigoureusement identiques entre elles et stables de génération en génération... Une nouvelle révolution agricole est-elle en marche ?

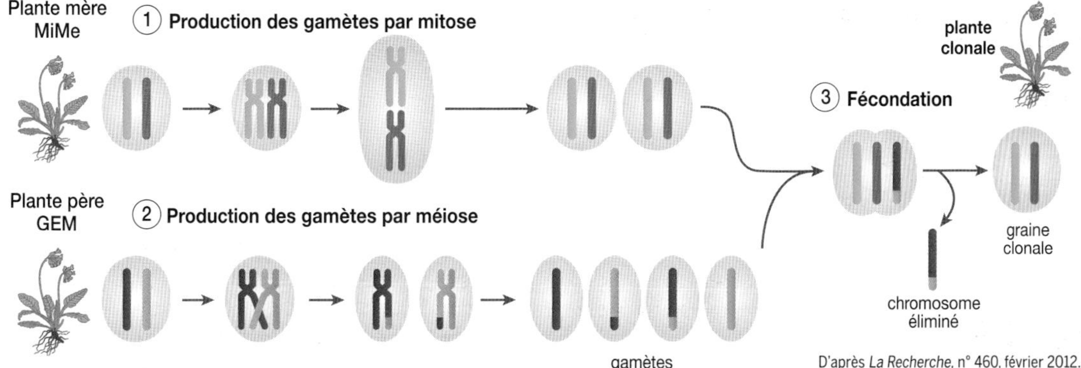

D'après *La Recherche*, n° 460, février 2012.

... bien choisir son parcours de formation

Les métiers de l'agriculture et de l'agronomie

Vous voulez devenir :
- chef de culture ;
- ingénieur agronome ;
- technicien en agronomie ?

Chef de culture

Bac S
Université ou école d'agriculture
- **Admission** : après un DUT, un BTS ou une L2 dans les filières végétales, horticoles, sciences de la vie et de la Terre...
- **Formation** : 3 ans
- **Licence Pro Productions végétales**

– Bonne insertion professionnelle
– Poursuite d'études possible (master pro, ingénieur agro...)

Ingénieur agronome

Bac S
École d'ingénieurs
- **Admission** : sur concours après le bac ou à l'issue d'une classe préparatoire BCPST, ou encore suite à un parcours universitaire (licence ou master).
- **Formation** : 5 à 6 ans
- **Diplôme d'ingénieur agronome**

– Formation très sélective
– Des débouchés très diversifiés

Technicien supérieur en agronomie

Bac S
IUT
- **Admission** : après le bac sur dossier et entretien.
- **Formation** : 2 ans
- **DUT** génie biologie option agronomie

– Formation assez sélective
– Poursuite d'études possible (licences pro, ingénieur agro...)

Maîtriser ses connaissances

Pour s'entraîner

1 Définissez les mots ou expressions

Domestication, variété-population, hybride, transgène, culture *in vitro*, génie génétique.

2 Vrai ou faux ?

Repérez les affirmations exactes et corrigez celles qui sont inexactes.

a. La domestication résulte des interactions entre une plante cultivée et les communautés humaines.
b. La sélection massale est à l'origine de la biodiversité des plantes cultivées.
c. Une lignée pure s'obtient grâce à de nombreux croisements successifs.
d. L'utilisation de marqueurs moléculaires permet d'accélérer l'obtention de nouvelles variétés végétales.
e. Les surfaces consacrées aux cultures transgéniques se développent à l'échelle mondiale.

3 Argumenter une affirmation

a. Les méthodes modernes de sélection végétale ont tendance à diminuer la diversité génétique des plantes cultivées.
b. Les plantes cultivées ne sont pas seulement utilisées comme ressources alimentaires.
c. Les biotechnologies permettent la réalisation d'hybridations interspécifiques.

4 Questions à réponse courte

a. Les plantes cultivées représentent-elles une part importante de la biodiversité des plantes terrestres ?
b. Pour quelles raisons les variétés « paysannes » présentent-elles encore aujourd'hui un grand intérêt ?
c. Pour quelles raisons les plantes génétiquement modifiées ne sont-elles pas unanimement acceptées ?

5 Questions à choix multiples 

Choisissez la bonne réponse pour chaque série d'affirmations.

1. **La domestication des plantes sauvages :**
a. est un processus qui a précédé l'agriculture ;
b. n'a nécessité que quelques années de sélection ;
c. a été réalisée progressivement par les agriculteurs ;
d. résulte d'une sélection scientifique.

2. **Pour accélérer le processus de sélection, on peut :**
a. utiliser des OGM ;
b. utiliser des marqueurs moléculaires ;
c. obtenir des lignées pures par autofécondation ;
d. croiser des hybrides entre eux.

3. **Grâce à la sélection scientifique des plantes :**
a. une agriculture paysanne a pu se développer ;
b. la consommation d'engrais a diminué ;
c. les agriculteurs peuvent produire leurs semences ;
d. les rendements des cultures ont beaucoup progressé.

Objectif BAC

6 L'intérêt d'une hybridation

QUESTION DE SYNTHÈSE :

À l'aide de *l'exemple ci-dessous* et de vos connaissances, expliquez comment on obtient des lignées pures, et pourquoi il peut être intéressant de les croiser entre elles.

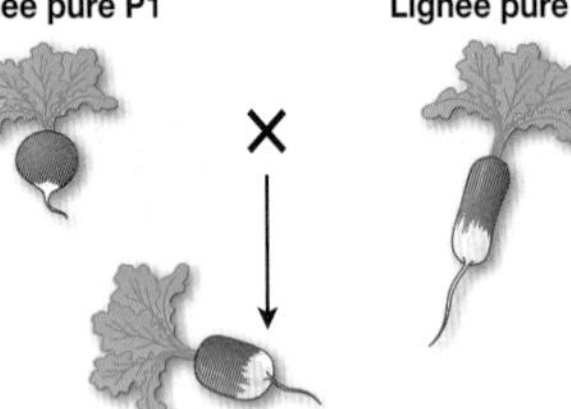

7 Semences et biodiversité

QUESTION DE SYNTHÈSE :

Décrivez et expliquez l'impact des méthodes modernes de sélection sur la biodiversité des plantes cultivées.

8 Les biotechnologies végétales

A. QUESTION DE SYNTHÈSE :

En vous appuyant sur des exemples, expliquez comment les techniques de culture *in vitro* facilitent le processus de sélection des plantes.

B. QUESTIONS À CHOIX MULTIPLES 

Choisissez la bonne réponse pour chaque série d'affirmations.

1. **Les croisements interspécifiques :**
a. ne sont toujours pas possibles aujourd'hui ;
b. peuvent être réalisés par fusion de protoplastes ;
c. sont devenus possibles grâce au marquage moléculaire ;
d. passent toujours par l'utilisation de la transgénèse.

2. **La sélection assistée par marqueurs :**
a. est à l'origine des premiers hybrides ;
b. existe depuis le XIXe siècle ;
c. est une application biotechnologique récente ;
d. n'est pas encore une technique courante.

Utiliser ses compétences

9 Sélection et amélioration des rendements

Extraire des informations, raisonner — Exercice TYPE BAC

Les rendements en grain de nombreuses lignées pures et variétés hybrides de maïs ont été mesurés. Chaque point sur le *graphique ci-contre* représente le résultat d'une lignée ou d'un hybride.
Les rendements ont été mis en relation avec la décennie d'obtention de chacune des lignées ou variétés.

QUESTION :
Donnez un titre au *graphique ci-contre* ; décrivez et expliquez les différences de rendement représentées.

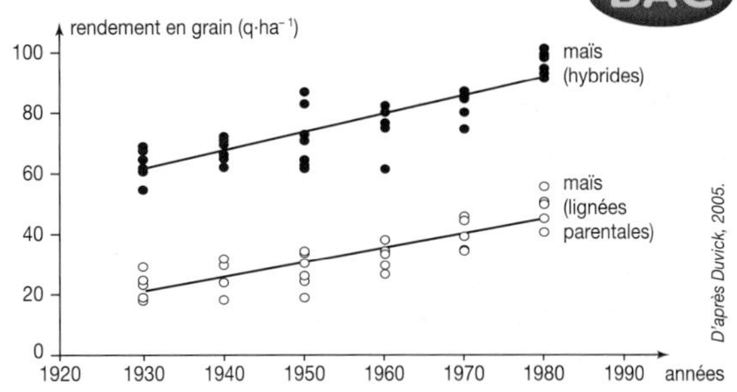

10 De l'électricité d'origine végétale

Résoudre un problème complexe

Des chercheurs étudient la possibilité de faire fabriquer de l'hydrogène par des microorganismes photosynthétiques. Cette molécule alimenterait des piles à hydrogène et permettrait la production d'une électricité écologique.

QUESTION :
À partir des documents fournis et des ressources complémentaires, montrez qu'une biotechnologie végétale peut contribuer au développement d'une électricité d'origine végétale.

Certaines algues microscopiques *(doc. 1)* ont la capacité de produire de l'hydrogène pendant leur photosynthèse. Mais, cette production est très faible et de courte durée : en effet, la photosynthèse produit aussi du dioxygène, et celui-ci inhibe la production d'hydrogène. Des biologistes ont provoqué, de façon ciblée, une mutation dans le gène de la protéine déshydrogénase, responsable de la fabrication d'hydrogène *(doc. 2)*. Ils ont ensuite comparé l'activité des protéines mutées à celle des protéines « sauvages » *(doc. 3)*.

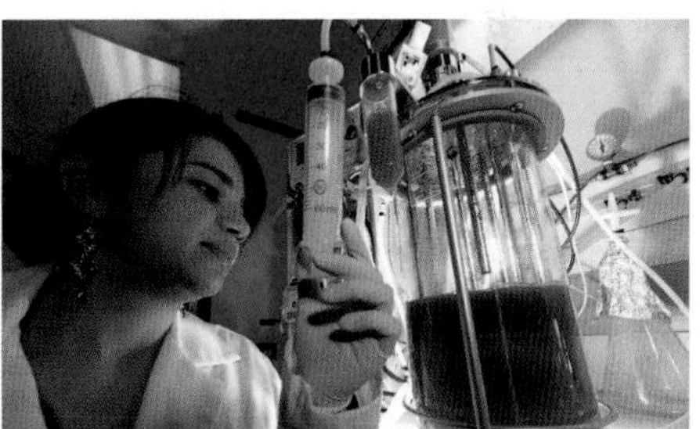

DOCUMENT 1 : culture d'algues productrices d'hydrogène

DOCUMENT 2 : comparaison des acides aminés 30 à 95 de la déshydrogénase sauvage et de la déshydrogénase mutée

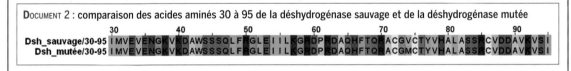

	30 … 40 … 50 … 60 … 70 … 80 … 90
Dsh_sauvage/30-95	IMVEVENGKVKDAWSSSQLFRGLEIILKGRDPRDAQHFTQRACGVCTYVHALASSRCVDDAVKVSI
Dsh_mutée/30-95	IMVEVENGKVKDAWSSSQLFRGLEIILKGRDPRDAQHFTQRACGMCTYVHALASSRCVDDAVKVSI

DOCUMENT 3 : comparaison de l'activité des déshydrogénases sauvage (DS) et mutée (DM)
On introduit la déshydrogénase sauvage ou mutée (flèche rouge) dans un milieu contenant du dioxygène (teneur initiale indiquée en bleu au-dessus des graphes).
On suit alors l'activité de la déshydrogénase (production d'hydrogène, exprimée en $\mu mol \cdot min^{-1} \cdot mg^{-1}$).

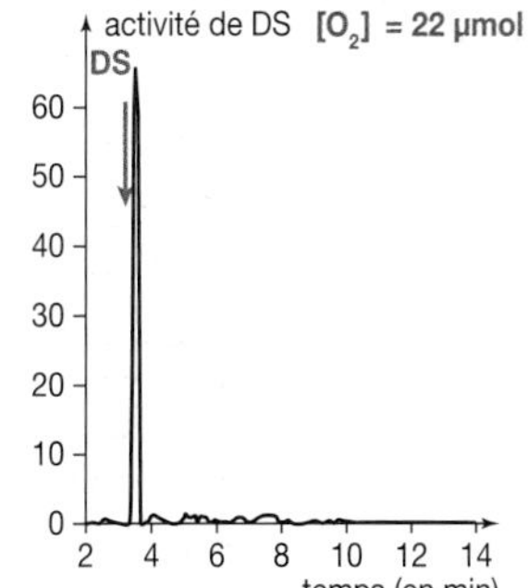

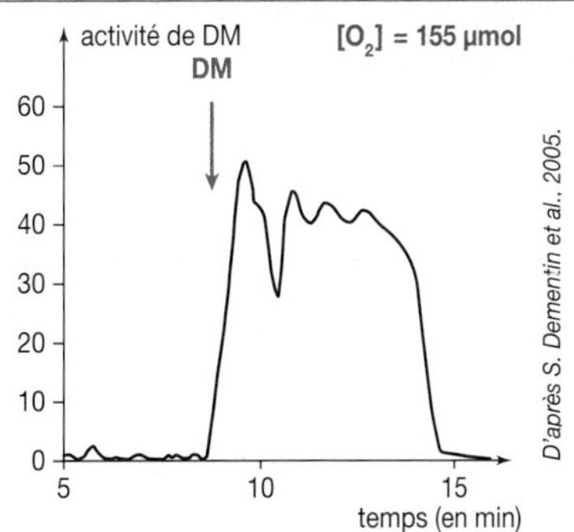

Pour trouver d'autres ressources :
www.bordas-svtlycee.fr

11 Des courges sauvages aux courges domestiques

Exploiter un ensemble de documents, raisonner

On a longtemps cru que les céréales avaient été les premières plantes domestiquées. Des recherches archéologiques récentes remettent en cause cette idée.

Question :

En vous appuyant sur les données recueillies par les chercheurs, proposez un âge pour la domestication des courges sud-américaines.

Document 1 : les phytolithes témoignent des peuplements végétaux du passé

Les phytolithes sont des structures minérales microscopiques produites par les plantes. Leurs formes et leurs dimensions sont typiques de chaque espèce et même de chaque population végétale. Lorsque la plante meurt, ses tissus organiques se décomposent et disparaissent.

Au contraire, les phytolithes s'incorporent au sol et peuvent y demeurer pendant des dizaines de milliers d'années. Ils constituent donc un matériel de choix pour les archéologues qui souhaitent identifier quelles plantes utilisaient les hommes de la préhistoire.

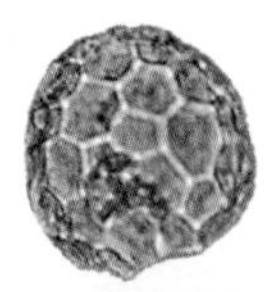

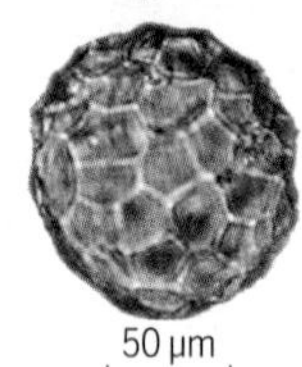

Ces phytolithes fossiles *(à gauche)*, découverts sur un site du sud-ouest de l'Équateur, proviennent de courges domestiques comparables à celles que nous connaissons aujourd'hui *(à droite)*.

Document 2 : phytolithes appartenant à 16 espèces actuelles de courges

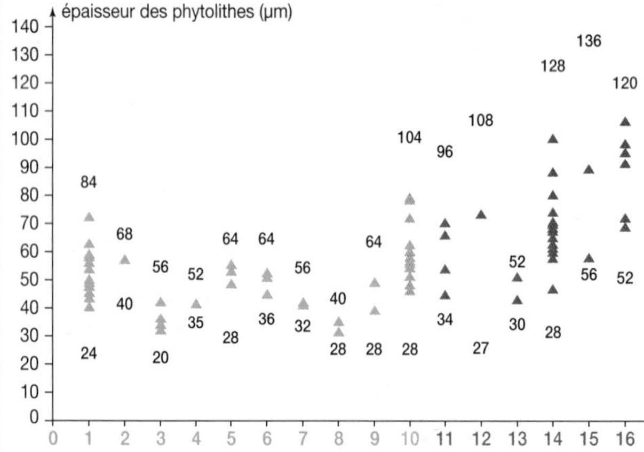

Les phytolithes de neuf espèces de courges sauvages (triangles verts), d'une espèce de courge semi-domestique (triangles orange) et de six espèces de courges domestiques (triangles rouges) ont été mesurés. Chaque triangle représente une mesure au sein d'une population de l'espèce. Les nombres au-dessus et au-dessous des triangles correspondent aux valeurs maximales et minimales mesurées pour chaque espèce.

Les spécialistes considèrent que les phytolithes dont la longueur moyenne est au moins de 82 µm, l'épaisseur moyenne au moins de 68 µm et dont l'épaisseur maximale est au moins de 90 µm, proviennent de courges domestiques.

Document 3 : phytolithes trouvés dans des sites archéologiques du sud-ouest de l'Équateur (Amérique du Sud)

Âge des phytolithes estimé par la méthode du ^{14}C (en années)	Longueur moyenne (en µm)	Épaisseur moyenne (en µm)	Épaisseur mini - maxi (en µm)
3 810 ± 40	86	70	56 - 84
7 170 ± 60	94	78	64 - 95
9 740 ± 60	72	55	36 - 76
10 130 ± 40	86	68	42 - 93
10 820 ± 250	79	68	40 - 84

Données d'après D. R. Piperno et K. E. Stothert, 2003.

Utiliser ses capacités expérimentales

12 L'obtention d'hybrides interspécifiques

Expérimenter, observer au microscope

SE PRÉPARER aux épreuves pratiques du BAC

■ Problème à résoudre

Deux individus appartenant à des espèces différentes ne peuvent en principe pas se reproduire par voie sexuée. L'obtention d'hybrides végétaux interspécifiques présente pourtant un grand intérêt pour la recherche et pour l'agriculture. L'hybridation est réalisée *in vitro*, entre des cellules débarrassées de leurs parois, c'est-à-dire des protoplastes.

On souhaite vérifier que des protoplastes appartenant à des espèces différentes sont capables de fusionner.

■ Matériel disponible

- Feuilles de poireau, d'épinard et de chou rouge.
- Scalpel, pinces fines, lame de rasoir.
- Verrerie de laboratoire.
- Solution de saccharose 0,6 mol · L^{-1}.
- Microscope équipé d'un dispositif d'acquisition de photographies, lames et lamelles.
- Fiche technique permettant de réaliser une chambre humide.
- Fiche technique permettant d'obtenir des protoplastes.

Attention : liste non exhaustive. Vous pouvez demander du matériel complémentaire afin de mener à bien votre expérience.

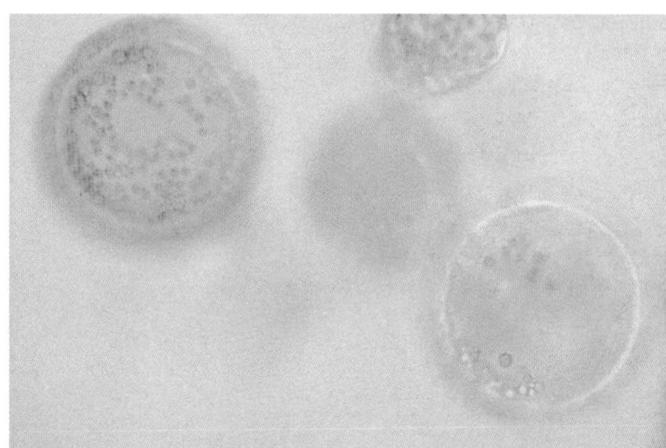

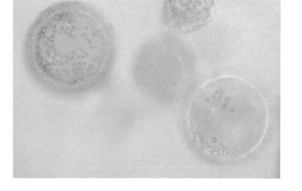

■ Protocole expérimental

Conception de l'expérience :
- Rappelez le problème biologique étudié.
- Décrivez le principe de l'expérience.
- Énoncez les résultats attendus.

■ Préparation des manipulations

- Choisissez les modes d'observation et de communication des résultats.
- Décrivez brièvement les manipulations à réaliser.
- Listez le matériel à utiliser.

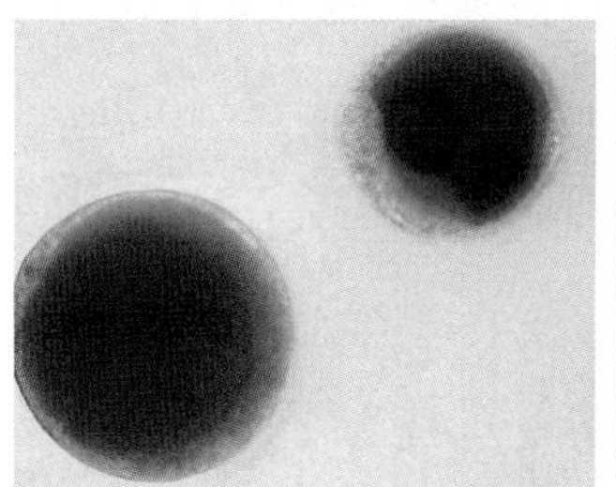

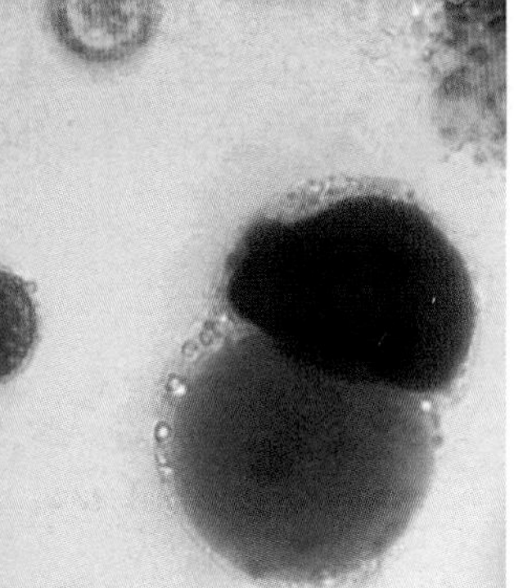

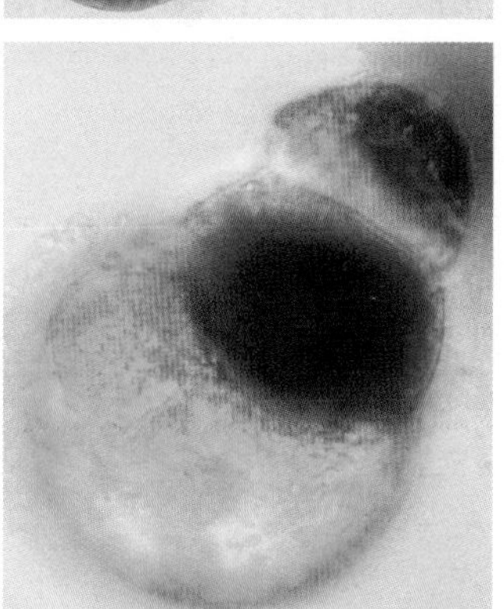

Quelques exemples d'observations au microscope optique (× 600)

■ Exploitation des résultats

La forme est laissée au choix.

On attend au moins :
- Une représentation graphique de protoplastes (dessin, schéma, photographies...) ; si possible on montrera une fusion de protoplastes appartenant à des espèces différentes.
- Une analyse des résultats obtenus ou, à défaut, des *photographies ci-contre*.
- Une réponse au problème posé.
- Une courte analyse critique de la démarche et des manipulations réalisées.

Pour télécharger les fiches techniques :
www.bordas-svtlycee.fr

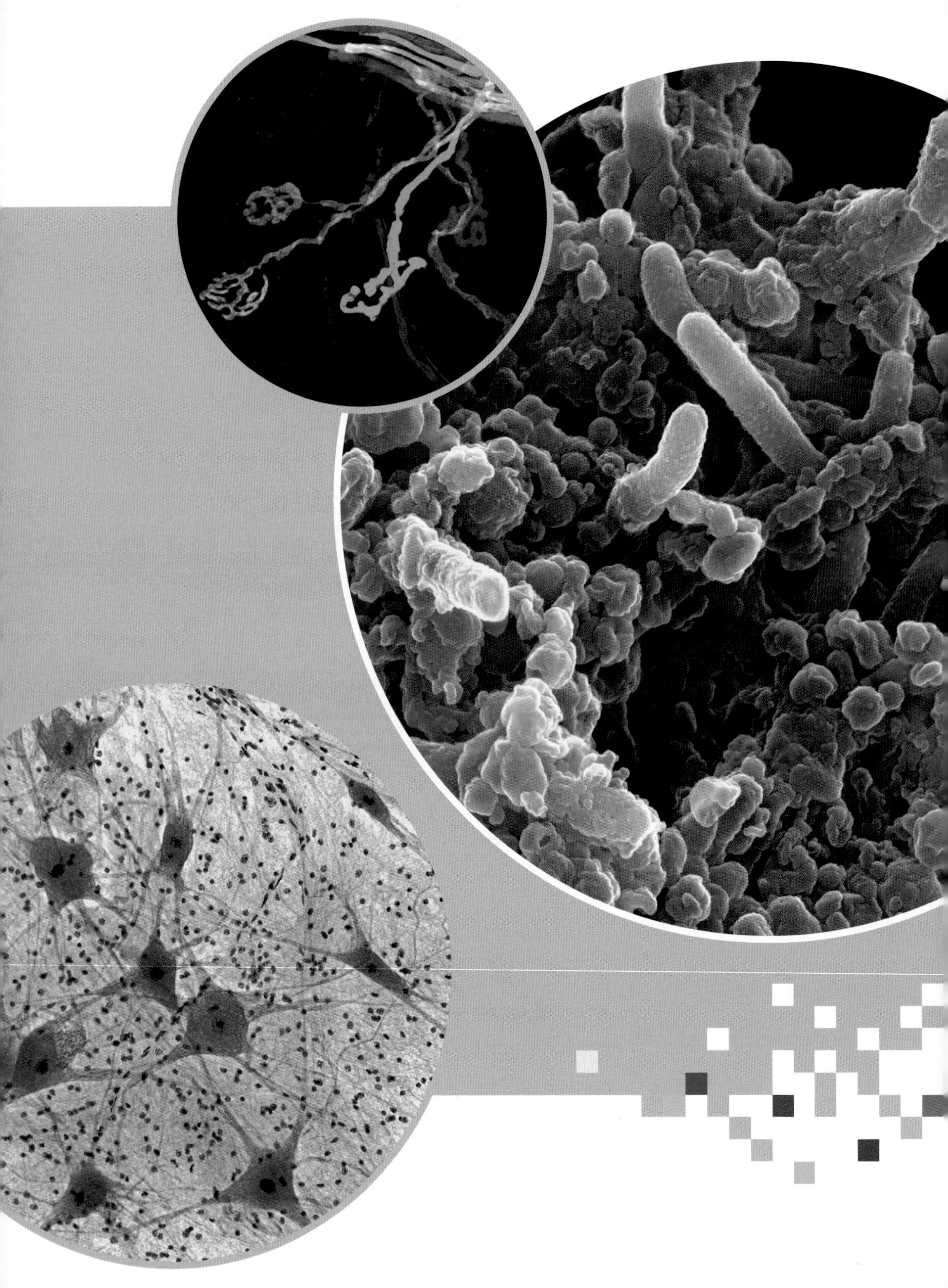

Partie 4

Corps humain et santé

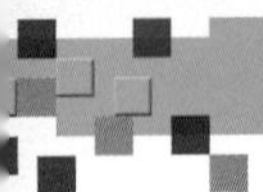

L'infection microbienne

L'infection bactérienne

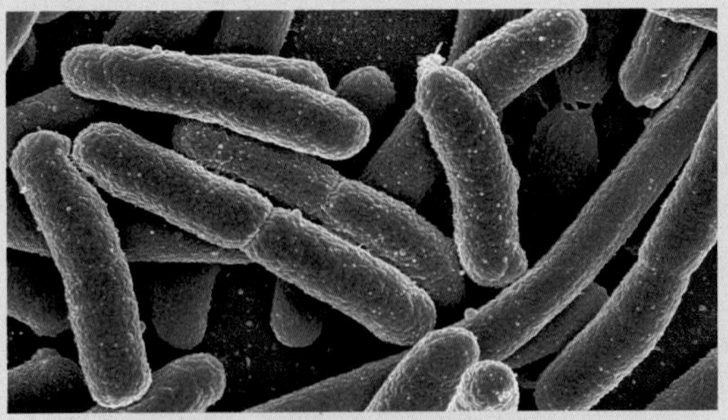

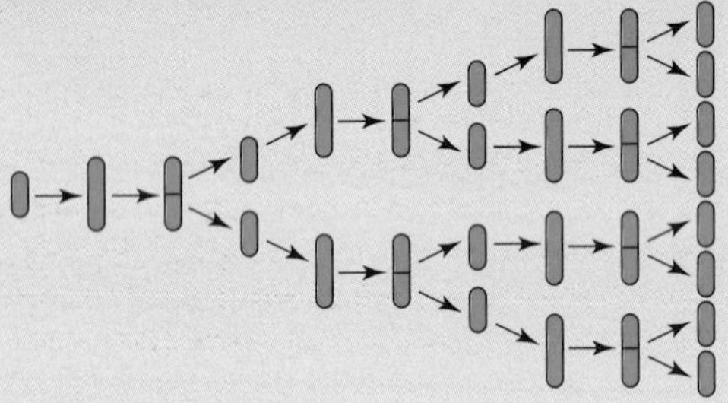

- Dans des conditions optimales, une cellule bactérienne **grandit et se divise** en deux, toutes les 20 minutes.
- Les bactéries trouvent, à l'intérieur de l'organisme, des **conditions très favorables** à leur prolifération : température de 37 °C, humidité, nourriture.

L'infection virale

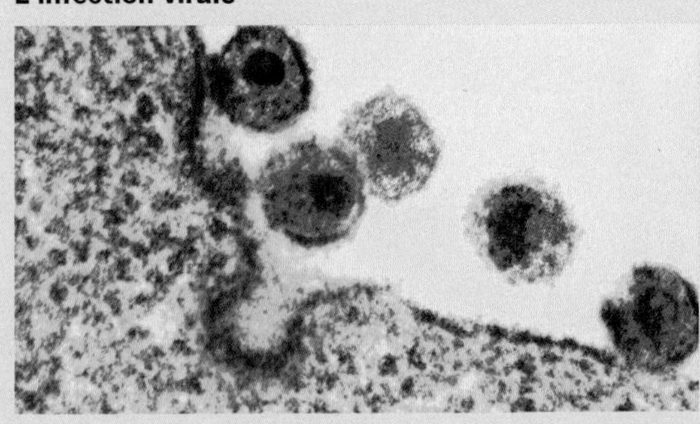

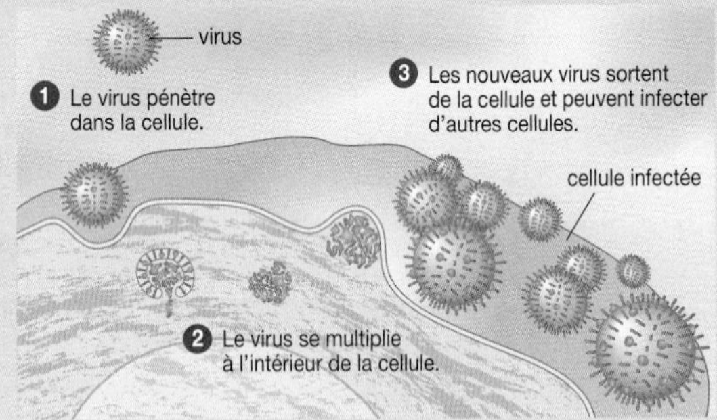
virus
1 Le virus pénètre dans la cellule.
3 Les nouveaux virus sortent de la cellule et peuvent infecter d'autres cellules.
cellule infectée
2 Le virus se multiplie à l'intérieur de la cellule.

- Contrairement à une bactérie, **un virus ne peut pas se reproduire en dehors d'une cellule vivante**.
- Le virus pénètre dans la cellule hôte et s'y multiplie. De nombreux nouveaux virus sortent de la cellule infectée et souvent déterminent sa mort.

Les premières défenses contre les microbes

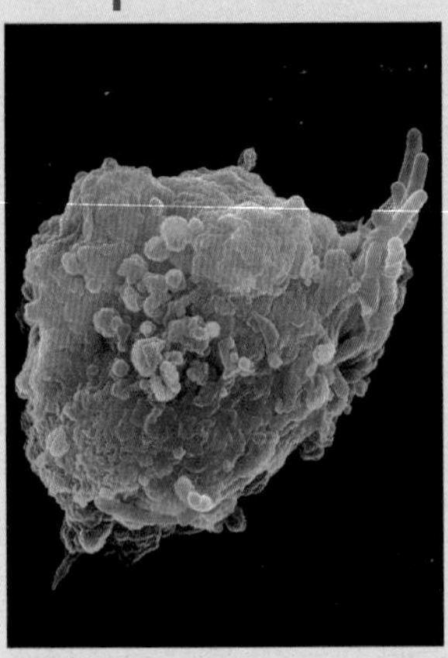

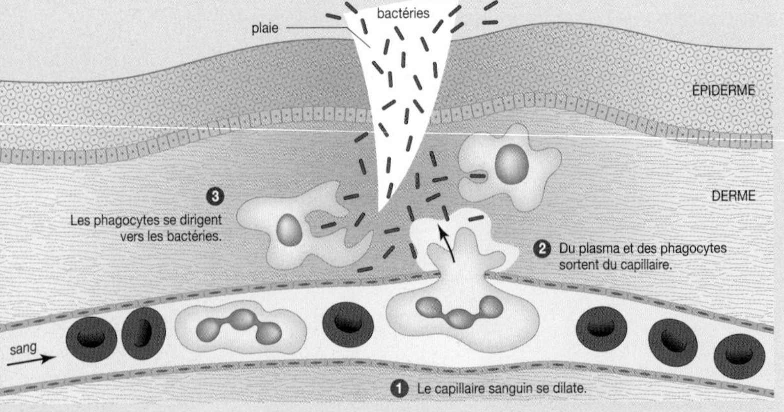
bactéries
plaie
ÉPIDERME
DERME
3 Les phagocytes se dirigent vers les bactéries.
2 Du plasma et des phagocytes sortent du capillaire.
sang
1 Le capillaire sanguin se dilate.

- Dès que des microbes pénètrent dans l'organisme, certains leucocytes, les **phagocytes**, interviennent immédiatement. Ils sortent des capillaires sanguins, se dirigent vers le lieu de l'infection et attaquent systématiquement tout élément étranger.
- Les phagocytes englobent les microorganismes et les digèrent grâce à des enzymes digestives : c'est la **phagocytose**. Cette réaction rapide constitue un premier rempart contre l'infection.

La défense par les lymphocytes

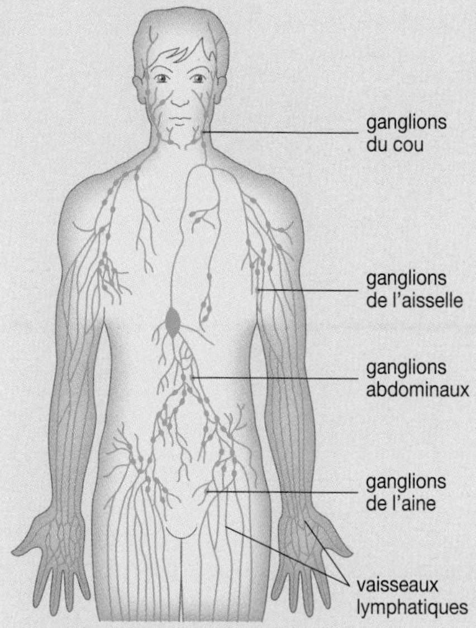

• La **lymphe**, liquide incolore dérivé du sang, baigne toutes nos cellules. Elle est ensuite drainée par un réseau de **vaisseaux lymphatiques** qui la ramènent dans le sang. Sur le trajet de ces vaisseaux se trouvent des ganglions, les **ganglions lymphatiques**, qui gonflent en cas d'infection.

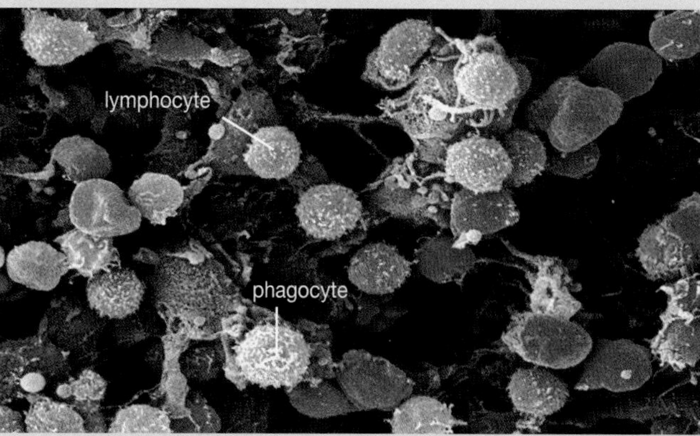

• L'intérieur d'un ganglion lymphatique (ici, observé au microscope électronique à balayage) révèle une **forte concentration de cellules du système immunitaire**. Outre des phagocytes, on y trouve de très nombreux **lymphocytes**, cellules sphériques un peu moins grosses que les phagocytes.

• Les lymphocytes assurent une défense plus lente que la phagocytose, mais, contrairement à cette dernière, elle est **spécifique** d'un « agresseur ». Elle nécessite donc la **reconnaissance** de cet agresseur que l'on nomme **antigène**.

• La reconnaissance de l'antigène s'effectue dans les ganglions lymphatiques où elle déclenche la **multiplication des lymphocytes** spécifiques de cet antigène. Certains lymphocytes assurent notre défense en sécrétant des **anticorps**, d'autres deviennent **capables de « tuer »** des cellules infectées.

Le SIDA, une immunodéficience

• La contamination par le **virus du SIDA**, appelé **VIH**, provoque une déficience du système immunitaire, on parle d'**immunodéficience acquise**.

• Une personne peut transmettre le virus dès qu'elle est contaminée sans pourtant présenter de symptômes.

• Une personne est dite **séropositive** si elle possède des **anticorps anti-VIH** dans son sang.

La vaccination

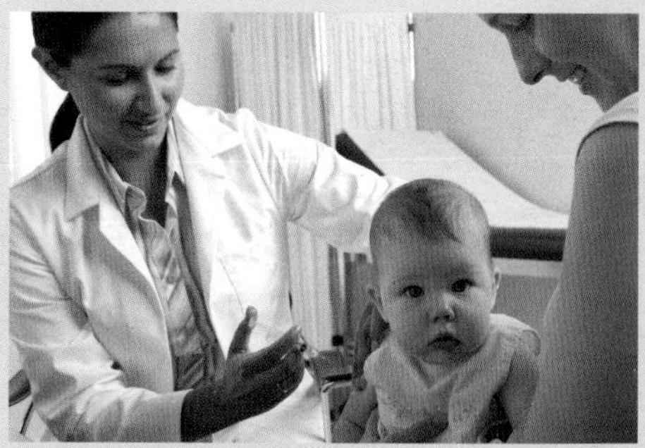

• Le principe de la **vaccination**, découvert par Jenner et Pasteur, est lié à la **mémoire immunitaire**, c'est-à-dire le fait que l'organisme garde en mémoire le premier contact avec un antigène et y réagit de manière intense et rapide lors d'un second contact.

• La personne vaccinée est **protégée durablement** contre la maladie à condition de faire des rappels qui entretiennent la mémoire immunitaire.

Muscles et mouvements

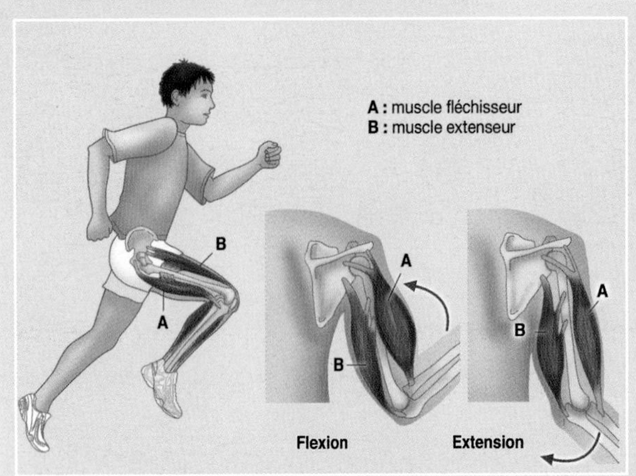

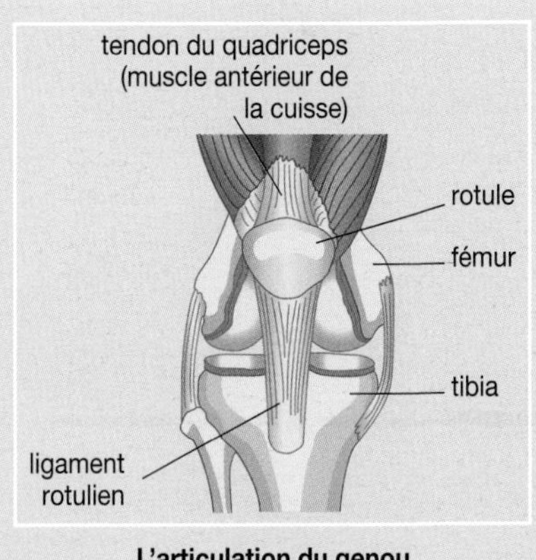

L'articulation du genou

• Les mouvements de **flexion** et d'**extension** sont rendus possibles par l'existence d'articulations entre les os. Un mouvement est causé par la contraction d'un **muscle squelettique** : par l'intermédiaire de son **tendon**, le muscle qui se raccourcit exerce une traction sur l'os auquel il est attaché. Dans le même temps, le **muscle antagoniste** se relâche.

Une communication assurée par le système nerveux

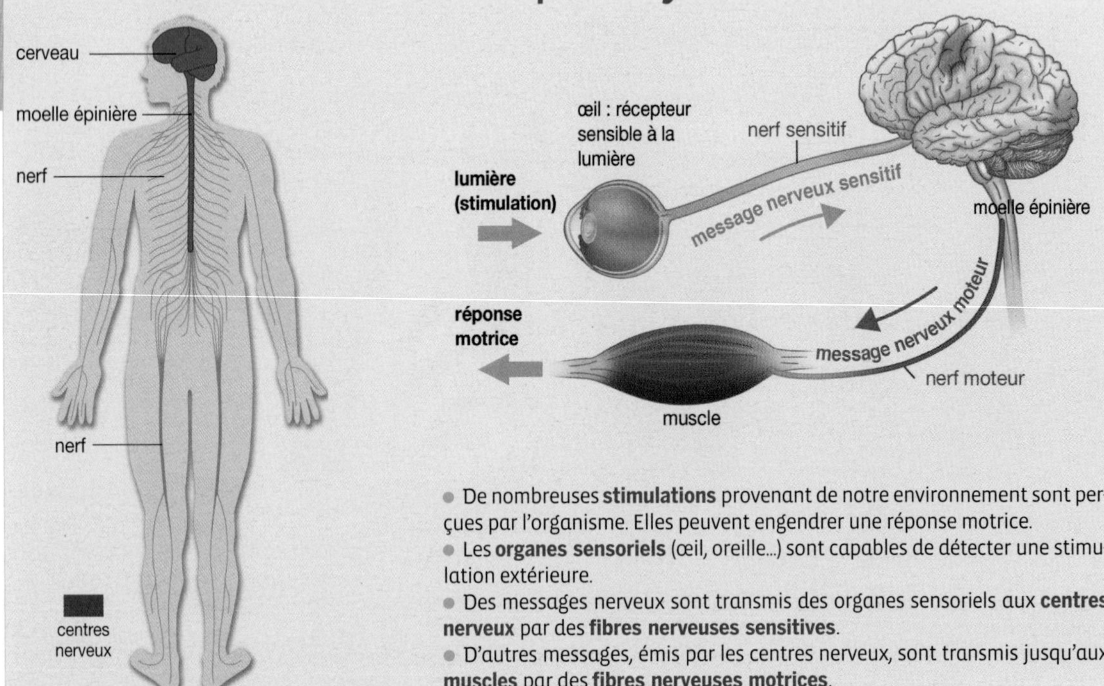

• De nombreuses **stimulations** provenant de notre environnement sont perçues par l'organisme. Elles peuvent engendrer une réponse motrice.
• Les **organes sensoriels** (œil, oreille...) sont capables de détecter une stimulation extérieure.
• Des messages nerveux sont transmis des organes sensoriels aux **centres nerveux** par des **fibres nerveuses sensitives**.
• D'autres messages, émis par les centres nerveux, sont transmis jusqu'aux **muscles** par des **fibres nerveuses motrices**.

Le rôle des centres nerveux

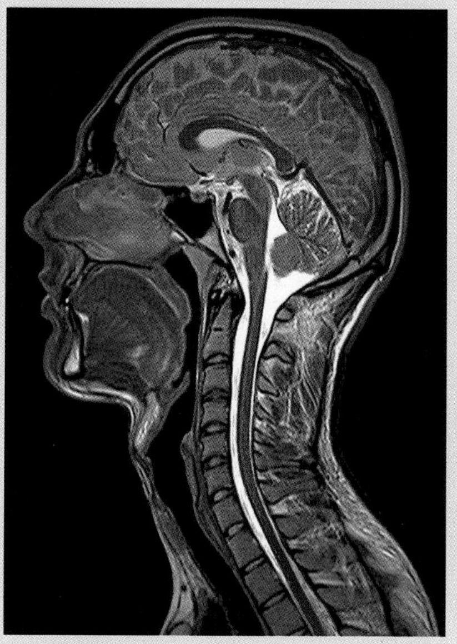

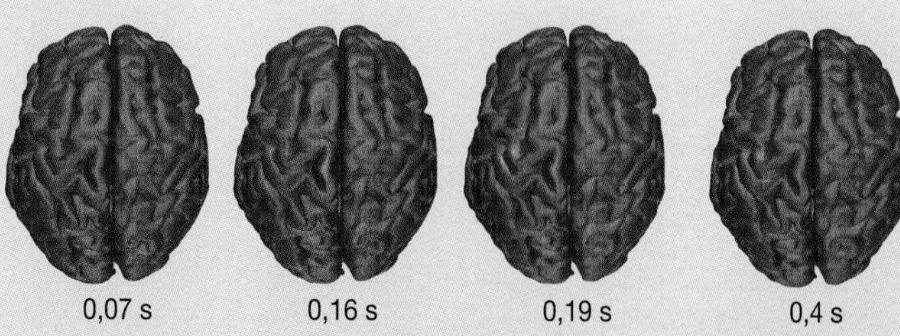

- Le **cerveau** et la moelle épinière sont les principaux centres nerveux de l'organisme.
- Le cerveau reçoit des messages nerveux sensitifs provenant des organes sensoriels.
- À la suite de cette réception, plusieurs régions du cerveau deviennent actives *(document ci-dessus)* ce qui correspond à un **traitement des informations** reçues.
- Le cerveau peut également élaborer et distribuer des messages nerveux moteurs.

Le système nerveux : des réseaux de neurones

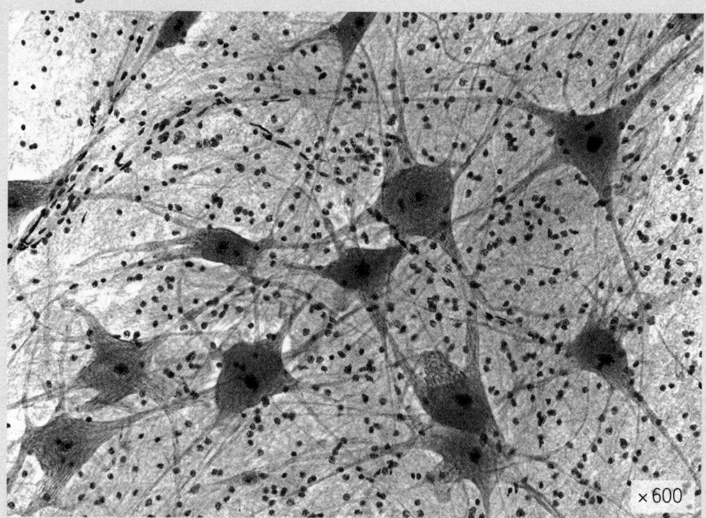

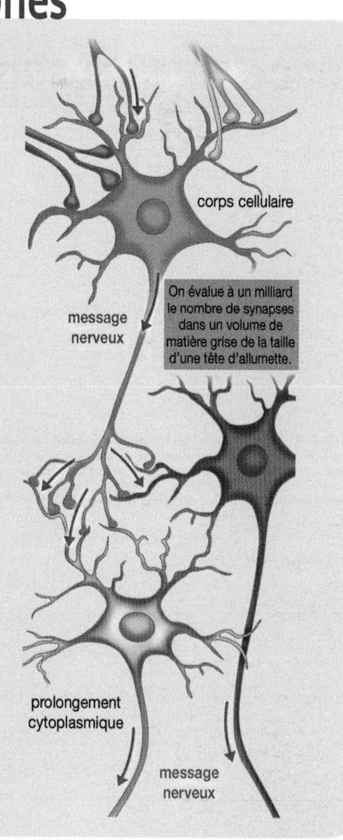

- Un centre nerveux, comme le cerveau, comporte des milliards de cellules nerveuses appelées **neurones**.
- Un neurone est une cellule spécialisée, constituée d'un **corps cellulaire** (contenant le noyau) muni de plusieurs **prolongements cytoplasmiques** très fins, pouvant être très longs.
- Les neurones sont en relation les uns avec les autres et forment un **réseau** très complexe.
- Les **messages nerveux circulent** le long des prolongements fins des neurones et sont transmis d'un neurone à l'autre au niveau de leurs connexions.

Des DOCUMENTS pour se poser des questions

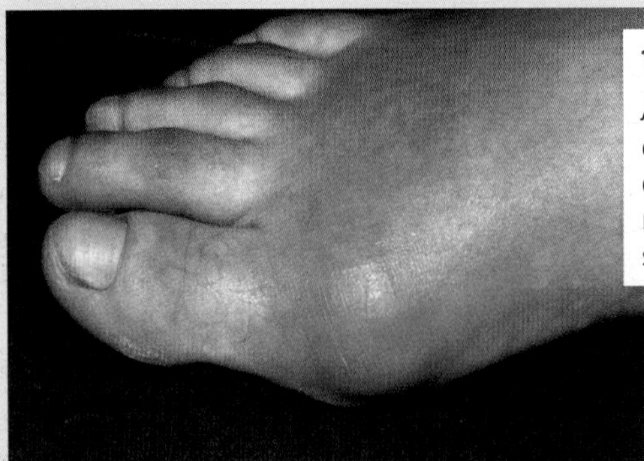

Une réaction de défense bien connue : l'inflammation

Au niveau d'une lésion (blessure, piqûre...), notre organisme réagit fréquemment par une inflammation qui se développe très rapidement. Elle est caractérisée par une rougeur, une sensation de chaleur, un gonflement et une douleur. Cette réaction de défense est possible dès la naissance ; elle fait donc appel à des mécanismes immunitaires innés.

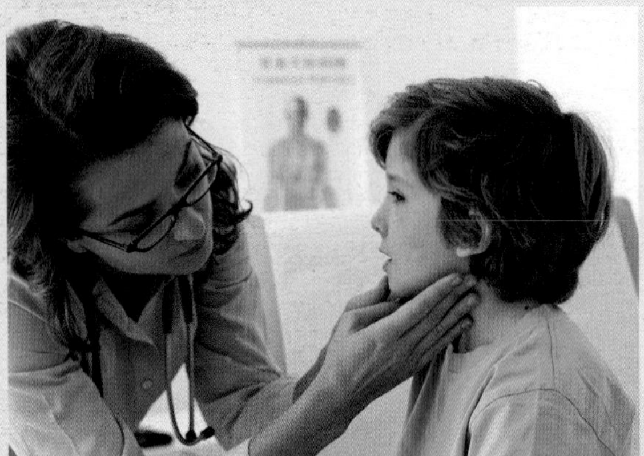

Un signe de la mise en route d'un second type de défense immunitaire

Lors d'une inflammation au niveau de la gorge (angine), un gonflement des ganglions lymphatiques au niveau du cou peut être décelé par palpation. Ce symptôme marque le développement d'un autre type de réponse immunitaire, dite adaptative.

Délivrée de toutes douleurs
BAYER
ASPIRINE
par les Comprimés „Bayer" d'ASPIRINE

Des médicaments anti-inflammatoires

Jusqu'aux années 1930, l'aspirine était le seul médicament disponible pour modérer l'inflammation et combattre la douleur (*ci-dessus*, une publicité de 1923). Aujourd'hui, de nombreuses molécules anti-inflammatoires sont connues.

LES PROBLÉMATIQUES DU CHAPITRE

- Immunité innée et immunité adaptative sont-elles spécifiques à l'Homme ?
- Quelle est l'origine des différents symptômes de la réaction inflammatoire ?
- Comment les éléments pathogènes sont-ils détectés et quelle est la réponse apportée pour tenter de les éliminer ?
- Y a-t-il un lien entre la réponse immunitaire innée et la réponse adaptative ?
- Comment limiter les symptômes de l'inflammation et aider l'organisme à la contrôler ?

chapitre 1

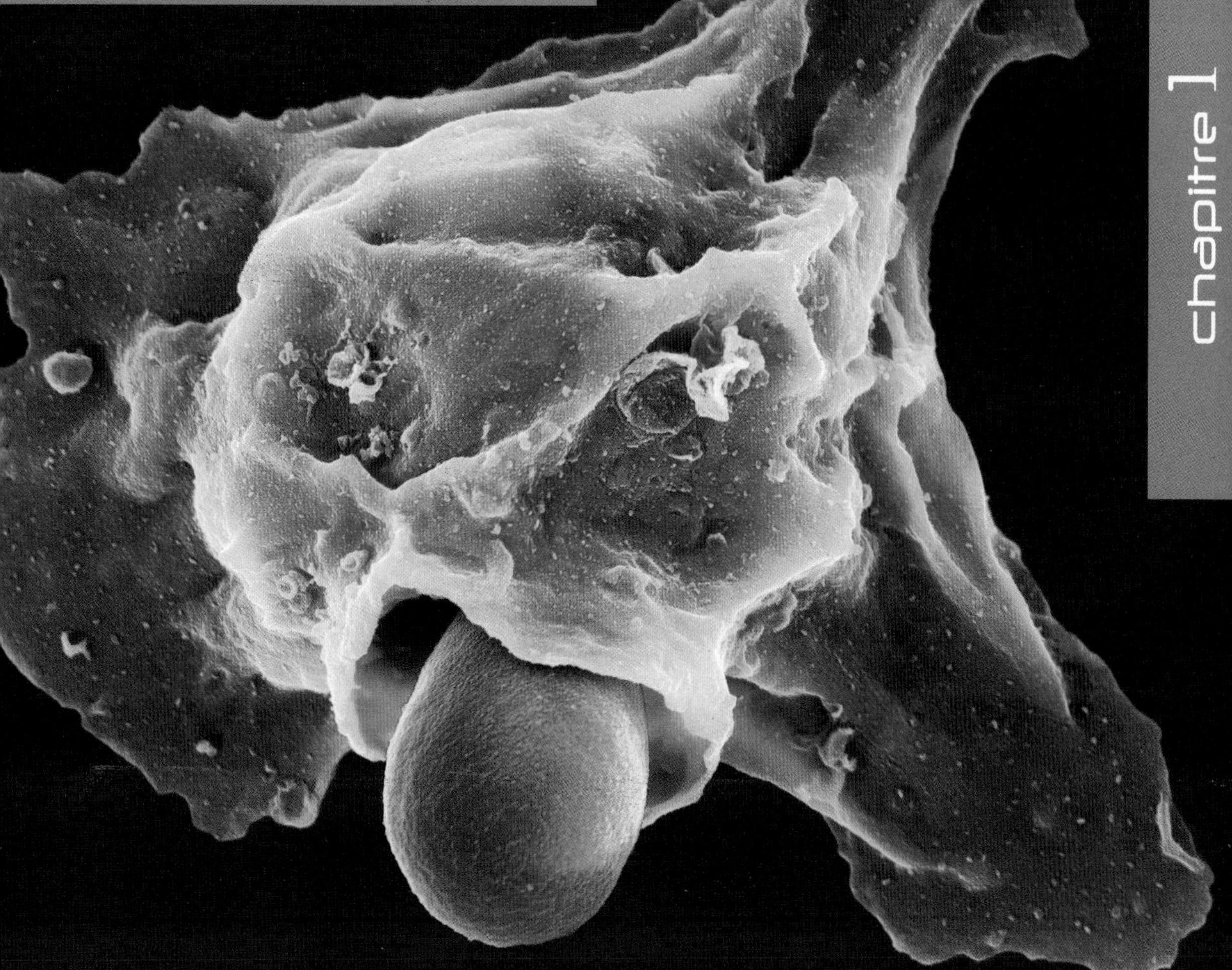

Phagocyte ingérant une spore de moisissure, au MEB (× 8 000).

La réaction inflammatoire, un exemple de réponse innée

LES ACTIVITÉS DU CHAPITRE

Immunité innée et immunité adaptative

Le système immunitaire tolère habituellement les composants de l'organisme mais il réagit à une agression de ses tissus. *Cette agression peut être d'origine externe (traumatisme, bactéries, virus) ou interne (cancer). L'organisme met alors en jeu des réactions de défense, les réactions immunitaires.*

A Deux types de réactions immunitaires

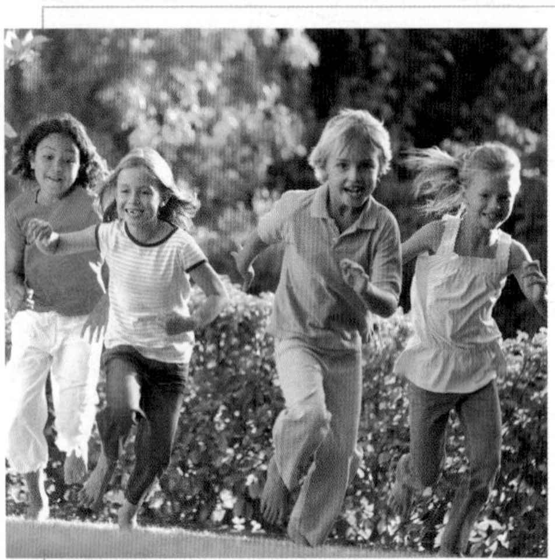

• Dès la naissance, un enfant est capable de se défendre contre la plupart des agressions, microbiennes en particulier. Ce type de défense, génétiquement hérité, est qualifié de **réponse immunitaire innée**. Celle-ci fait appel à des mécanismes de défense ne nécessitant aucun apprentissage et mettant en jeu des cellules spécialisées *(voir doc. 2)*. Ce type de défense existe chez tous les êtres vivants pluricellulaires.

• Chez les vertébrés, et chez l'Homme en particulier, un second mécanisme de défense s'ajoute aux défenses innées : on le qualifie de **réponse immunitaire adaptative**. Les mécanismes mis en jeu dans ce cas s'élaborent face à un intrus donné et font intervenir des cellules spécialisées comme les lymphocytes B et T *(voir Chapitre 2)*. En outre, la rencontre avec un intrus donné est mise en mémoire (ce qui n'est pas le cas pour l'immunité innée) ; une deuxième rencontre avec le même élément est ainsi beaucoup plus efficacement traitée.

Doc. 1 L'organisme possède des mécanismes de défense qui lui permettent de rester en bonne santé.

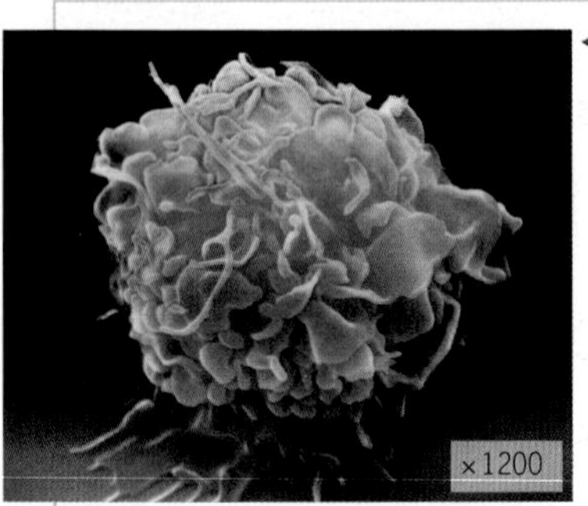

◀ Macrophage

Les macrophages sont des cellules qui résident dans les tissus de la plupart des organes. Ils présentent de nombreux replis membranaires mobiles et déformables.

Cellule dendritique ▶

Les cellules dendritiques sont présentes dans tous les tissus. Leurs nombreux prolongements cytoplasmiques s'insinuent autour des cellules environnantes.

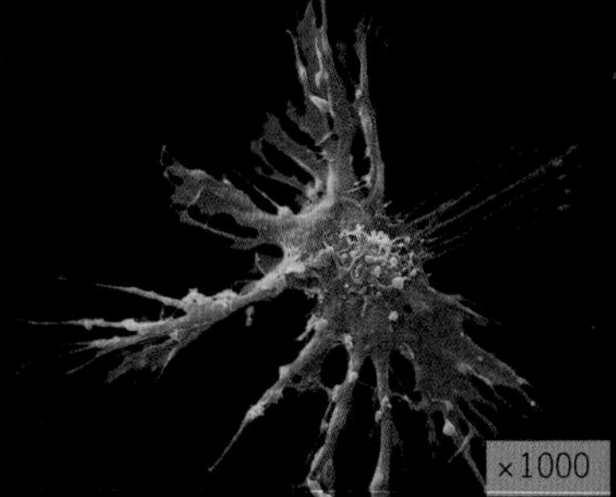

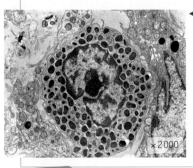

◀ Mastocyte

Les mastocytes sont distribués dans tout l'organisme à proximité des vaisseaux sanguins. Leur cytoplasme renferme de nombreuses granulations.

Granulocyte ▶

Les granulocytes circulent constamment entre les organes, les tissus lymphoïdes et le sang. Ils présentent un noyau à plusieurs lobes et un cytoplasme très granuleux.

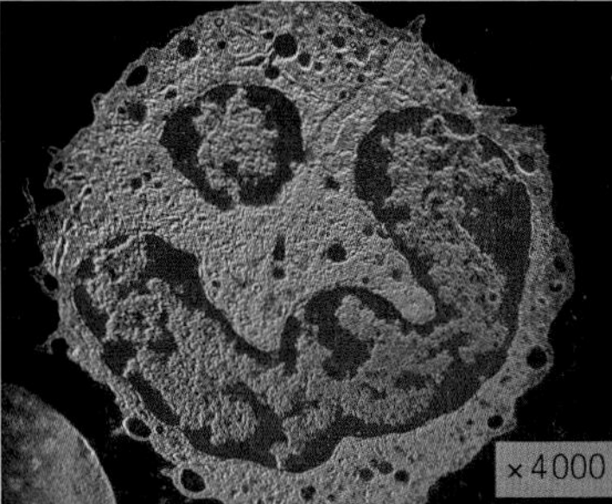

Doc. 2 Les principaux types de cellules impliquées dans l'immunité innée.

B Immunité et évolution

Tous les organismes pluricellulaires font appel à la réponse immunitaire innée pour combattre les infections par les microorganismes (bactéries, champignons, virus, parasites). C'est le cas dans l'ensemble des espèces animales décrites à l'heure actuelle, soit plus de 2 millions. Parmi elles, seuls les vertébrés (soit 45 000 espèces environ) utilisent, en plus de la réponse innée, une réponse immunitaire adaptative.

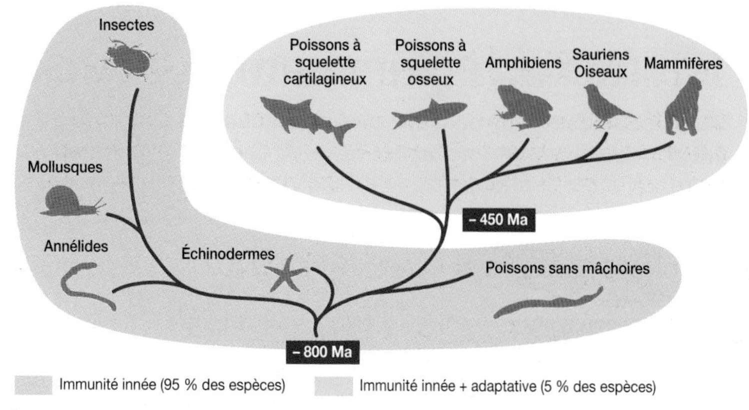

Doc. 3 L'immunité innée, une immunité largement répandue chez les êtres vivants.

Chez un insecte, la drosophile, la réponse immunitaire innée se caractérise par la synthèse de peptides antimicrobiens en réponse à une infection. Par exemple, en cas d'attaque par une moisissure, des récepteurs situés sur la membrane des cellules de la drosophile (**récepteurs Toll**) détectent des molécules du champignon, ce qui déclenche la production et la libération par les cellules d'une substance qui diffuse dans tout l'organisme et détruit l'agresseur.

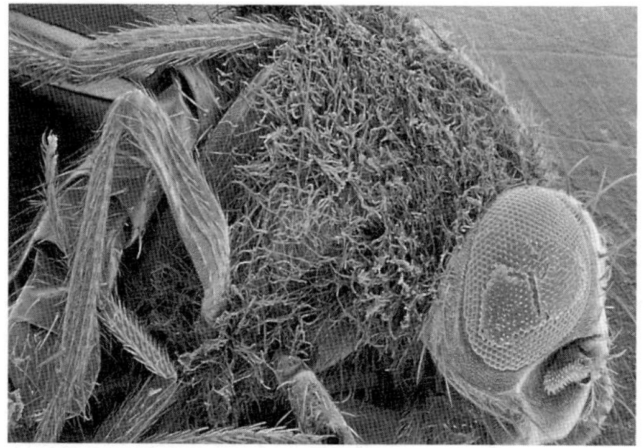

Chez cette drosophile, le gène codant pour le récepteur « Toll » est muté : on observe un important développement d'une moisissure ayant entraîné la mort de l'animal.

Une famille de 10 récepteurs, les **récepteurs TLR** (Toll Like Receptors), apparentés à ceux de la drosophile, a été identifiée chez les mammifères *(voir doc. 1, p. 294)*. Une partie de ce récepteur, constituée de 150 acides aminés environ, est également présente dans des protéines de résistance à l'infection chez les plantes.

```
          260       270       280       290
 1 DAFYSLGSLEHLDLSDNHLSSLSSSWFGPLSSLKYLNLMGNP
 2 DAFYSLGSLEHLDLSNNHLSSLSSSWFRPLSSLKYLNLMGNP
 3 DSFSSLGSLEHLDLSYNYLSNLSSSWFKPLSSLTFLNLLGNP
 4 DSFSSLGSLEHLDLSYNYLSNLSSSWFKPLSSLTFLNLLGNP
 5 ESFLSLWSLEHLDLSYNLLSNLSSSWFRPLSSLKFLNLLGNP
 6 DSFFHLRNLEYLDLSYNRLSNLSSSWFRSLYVLKFLNLLGNL
 7 DSFGSQGKLELLDLSNNSLAHLSPVWFGPLFSLQHLRIQGNS
 8 DAFKSQHNLEVLDLSLNNLNNLSPSWFHKLKSLQQLNLVGNP
 9 RAFEGLLSLRVVDLSANRLTSLPPELFAETKQLQEIYLRNNS
10 RAFEGLVSLSRLELSLNRLTNLPPELFSEAKHIKEIYLQNNS
```

1. Souris
2. Rat
3. Homme
4. Chimpanzé
5. Chien
6. Taureau
7. Poule
8. Poisson zèbre
9. Drosophile
10. Moustique

Le *document ci-dessus* présente une partie de l'alignement des séquences en acides aminés d'un récepteur TLR chez divers vertébrés et d'un récepteur Toll chez la drosophile et le moustique. Les acides aminés repérés en bleu ou vert ont des propriétés chimiques très proches. Les acides aminés identiques dans toutes les séquences sont représentés en rouge.

Pour télécharger les séquences : www.bordas-svtlycee.fr

Doc. 4 Des mécanismes conservés au cours de l'évolution.

Pistes d'exploitation

PROBLÈME À RÉSOUDRE ► Les deux stratégies de l'immunité existent-elles chez tous les animaux pluricellulaires ?

Doc. 1 et 2 Dégagez les grandes caractéristiques de l'immunité innée par rapport à l'immunité adaptative.

Doc. 3 D'un point de vue évolutif, en quoi les deux stratégies de l'immunité se distinguent-elles ?

Doc. 4 Argumentez l'idée que l'immunité innée repose sur des mécanismes de reconnaissance très conservés au cours de l'évolution.

Lexique, p. 406

La réaction inflammatoire, premier signe de défense

Au niveau d'une plaie ou d'une piqûre, on observe presque toujours une réaction inflammatoire dont les principaux symptômes sont : rougeur, chaleur, gonflement et douleur. *Cette réaction inflammatoire constitue le premier signe de la réponse immunitaire innée.*

A Des modifications bien identifiables

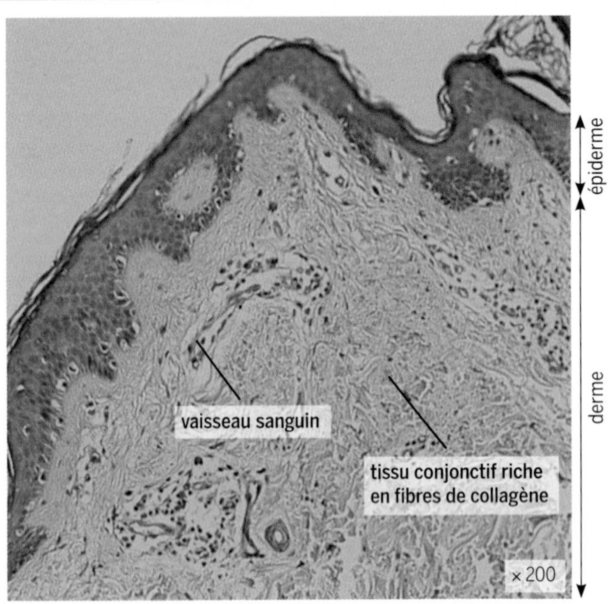

Une coupe de peau normale, avant une réaction inflammatoire

La *photographie ci-dessous* correspond à une maladie de la peau qui se traduit par la survenue de plaques inflammatoires douloureuses, associées à une fièvre, des douleurs articulaires et une augmentation dans le sang du nombre de granulocytes.
La survenue de cette inflammation est parfois liée à une intolérance médicamenteuse. En principe, elle guérit spontanément en 6 à 8 semaines.

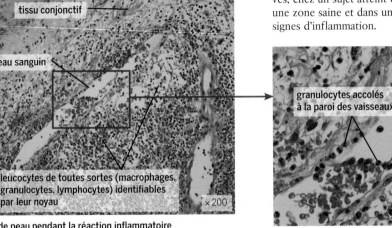

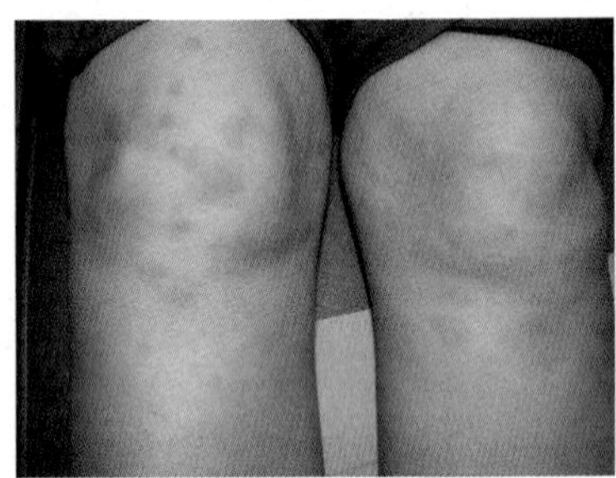

tissu conjonctif

vaisseau sanguin

leucocytes de toutes sortes (macrophages, granulocytes, lymphocytes) identifiables par leur noyau

× 200

Une coupe de peau pendant la réaction inflammatoire

Les *images en microscopie optique présentées ici* sont des coupes de peau colorées. Elles ont été réalisées à partir de fragments de peau prélevés, chez un sujet atteint de cette maladie, dans une zone saine et dans une zone présentant des signes d'inflammation.

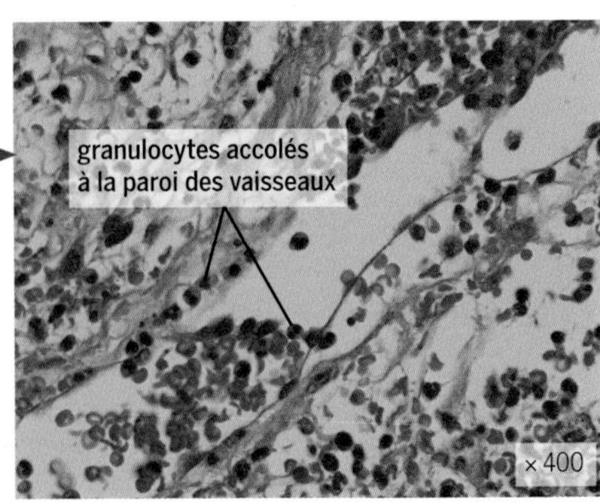

Doc. 1 Les modifications tissulaires au cours d'une réaction inflammatoire.

B Des symptômes aux origines multiples

Qu'il s'agisse d'un traumatisme, d'une attaque par une bactérie, un virus ou un champignon, le résultat est une altération des tissus ou des vaisseaux sanguins. Des mécanismes nerveux et la sécrétion locale de nombreuses substances chimiques entraînent une dilatation des vaisseaux (**vasodilatation**) et une augmentation de la perméabilité vasculaire responsable d'une sortie de plasma (formation d'un **œdème**). Ce mécanisme permet, au niveau de la zone affectée, un afflux de molécules de l'immunité et un recrutement des cellules immunitaires.

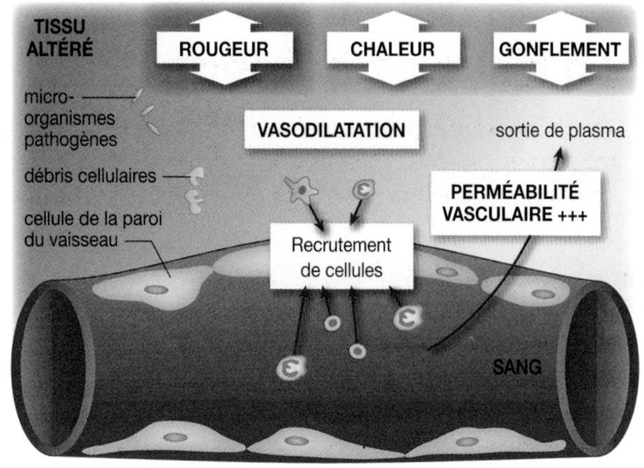

Doc. 2 La réaction inflammatoire débute par un recrutement de cellules.

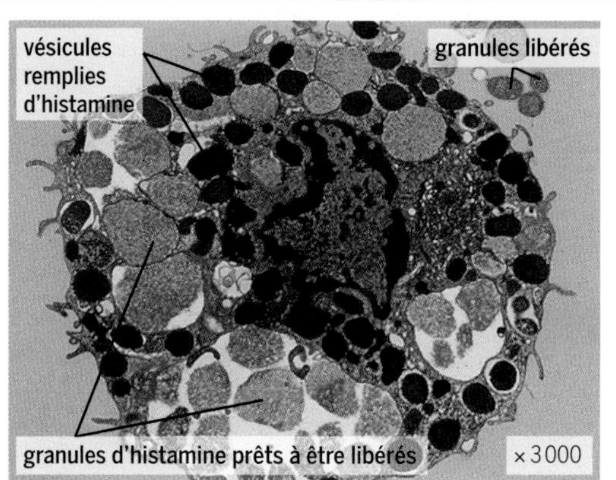

Les **mastocytes** *(voir photographie p. 290)* sont des cellules présentes dans les tissus et dont le cytoplasme est riche en granulations contenant des substances chimiques comme l'**histamine**.
Un mastocyte activé libère dans le milieu environnant un grand nombre de granules riches en histamine *(photographie ci-dessus)*. Cette substance a un effet **vasodilatateur**.

Doc. 3 Le rôle des mastocytes.

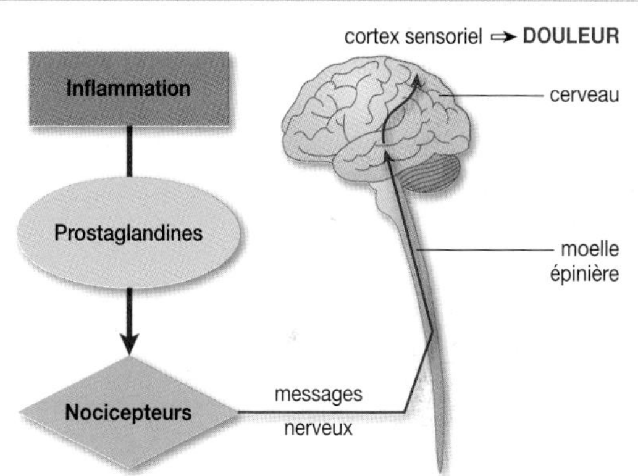

Le message nerveux de la douleur prend naissance au niveau de récepteurs sensoriels spécifiques, les nocicepteurs, localisés dans les tissus cutanés, musculaires et articulaires ainsi que dans la paroi des viscères. Une **prostaglandine**, médiateur chimique fabriqué par de nombreux tissus lors de l'inflammation, stimule ces récepteurs. Ce message est ensuite acheminé par la moelle épinière vers le cortex cérébral où la sensation douloureuse est élaborée.

Doc. 4 La douleur, un signal d'alarme lié à l'inflammation.

Pistes d'exploitation

PROBLÈME À RÉSOUDRE ► **Comment la réaction inflammatoire est-elle caractérisée ? Quelle est l'origine de ses différents symptômes ?**

Doc. 1 Comparez une préparation microscopique de tissu en cours d'inflammation à une préparation de tissu sain pour déterminer les signes de cette réaction.

Doc. 2 à 4 Précisez l'origine des différents symptômes de l'inflammation.

Doc. 4 Pourquoi la sensation douloureuse, bien que désagréable, peut-elle être considérée comme bénéfique ?

Lexique, p. 406

Le développement de la réaction inflammatoire

La réaction inflammatoire se manifeste dès que des microorganismes franchissent la barrière de la peau ou des muqueuses. *Elle est déclenchée par une reconnaissance des agents pathogènes et une mobilisation des acteurs de la réponse immunitaire dans le but d'éliminer l'agent infectieux.*

A La détection de l'agresseur et la mobilisation des acteurs

Vidéo

Les agents pathogènes possèdent de nombreux motifs moléculaires en commun : composants de la paroi ou des flagelles chez les bactéries ou les champignons, motifs des ADN ou ARN chez les virus.
Chaque cellule de l'immunité innée peut reconnaître ces motifs moléculaires grâce à des récepteurs appelés PRR (pour *Pattern Recognition Receptors*) et identifier ainsi les microorganismes « agresseurs ». Les récepteurs TLR *(voir doc. 4, p. 291)* sont une famille de ces récepteurs PRR. On en connaît une dizaine de types chez l'Homme : l'*image ci-contre* est le modèle moléculaire de l'un d'entre eux, le TLR3.
La reconnaissance, par une cellule immunitaire, d'un microorganisme intrus peut entraîner, suivant la cellule stimulée :
- la libération de **cytokines**, substances chimiques activant d'autres cellules de l'inflammation ;
- la phagocytose de l'intrus *(voir page suivante)*.

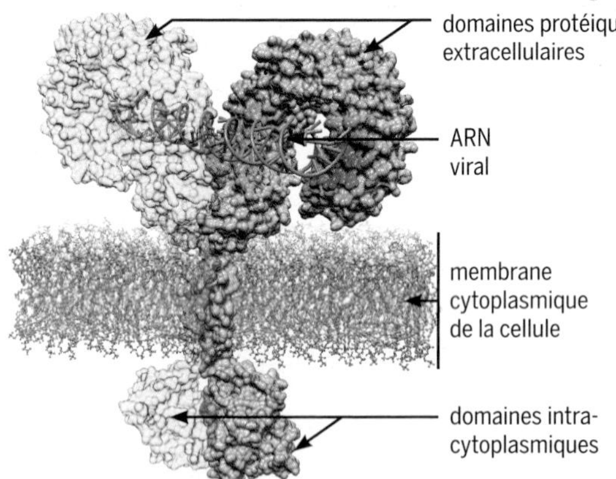

Modèle moléculaire du récepteur TLR3 reconnaissant un fragment d'ARN de virus (comme chez la plupart des virus, le brin d'ARN est replié sur lui-même en une double hélice à la manière de l'ADN, ce qui permet son identification par le récepteur).

Doc. 1 Une reconnaissance très large de l'agent pathogène par des récepteurs.

Les cellules immunitaires présentes dans les tissus altérés (mastocytes, macrophages) et les cellules de la paroi des vaisseaux libèrent des substances qui attirent d'autres cellules de l'inflammation. Certains leucocytes (en particulier des granulocytes) se déforment et s'insèrent entre les cellules de la paroi du vaisseau pour gagner l'espace tissulaire dans la zone œdémateuse. C'est la **diapédèse**.

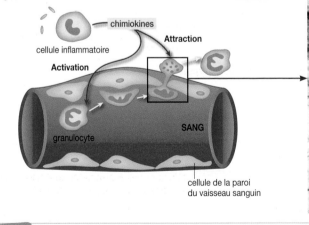

chimiokines
Attraction
cellule inflammatoire
Activation
granulocyte
SANG
cellule de la paroi du vaisseau sanguin
× 5000

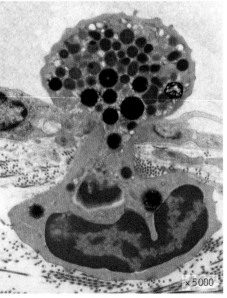

Doc. 2 La diapédèse, un exemple de mobilisation d'un type de cellule de l'immunité.

B L'élimination de l'agresseur par la phagocytose

• Les phagocytes, premier rempart contre l'infection

L'inflammation crée un environnement propice au recrutement de cellules immunitaires, en particulier des granulocytes, des macrophages ainsi que des **cellules dendritiques**, cellules pourvues de longs prolongements cytoplasmiques. Toutes ces cellules sont parfois regroupées sous le nom de phagocytes car elles sont toutes douées de **phagocytose**, c'est-à-dire de la capacité de reconnaître un agent infectieux, de l'englober dans leur cytoplasme puis de le digérer.

La phagocytose est la première défense mise en place pour s'opposer à la multiplication de l'agent infectieux. Lorsque l'infection est importante, les granulocytes impliqués sont très nombreux. Il se crée un mélange de bactéries et de granulocytes morts qui constitue le pus.

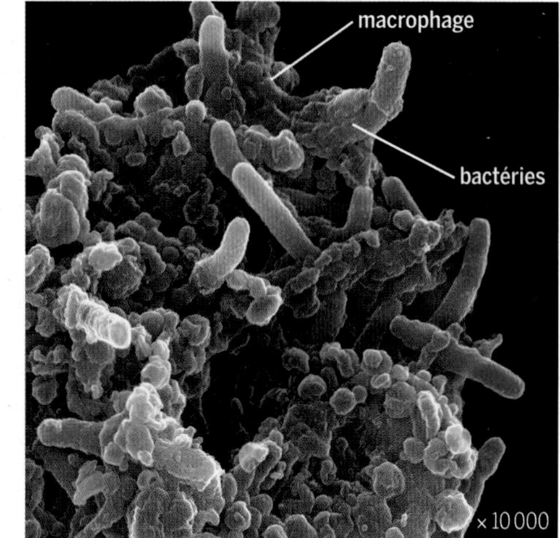

• Les étapes de la phagocytose

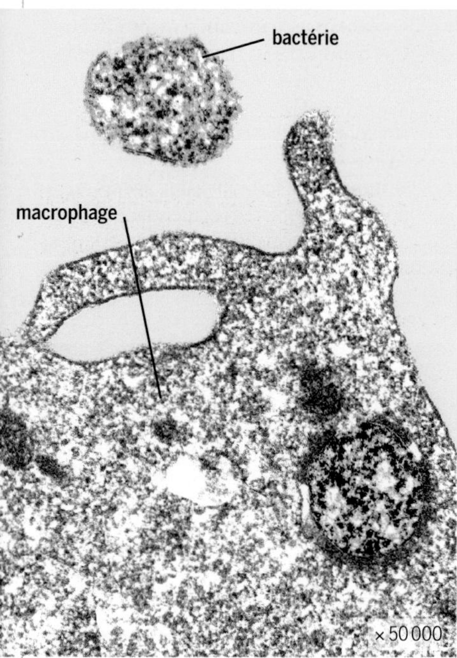

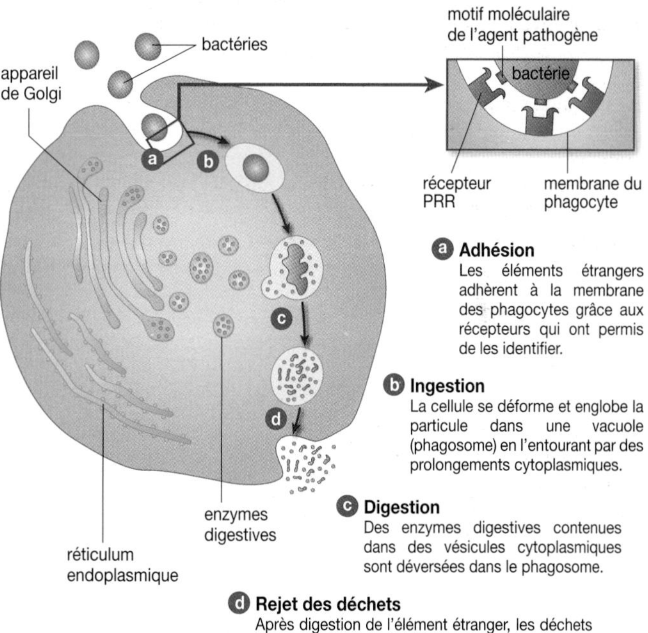

a Adhésion
Les éléments étrangers adhèrent à la membrane des phagocytes grâce aux récepteurs qui ont permis de les identifier.

b Ingestion
La cellule se déforme et englobe la particule dans une vacuole (phagosome) en l'entourant par des prolongements cytoplasmiques.

c Digestion
Des enzymes digestives contenues dans des vésicules cytoplasmiques sont déversées dans le phagosome.

d Rejet des déchets
Après digestion de l'élément étranger, les déchets sont rejetés à l'extérieur du phagocyte.

Doc. 3 Le déroulement de la phagocytose, une réponse stéréotypée.

Pistes d'exploitation

PROBLÈME À RÉSOUDRE ► **Comment les éléments pathogènes sont-ils détectés ? Quelle est la réponse apportée pour leur élimination ?**

Doc. 1 Montrez que la reconnaissance de l'élément pathogène est peu ciblée mais efficace.

Doc. 2 Expliquez en quoi la diapédèse est un exemple de mobilisation d'une cellule immunitaire.

Doc. 1 à 3 Indiquez quelles propriétés sont nécessaires à un phagocyte pour assurer une phagocytose efficace.

Lexique, p. 406

Une réaction qui prépare la réponse adaptative

Sur les lieux d'une infection, les microorganismes pathogènes sont phagocytés par plusieurs types de cellules : macrophages, granulocytes et cellules dendritiques. *Ces dernières vont jouer un rôle fondamental car ce sont essentiellement elles qui vont déclencher une réaction immunitaire adaptative.*

A Le déclenchement d'une réaction immunitaire adaptative

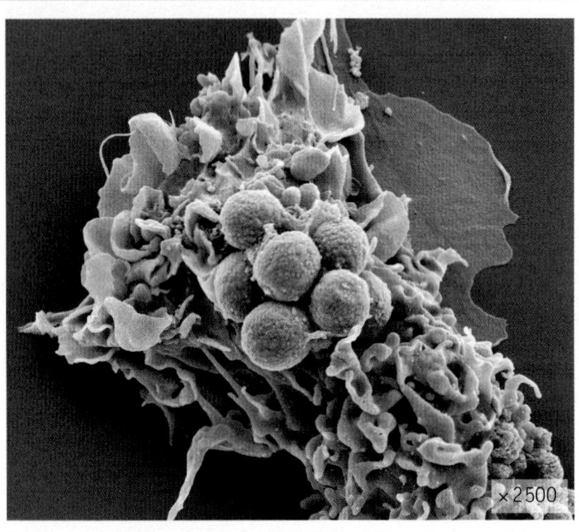

Cellule dendritique phagocytant des spores de la moisissure *Aspergillus fumigatus*

Les cellules dendritiques sont des cellules phagocytaires omniprésentes dans les tissus. Elles possèdent de nombreux prolongements cytoplasmiques qui s'insinuent entre les autres cellules des tissus et, au niveau d'une zone inflammatoire, elles éliminent par phagocytose les microorganismes pathogènes.

Toutefois, dans la plupart des cas, la réaction inflammatoire ne suffit pas à juguler une infection. L'organisme doit mettre en œuvre une réaction immunitaire plus ciblée, dite adaptative, particulièrement efficace. Comme nous le verrons dans le chapitre 2, les **lymphocytes T** jouent un rôle crucial dans le déroulement de cette réponse adaptative. Ces cellules, spécifiques d'un antigène, doivent alors être « recrutées » pour passer ensuite à l'action.

Les cellules dendritiques sont les principaux agents recruteurs des lymphocytes T : ayant effectué une phagocytose, elles migrent vers le **ganglion lymphatique** le plus proche, véritable réservoir de lymphocytes T.

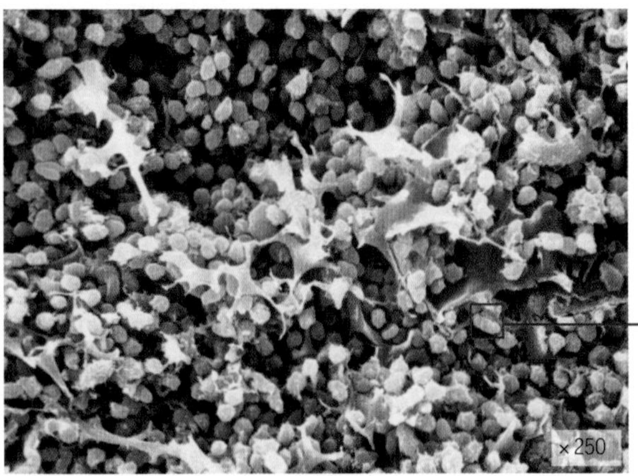

Ganglion lymphatique au MEB, à faible grossissement

lymphocytes

cellule dendritique

×1500

Ganglion lymphatique au MEB, à fort grossissement

Dans le ganglion lymphatique, la cellule dendritique présente l'**antigène** phagocyté aux lymphocytes T spécifiques de cet antigène. C'est à la suite de ce contact que les lymphocytes T, ainsi sélectionnés, vont pouvoir développer la réponse immunitaire adaptative.

Ainsi, la phagocytose opérée par les cellules dendritiques a-t-elle un double rôle : d'une part éliminer localement « l'agresseur », d'autre part initier une réponse adaptative grâce à la présentation de l'antigène. Pour cette raison, les cellules dendritiques sont qualifiées de cellules présentatrices d'antigènes (CPA).

Doc. 1 Les cellules présentatrices d'antigène recrutent des cellules de l'immunité adaptative.

B Les cellules dendritiques, des cellules présentatrices d'antigènes

• Des cellules présentatrices « professionnelles »

Les lymphocytes T ne peuvent reconnaître les antigènes que si ceux-ci leur sont présentés par une cellule présentatrice. Ces antigènes doivent être associés à des molécules du **complexe majeur d'histocompatibilité** (ou **CMH**) : il s'agit de protéines membranaires qui sont des marqueurs de l'identité de nos propres cellules. Même si d'autres cellules de l'organisme peuvent exposer des antigènes sur leur CMH, les cellules dendritiques sont les seules qui soient capables d'activer les lymphocytes T : pour cette raison, on les appelle souvent des **cellules présentatrices** « professionnelles ».

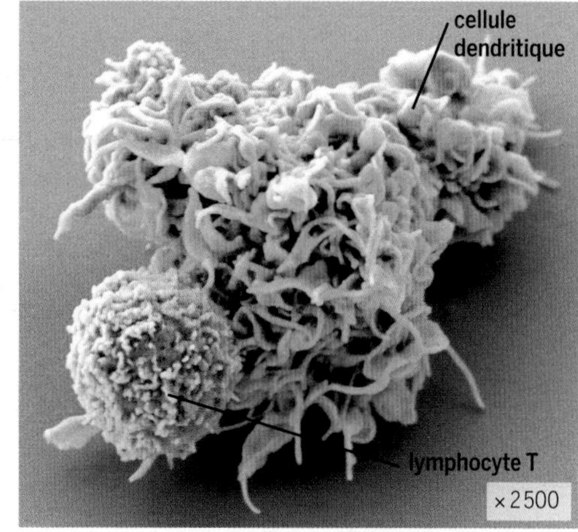

La présentation de l'antigène à un lymphocyte T.

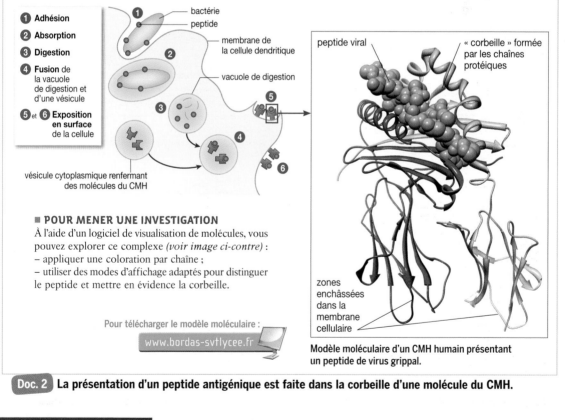

• La présentation au niveau moléculaire

Les molécules du CMH sont enchâssées dans la membrane et font saillie à l'extérieur de la cellule. Lors de la phagocytose, de petits fragments antigéniques de protéine (peptides) produits lors de la digestion de l'agent pathogène sont pris en charge par les molécules du CMH et exposés à la surface de la cellule dans une sorte de « corbeille » ménagée par la molécule du CMH.

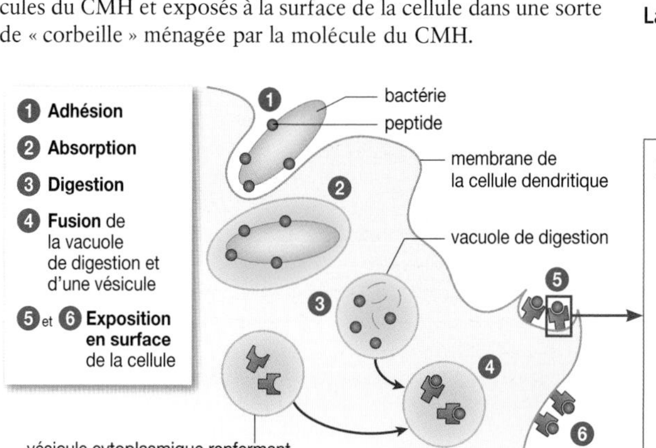

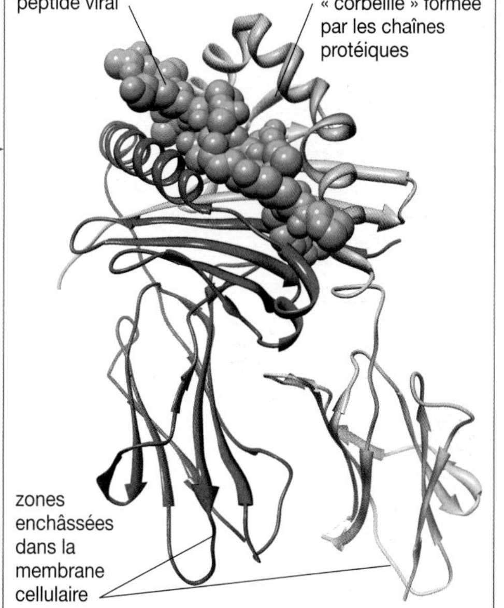

Modèle moléculaire d'un CMH humain présentant un peptide de virus grippal.

■ POUR MENER UNE INVESTIGATION

À l'aide d'un logiciel de visualisation de molécules, vous pouvez explorer ce complexe *(voir image ci-contre)* :
– appliquer une coloration par chaîne ;
– utiliser des modes d'affichage adaptés pour distinguer le peptide et mettre en évidence la corbeille.

Pour télécharger le modèle moléculaire : www.bordas-svtlycee.fr

Doc. 2 La présentation d'un peptide antigénique est faite dans la corbeille d'une molécule du CMH.

Pistes d'exploitation

PROBLÈME À RÉSOUDRE ► Comment les réactions immunitaires innées préparent-elles une réponse immunitaire adaptative ?

Doc. 1 Expliquez pourquoi la réponse immunitaire adaptative nécessite d'être « préparée ».

Doc. 1 et 2 Résumez l'enchaînement des étapes et mécanismes de cette préparation.

Lexique, p. 406

Contrôler l'inflammation

L'inflammation peut affecter la peau mais aussi des organes internes : les articulations (arthrite), l'estomac et l'intestin grêle (gastro-entérite), le côlon (colite), etc. *Différents médicaments antalgiques et anti-inflammatoires aident l'organisme à limiter les symptômes du processus inflammatoire.*

A L'aspirine, l'anti-inflammatoire le plus consommé au monde

Depuis l'Antiquité, on utilisait des décoctions d'écorce de saule pour calmer la douleur et la fièvre. On sait aujourd'hui que cette propriété est due à la présence dans l'écorce de cet arbre d'un acide, l'acide salicylique (en latin *salix* signifie saule).
L'aspirine est de l'acide acétylsalicylique obtenu par acétylation de l'acide salicylique. L'appellation aspirine vient du nom de marque Aspirin®, déposé en 1899 par la société Bayer.

La molécule d'acide acétylsalicylique est simple ▶ *(modèle ci-contre)* et facile à synthétiser. Dans le monde, on en produit 40 000 tonnes chaque année. En France, plus de 230 médicaments contiennent de l'aspirine.

Doc. 1 De l'utilisation empirique à la synthèse.

Le déclenchement et la poursuite de l'inflammation font appel à des médiateurs chimiques qui, pour la plupart, sont synthétisés localement (histamine, prostaglandines, chimiokines...).
Les **prostaglandines** en particulier interviennent dans la **vasodilatation** (donc dans la rougeur et le gonflement), la douleur et la fièvre. Elles sont fabriquées par une succession de réactions chimiques catalysées par des **enzymes** *(en rouge sur le schéma ci-dessous).*

L'aspirine mais aussi d'autres molécules comme l'ibuprofène et le paracétamol sont des inhibiteurs de la cyclo-oxygénase.

Ces anti-inflammatoires non stéroïdiens (AINS) se fixent sur l'enzyme, empêchant celle-ci de transformer l'acide arachidonique en prostaglandines.
En limitant la production de prostaglandines, ces molécules ont donc à la fois un effet antalgique (anti-douleur) et un effet anti-inflammatoire.

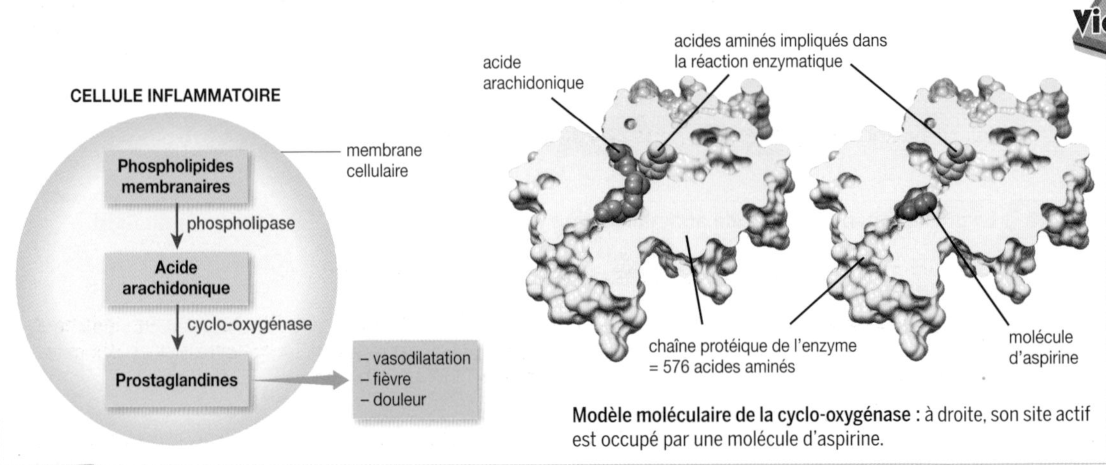

Modèle moléculaire de la cyclo-oxygénase : à droite, son site actif est occupé par une molécule d'aspirine.

Doc. 2 Le mode d'action de l'aspirine.

B D'autres anti-inflammatoires

Les corticoïdes sont des hormones **stéroïdes** produites par les **glandes surrénales.** Vers 1950, on découvre leur pouvoir anti-inflammatoire.

Les corticoïdes limitent la production de prostaglandines en inhibant l'enzyme (phospholipase) assurant la synthèse de l'acide arachidonique à partir des composants de la membrane cellulaire *(voir doc. 2)*, mais ce n'est pas leur seule cible : ils limitent également la synthèse des chimiokines, réduisent la perméabilité vasculaire (diminution de l'œdème et de la diapédèse), stimulent la migration des phagocytes et la phagocytose.

Les corticoïdes de synthèse ont les mêmes effets anti-inflammatoires que les corticoïdes naturels.

Un test clinique pour apprécier l'efficacité d'un médicament anti-inflammatoire

La concentration d'une protéine sanguine, la CRP *(C-reactive protein)*, augmente avec le degré d'inflammation. Son dosage permet donc au médecin d'apprécier l'évolution d'un foyer inflammatoire. Chez des patients atteints d'une inflammation chronique des voies respiratoires, on teste l'efficacité de deux anti-inflammatoires stéroïdiens administrés par inhalation. Les résultats sont présentés par le *graphe ci-dessous*. Les sujets témoins suivent un traitement avec une substance connue comme inactive (placebo).

Variation en % de la concentration de CRP dans le sang au bout de 14 jours de traitement (0 = taux de CRP au début du traitement)

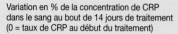

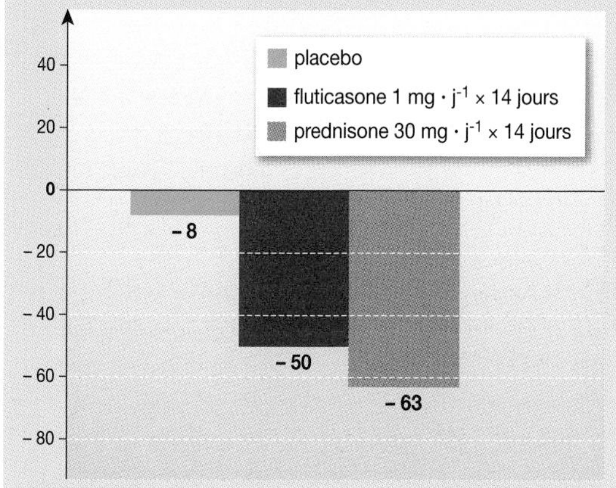

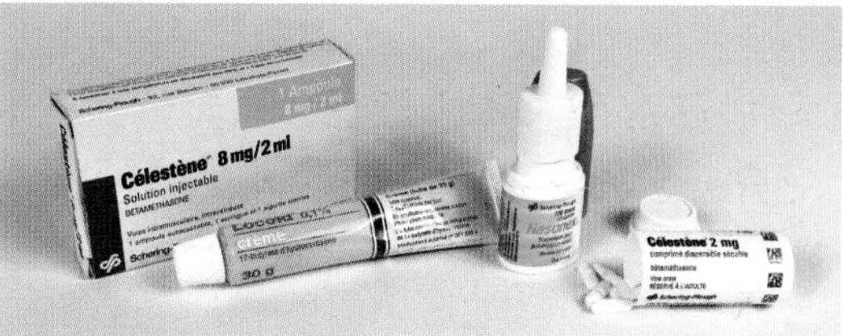

De nombreux médicaments à base de corticoïdes de synthèse.

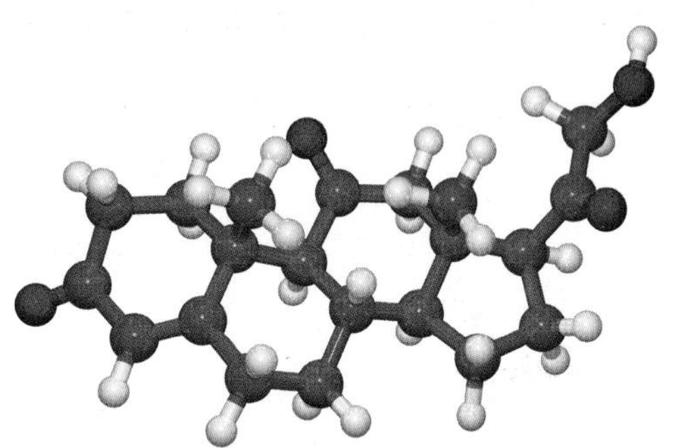

Modèle moléculaire de la cortisone : la cortisone est un des corticoïdes sécrétés par les glandes surrénales.

Quelques effets secondaires des anti-inflammatoires

• **L'aspirine**

L'aspirine à faible dose est connue depuis longtemps pour fluidifier le sang et empêcher la formation de caillots dans les vaisseaux sanguins, prévenant ainsi les accidents touchant le cœur et les vaisseaux.

La prise régulière d'aspirine à forte dose peut entraîner des acidités gastriques, voire des **ulcères**. En effet, au niveau de l'estomac, les prostaglandines stimulent la sécrétion de mucus protecteur de la paroi. En diminuant la sécrétion de prostaglandines, l'aspirine diminue donc la protection de la paroi.

• **Les corticoïdes**

Outre leurs effets anti-inflammatoires, les corticoïdes ont de multiples effets sur l'organisme : augmentation du taux de glucose sanguin, accroissement de la rétention d'eau et d'ions sodium, élimination accrue d'ions potassium. Un traitement de longue durée nécessitera donc un suivi médical, un régime alimentaire pauvre en sodium et un apport en potassium.

Doc. 3 Les corticoïdes de synthèse, de puissants anti-inflammatoires.

Pistes d'exploitation

PROBLÈME À RÉSOUDRE ► Comment limiter les symptômes de l'inflammation ?

Doc. 1 et 2 Expliquez comment les anti-inflammatoires non stéroïdiens tels que l'aspirine limitent l'inflammation et diminuent la douleur.

Doc. 3 Expliquez comment on a testé l'efficacité des deux anti-inflammatoires stéroïdiens et donnez les conclusions qui ont pu en être tirées.

Doc. 1 à 3 Montrez que les traitements anti-inflammatoires présentés reposent sur la connaissance des mécanismes de l'inflammation.

Lexique, p. 406

chapitre 1 La réaction inflammatoire, un exemple de réponse innée

Les organismes pluricellulaires sont confrontés à divers types de dangers : infection par des microorganismes (bactéries, virus, champignons), multiplication cellulaire anarchique (cancérisation), agressions physiques ou chimiques. Le système immunitaire contribue à faire face à ces dangers et à maintenir l'intégrité de l'organisme. Sa fonction principale reste toutefois la lutte contre les microorganismes pathogènes.

1 Immunité innée et immunité adaptative

Deux mécanismes immunitaires

Chez les vertébrés, deux mécanismes sont mis en jeu, l'un inné, l'autre acquis par chaque organisme au cours de sa vie.

- La **réponse immunitaire innée**, génétiquement héritée, est opérationnelle dès la naissance et ne nécessite aucun apprentissage. Les modes d'action sont stéréotypés, sans adaptation particulière aux microorganismes concernés.
- La **réponse adaptative** est spécifique des microorganismes rencontrés et se met en place lors de la première rencontre (voir chapitre 2).

Des cellules spécialisées pour chaque type de réponse

Dans le cas de la **réponse innée**, la plupart des cellules impliquées résident dans les tissus : ce sont les **macrophages**, les **cellules dendritiques** et les **mastocytes**. Leur position de « sentinelle » fait qu'il y a une forte probabilité pour qu'elles détectent l'intrusion de microbes pathogènes. Les **granulocytes**, quant à eux, sont principalement localisés dans le sang.

La **réponse adaptative** fait intervenir d'autres cellules, les **lymphocytes** de type **B** et **T** qui circulent en permanence dans le sang et la lymphe.

Une longue histoire évolutive

L'immunité innée est apparue il y a 800 millions d'années. Chez la plupart des espèces pluricellulaires animales, c'est la seule présente. Elle est fondée sur le fait que les cellules immunitaires présentent des récepteurs capables de reconnaître des motifs moléculaires communs à de nombreux microorganismes et très conservés au cours de l'évolution.

L'immunité adaptative apparaît vers – 400 millions d'années chez les vertébrés (moins de 5 % des espèces). Elle s'ajoute à la précédente et dote ces organismes d'une grande diversité de nouveaux récepteurs face à la diversité des microbes.

2 La réaction inflammatoire, première ligne de défense

Des symptômes bien identifiables

Suite à une blessure, une infection, un traumatisme, on observe le développement d'une **réaction inflammatoire**. Celle-ci s'accompagne presque toujours d'une **rougeur**, d'une sensation de **chaleur** avec **gonflement** et **douleur**. Ces symptômes traduisent une dilatation locale des vaisseaux (**vasodilatation**) avec un afflux de sang (rougeur et chaleur) et une sortie de plasma sanguin dans les tissus avoisinant à l'origine du gonflement (**œdème**). La douleur est la conséquence de la stimulation de récepteurs sensoriels spécifiques, les nocicepteurs, localisés dans la peau, les muscles, les articulations et la paroi des viscères. C'est une substance (**prostaglandine**) libérée par les tissus atteints qui déclenche l'émission par ces récepteurs de messages nerveux acheminés jusqu'au cerveau.

La lésion des tissus liée à la pénétration d'un corps étranger déclenche des mécanismes complexes, et notamment la sécrétion locale de nombreuses substances : ainsi, les mastocytes libèrent dans le milieu environnant de l'**histamine**, molécule vasodilatatrice. Ces mécanismes assurent un recrutement, au niveau de la zone infectée, de molécules et de cellules de l'immunité innée.

La reconnaissance des agents pathogènes

Un certain nombre de motifs moléculaires sont communs à de nombreux microorganismes : composants de la paroi cellulaire pour les bactéries ou les champignons, motifs du génome pour les virus. Or, les cellules de l'immunité innée possèdent une collection de récepteurs, les **récepteurs PRR** (pour *Pattern Recognition Receptors*), qui leur donnent la capacité de reconnaître la majorité de ces motifs moléculaires.

Des médiateurs chimiques pour organiser la réponse immunitaire

Cette reconnaissance de la présence d'un agent pathogène déclenche de la part des cellules de l'immunité la libération de différentes substances chimiques : les unes (**chimiokines**) sont capables d'attirer d'autres cellules de l'inflammation, les autres (**cytokines**) vont activer d'autres cellules immunitaires ou déclencher la phagocytose. Il en résulte une amplification de la réponse.

La **diapédèse** est un exemple de mobilisation des cellules immunitaires par ces substances. Les granulocytes collés à la paroi interne des vaisseaux sont alertés par les chimiokines sécrétées dans le tissu sous-jacent infecté. Ils s'insèrent alors entre les cellules de la paroi du vaisseau et vont ainsi à la rencontre de l'intrus.

La phagocytose, une réponse à la multiplication de l'agent infectieux

La **phagocytose** est la première réponse mise en place pour s'opposer à la multiplication de l'agent infectieux. Elle est aussi utilisée pour faire disparaître les cellules immunitaires mortes et les débris des cellules du tissu lésé.

La particule à ingérer est reconnue grâce aux récepteurs PRR. Entourée par des prolongements cytoplasmiques du phagocyte, elle est englobée dans une vacuole où elle sera digérée.

3 La préparation de la réaction adaptative

Les cellules dendritiques et la présentation de l'antigène

Nous avons vu que c'est grâce à leurs récepteurs PRR que les cellules phagocytaires sont activées par de nombreux motifs moléculaires microbiens. Parmi ces phagocytes, les **cellules dendritiques** occupent une place de choix découverte depuis peu (voir page 304). Ces cellules sont présentes dans tous les tissus de l'organisme (à l'exception du cerveau) ; elles possèdent des prolongements cytoplasmiques longs et mobiles, riches en PRR, qui leur permettent d'explorer leur environnement et de détecter efficacement les microorganismes.

Par ailleurs, ces cellules, comme la plupart des autres cellules de l'organisme, exposent sur leur membrane des protéines particulières : les molécules du **Complexe Majeur d'Histocompatibilité** (**CMH**). Ces molécules définissent l'identité de l'organisme (elles sont caractéristiques d'un individu). Elles ont une autre fonction : elles constituent un « présentoir » en forme de « corbeille » dans laquelle vient se loger un petit peptide résultant de la digestion du microorganisme à l'issue de la phagocytose. Ce peptide « étranger », ou **antigène**, est ainsi exposé en surface de la cellule dendritique qui est donc une **cellule présentatrice d'antigène** ou **CPA**.

Le recrutement des cellules de l'immunité adaptative

La reconnaissance d'un agent pathogène par une cellule dendritique induit son activation et sa migration vers le ganglion lymphatique le plus proche. C'est au cours de ce trajet qu'elle expose sur sa membrane un plus grand nombre d'antigènes.

Parvenue dans le ganglion, elle entre en contact avec les lymphocytes T capables de reconnaître l'ensemble CMH-antigène. Des cytokines libérées par la cellule dendritique activent alors ces lymphocytes, ce qui marque le déclenchement de la réaction immunitaire adaptative.

4 Aider l'organisme à contrôler l'inflammation

Les symptômes de la réaction inflammatoire traduisent une accumulation locale de sang et de plasma dans les tissus, une libération de substances spécialisées et une concentration de leucocytes. Ces mécanismes sont à l'origine de douleurs et souvent de fièvre. La réponse inflammatoire aigüe dure 48 heures environ. Si la cause persiste, elle peut prendre un caractère chronique avec des lésions possibles au niveau des organes. Pour des raisons de confort mais aussi pour limiter les conséquences secondaires, il peut être nécessaire d'aider l'organisme à contrôler l'inflammation.

Les anti-inflammatoires non stéroïdiens

On sait, depuis l'Antiquité, que l'écorce de saule renferme des substances qui, extraites par décoction, sont actives contre l'inflammation et la fièvre. Le principe actif est l'acide salicylique. Synthétisé sous forme d'acide acétylsalicylique, puis commercialisé à partir de 1899, il est mieux connu sous le nom d'**aspirine**.

D'autres molécules ayant les mêmes effets (**paracétamol**, **ibuprofène**...) ont été découvertes par la suite.

Ces molécules empêchent la synthèse de médiateurs chimiques, les prostaglandines, qui interviennent particulièrement dans la vasodilatation, les douleurs et la fièvre. C'est l'activité de certaines des enzymes impliquées dans cette synthèse qui est bloquée.

Toutefois, ce blocage de la synthèse des prostaglandines n'est pas sans effets secondaires, car ces molécules ont d'autres fonctions, notamment la stimulation de la sécrétion du mucus protecteur du tube digestif.

Les anti-inflammatoires stéroïdiens

Vers 1850, on a découvert le pouvoir anti-inflammatoire des hormones stéroïdiennes produites par les glandes surrénales. Comme l'aspirine, ces hormones agissent sur la production de prostaglandines mais, en plus, elles limitent la production de cytokines activatrices de l'inflammation, réduisent la vasodilatation et facilitent la phagocytose. On utilise, aujourd'hui, de nombreux **stéroïdes de synthèse** pour lutter contre l'inflammation.

Ces substances ont néanmoins des effets secondaires en modifiant le métabolisme de l'eau et des ions. Leur utilisation implique un suivi médical strict.

chapitre 1 La réaction inflammatoire, un exemple de réponse innée

À RETENIR

Immunité innée et immunité adaptative

Tous les animaux pluricellulaires possèdent une **immunité innée** (génétiquement héritée), **peu spécifique**, mais qui assure une intervention rapide face à une agression par des microorganismes. Les vertébrés disposent en outre d'une **immunité adaptative** qui prolonge la réaction précédente. Elle s'installe lors des premières rencontres avec un microorganisme donné ; elle est **ciblée et spécifique** de cet agresseur.

Ces réponses immunitaires mettent en jeu des **cellules spécialisées**, qui assurent une veille dans les tissus et le sang :
– cellules phagocytaires, cellules dendritiques et mastocytes dans le cas de l'immunité innée ;
– lymphocytes du sang et de la lymphe dans le cas de l'immunité adaptative.

La réaction inflammatoire, première ligne de défense

Le premier signe d'une infection ou d'une lésion des tissus est une réaction inflammatoire locale : **rougeur**, **chaleur**, **gonflement** et **douleur**.

Les cellules de l'immunité innée ont la capacité de reconnaître la majorité des microorganismes grâce à leurs **récepteurs PRR**. Cette reconnaissance induit la libération par ces mêmes cellules de **médiateurs chimiques** qui attirent et activent d'autres cellules de l'immunité.

La **phagocytose** est le mécanisme par lequel une cellule englobe et fait disparaître une particule étrangère ou une cellule morte.

La préparation de la réaction adaptative

Les **cellules dendritiques** sont des phagocytes présents dans tous les tissus qui ont une fonction essentielle dans le déclenchement de la réaction immunitaire adaptative. En effet, suite à la phagocytose, elles **exposent** sur leur membrane, dans la « corbeille » des molécules du CMH, des **peptides caractéristiques de l'antigène digéré**.

La cellule dendritique ainsi activée est une **cellule présentatrice d'antigène** ou CPA qui migre vers un ganglion lymphatique où elle peut présenter l'antigène à des **lymphocytes** spécifiques de cet antigène.

Aider l'organisme à contrôler l'inflammation

La réponse inflammatoire est à l'origine de symptômes (douleur et fièvre) inconfortables que l'on peut contrôler à l'aide de **substances anti-inflammatoires** (aspirine, stéroïdes). Les effets secondaires indésirables de ces médicaments peuvent nécessiter une vigilance médicale.

Mots-clés

- Immunité innée, immunité adaptative
- Macrophage, mastocyte, granulocyte, cellule dendritique
- Phagocytose
- Chimiokine, cytokine, histamine, prostaglandine
- Récepteur PRR
- Cellule présentatrice d'antigène
- Anti-inflammatoire

Capacités et attitudes

- Observer au microscope et comparer des coupes histologiques d'un même tissu avant et lors d'une réaction inflammatoire aigüe.
- Exploiter des informations pour identifier les cellules et les molécules impliquées dans la réaction inflammatoire.
- Conduire une investigation à l'aide d'un logiciel de visualisation moléculaire pour établir la relation entre la structure et la fonction de molécules intervenant dans l'inflammation.
- Exploiter des données expérimentales et cliniques pour identifier les effets recherchés et indésirables des médicaments anti-inflammatoires.

SCHÉMA BILAN LA RÉACTION INFLAMMATOIRE, UN EXEMPLE DE RÉPONSE INNÉE

ANIMATION

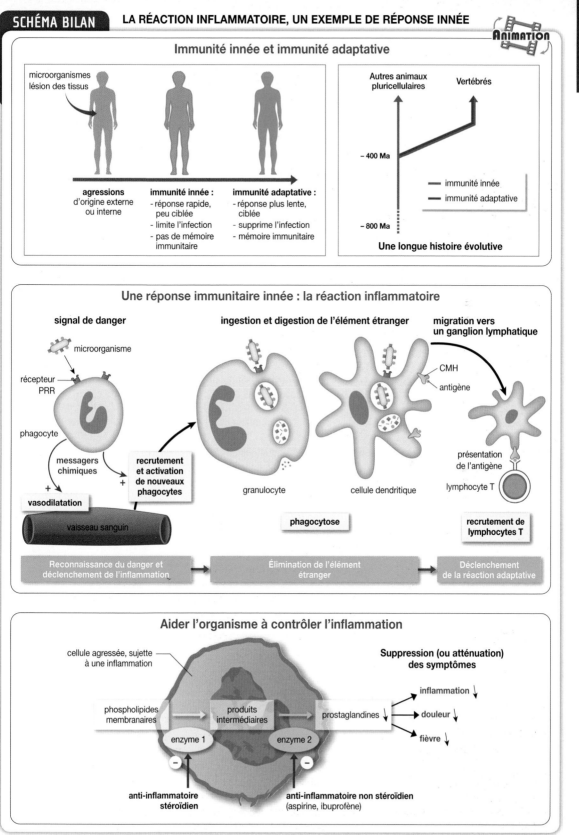

Immunité innée et immunité adaptative

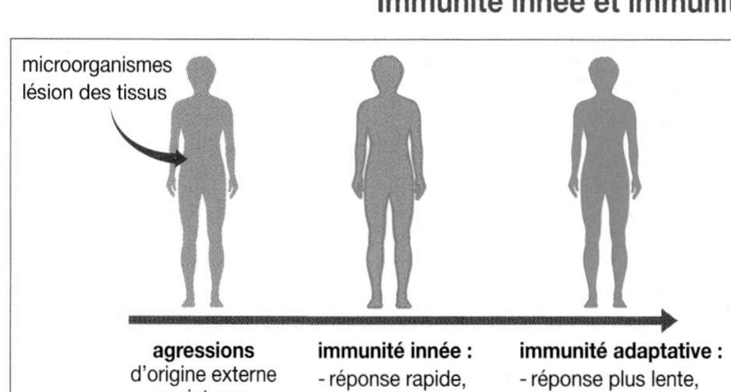

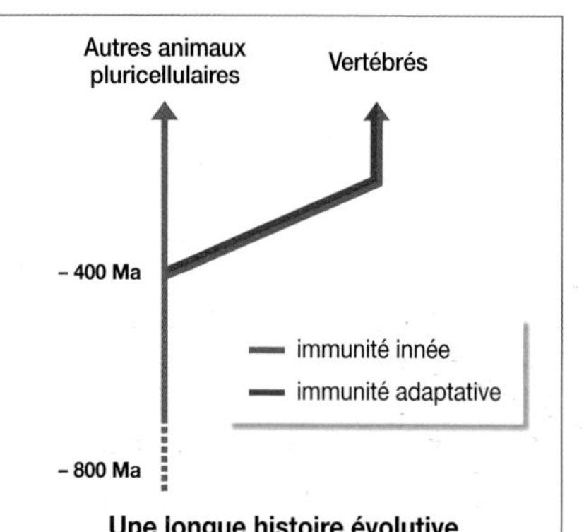

Une réponse immunitaire innée : la réaction inflammatoire

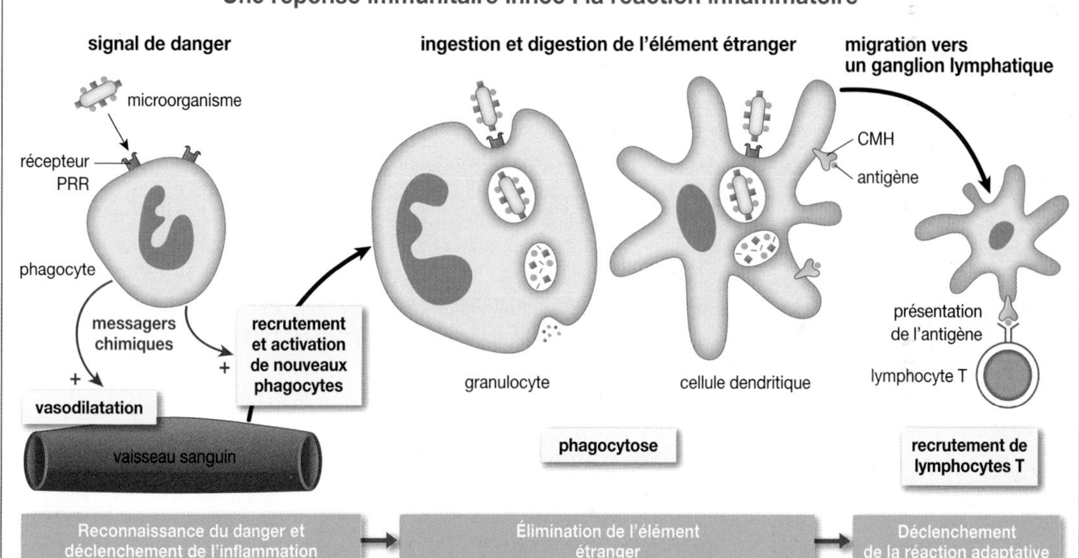

Aider l'organisme à contrôler l'inflammation

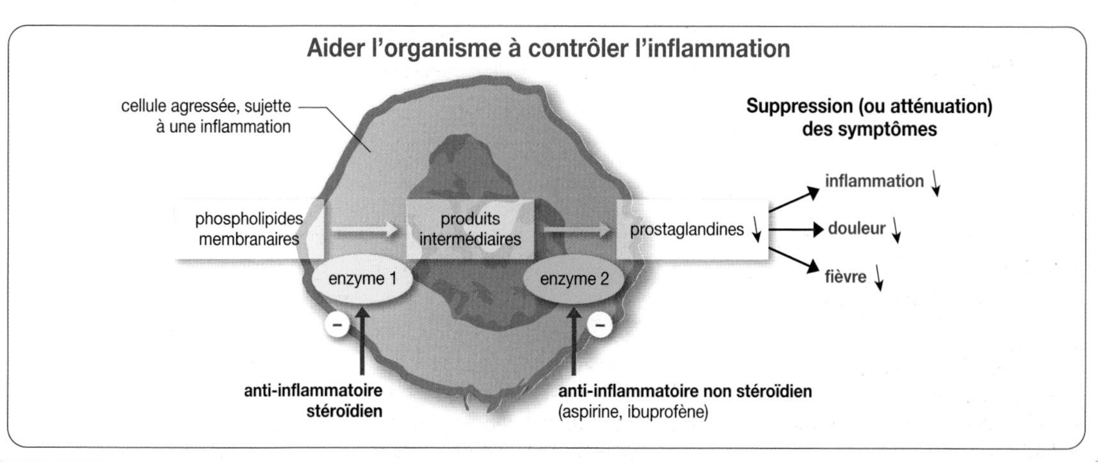

Les recherches sur l'immunité innée couronnées par le prix Nobel 2011

Le prix Nobel de médecine 2011 a été conjointement décerné au Français Jules Hoffmann, à l'Américain Bruce Beutler et au Canadien Ralph Steinmann pour leurs travaux sur les mécanismes d'activation de l'immunité.

• La découverte des récepteurs de l'immunité innée

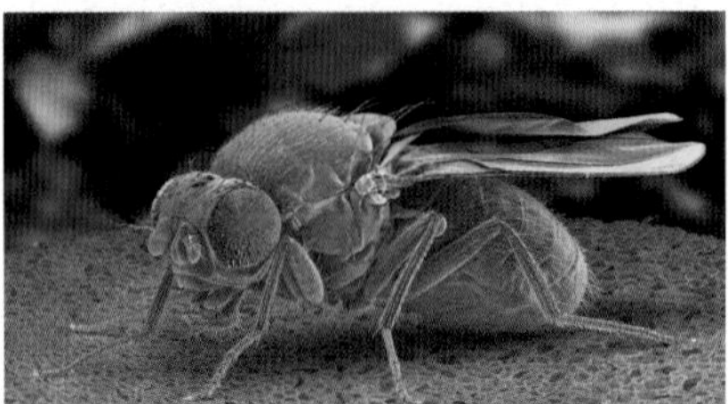

Jules Hoffmann

Bruce Beutler

Jules Hoffmann s'intéresse, dans les années 1960, à la mue des insectes. À cette occasion, il constate que ceux-ci développent des mécanismes de défense contre des bactéries et des champignons *(voir p. 291)*. En 1995, dans son laboratoire à Strasbourg, il découvre, chez la drosophile, les récepteurs Toll. La reconnaissance des bactéries et des champignons par ces récepteurs déclenche la production de peptides antifongiques et antibactériens. Certains de ces peptides sont retrouvés chez les mammifères dont l'homme.

Au même moment, aux États-Unis, **Bruce Beutler** recherche les causes de réactions violentes et exagérées du système immunitaire face à certains composants bactériens. Il identifie en 1998, chez les souris, des récepteurs cellulaires semblables aux récepteurs Toll identifiés chez les mouches. Il nomme ces derniers les « **T**oll **L**ike **R**eceptors » (TLR), c'est-à-dire des récepteurs ressemblant aux récepteurs Toll *(voir p. 294)*. On découvrait ainsi que les mécanismes de l'immunité innée présentent de nombreuses analogies chez les vertébrés et les insectes.

• La découverte des cellules dendritiques

Au début des années 1970, **Ralph Steinmann** observe dans le sang, et surtout dans les tissus, des cellules aux allures de neurones (d'où leur nom de cellules dendritiques). Il montre leur capacité à détecter les agents pathogènes et à recruter les lymphocytes T compétents, assurant ainsi le déclenchement de la réaction adaptative *(voir p. 256)*. Il découvre que ces cellules interviennent aussi dans la tolérance du système immunitaire vis-à-vis des protéines de l'organisme.

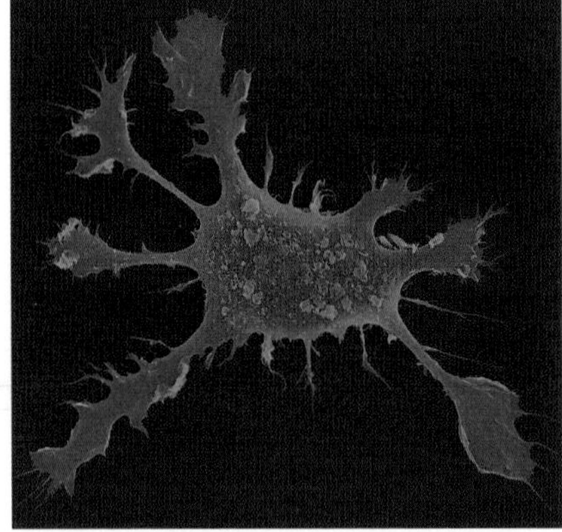

Ralph Steinmann

Ces travaux constituent un pas important dans la compréhension des mécanismes complexes du système immunitaire. De nouvelles pistes s'ouvrent pour la prévention et le traitement de certaines maladies, auto-immunes (voir p. 330) ou inflammatoires chroniques, pour lesquelles il est maintenant certain que leur déclenchement fait intervenir les récepteurs TLR. Des progrès sont envisageables dans l'élaboration de vaccins, particulièrement par la recherche d'adjuvants plus efficaces, mais aussi dans la stimulation de l'immunité contre les cellules tumorales.

Maîtriser ses connaissances

Pour s'entraîner

1 Définissez les mots ou expressions

Réponse immunitaire innée, cytokines, récepteurs PRR, phagocytose, cellule présentatrice d'antigène.

2 Vrai ou faux ?

Repérez les affirmations exactes et corrigez celles qui sont inexactes.

a. L'immunité innée se met en place durant le développement embryonnaire lors de la rencontre avec des agents pathogènes.

b. La réponse immunitaire innée est une acquisition évolutive récente (moins de 450 Ma), et ne concerne que les vertébrés.

c. Lors de la phagocytose, les agents pathogènes sont « digérés » par des enzymes dans des vésicules cytoplasmiques.

d. L'histamine produite par les mastocytes a un effet vasodilatateur.

e. La diapédèse est un processus par lequel les cellules inflammatoires résidant dans les tissus peuvent passer dans la circulation sanguine.

f. Les cellules dendritiques exposent de petits fragments antigéniques d'agents pathogènes sur leurs récepteurs TLR.

g. L'aspirine est un anti-inflammatoire stéroïdien.

3 Questions à réponse courte

a. Indiquez brièvement l'origine des symptômes de l'inflammation : rougeur, chaleur, douleur, gonflement.

b. Chez les êtres vivants, quelle est l'importance de l'immunité innée ?

c. Expliquez pourquoi les cellules de l'immunité innée permettent une reconnaissance très large des agents pathogènes.

d. Expliquez comment les cellules dendritiques présentent les antigènes au système immunitaire.

e. Expliquez comment l'aspirine exerce une action anti-inflammatoire.

Objectif BAC

4 La réaction inflammatoire et l'élimination de l'agent pathogène

A. Questions à choix multiples QCM

Choisissez la bonne réponse pour chaque série d'affirmations.

1. **Les symptômes de la réaction inflammatoire (rougeur, chaleur et gonflement) sont dus :**

a. à un déplacement d'eau qui quitte les tissus pour aller dans le sang ;

b. à la stimulation des récepteurs sensoriels de la peau, des muscles ou des articulations ;

c. à l'afflux des cellules de l'immunité ;

d. à une vasodilatation et à une augmentation de la perméabilité des vaisseaux.

2. **La diapédèse est un mécanisme par lequel certains leucocytes :**

a. quittent les vaisseaux pour aller à la rencontre de l'agent pathogène ;

b. reconnaissent un agent infectieux par ses motifs moléculaires ;

c. englobent un agent infectieux dans leur cytoplasme et le digèrent ;

d. neutralisent un agent infectieux en libérant des toxines dans son milieu environnant.

B. Question de synthèse :

La réaction inflammatoire se manifeste dès que des microorganismes franchissent la barrière de la peau ou des muqueuses ; elle est le signe d'une première réponse immunitaire.

Présentez les cellules et les mécanismes mis en jeu dans la détection de l'agent pathogène, la mobilisation d'autres cellules immunitaires et l'élimination de l'intrus.

Votre réponse devra comporter une introduction et une conclusion, ainsi qu'un ou plusieurs schémas.

5 Les relations entre réaction inflammatoire et réponse adaptative

Question de synthèse :

Lors de l'inflammation, les microorganismes sont phagocytés par plusieurs types de cellules. Certaines d'entre elles jouent un rôle fondamental dans le déclenchement de la réaction immunitaire adaptative en recrutant d'autres cellules.

Présentez les cellules impliquées dans ce déclenchement et les mécanismes mis en jeu.

Votre réponse devra comporter une introduction et une conclusion, ainsi qu'un ou plusieurs schémas.

Utiliser ses compétences

6 Immunité innée et pollution  Exploiter des documents et raisonner

Les maladies respiratoires comme la bronchite chronique et l'asthme touchent plus de 300 millions de personnes dans le monde. La pollution est l'un des facteurs évoqués pour expliquer ces maladies, notamment les particules en suspension dans l'air (comme les particules carbonées provenant des moteurs, des installations de chauffage, de l'industrie).

Deux hypothèses ont été testées par les chercheurs :
– les particules carbonées peuvent déclencher une réaction inflammatoire ;
– cette exposition aux particules carbonées entraîne une diminution de la réponse immunitaire innée vis-à-vis d'agents infectieux.

Document 1 : effets des particules carbonées sur la sécrétion d'IL1 par des macrophages en culture

Des macrophages humains en culture *in vitro* ont été mis en présence de particules carbonées (diamètre inférieur à 10 µm). Au bout de 24 heures, on mesure la concentration du milieu de culture en une cytokine pro-inflammatoire, l'interleukine 1 (ou IL1).

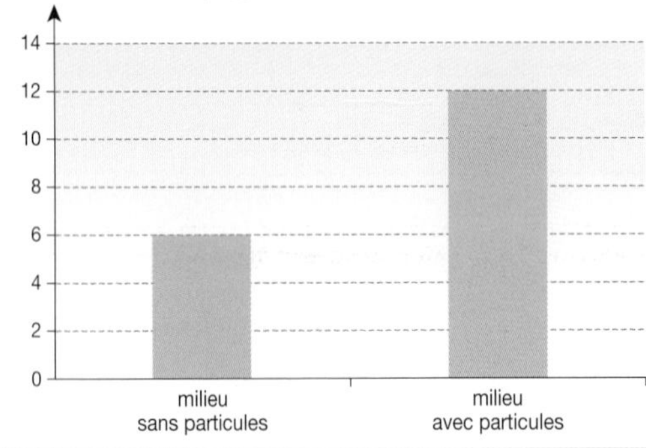

Document 2 : effets des liposaccharides bactériens sur la production d'IL1 par des macrophages en culture

Ces mêmes macrophages sont transférés dans un nouveau milieu dépourvu de particules carbonées mais contenant des liposaccharides (molécules constitutives de la paroi des bactéries pathogènes et reconnus par les récepteurs TLR4). Au bout de 24 heures, on mesure à nouveau la concentration du milieu de culture en interleukine 1.

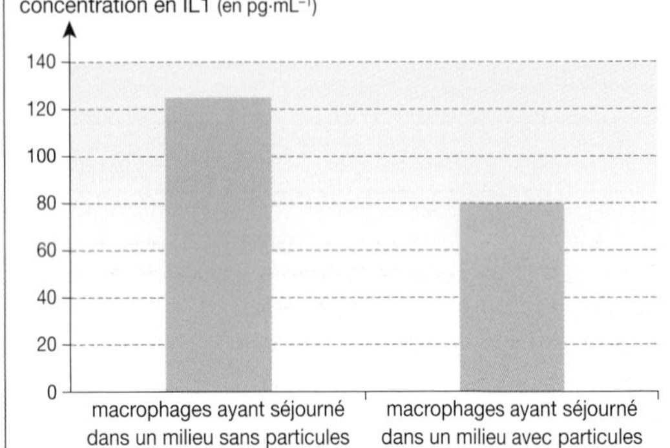

Choisissez la bonne réponse pour chaque série d'affirmations concernant les expériences ci-dessus.

1. **Dans ces expériences, la production de cytokine IL1 est :**
a. un indicateur de la présence de particules carbonées dans le milieu de culture ;
b. un indicateur de la présence de liposaccharides dans le milieu de culture ;
c. l'indicateur d'une réaction entre particules carbonées et les liposaccharides ;
d. le témoin de l'activation des macrophages.

2. **La présence de particules carbonées dans le milieu de culture :**
a. déclenche une production de cytokines par les macrophages ;
b. accroît de près du double la production de cytokines IL1 par les macrophages ;
c. tue les macrophages ;
d. n'a aucun effet sur la production de cytokines IL1.

3. **Le transfert des macrophages d'un milieu renfermant des particules carbonées à un milieu contenant des liposaccharides bactériens :**
a. ne modifie pas la production de cytokines IL1 ;
b. restreint cette production de cytokines ;
c. accroît considérablement cette production ;
d. bloque cette production.

4. **L'exposition aux particules carbonées :**
a. ne peut pas déclencher une réaction inflammatoire ;
b. n'a aucune incidence sur une éventuelle réponse immunitaire vis-à-vis des agents microbiens pathogènes ;
c. limite la capacité des macrophages à répondre à d'éventuels agents microbiens pathogènes ;
d. empêche toute réponse immunitaire en tuant les macrophages.

7 La franciselle et la réaction inflammatoire Pratiquer une démarche scientifique

La tularémie est une maladie sévère, quelquefois mortelle, due à une bactérie, *Francisella tularensis*, qui infecte préférentiellement les cellules du foie et des poumons.

Dans les expériences décrites dans les documents qui suivent, on utilise plusieurs lignées de souris de même âge :
– une lignée sauvage ;
– une lignée dite TLR2– dont le gène codant pour le récepteur TLR2 a été muté pour le rendre non fonctionnel ;
– une lignée dite TLR4– dont le gène codant pour le récepteur TLR4 est non fonctionnel.

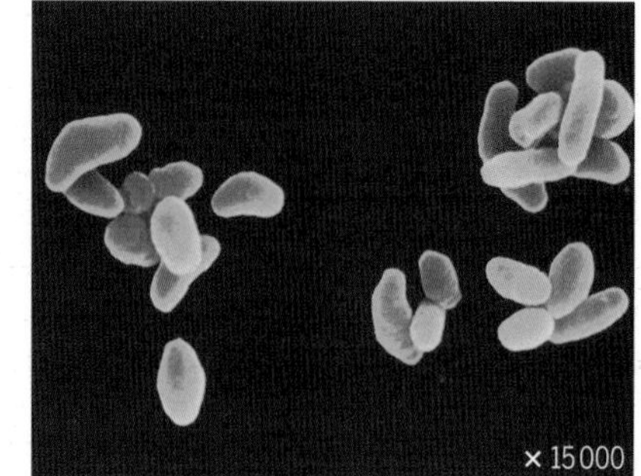

***Francisella tularensis* (MEB)**

QUESTION :
Exploitez les documents pour préciser comment la réponse immunitaire innée se met en place lors d'une infection par *Francisella*.

DOCUMENT 1 : pourcentage de souris survivantes après une infection par voie nasale avec *Francisella tularensis*

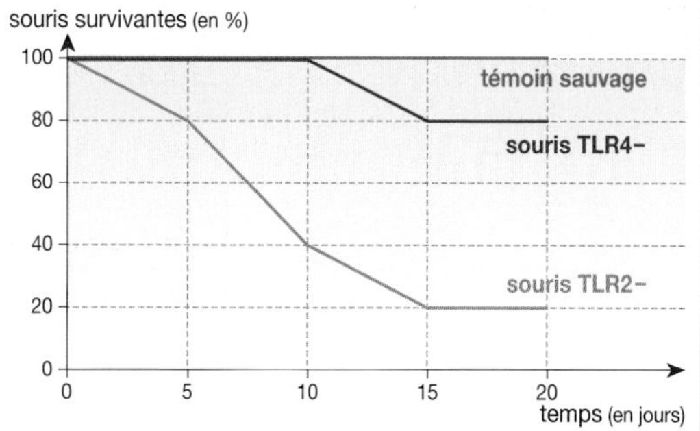

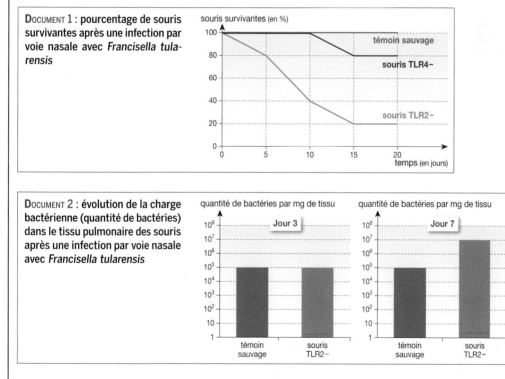

DOCUMENT 2 : évolution de la charge bactérienne (quantité de bactéries) dans le tissu pulmonaire des souris après une infection par voie nasale avec *Francisella tularensis*

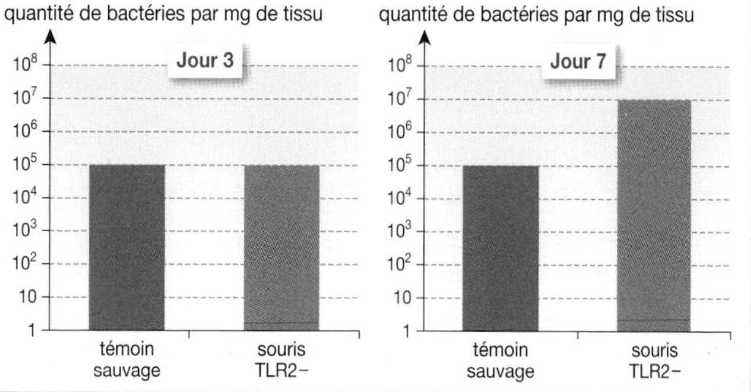

DOCUMENT 3 : production de cytokines pro-inflammatoires (IL6 et TNF) par des cultures de macrophages de différentes lignées de souris en réponse à une infection par *Francisella tularensis*

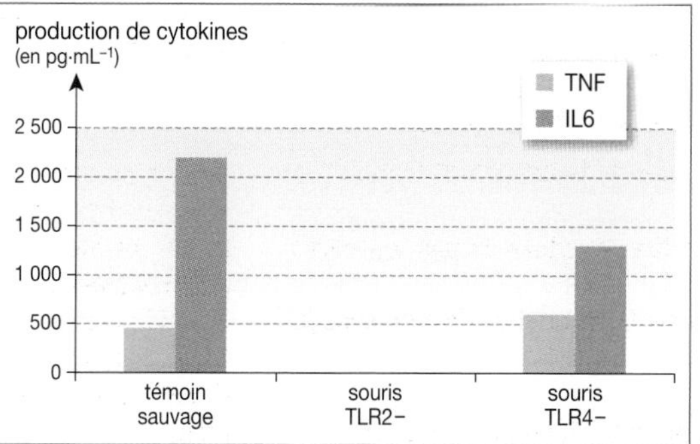

S'interroger avant d'aborder le chapitre 2

Des DOCUMENTS pour se poser des questions

La grippe, une épidémie saisonnière

Les épidémies de grippe surviennent chaque année, au cours de l'automne et de l'hiver, dans les régions tempérées. La grippe, causée par un virus, se caractérise principalement par l'apparition brutale d'une forte fièvre, de maux de tête et de douleurs musculaires et articulaires. La plupart des malades guérissent en une semaine sans avoir besoin de traitement médical, signe que l'organisme a mis en route des mécanismes de défense efficaces.

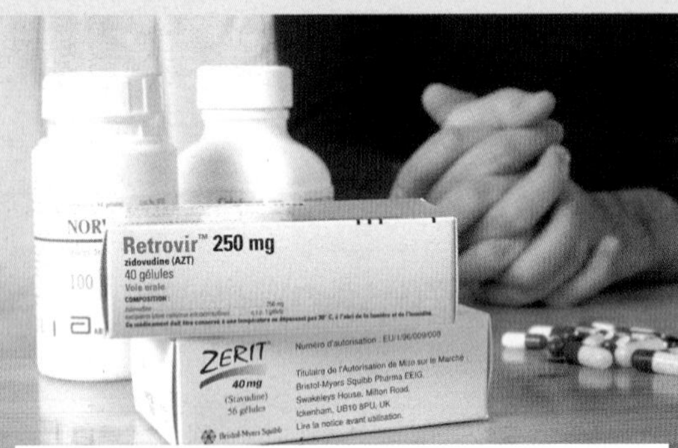

Le SIDA, un effondrement des défenses immunitaires

Comme la grippe, le SIDA est également dû à une infection virale mais, dans ce cas, l'organisme est incapable de juguler l'infection. L'attaque virale, dirigée essentiellement contre certaines cellules du système immunitaire rend ce dernier inopérant. Seuls des traitements à l'aide de médicaments antiviraux peuvent ralentir l'évolution de cette immunodéficience.

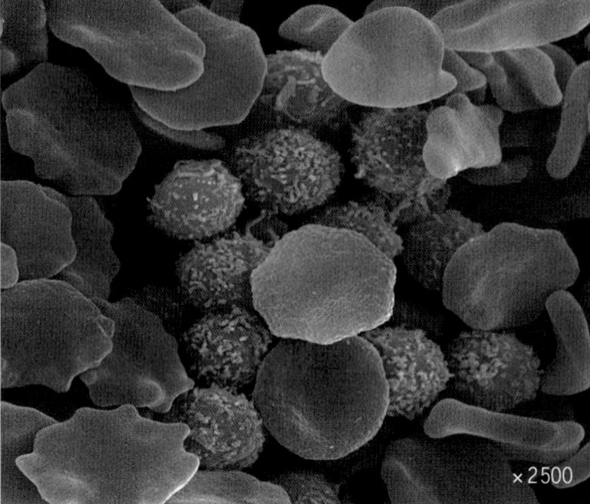

Des globules blancs fondamentaux

Outre les cellules phagocytaires qui interviennent dans la réponse immunitaire innée, le sang contient un très grand nombre (environ 3 000 par mm^3) de globules blancs sphériques appelés lymphocytes. Ils sont les agents principaux des réponses immunitaires adaptatives, c'est-à-dire des réponses dirigées spécifiquement contre un antigène donné.

LES PROBLÉMATIQUES DU CHAPITRE

- Qu'appelle-t-on immunité adaptative ? Quelles sont ses différences et ses rapports avec l'immunité innée ?
- Quelles cellules servent de support à l'immunité adaptative et par quels mécanismes parviennent-elles à éliminer les agresseurs de l'organisme ?
- Comment s'acquiert le « répertoire immunitaire » d'un individu, c'est-à-dire sa capacité à réagir à des milliards d'antigènes différents ?

chapitre 2

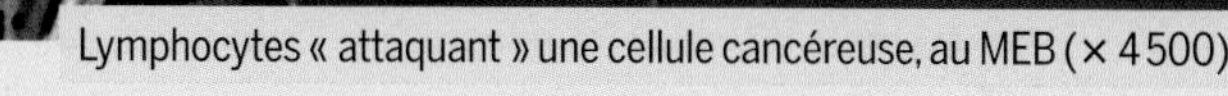

Lymphocytes « attaquant » une cellule cancéreuse, au MEB (× 4 500).

L'immunité adaptative, prolongement de l'immunité innée

LES ACTIVITÉS DU CHAPITRE

L'immunité adaptative, une immunité spécifique

Les phagocytes et les mastocytes sont les principales cellules immunitaires intervenant dans l'immunité innée. *D'autres cellules, les lymphocytes, présentes dans le sang et dans la lymphe, jouent un rôle fondamental dans la réponse immunitaire adaptative.*

A Des expériences à analyser

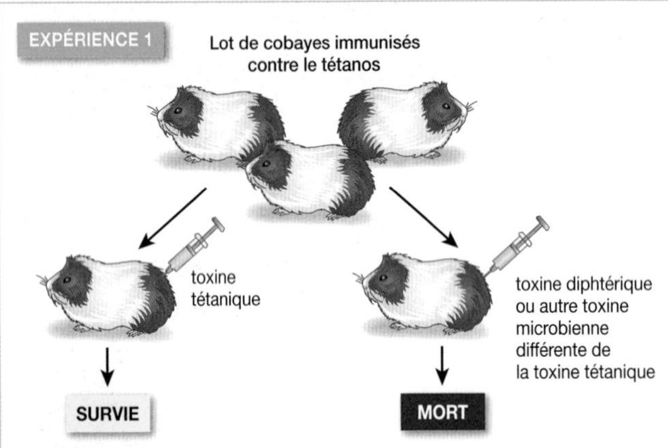

L'étude de la vaccination, faite en classe de Troisième, a montré que l'on pouvait immuniser un sujet, c'est-à-dire lui faire acquérir une protection durable contre un agent pathogène (bactérie ou virus, par exemple).
Dans les expériences décrites dans cette page, les cobayes ont été immunisés par injection d'un vaccin approprié, plusieurs semaines avant la réalisation de l'expérience.

Doc. 1 Un exemple d'immunité adaptative, l'immunité contre le tétanos.

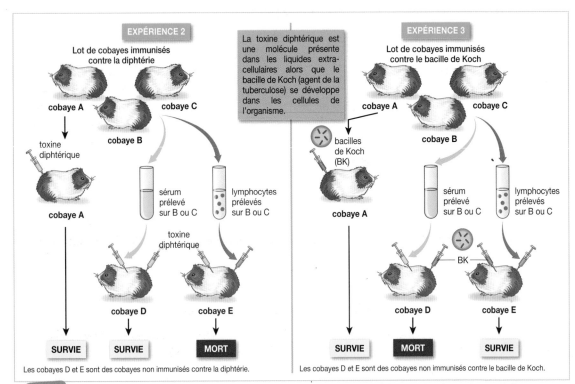

EXPÉRIENCE 2

Lot de cobayes immunisés contre la diphtérie

cobaye A — cobaye B — cobaye C

cobaye A : toxine diphtérique → SURVIE

sérum prélevé sur B ou C → cobaye D + toxine diphtérique → SURVIE

lymphocytes prélevés sur B ou C → cobaye E + toxine diphtérique → MORT

Les cobayes D et E sont des cobayes non immunisés contre la diphtérie.

La toxine diphtérique est une molécule présente dans les liquides extracellulaires alors que le bacille de Koch (agent de la tuberculose) se développe dans les cellules de l'organisme.

EXPÉRIENCE 3

Lot de cobayes immunisés contre le bacille de Koch

cobaye A — cobaye B — cobaye C

cobaye A : bacilles de Koch (BK) → SURVIE

sérum prélevé sur B ou C → cobaye D + BK → MORT

lymphocytes prélevés sur B ou C → cobaye E + BK → SURVIE

Les cobayes D et E sont des cobayes non immunisés contre le bacille de Koch.

Doc. 2 Des expériences de transfert d'immunité d'un animal immunisé à un animal non immunisé.

B Les lymphocytes, cellules de l'immunité adaptative

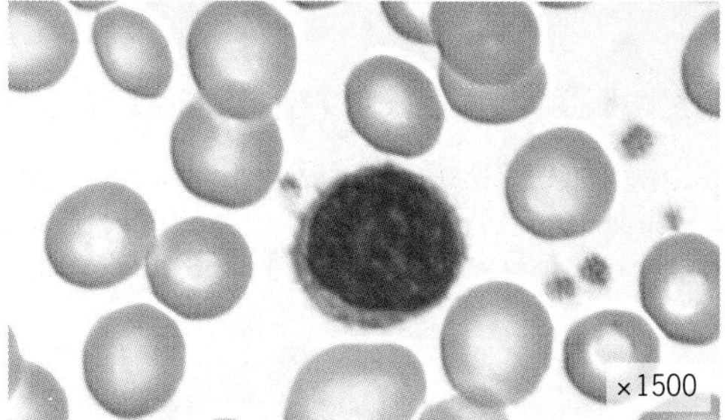

a Un lymphocyte vu en microscopie optique

Caractères des lymphocytes

- **Forme :** plus ou moins sphérique avec un gros noyau.
- **Diamètre :** 8 à 12 µm, à peine plus gros que les globules rouges.
- **Nombre :** 1 000 à 4 000 par mm^3, soit 20 à 40 % de la totalité des leucocytes.
- **Différentes catégories :** deux catégories principales de lymphocytes, les **lymphocytes B** (ou **LB**) et les **lymphocytes T** (ou **LT**). Ces deux catégories sont très semblables au microscope mais elles se distinguent par la nature de leurs récepteurs membranaires (récepteur B ou récepteur T) qui déterminent leur fonction. En outre, les lymphocytes T peuvent être divisés en deux sous-types, les **LT CD4** et les **LT CD8**, caractérisés par des marqueurs membranaires appelés CD4 et CD8.

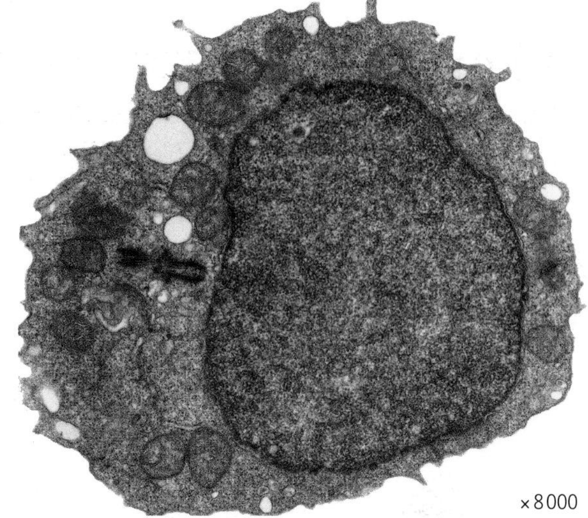

b Un lymphocyte vu en microscopie électronique à transmission

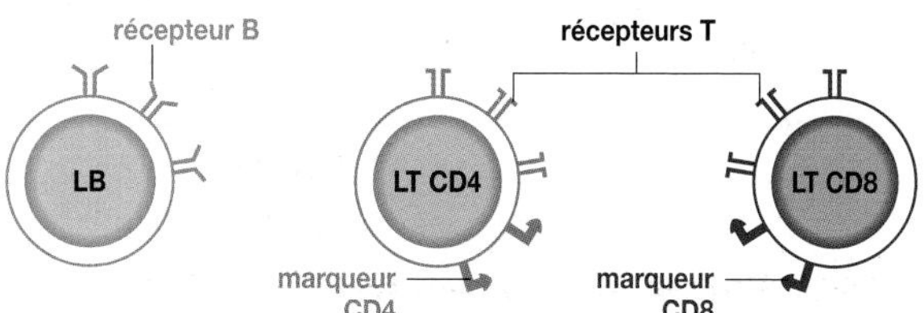

Doc. 3 Les lymphocytes, des leucocytes sphériques à gros noyau.

Plusieurs lots de souris ont été infectés par le virus de la grippe. Pour les lots 2 à 6, on a, par des techniques appropriées, supprimé certaines catégories de lymphocytes (+ signifie que le type cellulaire est présent chez la souris, – qu'il est supprimé). Après l'infection, on mesure le temps qu'il faut aux souris pour se débarrasser du virus et le pourcentage de survie pour chaque lot.

	Lymphocytes T CD8	Lymphocytes T CD4	Lymphocytes B	Temps requis pour éliminer le virus (jours)	Taux de survie (en %)
Lot 1	+	+	+	7 à 10	100
Lot 2	–	+	+	10 à 14	100
Lot 3	–	+	–	> 20*	0
Lot 4	–	–	+	> 20*	0
Lot 5	+	+	–	10 à 14	50
Lot 6	–	–	–	> 20*	0

* Toutes les souris du lot meurent avant 20 jours, le temps requis pour éliminer le virus est donc inconnu.

Doc. 4 Une coopération entre les différentes catégories de lymphocytes : l'exemple de la lutte contre la grippe.

Pistes d'exploitation

PROBLÈME À RÉSOUDRE ► Dégagez les caractéristiques de l'immunité adaptative (ou acquise).

Doc. 1 Pourquoi dit-on que l'immunité adaptative (ou acquise) est spécifique ?

Doc. 2 Montrez que le support de l'immunité est différent dans les deux expériences.

Doc. 3 et 4 Formulez quelques problèmes suscités par cette première approche.

Lexique, p. 406

La reconnaissance des antigènes par les lymphocytes

L'immunité acquise étant spécifique, c'est-à-dire dirigée contre un antigène bien déterminé, il y a nécessité d'une reconnaissance de cet agresseur par les lymphocytes impliqués dans la réaction immunitaire. *Cette reconnaissance implique des mécanismes moléculaires précis.*

A Reconnaissance des antigènes par les lymphocytes B

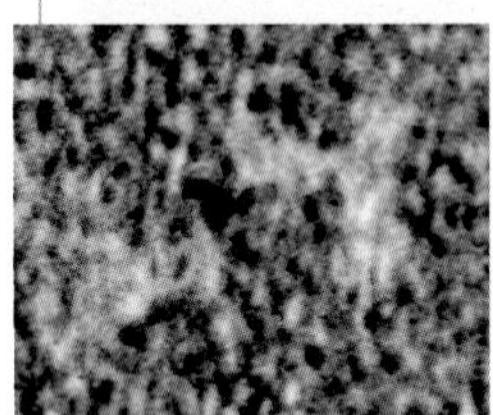

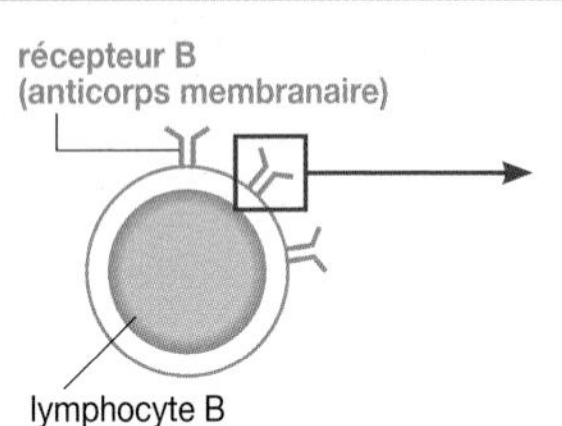

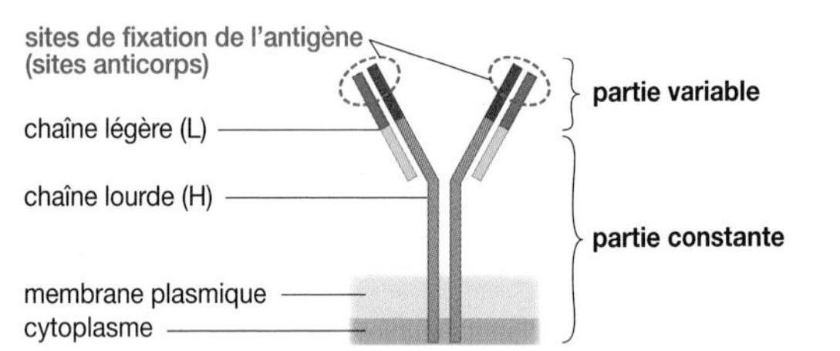

Chaque **anticorps membranaire** d'un LB est une protéine complexe. La forme en Y de la molécule aperçue au microscope électronique *(photographie ci-dessus)* résulte de l'assemblage de quatre chaînes polypeptidiques identiques deux à deux : deux chaînes qualifiées de lourdes (ou H, pour « heavy », en anglais) et deux chaînes légères (ou L, pour « light »). Une chaîne lourde comporte 440 à 455 acides aminés contre 215 seulement pour une chaîne légère.

Qu'elle soit lourde ou légère, chaque chaîne comporte une partie variable vers l'extrémité des bras du Y, c'est-à-dire une séquence d'acides aminés très différente pour deux anticorps qui reconnaissent deux antigènes différents *(voir doc. 2)*. Le reste de chaque chaîne est qualifié de partie constante car elle est la même pour tous les anticorps, quelle que soit leur spécificité.

Le support moléculaire de la reconnaissance

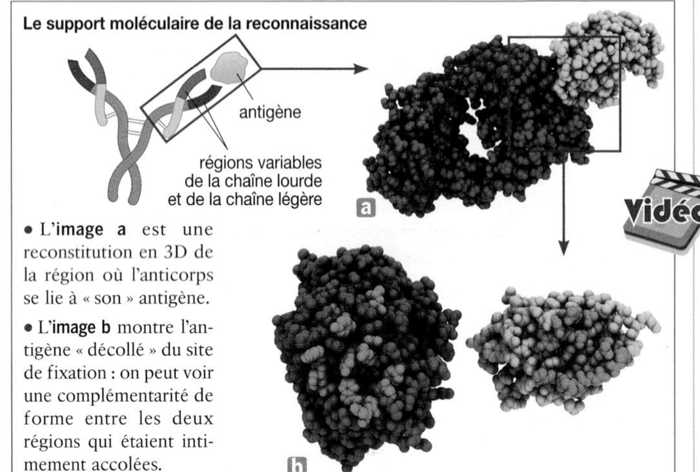

• L'**image a** est une reconstitution en 3D de la région où l'anticorps se lie à « son » antigène.

• L'**image b** montre l'antigène « décollé » du site de fixation : on peut voir une complémentarité de forme entre les deux régions qui étaient intimement accolées.

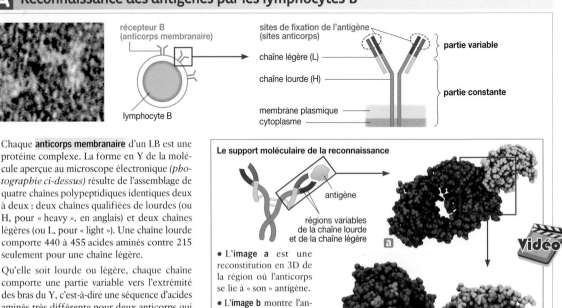

Doc. 1 Un lymphocyte B reconnaît un antigène grâce à des anticorps fixés sur sa membrane.

Tous les anticorps membranaires d'un LB étant identiques, celui-ci ne reconnaît qu'un seul antigène. En revanche, si l'on considère l'organisme entier, il existe des millions de clones de LB qui reconnaissent chacun un antigène donné.

Les séquences d'acides aminés des différentes chaînes ont été déterminées pour de très nombreux anticorps. Les *graphes ci-contre* traduisent la variabilité de la séquence pour les 100 premiers acides aminés. Au-delà du 100e acide aminé, la séquence des acides aminés est à peu près constante quel que soit l'anticorps considéré.

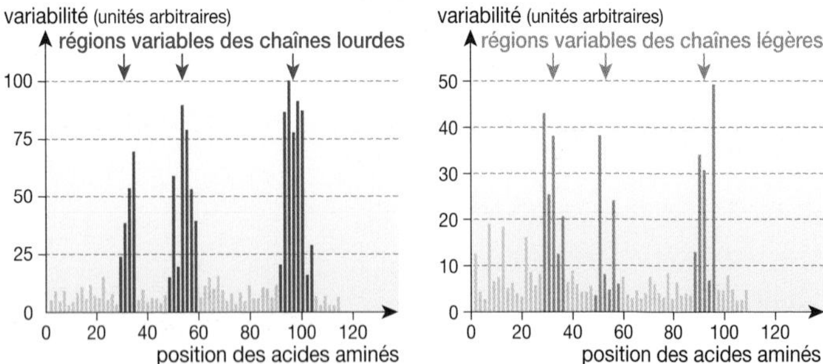

Les acides aminés des chaînes lourdes et légères sont numérotés en partant de l'extrémité du bras du Y. Les flèches indiquent les régions des chaînes lourdes et légères où se fixe l'antigène.

Doc. 2 Une très grande variabilité de la séquence des acides aminés au niveau du site de fixation de l'antigène.

B Reconnaissance des antigènes par les lymphocytes T

• La nécessité d'une « présentation »

Nous avons vu, dans le chapitre 1, que les cellules phagocytaires, et en particulier les cellules dendritiques, digèrent les éléments étrangers à l'organisme. Ces cellules exposent ensuite à leur surface, sur les molécules du CMH, des fragments moléculaires (le plus souvent des peptides) issus de l'élément digéré.

Devenu une « cellule présentatrice d'antigène », ou CPA, la cellule dendritique migre vers les ganglions lymphatiques où elle va rencontrer de très nombreux lymphocytes.

La *photographie ci-contre* présente une telle CPA, entourée de ▶ lymphocytes T, au sein d'un ganglion lymphatique.

cellule présentatrice d'antigène
lymphocyte T
×1500

• Les molécules de la reconnaissance

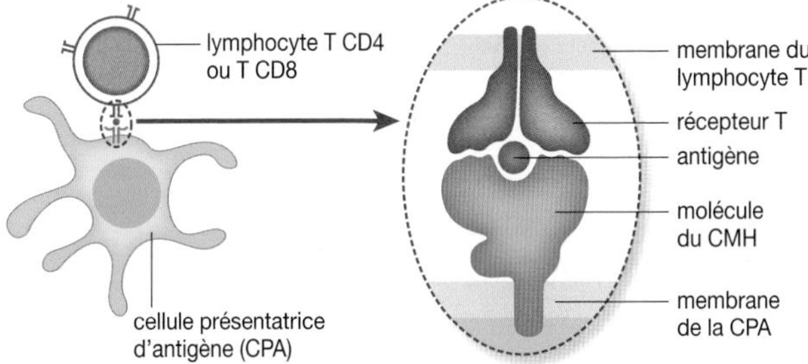

Les récepteurs T sont des protéines ancrées dans la membrane des LT. Ils sont spécialisés dans la reconnaissance d'antigènes présentés sur les membranes des cellules du même organisme.

D'une structure légèrement différente de celle des anticorps membranaires des LB (deux chaînes polypeptidiques au lieu de quatre), les récepteurs T présentent toutefois une partie constante et une partie variable au niveau de laquelle se trouve un site effectuant une double reconnaissance : un récepteur T reconnaît un antigène à condition que celui-ci soit présenté par une molécule du CMH de l'organisme.

Un lymphocyte T donné ne possède qu'un seul type de récepteur T et ne peut donc reconnaître qu'un antigène. Mais, au niveau de l'organisme, la variabilité des sites de reconnaissance des récepteurs T est si grande qu'il existe des millions de clones différents de LT, capables de reconnaître chacun un antigène donné et un seul.

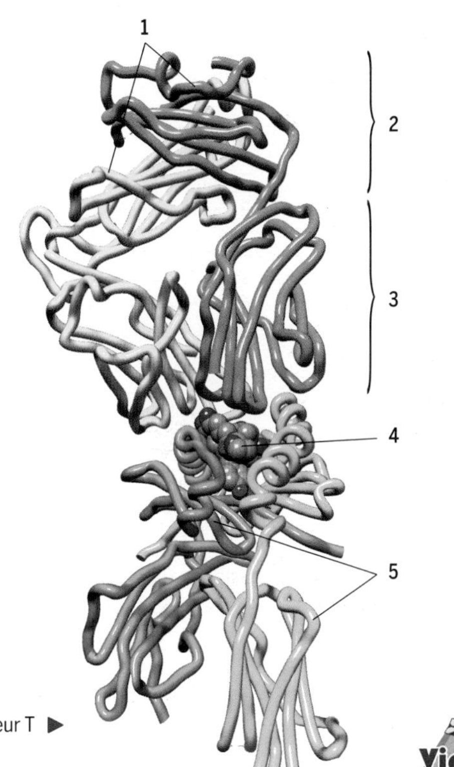

1. Les deux chaînes polypeptidiques du récepteur T ▶
2. Partie constante des chaînes
3. Partie variable des chaînes
4. Peptide antigénique
5. Chaînes polypeptidiques de la molécule du CMH

Vidéo

Doc. 3 La reconnaissance d'un antigène par un LT nécessite une coopération avec une CPA.

Pistes d'exploitation

PROBLÈME À RÉSOUDRE ▶ Comment est assurée, au niveau moléculaire, la reconnaissance d'un antigène précis par les lymphocytes B et par les lymphocytes T ?

Doc. 1 et 2 Décrivez la structure d'un anticorps membranaire d'un lymphocyte B et dites pourquoi les lymphocytes B sont capables de reconnaître une très grande diversité d'antigènes.

Doc. 3 Même question pour le LT que pour le LB. Précisez, par ailleurs, la différence essentielle entre la reconnaissance par les LB et la reconnaissance par les LT.

Lexique, p. 406

Les lymphocytes B et la réaction à médiation humorale

On appelle réaction à médiation humorale une réponse immunitaire qui fait intervenir des anticorps solubles, c'est-à-dire des molécules circulant dans les liquides (autrefois appelés « humeurs ») de l'organisme. *Ce sont les lymphocytes B qui, après reconnaissance de l'intrus, se transforment en cellules sécrétrices d'anticorps.*

A Les premières étapes de l'intervention des LB

Pour découvrir la première étape du déclenchement d'une réaction immunitaire à médiation humorale (c'est-à-dire faisant intervenir des anticorps plasmatiques), on réalise une expérience dont le protocole est résumé par le *schéma ci-contre*.

Remarques :

– Les souris B et C sont préalablement irradiées, de façon à détruire les lymphocytes qui étaient présents dans l'organisme de ces animaux.

– L'injection, à ces deux souris, des lymphocytes cultivés a pour but de reconstituer chez elles un système immunitaire adaptatif.

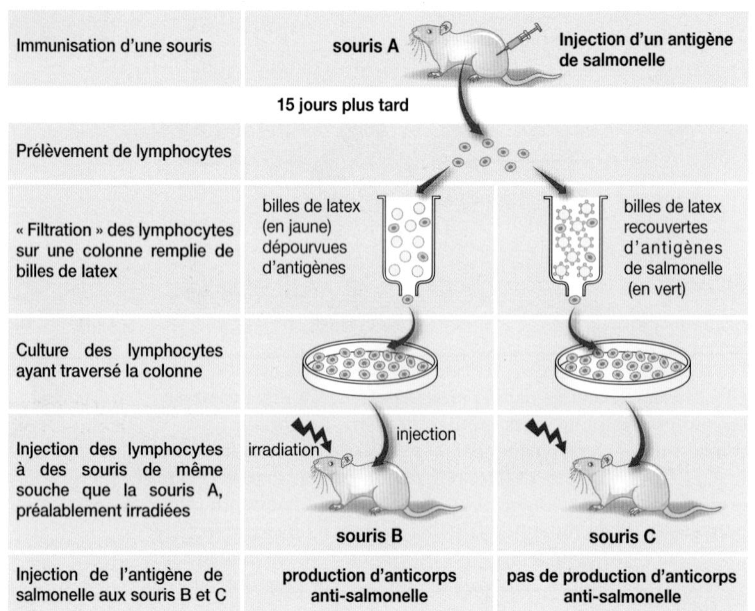

Doc. 1 Une expérience à analyser.

La production d'anticorps en réponse à l'entrée d'un antigène est le résultat d'un processus se déroulant en plusieurs étapes :

1. Reconnaissance de l'antigène ou sélection clonale

Tous les anticorps portés par un LB sont identiques et reconnaissent donc le même antigène (un tel LB est présent dans l'organisme à quelques milliers d'exemplaires, ce qui est très peu, l'ensemble constituant un clone). L'organisme étant capable de reconnaître des millions d'antigènes différents, cet organisme doit contenir autant de clones différents de LB que d'antigènes susceptibles d'être reconnus.

2. Amplification clonale des LB activés

La fixation d'un antigène sur les anticorps d'un LB « active » ce dernier. Cette activation est suivie d'une multiplication intense (mitoses) produisant un clone de 10^5 à 10^6 cellules.

3. Différenciation des LB

Une partie des LB se différencie en plasmocytes, cellules sécrétrices d'anticorps solubles dans le plasma.

Une autre partie des LB produits se transforme en **LB mémoire**, cellules non sécrétrices d'anticorps mais à longue durée de vie.

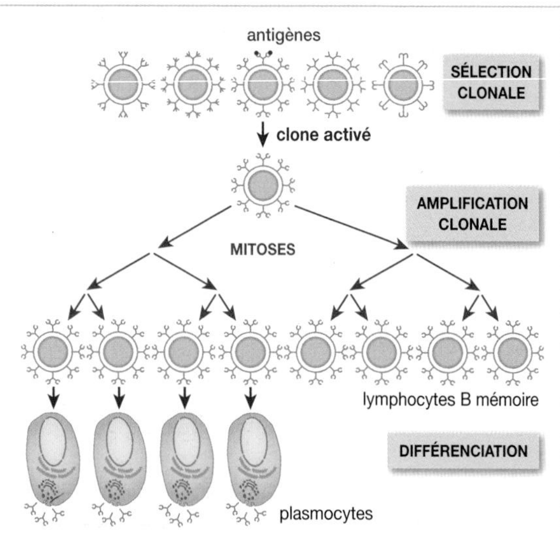

Doc. 2 De la détection de l'antigène à la production d'anticorps.

B La sécrétion d'anticorps solubles dans le plasma

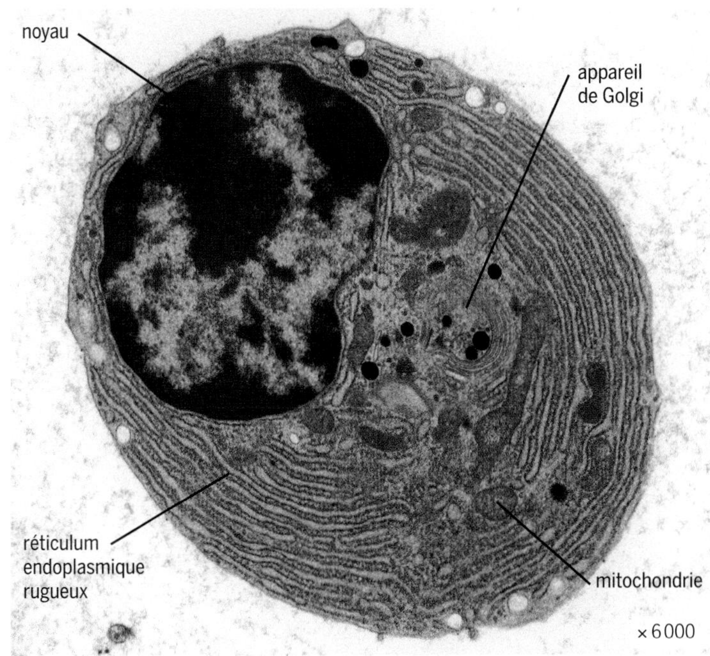

noyau
appareil de Golgi
réticulum endoplasmique rugueux
mitochondrie
× 6 000

• L'organisme soumis à une infection microbienne met en œuvre toute une série de mécanismes de défense immunitaire. Parmi ces mécanismes, l'apparition dans le sang d'anticorps spécifiques de l'intrus est caractéristique. Ces anticorps sont sécrétés dans le sang par des globules blancs spécialisés, les plasmocytes. Ce sont de gros leucocytes, dérivés des LB, qui présentent un développement remarquable de la machinerie de synthèse des protéines.

• Les plasmocytes actifs peuvent sécréter jusqu'à 5 000 molécules d'anticorps par seconde.

Remarque : les anticorps sécrétés par un plasmocyte donné sont tous identiques.

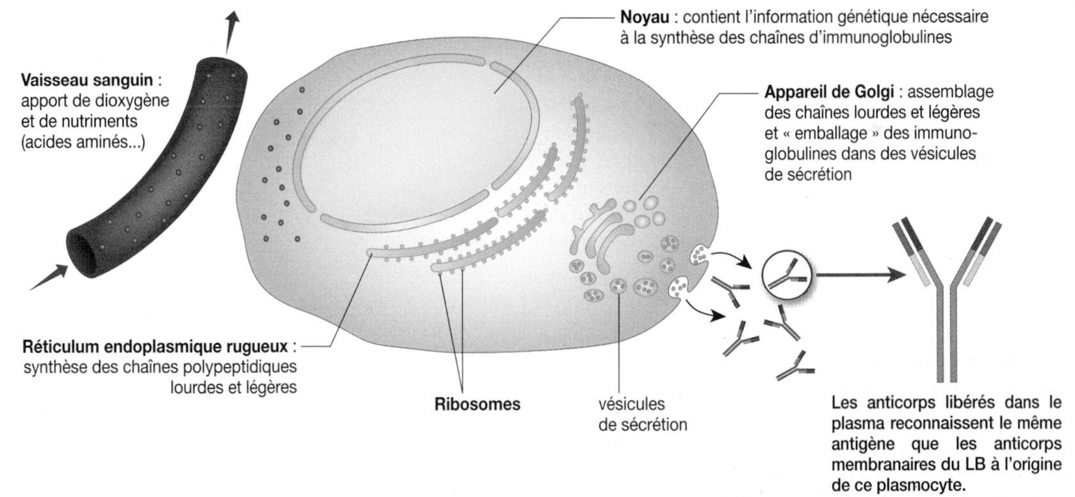

Noyau : contient l'information génétique nécessaire à la synthèse des chaînes d'immunoglobulines
Vaisseau sanguin : apport de dioxygène et de nutriments (acides aminés...)
Appareil de Golgi : assemblage des chaînes lourdes et légères et « emballage » des immunoglobulines dans des vésicules de sécrétion
Réticulum endoplasmique rugueux : synthèse des chaînes polypeptidiques lourdes et légères
Ribosomes
vésicules de sécrétion
Les anticorps libérés dans le plasma reconnaissent le même antigène que les anticorps membranaires du LB à l'origine de ce plasmocyte.

Doc. 3 Les plasmocytes, cellules dérivées des LB, sont les cellules sécrétrices d'anticorps solubles.

Pistes d'exploitation

PROBLÈME À RÉSOUDRE ► Quelles sont les étapes de la transformation d'un lymphocyte B en plasmocyte, cellule sécrétrice d'anticorps solubles, lors d'une agression microbienne de l'organisme ?

Doc. 1 Quelles conclusions peut-on tirer de cette expérience ?

Doc. 2 Listez les étapes de la réaction à médiation humorale et définissez chacune par une phrase.

Doc. 3 Quelle relation peut-on établir entre la structure et la fonction d'un plasmocyte ? Comparez avec un lymphocyte non activé présenté page 311.

Lexique, p. 406

Les anticorps solubles et l'élimination des antigènes

L'intrusion d'un antigène déclenche la production et la libération dans le sang et la lymphe d'anticorps solubles spécifiques de cet antigène. *Ces anticorps participent à l'élimination de l'agresseur mais ils ne peuvent y parvenir seuls : il y a nécessité d'une coopération avec l'immunité innée.*

A Une mise en évidence de la réaction antigène-anticorps

diaporama

■ PROTOCOLE EXPÉRIMENTAL

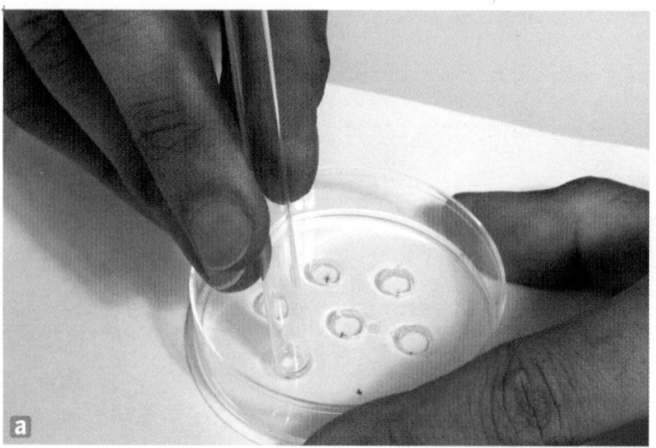

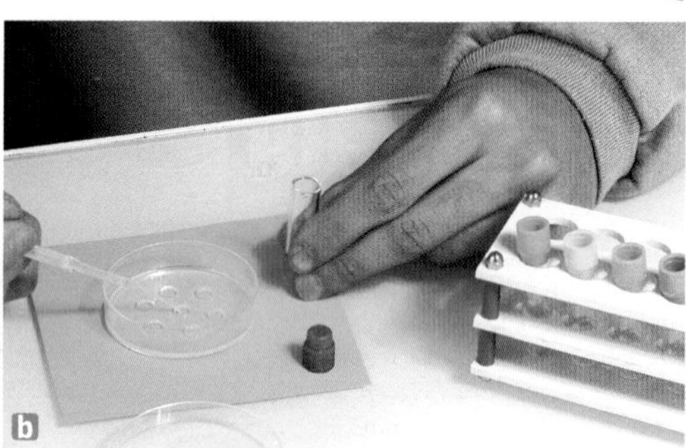

Dans le fond d'une petite boîte de Petri, on coule un gel d'agarose chaud. Après refroidissement, on creuse des puits dans le gel à l'aide d'un petit emporte-pièce de verre (**a**) : généralement, on réalise un puits central entouré de six puits périphériques. Le puits central est rempli d'une solution d'anticorps et les puits périphériques de solutions de différents antigènes (**b**). Les boîtes ainsi préparées sont fermées et conservées à la température ambiante pendant 24 heures (**c**).

■ RÉSULTATS

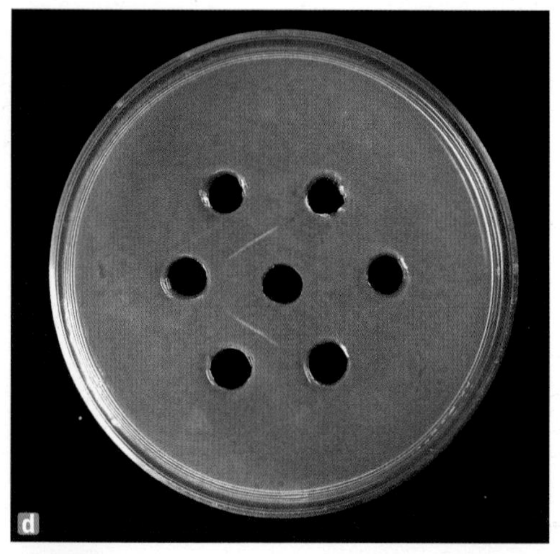

Les produits diffusent librement dans le gel environnant à partir du puits où ils ont été déposés. Dans le gel, si un anticorps rencontre l'antigène auquel il est capable de se lier, il se forme un **complexe immun** qui est insoluble : il précipite et sa diffusion dans le gel est alors arrêtée.

L'examen attentif des résultats permet d'observer de petits arcs blanchâtres (**d**) ; ceux-ci peuvent être mis en évidence par une coloration, par exemple au bleu de Coomassie (**e**).

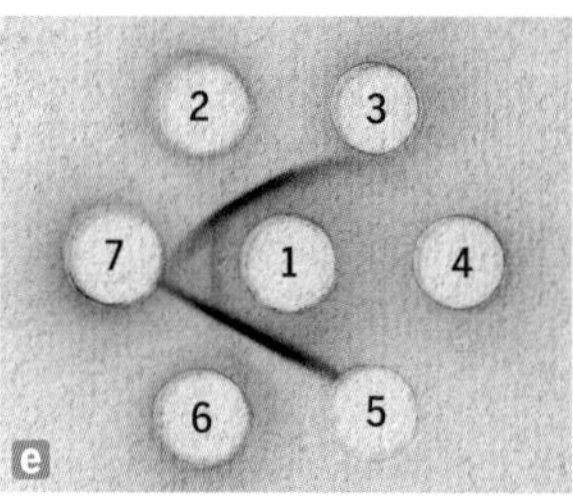

1. Sérum d'un lapin immunisé contre la SAB*
2. SAB purifiée
3. Protéines sanguines de cheval
4. Protéines sanguines de lapin
5. Protéines sanguines de porc
6. Protéines sanguines de bœuf
7. Protéines sanguines de chèvre

* La SAB (Sérum Albumine Bovine) est une des protéines du sérum de bœuf.

Doc. 1 Le test d'Ouchterlony permet une mise en évidence de la réaction antigène-anticorps (kit Sordalab).

B L'élimination des complexes immuns

Dans un arc de précipitation du test d'Ouchterlony, au microscope électronique à très fort grossissement, on peut observer des complexes insolubles appelés complexes immuns. Ils sont le résultat de la liaison chimique entre deux types de molécules solubles, antigène d'une part, anticorps d'autre part.

La *photographie* **a** montre de tels complexes immuns, les molécules d'anticorps étant fixées sur des molécules d'antigènes.

La *photographie* **b**, encore plus grossie, montre une molécule d'anticorps : elle a la forme d'un Y et c'est par les extrémités des « bras » du Y qu'elle se fixe sur l'antigène.

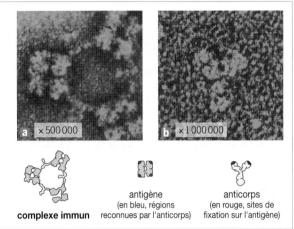

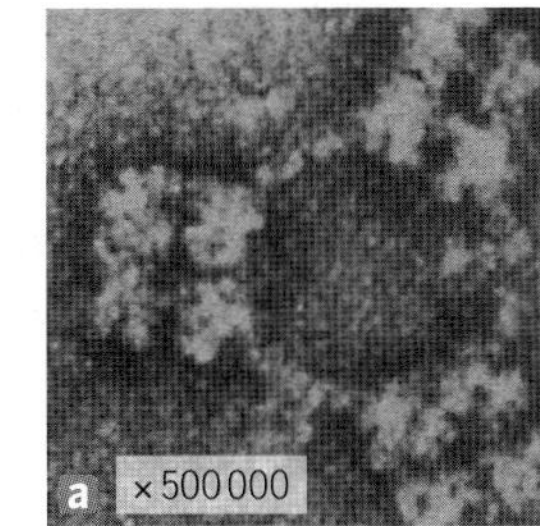

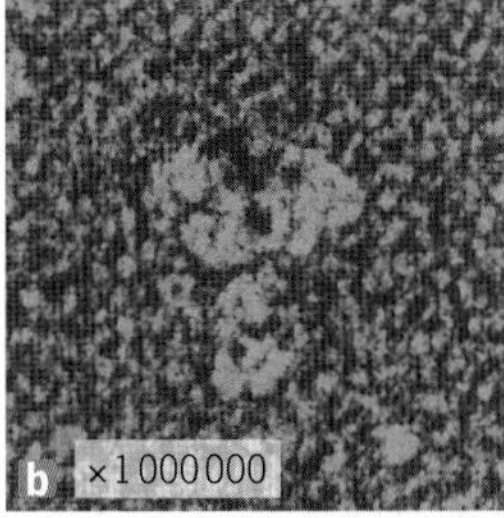

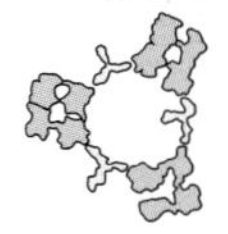
complexe immun

antigène (en bleu, régions reconnues par l'anticorps)

anticorps (en rouge, sites de fixation sur l'antigène)

Doc. 2 Un arc de précipitation dans le test d'Ouchterlony correspond à la formation de complexes immuns.

Les anticorps ont pour fonction essentielle de neutraliser les antigènes, c'est-à-dire de les rendre inactifs (biologiquement inertes). L'élimination définitive des antigènes fait intervenir d'autres mécanismes, comme la phagocytose, capables de faire disparaître les complexes immuns.

Dans le cas de cellules étrangères comme les bactéries, les anticorps se fixent sur les antigènes de la paroi bactérienne grâce à leurs sites anticorps, situés aux deux extrémités des « bras » du Y : ils forment ainsi un complexe immun. De ce fait, la région constante de l'anticorps (la « queue » du Y) est exposée à la périphérie du complexe immun. Or, la membrane des phagocytes possède des récepteurs capables de se fixer de manière spécifique à cette région constante. L'adhérence indispensable entre le phagocyte et sa « proie » est donc grandement facilitée.

C'est donc la phagocytose qui assure finalement l'élimination des complexes immuns.

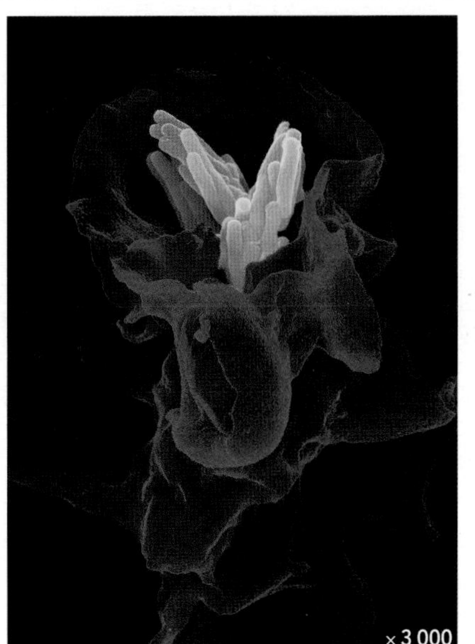

Phagocyte ingérant des bactéries

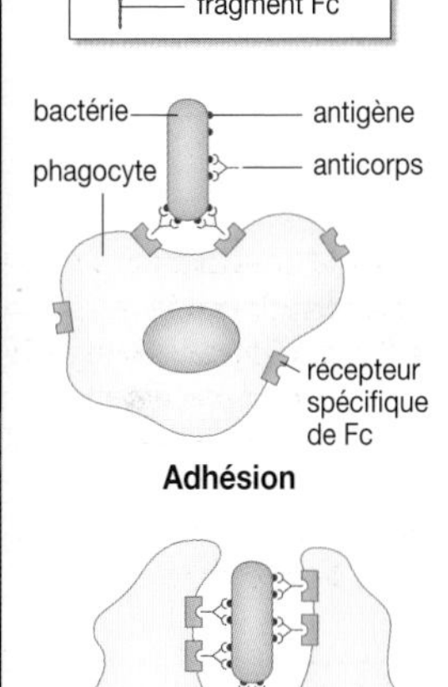

Ingestion

Doc. 3 L'élimination des complexes immuns fait intervenir des acteurs de l'immunité innée.

Pistes d'exploitation

PROBLÈME À RÉSOUDRE ► Comment est éliminé l'agresseur de l'organisme dans le cas d'une réaction immunitaire à médiation humorale ?

Doc. 1 et 2 Comment interprétez-vous la présence d'arcs blanchâtres entre le puits central et certains puits périphériques ? Comment expliquez-vous l'absence d'arcs au niveau des autres puits ?

Doc. 1 et 2 Proposez une interprétation de l'expérience en représentant « ce qui se passe dans le gel » (utilisez des symboles pour les antigènes et les anticorps et envisagez le cas où un arc se forme mais aussi une situation où il n'y a pas d'arc).

Doc. 3 En quoi le mécanisme de cette phagocytose est-il différent de celui qui intervient au cours de la réaction inflammatoire ?

Lexique, p. 406

Les lymphocytes T CD8 et la réaction cytotoxique

On appelle réaction cytotoxique la réaction immunitaire qui permet de détruire les cellules de l'organisme devenues « indésirables », par exemple suite à une infection par un virus, ou suite à une cancérisation. *Ce sont les lymphocytes T CD8 qui, après reconnaissance de l'intrus, se transforment en cellules « tueuses ».*

A L'existence de lymphocytes T cytotoxiques

• La reconnaissance d'une cellule cible

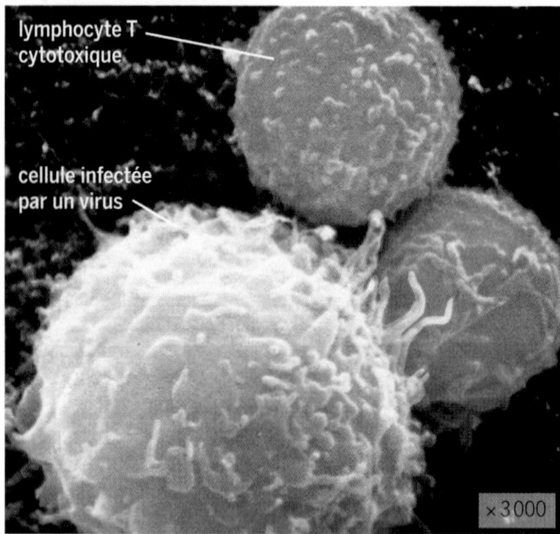

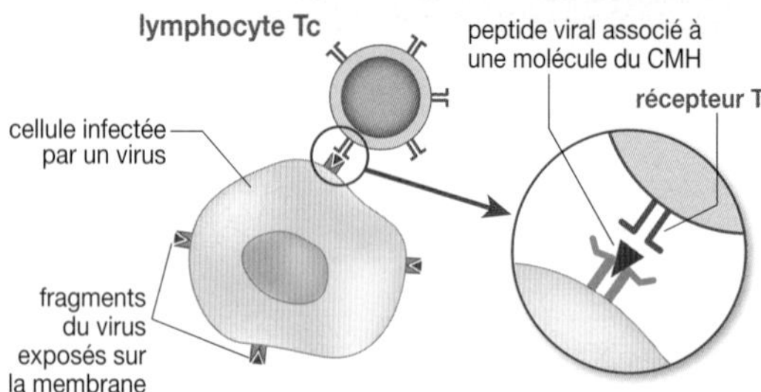

Certains lymphocytes T, appelés lymphocytes cytotoxiques ou LTc, sont capables de détecter des cellules « anormales », c'est-à-dire présentant sur leur CMH des antigènes différents des marqueurs normaux de l'organisme ; c'est le cas, par exemple, des cellules cancéreuses ou des cellules infectées par un virus.
Si, en « surveillant » les membranes des cellules de l'organisme (fonction dévolue aux LT), un LTc découvre une telle cellule anormale, elle met en œuvre immédiatement des mécanismes pour la détruire *(voir ci-contre)*.
Comme cette destruction nécessite un simple contact, parfois appelé « baiser de la mort », entre LTc et cellule cible, un même LTc peut détruire de nombreuses cellules cibles (une toutes les 10 minutes environ).

• La destruction de la cellule cible

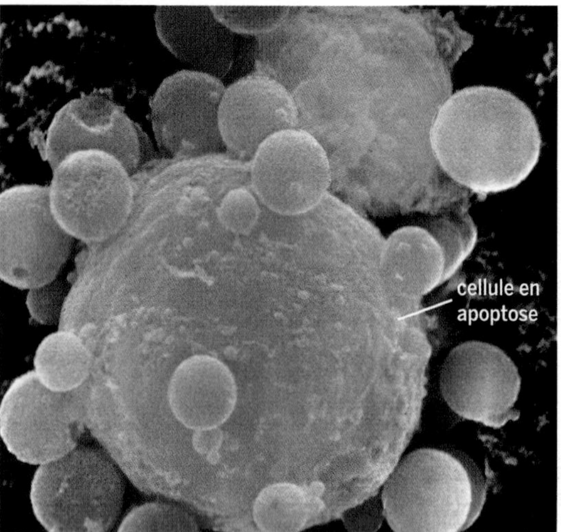

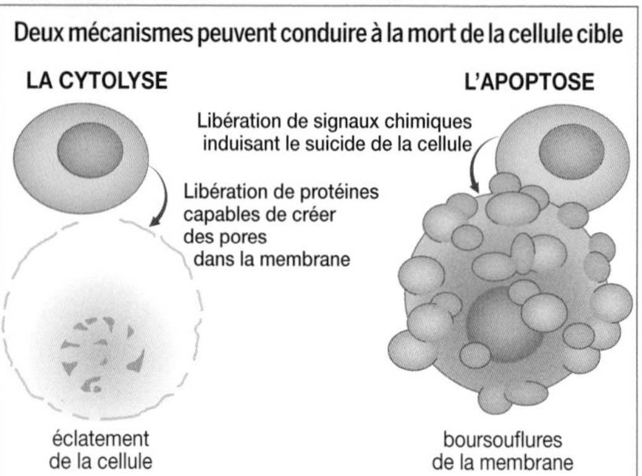

Qu'est-ce que l'apoptose ?

L'apoptose est un mécanisme d'autodestruction cellulaire programmé génétiquement et qui peut être mis en route lorsque la cellule reçoit certains signaux de son environnement. Ce mécanisme se caractérise par une fragmentation de l'ADN et un bourgeonnement de la membrane plasmique qui forme des « corps apoptotiques », petites vésicules qui seront ensuite éliminées par les phagocytes.

Doc. 1 Un simple contact permet à un lymphocyte cytotoxique de détruire une cellule cible.

B L'origine des lymphocytes cytotoxiques

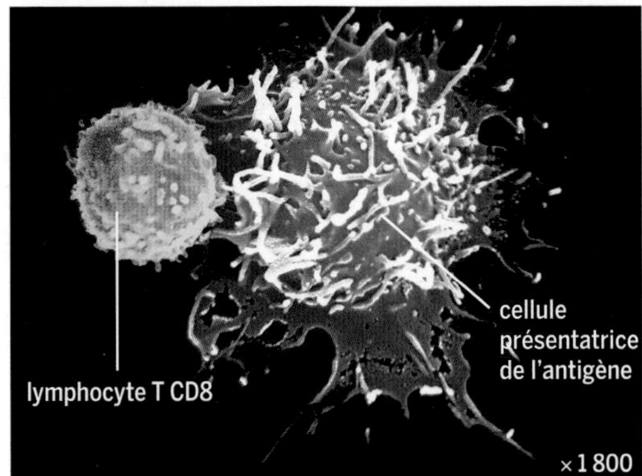

Les cellules dendritiques ayant phagocyté et digéré un élément étranger, par exemple sur les lieux d'une infection, gagnent les ganglions lymphatiques où ils vont présenter l'antigène à de multiples lymphocytes T CD8.

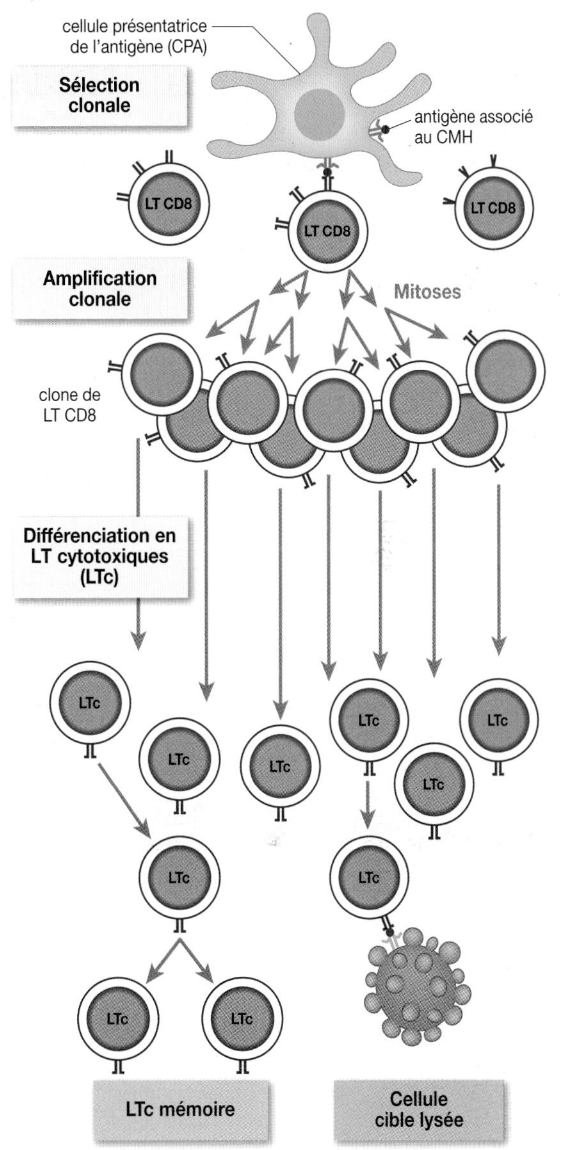

Les étapes de la formation des LTc

- **La sélection clonale**
Parmi les millions de clones de LT CD8, un seul est capable de se lier par son récepteur à l'antigène exposé par la cellule présentatrice. Ce clone est alors activé, ce qui se manifeste par l'entrée en division des cellules de ce clone.
- **L'amplification clonale**
Les cellules du clone activé se multiplient intensément par mitoses.
- **La différenciation**
Toutes les cellules du clone se différencient en LT cytotoxiques. Ces LTc quittent les ganglions lymphatiques pour rejoindre les tissus infectés. Là, ils sont capables de détruire toute cellule exposant en surface le même antigène que celui qui a sélectionné le clone préexistant de LT CD8.

Ces LTc ont une durée de vie limitée : ils meurent à mesure que l'infection régresse.

Certains d'entre eux cependant persistent dans l'organisme et ont une durée de vie plus longue (plusieurs années) avec la capacité de se multiplier pour maintenir leur nombre : ce sont des LTc mémoire.

Doc. 2 Les lymphocytes cytotoxiques proviennent, par une série d'étapes, de lymphocytes T CD8 qui ont été activés par une présentation de l'antigène.

Pistes d'exploitation

PROBLÈME À RÉSOUDRE ► Comment les LT CD8 deviennent-ils des cellules « tueuses », ou lymphocytes cytotoxiques, et comment éliminent-ils les cellules de l'organisme devenues « indésirables » ?

Doc. 1 Expliquez comment un LT CD8 détruit une cellule cible après l'avoir reconnue comme « indésirable » pour l'organisme. Comparez le mode d'action des anticorps (p. 316-317) à celui des lymphocytes cytotoxiques.

Doc. 2 Listez les étapes de la réaction à médiation cellulaire, ou réaction cytotoxique, et définissez chacune par une phrase.

Doc. 1 et 2 Expliquez pourquoi les LTc ne détruisent pas les cellules étrangères à l'organisme, bactéries par exemple.

Lexique, p. 406

Les LT CD4, au centre des réactions adaptatives

Suite à la reconnaissance d'un antigène, différents clones de lymphocytes sont activés : des LB à l'origine des anticorps circulants, des LT CD8, qui donnent naissance à des cellules tueuses, et des LT CD4. *Ce dernier type de lymphocytes joue un rôle fondamental dans l'ensemble des réactions immunitaires adaptatives.*

A Des expériences à analyser

■ PRÉPARATION DES ANIMAUX

1. Des lymphocytes, prélevés chez des souris normales, sont placés dans un milieu de culture afin d'être maintenus en vie.
2. Chez d'autres souris, appartenant à la même souche que les précédentes, on détruit à la naissance tous les lymphocytes par irradiation.
3. Ces souris sont alors réparties en trois lots et reçoivent des injections de cellules immunitaires en culture.

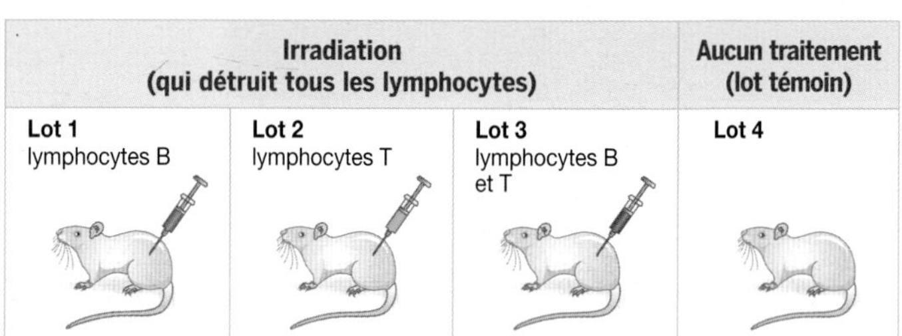

Irradiation
(qui détruit tous les lymphocytes)
Aucun traitement
(lot témoin)
Lot 1
lymphocytes B
Lot 2
lymphocytes T
Lot 3
lymphocytes B et T
Lot 4

■ CONTRÔLE D'IMMUNISATION

1. Les trois lots de souris, ainsi qu'un lot témoin, reçoivent une injection de globules rouges de mouton (GRM) qui jouent ici le rôle d'antigènes.
2. Une semaine plus tard, on prélève du **sérum** chez des souris de chacun des lots et on recherche la présence d'anticorps anti-GRM, donc capables d'agglutiner les GRM.

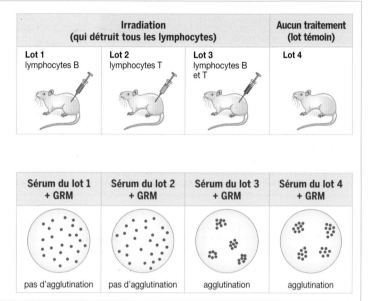

Sérum du lot 1 + GRM	Sérum du lot 2 + GRM	Sérum du lot 3 + GRM	Sérum du lot 4 + GRM
pas d'agglutination	pas d'agglutination	agglutination	agglutination

Doc. 1 L'expérience de Claman (1966) révèle une condition nécessaire à la production d'anticorps.

Des lymphocytes T, prélevés chez un sujet sain, sont cultivés en présence de produits stimulants qui, jouant le rôle d'antigènes, provoquent leur activation. Le surnageant de la culture (liquide dépourvu de cellules) est introduit dans des cultures de lymphocytes B et dans des cultures de lymphocytes T.

Remarques :

– L'analyse biochimique du surnageant révèle, entre autres, la présence d'une substance nommée interleukine 2.
– Avant prélèvement du surnageant, une analyse cytologique précise des lymphocytes de la première culture cellulaire révèle que les cellules productrices d'interleukine 2 sont des lymphocytes T CD4.
– Des cultures de lymphocytes B ou de lymphocytes T ne prolifèrent pas en l'absence de surnageant.

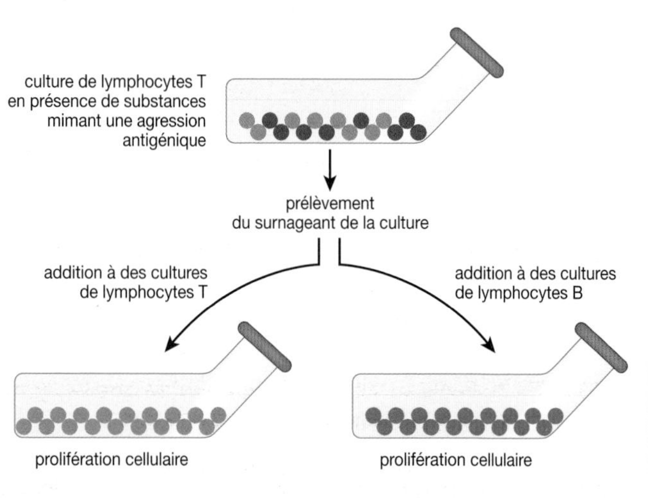

Doc. 2 L'expérience de Morgan et Ruscetti (1975) permet une interprétation de l'expérience de Claman.

B Le mode d'action des lymphocytes T CD4

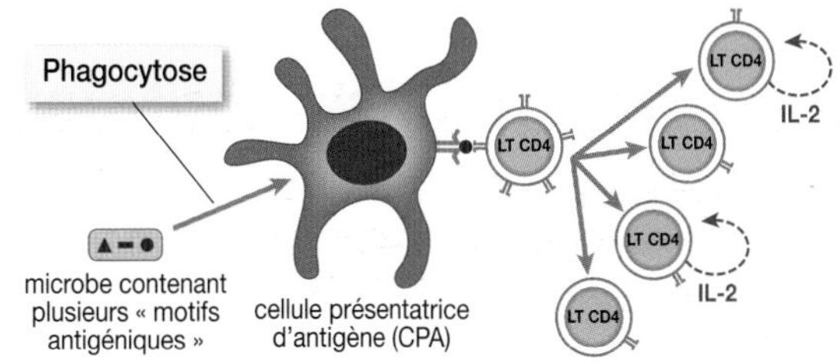

- Les LT CD4 sont sélectionnés par une CPA, de la même façon que les LT CD8. Les LT CD4 ainsi activés se multiplient par mitoses et se différencient en LT auxiliaires (LTa) sécréteurs d'interleukine 2 (IL-2).
- L'interleukine 2 sécrétée par les LTa, d'une part « rétroagit » sur les propres cellules qui l'ont sécrétée (induisant une amplification clonale pouvant atteindre un million de cellules), d'autre part va contrôler les deux types de réponses immunitaires adaptatives (voir doc. 4).
- Lorsque l'antigène disparaît, les LTa meurent progressivement par apoptose, sauf certains qui se transforment en cellules à longue durée de vie, prêts à intervenir en cas de nouvelle agression par le même antigène : ce sont des LTa mémoire.

Une expérience

Des cellules dendritiques et des LT CD4 de souris sont mis en culture en présence de différentes concentrations d'un antigène nommé KLH. La quantité d'interleukine 2 dans le surnageant est mesurée 24 heures après la mise en culture.

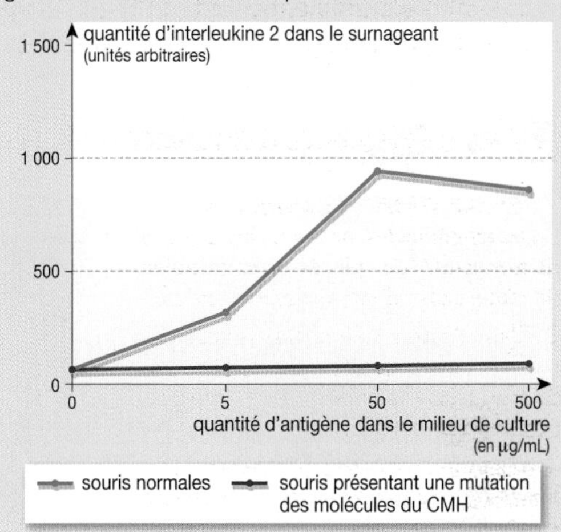

Doc. 3 **Des lymphocytes qui se différencient en cellules sécrétrices de messagers chimiques.**

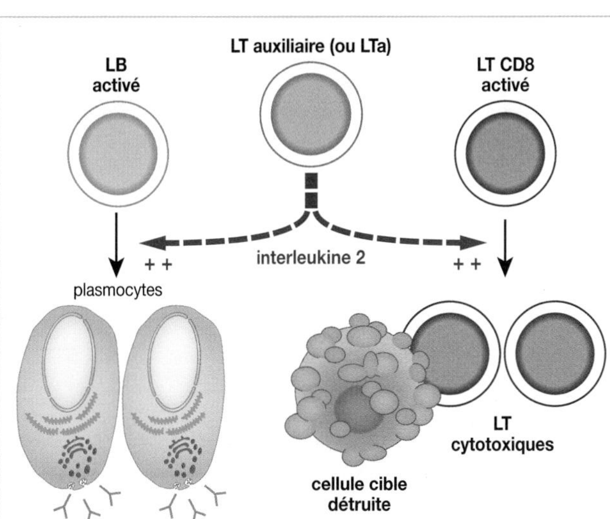

Les interleukines sécrétées par les LTa stimulent la multiplication et la différenciation des lymphocytes B et T CD8 activés (c'est-à-dire ayant reconnu un antigène). En l'absence d'une telle stimulation, les réactions immunitaires adaptatives sont très faibles voire inexistantes.

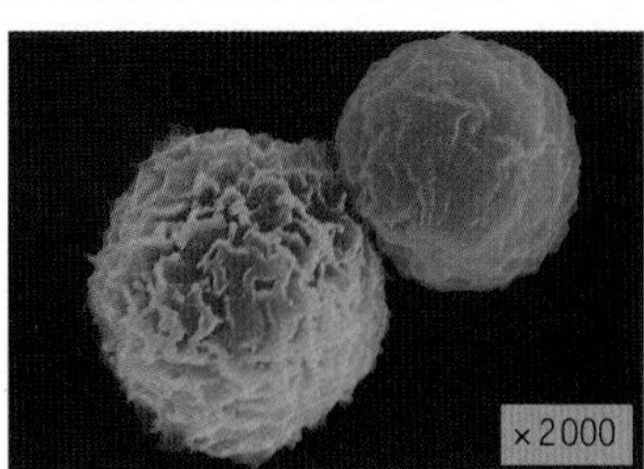

Un LT CD4 (mauve) entre en contact avec un LB (orangé) et le stimule en libérant des interleukines.

Doc. 4 **Des messagers chimiques indispensables au contrôle des réactions immunitaires adaptatives.**

Pistes d'exploitation

PROBLÈME À RÉSOUDRE ► **Pourquoi peut-on dire que les lymphocytes T CD4 sont au centre de toutes les réactions adaptatives ?**

Doc. 1 et 2 Par un raisonnement rigoureux, précisez ce que montre chacune de ces expériences.

Doc. 3 et 4 Expliquez le mode d'action des LT CD4 et dites pourquoi ces lymphocytes sont indispensables à une réaction immunitaire efficace.

Lexique, p. 406

Le SIDA, un effondrement des défenses immunitaires

Le SIDA (syndrome d'immunodéficience acquise) est une maladie virale transmise par voie sanguine ou par voie sexuelle, se traduisant par un effondrement des défenses immunitaires. *Or, nous savons aujourd'hui que les LT CD4 constituent la cible principale du virus de l'immunodéficience humaine, ou VIH.*

A Les LT CD4, cible principale du virus du SIDA

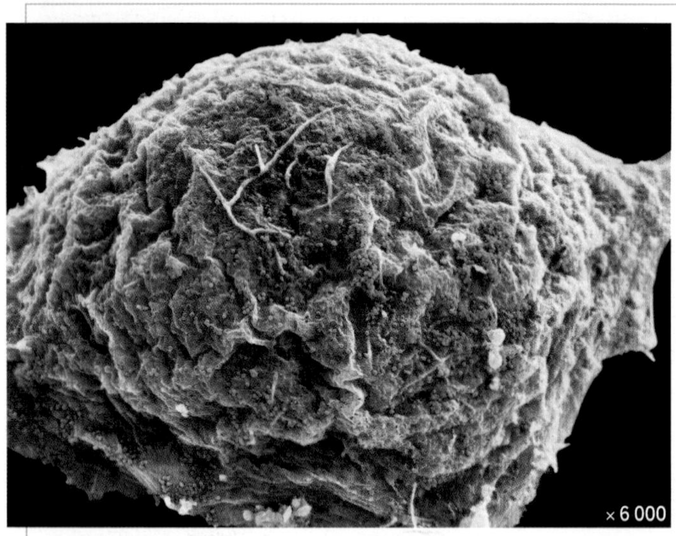

a Particules de VIH (Virus de l'Immunodéficience Humaine) à la surface d'un lymphocyte T CD4

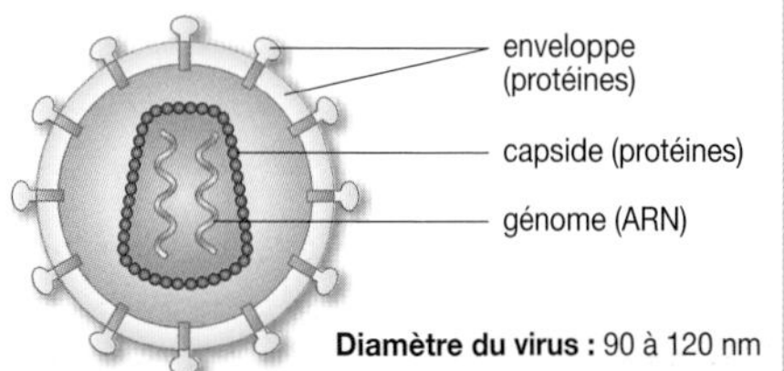

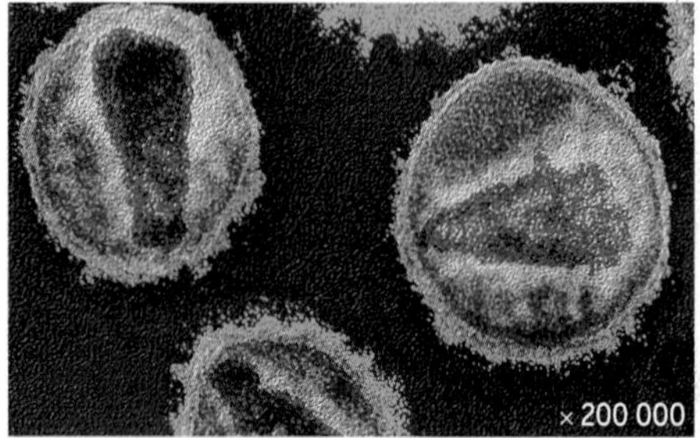

b VIH en coupe, au MET, microscope électronique à transmission (fausses couleurs)

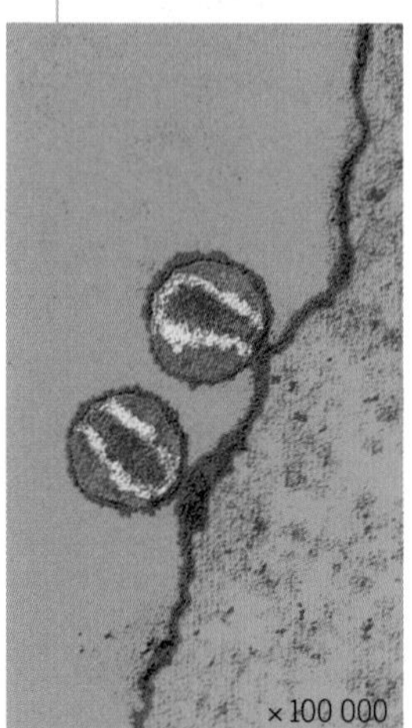

c VIH accolés à la membrane d'un LT CD4, juste avant leur pénétration

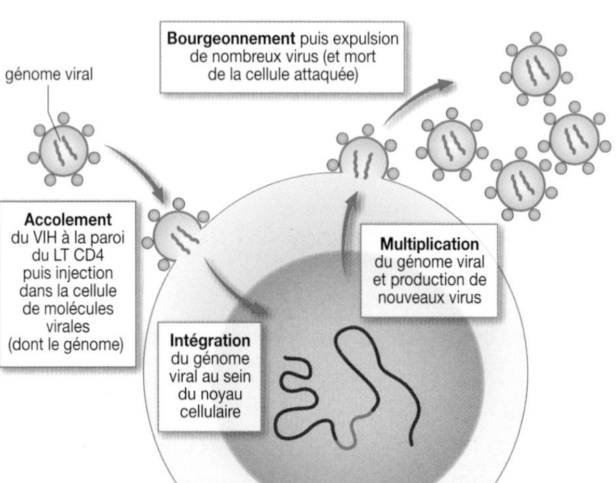

d Cycle de reproduction du VIH au sein d'un lymphocyte T CD4
Une cellule infectée produit environ 1000 nouveaux virus avant de mourir. En phase terminale de la maladie, l'ensemble des cellules infectées de l'organisme peut produire jusqu'à dix mille milliards de virus en 24 heures.

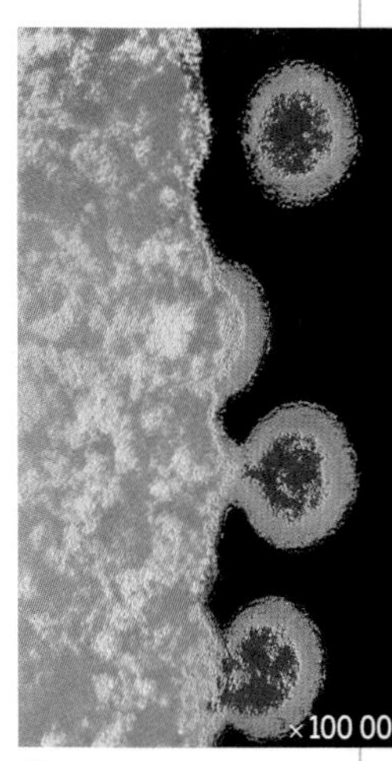

e VIH bourgeonnant à la surface d'un LT CD4

Doc. 1 **Le LT CD4 infecté par le VIH produit de très nombreuses particules virales et finit par mourir.**

B Évolution du nombre de LT CD4 et installation de maladies opportunistes

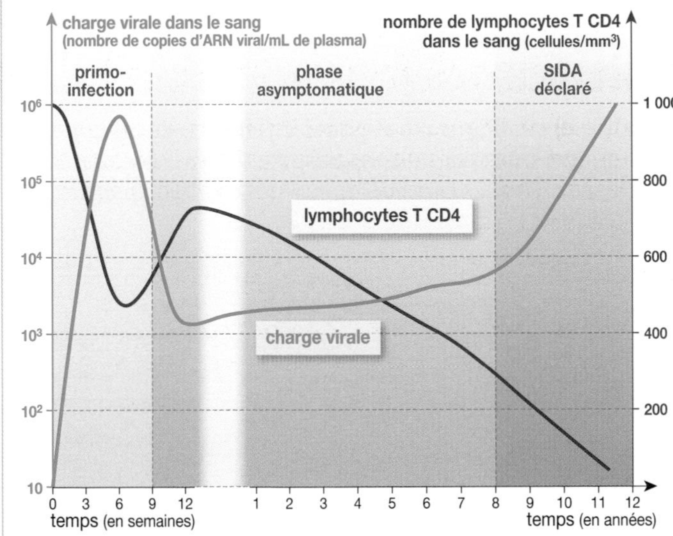

En l'absence de traitement, suite à une infection par le VIH, on observe plusieurs phases successives.

- Après l'infection, une première phase aiguë est caractérisée par une prolifération du virus et un abaissement significatif de la population de LT CD4.
- La situation se stabilise ensuite pendant plusieurs années, un équilibre s'établissant entre les mécanismes de production et d'élimination du virus d'une part, entre la destruction et le renouvellement des LT CD4 d'autre part.
- Finalement, au terme de cette période chronique, la population de LT CD4 descend au-dessous d'un seuil de l'ordre de 200 cellules par mm³ de sang. Des maladies opportunistes se déclarent alors, « profitant » de l'affaiblissement des défenses immunitaires. La maladie entre dans sa phase SIDA.

Doc. 2 Évolution de la charge virale et de la population de LT CD4 suite à une infection par le VIH.

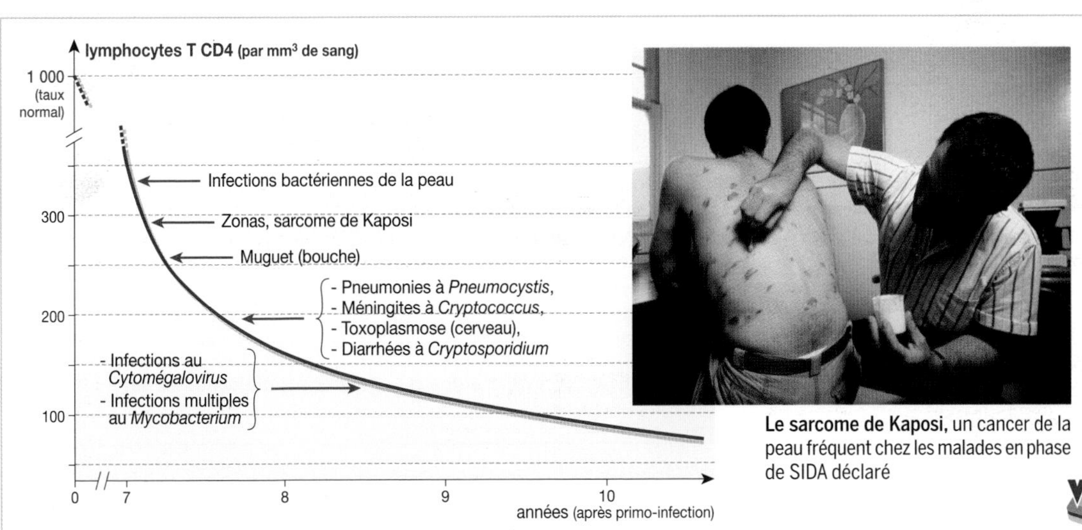

Le sarcome de Kaposi, un cancer de la peau fréquent chez les malades en phase de SIDA déclaré

Vidéo

Doc. 3 Des maladies qui profitent d'un affaiblissement du système immunitaire et peuvent conduire au décès du malade.

Pistes d'exploitation

PROBLÈME À RÉSOUDRE ► **Pourquoi une infection par le VIH aboutit-elle à un effondrement des défenses immunitaires ? Quelles sont les conséquences pour l'organisme de cet effondrement ?**

Doc. 1 Comment le VIH détruit-il les lymphocytes T CD4 ?

Doc. 2 Expliquez l'évolution du nombre de LT CD4 au cours de l'infection chronique ainsi que l'évolution du taux d'anticorps pendant la phase de SIDA déclaré.

Doc. 3 Pourquoi dit-on que les maladies qui s'installent pendant la phase de SIDA déclaré sont des maladies opportunistes ?

Lexique, p. 406

Le répertoire immunitaire

Notre organisme est capable de reconnaître des millions d'antigènes différents. *Cela suppose la genèse préalable d'une énorme diversité de lymphocytes portant des récepteurs (récepteurs B et récepteurs T) capables de se lier à ces antigènes : c'est ce que l'on appelle le* **répertoire immunitaire**.

A Le répertoire des lymphocytes B et sa genèse

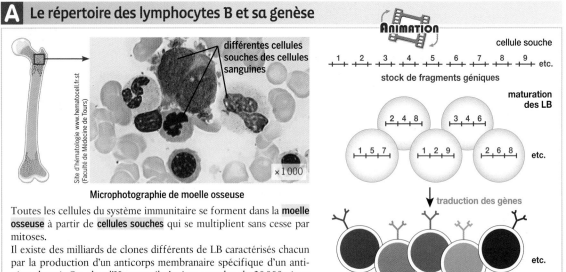

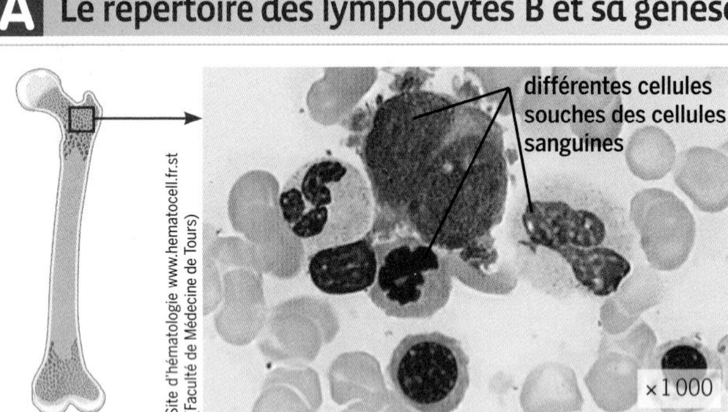

Microphotographie de moelle osseuse

Toutes les cellules du système immunitaire se forment dans la **moelle osseuse** à partir de **cellules souches** qui se multiplient sans cesse par mitoses.

Il existe des milliards de clones différents de LB caractérisés chacun par la production d'un anticorps membranaire spécifique d'un antigène donné. Or, chez l'Homme, il n'existe pas plus de 30 000 gènes parmi lesquels certains seulement gouvernent la synthèse des anticorps. L'énorme diversité de ces protéines est néanmoins possible grâce à des mécanismes génétiques complexes (épissage de l'ARN notamment) résumés par le *schéma ci-contre*. Au cours de sa maturation, un lymphocyte B puise « au hasard » dans son génome quelques fragments de gènes pour élaborer « le » gène qui codera pour « son » anticorps.

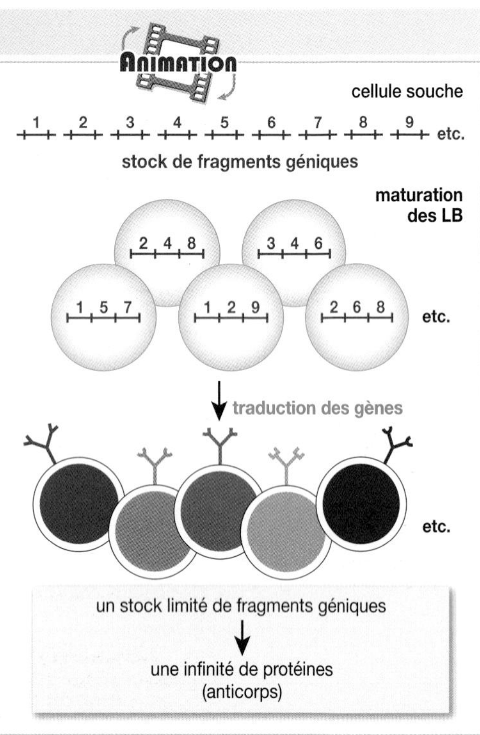

Doc. 1 Une énorme diversité d'anticorps est produite grâce à des mécanismes génétiques complexes.

Étant donnée l'origine aléatoire des gènes codant pour les anticorps membranaires, il est inévitable que de nombreux lymphocytes B puissent, *a priori*, se lier à des molécules normalement présentes dans notre organisme (ce que l'on appelle les « molécules du soi »). Dans un tel cas, des réactions immunitaires seraient dirigées contre nos propres cellules. En fait, dans la moelle osseuse, tout LB capable de se lier aux molécules du soi est éliminé (il meurt par **apoptose**).

Ne sortent donc de la moelle pour gagner la circulation sanguine, c'est-à-dire ne deviennent **immunocompétents**, que les LB capables de reconnaître les molécules étrangères à l'organisme (ou « molécules du non-soi »).

Le répertoire immunitaire des LB est donc constitué par des milliards de clones de LB (sans doute de l'ordre de 10^{12}), capables chacun de reconnaître une molécule du non-soi.

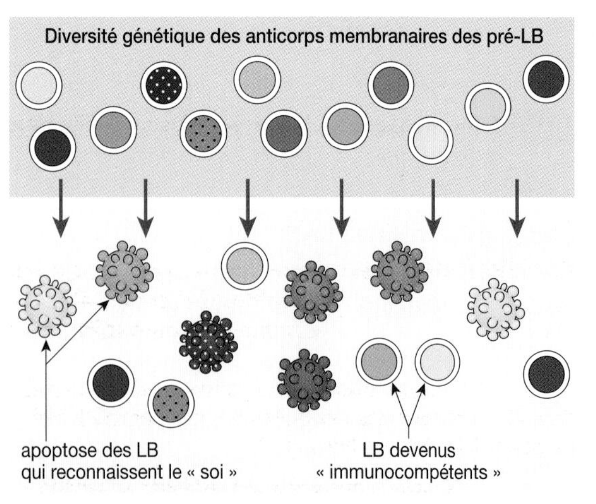

Doc. 2 Tous les lymphocytes produits ne deviennent pas immunocompétents.

B Le répertoire des lymphocytes T et sa genèse

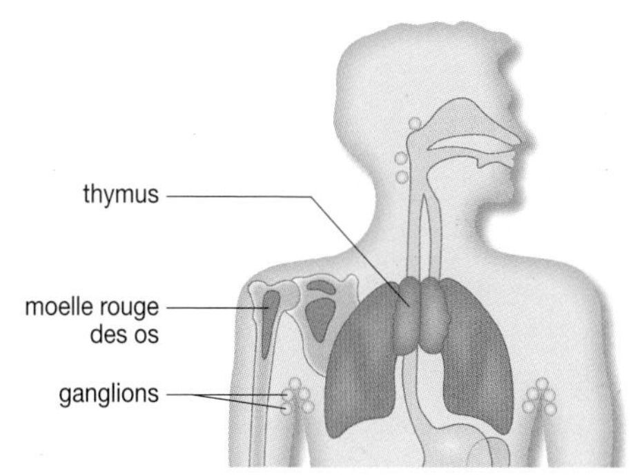

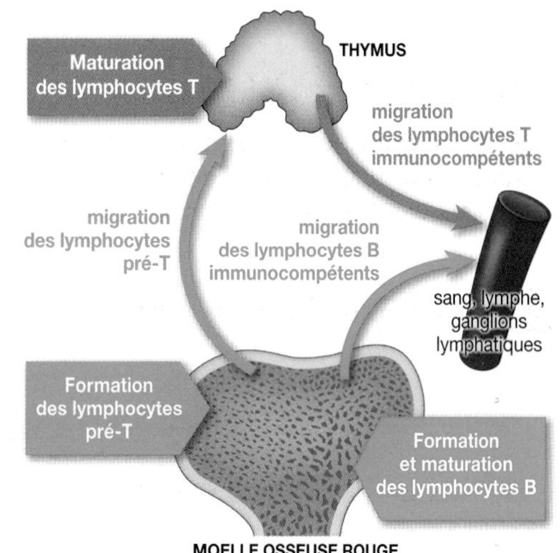

Comme pour les lymphocytes B, les cellules souches des lymphocytes T sont situées dans la moelle rouge des os. Mais, contrairement aux LB, les LT ne sont pas immunocompétents à la sortie de la moelle osseuse ; ils acquièrent cette immunocompétence dans une petite glande, le thymus, située à l'avant de la trachée.

Doc. 3 La maturation des lymphocytes T se fait dans le thymus.

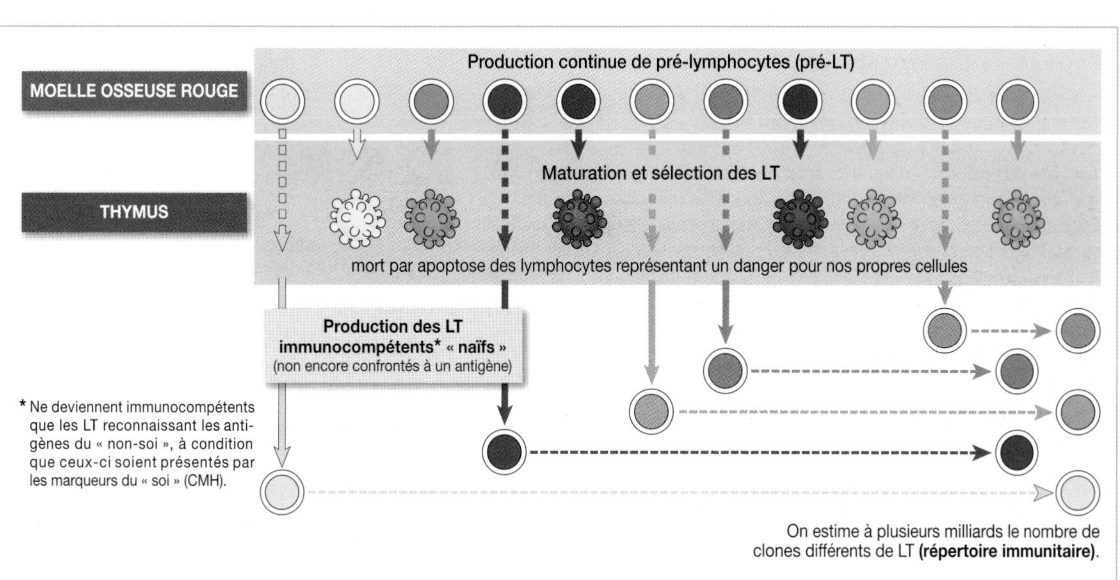

Doc. 4 Une indispensable sélection avant la libération des LT immunocompétents.

Pistes d'exploitation

PROBLÈME À RÉSOUDRE ▶ Dans notre organisme circulent des milliards de clones de lymphocytes capables de reconnaître chacun un antigène donné. Comment un tel « répertoire immunitaire » est-il généré ?

Doc. 1 Comment explique-t-on le paradoxe entre l'infinie diversité des molécules de l'immunité et le nombre limité de gènes dans l'espèce humaine ?

Doc. 1 à 4 Quelles « qualités » doit posséder un lymphocyte pour devenir immunocompétent ?

Doc. 1 à 4 Quels sont les points communs et les différences entre l'acquisition de l'immunocompétence par les lymphocytes T et cette même acquisition par les lymphocytes B ?

Lexique, p. 406

chapitre 2 L'immunité adaptative, prolongement de l'immunité innée

En plus de l'**immunité innée**, immédiatement efficace contre de nombreux agresseurs, les vertébrés développent une **immunité adaptative** (ou **acquise**) qui ne devient performante qu'après un premier contact avec l'antigène.

1 Une immunité spécifique assurée par des lymphocytes

L'immunité adaptative est une **immunité spécifique** car la réaction immunitaire est dirigée contre un seul antigène. Par exemple, l'acquisition par la vaccination (vue en classe de Troisième) d'une immunité contre un microbe donné ne protège pas contre des microbes différents.

Cette immunité est assurée par des **lymphocytes**. Ce sont de petites cellules plus ou moins sphériques, avec un noyau volumineux ; les lymphocytes représentent 20 à 40 % des leucocytes (globules blancs).

On distingue deux types de lymphocytes, différant par la nature de leurs **récepteurs** membranaires qui déterminent leur fonction : les **lymphocytes B** (ou **LB**) et les **lymphocytes T** (ou **LT**). En outre, les lymphocytes T sont divisés en deux sous-types, les **LT CD4** et les **LT CD8**, caractérisés par d'autres **marqueurs** membranaires appelés respectivement CD4 et CD8.

Dans une réaction immunitaire adaptative, la protection de l'organisme contre un « agresseur » est assurée :
– soit par des molécules solubles présentes dans le plasma du sang et de la lymphe (on parle alors d'**immunité à médiation humorale**) ;
– soit directement par certains lymphocytes (on parle, dans ce cas, d'**immunité à médiation cellulaire**).

Dans tous les cas, il y a systématiquement **coopération** entre plusieurs catégories de lymphocytes pour aboutir à l'élimination d'un « agresseur ».

2 De la détection de l'antigène à la production de cellules effectrices

L'entrée ou l'apparition dans l'organisme d'une molécule antigénique déclenche une réaction immunitaire qui se déroule en trois étapes : **sélection clonale**, prolifération ou **amplification clonale** et enfin **différenciation clonale**.

La reconnaissance de l'antigène ou sélection clonale

Les **lymphocytes B** sont spécialisés dans la reconnaissance des antigènes (molécules ou microorganismes étrangers) circulant dans le sang et la lymphe. Un LB repère un antigène grâce à des **anticorps** (ou **immunoglobulines**) fixés sur sa membrane.
Un anticorps est une **protéine complexe en forme de Y** qui résulte de l'assemblage de **quatre chaînes polypeptidiques** identiques deux à deux : **deux chaînes lourdes** (ou H) et **deux chaînes légères** (ou L). Les anticorps portés par un LB donné sont tous identiques mais ils peuvent être différents d'un LB à l'autre.
L'analyse des **séquences** des chaînes polypeptidiques (lourdes ou légères) révèle qu'en partant de l'extrémité des branches de l'Y, la région des 100 premiers acides aminés est variable d'un LB à un autre alors, qu'au-delà, les chaînes sont constantes. Au niveau des **parties variables** se situent les deux **sites anticorps** (sites de fixation de l'antigène) de la molécule d'immunoglobuline.
Si un LB ne peut détecter qu'un antigène précis, il existe dans l'organisme des millions de clones de LB différant par leurs anticorps.
Les **lymphocytes T** sont spécialisés dans la surveillance des membranes des cellules de l'organisme. Ils reconnaissent l'élément étranger grâce à des **immunoglobulines membranaires** appelées **récepteurs T**. Chaque récepteur est formé de deux chaînes polypeptidiques comportant chacune une **partie constante** et une **partie variable** (d'un LT à un autre). C'est au niveau des parties variables que se situe le **site de reconnaissance des antigènes membranaires**.
Contrairement aux LB, un LT est, au départ, incapable de reconnaître directement « son » antigène spécifique (LT « naïf »). L'antigène doit lui être présenté, associé à une molécule du soi (ou molécule du **CMH**), par une cellule spécialisée dite **CPA** (**C**ellule **P**résentatrice de l'**A**ntigène) : il s'agit presque toujours d'une **cellule dendritique** (un des phagocytes).

Ici encore, il existe des millions de clones de LT différents.

L'amplification clonale

Les lymphocytes B ou T ayant été sélectionnés par leur antigène sont **activés**. Cette activation se traduit par une multiplication intense par **mitoses** successives des clones sélectionnés. C'est ce que l'on appelle l'amplification clonale car chaque clone de LB ou de LT sélectionné est, après cette étape, formé de cellules bien plus nombreuses et qui reconnaissent toutes le même antigène.

La différenciation en cellules effectrices

• La différenciation des LB

Une partie des LB produits à la suite de l'expansion clonale se différencie en **plasmocytes**, cellules sécrétrices d'immunoglobulines solubles qui présentent les mêmes sites anticorps que les récepteurs des LB sélectionnés par l'antigène. Une autre partie des LB produits se transforme en **LB mémoire** (voir plus loin).

• La différenciation des LT

Après amplification clonale :
– les **LT CD8** se différencient en **LT cytotoxiques** (ou **LTc**), cellules à durée de vie courte, capables de « tuer » toute cellule « anormale » ;
– les **LT CD4** se transforment en **LT auxiliaires** (ou **LTa**), sécréteurs d'un messager chimique principal, l'**interleukine 2**. Cette molécule a un rôle déterminant : d'une part, elle stimule la multiplication des LB, des LT CD4 et des LT CD8 activés par un contact avec un antigène, d'autre part, elle induit la différenciation des LB en plasmocytes et des LT CD8 en LTc.

Cette stimulation est indispensable : nous savons que, chez les patients atteints du SIDA par exemple, la destruction des LT CD4 entraîne un effondrement des défenses immunitaires et l'apparition des maladies opportunistes. Les LT CD4 jouent donc un rôle central dans l'ensemble des mécanismes immunitaires adaptatifs.

La destruction des cellules « indésirables » de l'organisme par les LTc

Les LT cytotoxiques sont capables de reconnaître des antigènes présents sur la membrane de n'importe quelle cellule « anormale » de l'organisme (cellule cancéreuse, cellule infectée par un virus...). Chaque LTc ne possédant qu'un seul type de récepteur T, il ne reconnaît donc qu'un seul type d'antigène.

Le contact entre LTc et cellule cible déclenche la libération par le LTc de substances qui entraînent, quelques heures plus tard, la **mort de la cellule** :
– soit par **cytolyse** (des protéines libérées par le LTc perforent la membrane de la cellule cible) ;
– soit par **apoptose** (signaux émis par le LTc qui déclenchent une autodestruction, un « suicide », de la cellule attaquée).

La phagocytose assure ensuite l'élimination des débris cellulaires.

La mise en mémoire du contact avec l'antigène

Nous avons vu qu'une partie des LB activés deviennent des LB à durée de vie longue, les **LB mémoire**. De façon comparable, certains **LTc** et **LTa** peuvent se transformer en cellules à durée de vie longue, éventuellement capables de se multiplier. Ces **cellules mémoire**, qui persistent lorsque l'antigène a disparu de l'organisme, sont beaucoup plus nombreuses que les LB ou LT initialement présents dans l'organisme et spécifiques de cet antigène.

3 L'élimination de l'antigène et la mise en mémoire

Les anticorps solubles et l'élimination de l'antigène

Les anticorps, immunoglobulines solubles libérées par les plasmocytes, sont capables de se lier, grâce à leurs sites anticorps, à des antigènes : c'est la **réaction antigène-anticorps**.

– Si l'antigène est lui-même une molécule soluble (toxine microbienne par exemple), le résultat est la formation de **complexes immuns insolubles** qui précipitent.

– Si les molécules antigéniques sont fixées sur la paroi d'une cellule (bactérie par exemple), cette dernière est alors recouverte d'anticorps.

Les anticorps ont donc pour fonction essentielle de neutraliser les antigènes, c'est-à-dire de les rendre biologiquement inertes. D'autres mécanismes, comme la **phagocytose**, interviennent ensuite pour faire disparaître les complexes immuns. Même si les phagocytes peuvent reconnaître directement des antigènes et les phagocyter, ce mécanisme est beaucoup plus efficace si les antigènes sont liés à des anticorps.

4 L'acquisition du répertoire immunitaire

Notre organisme est capable de reconnaître une multitude d'antigènes différents. Cela suppose la création préalable d'une énorme diversité de récepteurs B et T capables de se lier à ces antigènes. Ce sont des mécanismes génétiques complexes qui assurent cette production aléatoire.

Toutes les cellules du système immunitaire se forment dans la **moelle osseuse** à partir de **cellules souches** qui se multiplient sans cesse par mitoses. Parmi les milliards de clones différents ainsi produits :
– beaucoup sont éliminés car il s'agit de clones **autoréactifs**, potentiellement dangereux (leurs récepteurs reconnaissent des motifs moléculaires normalement présents dans l'organisme) ;
– certains deviennent **immunocompétents** (dans la moelle pour les LB, dans le thymus pour les LT), c'est-à-dire capables de défendre l'organisme une fois qu'ils sont passés dans la circulation sanguine.

L'ensemble des clones immunocompétents constitue le **répertoire immunitaire**.

chapitre 2

L'immunité adaptative, prolongement de l'immunité innée

À RETENIR

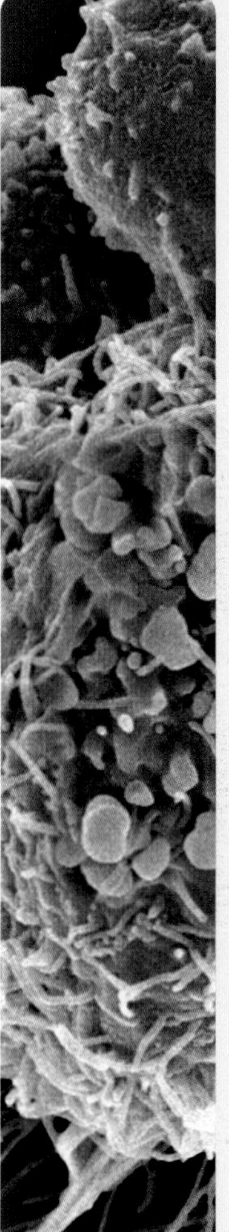

L'**immunité adaptative** est une **immunité acquise** au cours de la vie. La réaction immunitaire, assurée par des **lymphocytes**, est **spécifique** (dirigée contre un antigène précis).

De la détection de l'antigène à la production de cellules effectrices

Les **lymphocytes B** détectent les antigènes dans les liquides de l'organisme grâce aux **anticorps** fixés sur leur membrane. Un anticorps est une **protéine en forme de Y** formée de quatre chaînes polypeptidiques et présentant deux « **sites anticorps** » à l'extrémité des « bras » du Y.

Les **lymphocytes T** détectent les antigènes sur les membranes des cellules de l'organisme grâce à leurs **récepteurs T** membranaires. Formés de deux chaînes polypeptidiques, ils présentent un seul site de reconnaissance de l'antigène. Toutefois, ce dernier doit être présenté au LT par une **cellule présentatrice de l'antigène** (ou CPA).

Les lymphocytes B ou T ayant été **activés** par un contact avec l'antigène se multiplient activement : c'est l'**expansion clonale**.

Les clones ainsi produits vont **se différencier** en **cellules effectrices** de la réponse immunitaire : les **LB** se différencient en **plasmocytes**, cellules sécrétrices d'anticorps (ou immunoglobulines) solubles ; les **LT CD8** se différencient en **LT cytotoxiques** (ou LTc), cellules à durée de vie courte, capables de « tuer » toute cellule « anormale » ; les **LT CD4** se transforment en **LT auxiliaires** (ou LTa), sécréteurs d'un messager chimique principal, l'**interleukine 2** qui stimule tous les lymphocytes activés.

L'élimination de l'antigène

Les anticorps neutralisent les antigènes en se fixant sur eux : c'est la **réaction antigène-anticorps** qui produit des **complexes immuns**. Les **LT cytotoxiques** provoquent la mort de toute cellule « anormale » de l'organisme s'ils reconnaissent sur sa membrane l'antigène qui les a activés. Complexes immuns et débris cellulaires sont ensuite éliminés par la phagocytose.

La mise en mémoire du contact avec l'antigène

Lorsque l'antigène a disparu, des clones de **LB**, de **LTc** et de **LTa** persistent dans l'organisme : ce sont des **cellules mémoire** à longue durée de vie qui permettent à l'organisme de réagir rapidement lors d'un contact ultérieur avec le même antigène.

L'acquisition du répertoire immunitaire

Le **répertoire immunitaire**, c'est l'énorme diversité de récepteurs (récepteurs B et T) qui permettent à notre organisme de reconnaître des milliards d'antigènes différents.

Dans la **moelle osseuse**, des milliards de clones différents de pré-lymphocytes sont produits aléatoirement par des mécanismes génétiques. Seuls survivent et deviennent **immunocompétents** ceux qui ne présentent pas de danger pour l'organisme, c'est-à-dire ceux qui reconnaissent les antigènes étrangers et non les molécules normalement présents à la surface de nos cellules.

Mots-clés

- Immunité adaptative
- Lymphocytes B, T CD8, T CD4, interleukine 2
- Anticorps et récepteurs T
- Cellule présentatrice d'antigène
- Plasmocytes
- Lymphocytes mémoire
- Répertoire immunitaire

Capacités et attitudes

- Recenser, extraire et organiser des informations pour comprendre :
  - les différentes étapes de la réponse immunitaire adaptative ;
  - le rôle des différentes cellules et molécules impliquées dans les deux grands types de réponses immunitaires adaptatives ;
  - la notion de répertoire immunitaire.
- Concevoir un protocole expérimental pour mettre en évidence la spécificité des anticorps.
- Utiliser des logiciels (visualisation moléculaire, comparaison de séquences) pour caractériser la spécificité des molécules de l'immunité.

SCHÉMA BILAN

L'IMMUNITÉ ADAPTATIVE, PROLONGEMENT DE L'IMMUNITÉ INNÉE

ANIMATION

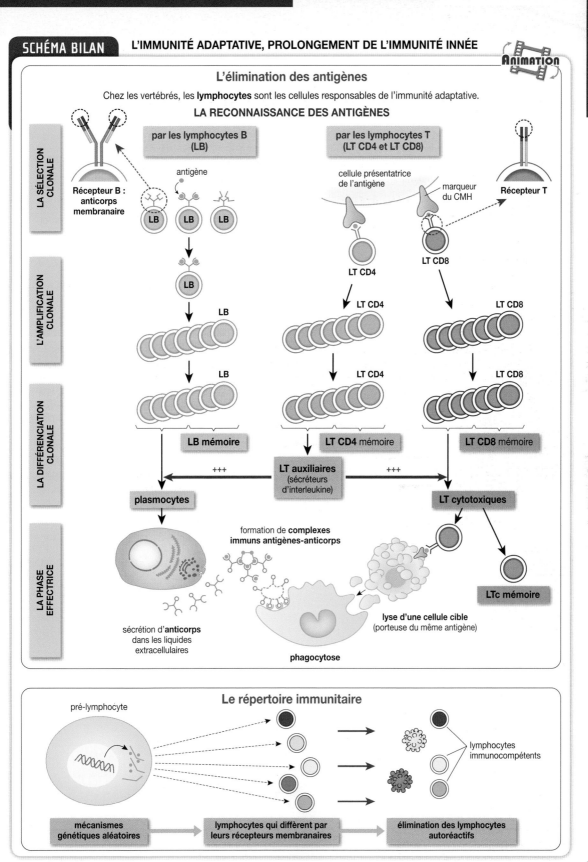

L'élimination des antigènes

Chez les vertébrés, les **lymphocytes** sont les cellules responsables de l'immunité adaptative.

LA RECONNAISSANCE DES ANTIGÈNES

LA SÉLECTION CLONALE

par les lymphocytes B (LB)

Récepteur B : anticorps membranaire

antigène

LB LB LB

par les lymphocytes T (LT CD4 et LT CD8)

cellule présentatrice de l'antigène

marqueur du CMH

Récepteur T

LT CD4

LT CD8

L'AMPLIFICATION CLONALE

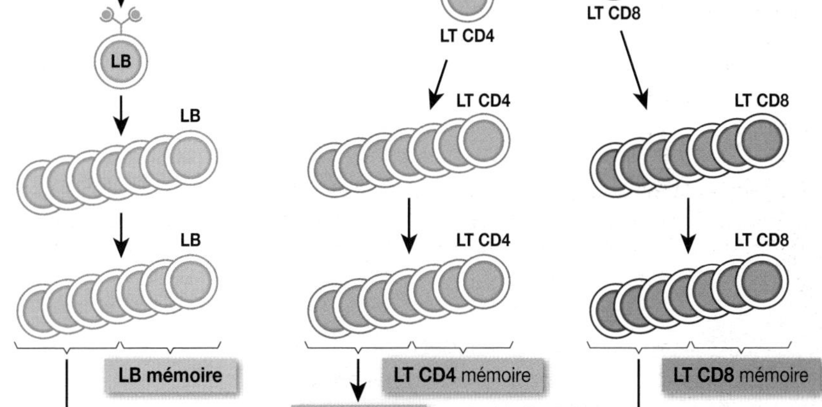

LA DIFFÉRENCIATION CLONALE

LB mémoire

LT CD4 mémoire

LT CD8 mémoire

+++

LT auxiliaires (sécréteurs d'interleukine)

+++

plasmocytes

LT cytotoxiques

LA PHASE EFFECTRICE

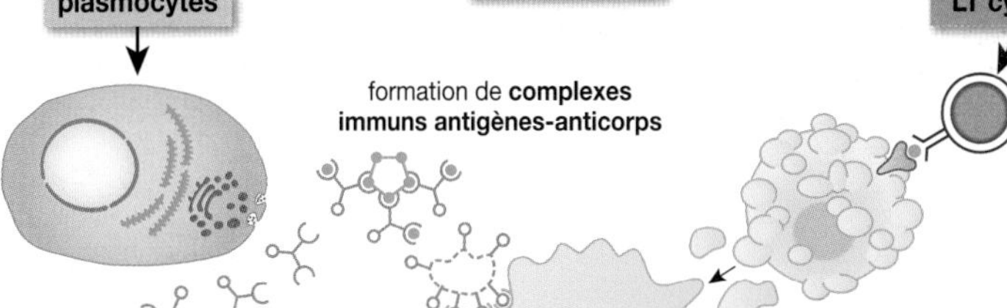

LTc mémoire

lyse d'une cellule cible (porteuse du même antigène)

sécrétion d'**anticorps** dans les liquides extracellulaires

phagocytose

Le répertoire immunitaire

pré-lymphocyte

lymphocytes immunocompétents

mécanismes génétiques aléatoires → **lymphocytes qui diffèrent par leurs récepteurs membranaires** → **élimination des lymphocytes autoréactifs**

Quand le système immunitaire se trompe de cible

• Les maladies auto-immunes, un problème de santé publique

Le système immunitaire permet de détruire les cellules et molécules reconnues comme étrangères. Mais, parfois, ce système très efficace s'attaque aux propres cellules de l'organisme et les détruit. Un tel mécanisme est à l'origine des maladies dites auto-immunes.

La **prévalence** de ces maladies (le nombre de sujets malades dans la population à un moment donné) est importante : elle représente globalement 6 à 7 % des individus, dont les ¾ sont des femmes. C'est la troisième grande cause de maladies en France après les maladies cardiovasculaires et les cancers.

Quelques exemples de maladies auto-immunes

Maladie	Prévalence
Diabète type 1	20 à 30 ‰
Thyroïdite	10 ‰
Polyarthrite rhumatoïde	2 à 10 ‰
Sclérose en plaques	0,2 à 1,5 ‰
Lupus	0,15 à 0,5 ‰

• Un exemple de maladie auto-immune : la polyarthrite rhumatoïde

La **polyarthrite rhumatoïde** (PR) est une maladie inflammatoire chronique qui affecte plusieurs articulations. L'inflammation de la synoviale (membrane qui tapisse la cavité articulaire et en assure la lubrification normale) s'accompagne avec le temps de lésions du cartilage articulaire, de l'os et même des tendons voisins. Les articulations douloureuses gonflent, puis se déforment *(photographie)* ; les gestes quotidiens peuvent devenir difficiles.

Cette maladie atteint environ 200 000 personnes en France. Elle apparaît souvent entre 40 et 60 ans, plus fréquemment chez les femmes.

• Comment explique-t-on la survenue de ces maladies ?

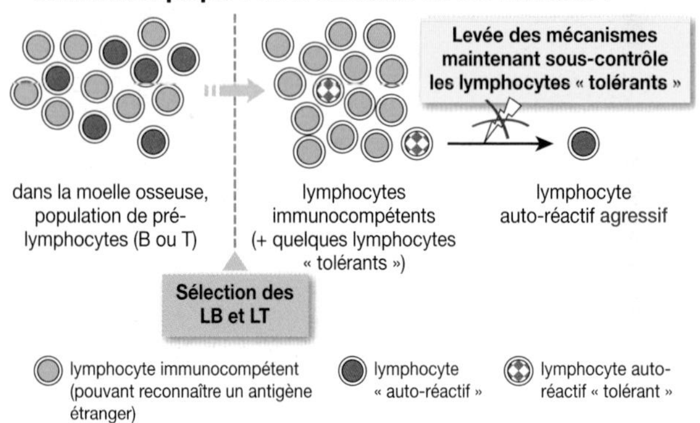

• Des lymphocytes « tolérants »... qui peuvent cesser de l'être !

Normalement, les pré-lymphocytes B et T capables de réagir aux antigènes du soi (cellules autoréactives) sont éliminés. Cependant, quelques lymphocytes échappent à ce tri. Normalement maintenus sous contrôle, ils sont dits « tolérants ».

Sous l'influence complexe de facteurs environnementaux et de prédispositions génétiques, cette inhibition peut être levée et une attaque dirigée contre des antigènes du soi se met alors en place : la maladie auto-immune se déclenche.

• Des dérèglements aux causes multiples

Dans toutes les maladies auto-immunes, l'inflammation observée est la conséquence d'une réaction auto-immune : des anticorps spécifiques de peptides du soi sont notamment sécrétés. Par ailleurs, des LT autoréactifs se manifestent et causent des destructions cellulaires.

L'origine d'un tel dérèglement est complexe : prédisposition génétique, facteurs hormonaux, environnementaux...

Les chercheurs tentent d'une part de soulager les malades, d'autre part de rétablir la tolérance immunitaire (premiers essais de vaccins, utilisation de certaines catégories de LT, de cellules souches...).

Les grandes découvertes en immunologie, à travers quelques prix Nobel

1901

Emil Von Behring reçoit le premier prix Nobel de médecine et de physiologie pour sa découverte de l'existence d'un « facteur humoral » (en fait des anticorps) chez les animaux immunisés contre la diphtérie et le tétanos.

1908

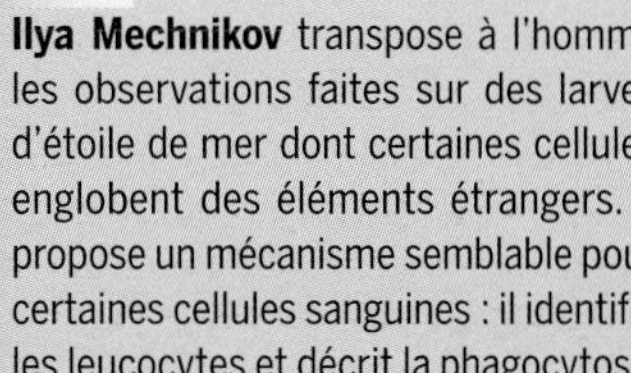

Ilya Mechnikov transpose à l'homme les observations faites sur des larves d'étoile de mer dont certaines cellules englobent des éléments étrangers. Il propose un mécanisme semblable pour certaines cellules sanguines : il identifie les leucocytes et décrit la phagocytose.

1913

Charles Richet est récompensé pour ses travaux sur le « choc anaphylactique », une réaction allergique violente dans laquelle le système immunitaire se retourne contre l'organisme lui-même.

1930

Karl Landsteiner montre l'existence d'incompatibilité entre les sangs de certains individus. Il découvre les groupes sanguins et les explique par l'existence, chez le receveur, d'anticorps naturels contre les cellules du sang du donneur.

1960

Frank Macfarlane Burnet et **Peter Medawar** recherchent pourquoi le système immunitaire identifie et détruit les éléments qui lui sont étrangers mais ne s'attaque pas, la plupart du temps, aux cellules de son propre organisme. Burnet pose l'hypothèse que l'organisme n'est pas programmé pour distinguer ses propres cellules mais qu'un long processus d'apprentissage se met en place au long de la vie embryonnaire. Travaillant sur les greffes de peau et leur rejet, Medawar apporte les principaux résultats expérimentaux qui valident les hypothèses de Burnet.

1972

Gerald Edelman et **Rodney Porter** utilisent des méthodes différentes (l'un la voie enzymatique, l'autre la voie chimique) pour découvrir et analyser la structure des anticorps : chaînes lourdes, légères, régions constantes, régions variables...

1980

Baruj Benacerraf, **Jean Dausset** et **George Snell** découvrent le complexe majeur d'histocompatibilité (CMH) responsable de l'absence de réaction du système immunitaire envers les cellules de son propre organisme. Jean Dausset est le premier à mettre en évidence ce système d'histocompatibilité sur les leucocytes humains et le nomme HLA (Human Leucocyte Antigen).

Jean Dausset

1987

Susumu Tonegawa démontre comment notre organisme est capable de produire des millions d'anticorps différents, à partir de quelques dizaines de milliers de gènes seulement : lors de sa fabrication, chaque lymphocyte hérite d'une combinaison originale entre plusieurs unités géniques, ce qui peut générer un nombre quasi infini de combinaisons différentes à partir d'un nombre restreint de gènes.

1996

Peter Doherty et **Rolf Zinkernagel** expliquent pourquoi les lymphocytes T cytotoxiques s'attaquent aux cellules infectées par un virus mais épargnent les autres grâce au mécanisme de la « double reconnaissance » (CMH + antigène).

2011

Bruce Butler et **Jules Hofmann** (pour leur découverte de l'activation de l'immunité innée) et **Ralf Steinman** (pour sa découverte du rôle fondamental des cellules dendritiques) : voir page 304.

Maîtriser ses connaissances

Pour s'entraîner

1 Définissez les mots ou expressions

Antigène, anticorps, récepteur T, site anticorps, lymphocyte B, lymphocyte T CD4, lymphocyte T CD8, plasmocyte, lymphocyte cytotoxique, lymphocyte T auxiliaire, lymphocyte mémoire.

2 Vrai ou faux ?

Repérez les affirmations exactes et corrigez celles qui sont inexactes.

a. Un anticorps est une protéine capable de se lier spécifiquement à un antigène.

b. La molécule d'anticorps est formée de deux chaînes polypeptidiques, une chaîne lourde et une chaîne légère.

c. La chaîne lourde d'une immunoglobuline est constante (et donc identique d'un anticorps à l'autre) alors que la chaîne légère est variable.

d. Le résultat d'une liaison entre des anticorps et des antigènes solubles est la formation de complexes immuns insolubles qui précipitent.

e. La phagocytose d'une bactérie est facilitée lorsque celle-ci est recouverte d'anticorps fixés sur les antigènes de sa paroi.

f. La détection d'un antigène par un lymphocyte B déclenche une sécrétion immédiate d'anticorps par ce lymphocyte.

g. Le lymphocyte T reconnaît les antigènes dissous dans les liquides de l'organisme.

h. Les lymphocytes cytotoxiques proviennent de la multiplication clonale de LT CD4 qui se différencient ensuite en cellules tueuses.

i. Les LT CD4 agissent sur les autres lymphocytes grâce à la sécrétion d'anticorps.

3 Questions à réponse courte

a. Quelles sont les trois grandes phases d'une réponse immunitaire adaptative ?

b. En quoi y a-t-il une coopération entre les réponses immunitaires innée et adaptative ?

c. Pourquoi la réponse immunitaire adaptative est-elle lente à se mettre en place ?

d. Quel est le rôle des LT CD4 dans la réponse immunitaire adaptative ?

Objectif BAC

4 Origine et rôle des anticorps

QUESTION DE SYNTHÈSE :

Lors d'une infection virale, la grippe par exemple, des anticorps sont produits puis sécrétés dans les liquides de l'organisme (le sang et la lymphe).

Présentez les différentes cellules et les mécanismes impliqués dans la production puis dans la sécrétion d'anticorps dirigés contre le virus infectant.

Votre réponse devra comporter une introduction et une conclusion, ainsi qu'un ou plusieurs schémas mettant en évidence les différents types cellulaires impliqués.

5 La destruction des cellules infectées

A. QUESTION À CHOIX MULTIPLES 

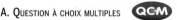

Choisissez la bonne réponse pour chaque série d'affirmations.

1. **Les lymphocytes B :**

a. sont des acteurs de la réponse immunitaire innée ;
b. deviennent immunocompétents dans le thymus ;
c. protègent l'intégrité de nos cellules ;
d. libèrent, une fois transformés en plasmocytes, des anticorps solubles de même spécificité que ceux qu'ils possèdent au niveau de leurs membranes.

2. **Les lymphocytes T CD4 :**

a. sont des acteurs de la réponse immunitaire innée ;
b. reconnaissent directement les antigènes circulants ;
c. peuvent se transformer en LT auxiliaires après stimulation antigénique ;
d. possèdent des immunoglobulines membranaires formées par quatre chaînes polypeptidiques.

3. **Les lymphocytes T CD8 :**

a. sont des acteurs de la réponse immunitaire innée ;
b. sont nécessaires à la production des anticorps ;
c. ne reconnaissent un antigène que si celui-ci est associé à une molécule du CMH ;
d. ne se transforment jamais en cellules mémoire.

QUESTION DE SYNTHÈSE :

Lors d'une infection virale, la grippe par exemple, le virus se multiplie dans certaines cellules. Le système immunitaire met en œuvre des mécanismes pour détruire les cellules infectées.

Présentez les différentes cellules et les mécanismes impliqués dans la reconnaissance puis dans la destruction des cellules infectées.

Votre réponse devra comporter une introduction et une conclusion, ainsi qu'un ou plusieurs schémas mettant en évidence les différents types cellulaires impliqués.

6 Le principe de fonctionnement d'un test de grossesse  Comprendre et raisonner

Dès les premiers jours de son implantation dans l'utérus, le jeune embryon sécrète une hormone : l'HCG (hormone chorionique gonadotrope humaine). Cette hormone est une glycoprotéine formée de deux sous-unités (α et β) représentant chacune un antigène différent.
Chez la femme enceinte, une partie des molécules d'HCG passe dans les urines sans être dégradée. Le test de grossesse consiste à rechercher la présence de cette hormone dans les urines de la femme présumée enceinte.

Choisissez la bonne réponse pour chaque affirmation.

1. **La ligne bleue (horizontale dans la fenêtre de gauche et verticale à droite) est due à la fixation des anticorps anti-HCG colorés :**
a. sur les anticorps anti-HCG incolores ;
b. sur les anticorps anti-anticorps ;
c. sur les molécules d'HCG ;
d. à la fois sur les anticorps anti-anticorps et sur les anticorps anti-HCG incolores.

2. **La ligne bleue verticale apparaissant dans la fenêtre de gauche est due à la fixation de molécules d'HCG :**
a. d'abord sur les anticorps anti-HCG incolores, puis sur les anticorps anti-HCG colorés ;
b. d'abord sur les anticorps anti-HCG colorés, puis sur les anticorps anti-HCG incolores ;
c. d'abord sur les anticorps anti-anticorps, puis sur les anticorps anti-HCG colorés ;
d. en même temps sur les anticorps anti-anticorps et sur les anticorps anti-HCG colorés.

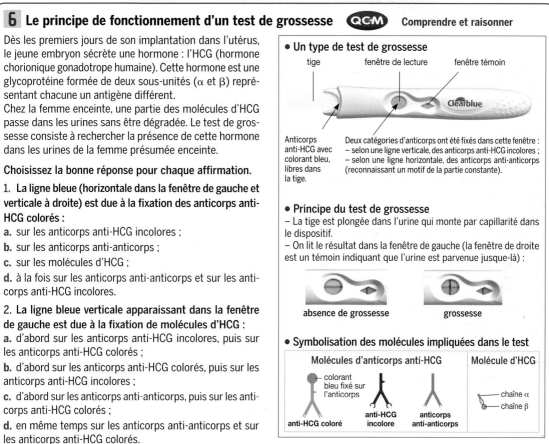

• Un type de test de grossesse

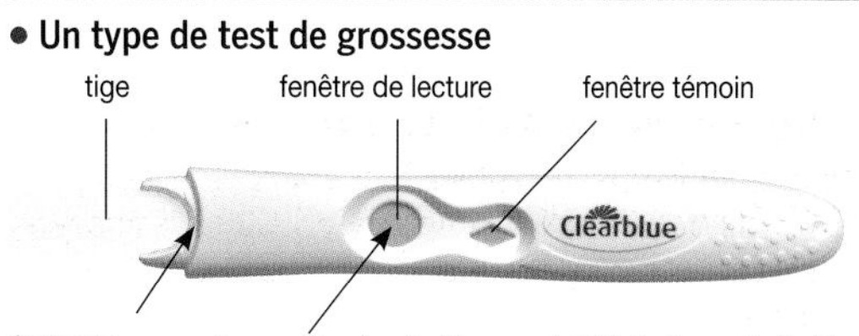

• Principe du test de grossesse

– La tige est plongée dans l'urine qui monte par capillarité dans le dispositif.
– On lit le résultat dans la fenêtre de gauche (la fenêtre de droite est un témoin indiquant que l'urine est parvenue jusque-là) :

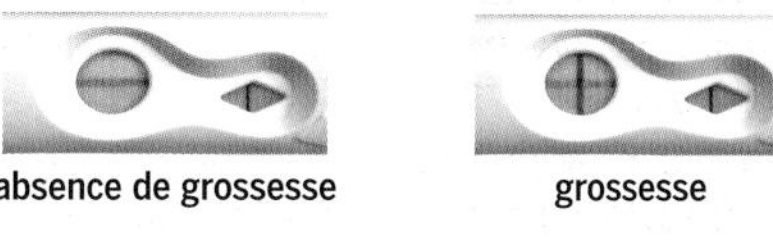

• Symbolisation des molécules impliquées dans le test

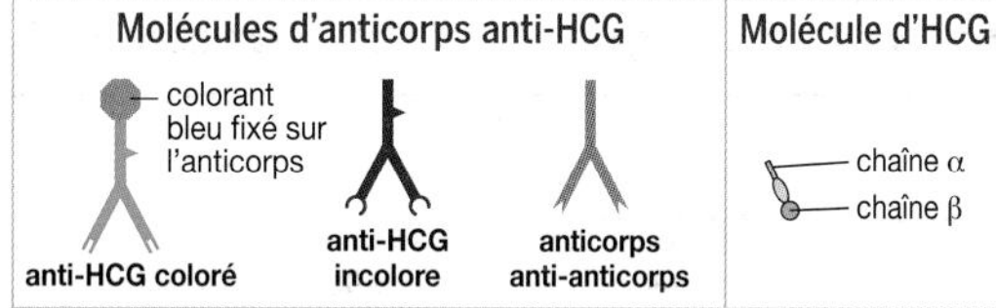

7 Identification des cellules productrices d'anticorps Exploiter des documents, raisonner

Les anticorps sont des protéines libérées dans le sang lors de la réaction immunitaire adaptative. Le rôle des anticorps est de neutraliser les antigènes. En 1968, Mitchell et Miller ont réalisé une expérience dans le but d'identifier les cellules à l'origine de la production d'anticorps.

Question :
Expliquez comment cette expérience permet d'identifier les cellules à l'origine de la production d'anticorps.

Document : **expérience de Mitchell et Miller**

Mitchell et Miller utilisent des souris de souche CBA. Ces dernières subissent à la naissance un traitement qui permet de détruire tous les lymphocytes T.

Les expérimentateurs injectent alors à ces souris des lymphocytes T (LT) provenant de souris de la souche H2B. Ces souris possèdent donc un système immunitaire « hybride » : des lymphocytes B (LB) de souche CBA et des LT de souche H2B.

On injecte à ces souris des globules rouges de mouton (GRM) qui constituent des antigènes pour la souris. Après une semaine, on prélève la rate des souris (cet organe contient, en particulier, un grand nombre de LB et de LT). On sépare alors les cellules de rate en trois lots auxquels on fait subir des traitements différents :
- **Lot 1 :** on ajoute des anticorps anti-cellules-CBA ainsi qu'une substance qui détruit les complexes immuns ;
- **Lot 2 :** on ajoute des anticorps anti-cellules-H2B ainsi qu'une substance qui détruit les complexes immuns ;
- **Lot 3 :** pas de traitement.

On évalue alors la capacité à produire des anticorps anti-GRM dans les trois lots :

Lot 1	Lot 2	Lot 3
–	+++	+++

+++ signifie production d'anti-corps anti-GRM

8 Tétrahydrocannabinol et réponse immunitaire

Pratiquer une démarche scientifique, argumenter

Exercice TYPE BAC

Une étude scientifique a été menée concernant l'action du THC, le tétrahydrocannabinol, sur le système immunitaire. Le THC est une substance active du cannabis soupçonnée de diminuer la réponse immunitaire face à des cellules cancéreuses.

Question :

En utilisant les documents 1, 2 et 3 mis en relation avec les connaissances acquises, confirmer les soupçons concernant l'action du THC sur le système immunitaire.

Document 1 : évaluation du développement des tumeurs

Afin d'étudier le développement de tumeurs en présence de THC, l'expérience suivante a été réalisée. On dispose de deux lots de souris saines, non immunisées, chez lesquelles on implante des cellules cancéreuses :

– Le premier lot est un lot témoin qui ne reçoit aucune injection de THC ;

– le second lot est expérimental : les souris ont été soumises quatre fois par semaine à des injections de THC, avant et après implantation des cellules cancéreuses.

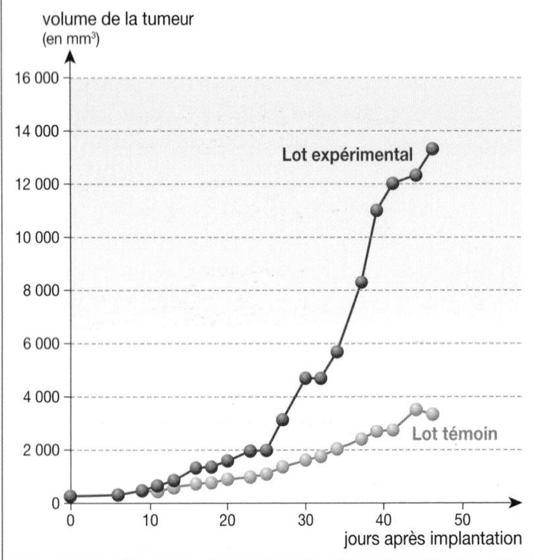

Document 2 : évaluation de la prolifération des lymphocytes T

Face au développement d'une tumeur, une réaction immunitaire se développe, qui met notamment en jeu une activation des lymphocytes T. Les lymphocytes T activés se multiplient suite à un contact avec des cellules présentant des fragments antigéniques de surface, comme les cellules tumorales. Lot témoin et lot expérimental sont les mêmes lots que ceux du document 1.

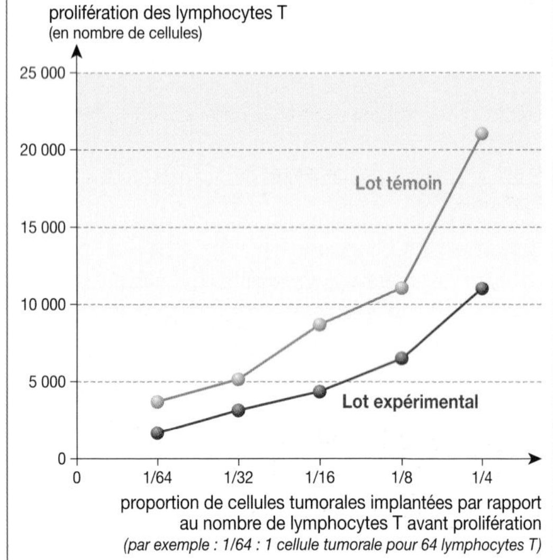

Document 3 : évaluation de la protection immunitaire apportée par une immunisation

En utilisant toujours les mêmes lots (lot témoin et lot expérimental), on recherche les possibilités de rejet, par le système immunitaire des souris, des cellules tumorales injectées. On fait varier le nombre de cellules tumorales vivantes injectées.

	Nombre de souris rejetant la tumeur par rapport au nombre total de souris du lot	
Nombre de cellules tumorales vivantes injectées	**Lot expérimental**	**Lot témoin**
1×10^5	8 / 8	8 / 8
2×10^5	5 / 8	8 / 8
3×10^5	4 / 8	8 / 8

Utiliser ses capacités expérimentales

9 Le sérodiagnostic de la brucellose

Concevoir et réaliser un protocole, communiquer, raisonner

SE PRÉPARER aux épreuves pratiques du BAC

■ Problème à résoudre

La brucellose animale est une maladie due à une bactérie du genre *Brucella* qui provoque notamment des avortements chez les bovins, les ovins et les caprins. On se propose d'effectuer un sérodiagnostic, c'est-à-dire de rechercher la présence ou l'absence d'anticorps anti-*Brucella* dans le plasma d'un animal dont le statut, séropositif ou séronégatif, est inconnu.

■ Conception et réalisation d'un protocole expérimental

– Listez le matériel dont vous disposez.
– Concevez un protocole permettant d'effectuer le sérodiagnostic de la brucellose en justifiant les différentes étapes.
– Réalisez le test de sérodiagnostic de la brucellose. Vous allez être amenés à effectuer des mélanges de produits : pour chaque produit, on utilisera un volume de 30 µL.
– Il est important de mélanger très soigneusement les produits.

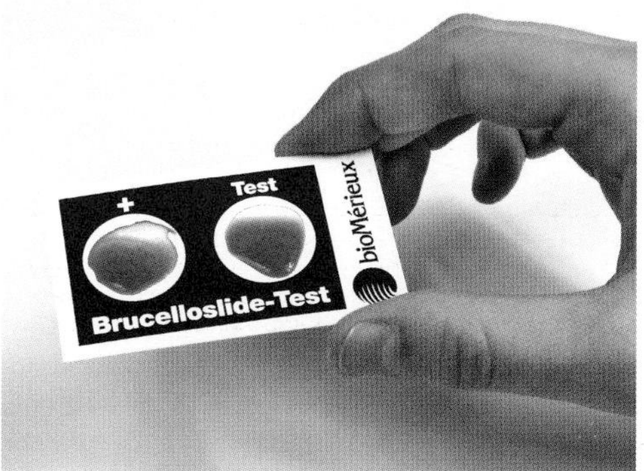

Une astuce pour bien homogénéiser un mélange de deux liquides : prendre la plaquette-support entre le pouce et l'index, effectuer un mouvement de rotation pendant 2 à 3 minutes.

■ Matériel disponible

– Kit de sérodiagnostic de la brucellose contenant :
  – une suspension de *Brucella* inactivés ;
  – le sérum d'un animal guéri de la brucellose ;
  – le sérum d'un animal au statut inconnu.
– Une « propipette » à embouts interchangeables.
– Un support pour mélanger les gouttes (du bristol par exemple).
– Plusieurs agitateurs pour effectuer les mélanges.

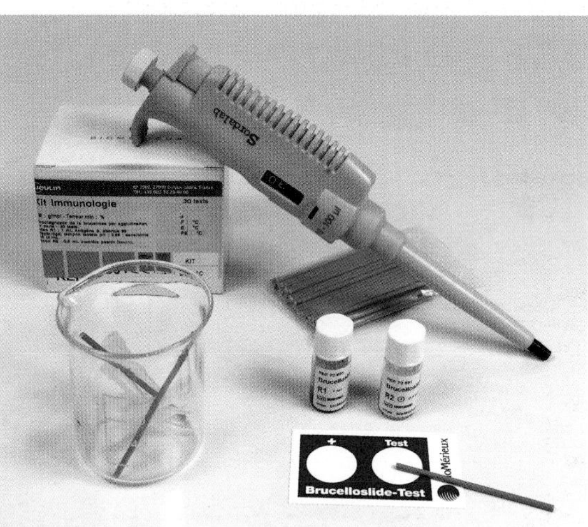

■ Exploitation et communication des résultats

Deux cas sont possibles :
– le mélange reste parfaitement limpide ;
– il apparaît des petits grumeaux au sein du mélange.

Observez l'aspect des deux mélanges que vous avez réalisés et dites si l'animal au statut inconnu était séropositif ou séronégatif vis-à-vis de la brucellose.

En utilisant des symboles représentant antigène et anticorps, schématisez ce qui s'est passé au sein des mélanges.

■ Un exemple de résultat

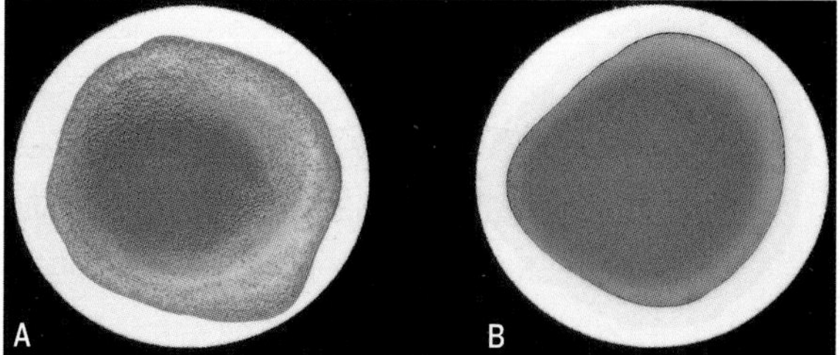

Un résultat possible après mélange des gouttes

Des DOCUMENTS pour se poser des questions

Un apiculteur qui n'a pas peur des piqûres d'abeille

Cet apiculteur (sans combinaison de protection) explique à des touristes (avec combinaison !) le fonctionnement d'une ruche.
Ayant été piqué de multiples fois en exerçant son métier, l'apiculteur est maintenant, au bout de plusieurs années, devenu quasiment insensible aux piqûres d'abeilles.

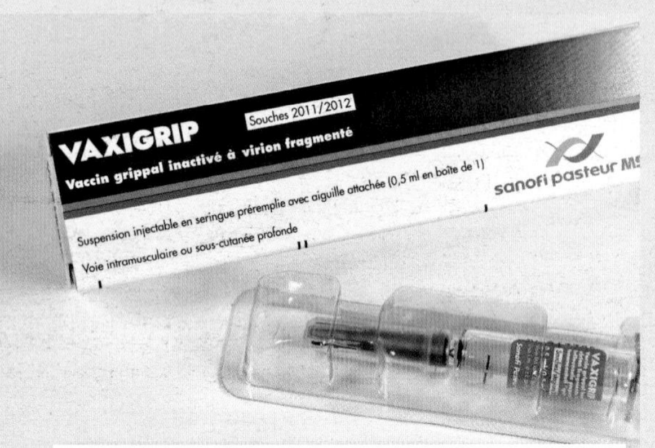

La vaccination contre la grippe

Chaque année, en février, l'Organisation Mondiale de la Santé (OMS) choisit les trois souches de virus grippaux recommandées pour la fabrication du vaccin destiné aux pays de l'hémisphère Nord.
Pour la saison 2011-2012, les experts ont recommandé les souches suivantes :
- A/California/7/2009 (H1N1), inchangée ;
- A/Perth/16/2009 (H3N2), inchangée ;
- B/Brisbane/60/2008, inchangée.

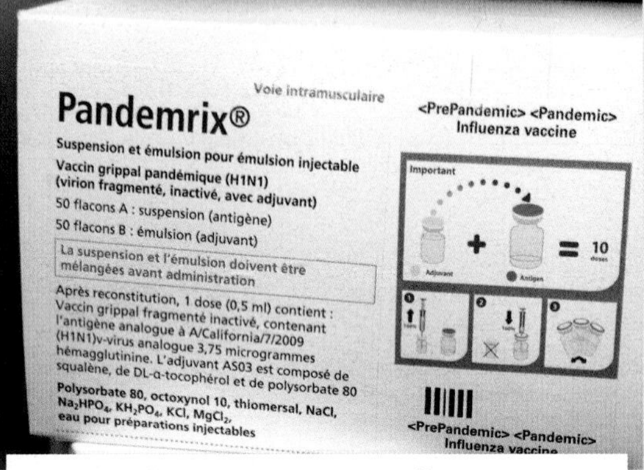

Des vaccins avec ou sans adjuvants

Peu de personnes avaient entendu parler des adjuvants ajoutés à un vaccin avant la campagne de vaccination contre la grippe A (H1N1), en 2009. Deux vaccins (avec ou sans adjuvant) étaient disponibles, le second étant réservé aux personnes « à risques ».
L'« intérêt » des adjuvants est qu'avec la dose d'antigène nécessaire pour faire une dose de vaccin sans adjuvant, on peut produire quatre doses de vaccin avec adjuvant.

LES PROBLÉMATIQUES DU CHAPITRE

- **Comment la vaccination permet-elle d'éviter certaines maladies ?**
- **Que contient un vaccin ? Quel est le rôle des adjuvants ?**
- **Qu'appelle-t-on « phénotype immunitaire » ?**
- **Comment celui-ci se constitue-t-il et évolue-t-il au cours de la vie ?**

Certaines vaccinations sont pratiquées dès le plus jeune âge.

Le phénotype immunitaire au cours de la vie

LES ACTIVITÉS DU CHAPITRE

La mémoire immunitaire

Certaines maladies infectieuses ne se contractent qu'une seule fois au cours de la vie. *Tout se passe donc comme si l'organisme gardait en mémoire le premier contact avec un antigène et était capable de l'éliminer rapidement lors d'un second contact.*

A Une mise en évidence de la mémoire immunitaire

Deux lots de souris (lots A et B) reçoivent une première injection de globules rouges de mouton (GRM) au jour 0. Ces GRM jouent le rôle d'antigènes car ils sont reconnus comme étrangers par la souris.

■ EXPÉRIENCE 1

Tous les deux jours, une souris du lot A est sacrifiée, on prélève sa rate et, à l'aide d'une technique appropriée d'immunologie, on détermine le nombre de lymphocytes B sécréteurs d'anticorps anti-GRM.
Trente jours après la première injection, les souris restantes reçoivent une seconde injection de GRM. Les prélèvements de rate se poursuivent chaque jour et les LB sécréteurs d'anticorps anti-GRM sont dénombrés.

Souris du lot A	GRM ↓ Souris ayant reçu la 1re injection de GRM					GRM ↓ Souris ayant reçu la 2e injection de GRM						
Jour de prélèvement	0	2	4	6	8	30	32	34	36	38	40	42
Nombre de LB sécréteurs d'anti GRM (en milliers)	0	3	15	90	20	1	180	850	500	300	100	70

■ EXPÉRIENCE 2

Comme les souris du lot A, les souris du lot B ont reçu une injection de globules rouges de mouton (GRM) au jour 0, mais, au jour 30, les souris restantes reçoivent une injection de globules rouges de lapin (GRL).
Les prélèvements de rate se font tous les deux jours comme précédemment à partir du jour 0, mais, cette fois-ci, on ne dénombre pas les LB sécréteurs d'anticorps anti-GRM mais les LB sécréteurs d'anticorps anti-GRL.

Souris du lot B	GRM ↓ Souris ayant reçu la 1re injection de GRM					GRL ↓ Souris ayant reçu une injection de GRL						
Jour de prélèvement	0	2	4	6	8	30	32	34	36	38	40	42
Nombre de LB sécréteurs d'anti GRL (en milliers)	0	0	0	0	0	0	2	75	95	20	10	3

Doc. 1 Sécrétion d'anticorps suite au contact avec des antigènes.

Le rejet d'un greffon est dû à l'action de cellules immunitaires qui reconnaissent les cellules de ce greffon comme différentes de celles de l'organisme receveur.

Les *expériences de greffe ci-dessous* ont été réalisées avec une seule souris blanche (receveuse) et deux souris donneuses (A et B) au pelage différent.

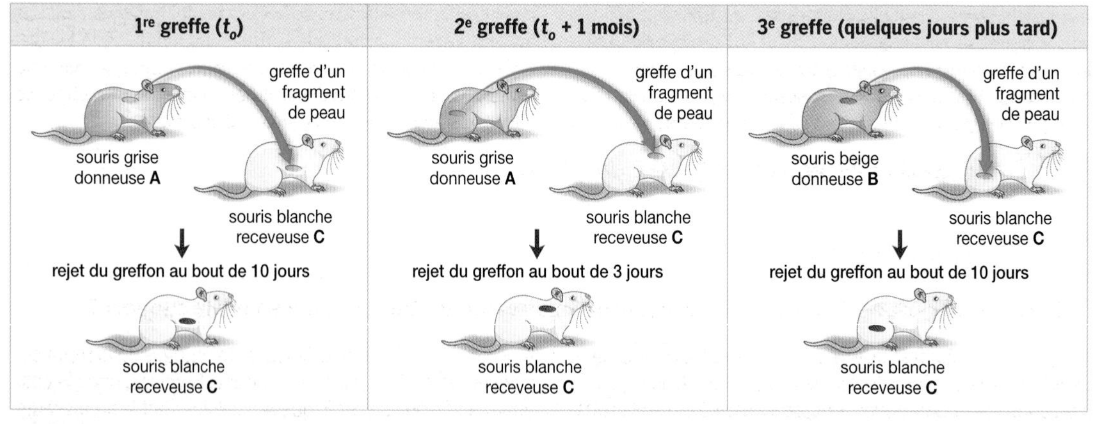

Doc. 2 Vitesse de rejet du greffon chez une souris recevant successivement trois greffes de peau.

B Réponse primaire et réponse secondaire

• On injecte à une souris un antigène A et on mesure le taux plasmatique d'anticorps spécifiques anti-A.

• Lorsque ce taux est redevenu presque nul (au bout de 50 jours environ), on pratique une seconde injection du même antigène, et, en même temps, on injecte un antigène B, différent du précédent.

• On suit, dans le plasma, les taux d'anticorps spécifiques anti-A et anti-B.

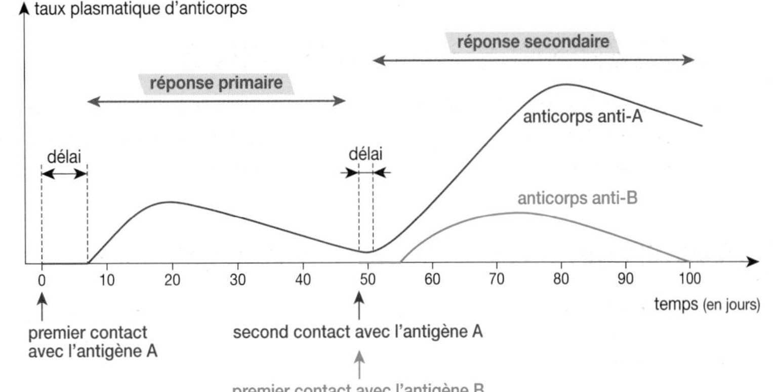

Doc. 3 Évolution du taux plasmatique d'anticorps suite à deux injections successives du même antigène.

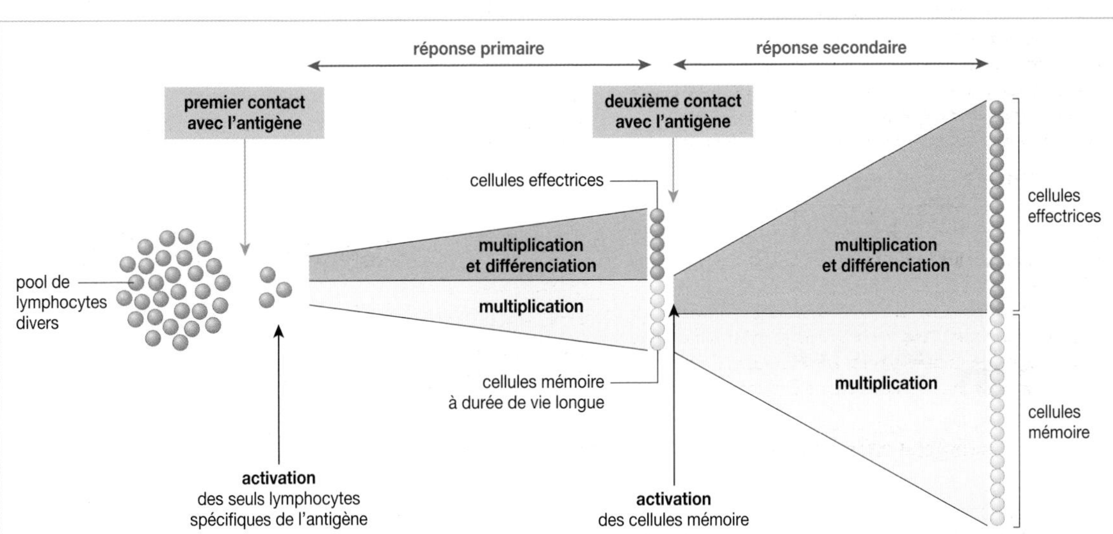

• Nous avons vu dans le chapitre précédent que l'activation d'un clone de LB ou de LT par un antigène donné se traduisait par une prolifération clonale puis une différenciation conduisant à des cellules effectrices : plasmocytes, LT cytotoxiques et LT auxiliaires. Ces cellules ont une durée de vie très courte (quelques jours à quelques dizaines de jours) puis elles meurent par apoptose : elles ne peuvent donc pas constituer le support de la mémoire immunitaire.

• Certains lymphocytes résultant de la prolifération peuvent en revanche persister longtemps sous forme de **cellules mémoire.** Leur durée de vie peut être très longue (des dizaines d'années) comme le montre le fait que l'on ne contracte pas deux fois certaines maladies infectieuses telles que la rougeole. La longévité de cette mémoire s'explique par une prolifération contrôlée des cellules mémoire qui compense à long terme la mort de certaines d'entre elles.

Doc. 4 Le support cellulaire de la mémoire immunitaire.

Pistes d'exploitation

PROBLÈME À RÉSOUDRE ► Pourquoi parle-t-on de mémoire immunitaire et quel en est le support ?

Doc. 1 et 2 Montrez que ces expériences mettent en évidence l'existence d'une mémoire immunitaire. Quelle précision apportent l'expérience 2 du document 1 et la 3e greffe du document 2 ?

Doc. 3 et 4 Comparez les caractéristiques de la réponse primaire et de la réponse secondaire. Précisez, dans le cas envisagé au document 3, quelles cellules sont le support de la mémoire immunitaire.

Lexique, p. 406

Activités pratiques 

La vaccination, une mise en mémoire

Chacun d'entre nous a été vacciné contre plusieurs maladies infectieuses, principalement bactériennes ou virales. En France, certaines vaccinations sont obligatoires. *Ces vaccinations sont basées sur l'existence d'une mémoire immunitaire.*

A La vaccination et la protection de l'individu et des populations

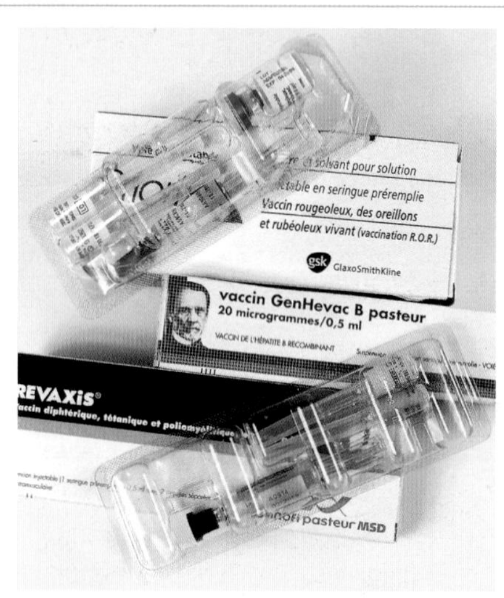

La vaccination consiste à introduire dans l'organisme un agent extérieur (le vaccin) afin de provoquer une réaction immunitaire, sans pour autant déclencher la maladie, qui permet de protéger ultérieurement contre une **maladie infectieuse**.
Il existe quatre types de vaccins selon leur contenu (voir *tableau ci-dessous*).

Contenu du vaccin	Maladies concernées
• Microbes (virus ou bactéries) vivants atténués	• Oreillons, rougeole, rubéole, varicelle
• Microbes (virus ou bactéries) inactivés (morts)	• Poliomyélite, choléra
• **Anatoxine** (toxine neutralisée)	• Diphtérie, tétanos
• Molécules microbiennes (antigènes)	• Maladies à pneumocoques, coqueluche, grippe, hépatite B

Doc. 1 Que contient un vaccin ?

• Pour la population générale (hormis les cas des personnes exposées à un risque particulier ou pour certaines professions), certaines vaccinations sont **obligatoires**. Il s'agit des vaccinations contre :
– la **diphtérie** et le **tétanos** : seule la primo-vaccination avec le premier rappel à 18 mois est obligatoire ;
– la **poliomyélite** : la primo-vaccination et les rappels sont obligatoires jusqu'à l'âge de 13 ans ;
– la **fièvre jaune** : pour toutes les personnes résidant en Guyane.

• D'autres vaccinations sont fortement **recommandées** par les autorités sanitaires :
– vaccin contre la **coqueluche** ;
– BCG contre la **tuberculose** ;
– vaccin contre l'**hépatite** B ;
– vaccin ROR contre la **rougeole**, les **oreillons** et la **rubéole** ;
– vaccin contre la grippe saisonnière (chez les personnes âgées ou souffrant d'une maladie chronique).

Doc. 2 Vaccinations obligatoires et vaccinations conseillées.

• La variole, une très grave maladie

La **variole** (ou « petite vérole ») est une maladie virale très contagieuse, fréquemment mortelle, se traduisant par l'éruption de grosses pustules sur tout le corps. Importée en Occident au début du XVIe siècle, elle était responsable, vers la fin du XVIIIe siècle, de la mort de 400 000 personnes en Europe chaque année.
En 1796, un médecin anglais, Edward Jenner, découvre la vaccination contre cette maladie (*voir p. 347*).

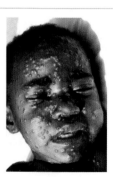

• L'éradication de la variole

En 1900, grâce à la vaccination de plus en plus répandue, la variole avait disparu dans de nombreux pays d'Europe du Nord.
En 1967, l'OMS (Organisation Mondiale de la Santé) met en place le programme intensif d'éradication de la variole qui va permettre d'éliminer la maladie des pays où elle subsistait à l'état **endémique** (Brésil, Afrique sub-saharienne, Inde...).
Le dernier cas de variole naturelle est observé en Somalie en 1977. En 1979, l'OMS déclare la variole éradiquée de la surface de la Terre. La vaccination est définitivement arrêtée le 8 mai 1980.

Doc. 3 Vaccination et protection des populations : le cas exemplaire de l'éradication de la variole.

B Le mode d'action d'un vaccin

La vaccination reproduit la réponse primaire et la (ou les) réponse(s) secondaire(s) décrites page 339 pour le premier et le second contact avec un même antigène. C'est une mise en mémoire de l'antigène présenté pour qu'à l'avenir, lors d'une contamination vraie, l'immunité acquise puisse s'activer de façon plus rapide.
Par exemple, dans le cas de la vaccination antitétanique *(graphe ci-contre)*, plusieurs injections sont nécessaires pour obtenir une protection efficace. Compte tenu de la disparition, certes lente, des anticorps plasmatiques et de la diminution des cellules mémoire, des rappels sont souvent nécessaires au bout de quelques années.

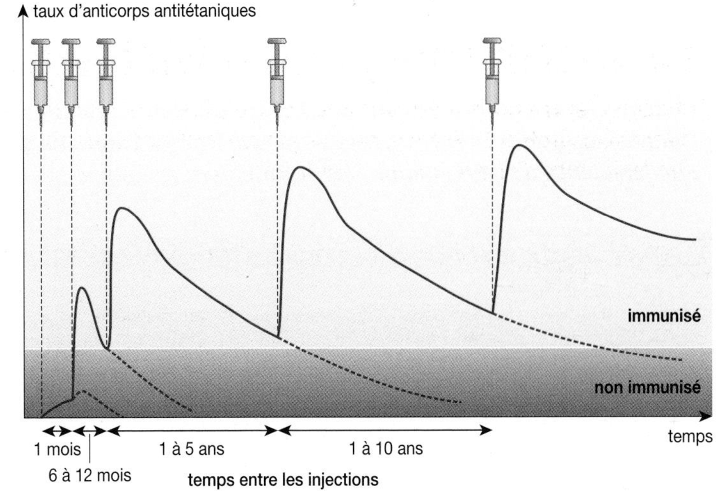

Doc. 4 **Évolution du taux d'anticorps plasmatiques dans le cas de la vaccination contre le tétanos.**

• En 1925, Gaston Ramon, travaillant à l'Institut Pasteur, montre que l'anatoxine diphtérique a un pouvoir vaccinant accru si on ajoute au vaccin une « substance irritante » pour les tissus. Il rejette par l'expérience l'hypothèse d'une action directe de cet **adjuvant** sur l'antigène et pense à une action par l'intermédiaire de l'organisme lui-même.

• On sait, aujourd'hui, que les adjuvants de vaccins sont reconnus par des récepteurs PRR (*voir page 294*). Certains sont des substances chimiques minérales comme les sels d'aluminium, très utilisés, ou organiques comme le squalène ; les autres renferment des extraits de microorganismes (bactéries). Ils déclenchent ainsi une réaction inflammatoire avec activation des cellules dendritiques. Ils stimulent aussi de manière non spécifique la prolifération des lymphocytes. La réaction adaptative dirigée contre l'antigène est donc mise en route plus précocement et avec une plus grande ampleur.

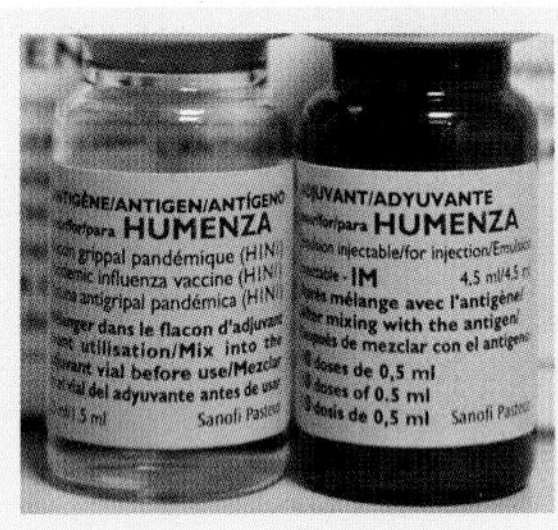

À l'automne 2009, la campagne de vaccination contre le virus H1N1 a déclenché une vive polémique.
Les premiers vaccins utilisés contenaient du squalène. Cet adjuvant des vaccins avait, semble-t-il, été à l'origine de graves troubles chez des militaires américains.

Le squalène est un lipide à longue chaîne carbonée produit par de nombreux organismes, y compris l'Homme. Il existe en grande quantité dans le foie de requin, d'où son nom.

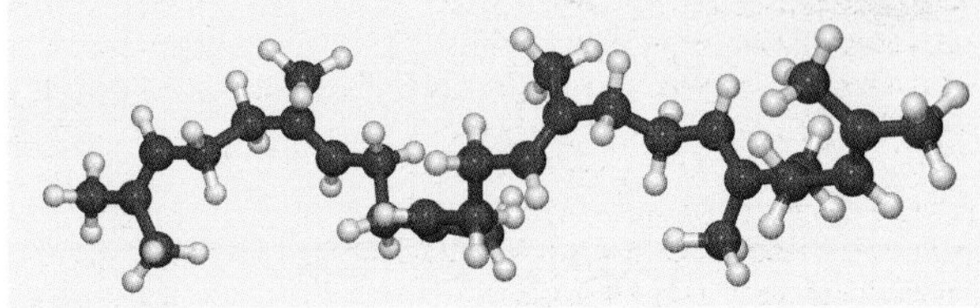

Doc. 5 **Les adjuvants des vaccins et la réaction immunitaire innée.**

Pistes d'exploitation

PROBLÈME À RÉSOUDRE ► **Comment un vaccin permet-il la protection d'un individu et d'une population contre une maladie infectieuse ?**

Doc. 1 à 4 À partir des informations extraites de ces documents, rédigez un petit texte expliquant la stratégie mise en œuvre par la vaccination pour lutter contre une maladie infectieuse.

Doc. 5 Quel est l'intérêt de l'addition d'adjuvants dans les vaccins ?

Lexique, p. 406

L'évolution du phénotype immunitaire

Il existe, dans l'organisme, des millions de clones de lymphocytes T et B qui constituent le répertoire immunitaire et définissent le « phénotype immunitaire » de l'individu. *Confronté aux milliards de molécules antigéniques de l'environnement, ce phénotype évolue au cours de la vie.*

A Une évolution progressive sous l'effet des contacts antigéniques

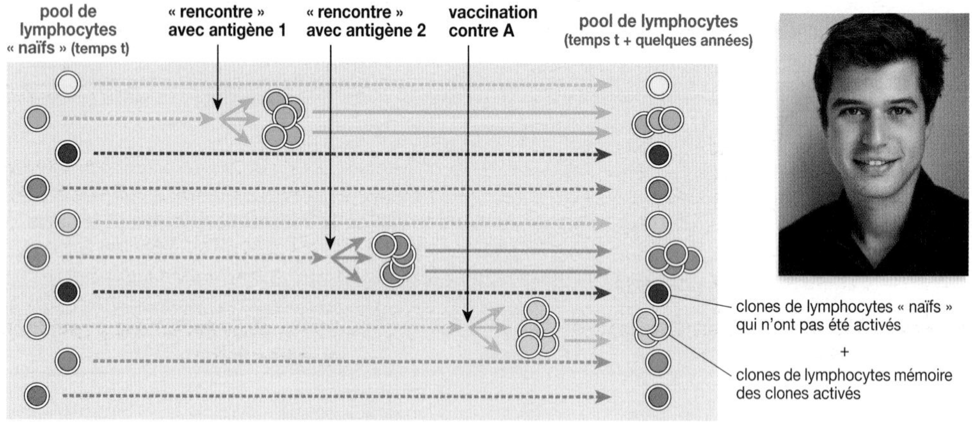

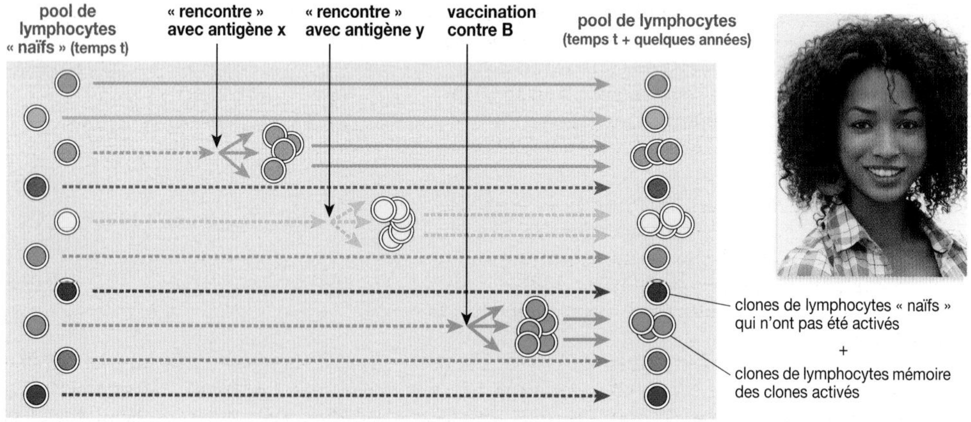

• Tout au long de la vie, l'organisme produit une infinie diversité de lymphocytes B et T à partir de précurseurs situés dans la moelle osseuse. Après une sélection sévère (dans la moelle pour les LB, dans le thymus pour les LT), seuls sont conservés et donc **immunocompétents** les lymphocytes reconnaissant des antigènes du non-soi. Ces **lymphocytes** sont dits « **naïfs** » car ils n'ont encore jamais été en contact avec l'antigène qu'ils sont capables de reconnaître.

• La rencontre fortuite avec un antigène déclenche une réaction immunitaire aboutissant d'une part à l'élimination de l'antigène par des cellules effectrices à courte durée de vie, d'autre part à la formation d'un pool de **cellules mémoire** dont le nombre est très supérieur au pool de lymphocytes naïfs activés par le contact avec l'antigène.

• Au niveau des populations lymphocytaires, la vaccination a les mêmes effets que la rencontre fortuite avec un antigène.

• Ainsi, tout au long de la vie, la formation de nouveaux clones de lymphocytes, l'accroissement relatif de certains clones suite à des contacts antigéniques ou à des vaccinations, font évoluer les pools de lymphocytes circulants dans l'organisme, donc le phénotype immunitaire de l'individu.

Doc. 1 Environnement antigénique et évolution des populations lymphocytaires.

B Une adaptation de l'individu à son environnement

Il est bien connu qu'un enfant, d'abord élevé à la maison, contracte de multiples maladies infectieuses infantiles lorsqu'il est placé en crèche. L'augmentation des **infections ORL**, en particulier des **otites**, a été bien démontrée : le risque est multiplié par 2 ou 3 pour un enfant fréquentant une crèche collective par rapport à celui vivant à domicile. En effet, chaque enfant véhicule des virus, bactéries et parasites qu'il peut transmettre aux autres enfants de la crèche mais aussi au personnel et à sa propre famille.

Doc. 2 Une inévitable et nécessaire exposition aux antigènes.

Le système nerveux est doté d'un pouvoir de modulation sur les fonctions immunitaires. Par exemple, de nombreuses études ont été menées sur la relation entre **stress** et immunité. Le stress est la conséquence d'agressions de l'organisme (contrariété, deuil, surmenage, dépression, mais aussi malnutrition, intervention chirurgicale...).

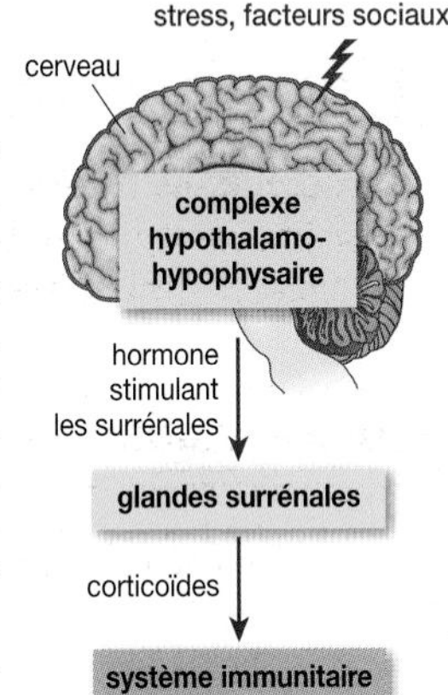

On sait aujourd'hui qu'un stress aigu stimule l'immunité innée en augmentant le nombre de cellules immunitaires intervenant au niveau d'une zone inflammatoire. En revanche, dans le cas d'un stress chronique, la sécrétion accrue de corticoïdes par les surrénales inhibe la prolifération des lymphocytes et la réaction immunitaire.

Doc. 3 Stress et évolution des populations lymphocytaires.

• Le **paludisme** (ou malaria) est une maladie due à un parasite, le *plasmodium*, transmis par les moustiques qui en sont porteurs. Cette maladie se manifeste par de la fièvre, des maux de tête et des vomissements. Ces symptômes apparaissent généralement dix à quinze jours après la piqûre de moustique. En l'absence de traitement, le paludisme peut entraîner la mort, particulièrement chez les jeunes enfants.

• Dans les régions où le paludisme est très présent (principalement en Afrique subsaharienne), certains individus sont si souvent infectés qu'ils finissent, après plusieurs années, par être naturellement immunisés (« immunité acquise ») et par tolérer le parasite : ils n'ont pas ou peu de symptômes en cas de piqûre par un moustique infecté.

Cette immunité n'est jamais ni totale, ni définitive. Un sujet qui émigre pendant 2 ou 3 ans dans une zone où ne sévit pas le paludisme perd progressivement sa protection. Lorsqu'il retourne dans son pays, il est redevenu vulnérable, au même titre qu'un sujet non immunisé (un touriste par exemple). Cette situation est

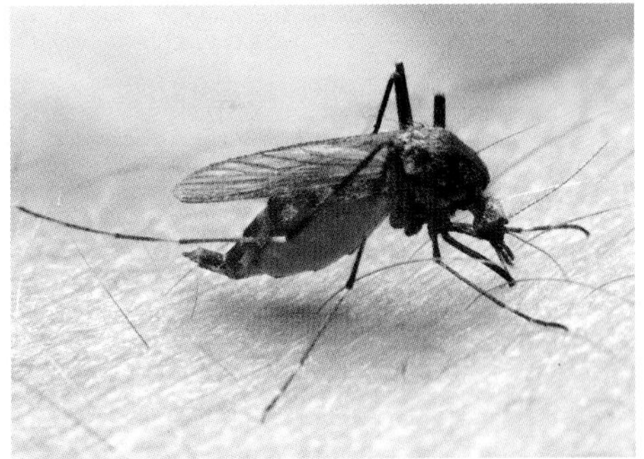

fréquemment constatée dans les hôpitaux français où, chaque année, de nombreuses crises de paludisme sont observées chez des sujets africains, vivant en France depuis plusieurs années, et qui sont retournés dans leur pays pour des vacances.

Doc. 4 Un exemple d'adaptation : l'acquisition d'une résistance au paludisme.

Pistes d'exploitation

PROBLÈME À RÉSOUDRE ► Quels sont les facteurs d'évolution du phénotype immunitaire et comment cette évolution permet-elle une adaptation de l'individu à son environnement ?

Doc. 1 Quels facteurs d'évolution du phénotype immunitaire sont ici mis en évidence ?

Doc. 2 à 4 Extraire les informations montrant que l'évolution du phénotype immunitaire permet une adaptation de l'individu à son environnement.

Lexique, p. 406

chapitre 3 Le phénotype immunitaire au cours de la vie

1 La mémoire immunitaire

Des observations intéressantes

Le plus souvent, suite à une agression virale ou bactérienne, la guérison survient spontanément en quelques jours et, dans un certain nombre de cas, le sujet bénéficie d'une **immunité acquise** à la suite de ce premier contact.

Cette observation montre que notre système immunitaire garde en **mémoire** les « agressions » subies par l'organisme. Elle montre aussi que les possibilités de ce système se modifient au cours de la vie.

Ce comportement remarquable du système immunitaire est également présent lors d'expériences de greffes : si un greffon provenant d'un donneur est généralement rejeté par le receveur (car identifié par lui comme étranger), un deuxième greffon de même origine est rejeté beaucoup plus rapidement. La première greffe a donc été « mémorisée » et le système immunitaire est plus « agressif » à la deuxième tentative.

Support et intérêt de la mémoire immunitaire

Au cours d'une réponse immunitaire adaptative, les **LB** et les **LT** ayant reconnu l'antigène se multiplient et se transforment en **cellules effectrices** à durée de vie limitée. Toutefois, une partie des lymphocytes produits échappe à cette disparition et persiste dans l'organisme sous forme de « **lymphocytes mémoire** » à longue durée de vie.

En cas de nouvelle intrusion des mêmes antigènes, les lymphocytes mémoire permettent une réponse dite **secondaire** plus rapide et plus importante que lors du premier contact.

Les défenses immunitaires adaptatives sont rapidement opérationnelles : des anticorps spécifiques ou/et des LT cytotoxiques peuvent très vite entrer en action. Une meilleure protection de l'organisme est ainsi assurée.

2 La vaccination, une mise en mémoire

Le principe de la vaccination

Toute technique de vaccination vise à déclencher une telle mémorisation d'un antigène. Le principe consiste à présenter au système immunitaire le virus (ou la bactérie) sous une forme d'une part « **immunogène** » (le microbe – ou ses antigènes – doit être correctement reconnu et déclencher une excellente réaction immunitaire) et d'autre part **inoffensive** (virus atténués ou simplement molécules virales, bactéries tuées...).

Fréquemment, le premier contact avec l'antigène présent dans le vaccin entraîne une réaction immunitaire lente et quantitativement peu importante. Cette réponse dite **primaire** doit alors être renforcée par un (ou des) **rappel(s)** qui entraîne(nt) une réaction immunitaire beaucoup plus rapide et plus intense, à l'origine d'une protection efficace et durable.

Le rôle des adjuvants

Les préparations vaccinales contiennent parfois des substances nommées adjuvants qui visent à déclencher une **réaction inflammatoire** stimulant d'une part les phagocytes (dont les cellules dendritiques, présentatrices d'antigènes), d'autre part la prolifération des lymphocytes. La réaction innée, prélude à la réaction adaptative dirigée contre l'antigène, est donc déclenchée avec une plus grande ampleur.

3 L'évolution du phénotype immunitaire

Une diversité remarquable du répertoire immunitaire

Des mécanismes génétiques complexes permettent d'obtenir une variété quasi infinie de lymphocytes B et T caractérisés chacun par une immunoglobuline membranaire spécifique d'un antigène. La production aléatoire de ces lymphocytes « naïfs » est complétée par une sélection sévère : les cellules potentiellement dangereuses, car pouvant réagir contre des molécules normalement présentes dans l'organisme, sont éliminées. Subsistent donc seulement les cellules capables de détecter un antigène, c'est-à-dire toute molécule apportée par un agent pathogène ou apparue dans une cellule malade. Cet ensemble constitue le **répertoire immunitaire**.

Une interaction entre génotype et environnement

Les antigènes auxquels l'organisme est confronté au cours de la vie (naturellement ou suite à une vaccination) sélectionnent des clones de lymphocytes : cela signifie que certaines populations lymphocytaires voient leur effectif augmenter et qu'apparaissent des lymphocytes mémoire spécifiques des antigènes « rencontrés ». Le phénotype immunitaire évolue donc au cours de la vie.

SCHÉMA BILAN LE PHÉNOTYPE IMMUNITAIRE AU COURS DE LA VIE

Mémoire immunitaire et vaccination

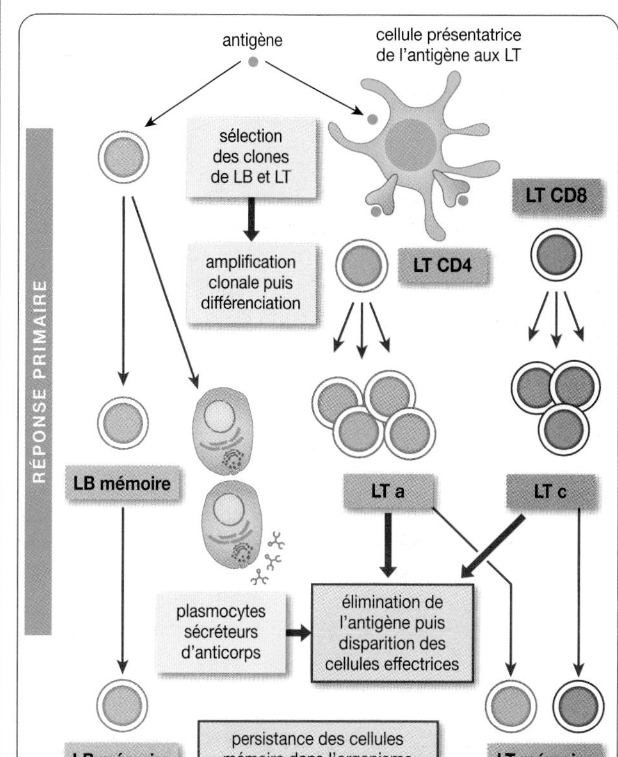

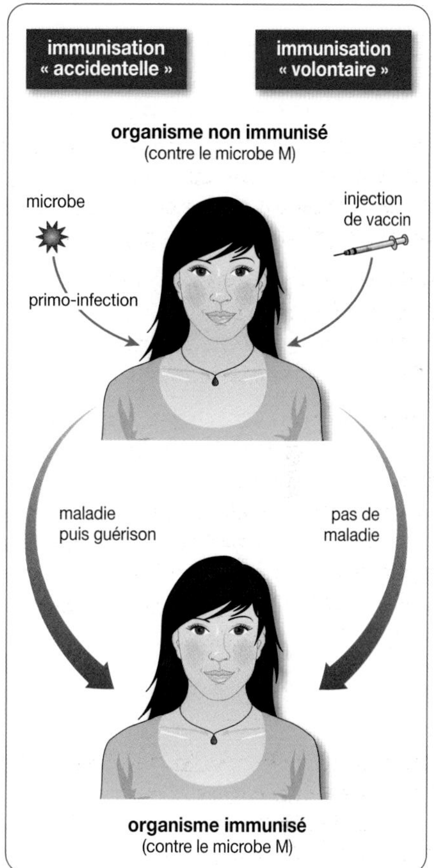

L'évolution du phénotype immunitaire

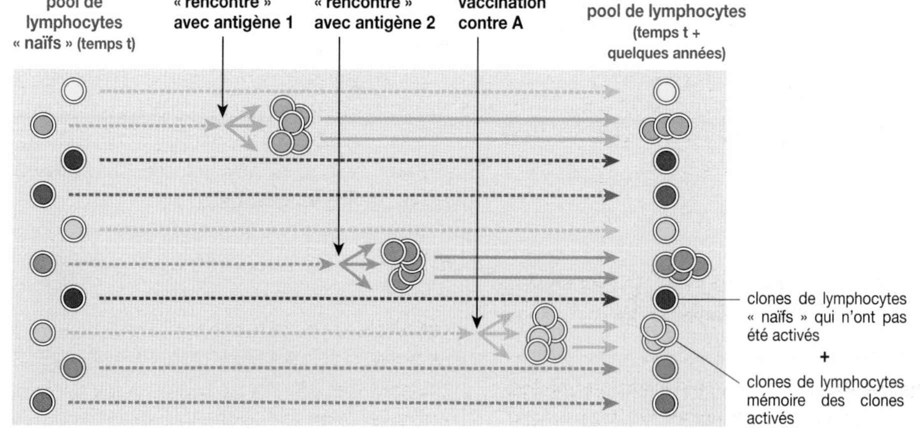

La production aléatoire de lymphocytes naïfs est continue tout au long de la vie mais, au fil du temps, le pool des lymphocytes mémoire augmente.

La difficile mise au point d'un vaccin contre le paludisme

• Le paludisme, un fléau à l'échelle mondiale

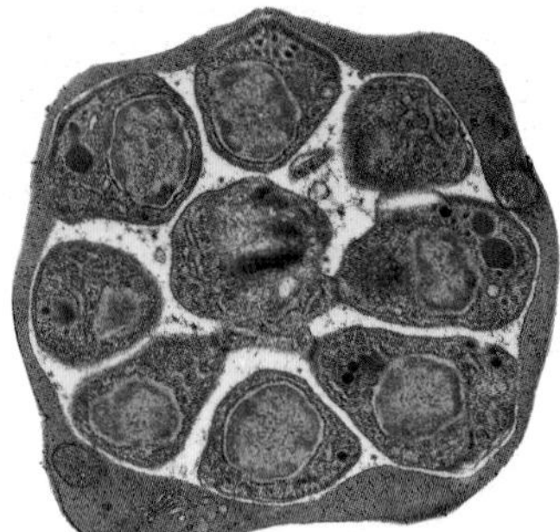

Parasites au sein d'un globule rouge après multiplication : ils forment une rosace caractéristique.

Le paludisme est une maladie due à un parasite intracellulaire (le *Plasmodium*) qui se développe dans les globules rouges du sang. En 2010, l'OMS a recensé 216 millions de cas de paludisme ayant entraîné la mort de 655 000 personnes, surtout des enfants. Ce **parasite unicellulaire** accomplit une partie de son cycle de vie dans certaines espèces de moustiques (les anophèles) qui vivent dans les régions intertropicales, chaudes et humides.

C'est par une **piqûre d'anophèle** que le parasite est introduit dans le sang humain (*photographie p. 343*). Il gagne d'abord le foie où il se multiplie, puis il retourne dans la circulation sanguine. Il s'introduit alors dans les globules rouges et s'y multiplie encore.
Les parasites sont ensuite libérés par éclatement des globules rouges, ce qui provoque les accès de fièvre caractéristiques de la maladie.

• La recherche d'un vaccin

Chez le *Plasmodium*, de nombreuses formes sont devenues résistantes aux médicaments anti-paludéens. Le développement d'un vaccin contre le paludisme est donc devenu une priorité. Jusqu'à présent, les vaccins mis au point sont dirigés uniquement contre des virus ou des bactéries, mais jamais contre des parasites qui sont des cellules eucaryotes possédant, en surface, une grande diversité d'antigènes, spécifiques de chaque espèce et subissant de fréquentes mutations. Dans le cas du paludisme, la situation est encore plus complexe car cette maladie peut être induite par cinq espèces différentes de *Plasmodium*, la forme la plus grave étant due au *Plasmodium falciparum*.
Le premier candidat vaccin, nommé RTS-S a été mis au point par le laboratoire britannique GSK dans un laboratoire situé en Belgique. Ce vaccin contre *P. falciparum* est conçu pour empêcher le parasite d'infecter le foie, de s'y développer et de s'y multiplier. L'infection secondaire des globules rouges est ainsi empêchée, ce qui supprime les accès de fièvre, caractéristiques de la maladie.

• Des essais cliniques concluants

Les essais cliniques du vaccin RTS-S ont été menés dans sept pays d'Afrique subsaharienne (Burkina Faso, Gabon, Ghana, Kenya, Malawi, Mozambique et Tanzanie). Ces essais cliniques de phase 3 (c'est-à-dire juste avant la demande d'autorisation de mise sur le marché du vaccin) ont montré que trois doses permettent de **réduire d'environ 50 %** le risque de paludisme pour la forme la plus grave. Les résultats portent pour l'instant sur 6 000 enfants vaccinés, âgés de 6 à 17 mois. La maladie infectieuse la plus meurtrière au monde sera-t-elle bientôt vaincue ?

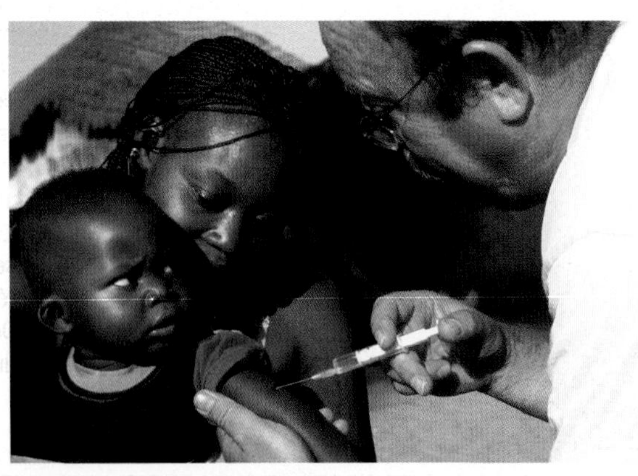

L'histoire exemplaire de la vaccination contre la variole

• La variole, une maladie redoutable

La variole (ou « petite vérole ») était une maladie caractérisée par l'apparition de grosses pustules sur tout le corps. Les premières descriptions connues de cette maladie remontent au IVe siècle après Jésus-Christ, en Chine, et au Xe siècle en Asie du sud-ouest. Extrêmement **contagieuse** et souvent mortelle, la variole fut importée en Occident au début du XVIe siècle et fit des ravages partout dans le monde jusqu'au milieu du XXe siècle. Vers la fin du XVIIIe siècle en Europe, elle provoquait chaque année la mort de 400 000 personnes.

• La découverte de la vaccination

Au XVIIIe siècle, un médecin anglais, Edward Jenner, constate que les fermiers ayant contracté une maladie de la vache, le cowpox, « n'attrapent » jamais la variole. Le **cowpox** *(illustration ci-contre)* est une maladie **bénigne** : fièvre pendant quelques jours et développement de pustules sur le pis des vaches... et sur les mains des vachers. En 1796, Jenner a l'idée d'inoculer le liquide d'une pustule de cowpox à un enfant qui contracte donc la maladie. Quelques temps plus tard, il inocule à cet enfant du pus de varioleux : l'enfant ne tombe pas malade.

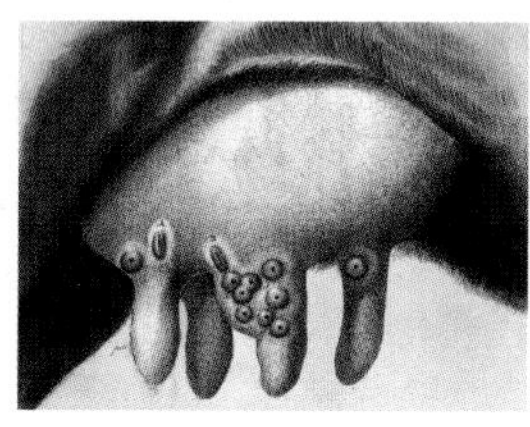

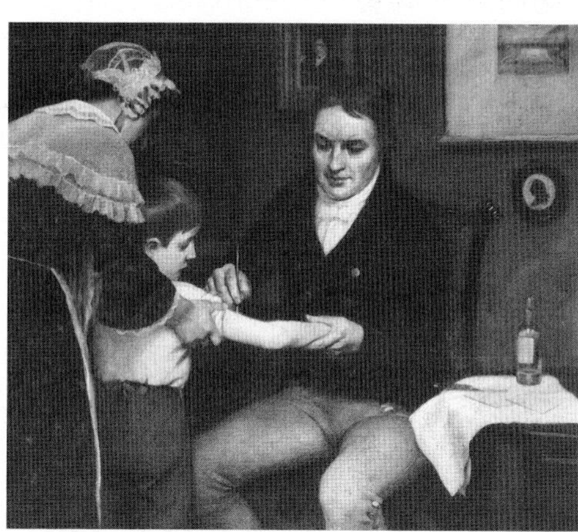

Jenner pratiquant sa première vaccination sur un garçon de huit ans, le 14 mai 1796.

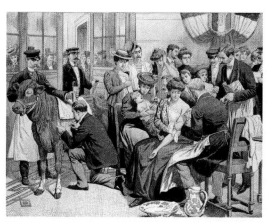

Séance de vaccination organisée à Paris, en 1905, par le « Petit Journal » : le liquide des pustules est prélevé sur le flanc d'une génisse infectée, puis inoculé à l'aide d'un stylet sur le bras des patients.

• L'éradication de la maladie

Cette pratique consistant à inoculer le liquide des pustules de cowpox, non dangereuse pour l'homme, se répand en Angleterre puis en France où elle prend le nom de **vaccination** : en effet, on appelle « vaccine » la variole bovine (du latin *vacca*, pour vache).

Dans la seconde moitié du XIXe siècle, à la suite des travaux de Pasteur sur les microbes, on comprend que les microbes responsables de la vaccine et de la variole (des virus) sont voisins et que les défenses immunitaires acquises contre le premier protègent aussi contre le second.

Rendue obligatoire en France à partir de 1902, la vaccination se répand dans le monde vers les années 1950. La maladie régresse rapidement, jusqu'à disparaître totalement en 1977. Depuis 1980, on ne vaccine plus contre la variole : cette maladie a été **éradiquée** (éliminée) grâce à la vaccination.

Maîtriser ses connaissances

Pour s'entraîner

1 Définissez les mots ou expressions

Mémoire immunitaire, réponse immunitaire primaire, réponse immunitaire secondaire, vaccin, adjuvant d'un vaccin, phénotype immunitaire.

2 Vrai ou faux ?

Repérez les affirmations exactes et corrigez celles qui sont inexactes.

a. La vaccination repose sur l'existence d'une mémoire immunitaire.
b. L'introduction répétée d'un même antigène entraîne une réaction de plus en plus faible du système immunitaire qui « s'habitue » à cet antigène.
c. Les enfants sont mieux armés que les adultes pour se défendre contre les microorganismes.
d. Les lymphocytes mémoire correspondent uniquement à une population de LB.
e. La plupart des vaccins anti-grippaux contiennent un adjuvant dont le rôle est de déclencher une réaction inflammatoire.

3 Questions à réponse courte

a. Que contient un vaccin ?
b. Pourquoi, pour la plupart des vaccinations, plusieurs injections de vaccin échelonnées dans le temps sont-elles nécessaires ?
c. Quel est le support de la mémoire immunitaire ?
d. Expliquez comment le phénotype immunitaire évolue au cours de la vie.
e. Montrez l'intérêt que peut avoir la vaccination systématique d'une population.

4 Utilisez des mots-clés...

...en rédigeant une ou deux phrases contenant chaque groupe de mots ou expressions pris dans l'ordre proposé ou dans un ordre différent.

a. Vaccin, maladie infectieuse, prévention.
b. Vaccination, réponse primaire, réponse secondaire.
c. Injection de rappel, mémoire immunitaire, réponse secondaire.

Objectif BAC

5 La vaccination

QUESTION DE SYNTHÈSE :
La vaccination constitue un enjeu majeur de santé publique.

Décrivez la réaction immunitaire d'un individu après vaccination contre un virus puis présentez sa réaction immunitaire après une infection par ce même virus, postérieure à la vaccination.

Votre réponse, structurée par un plan, une introduction et une conclusion, sera accompagnée d'au moins un schéma illustrant la réaction de l'individu après l'infection. Le développement du virus et les modalités de la réponse ne sont pas attendus.

6 Le phénotype immunitaire

A. QUESTIONS À CHOIX MULTIPLES 

Choisissez la bonne réponse pour chaque série d'affirmations.

1. **La mémoire immunitaire est assurée :**
a. par des anticorps ;
b. par des cellules phagocytaires ;
c. par des lymphocytes mémoire ;
d. par des lymphocytes mémoire et par des anticorps.

2. **Un vaccin est une substance :**
a. destinée à prévenir une maladie infectieuse ;
b. destinée à guérir une maladie infectieuse ;
c. qui détruit les antigènes d'un microbe ;
d. qui nous protège des maladies infectieuses car elle persiste très longtemps dans le sang.

3. **Le phénotype immunitaire :**
a. est défini par l'ensemble des anticorps qui circulent dans notre organisme ;
b. est défini par la diversité des clones de LB et de LT présents dans notre organisme ;
c. ne dépend pas des interactions avec notre environnement ;
d. est fixé une fois pour toutes à la naissance.

B. QUESTION DE SYNTHÈSE :
Le phénotype immunitaire évolue constamment au cours de la vie.

Expliquez en quoi le phénotype immunitaire est en perpétuelle évolution et en quoi il résulte d'une interaction complexe entre le génotype et l'environnement.

Votre réponse devra comporter une introduction et une conclusion, ainsi qu'un schéma (au moins) mettant en évidence cette évolution.

7 L'origine d'un phénotype immunitaire

Comprendre et raisonner

Les souris NOD (Non-Obese Diabetic) sont une lignée de souris dont une partie développe spontanément un diabète insulino-dépendant qui apparaît vers l'âge de 10-12 semaines. Ce diabète étant en tous points comparables à celui de l'homme, ces souris constituent des modèles animaux permettant de réaliser des expériences non envisageables chez l'homme.

Chez l'homme, comme chez la souris NOD, ce type de diabète est dû à la destruction dans le pancréas des cellules sécrétrices d'insuline (hormone anti-diabétique) par les propres lymphocytes de l'individu.

Les expériences de « transfert de diabète » *ci-contre* sont réalisées chez des souris NOD de même lignée (identiques génétiquement). On rappelle que l'irradiation détruit les cellules immunitaires.

Question :

En utilisant vos connaissances sur la formation des lymphocytes immunocompétents, expliquez ce qui doit se passer au cours de cette formation chez la souris NOD qui ne devient pas spontanément diabétique d'une part, et chez celle qui devient diabétique, d'autre part.

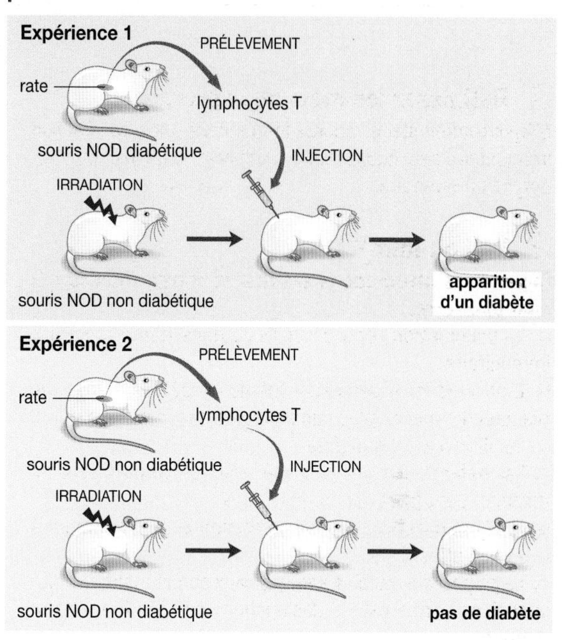

8 Une pratique médicale : la séro-vaccination

Exploiter des documents, raisonner

Une personne n'ayant pas subi de rappel antitétanique depuis plus de 15 ans, s'est profondément blessée sur de vieux fils de fer barbelés souillés de terre. Afin d'enrayer le développement éventuel du tétanos, le médecin procède à une séro-vaccination.

Il injecte d'abord un sérum contenant des immunoglobulines humaines purifiées *(photographie)*. Ces immunoglobulines sont obtenues à partir du plasma de donneurs bénévoles : par une technique de don de sang particulière, la plasmaphérèse, on prélève, chez le donneur, du plasma mais pas les globules rouges.

Le médecin pratique ensuite une injection de vaccin antitétanique (de l'anatoxine tétanique), suivie d'une deuxième puis d'une troisième injection.

Le graphe présente l'évolution du taux des anticorps antitoxine tétanique dans le plasma du blessé en fonction du temps.

Questions :

1. **Expliquez les différentes variations du taux d'anticorps, observées sur le graphe.**
2. **Comparez l'action du sérum à celle du vaccin dans la prévention du tétanos. Quel est l'intérêt de la combinaison des deux procédés ?**

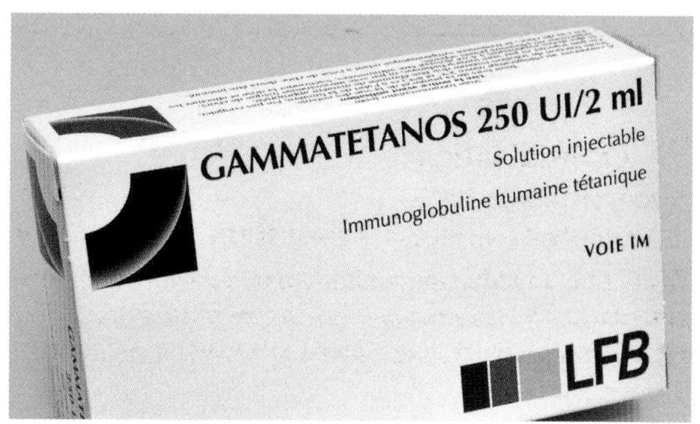

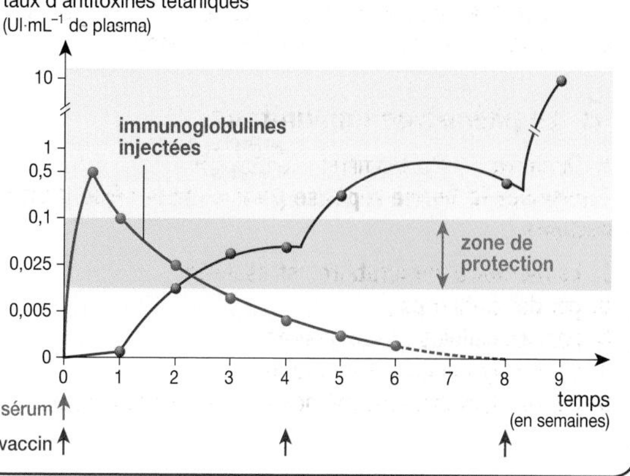

S'interroger avant d'aborder le chapitre 4

Des DOCUMENTS pour se poser des questions

Des mouvements contrôlés

Physiologiste et professeur au Collège de France, Étienne-Jules Marey est aussi un pionnier de la photographie : il met au point, au milieu du XIXe siècle, la technique de chronophotographie permettant de fixer, sur un même support photographique, les différentes phases de la marche. Celle-ci suppose un contrôle involontaire et très précis de la contraction musculaire.

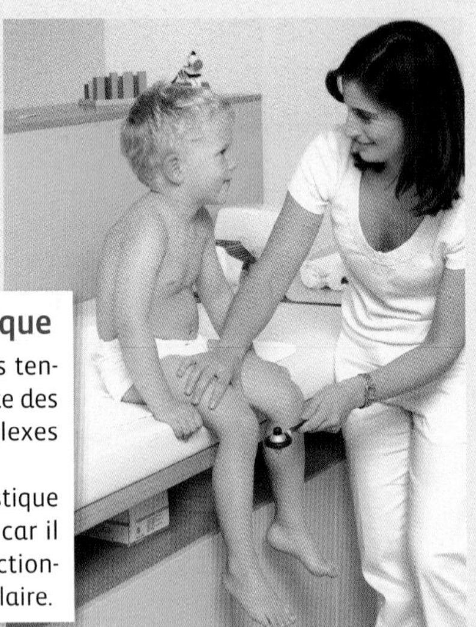

Un examen clinique

En frappant certains tendons, le médecin teste des réflexes appelés réflexes myotatiques.
C'est un outil diagnostique couramment utilisé car il renseigne sur le fonctionnement neuromusculaire.

JE N'AURAIS PEUT-ÊTRE PAS DÛ ABUSER DES MYORELAXANTS...

G.MICHNIK

L'action des « myorelaxants »

Les contractures sont des contractions involontaires et prolongées de certains muscles. Elles engendrent des douleurs mais peuvent être évitées ou soulagées, à l'aide de myorelaxants par exemple.

LES PROBLÉMATIQUES DU CHAPITRE

- **Pourquoi le réflexe myotatique constitue-t-il un élément de diagnostic ?**
- **Quels sont les supports de la communication nerveuse mis en jeu dans la réalisation d'un réflexe ?**
- **Comment certaines substances pharmacologiques peuvent-elles agir sur le fonctionnement neuromusculaire ?**

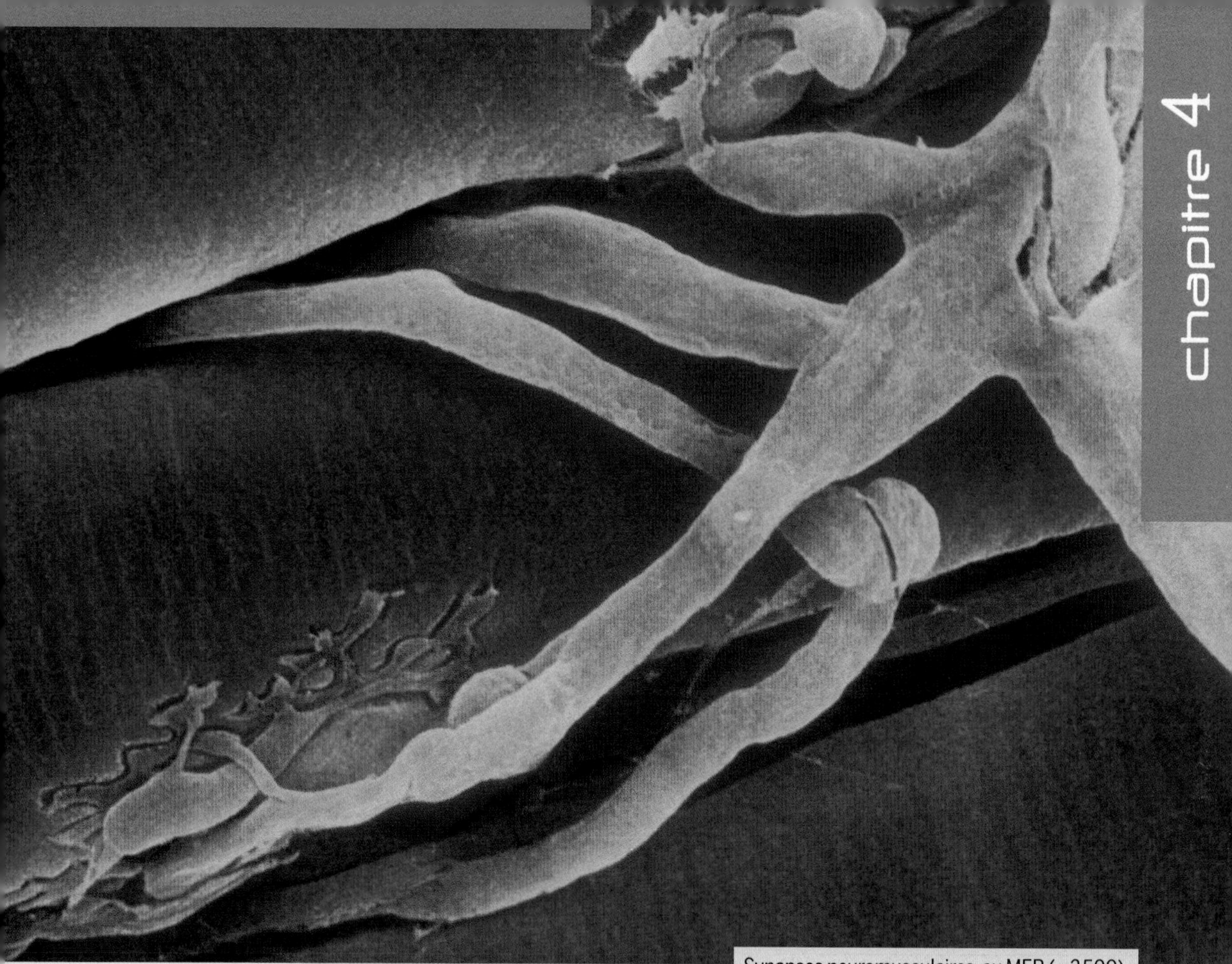

Synapses neuromusculaires, au MEB (× 2 500).

Une commande réflexe des muscles

LES ACTIVITÉS DU CHAPITRE

Étude expérimentale du réflexe myotatique

En appliquant une légère percussion sur un tendon, on déclenche une contraction réflexe du muscle : c'est le réflexe myotatique. *Une approche expérimentale permet de déterminer les caractéristiques d'une telle réponse réflexe et de comprendre l'intérêt de ce test couramment pratiqué.*

A L'enregistrement de l'activité électrique des muscles

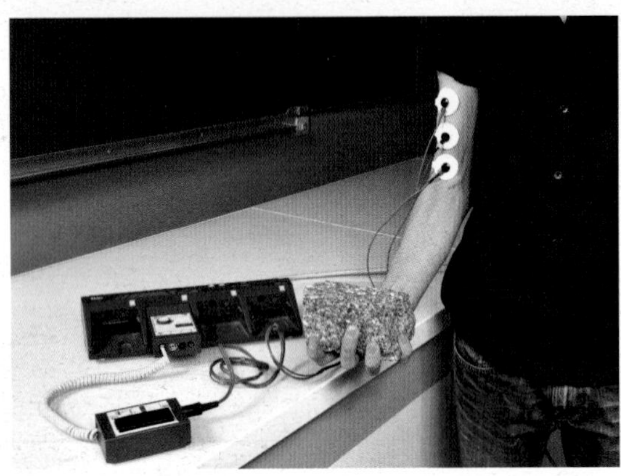

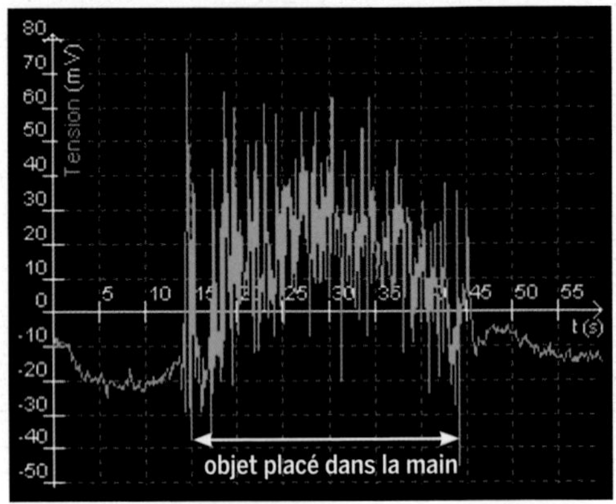

Des électrodes réceptrices, capables de détecter de très faibles variations de potentiel électrique, sont placées à la surface de la peau, le long du biceps.
Ces électrodes sont reliées à un dispositif d'ExAO (ici matériel Jeulin) permettant d'afficher graphiquement les variations du potentiel électrique.

On place un objet lourd dans la main du sujet et on lui demande de maintenir sa main à la même hauteur. L'objet est ensuite retiré.
La contraction du biceps se traduit par une activité électrique que l'on peut enregistrer : c'est un **électromyogramme** *(image ci-dessus)*.

Doc. 1 La contraction d'un muscle mise en évidence à l'aide d'un dispositif d'ExAO.

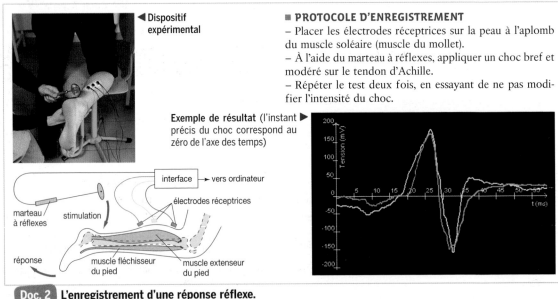

◀ Dispositif expérimental

■ **PROTOCOLE D'ENREGISTREMENT**
– Placer les électrodes réceptrices sur la peau à l'aplomb du muscle soléaire (muscle du mollet).
– À l'aide du marteau à réflexes, appliquer un choc bref et modéré sur le tendon d'Achille.
– Répéter le test deux fois, en essayant de ne pas modifier l'intensité du choc.

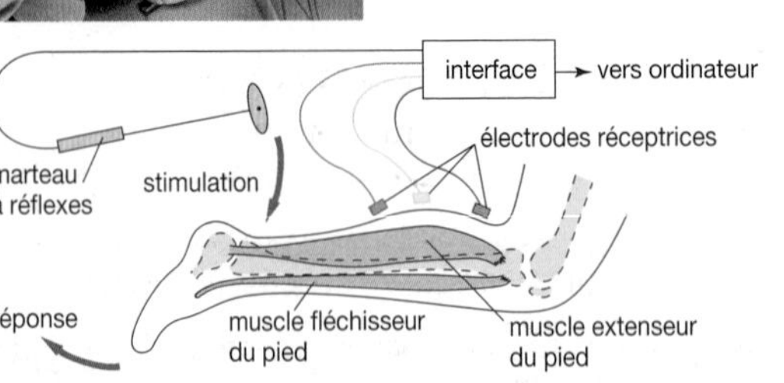

Exemple de résultat (l'instant précis du choc correspond au zéro de l'axe des temps) ▶

Doc. 2 L'enregistrement d'une réponse réflexe.

B Des renseignements apportés par l'étude du réflexe myotatique

■ ÉTUDE EXPERIMENTALE

On cherche à déterminer si l'intensité plus ou moins importante d'un stimulus a une influence sur la réponse réflexe.
Les *trois électromyogrammes ci-contre* correspondent à l'enregistrement de trois réponses réflexes chez le même sujet.
Seule varie l'intensité du choc porté avec le marteau (celui-ci reste cependant modéré de façon à éviter tout risque de lésion ou de douleur).
Un temps d'attente suffisant est marqué entre chaque essai, de façon à ce que l'influence éventuelle du choc précédent ne se fasse plus sentir.

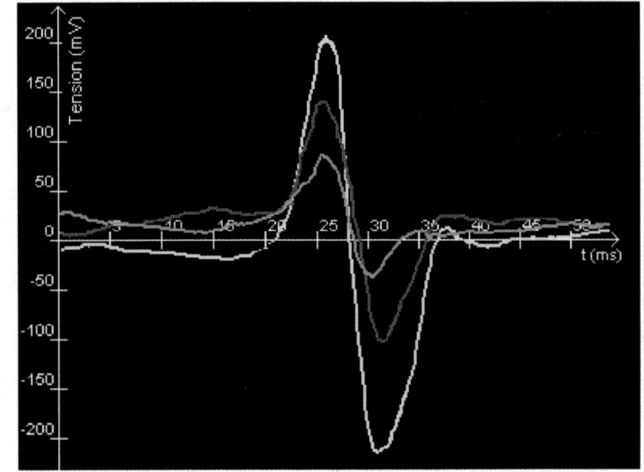

Doc. 3 L'influence de l'intensité du stimulus.

• Au cours d'un examen médical, le médecin contrôle couramment plusieurs réflexes ostéo-tendineux. Le test consiste à percuter le tendon d'un muscle : ce stimulus étire le muscle qui « répond » de façon réflexe par une contraction. Il s'agit donc de réflexes myotatiques.

Quelques exemples

Nom du réflexe	Muscle stimulé	Réponse
rotulien	quadriceps de la cuisse	extension de la jambe
achilléen	soléaire	extension du pied
bicipital	biceps	flexion de l'avant-bras
tricipital	triceps	extension de l'avant-bras

• L'importance de la réponse peut être estimée sur une échelle allant de 0 à 4+ :

0	pas de réponse
1+	contraction visible mais diminuée
2+	réponse normale
3+	contraction plus vive que la moyenne
4+	hyperactivité, réponse excessive

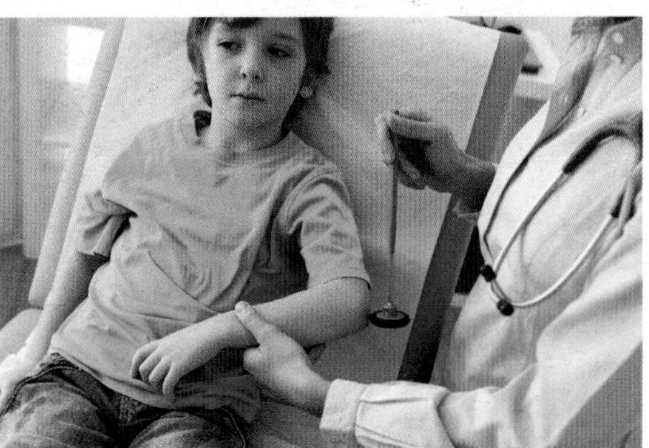

L'abolition ou la diminution d'un réflexe est parfois l'indice d'une lésion nerveuse (lésion d'un nerf engendrant une **sciatique**, par exemple).
L'exagération de la réponse réflexe, ou spasticité, peut être d'origine très diverse. Elle traduit en général une levée de l'**inhibition** de la réponse réflexe normalement exercée par les **centres nerveux supérieurs**.

Doc. 4 Un outil diagnostique couramment utilisé.

Pistes d'exploitation

PROBLÈME À RÉSOUDRE ► Qu'est-ce qu'un réflexe myotatique et pourquoi contrôle-t-on son fonctionnement au cours d'un examen médical ?

Doc. 1 Sur cet enregistrement, comment se manifestent les deux états du biceps du bras ?

Doc. 2 Donnez quelques caractéristiques de la réponse réflexe.

Doc. 3 Reliez les enregistrements aux observations directement effectuées au cours de cette expérimentation.

Doc. 4 Que cherche à savoir un médecin lorsqu'il pratique ces investigations ?

Lexique, p. 406

Le réflexe myotatique, un réflexe médullaire

Quelques millisecondes seulement sont nécessaires pour déclencher un réflexe myotatique, ce qui pourrait suggérer une réponse autonome du muscle. *Nous allons voir que la réalisation d'un réflexe myotatique suppose en fait le trajet aller-retour d'un message nerveux via la moelle épinière.*

A La moelle épinière, centre nerveux du réflexe myotatique

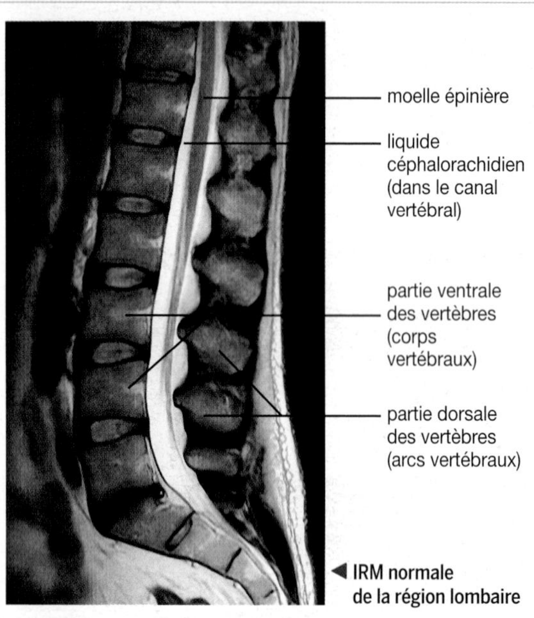

◀ IRM normale de la région lombaire

La moelle épinière est un long cordon nerveux de 40 à 45 cm de long et de 1,8 cm de diamètre environ, protégé par le canal vertébral. Trente et une paires de nerfs rachidiens s'en détachent, entre deux vertèbres successives.

L'**IRM** *ci-contre* à droite provient d'un patient victime d'une dégénérescence des nerfs rachidiens associée à des traces de compression et d'altération de plusieurs vertèbres. Les réflexes achilléen et rotulien sont totalement abolis.

De telles lésions nerveuses engendrent des douleurs comme la **sciatique** ou la **cruralgie**.

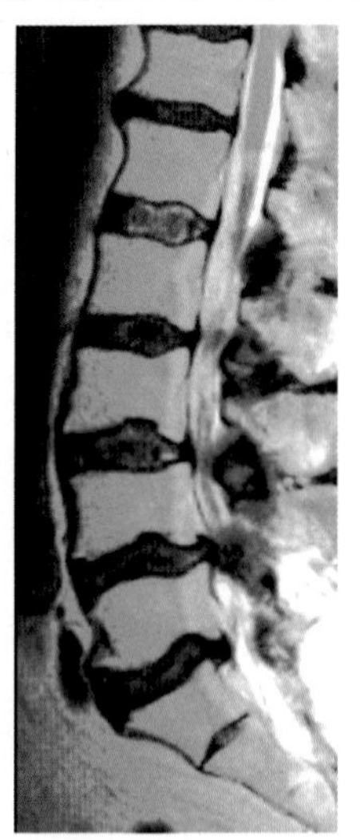

IRM de la région lombaire montrant des lésions nerveuses

Doc. 1 L'intégrité de structures nerveuses est nécessaire à la réalisation des réflexes.

Au microscope, en coupe transversale, la moelle épinière apparaît constituée de deux régions : au centre, la substance grise, en forme d'ailes de papillon (colorée en rose foncé sur la *photographie ci-contre*) et à l'extérieur la substance blanche (rose plus clair sur la *photographie*). Plusieurs membranes entourent la moelle épinière, ce sont les méninges.

Remarque : les petits massifs situés au contact de la moelle sur la *photographie ci-contre* sont des sections de nerfs rachidiens.

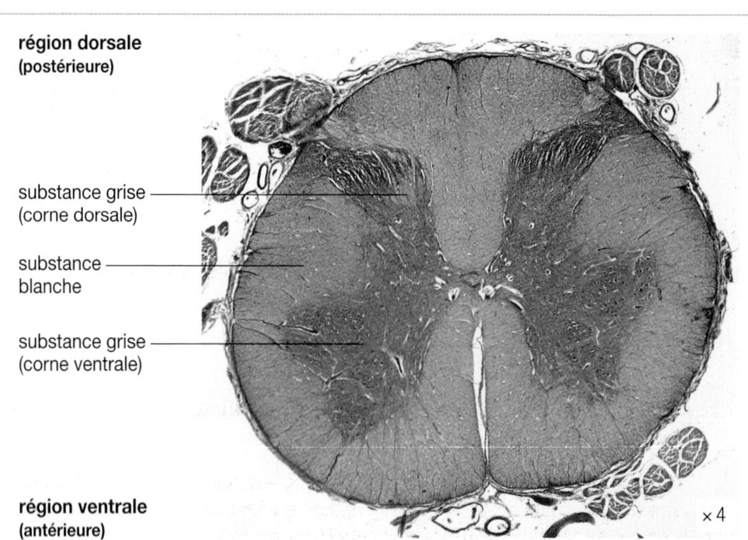

Doc. 2 Coupe transversale de moelle épinière humaine, observée au microscope après coloration.

B Les neurones, des cellules singulières

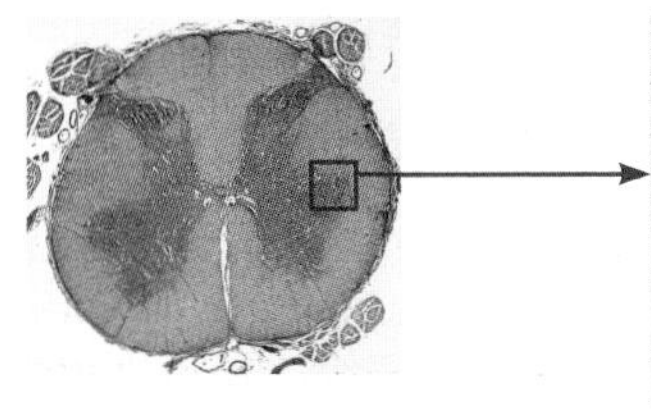

Dans la substance grise, exclusivement, on observe les corps cellulaires des neurones. La substance blanche contient les nombreux prolongements cytoplasmiques fins des neurones, **dendrites** et **axones**.
L'axone est un prolongement unique qui se termine par une arborisation terminale munie de **boutons synaptiques.** Ces deniers se connectent sur un autre neurone, une fibre musculaire ou une cellule sécrétrice.

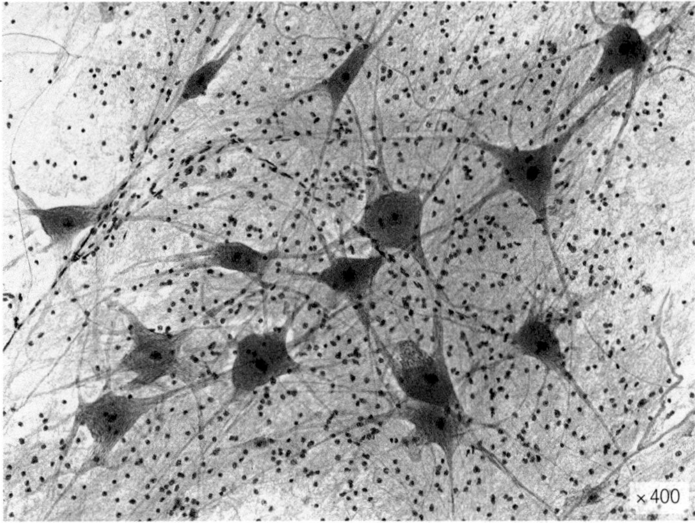

Observation microscopique de la corne ventrale de la substance grise

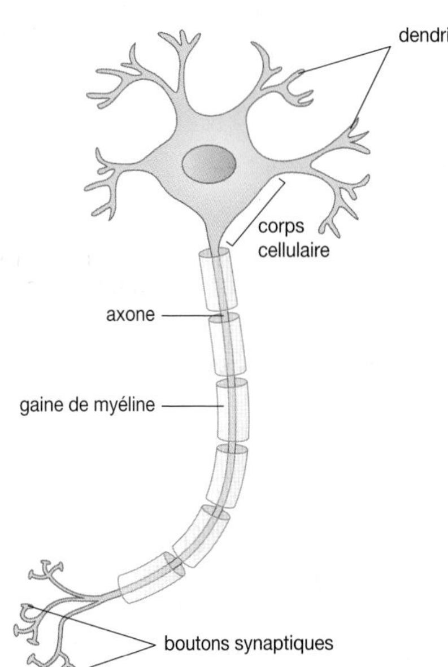

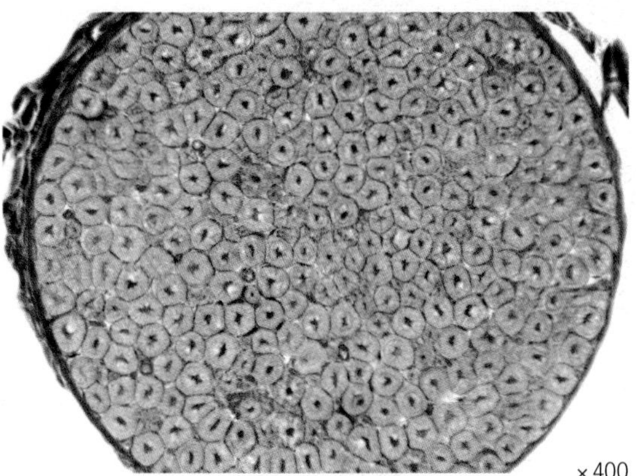

× 400

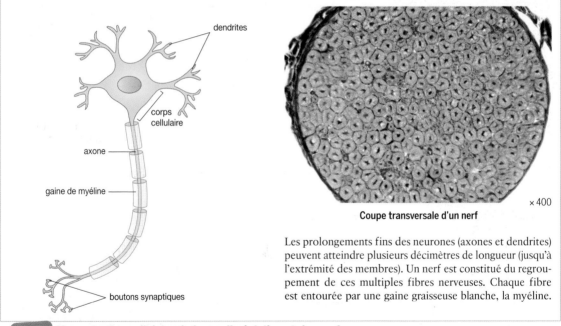

Coupe transversale d'un nerf

Les prolongements fins des neurones (axones et dendrites) peuvent atteindre plusieurs décimètres de longueur (jusqu'à l'extrémité des membres). Un nerf est constitué du regroupement de ces multiples fibres nerveuses. Chaque fibre est entourée par une gaine graisseuse blanche, la myéline.

Doc. 3 L'organisation cellulaire de la moelle épinière et des nerfs.

Pistes d'exploitation

PROBLÈME À RÉSOUDRE ► Quelles structures nerveuses sont nécessaires à la réalisation du réflexe myotatique ?

Doc. 1 à 3 Observez des coupes de moelle épinière et de nerf. Réalisez des dessins ou des photographies et légendez-les en vous aidant des informations apportées par ces documents.

Doc. 3 Pourquoi est-il pratiquement impossible d'observer un neurone en entier ?

Doc. 3 En quoi le neurone est-il une cellule singulière ?

Lexique, p. 406

Les éléments de l'arc réflexe myotatique

La réalisation d'un réflexe myotatique suppose qu'un message nerveux soit transmis à la moelle épinière et revienne ensuite au muscle : c'est un exemple d'arc réflexe. *Un tel fonctionnement nécessite une chaîne de neurones mais aussi un récepteur sensoriel ainsi qu'une connexion avec l'organe effecteur.*

A Départ et arrivée des messages nerveux

Dans les muscles, il existe des fibres musculaires modifiées sur lesquelles s'enroulent des terminaisons nerveuses dendritiques. L'ensemble, appelé fuseau neuromusculaire, constitue un **mécanorécepteur** sensible à l'étirement : un étirement, même minime, de ces fibres musculaires fait naître un message nerveux qui se propage alors par les dendrites (fibres sensitives d'un nerf rachidien) en direction de la moelle épinière.

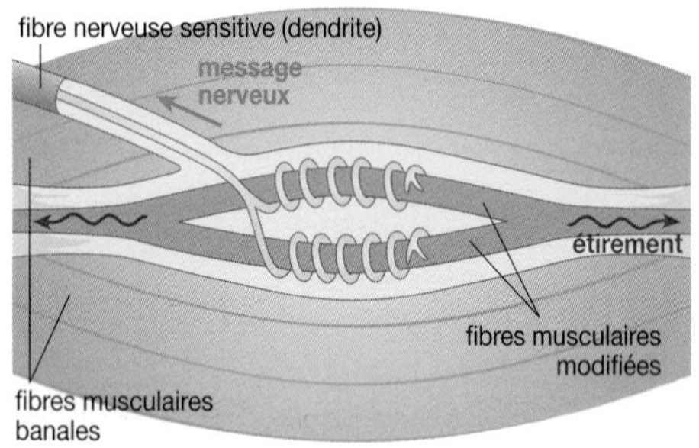

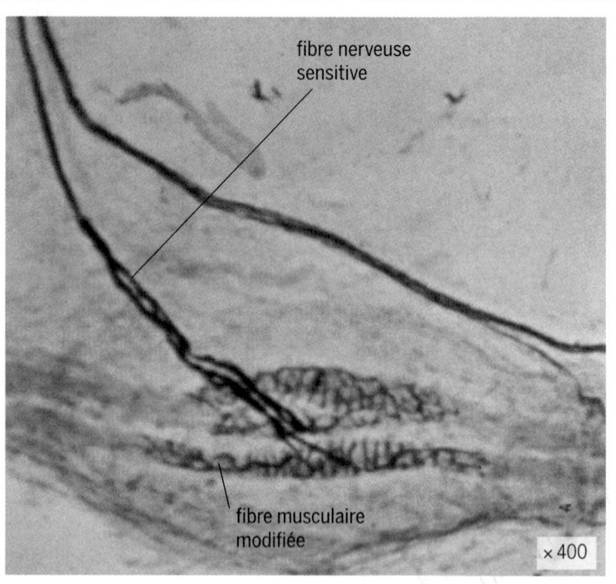

Doc. 1 Le fuseau neuromusculaire, un récepteur sensible à l'étirement.

Chaque fibre musculaire est en connexion avec une fibre nerveuse : les terminaisons axoniques forment en surface une zone de **synapse**, appelée **plaque motrice**, au niveau de laquelle l'arrivée d'un message nerveux déclenche la contraction de la fibre musculaire.

Des observations médicales permettent de connaître l'origine de ces fibres nerveuses motrices : dans le cas de la poliomyélite, ou de la maladie de Charcot, une destruction des corps cellulaires de neurones situés dans les cornes ventrales de la moelle épinière entraîne une dégénérescence des **axones** jusqu'aux plaques motrices. Ces maladies se traduisent par des paralysies musculaires.

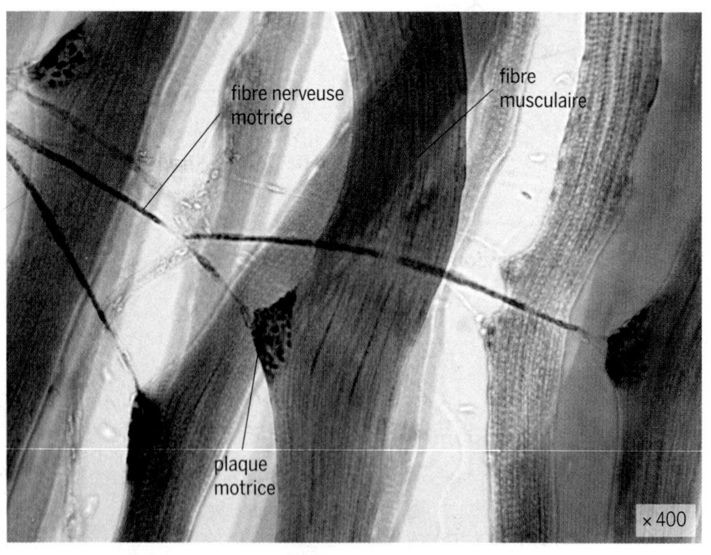

Doc. 2 La plaque motrice : une connexion entre fibre nerveuse et fibre musculaire.

B Le circuit nerveux au niveau de la moelle épinière

Au niveau de la moelle épinière, chaque nerf rachidien est raccordé par deux racines.

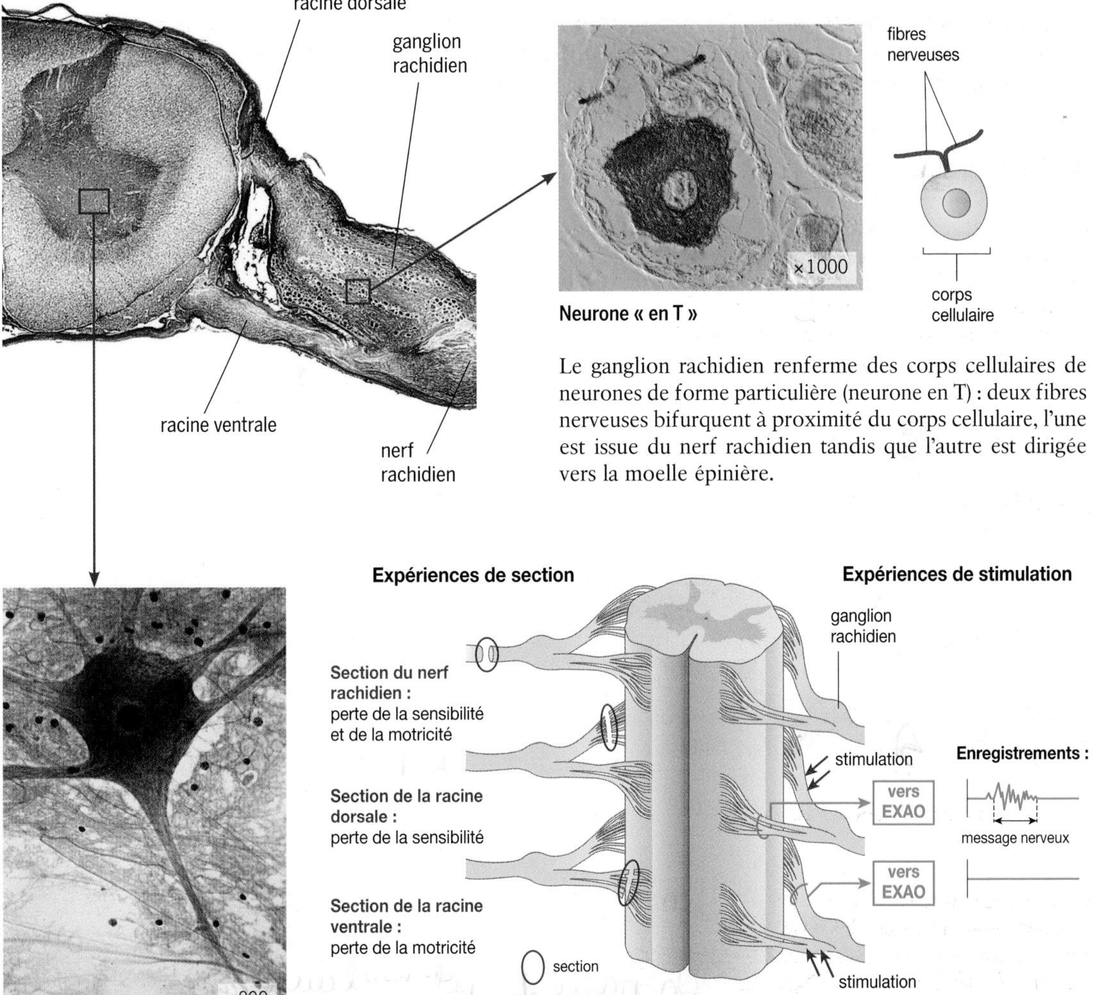

Neurone « en T »

Neurone moteur

Le ganglion rachidien renferme des corps cellulaires de neurones de forme particulière (neurone en T) : deux fibres nerveuses bifurquent à proximité du corps cellulaire, l'une est issue du nerf rachidien tandis que l'autre est dirigée vers la moelle épinière.

Les expériences résumées par ce schéma permettent d'établir le rôle des nerfs rachidiens et le trajet du message nerveux au niveau de la moelle. Des mesures de vitesse de propagation du message nerveux montrent que ce message ne franchit qu'une seule **synapse** dans la moelle épinière.

Doc. 3 Des observations et des expériences qui permettent d'établir le circuit nerveux de l'arc réflexe.

Pistes d'exploitation

PROBLÈME À RÉSOUDRE ► Quels sont les éléments nécessaires à la réalisation d'un réflexe myotatique et quel trajet suit le message nerveux ?

Doc. 1 et 3 Établissez le rôle des neurones « en T ». Précisez leur lien avec le fuseau neuromusculaire.

Doc. 2 et 3 Que montrent les observations médicales relatées dans le document 2 ?

Doc. 1 à 3 Pourquoi qualifie-t-on le nerf rachidien de nerf « mixte » ?

Doc. 1 à 3 Utilisez ces documents pour réaliser un schéma fonctionnel illustrant l'arc réflexe myotatique.

Lexique, p. 406

Nature et propagation du message nerveux

La réponse réflexe repose sur la transmission d'un message nerveux depuis le récepteur sensoriel jusqu'à la moelle épinière et, en retour, de la moelle jusqu'au muscle. *De fait, un signal codé de nature électrique se propage le long des fibres nerveuses, assurant une communication rapide entre organes.*

A La nature électrique du message nerveux

• Dès le XVIIIe siècle, Luigi Galvani montre que la décharge d'électricité provoquée par des éclairs, un soir d'orage, provoque de violentes contractions des muscles d'une grenouille.

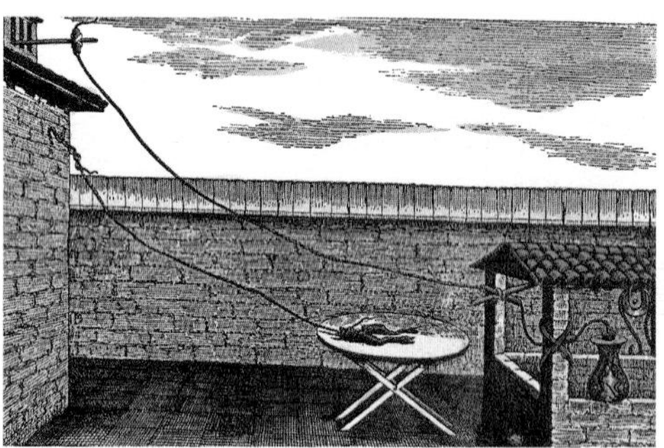

• Aujourd'hui, l'étude du message nerveux s'effectue grâce à des **microélectrodes** que l'on peut implanter dans une fibre nerveuse ou poser à sa surface afin d'y recueillir des potentiels de quelques dizaines de millivolts.

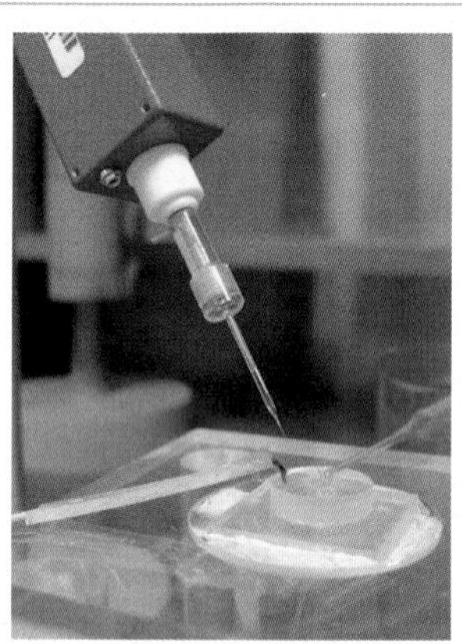

Doc. 1 Des premiers constats aux expérimentations actuelles.

Dans cette étude, une microélectrode reliée à un dispositif d'enregistrement est placée au contact d'une fibre nerveuse ou implantée à l'intérieur de cette dernière. La fibre nerveuse baigne dans un liquide physiologique dans lequel on place la deuxième électrode dite de référence. Il est possible de stimuler la fibre.

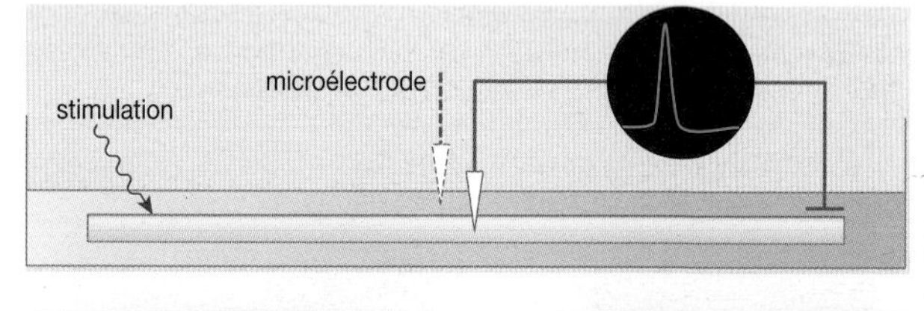

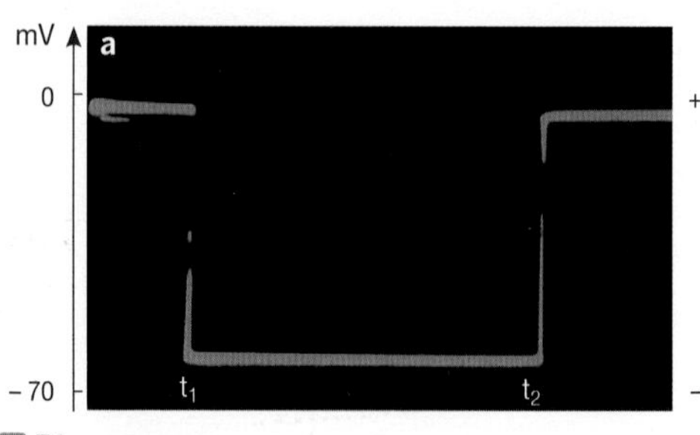

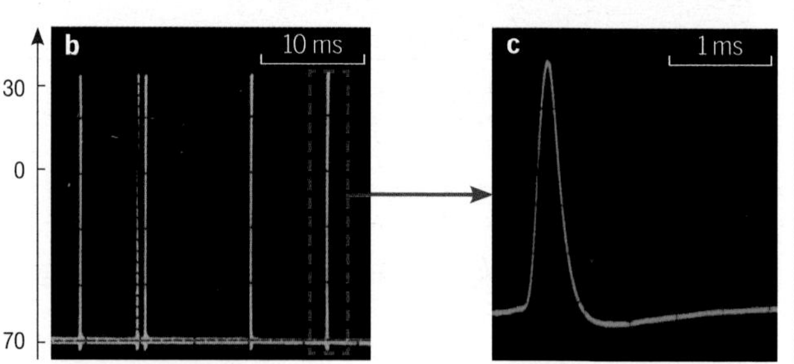

a Fibre au repos

– Avant t_1, la microélectrode est à la surface de la fibre.

– De t_1 à t_2, la microélectrode est enfoncée dans la fibre.

– Au temps t_2, la microélectrode est ressortie de la fibre.

De t_1 à t_2, la différence de potentiel constatée entre surface et intérieur de la fibre est le **potentiel de repos**.

b Fibre en activité

Pendant que la microélectrode est implantée, on effectue à distance une stimulation de la fibre.

Les brèves variations du potentiel constatées sont appelées **potentiels d'action**. L'enregistrement **c** a été obtenu en modifiant la base de temps de façon à observer plus en détail ce signal élémentaire : on constate une phase de dépolarisation, très rapide, suivie d'une repolarisation de la fibre qui retrouve la valeur de repos.

Doc. 2 L'existence d'un potentiel de repos et de potentiels d'action.

B Propagation et codage du message nerveux

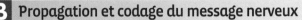

Animation

• En 1938, deux chercheurs, Hodgkin et Rushton, réalisent l'expérience suivante : ils portent une stimulation sur une fibre nerveuse « géante » de calmar et enregistrent l'état électrique de la membrane à différentes distances du point de stimulation.

• Au repos, il existe une différence de potentiel permanente de part et d'autre de la membrane du neurone, l'intérieur étant électronégatif par rapport à l'extérieur.

• Le potentiel d'action apparaît comme une zone de dépolarisation temporaire de la membrane du neurone, qui se propage de proche en proche. À noter que la valeur du potentiel d'action ne varie pas : il n'y a pas d'atténuation du signal au cours de sa propagation.

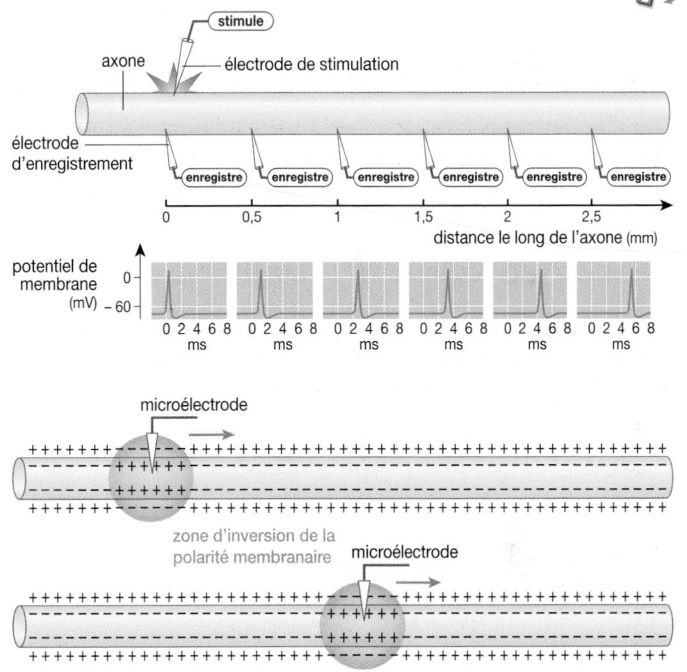

Doc. 3 Une caractéristique essentielle du potentiel d'action.

Un potentiel d'action est rarement isolé : à la suite de la stimulation efficace d'un récepteur, on constate que c'est une salve de potentiels d'action qui naît et se propage. Ainsi, un message nerveux est constitué par une succession rapprochée de plusieurs potentiels d'action.

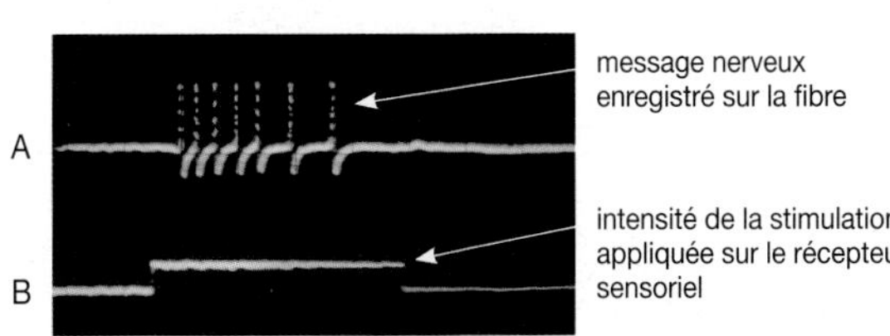

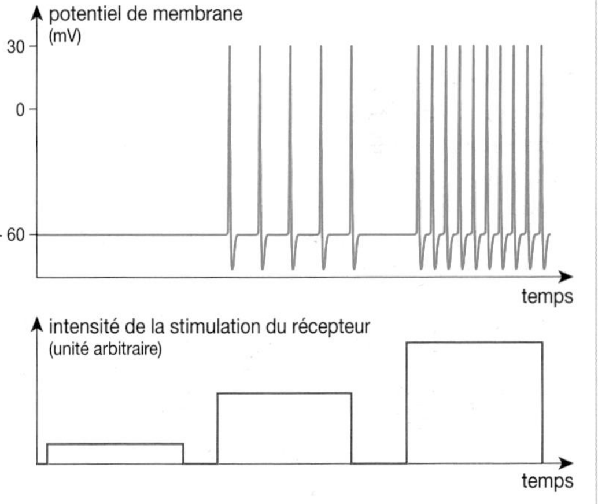

Le *schéma ci-contre* montre les réponses obtenues pour trois stimulations d'intensité croissante d'un récepteur sensoriel.

Doc. 4 Le codage du message nerveux.

Pistes d'exploitation

PROBLÈME À RÉSOUDRE ► Qu'est-ce qu'un message nerveux et quelles sont ses propriétés essentielles ?

Doc. 1 et 2 Montrez que ces observations permettent de déterminer la nature du message nerveux.

Doc. 2 Justifiez les expressions de « potentiel de repos » et de « potentiel d'action » et proposez-en une définition.

Doc. 3 Quelle propriété essentielle du message nerveux est ici mise en évidence ?

Doc. 4 Établissez la relation entre l'intensité d'une stimulation et les caractéristiques du message nerveux enregistré au niveau d'une fibre.

Lexique, p. 406

La transmission synaptique

Le message nerveux, de nature électrique, se propage le long des fibres nerveuses. Il doit aussi être transmis d'un neurone à un autre ou d'un neurone vers un organe effecteur comme le muscle. *Au niveau de zones de connexion qualifiées de synapses, la transmission du message nerveux est en général de nature chimique.*

A Les caractéristiques structurales d'une synapse

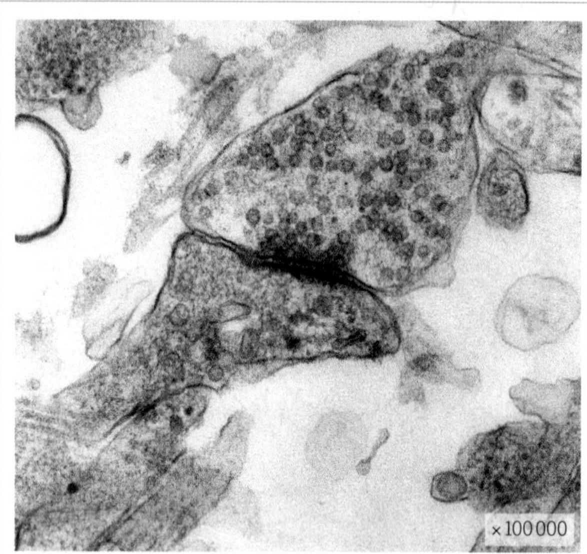

Le plus souvent, deux neurones successifs ne sont pas directement en contact mais séparés par un espace étroit d'environ 20 nanomètres : la fente synaptique. La fente synaptique constitue donc une rupture dans la continuité de la propagation électrique du message nerveux.

Dans les circuits neuroniques, les messages nerveux circulent à sens unique : l'élément situé dans la partie supérieure de la *photographie ci-contre* est l'extrémité d'un neurone qualifié de pré-synaptique, tandis que le second neurone (situé en bas) est qualifié de post-synaptique.

Doc. 1 Synapse neuro-neuronique observée au microscope électronique à transmission (MET).

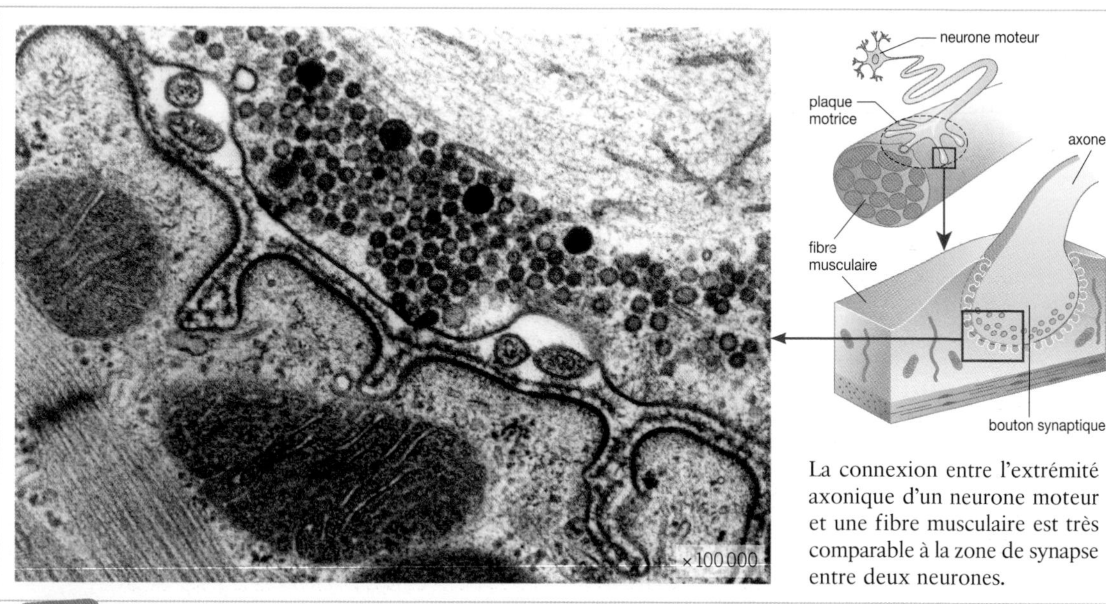

La connexion entre l'extrémité axonique d'un neurone moteur et une fibre musculaire est très comparable à la zone de synapse entre deux neurones.

Doc. 2 La plaque motrice, ou synapse neuromusculaire, observée au MET.

B Le fonctionnement d'une synapse

DES OBSERVATIONS

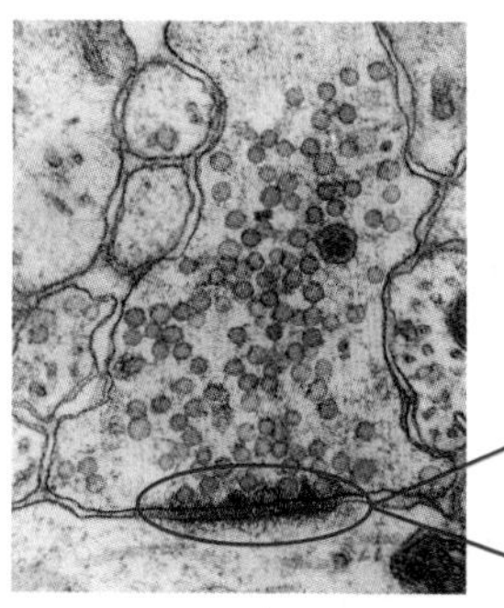

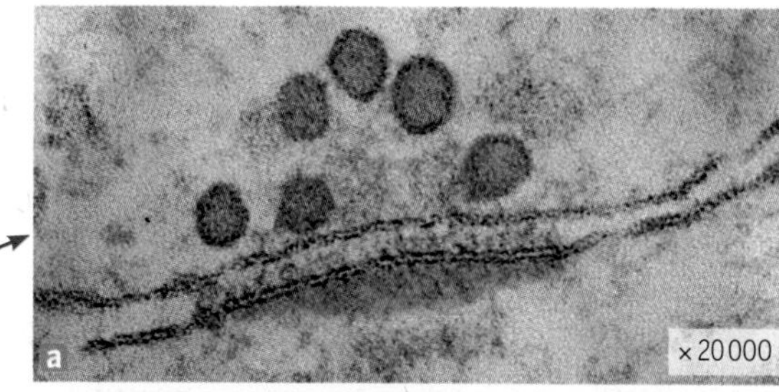

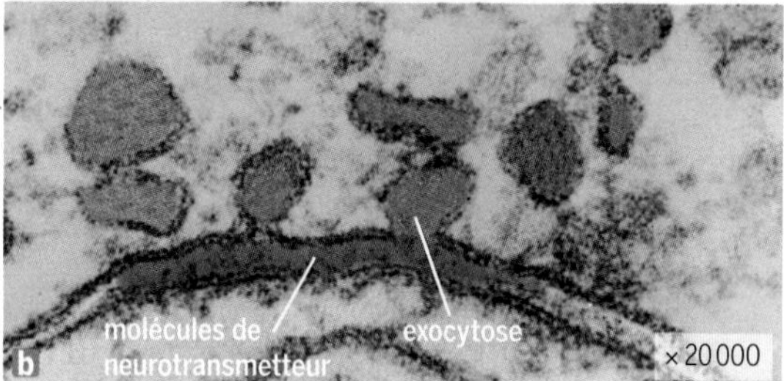

Les *instantanés remarquables ci-contre* ont été obtenus en congelant brusquement des synapses.

- La *photographie* **a** a été réalisée sans effectuer de stimulation.
- La *photographie* **b** a été obtenue une milliseconde après une stimulation du neurone présynaptique.

Les vésicules colorées en rose renferment toutes une même substance : l'**acétylcholine**. C'est un neurotransmetteur.

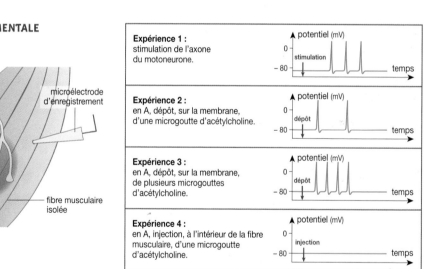

UNE ÉTUDE EXPÉRIMENTALE

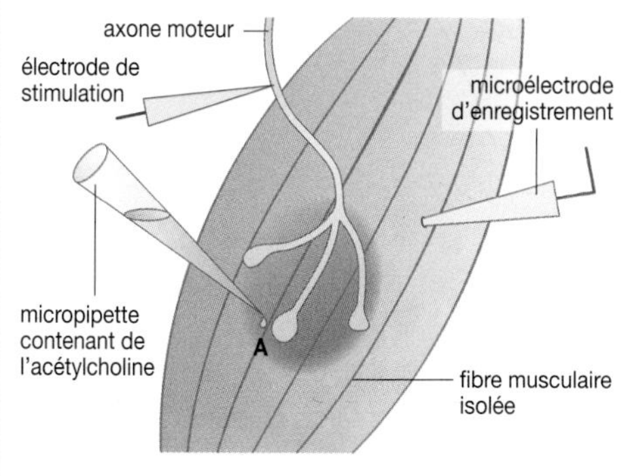

Expérience 1 : stimulation de l'axone du motoneurone.

Expérience 2 : en A, dépôt, sur la membrane, d'une microgoutte d'acétylcholine.

Expérience 3 : en A, dépôt, sur la membrane, de plusieurs microgouttes d'acétylcholine.

Expérience 4 : en A, injection, à l'intérieur de la fibre musculaire, d'une microgoutte d'acétylcholine.

Doc. 3 **La mise en évidence d'une transmission chimique du message nerveux.**

Pistes d'exploitation

PROBLÈME À RÉSOUDRE ► **Comment le message nerveux est-il transmis d'un neurone à un autre neurone ou d'un neurone à une fibre musculaire ?**

Doc. 1 et 2 Faites un schéma de la synapse neuromusculaire et comparez son organisation à celle d'une synapse neuro-neuronique.

Doc. 2 et 3 Quelles sont les conditions nécessaires à la genèse d'un potentiel d'action musculaire ?

Doc. 3 Complétez le schéma réalisé précédemment pour indiquer le fonctionnement synaptique.

Doc. 3 Comment le message nerveux peut-il être codé au niveau d'une synapse ? Proposez une explication.

Lexique, p. 406

Les effets de substances pharmacologiques

Au niveau des synapses, la transmission du message nerveux fait intervenir des substances chimiques, les neurotransmetteurs. *La connaissance du fonctionnement des synapses chimiques permet de comprendre les effets myorelaxants de certaines substances pharmacologiques.*

A La fixation du neurotransmetteur sur un récepteur

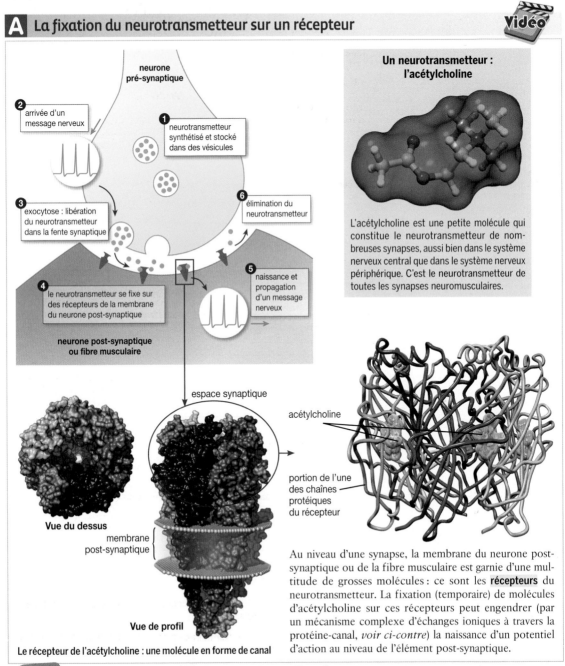

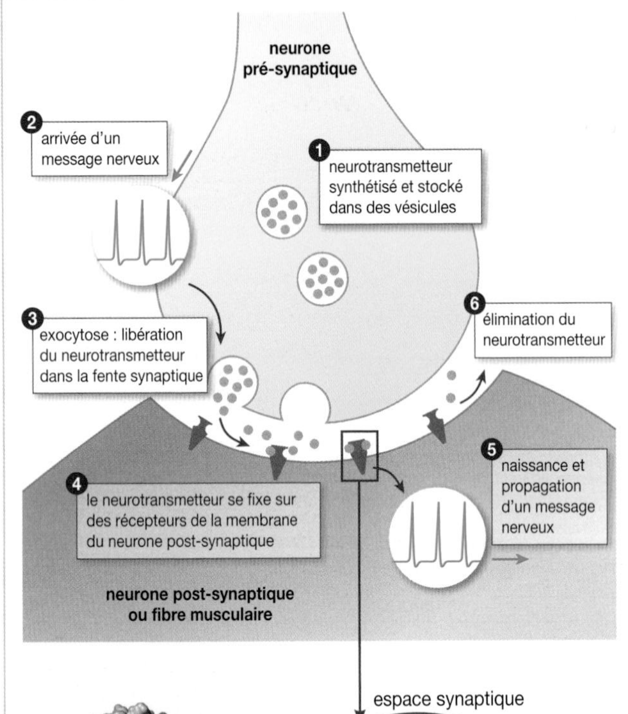

Un neurotransmetteur : l'acétylcholine

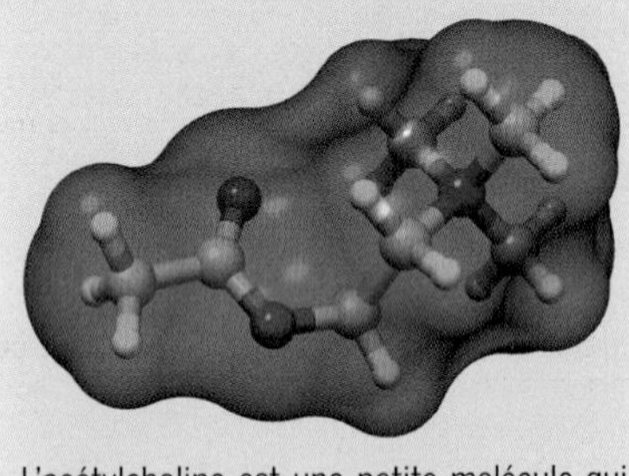

L'acétylcholine est une petite molécule qui constitue le neurotransmetteur de nombreuses synapses, aussi bien dans le système nerveux central que dans le système nerveux périphérique. C'est le neurotransmetteur de toutes les synapses neuromusculaires.

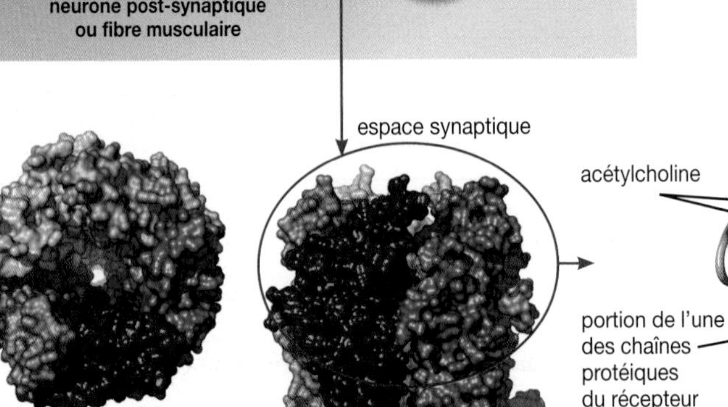

Le récepteur de l'acétylcholine : une molécule en forme de canal

Au niveau d'une synapse, la membrane du neurone post-synaptique ou de la fibre musculaire est garnie d'une multitude de grosses molécules : ce sont les **récepteurs** du neurotransmetteur. La fixation (temporaire) de molécules d'acétylcholine sur ces récepteurs peut engendrer (par un mécanisme complexe d'échanges ioniques à travers la protéine-canal, *voir ci-contre*) la naissance d'un potentiel d'action au niveau de l'élément post-synaptique.

Doc. 1 Le neurotransmetteur agit par l'intermédiaire d'un récepteur.

B Le mode d'action de substances « myorelaxantes »

Les curares sont des substances d'origine végétale aux effets myorelaxants, c'est-à-dire provoquant un relâchement musculaire. Les Indiens en enduisaient les pointes de leurs flèches au cours de la chasse, ce qui entraînait la paralysie puis la mort du gibier par asphyxie.
Aujourd'hui, les curares de synthèse sont couramment utilisés en chirurgie pour produire un relâchement musculaire pendant l'anesthésie, ce qui facilite le travail du chirurgien.

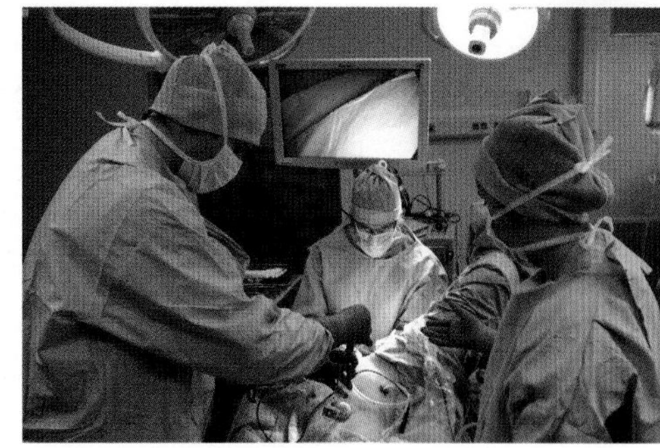

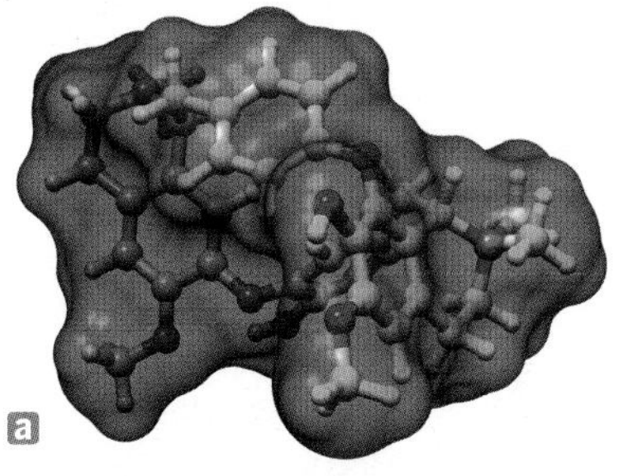

- L'**image a** est un modèle moléculaire d'un curare, la tubocurarine.
- L'**image b** montre que cette molécule a la capacité de se fixer, sur le récepteur de l'acétylcholine.

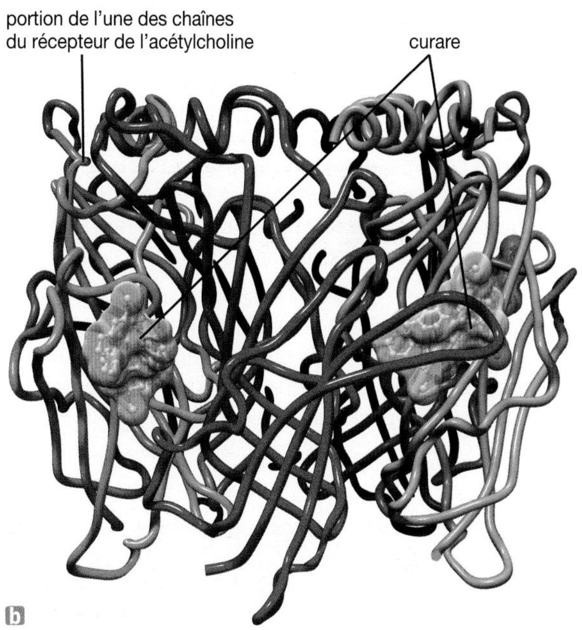

D'autres myorelaxants

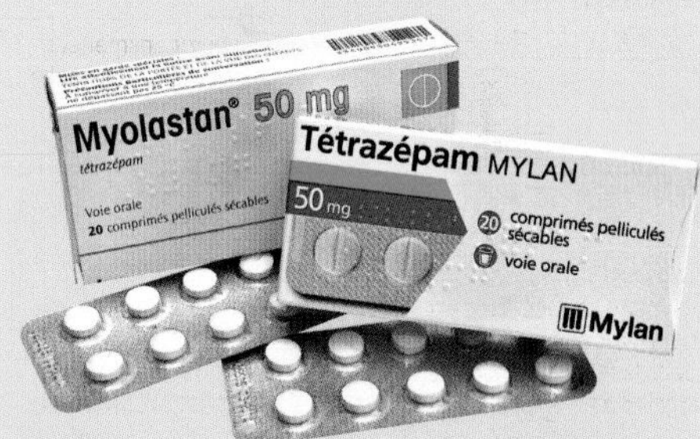

L'utilisation du curare nécessite une assistance respiratoire, du fait de son effet potentiel sur les muscles assurant les mouvements de la respiration. Les myorelaxants commercialisés en pharmacie n'agissent pas sur les synapses du système nerveux périphérique. Ces substances interagissent, en effet, avec certaines synapses du système nerveux central : en renforçant le rôle **inhibiteur** de ces synapses, ces médicaments ont une action « apaisante » provoquant à la fois un relâchement musculaire et une diminution de l'anxiété. Ils sont fréquemment utilisés pour traiter les contractures musculaires, mais peuvent avoir des effets secondaires (somnolence, amnésie...).

Doc. 2 Des interactions entre des substances pharmacologiques et les récepteurs synaptiques.

Pour télécharger les modèles moléculaires : www.bordas-svtlycee.fr

Pistes d'exploitation

PROBLÈME À RÉSOUDRE ► Comment des substances pharmacologiques peuvent-elles interférer avec le fonctionnement synaptique ?

Doc. 1 Décrivez le fonctionnement d'une synapse et expliquez pourquoi les synapses imposent un sens unique de transmission du message nerveux.

Doc. 1 La fixation du neurotransmetteur sur son récepteur est temporaire : quel en est l'intérêt ?

Doc. 1 et 2 Comment expliquez-vous l'effet myorelaxant du curare ?

Doc. 2 Comparez l'action des autres myorelaxants à celle du curare.

Lexique, p. 406

chapitre 4 Une commande réflexe des muscles

Chacun connaît le test couramment pratiqué par les médecins qui consiste à **percuter légèrement un tendon** avec un marteau à réflexes, provoquant en réponse une contraction musculaire.

Ce réflexe, appelé **réflexe myotatique**, permet en effet d'apprécier le fonctionnement du **système neuromusculaire**.

1 Les caractéristiques du réflexe myotatique

Un exemple de réponse réflexe

On appelle réflexe myotatique la **contraction réflexe d'un muscle** déclenchée par son **propre étirement**. Par exemple, en percutant légèrement le tendon rotulien, on déclenche une brusque contraction du muscle rattaché à ce tendon et situé à la face antérieure de la cuisse (muscle extenseur de la jambe). Il en va de même de la percussion du tendon d'Achille, qui déclenche la contraction du muscle du mollet et l'extension du pied. De tels réflexes ont pour intérêt de maintenir un **tonus musculaire** permanent et interviennent dans le maintien de la posture.

À l'aide d'électrodes réceptrices placées à la surface de la peau, il est possible d'enregistrer de très faibles variations de potentiels électriques engendrés par une contraction musculaire. Cette étude expérimentale permet de dégager les caractéristiques de la réponse réflexe : elle est **rapide**, **involontaire** mais son intensité est variable. Elle dépend de la force du choc (stimulus) mais aussi de l'état du sujet : les réflexes peuvent être exacerbés (contraction importante même si le stimulus est de faible intensité) ou au contraire amoindris, voire anormalement absents.

Le circuit nerveux du réflexe myotatique

Une investigation méthodique permet d'établir le circuit nerveux du réflexe myotatique. Interviennent ainsi successivement :
– des **récepteurs sensoriels** (les fuseaux neuromusculaires), situés dans le muscle et le tendon, qui émettent un message nerveux lorsqu'ils sont stimulés par l'étirement provoqué par le choc ;
– des **fibres nerveuses sensitives** (situées dans un nerf rachidien) qui conduisent le message nerveux afférent (sensitif) vers les centres nerveux ;
– un **centre nerveux** (la moelle épinière) qui traite les informations reçues et élabore le message nerveux moteur ;
– des **fibres nerveuses motrices** (situées elles aussi dans le nerf rachidien) qui conduisent le message efférent (moteur) ;
– un **organe effecteur**, le muscle, dont les fibres reçoivent le message nerveux moteur et, en se contractant, produisent la réponse réflexe.

Deux types de neurones interviennent successivement au cours du réflexe myotatique : les neurones afférents, ou sensitifs, et les neurones efférents ou neurones moteurs (aussi appelés motoneurones).

Un **neurone sensitif** relie directement un fuseau neuromusculaire à la moelle épinière. Le corps cellulaire de ce neurone (neurone en T) est situé dans un ganglion rachidien ; la fibre nerveuse conduisant le message nerveux jusqu'au corps cellulaire est un prolongement cytoplasmique de ce neurone, appelé **dendrite**. Du corps cellulaire, un court **axone** gagne la substance grise de la moelle épinière par la racine dorsale du nerf rachidien.

Un **neurone moteur**, ou **motoneurone**, possède un corps cellulaire situé dans la partie antérieure de la **substance grise** de la moelle épinière. Son axone, très long, emprunte la racine ventrale du nerf rachidien et constitue une fibre nerveuse efférente conduisant le message nerveux moteur jusqu'aux fibres musculaires.

Dans la moelle épinière, il existe donc une connexion entre le neurone sensitif et le neurone moteur : c'est ce que l'on appelle une **synapse**. Le réflexe myotatique est qualifié de **monosynaptique** car il n'existe qu'une seule synapse sur le trajet suivi par le message nerveux.

2 Nature et propagation du message nerveux

Le potentiel d'action, signal nerveux élémentaire

L'étude de l'activité électrique d'une fibre nerveuse peut être réalisée à l'aide d'électrodes très fines (microélectrodes) que l'on implante à l'intérieur de la fibre. En absence de toute stimulation, on constate que la **membrane du neurone** est polarisée : il existe une différence de potentiel permanente de 70 mV entre ses deux faces, l'intérieur étant électronégatif par rapport à l'extérieur. Cette différence de potentiel transmembranaire est appelée **potentiel de repos**.

Si l'on stimule la fibre nerveuse, on observe une modification de cet état électrique de repos. En effet, peu de temps après la stimulation, on enregistre, à distance de l'endroit où a été portée la stimulation, une série de modifications très brèves du potentiel transmembranaire : l'ensemble constitue le **message nerveux**, chaque signal élémentaire étant appelé potentiel d'action. Un **potentiel d'action** est une inversion brusque de la polarisation membranaire (la face interne de la membrane devenant électropositive par rapport à la face externe). L'amplitude est d'environ 100 mV. Cet événement est local et très bref (de l'ordre de la milliseconde).

Propagation et codage du message nerveux

Après une stimulation, le message nerveux peut être enregistré à distance, en tout point de la fibre nerveuse : il **se propage** en effet de proche en proche, à une vitesse variable selon le type de fibre nerveuse. Les axones des neurones moteurs conduisent ainsi le message nerveux à une vitesse de l'ordre de 100 $m \cdot s^{-1}$. La présence d'une gaine de myéline entourant l'axone est un facteur qui favorise cette vitesse élevée de propagation.

Une caractéristique remarquable du message nerveux est l'**amplitude constante** des potentiels d'action qui le constituent (100 mV), quelle que soit l'intensité de la stimulation. On peut également noter qu'il n'y a pas d'atténuation du signal au cours de la propagation. En revanche, la **fréquence des potentiels d'action** qui constitue un message nerveux est variable. Le nombre de potentiels d'action par unité de temps constitue donc un **codage** : par exemple, plus la fréquence des potentiels d'action du message moteur est élevée, plus la contraction musculaire effectuée en réponse sera importante.

3 Le fonctionnement synaptique

Une transmission chimique des messages nerveux

Arrivé à l'extrémité de l'axone du neurone sensitif, dans la substance grise de la moelle épinière, le message nerveux est transmis au neurone moteur : cette zone de connexion entre deux neurones est une **synapse neuro-neuronique**. De la même façon, lorsque le message nerveux arrive à l'extrémité de l'axone du motoneurone, il est transmis à une fibre musculaire : on peut en effet enregistrer des **potentiels d'action musculaires**, qui provoquent la contraction des fibres musculaires. Cette zone de connexion, entre boutons synaptiques de l'axone moteur et fibre musculaire est aussi une synapse : elle est souvent appelée **jonction neuro-musculaire** ou encore **plaque motrice**.

La structure et le fonctionnement de ces synapses sont, pour l'essentiel, comparables. Dans les deux cas, il existe un espace, ou **fente synaptique**, de 20 à 50 nanomètres, séparant la fibre nerveuse pré-synaptique de l'élément post-synaptique (neurone ou fibre musculaire). L'observation au microscope électronique montre que le cytoplasme situé à l'extrémité de la fibre pré-synaptique contient de très nombreuses **vésicules**.

Le message nerveux pré-synaptique ne peut pas franchir directement la fente synaptique. Ce franchissement est assuré grâce à un médiateur chimique. En effet, les nombreuses vésicules de la fibre nerveuse pré-synaptique sont remplies de molécules d'une substance chimique appelée **neurotransmetteur** (ou neuromédiateur). Dans le cas du circuit nerveux de l'arc réflexe myotatique, le neurotransmetteur est l'**acétylcholine**. L'arrivée des potentiels d'action au niveau de la terminaison pré-synaptique déclenche l'**exocytose** d'un nombre plus ou moins important de vésicules qui libèrent alors l'acétylcholine dans l'espace synaptique. Au niveau de la synapse, l'élément post-synaptique est garni de molécules enchâssées dans la membrane et sur lesquelles l'acétylcholine peut se fixer : ce sont les **récepteurs du neurotransmetteur**. La conséquence de cette fixation est, si la quantité d'acétylcholine libérée est suffisante, la naissance de potentiels d'action post-synaptiques.

Au niveau d'une synapse, c'est la **concentration en neurotransmetteur** libéré dans la fente synaptique qui constitue le **codage du message** : par exemple, au niveau de la jonction neuro-musculaire, plus la concentration en acétylcholine libérée est importante, plus la fréquence des potentiels d'action musculaires sera importante, provoquant une contraction musculaire de plus forte amplitude.

Les effets de substances pharmacologiques

Certaines substances chimiques, naturelles ou de synthèse, sont susceptibles de perturber le fonctionnement synaptique. Le **curare** (substance produite par certaines plantes) a, par exemple, la possibilité de se fixer sur les récepteurs de l'acétylcholine mais ne génère pas de potentiels d'action : c'est un **antagoniste** de l'acétylcholine. Il provoque ainsi un relâchement musculaire durable : cette paralysie peut être mortelle (relâchement des muscles respiratoires) mais peut aussi être utilisée à bon escient pour son effet **myorelaxant** (en chirurgie notamment). D'autres substances ont pour effet d'empêcher l'élimination de l'acétylcholine de l'espace synaptique. Elles prolongent alors la durée d'action du neurotransmetteur : ce sont des **agonistes** de l'acétylcholine.

Certaines substances myorelaxantes ont un mode d'action quelque peu différent, en agissant sur des synapses du cerveau de façon à obtenir un effet globalement « calmant ». Elles ne sont pas dépourvues d'effets secondaires.

chapitre 4 Une commande réflexe des muscles

À RETENIR

Les caractéristiques du réflexe myotatique

Un réflexe myotatique est la **contraction involontaire** d'un muscle, déclenchée par un **stimulus** qui est son propre étirement. C'est un **outil de diagnostic** permettant d'apprécier le fonctionnement du système neuromusculaire.

Le réflexe myotatique met en jeu des récepteurs sensoriels, les **fuseaux neuromusculaires**, un centre nerveux, la **moelle épinière**, des effecteurs, les **fibres musculaires** et des nerfs, qui contiennent les **fibres nerveuses sensitives et motrices**.

Le réflexe myotatique est un réflexe **monosynaptique** : il mobilise un **neurone sensitif** qui, dans la moelle épinière, est en connexion synaptique avec un **neurone moteur** (ou motoneurone).

Le message nerveux

La membrane d'un neurone est polarisée : la polarisation membranaire observée en dehors de toute stimulation est le **potentiel de repos**. Un **message nerveux** est constitué par une série de variations brèves de la polarisation membranaire du neurone, appelées potentiels d'action. Les **potentiels d'action** ont une amplitude constante et se propagent le long des fibres nerveuses. Un message nerveux est codé par la **fréquence des potentiels d'action** qui le constituent.

La transmission synaptique

La zone de connexion entre deux neurones ou entre un neurone et une fibre musculaire est une **synapse**. Au niveau d'une synapse, la transmission s'effectue par l'intermédiaire d'une substance chimique appelée **neurotransmetteur**. L'**acétylcholine** est le neurotransmetteur impliqué dans le fonctionnement du réflexe myotatique.

L'arrivée d'un message nerveux à l'extrémité de l'axone du neurone pré-synaptique entraîne la libération du neurotransmetteur dans la **fente synaptique**. Les molécules du neurotransmetteur se fixent sur des **récepteurs spécifiques** situés sur la membrane de l'élément post-synaptique (fibre nerveuse ou fibre musculaire), ce qui peut générer des **potentiels d'action** (nerveux ou musculaires). Au niveau d'une synapse, le message est codé par la **concentration en neurotransmetteur**.

Certaines **substances pharmacologiques** peuvent perturber le fonctionnement des synapses, par exemple en interférant avec la fixation du neurotransmetteur sur son récepteur.

Mots-clés

- Stimulus
- Fuseau neuro-musculaire
- Moelle épinière
- Message nerveux
- Potentiel d'action
- Synapse, jonction neuromusculaire
- Neurotransmetteur
- Récepteur post-synaptique

Capacités et attitudes

- Utiliser un dispositif d'ExAO pour mettre en évidence le réflexe myotatique.
- Observer et comparer des préparations microscopiques pour identifier les supports du réflexe myotatique.
- Observer des photographies obtenues en microscopie électronique pour identifier les éléments d'une synapse.
- Extraire et exploiter des informations pour comprendre le fonctionnement d'une synapse.
- Utiliser un logiciel de visualisation moléculaire pour comprendre le mode d'action d'un neurotransmetteur et les effets de substances pharmacologiques.

SCHÉMA BILAN UNE COMMANDE RÉFLEXE DES MUSCLES

Réflexe myotatique et fontionnement du système neuromusculaire

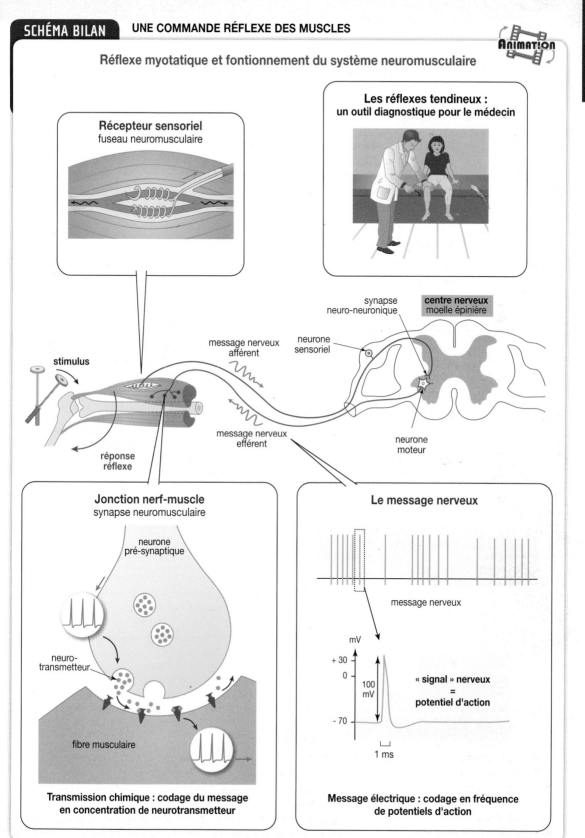

Récepteur sensoriel
fuseau neuromusculaire

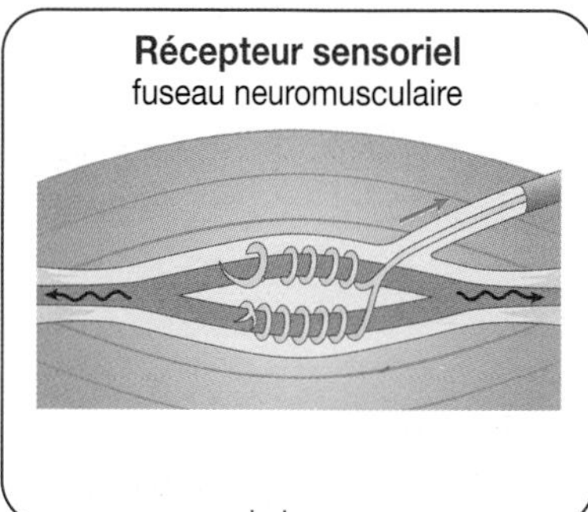

Les réflexes tendineux :
un outil diagnostique pour le médecin

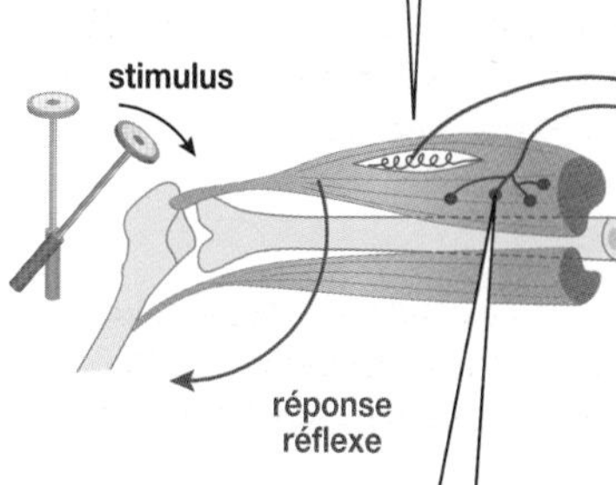

Jonction nerf-muscle
synapse neuromusculaire

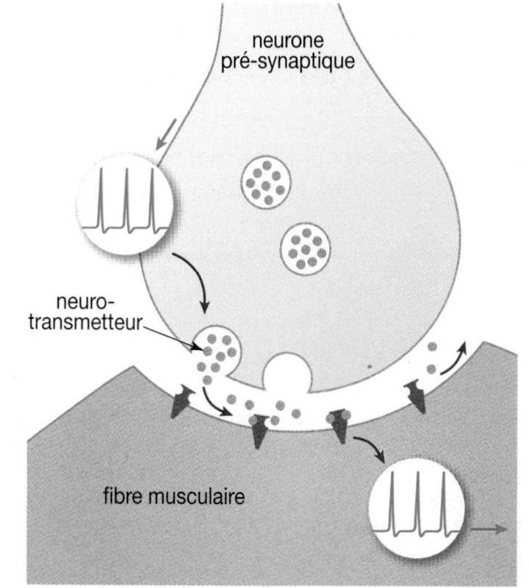

Transmission chimique : codage du message en concentration de neurotransmetteur

Le message nerveux

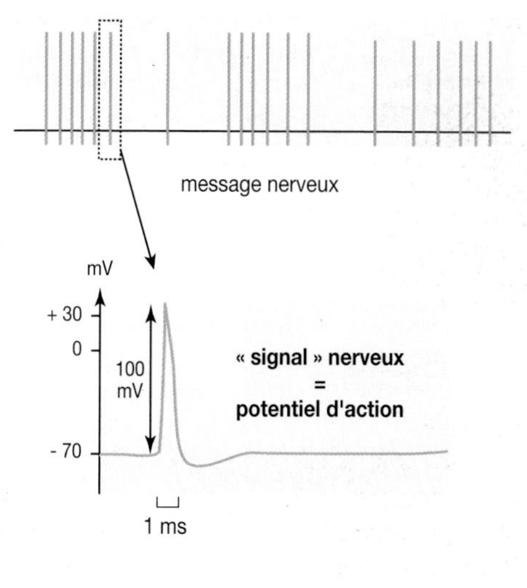

Message électrique : codage en fréquence de potentiels d'action

La synapse, cible de nombreuses substances neurotoxiques

• Une perturbation du fonctionnement synaptique

Le fonctionnement normal de la synapse neuromusculaire suppose que le **neurotransmetteur**, l'acétylcholine, puisse se fixer librement sur son **récepteur** et soit par la suite éliminé, interrompant ainsi la transmission du message nerveux. Cette élimination est assurée par une enzyme, l'acétylcholinestérase (en vert sur le *schéma ci-contre*).

Plusieurs substances, naturelles ou de synthèse, peuvent perturber ce fonctionnement.

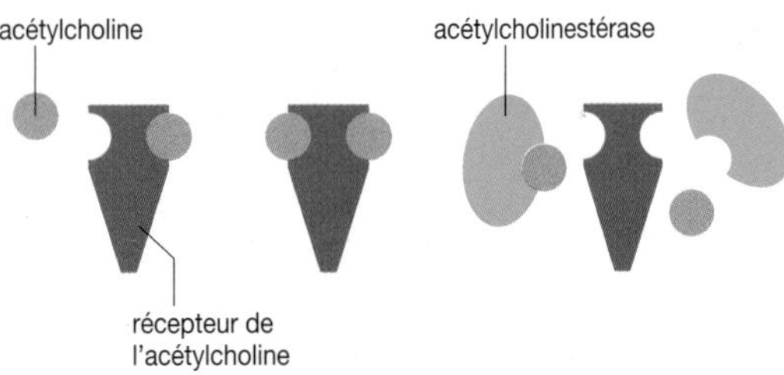

• Des venins neurotoxiques

Les venins de serpents (cobra, etc.) contiennent de puissantes substances neurotoxiques : ces molécules ont une **très forte affinité** pour le récepteur de l'acétylcholine. En se fixant très rapidement et durablement sur les récepteurs, ces substances bloquent la transmission synaptique, provoquant ainsi une paralysie mortelle.

Le venin du Taïpan du désert *(photographie ci-dessus)* est le plus dangereux : une dose de venin suffirait à tuer cent personnes.

• Les gaz de combat

Entre les deux guerres mondiales du XXe siècle, plusieurs molécules ont été mises au point afin de constituer des stocks d'armes chimiques. Le tabun ou le sarin, par exemple, sont des **inhibiteurs de l'acétylcholinestérase**. L'acétylcholine n'étant pas éliminée, l'utilisation de telles substances aboutit à une contraction permanente des muscles qui est mortelle. Utilisées à de nombreuses reprises au cours des conflits du XXe siècle, les armes chimiques sont aujourd'hui proscrites par l'ONU.

• La nicotine

La nicotine, présente dans les feuilles du tabac, est une molécule qui peut se fixer sur les récepteurs de l'acétylcholine. Elle stimule les récepteurs, ce qui renforce l'action de l'acétylcholine (on dit que c'est un **agoniste**). Son effet est de courte durée mais son absence provoque une sensation de manque.

• Le curare

Le curare *(voir page 363)* est un mélange de plusieurs substances produites par diverses plantes tropicales. Sa fixation sur les récepteurs de l'acétylcholine entraîne un relâchement et une paralysie progressive des muscles squelettiques. Le curare est un **antagoniste** de l'acétylcholine.

• Les insecticides

Le parathion et la malathion sont des molécules très proches de celles des gaz de combat, mais la présence d'une double liaison chimique au sein de ces molécules les empêche *a priori* d'exercer leur **action inhibitrice** sur l'acétylcholinestérase. Cependant, contrairement aux mammifères, les insectes convertissent les doubles liaisons de ces molécules et sont alors tués par ces pesticides.

Santiago Ramón y Cajal, fondateur de la théorie neuronale

Santiago Ramón y Cajal (1852-1934) était un biologiste espagnol. Il a partagé avec C. Golgi le prix Nobel de physiologie ou médecine 1906, attribué à ces deux scientifiques *« en reconnaissance de leur travail sur la structure du système nerveux »*. Les observations de Cajal ont largement contribué à établir la théorie neuronale.

Reprenant les **techniques de coloration** du tissu nerveux par imprégnation de sels d'argent établies par Golgi, Cajal s'oppose fondamentalement à ce dernier. En effet, pour Golgi, le système nerveux forme un réseau continu. Au contraire, Cajal montre que celui-ci est constitué d'**entités cellulaires séparées**, en contact les unes avec les autres.

C'est cependant Waldeyer, un anatomiste allemand, qui propose, en 1891, le terme de **neurone**, tandis que Sherrington, médecin anglais, impose, en 1897, le mot de **synapse**.

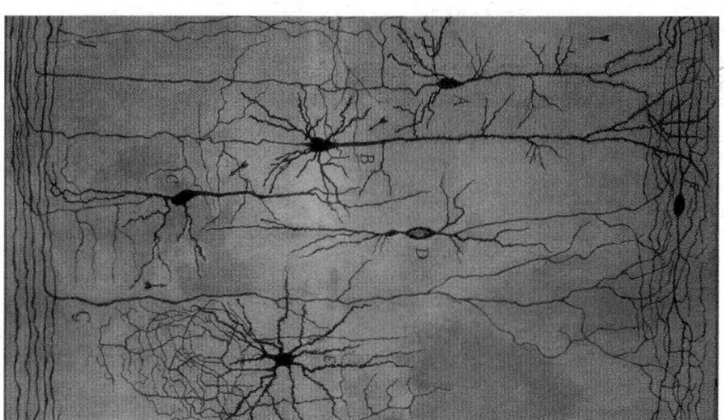

Les préparations microscopiques réalisées par Cajal, et les **dessins** qu'il en fit, sont d'une netteté et d'une beauté remarquables. Ils lui permirent de mettre en évidence la structure très particulière et diversifiée des cellules nerveuses.

Cellules du cervelet de poulet. Dessin réalisé par Santiago Ramón y Cajal *« Estructura de los centros nerviosos de las aves »*, 1905.

La chimie de la communication nerveuse

C'est avec **Claude Bernard** que débute, dès 1857, une étude expérimentale méthodique du mode d'action de **substances chimiques** *« toxiques et médicamenteuses »* sur le système nerveux. Claude Bernard démontre alors que le curare ne bloque pas directement la contraction du muscle mais interrompt l'action du nerf moteur à son extrémité périphérique. Cependant, Claude Bernard tire de ses expériences une conclusion erronée lorsqu'il conclut que le curare entraîne *« la mort du nerf moteur »*.

L'action de l'**acétylcholine** sur la contraction musculaire est mise en évidence au début du XXe siècle. En 1939, trois chercheurs, A. Fessard, S. Feldberg et D. Nachmansohn, démontrent que l'acétylcholine est bien le neurotransmetteur naturellement libéré par les neurones de la motricité volontaire.

Dès 1904, on postule l'existence d'une « substance réceptrice » qui reçoit le stimulus. Mais il faudra attendre 1970 pour que Jean-Pierre Changeux isole, à partir du poisson-torpille, le récepteur de l'acétylcholine.

« Poisson-torpille » dont l'organe électrique a été utilisé pour isoler le récepteur de l'acétylcholine.

Maîtriser ses connaissances

Pour s'entraîner

1 Définissez les mots ou expressions

Réflexe myotatique, fuseau neuromusculaire, neurone moteur, ganglion rachidien, potentiel d'action, message nerveux, plaque motrice, acétylcholine, récepteur post-synaptique.

2 Questions à choix multiples 

Choisissez la bonne réponse pour chaque série d'affirmations.

1. **Un réflexe myotatique :**

a. nécessite l'intervention d'un centre nerveux ;
b. nécessite l'intervention du cerveau ;
c. se manifeste par une contraction musculaire invariable ;
d. renseigne uniquement sur le fonctionnement du muscle.

2. **Un neurone moteur :**

a. possède un axone qui gagne le muscle par la racine dorsale du nerf rachidien ;
b. possède des dendrites qui gagnent le ganglion rachidien par la racine dorsale du nerf rachidien ;
c. a son corps cellulaire situé dans le ganglion rachidien ;
d. possède un axone pouvant faire plusieurs dizaines de centimètres de longueur.

3. **Un fuseau neuromusculaire :**

a. est une zone de connexion synaptique entre un neurone moteur et un muscle ;
b. contient le corps cellulaire du neurone sensitif ;
c. est situé dans la moelle épinière ;
d. comporte une fibre nerveuse sensitive.

3 Vrai ou faux ?

Repérez les affirmations exactes et corrigez celles qui sont inexactes.

a. Un nerf rachidien contient des fibres nerveuses qui conduisent le message dans les deux sens.
b. Plus l'intensité du stimulus est importante, plus l'amplitude du potentiel d'action est grande.
c. Les corps cellulaires des neurones moteurs sont situés dans la substance grise de la moelle épinière.

4 Questions à réponse courte

a. Comment le message nerveux moteur est-il codé ?
b. Comment le curare peut-il provoquer une paralysie ?
c. Quels sont les éléments d'un arc-réflexe ?
d. Pourquoi dit-on que le réflexe myotatique est un réflexe monosynaptique ?

Objectif BAC

5 La transmission synaptique

A. Question de synthèse :

En vous appuyant sur le *schéma ci-dessous*, qu'il faut compléter et légender, expliquez comment le message nerveux est transmis d'un neurone à un autre.

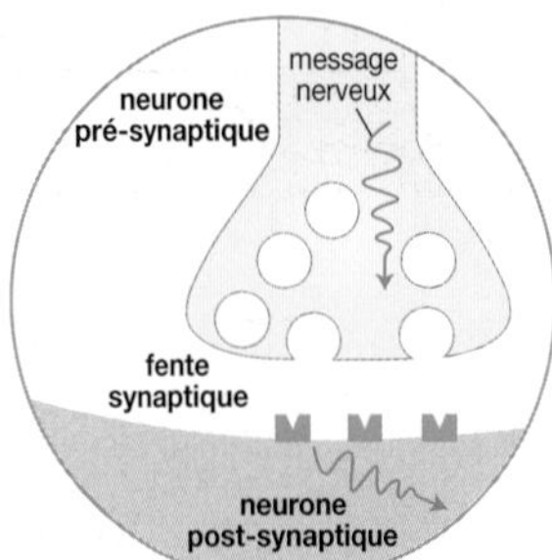

B. Questions à choix multiples 

Choisissez la bonne réponse pour chaque série d'affirmations.

1. **Au niveau d'une synapse :**

a. le message nerveux peut passer dans les deux sens ;
b. le message nerveux n'est plus codé ;
c. le neurotransmetteur est libéré dans la fente synaptique ;
d. le neurotransmetteur pénètre dans le cytoplasme du neurone post-synaptique.

2. **La jonction nerf-muscle :**

a. est une zone où la fibre nerveuse pénètre à l'intérieur d'une fibre musculaire ;
b. fonctionne comme une synapse neuro-neuronique ;
c. permet le passage direct des potentiels d'action de la fibre nerveuse à la fibre musculaire.
d. est une synapse particulière car fonctionnant sans neurotransmetteur.

3. **Le neurotransmetteur :**

a. est produit par le neurone post-synaptique ;
b. possède la même forme spatiale que les récepteurs post-synaptiques ;
c. est libéré en quantité constante à chaque fonctionnement de la synapse ;
d. doit être éliminé de la synapse.

6 Le réflexe myotatique

Question de synthèse :

Expliquez en quoi consiste un réflexe myotatique. La réponse sera exprimée par un schéma présentant tous les éléments mis en jeu, accompagné d'un petit texte explicatif.

Utiliser ses compétences

7 Les expériences de Magendie

Exploiter un document, utiliser ses connaissances

En 1822, dans son « *Journal de physiologie expérimentale* », François Magendie relate les expériences qui lui permirent de démontrer comment s'effectue la circulation des messages nerveux au niveau des racines des nerfs rachidiens.

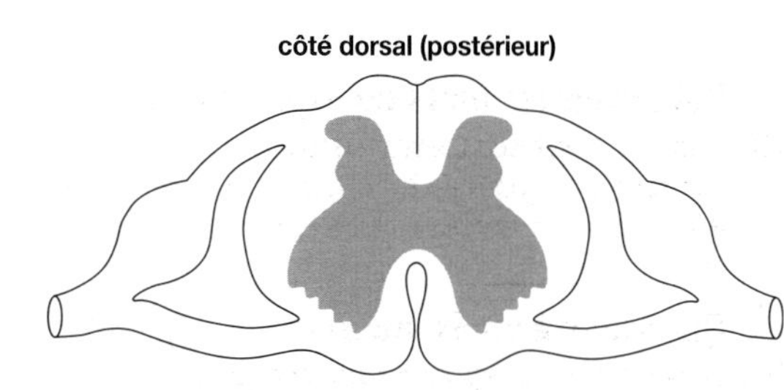

Question :

Reproduisez, complétez et utilisez le *schéma ci-contre* de façon à expliquer les observations faites par Magendie.

« Depuis longtemps, je désirais faire une expérience dans laquelle je couperais sur un animal les racines postérieures des nerfs qui naissent de la moelle épinière (...) J'eus alors sous les yeux les racines postérieures des paires lombaires et sacrées et, en les soulevant successivement avec les lames de petits ciseaux, je pus les couper d'un côté, la moelle restant intacte. J'ignorais quel serait le résultat de cette tentative (...) et j'observais l'animal ; je crus d'abord le membre correspondant aux nerfs coupés entièrement paralysé ; il était insensible aux piqûres et aux pressions les plus fortes ; il me paraissait immobile, mais bientôt, à ma grande surprise, je le vis se mouvoir d'une manière très apparente, bien que la sensibilité y fut toujours tout à fait éteinte. Une seconde, une troisième expérience me donnèrent exactement le même résultat (...) Il se présentait naturellement à l'esprit de couper les racines antérieures en laissant intactes les postérieures (...)
Comme dans les expériences précédentes, je ne fis la section que d'un seul côté, afin d'avoir un terme de comparaison. On conçoit avec quelle surprise je suivis les effets de cette section. Ils ne furent point douteux : le membre était complètement immobile et flasque tandis qu'il conservait une sensibilité sans équivoque. Enfin, pour ne rien négliger, j'ai coupé à la fois les racines antérieures et postérieures : il y eut perte absolue de sentiment* et de mouvement. »

* Sensibilité

Extrait du Journal de Physiologie expérimentale de Magendie. Tome II. 1822.

8 La vitesse de propagation du message nerveux

Exploiter un document et raisonner — Exercice TYPE BAC

Question :

Exploitez les résultats de cette étude pour déterminer la vitesse de propagation du message nerveux. Dites si cette vitesse semble ou non diminuer au fur et à mesure de la propagation.

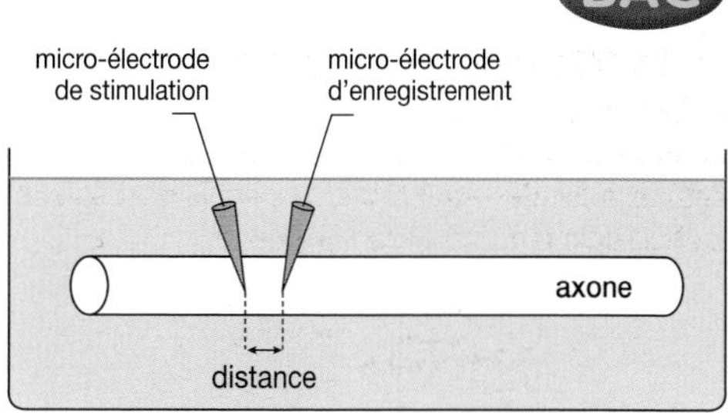

Le *dispositif expérimental schématisé ci-contre* permet de faire naître un message nerveux par stimulation électrique et de l'enregistrer à une certaine distance du point de stimulation.

En augmentant plus ou moins la distance entre électrode stimulatrice et électrode réceptrice, il est possible d'estimer la vitesse à laquelle s'est propagé le message.

La stimulation portée est telle qu'un seul potentiel d'action se propage à chaque stimulation.

Les trois enregistrements correspondent à une distance entre les électrodes de :

— 10 mm
— 30 mm
— 70 mm

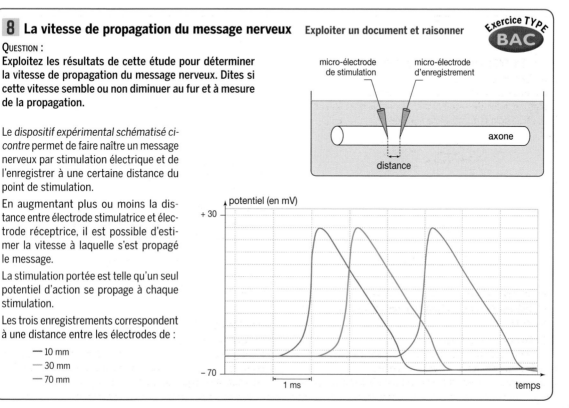

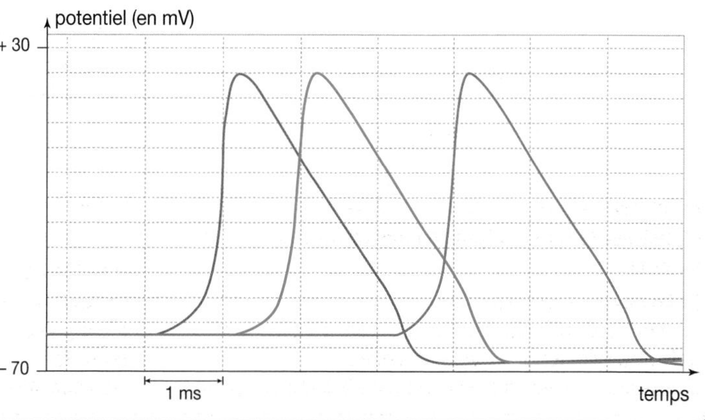

9 Le codage du message nerveux

Exploiter un ensemble de documents en relation avec les connaissances, pratiquer une démarche scientifique

Les récepteurs sensoriels de la peau sont sensibles à la température et permettent à un sujet de percevoir la proximité d'une source de chaleur. Mais, au-delà d'une certaine température, cette perception s'efface au profit d'une sensation douloureuse. On cherche à comprendre le mécanisme de cette double perception.

Question :

Exploitez les documents afin d'expliquer les sensations perçues par le sujet décrites dans le *texte ci-dessus.*

Document 1 : les sensations perçues par le sujet

Un sujet place sa main au voisinage d'une ampoule électrique allumée. L'expérimentateur modifie progressivement la puissance de l'éclairement pour faire varier la température de l'ampoule.

Jusqu'à une température de 45 °C, le sujet est capable de détecter et de décrire l'augmentation de la chaleur dégagée par la lampe. La sensation est qualifiée de non désagréable, aucune sensation douloureuse n'est mentionnée.

Au-delà de 45 °C, le sujet s'avère incapable de discriminer les variations de température : pour lui, la lampe est aussi chaude à 50 °C qu'à 60 °C. En revanche, il déclare ressentir de la douleur : plus la température est élevée, plus la sensation douloureuse est intense.

Document 2 : enregistrements des messages nerveux

Des électrodes réceptrices très fines implantées dans le nerf de l'avant-bras permettent d'enregistrer les messages nerveux qui se propagent sur deux types de fibres.

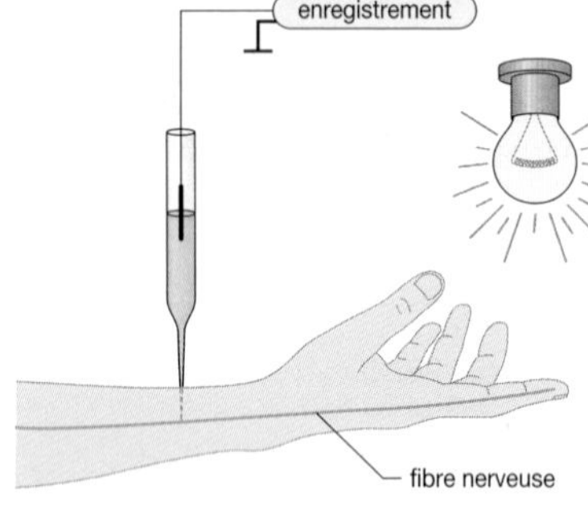

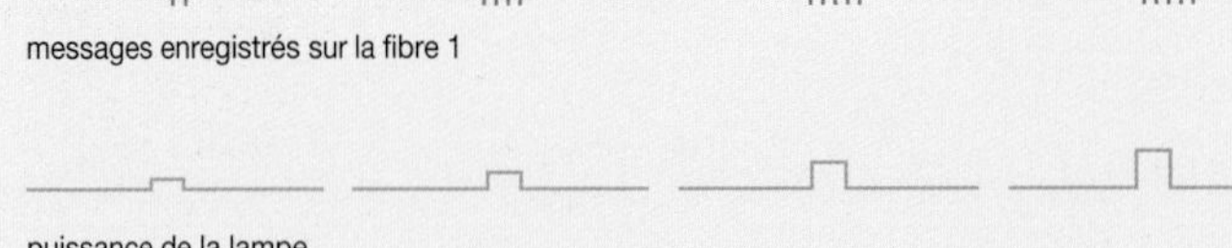

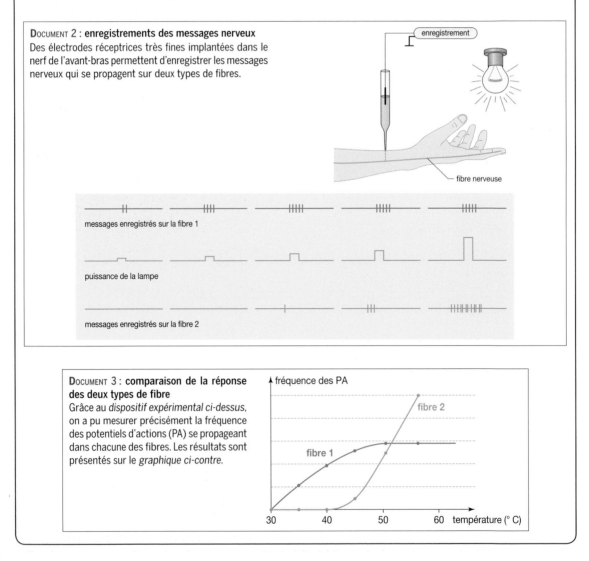

Document 3 : comparaison de la réponse des deux types de fibre

Grâce au *dispositif expérimental ci-dessus,* on a pu mesurer précisément la fréquence des potentiels d'actions (PA) se propageant dans chacune des fibres. Les résultats sont présentés sur le *graphique ci-contre.*

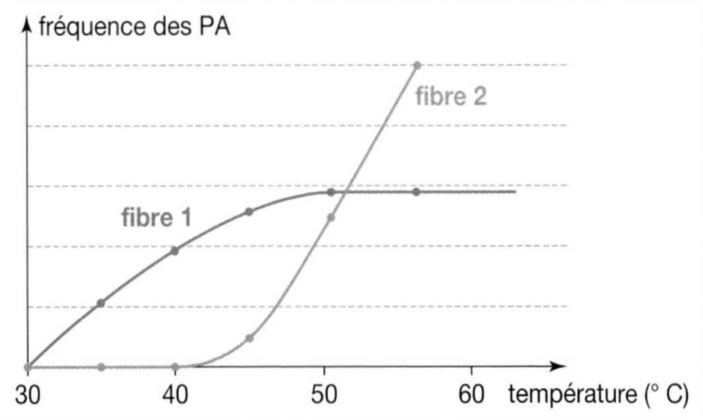

Utiliser ses capacités expérimentales

10 L'action de substances pharmacologiques sur le récepteur à acétylcholine

SE PRÉPARER aux épreuves pratiques du BAC

Utiliser un logiciel de visualisation moléculaire

■ Problème à résoudre

Diverses substances sont susceptibles de se fixer sur le récepteur post-synaptique de l'acétylcholine. Certaines de ces substances activent le récepteur, comme le fait l'acétylcholine : on dit que ce sont des agonistes. D'autres ont au contraire un effet inhibiteur : ce sont des antagonistes.

La mesure de la distance entre deux acides aminés du récepteur (de part et d'autre du site de fixation), lorsque ce récepteur est en association avec l'acétylcholine (agoniste) ou le curare (antagoniste), donne les résultats suivants :

	Acétylcholine	Curare
Distance Cys 190 – Trp 147	1,18 nm	1,71 nm

On cherche à vérifier l'hypothèse selon laquelle une substance est agoniste du récepteur à l'acétylcholine si elle entraîne une forme « fermée » du récepteur, tandis qu'elle est antagoniste si elle bloque le récepteur dans une forme « ouverte ».

■ Matériel disponible

- Logiciel de visualisation moléculaire.
- Fiche d'aide du logiciel.
- Modèles moléculaires du récepteur à l'acétylcholine en complexe avec :
  - l'épibatidine (agoniste) ;
  - la cocaïne (antagoniste) ;
  - l'alpha-conotoxine (antagoniste).

■ Conception et mise en œuvre d'une démarche

- Déterminez les étapes d'une investigation qui permettra de proposer une réponse au problème posé.
- Appliquez les choix de représentation, de coloration, effectuez les mesures.

■ Communication et exploitation des résultats

- Présentez les résultats sous forme d'un tableau.
- Concluez sur la validité de l'hypothèse.

Pour télécharger les modèles moléculaires :

www.bordas-svtlycee.fr

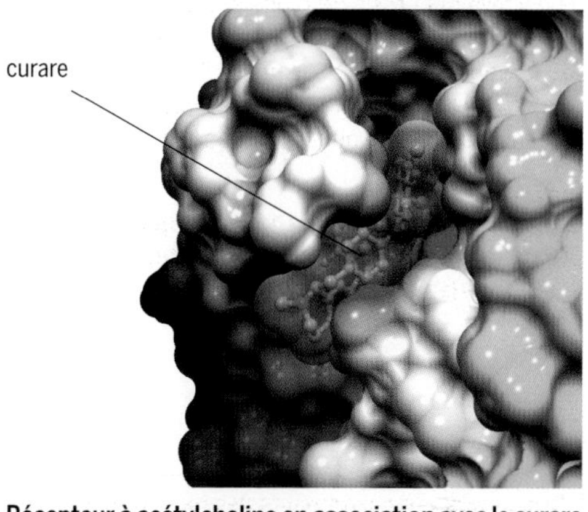

Récepteur à acétylcholine en association avec le curare (configuration « ouverte »)

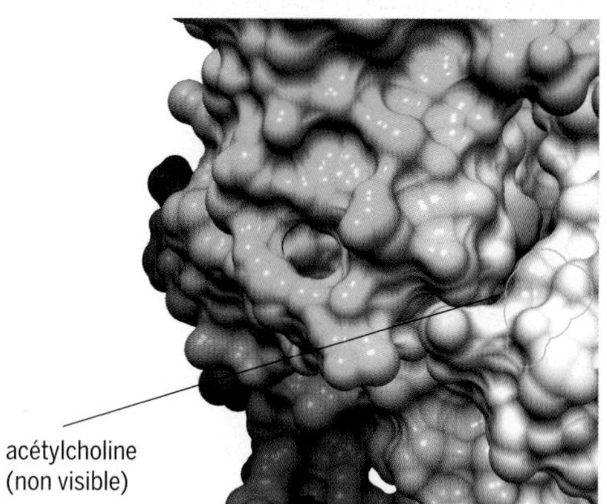

Récepteur en association avec l'acétylcholine (configuration « fermée »)

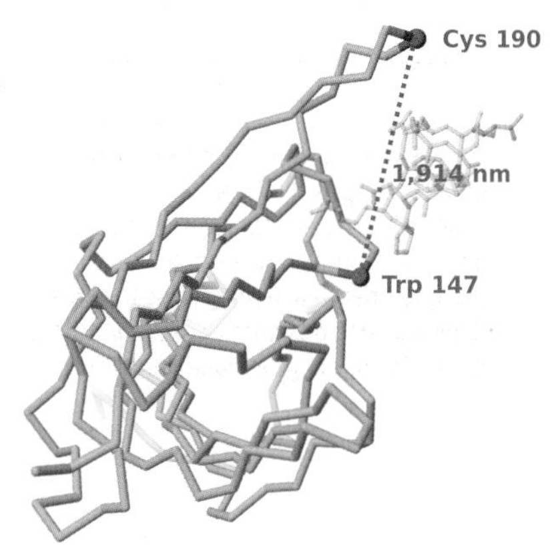

Mesure de la distance entre Cys 190 et Trp 147

Des DOCUMENTS pour se poser des questions

Une représentation du cortex moteur

Dénommée « homoncule » (ou *homunculus*), cette silhouette représente les proportions occupées par les différentes parties du corps dans le cortex cérébral moteur.

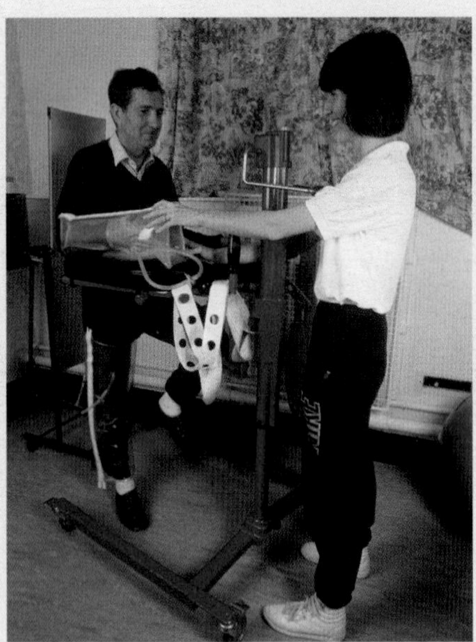

Les suites d'un AVC

À cause d'un accident vasculaire cérébral (AVC), ce patient est atteint d'hémiplégie (paralysie du bras et de la jambe situés ici du côté droit). Une rééducation neuromusculaire peut permettre de retrouver un fonctionnement moteur des membres concernés.

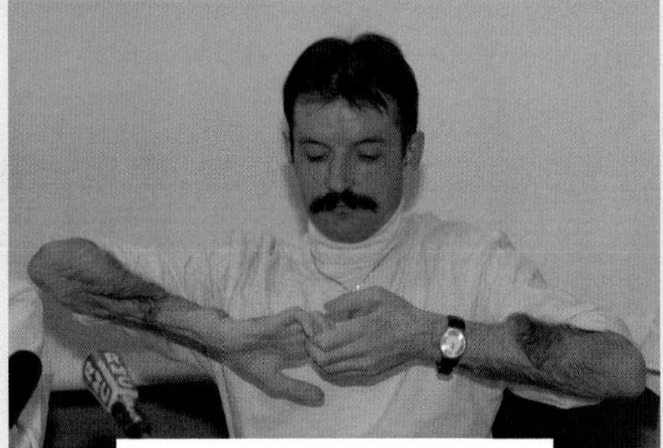

Deux mains greffées !

Les deux mains dont se sert cette personne on été greffées, quatre ans après une double amputation consécutive à un accident. Aujourd'hui, dix ans après, ces mains greffées sont toujours parfaitement fonctionnelles.

LES PROBLÉMATIQUES DU CHAPITRE

- **Comment les mouvements volontaires sont-ils commandés ?**
- **Comment le message nerveux moteur est-il élaboré ?**
- **Quel rôle joue l'apprentissage sur le développement cérébral moteur ?**
- **Comment le cerveau peut-il récupérer ses fonctions motrices après une lésion ?**

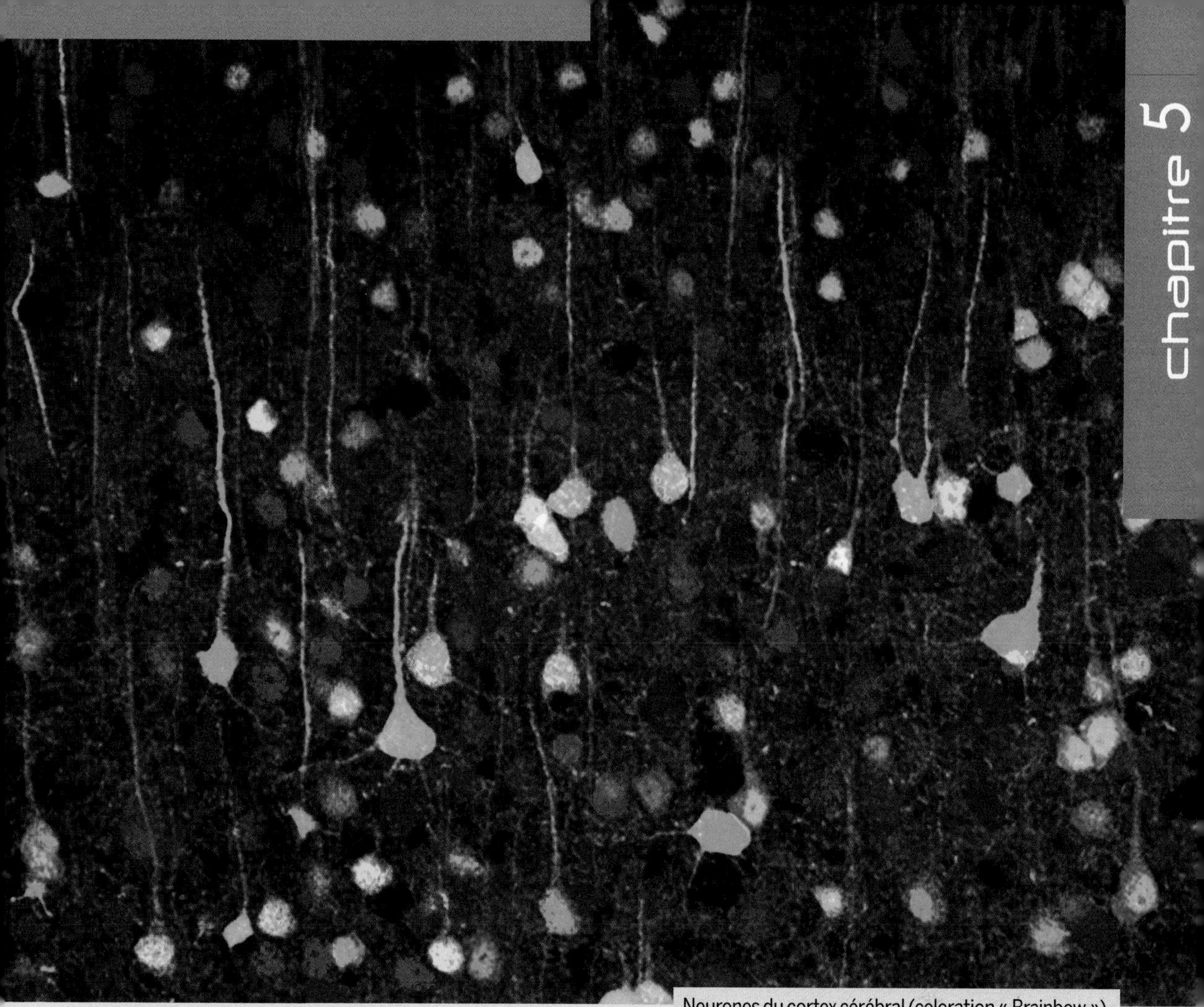

chapitre 5

Neurones du cortex cérébral (coloration « Brainbow »).

Motricité volontaire
et plasticité cérébrale

LES ACTIVITÉS DU CHAPITRE

Les aires cérébrales de la motricité volontaire

Le réflexe myotatique, couramment utilisé pour explorer le fonctionnement neuromusculaire local, ne fait pas intervenir les centres nerveux supérieurs. *Ce n'est pas le cas de la commande volontaire des mouvements qui, elle, nécessite l'intervention du cerveau.*

A Une exploration du fonctionnement cérébral par imagerie médicale

Le logiciel « **EduAnatomist** » permet de visualiser et d'explorer facilement des données de **neuroimagerie** obtenues par diverses méthodes d'investigation, notamment l'**IRMf** *(voir texte ci-contre)*.

■ PROTOCOLE SUIVI

Ces images du fonctionnement cérébral (IRMf) se rapportent à une série de tests de routine visant à explorer les fonctions cérébrales.

Dans le cas présent, le sujet reçoit l'instruction visuelle ou auditive suivante :

« Cliquez trois fois avec la main droite sur le bouton de la souris ».

On peut alors visualiser quelles zones du cerveau ont été les plus actives au cours de l'exécution de cette tâche bien ciblée.

Des techniques d'imagerie fonctionnelle

L'IRM (Imagerie par Résonance Magnétique) est une technique permettant d'obtenir des images anatomiques du cerveau correspondant à des coupes virtuelles ou en 3D, avec une précision inférieure au millimètre.

L'IRM fonctionnelle (IRMf) renseigne sur l'activité cérébrale : on superpose alors aux images anatomiques des informations concernant les variations locales de la consommation de dioxygène sanguin.

Sur les images, ces variations d'activité sont représentées par un dégradé de couleurs :

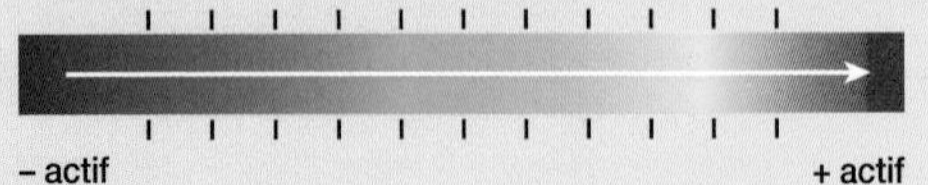

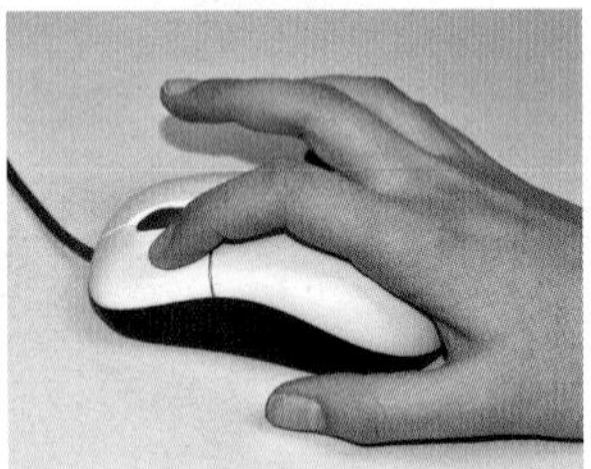

■ EXPLORATION DES RÉSULTATS

Quelques indications pour l'utilisation du logiciel :

– Rechercher et charger les images en utilisant, par exemple, le mot-clé « motricité ».

– Sélectionner une palette de couleurs.

– Faire varier la position du curseur pour rechercher une zone plus active que les autres.

– Déplacer la croix pour obtenir la même zone sur les trois images.

Remarque : dans ce chapitre, toutes les images sont présentées selon les conventions neurologiques, c'est-à-dire que la droite de l'image correspond à la droite du sujet.

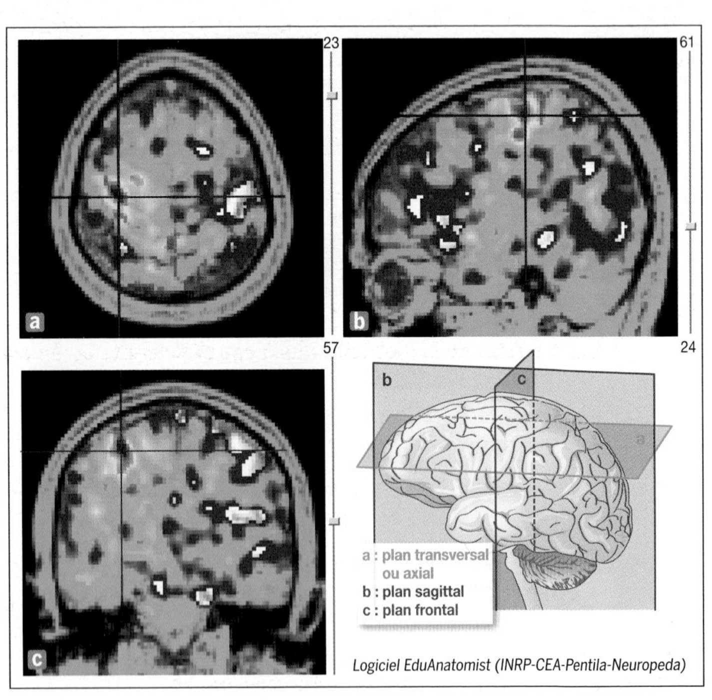

Logiciel EduAnatomist (INRP-CEA-Pentila-Neuropeda)

Doc. 1 Une exploration d'images scientifiques réalisable avec le logiciel « EduAnatomist ».

B L'intervention d'aires cérébrales spécialisées

La commande des mouvements volontaires met en jeu des territoires bien déterminés du **cortex** cérébral, appelés pour cette raison **aires corticales motrices.** Alors que l'aire motrice primaire commande directement les mouvements, l'aire qualifiée de prémotrice, située plus en avant, est impliquée quant à elle dans la planification et le contrôle de l'exécution des mouvements. Les aires motrices sont présentes symétriquement dans les deux **hémisphères cérébraux.**

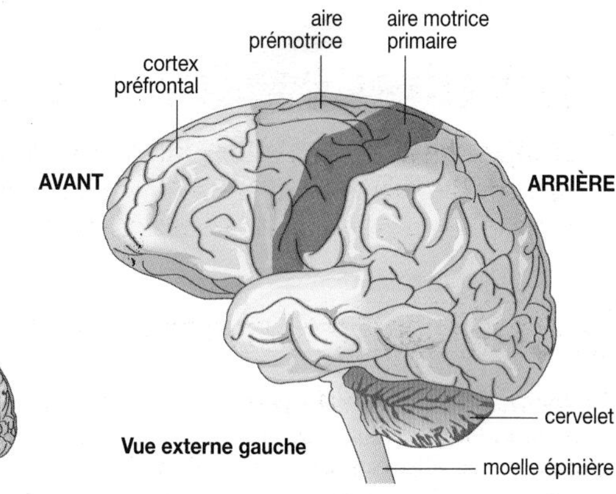

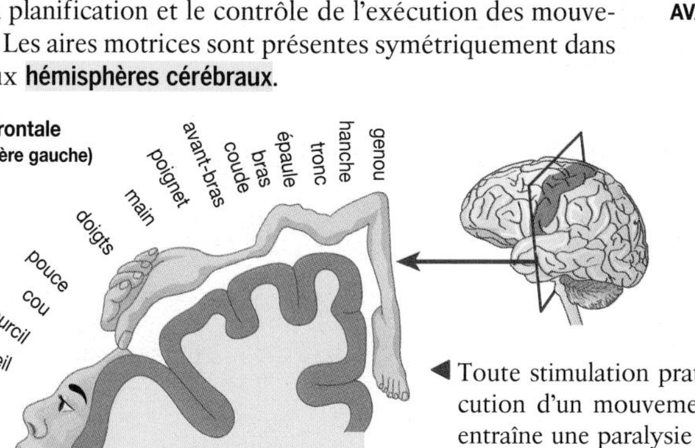

◀ Toute stimulation pratiquée dans l'aire motrice se traduit par l'exécution d'un mouvement d'une partie du corps alors qu'une lésion entraîne une paralysie de cette même partie.
Des expériences systématiques de stimulation, que confirme une investigation par imagerie cérébrale, ont permis de dresser une cartographie de l'aire motrice : sur la *représentation ci-contre*, appelée *homunculus* moteur, chaque partie du corps humain a été associée au territoire du cortex qui assure sa commande motrice.

Doc. 2 Une « carte motrice » à la surface du cerveau.

La maladie de Parkinson

La maladie de Parkinson touche 1,5 % des personnes de plus de 65 ans. Elle se manifeste par des troubles de la motricité : tremblements au repos, surtout au niveau des mains, mouvements difficiles à exécuter, marche lente à petits pas, difficultés d'élocution...
Cette maladie est due à la disparition progressive de neurones situés en profondeur dans l'encéphale.

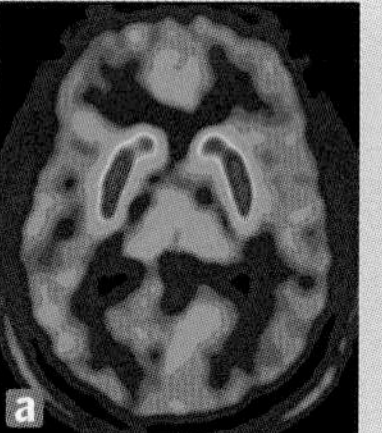

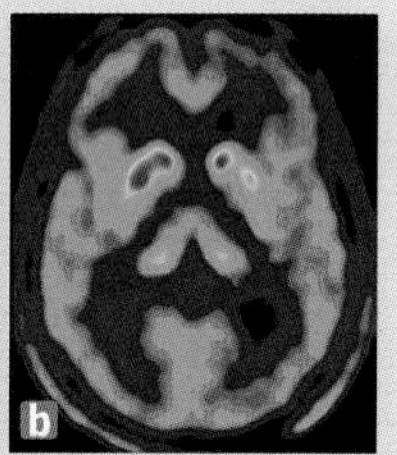

Dr Gaëtan Garraux – Service de neurologie, CHU de Liège, Belgique

Coupes transversales montrant une diminution de l'activité des neurones utilisant de la dopamine comme neurotransmetteur.
a : sujet normal.
b : sujet atteint de la maladie de Parkinson.

L'apraxie

L'apraxie (du grec *praxis*, action) est un trouble de la réalisation des gestes : le sujet est incapable d'exécuter certains mouvements de façon intentionnelle ou lorsqu'on lui donne un ordre. Les fonctions motrices sont cependant intactes : le sujet ne présente aucune paralysie.

Ce déficit neurologique concerne la conceptualisation et l'exécution programmée des mouvements, mettant en jeu les aires prémotrices et le cortex préfrontal.

Doc. 3 Des troubles de la motricité dus à des déficiences cérébrales.

Pour utiliser logiciel et données :
www.bordas-svtlycee.fr

Pistes d'exploitation

PROBLÈME À RÉSOUDRE ▶ Quels territoires du cerveau assurent la commande des mouvements volontaires ?

Doc. 1 et 2 Que montre l'exploration présentée par le document 1 ? Est-elle cohérente avec les informations du document 2 ?

Doc. 2 Comment expliquez-vous l'aspect très particulier de l'*homunculus* moteur ? Augmentez votre réponse par des exemples.

Doc. 3 En quoi ces deux troubles diffèrent-ils ?

Doc. 1 à 3 Montrez que la commande des mouvements volontaires met en jeu plusieurs territoires du cerveau.

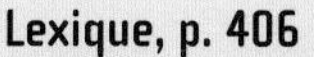
Lexique, p. 406

Du cerveau aux motoneurones de la moelle épinière

Les muscles sont directement mis en jeu par les neurones moteurs situés dans la moelle épinière, mais la commande des mouvements volontaires prend naissance dans les aires motrices du cortex cérébral. *Cette recherche vise à identifier le trajet suivi par les messages nerveux moteurs.*

A Des accidents aux conséquences très variables

Les accidents qui affectent la moelle épinière se traduisent souvent par une paralysie et une perte de sensibilité plus ou moins importante.

◀ **Cet homme est paraplégique.** Il a été victime d'une lésion accidentelle de la moelle épinière au niveau des vertèbres lombaires : il est désormais paralysé des deux jambes et de la partie basse du tronc, mais la motricité des membres antérieurs est conservée.

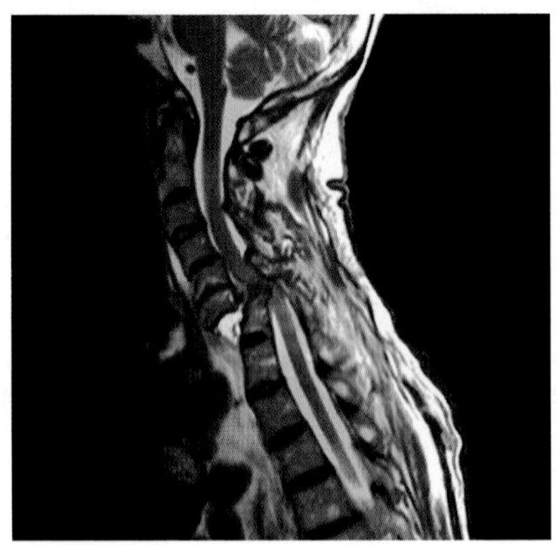

L'IRM ci-dessus révèle une fracture sévère de la 7e vertèbre cervicale avec atteinte de la moelle épinière (en rouge). Les lésions de ce segment particulièrement vulnérable de la colonne vertébrale (accidents de la circulation, chutes) sont la cause de paralysies graves ou de décès.

Doc. 1 Les effets de lésions médullaires.

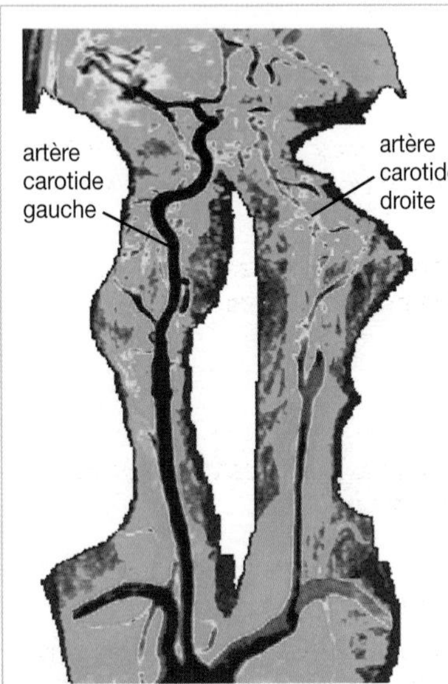

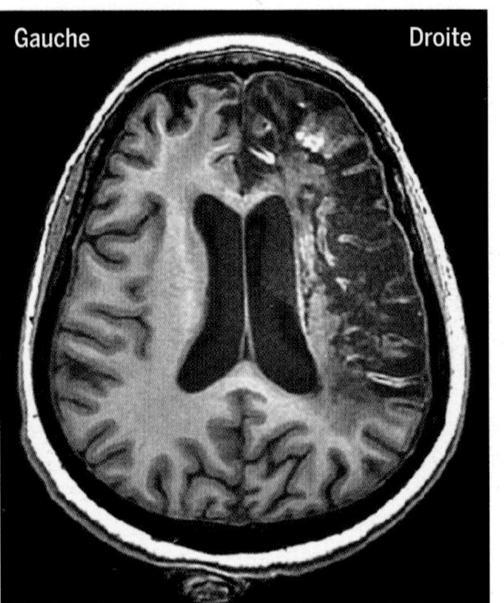

IRM (coupe transversale au niveau des hémisphères cérébraux)

Les *images ci-contre* correspondent au cas d'un patient présentant des troubles importants de la sensibilité et de la motricité. Il présente notamment une **hémiplégie** gauche : paralysie de la face, du membre supérieur et du membre inférieur du côté gauche. L'IRM du cerveau révèle une importante atrophie du tissu cérébral de l'hémisphère droit.

L'**angiographie** des vaisseaux du cou montre un rétrécissement de l'une des artères **carotides** avec retentissement sur la circulation sanguine en aval.

Logiciel EduAnatomist (INRP-CEA-Pentila-Neuropeda)

Doc. 2 Les conséquences d'un accident vasculaire cérébral (AVC).

B Le trajet suivi par les messages nerveux moteurs

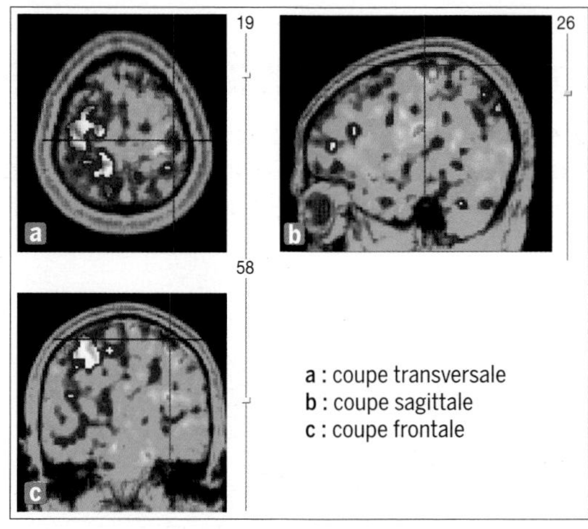

Logiciel EduAnatomist (INRP-CEA-Pentila-Neuropeda)

Les images **IRMf** ci-dessus ont été obtenues en suivant le même protocole que celui présenté page 376, chez le même sujet, mais, cette fois-ci, on lui a demandé d'effectuer le clic de souris avec les doigts de la main gauche.

Doc. 3 Une commande controlatérale.

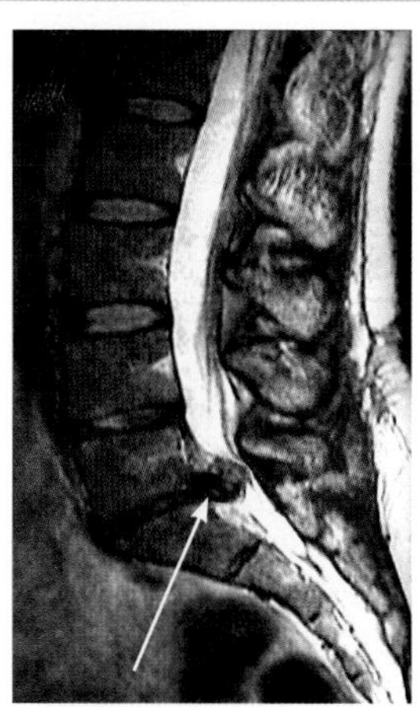

L'**IRM** *ci-contre* montre une excroissance du disque intervertébral situé entre la dernière vertèbre lombaire et la première vertèbre du sacrum (flèche blanche). Cette hernie discale exerce une compression du **nerf sciatique** à l'origine de douleurs vives. Elle peut aussi engendrer des troubles moteurs du membre inférieur innervé par ce nerf.

Doc. 4 Qu'est-ce qu'une hernie discale ?

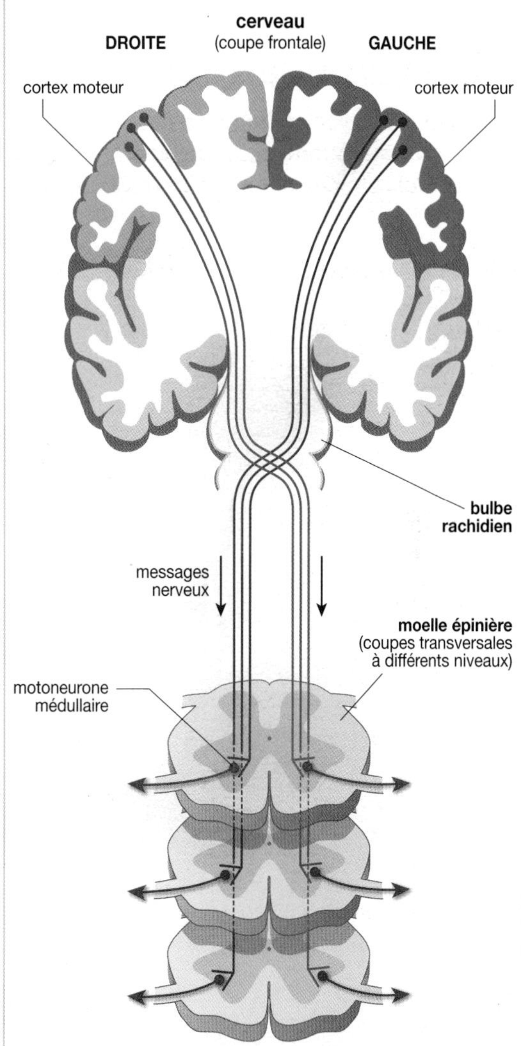

Les neurones du cortex moteur se terminent en établissant un contact synaptique directement sur les neurones moteurs de la moelle épinière.

Doc. 5 Des faisceaux de neurones dans la moelle épinière.

Pistes d'exploitation

PROBLÈME À RÉSOUDRE ► Quelle relation peut-on établir entre le trajet suivi par les messages nerveux moteurs et les effets paralysants de certains traumatismes ?

Doc. 1 à 5 Utilisez l'ensemble de ces documents pour expliquer comment le cerveau commande les mouvements des différentes parties du corps.

Doc. 2 Expliquez l'origine des troubles présentés par ce patient.

Doc. 3 et 5 Comparez cette exploration avec celle de la page 376. Proposez une explication.

Doc. 1, 4 et 5 Expliquez les effets paralysants des lésions présentées par les documents 1 et 4.

Lexique, p. 406

Le rôle intégrateur des motoneurones médullaires

La réponse motrice – qu'il s'agisse d'une réponse réflexe ou bien d'une commande volontaire – dépend directement du message nerveux finalement émis par les motoneurones de la moelle épinière. *Il s'agit de comprendre comment s'élabore le message nerveux qui parvient finalement à la fibre musculaire.*

A Une réponse motrice modulée

■ **PROTOCOLE EXPÉRIMENTAL**

En utilisant un dispositif d'ExAO semblable à celui décrit *page 352*, il est possible d'enregistrer la réponse réflexe myotatique (ici **le réflexe achilléen**) dans différentes situations. Par exemple :

– muscles de la jambe parfaitement relâchés, sujet non prévenu de l'instant du choc ;

– muscles de la jambe parfaitement relâchés, sujet prévenu de l'instant du choc ;

– muscles de la jambe légèrement contractés de manière volontaire par le sujet ;

– traction latérale sur les deux mains pendant la manipulation.

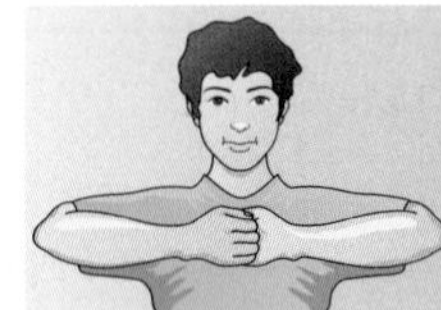

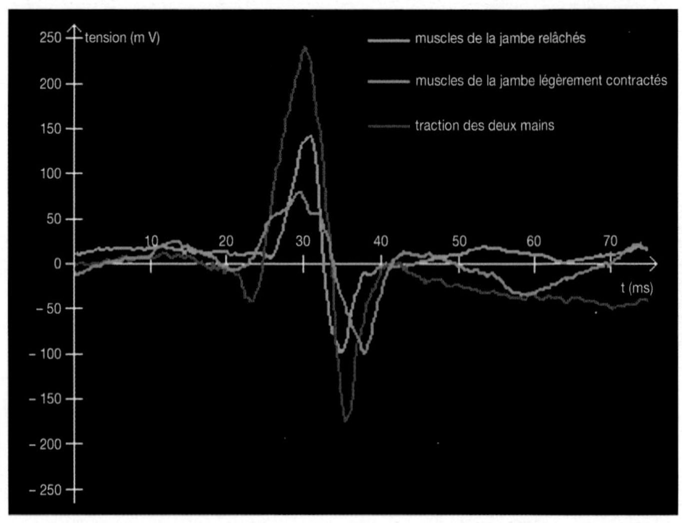

Doc. 1 Une mise en évidence expérimentale d'une intégration neuronale.

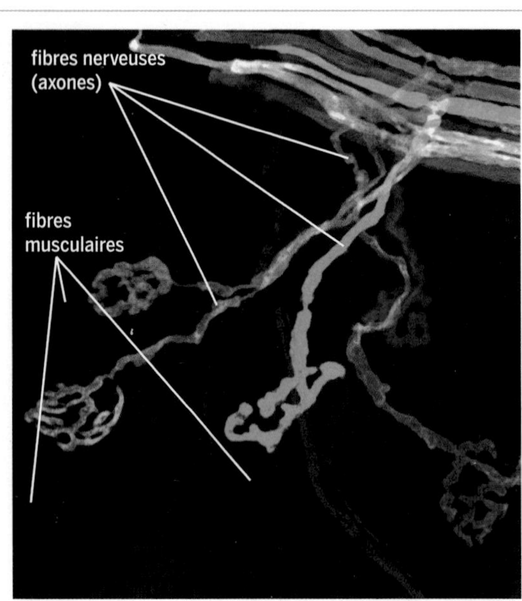

• Tout comme un nerf est composé de plusieurs fibres nerveuses, un muscle est formé par de nombreuses fibres musculaires.

La variabilité de la réponse réflexe de contraction à la suite d'une stimulation pourrait laisser penser que chaque fibre musculaire réalise une **intégration** de différentes informations reçues.

• La récente technique de coloration appelée « Brainbow » (de *brain* pour cerveau et *rainbow* pour arc-en-ciel) utilise une combinaison de gènes codant pour des protéines fluorescentes. Cette technique permet ainsi de distinguer individuellement plusieurs dizaines de neurones (d'où l'aspect multicolore des images obtenues).

Un tel marquage réalisé pour étudier les relations nerf-muscle *(photographie ci-contre)* a montré qu'une fibre nerveuse peut innerver plusieurs fibres musculaires mais qu'une fibre musculaire ne reçoit de message nerveux que d'un seul motoneurone.

Doc. 2 Une étude précise des relations fibre nerveuse - fibre musculaire.

B Les neurones traitent de multiples informations

• Dans le système nerveux, chaque neurone peut être en connexion avec de très nombreux autres neurones : sur la *photographie ci-dessous*, chaque point rouge correspond à un contact synaptique établi sur le neurone figuré en jaune.
On estime qu'un volume de cortex équivalent à une tête d'allumette contient environ un milliard de connexions.

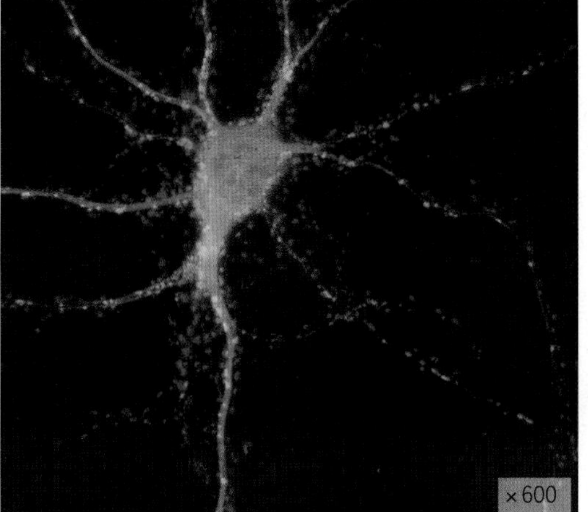

• Les synapses ne fonctionnent pas toutes avec le même neurotransmetteur. Par une technique de micro-injection, on teste l'effet de deux neurotransmetteurs, l'acétylcholine et le GABA, sur l'activité d'un neurone (il s'agit dans cette expérience d'un neurone du cortex cérébral de rat).

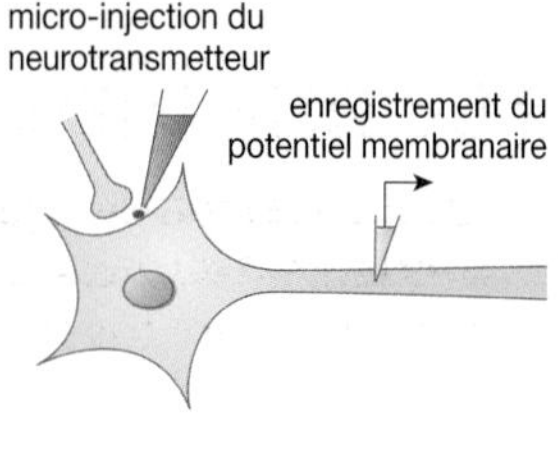

Le *graphique ci-dessous* montre l'activité électrique enregistrée au niveau de l'axone, mesurée en fréquence de potentiels d'action. L'activité de base du neurone est environ de 15 potentiels d'action par seconde.

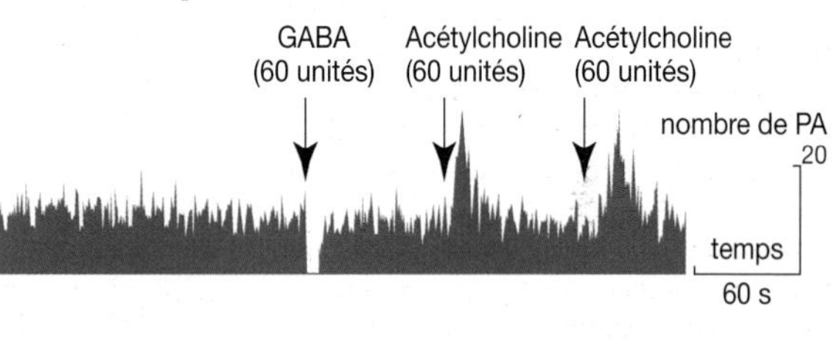

Doc. 3 Des milliers de contacts synaptiques sont établis sur un neurone.

Au niveau d'une synapse donnée, la dose de neurotransmetteurs délivrée dépend du nombre et de la fréquence des potentiels présynaptiques qui atteignent l'extrémité de l'axone.

• Une salve de potentiels d'action présynaptiques n'engendre pas nécessairement l'émission d'un message nerveux postsynaptique. Il faut en général une arrivée de messages successifs suffisamment rapprochés pour générer un message : c'est la **sommation** temporelle.

• Par ailleurs, à tout instant, de nombreuses synapses sont actives. Le neurone est alors soumis à une « pluie » de neurotansmetteurs, les uns tendant à l'exciter, les autres à le mettre au repos : c'est la sommation spatiale.

• À tout instant, la sommation spatiale et temporelle de toutes les influences reçues conditionne l'état d'activité d'un neurone. Cette propriété remarquable est l'**intégration neuronale**.

ANIMATION

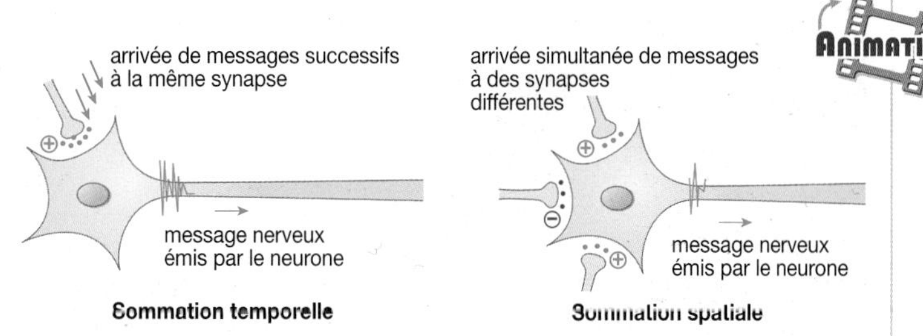

Doc. 4 Le message nerveux émis par un neurone résulte de l'intégration des diverses informations reçues.

Pistes d'exploitation

PROBLÈME À RÉSOUDRE ► Comment la réponse motrice peut-elle intégrer diverses informations ?

Doc. 1 à 4 Montrez que la réponse du muscle peut dépendre de plusieurs influences nerveuses.

Doc. 2 L'hypothèse exposée en préambule de cette étude est-elle validée ou réfutée par cette technique de coloration ? Justifiez votre réponse.

Doc. 3 Montrez qu'il existe des synapses qualifiées d'excitatrices et d'autres, qualifiées d'inhibitrices.

Doc. 1 à 4 Proposez une explication à la diversité des réponses enregistrées au cours de l'étude présentée par le document 1.

Lexique, p. 406

La plasticité du cortex moteur

Les capacités motrices d'un individu s'établissent progressivement pendant la petite enfance mais évoluent et se diversifient aussi ultérieurement, même à l'âge l'adulte. *Cette faculté repose sur une propriété remarquable du fonctionnement cérébral, que l'on nomme « plasticité ».*

A Nous n'avons pas tous le même cerveau !

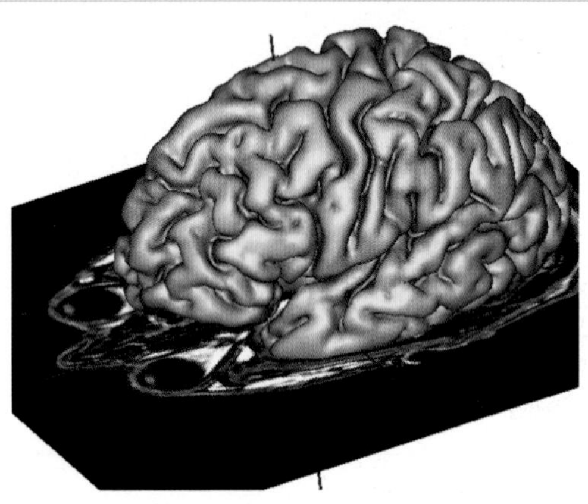

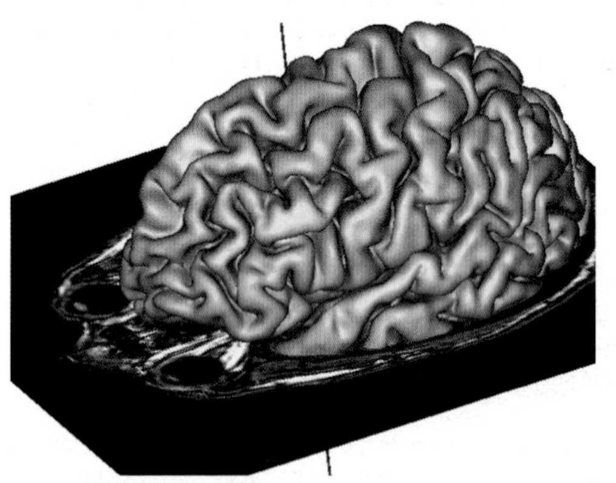

Ces deux IRM 3D de l'hémisphère gauche du cerveau ont été obtenues chez deux sujets différents, ne présentant pas de pathologie particulière.

Ces images ont été réalisées avec le même imageur, en suivant le même protocole. Elles révèlent des différences anatomiques non négligeables.

Doc. 1 Une variabilité anatomique.

Les *images* **IRMf** *ci-contre* ont été obtenues en suivant exactement le même protocole que celui présenté *page 376*, mais chez un autre sujet.

■ **DÉMARCHE D'INVESTIGATION**

– Charger l'image correspondant au premier sujet.
– Sélectionner une palette de couleurs permettant de bien mettre en évidence les zones du cerveau plus actives.
– Faire varier le curseur pour rechercher la zone présentant l'activité maximale.
– Déplacer la croix pour obtenir la même zone sur les trois images. Noter alors les coordonnées x, y et z.
– Recommencer la même investigation pour le deuxième sujet.

■ **EXEMPLE DE RÉSULTAT**

Localisation des images d'activation pour les deux sujets effectuant la même tâche :

	x	y	z
Sujet 1	21	68	58
Sujet 2	23	61	57

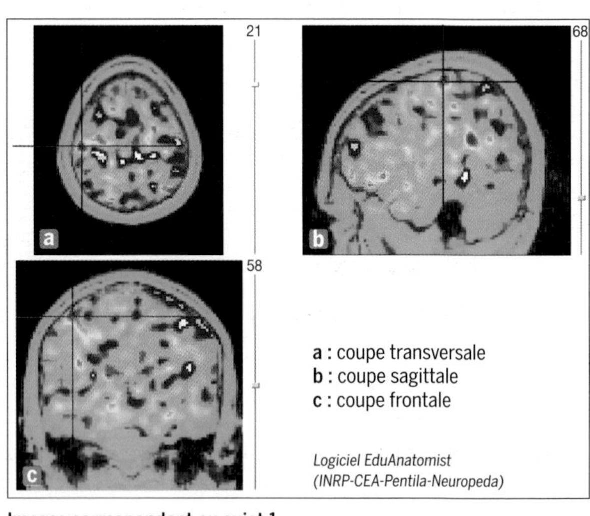

Images correspondant au sujet 1.

Doc. 2 Une variabilité fonctionnelle.

B L'importance de l'expérience individuelle

Certains mouvements (surtout les mouvements fins) sont souvent exécutés de façon remarquablement similaire par différents individus : saisir entre le pouce et l'index un petit objet posé sur une table par exemple. Or, personne n'a le souvenir d'avoir suivi un apprentissage pour accomplir une telle tâche. Un nourrisson en est incapable, mais on constate que vers 12 mois, les bébés utilisent cette même technique de « prise en tenaille » pour saisir des miettes de pain par exemple. De nombreux primates procèdent de la même manière. La programmation de la réalisation d'un tel mouvement élémentaire pourrait donc être innée, déterminée génétiquement et non acquise. Cependant, il est évident que l'entraînement permet d'améliorer considérablement la dextérité (rapidité, précision) avec laquelle on peut accomplir un tel mouvement avec efficacité.

Doc. 3 La contribution de l'inné et la part de l'apprentissage.

Des chercheurs ont réalisé l'expérience suivante dont le but est de caractériser l'effet de l'entraînement dans l'exécution d'une tâche motrice.

- La tâche, moins facile qu'il n'y paraît, consiste à taper successivement sur le pouce les quatre autres doigts de la main, dans un ordre bien précis, par exemple la séquence 4, 1, 3, 2, 4 (doigts numérotés de 1 à 4, de l'index à l'auriculaire). L'entraînement consiste à réaliser quotidiennement cette tâche avec précision, le plus rapidement possible, pendant 10 à 20 minutes.

Le *graphique ci-contre* montre l'amélioration de la performance au cours de cinq semaines d'entraînement (nombre de séquences réalisées en 30 secondes, moyennes sur 10 sujets).

- L'exploration par IRMf *(ci-contre)* compare l'activité du cortex cérébral associée à l'exécution de cette tâche chez des sujets qui suivent l'entraînement (1re colonne) avec des sujets non entraînés (2e colonne). Dès la 3e semaine d'entraînement quotidien, des différences significatives apparaissent (1re ligne). Malgré l'arrêt de l'entraînement, ces différences s'accentuent et deviennent maximales 8 semaines après (2e ligne) : ainsi, il apparaît qu'un entraînement est susceptible d'étendre durablement la représentation corticale du cortex moteur associé à la tâche exécutée.

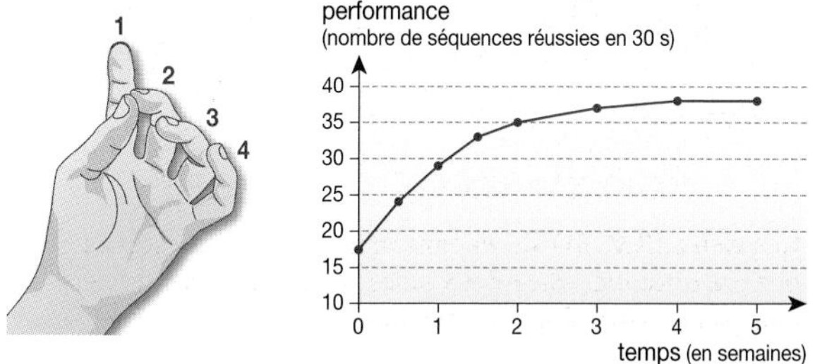

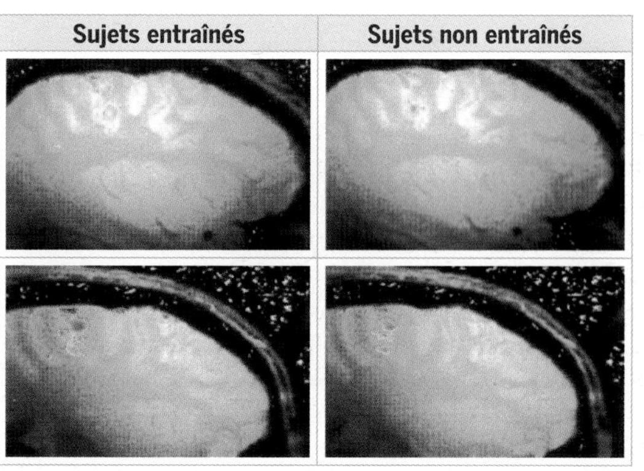

IRMf : coupes sagittales (l'avant est à droite).

Doc. 4 L'effet de l'entraînement s'inscrit dans le cortex moteur.

Pistes d'exploitation

PROBLÈME À RÉSOUDRE ► Comment expliquer les différences de capacités motrices d'un individu à l'autre et leur évolution au cours de l'existence ?

Doc. 1 et 2 Montrez l'existence d'une relative variabilité individuelle des structures cérébrales impliquées dans la motricité.

Doc. 3 et 4 Pourquoi dit-on qu'il existe une plasticité du cortex moteur ? Quelles peuvent-être les conséquences de cette faculté ?

Lexique, p. 406

La récupération de la motricité après une lésion

Après une lésion ou un accident cérébral, des neurones sont détruits, ce qui se traduit fréquemment par des troubles moteurs plus ou moins importants. *Une récupération, au moins partielle, des facultés motrices est néanmoins possible grâce à la plasticité des zones motrices.*

A Une récupération qui repose sur la plasticité des aires motrices

Les accidents vasculaires cérébraux (AVC) touchent 100 000 nouvelles personnes chaque année en France. Après un AVC, il subsiste souvent dans le cerveau une « zone morte », qui peut fréquemment être la cause d'une paralysie *(voir page 378)*. Dans les semaines et les mois qui suivent un AVC, on constate cependant dans tous les cas une récupération spontanée du déficit : 80 % des patients récupèrent la capacité de marcher, mais l'utilisation fonctionnelle de la main est plus délicate (15 à 30 % des cas). Même si un pronostic est très difficile à établir et si les capacités de récupération sont très variables d'un individu à un autre, il est bien établi qu'une rééducation entreprise immédiatement favorise la récupération.

1

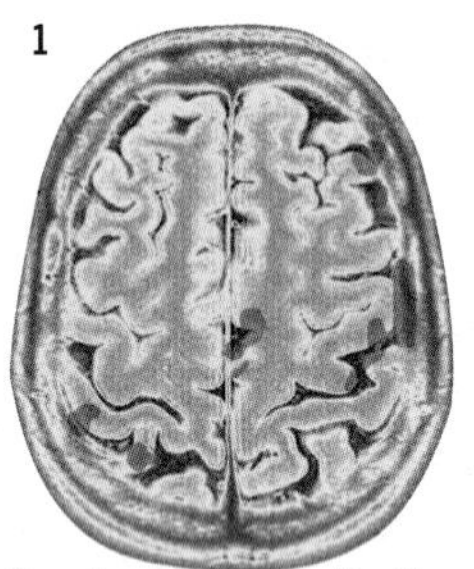

2

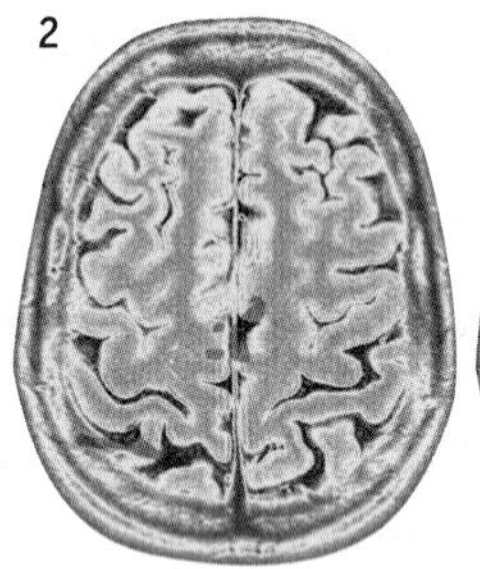

3

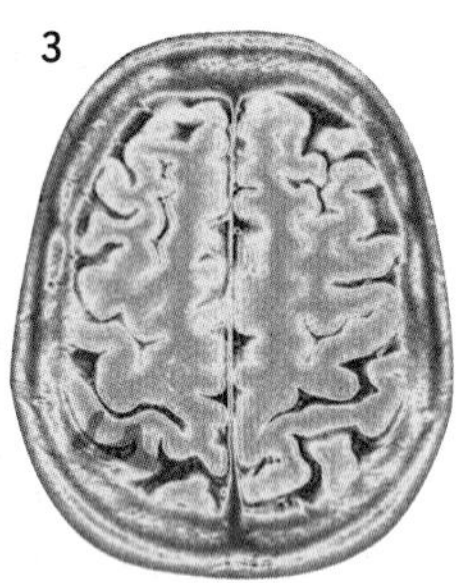

Les *images ci-dessus* correspondent des **IRMf** obtenues chez un patient pendant la période de récupération suivant un AVC ayant affecté l'hémisphère gauche. En **1**, immédiatement après l'AVC, des mouvements de rééducation de la main droite activent plusieurs territoires cérébraux, principalement dans l'hémisphère non touché. En **2**, puis **3** (3 mois après l'AVC) l'activation se focalise et ne concerne plus que l'hémisphère cérébral initialement touché : ainsi, il apparaît qu'au cours de la rééducation, des zones du cerveau non affectées prennent temporairement « le relais » pendant une période où le cerveau se réorganise. *(L'orientation de ces coupes transversales de la partie supérieure du cerveau est telle que les aires motrices sont situées dans la moitié inférieure des images.)*

Doc. 1 Après une lésion cérébrale limitée, une récupération est souvent possible.

L'expérience suivante a été réalisée chez des patients ayant subi un traumatisme nerveux engendrant paralysie et perte de la sensibilité du membre supérieur droit. Curieusement, la perte de la motricité est associée à des douleurs « fantômes » du membre paralysé (sensations vives de brûlures, par exemple).

• Ces sujets ont alors subi une rééducation consistant à projeter des mouvements virtuels du membre paralysé : des images préenregistrées du membre intact sont projetées par un système vidéo sur un miroir incliné à 45° de telle sorte que le sujet perçoit le mouvement comme étant celui du bras paralysé. Diverses séquences sont utilisées : mouvements d'ouverture et de fermeture de la main, saisie de divers objets, etc. Pendant les séances de projection, il est demandé au sujet de tenter d'effectuer le mouvement correspondant avec son membre paralysé.

• Le suivi de cette rééducation par **IRMf** *(coupes transversales ci-contre)* montre que la représentation corticale des mouvements évolue de façon significative.

(D'après P. Giraux et A. Sirigu - NeuroImage)

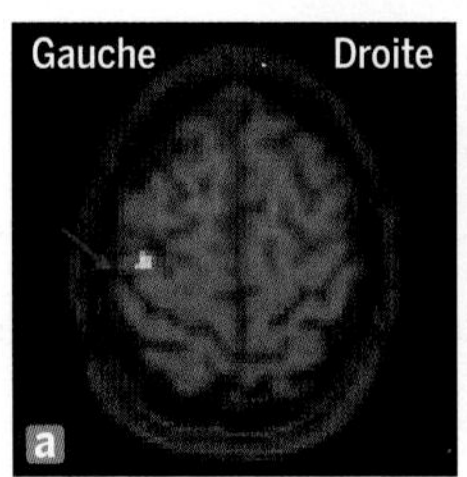

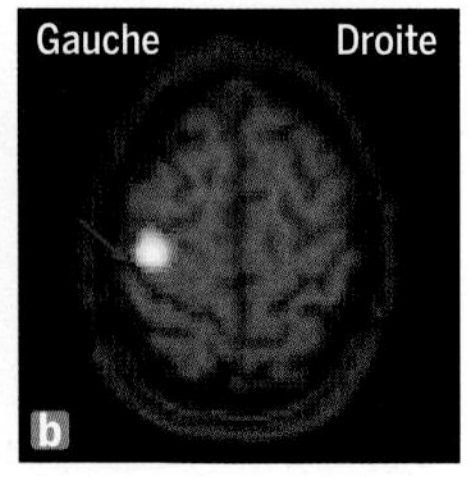

Activation du cortex moteur :
- a : avant les séances d'entraînement ;
- b : après 8 semaines d'entraînement.

Doc. 2 Une étonnante restauration de l'activité du cortex moteur.

B Limites et espoirs de la neurorégénération

Il est bien connu qu'un neurone est capable de reconstituer une fibre lésée. Seule la partie comportant le corps cellulaire est capable d'une telle régénération. La croissance de la fibre peut s'effectuer sur plusieurs centimètres et les fibres régénérées peuvent rétablir des connexions synaptiques avec leur cible. Cependant, cette régénération, courante en ce qui concerne les **nerfs périphériques**, n'a jamais été observée dans les centres nerveux. Notons qu'il n'y a pas, ici, production de nouveaux neurones.

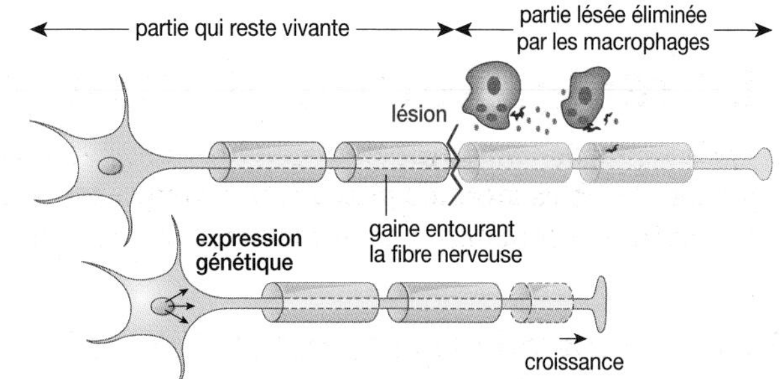

Doc. 3 Une régénération limitée aux neurones périphériques.

En 2000, l'équipe de l'hôpital Édouard-Herriot de Lyon pratiquait la première greffe mondiale de deux mains chez un patient qui avait dû être amputé quatre ans plus tôt *(voir page 374)*.
Un mois et demi après, le patient pouvait ébaucher des mouvements des doigts et au bout de six mois, il pouvait commencer à saisir des objets. Aujourd'hui, il se sert normalement des deux mains.
L'examen **IRMf** a permis de détecter, 10 mois après la greffe, des zones actives du cortex moteur correspondant aux muscles de la main greffée. Ces zones, diffuses au départ, se sont peu à peu déplacées pour occuper leur position normale : petit à petit, le cerveau « intègre » les muscles greffés dans le cortex moteur.

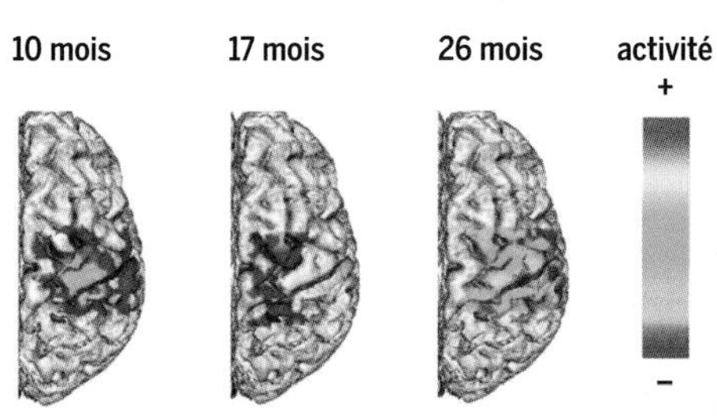

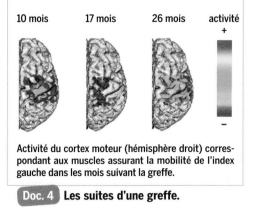

Activité du cortex moteur (hémisphère droit) correspondant aux muscles assurant la mobilité de l'index gauche dans les mois suivant la greffe.

Doc. 4 Les suites d'une greffe.

On a longtemps cru que les neurones ne se renouvelaient pas et qu'une inexorable diminution de leur nombre expliquait les symptômes du vieillissement. On sait depuis peu que ces idées sont fausses. En effet, des **cellules souches** pouvant se différencier en nouveaux neurones ont été découvertes dans le cerveau d'un homme adulte. On sait aussi que ces neurones ont la possibilité de migrer, d'établir de nouveaux contacts synaptiques et de s'intégrer dans un réseau déjà existant. Cependant, leur nombre reste faible et leur intervention dans le remplacement d'un tissu lésé n'est pas établie.
Par ailleurs, le développement de méthodes rigoureuses pour compter le nombre de neurones a conduit à la conclusion que la chute du nombre de neurones n'est pas significative dans le vieillissement normal. En revanche, elle l'est dans le cas d'une dégénérescence massive à l'origine des maladies dites neurodégénératives (Alzheimer, Parkinson).
Ainsi, il se confirme que la régénération du système nerveux est difficile : les neurones sont donc un capital qu'il convient de préserver !

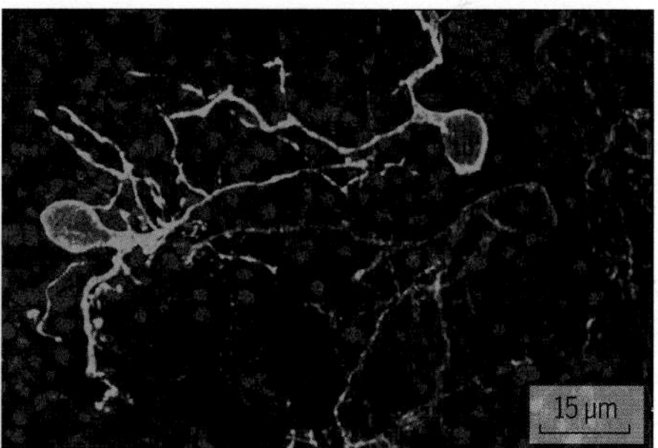

Nouveaux neurones âgés de 3 semaines (en vert) venant de s'intégrer dans le cerveau d'une souris adulte.

Doc. 5 La production de nouveaux neurones.

Pistes d'exploitation

PROBLÈME À RÉSOUDRE ► Comment le cerveau peut-il suppléer une perte de fonction accidentelle ?

Doc. 1 à 5 Quelles propriétés du système nerveux sont susceptibles d'expliquer une récupération après une lésion ?

Doc. 1 et 2 Quel effet de la rééducation est ici mis en évidence ?

Doc. 3 et 4 Comment expliquer la restauration d'une commande motrice des mains greffées ?

Doc. 3 et 5 Montrez les limites des capacités de régénération du système nerveux.

Lexique, p. 406

chapitre 5 Motricité volontaire et plasticité cérébrale

Le réflexe myotatique est un exemple de commande involontaire des muscles. Mais, bien entendu, les muscles peuvent aussi être commandés par la **volonté** : dans ce cas, il y a intervention des **structures cérébrales**. Des accidents ou des anomalies affectant le système nerveux central peuvent d'ailleurs se traduire par des dysfonctionnements musculaires. Cependant, suite à une lésion, le système nerveux fait preuve de **facultés de récupération** parfois étonnantes.

1 De la volonté au mouvement

Des aires cérébrales spécialisées

L'exploration du cortex cérébral d'un sujet est aujourd'hui réalisable grâce aux techniques de l'**imagerie médicale**. L'IRM (Imagerie par Résonance Magnétique) est une technique permettant d'obtenir des images anatomiques du cerveau correspondant à des coupes virtuelles ou en 3D, avec une précision inférieure au millimètre. Il est non seulement possible de visualiser chez une personne les structures cérébrales avec une grande précision mais aussi de déterminer les **variations d'activité** de certaines zones lorsque le sujet effectue une tâche déterminée (IRM fonctionnelle ou IRMf). Il apparaît ainsi que des territoires du cortex cérébral (la partie superficielle du cerveau) sont systématiquement associés à l'exécution d'un mouvement volontaire : ce sont les aires motrices primaires et les aires prémotrices.

Les **aires motrices primaires** (situées dans chaque hémisphère cérébral) commandent directement les mouvements. Des explorations précises ont permis de dresser une **cartographie** de l'aire motrice primaire : chaque partie du corps humain est associée à un territoire défini du cortex cérébral qui assure sa commande motrice. Il est intéressant de constater que les parties du corps douées d'une mobilité importante (mains, bouche, etc.) « occupent » une surface relativement importante de l'aire motrice.

Les **aires prémotrices**, quant à elles, jouent un rôle dans la planification de l'exécution d'un mouvement.

D'autres territoires du cerveau situés plus en profondeur, dont la dégénérescence est à l'origine des symptômes de la maladie de Parkinson, sont également impliqués dans la commande des mouvements volontaires.

Les voies motrices

Les messages nerveux moteurs qui partent du cerveau cheminent par des **faisceaux de neurones** et descendent dans la moelle épinière. À différents niveaux, ces neurones sont en connexion synaptique avec les motoneurones. Ces voies motrices sont **croisées**, de telle sorte que la commande des mouvements volontaires est **controlatérale** : c'est l'aire motrice de l'hémisphère cérébral droit qui commande la partie gauche du corps, et inversement.

Des lésions qui se traduisent par des dysfonctionnements musculaires

Un **accident vasculaire cérébral (AVC)** est un trouble de la circulation sanguine irriguant un territoire du cerveau. Le terme d'« accident » est utilisé pour souligner le caractère soudain de l'apparition des symptômes : il peut, en effet, arriver qu'un caillot obstrue subitement une artère cérébrale ou bien que la paroi d'un vaisseau sanguin se rompe, provoquant alors une hémorragie cérébrale. La partie normalement irriguée par ce vaisseau cesse alors de fonctionner. On comprend aisément que si une partie d'une aire motrice est atteinte, la conséquence en soit une **paralysie** : on parle d'**hémiplégie** lorsque la paralysie touche une partie du corps située d'un seul côté du corps.

Des lésions accidentelles de la moelle épinière, dues cette fois-ci à un choc violent (accidents de la circulation, chute, etc.) peuvent aussi entraîner des paralysies : le territoire concerné dépend notamment du niveau de la moelle concerné par la lésion. On parle de **paraplégie** lorsque la paralysie concerne les membres inférieurs et la partie basse du tronc.

Enfin, une compression des racines des nerfs rachidiens (due, par exemple, à une hernie discale) peut aussi se traduire par des troubles moteurs.

2 Le rôle intégrateur des neurones

Des réponses motrices intégrées

Par une étude expérimentale du réflexe myotatique, il est facile de montrer que l'amplitude de la réponse musculaire **varie en fonction des conditions** dans lesquelles le sujet est placé.

Par exemple, si le sujet contracte volontairement le muscle fléchisseur au moment où un réflexe myotatique est déclenché sur l'extenseur, la réponse de ce dernier est amoindrie. Au contraire, tout ce qui peut « distraire » le sujet a tendance à augmenter l'amplitude de la réponse réflexe. Si l'on exerce une traction des avant-bras, les réflexes rotuliens ou achilléens sont en général de plus forte amplitude. Ceci montre bien que, si la contraction du muscle répond bien au stimulus (le choc porté sur le tendon), elle tient aussi compte d'autres **informations reçues** simultanément : c'est ce qu'on appelle une **intégration**.

Synapses excitatrices et synapses inhibitrices

Toutes les synapses ont un principe de fonctionnement identique, mais, selon le neurotransmetteur qu'elles libèrent, les synapses peuvent avoir des effets opposés sur le neurone post-synaptique :
– certaines synapses sont dites **excitatrices**, car le neurotransmetteur libéré a tendance à faire naître un nouveau message dans le neurone post-synaptique ;
– d'autres, en revanche, sont qualifiées d'**inhibitrices**, car leur neurotransmetteur empêche ou rend plus difficile l'émission de potentiels d'action par le neurone post-synaptique.

L'intégration de plusieurs messages nerveux

Dans un centre nerveux, un neurone peut recevoir des informations provenant de nombreux autres neurones par les **milliers de terminaisons axoniques** qui sont en contact synaptique avec ses dendrites ou son corps cellulaire. C'est notamment le cas des motoneurones de la moelle épinière.

À tout instant, le motoneurone est soumis à l'influence de multiples synapses, certaines étant excitatrices, d'autres inhibitrices. Le corps cellulaire du motoneurone, ainsi soumis à une « pluie » de neurotransmetteurs, doit **intégrer ces informations**, qui se renforcent ou s'opposent, c'est-à-dire en faire la « somme algébrique ».

Cette **sommation** prend en compte les informations arrivant successivement d'un neurone pré-synaptique donné si les messages sont suffisamment rapprochés : on parle dans ce cas de sommation temporelle. L'intégration prend également en compte les messages arrivant au même moment de différents neurones pré-synaptiques : on parle dans ce cas de sommation spatiale.

Si le résultat de cette sommation est une excitation suffisante, des potentiels d'action sont émis au niveau de son axone. Sinon, le neurone reste au repos. Ainsi, grâce à ses **propriétés intégratrices**, le motoneurone émet un **message nerveux moteur unique** tenant compte de multiples informations de diverses provenances. La fibre musculaire, en revanche, ne reçoit un message que d'un seul motoneurone : contrairement au motoneurone, une fibre musculaire n'a aucune capacité d'intégration.

Cette fonction intégratrice des neurones joue un rôle essentiel dans le traitement des messages qui transitent à tout instant dans un centre nerveux.

3 La plasticité cérébrale

Des variations individuelles

Dans ses grandes lignes, l'organisation du cerveau et notamment du cortex est la même pour tous les individus : c'est une caractéristique propre à l'espèce. Cependant, la comparaison de cartes motrices de plusieurs individus révèle l'existence de variations : nous n'avons pas tous le même cerveau. Ces **différences interindividuelles** ne sont pas innées : elles s'acquièrent au cours du développement, par apprentissage des gestes. Même chez l'adulte, les effets d'un entraînement moteur se traduisent par une amélioration des performances que l'on peut associer à une extension de l'aire motrice concernée. De façon assez surprenante, de telles modifications peuvent être obtenues rapidement et ne sont pas nécessairement durables. C'est ce qu'on appelle la « **plasticité** » cérébrale.

D'étonnantes capacités de récupération

À la suite d'un AVC, il subsiste en général dans le cerveau une zone nécrosée, c'est-à-dire irrémédiablement détruite. Cependant, on constate le plus souvent une **récupération du déficit moteur**. Cette faculté de récupération est bien entendu limitée par l'importance de la lésion mais elle dépend aussi beaucoup de la mise en œuvre rapide d'une **rééducation**. Cette récupération progresse sur une durée de quelques semaines ou quelques mois. Mais elle ne correspond pas à une « remise en service » de la zone lésée. L'imagerie cérébrale a en effet démontré que cette récupération repose sur différents **remaniements**, impliquant des territoires situés dans les deux hémisphères et se focalisant progressivement autour de la zone initialement touchée.

La plasticité cérébrale permet une récupération parfois étonnante : ainsi, plusieurs années après une amputation, le cerveau d'un patient peut se réapproprier le contrôle d'une main greffée !

La plasticité dont fait preuve le cerveau est porteuse d'espoirs. En effet, on a longtemps cru que les neurones ne pouvaient pas se renouveler. Or, des études récentes montrent que certaines zones du cerveau sont pourtant capables de **produire de nouveaux neurones,** y compris chez l'adulte, et que ces nouveaux neurones peuvent s'intégrer à un réseau existant. Ceci permet d'envisager, à terme, des possibilités de traitement des maladies dites **neurodégénératives**, c'est-à-dire liées à une destruction de certains neurones. Cependant, à l'heure actuelle, l'intervention d'une production de nouveaux neurones pour réparer un tissu lésé n'est pas établie : les neurones sont un capital à préserver et à entretenir.

chapitre 5 Motricité volontaire et plasticité cérébrale

À RETENIR

La commande des mouvements volontaires est un autre exemple de communication nerveuse : elle met cette fois-ci en jeu les structures cérébrales.

Aires cérébrales et voies nerveuses de la motricité volontaire

Il existe, dans chaque hémisphère cérébral, des territoires du cortex associés à la commande des mouvements volontaires : ce sont les **aires motrices**.

L'importance du territoire de l'aire motrice associé à chacune des différentes régions du corps est en relation avec les capacités de mouvements de la partie du corps concernée.

Les messages nerveux, qui partent des aires motrices, cheminent par des **faisceaux de neurones** qui se croisent avant de se connecter aux motoneurones de la moelle épinière. Ainsi, chaque aire motrice commande les mouvements de la **moitié opposée** du corps.

Lésions nerveuses et dysfonctionnements musculaires

Certaines lésions du système nerveux central peuvent se traduire par des **paralysies** : c'est souvent le cas à la suite d'un **accident vasculaire cérébral** qui peut affecter une partie d'une aire motrice.

D'autres paralysies, notamment des membres inférieurs, résultent de **lésions de la moelle épinière** (chocs, accidents, etc.).

L'intégration des messages nerveux

Il existe des **synapses excitatrices**, qui ont tendance à faire naître un message nerveux et des **synapses inhibitrices**, qui s'opposent à la genèse d'un message nerveux. C'est la nature du neurotransmetteur libéré qui détermine la nature de la synapse.

À tout moment, le corps cellulaire du motoneurone reçoit, par diverses connexions synaptiques, de multiples informations qu'il **intègre** sous la forme d'un **message moteur unique**.

La plasticité cérébrale

Il existe des **variations interindividuelles** des cartes motrices. Ces différences s'acquièrent au cours du développement, sous l'effet de l'apprentissage et de l'entraînement. Loin d'être figé, le fonctionnement cérébral fait preuve au contraire d'une remarquable **plasticité**.

Cette plasticité cérébrale explique les **capacités de récupération** du cerveau après la perte accidentelle du fonctionnement d'une partie du cortex moteur. Des remaniements du fonctionnement cérébral, favorisés par une rééducation, permettent de suppléer au territoire déficient.

Mots-clés

- Cortex cérébral
- Aire motrice
- AVC, paralysie
- Synapse excitatrice
- Synapse inhibitrice
- Intégration des messages nerveux
- Plasticité cérébrale

Capacités et attitudes

- Utiliser un logiciel, exploiter des images (IRMf) pour caractériser les aires motrices cérébrales.
- Utiliser un dispositif d'ExAO pour montrer qu'une réponse motrice intègre diverses informations.
- Recenser et exploiter des informations pour expliquer les propriétés intégratrices d'un neurone.
- Recenser et exploiter des informations pour mettre en évidence la plasticité cérébrale et les facultés de récupération après une lésion.

SCHÉMA BILAN **MOTRICITÉ VOLONTAIRE ET PLASTICITÉ CÉRÉBRALE**

Animation

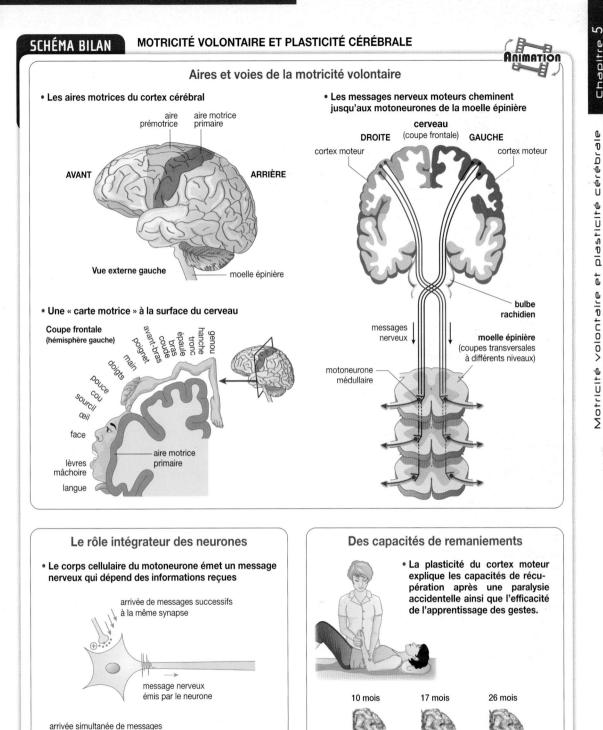

Aires et voies de la motricité volontaire

- **Les aires motrices du cortex cérébral**

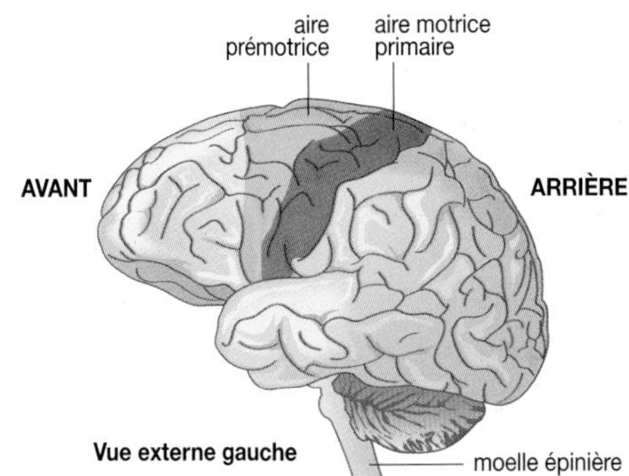

- **Les messages nerveux moteurs cheminent jusqu'aux motoneurones de la moelle épinière**

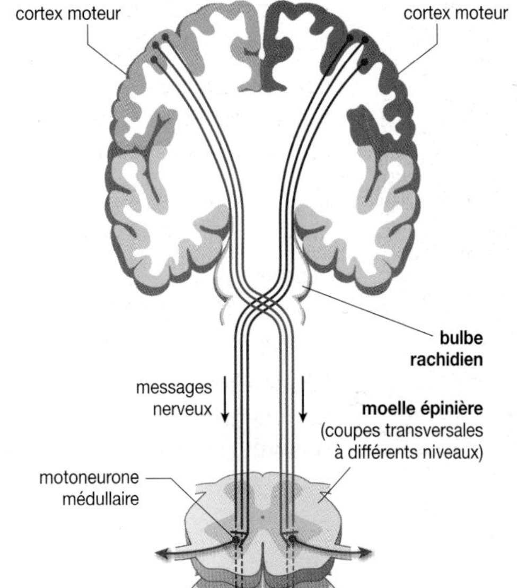

- **Une « carte motrice » à la surface du cerveau**

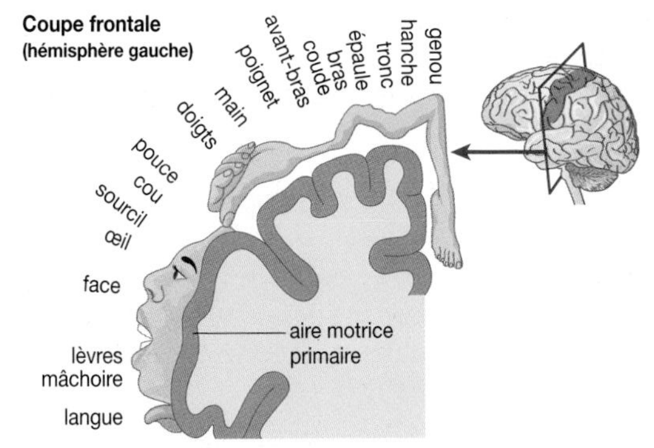

Le rôle intégrateur des neurones

- **Le corps cellulaire du motoneurone émet un message nerveux qui dépend des informations reçues**

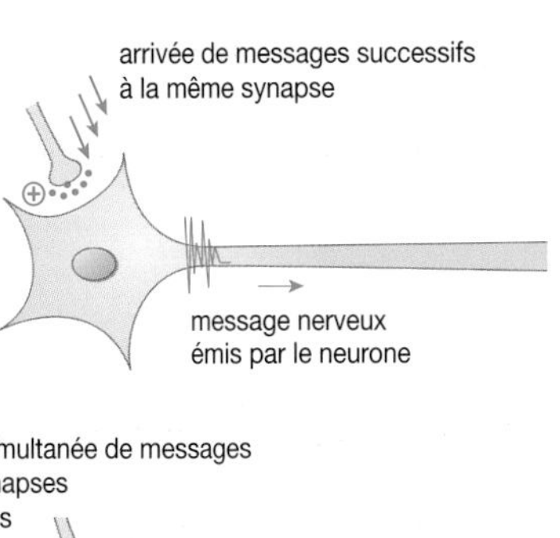

Des capacités de remaniements

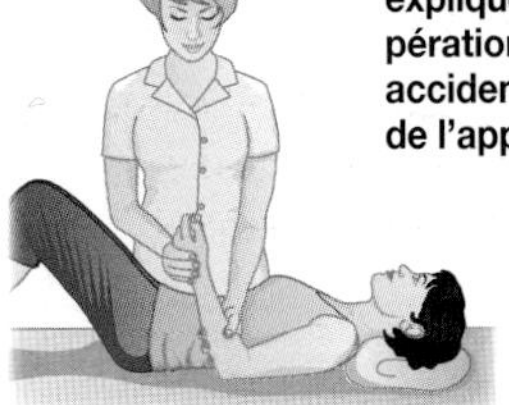

- **La plasticité du cortex moteur explique les capacités de récupération après une paralysie accidentelle ainsi que l'efficacité de l'apprentissage des gestes.**

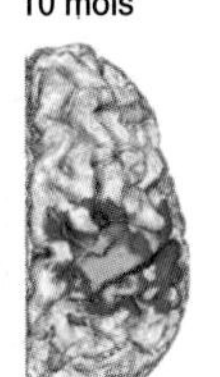
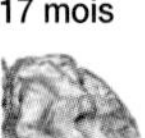
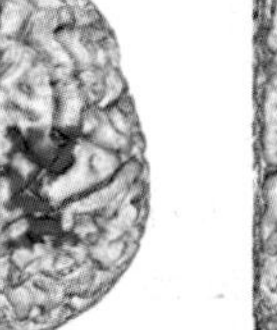

IRM montrant une récupération progressive de la motricité de la main

Aux confins de la science et de l'art

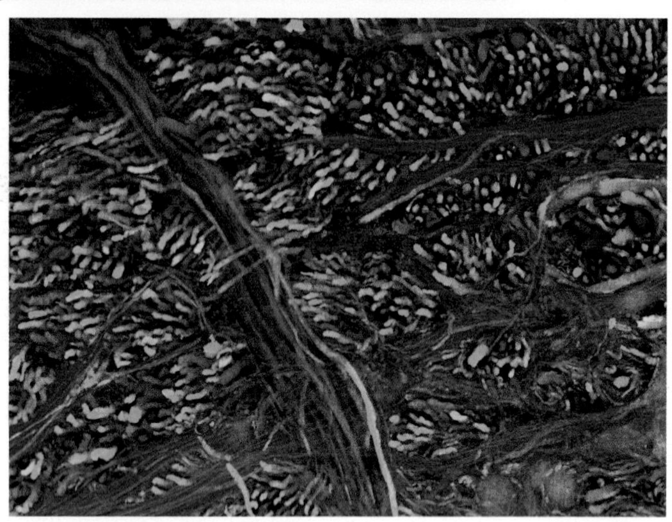

Art contemporain ?

Cette image est l'œuvre de Jean Livet, chercheur à l'INSERM. Elle a été couronnée en 2007 par le 1er prix du concours « Olympus Bioscapes » qui récompense, chaque année, les plus belles images scientifiques obtenues au microscope.

Image scientifique ?

Oui, bien entendu : on peut en effet ici visualiser les axones géants du circuit auditif et suivre des axones (en bleu) allant du cortex cérébral à la moelle épinière.

• La technique du « Brainbow »

Pour quoi ?

L'objectif est ambitieux : depuis quelques années, plusieurs équipes internationales de chercheurs en **neurosciences** tentent, à l'aide de cette technique particulière nommée « Brainbow », de reconstruire de façon détaillée certains circuits neuroniques du cerveau. Il s'agit de mieux comprendre le fonctionnement cérébral à l'**échelle cellulaire**, et par là même la cause et le développement de certaines maladies.

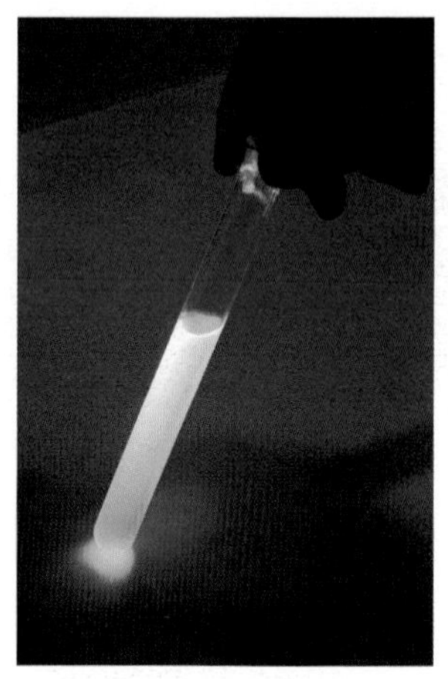

Comment ?

Cette spectaculaire technique permet de distinguer les neurones les uns des autres par des **colorations spécifiques.** On peut alors suivre un neurone sur une grande distance et les connexions qu'il établit *(voir page 380)*. On peut également suivre son fonctionnement dans le temps. La technique du Brainbow résulte des progrès du **génie génétique** et de la découverte de **protéines fluorescentes**. En 2000, des souris transgéniques possédant des neurones qui expriment le gène de la GFP (Green Fluorescent Protein) ont pu être créées. Cette protéine, normalement produite par une méduse, a la particularité d'émettre une lumière fluorescente verte lorsqu'elle est excitée par de la lumière bleue *(photographie ci-contre)*. Depuis, d'autres protéines fluorescentes, résultant de l'expression d'autres gènes, ont été découvertes : RFP (rouge), M-CFP (cyan), YFP (jaune).

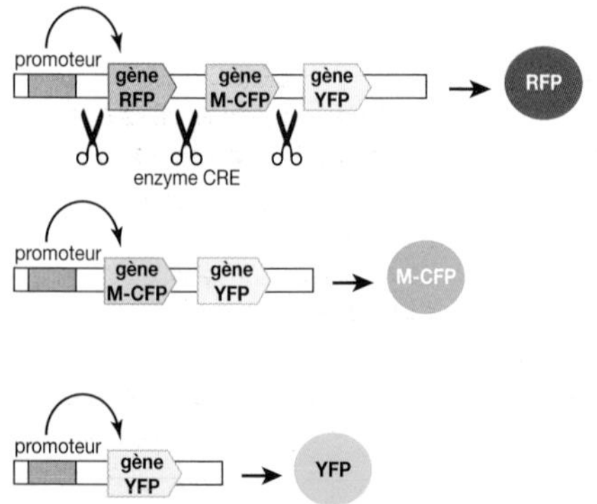

Les études portent sur des souris auxquelles on a injecté, au stade embryonnaire, différentes « **constructions génétiques** ». Celles-ci comprennent initialement une succession de trois gènes codant pour les protéines fluorescentes, mais seule la première protéine est synthétisée car située à proximité d'une séquence promotrice activant l'expression génétique. Pour inhiber ce premier gène et en activer un autre, les chercheurs utilisent une **enzyme bactérienne** (la CRE) qui a la propriété de reconnaître et de recombiner de courtes séquences d'ADN : la CRE peut alors créer des délétions ou des inversions de gènes entre deux sites de reconnaissances, ce qui permet d'éliminer ou de rapprocher deux gènes. En combinant ainsi plusieurs exemplaires de ces transgènes dont on peut moduler l'expression, les chercheurs disposent d'**une centaine de couleurs** différentes susceptibles de marquer individuellement les neurones.

... mieux comprendre l'histoire des sciences

L'imagerie par résonance magnétique (IRM)

Le principe de l'IRM repose sur le phénomène de **résonance magnétique nucléaire (RMN)**, découvert en 1946. Il s'agit d'une propriété physique du noyau de certains atomes soumis à un champ magnétique (le mot « nucléaire » n'a donc rien à voir avec l'énergie du même nom).

En 1973, **Paul Lauterbur**, un chimiste américain, réalise une première image fondée sur la RMN en couplant cette dernière aux techniques d'imagerie obtenues par tomodensitométrie (scanner).

De son côté, **Peter Mansfield**, un physicien britannique, met au point en 1977 une technique permettant de convertir les signaux de la RMN en une image exploitable.
Les travaux de Paul Lauterbur et Peter Mansfield ont été couronnés par le prix Nobel de Physiologie ou Médecine en 2003 pour avoir permis le développement de l'IRM.

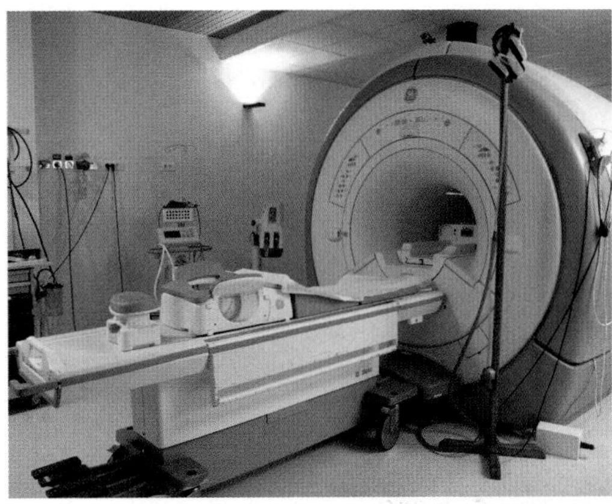

Une unité d'IRM : l'énorme « tunnel » dans lequel est introduit le patient contient un aimant disposé en couronne mais aussi un système de ventilation, un éclairage, une sonorisation. Il existe maintenant des appareils ouverts latéralement.

... bien choisir son parcours de formation

Autour de la médecine du système neuromusculaire

Vous voulez devenir :
- kinésithérapeute ;
- ostéopathe ;
- neurologue ?

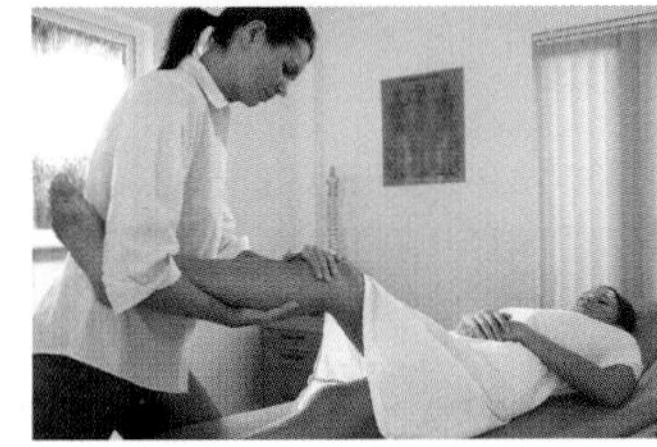

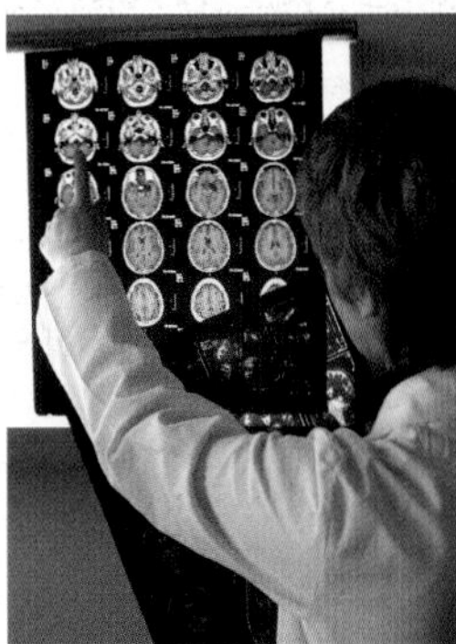

Neurologue

BAC S
Études de médecine

- **PACES :** concours à l'issue de la Première Année Commune aux Études de Santé.
- **Examen national classant :** concours de l'internat à la fin de la 6e année. Choix possible de la spécialité (neurologie) en fonction du classement.
- **Internat :** spécialisation préparée en 4 ans.
- **Diplôme d'état** de docteur en médecine spécialisé en neurologie

– Très sélectif
– Études très longues : bac + 10 ou 11

Kinésithérapeute

BAC S
École de masso-kinésithérapie

- **Admission** (suivant les écoles) :
  – **PACES** : classement à l'issue de la Première Année Commune aux Études de Santé (Médecine)
  ou
  – **Concours d'entrée** (préparation nécessaire)
- **Formation :** 3 ans
- **Diplôme d'état** de masseur-kinésithérapeute

– Très sélectif : quota de 2 285 places en 2011-2012

Ostéopathe

BAC S
Établissements agréés par le ministère de la Santé

- **Admission :** Concours + entretien
- **Formation :** 5 à 6 ans
- **Diplôme** d'ostéopathe

– Des débuts difficiles
– Profession libérale ou activité salariée

Maîtriser ses connaissances

Pour s'entraîner

1 Définissez les mots ou expressions

Aire motrice, motoneurone, hémiplégie, paraplégie, AVC, synapse excitatrice, synapse inhibitrice, intégration neuronale, plasticité cérébrale.

2 Vrai ou faux ?

Repérez les affirmations exactes et corrigez celles qui sont inexactes.

a. Les aires cérébrales de la motricité volontaire sont situées dans l'hémisphère gauche.
b. L'hémisphère cérébral droit commande la partie gauche du corps.
c. Contrairement à une lésion de la moelle épinière, une lésion cérébrale ne peut pas entraîner de paralysie.
d. L'amplitude d'une réponse réflexe ne dépend que de l'intensité du stimulus.
e. Une synapse peut avoir un effet modérateur sur l'activité d'un neurone.
f. Les conséquences d'une lésion nerveuse affectant le cerveau sont irrémédiables.

3 Questions à réponse courte

a. Indiquez quelles peuvent être les conséquences d'une obstruction d'un vaisseau sanguin irriguant l'aire motrice de l'hémisphère cérébral gauche.

b. Expliquez comment une lésion de la moelle épinière peut entraîner une paralysie.

c. Expliquez pourquoi un motoneurone possède des capacités intégratrices, contrairement à une fibre musculaire.

4 Justifiez ces affirmations

a. Il existe une carte de la commande motrice à la surface du cerveau.

b. Nous n'avons pas tous le même cerveau.

c. Une réponse réflexe est une réponse intégrée.

d. À la suite d'un accident vasculaire cérébral ayant entraîné une paralysie, il est essentiel d'entreprendre des exercices de rééducation neuromusculaire.

Objectif BAC

5 L'intégration neuronale

La *photographie ci-dessous*, obtenue au microscope électronique à balayage puis colorisée, montre les extrémités axoniques de neurones (en bleu) à la surface du corps cellulaire d'un autre neurone (en orange).

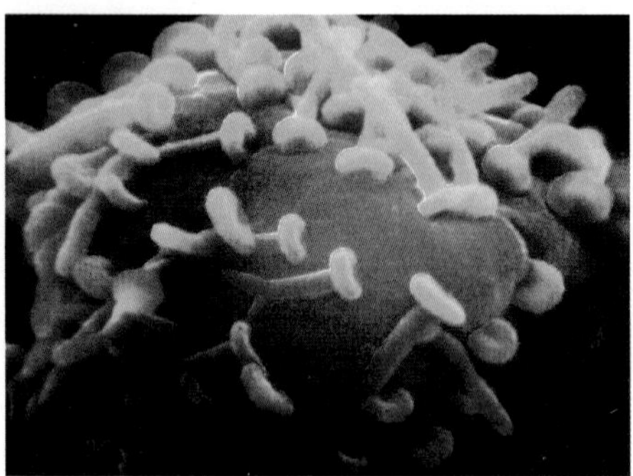

A. Questions à choix multiples QCM

Choisissez la bonne réponse pour chaque série d'affirmations.

1. **Les terminaisons pré-synaptiques arrivant sur un même neurone :**
a. sont toutes excitatrices ;
b. appartiennent toutes à un même neurone ;
c. peuvent moduler l'activité du neurone post-synaptique ;
d. libèrent nécessairement toutes le même neurotransmetteur.

2. **Le neurone post-synaptique :**
a. crée un message nerveux chaque fois qu'il reçoit des neurotransmetteurs ;
b. transmet intégralement les messages qu'il reçoit de différentes synapses ;
c. élabore un message nerveux à partir des seules synapses excitatrices ;
d. a son activité conditionnée par les neurotransmetteurs reçus à chaque instant.

B. Question de synthèse :

Expliquez comment un motoneurone peut produire un message nerveux unique en intégrant des informations diverses.

6 La motricité volontaire

Question de synthèse :

Expliquez comment s'effectue la commande d'un mouvement volontaire.

L'exposé, structuré et comportant introduction et conclusion, sera accompagné d'un schéma montrant le trajet suivi par le message nerveux.

Utiliser ses compétences

7 Quand le cerveau apprend à jouer du piano Extraire des informations, raisonner

Pour bien jouer d'un instrument de musique, du piano par exemple, une pratique régulière est nécessaire, de façon à acquérir et maintenir une bonne dextérité. L'étude suivante a été réalisée chez des personnes non pianistes.

QUESTION :
Exploitez les résultats de cette étude afin d'établir une relation entre apprentissage et plasticité cérébrale.

• Première étude

Les sujets ont pratiqué pendant cinq jours un entraînement quotidien de deux heures. Il leur a été demandé d'effectuer une séquence avec une main seulement et en utilisant les cinq doigts. La consigne était d'effectuer un exercice en frappant les touches régulièrement, sans erreur.
À l'issue de cet entraînement, un test est réalisé, consistant à réaliser le mouvement appris, 20 fois de suite : les résultats sont présentés par le *document 1*.
Par ailleurs, par une technique complexe, on a déterminé la carte motrice associée aux muscles fléchisseurs des doigts, c'est-à-dire l'aire du cortex associée au fonctionnement de ces muscles. Cette exploration a été menée avant chaque séance d'entraînement et vingt minutes après. Ces résultats sont présentés par le *document 2*.

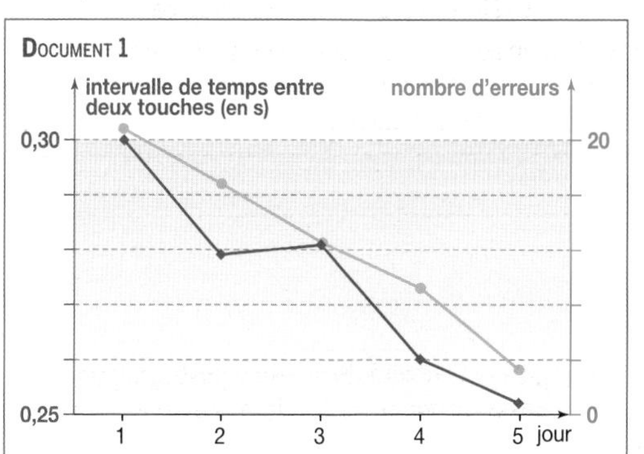

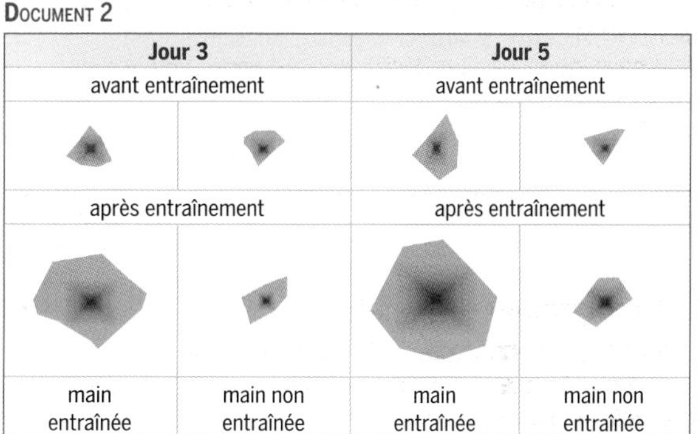

DOCUMENT 2
Jour 3
Jour 5
avant entraînement
avant entraînement
après entraînement
après entraînement
main entraînée
main non entraînée
main entraînée
main non entraînée

• Deuxième étude

À l'issue de cette première semaine, les sujets ont été répartis en deux groupes : le premier groupe a continué l'exercice pendant 4 semaines tandis que le second groupe a cessé de pratiquer l'apprentissage. Le même test et la même cartographie du cortex moteur impliqué ont été réalisés chaque semaine, d'une part le lundi (L) avant chaque séance, d'autre part le vendredi (V) après la dernière séance d'apprentissage de la semaine (il n'y avait pas d'entraînement le week-end).
Les résultats sont traduits par les graphiques du *document 3*.

Remarque : dans le tableau, seules les cartes du groupe 1 sont représentées, celles du groupe 2 reprenant leur dimension de base dès l'arrêt de l'entraînement.

(D'après Alvaro Pascual-Leone, Harvard Medical School)

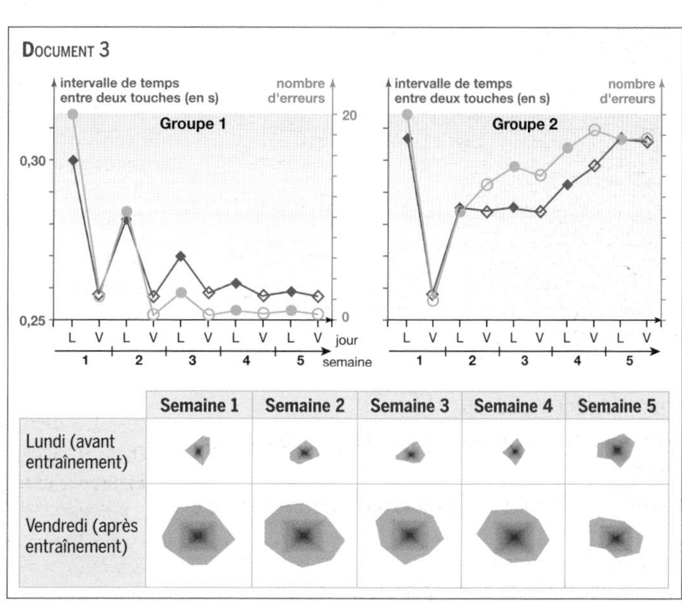

8 Des neurones sous influences

Exploiter un ensemble de documents en relation avec les connaissances, pratiquer une démarche scientifique

QUESTION :
À partir de l'analyse de ces documents et de vos connaissances, montrez que les motoneurones de la moelle épinière reçoivent et intègrent des informations diverses.

DOCUMENT 1 : **enregistrement simultané de deux muscles lors du réflexe achilléen**

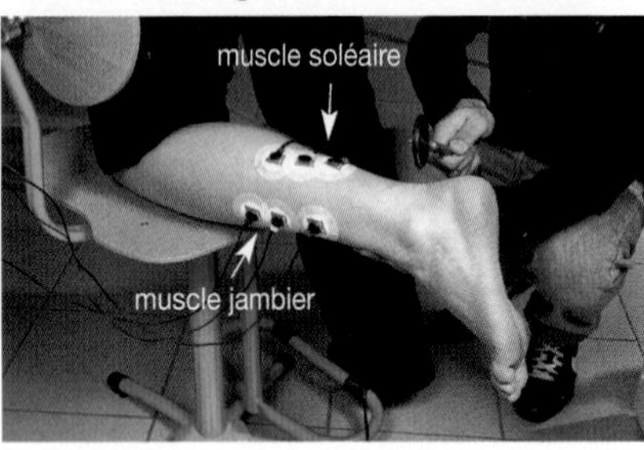

On enregistre simultanément à l'aide d'un dispositif d'ExAO, l'activité du muscle soléaire (extenseur du pied) et du muscle jambier (fléchisseur du pied).

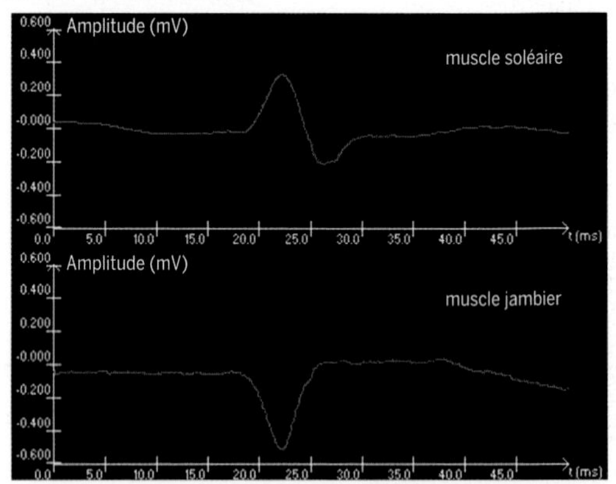

DOCUMENT 2 : **électromyogrammes enregistrés au cours de mouvements volontaires**

L'*enregistrement ci-contre* a été réalisé en utilisant le dispositif expérimental présenté par le *document 1*.

Ici, le sujet n'est soumis à aucune stimulation mécanique extérieure : il décide simplement d'effectuer des mouvements de flexion et d'extension du pied.

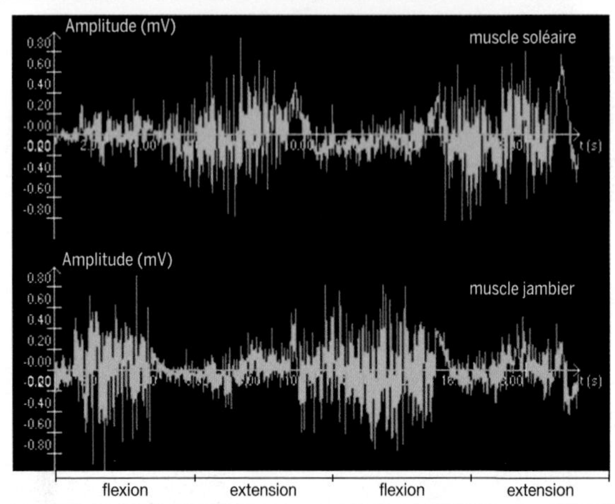

DOCUMENT 3 : **l'innervation réciproque des muscles antagonistes**

Ce schéma montre les circuits neuronaux assurant, dans la moelle épinière, la communication entre le neurone sensitif issu d'un fuseau neuromusculaire d'un muscle et les motoneurones des deux muscles antagonistes.

Dans la moelle épinière, l'interneurone (en vert sur ce schéma) est connecté au motoneurone par une synapse inhibitrice.

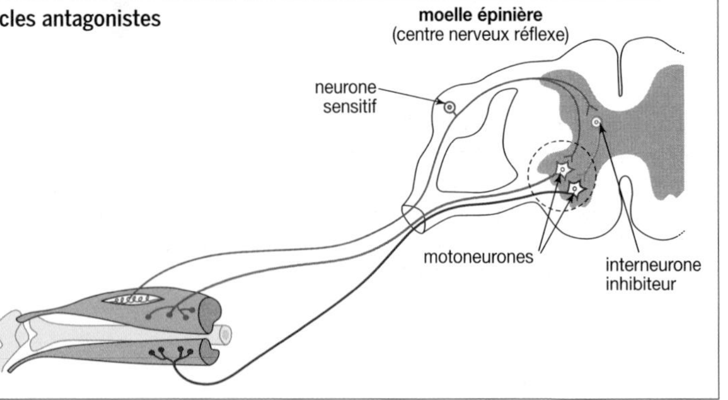

Utiliser ses capacités expérimentales

9 La sommation spatiale Modéliser, utiliser un logiciel

SE PRÉPARER aux épreuves pratiques du BAC

■ Problème à résoudre

Le logiciel « Sommation spatiale » (académie d'Amiens) permet de modéliser le rôle intégrateur des motoneurones.
Plusieurs neurones sont en connexion synaptique avec un même motoneurone. Pour chaque neurone, on peut choisir l'une des trois possibilités suivantes :
- inactif ;
- synapse excitatrice ;
- synapse inhibitrice.

On peut alors observer l'activité nerveuse du neurone moteur émis après l'arrivée simultanée de messages par ces différentes synapses.

■ Matériel disponible

- Logiciel « Sommation spatiale ».
- Fiche d'aide à l'utilisation du logiciel.

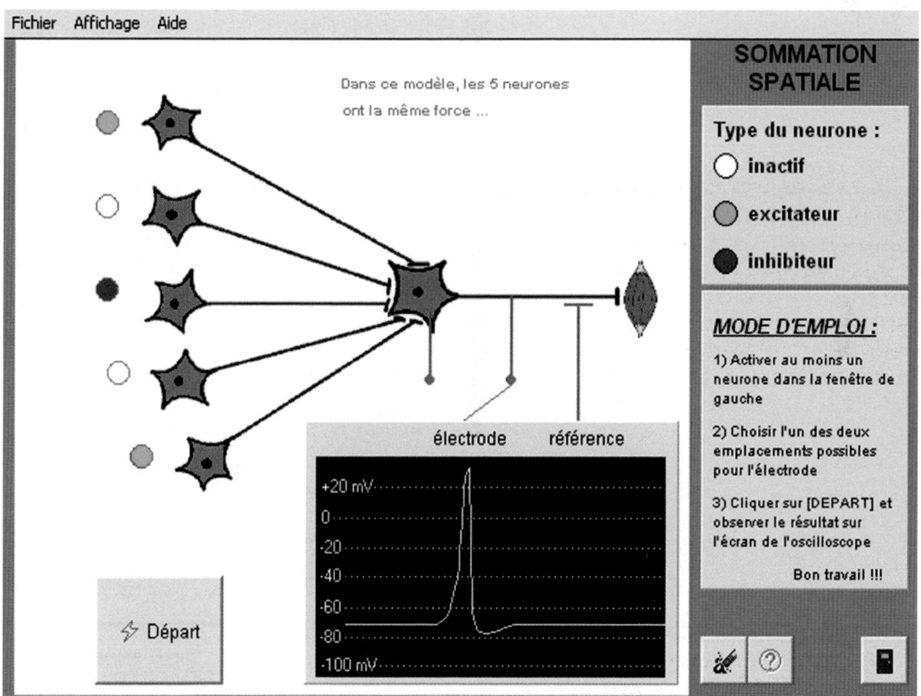

■ Conception d'un protocole

Mettez au point un protocole pour montrer :
- qu'un potentiel d'action pré-synaptique n'engendre pas nécessairement de potentiel d'action post-synaptique ;
- que l'action stimulatrice d'un neurone peut être diminuée ou annihilée par un autre neurone.

■ Modélisation et communication des résultats

- Effectuez les différents essais ;
- Présentez les résultats sous forme d'un tableau ou de schémas.

Pour utiliser le logiciel « Sommation spatiale » :

www.bordas-svtlycee.fr

Corrigés d'exercices

Les corrections fournies dans ces pages concernent uniquement, pour chaque chapitre, la partie « Pour s'entraîner » de la page « Maîtriser ses connaissances ». Elles vous permettront de procéder à une auto-évaluation et donc de contrôler vous-même le degré d'acquisition des connaissances.

Partie 1

Génétique et évolution

Chapitre 1, page 34

1 Définissez les mots ou expressions

Méiose : voir Lexique.
Brassage interchromosomique : voir Lexique.
Brassage intrachromosomique : voir Lexique.
Crossing-over : voir Lexique.
Zygote : voir Lexique.
Duplication : voir Lexique.
Transposition : déplacement d'une séquence d'ADN à une autre position dans le génome.
Famille multigénique : voir Lexique.
Croisement-test : voir Lexique.

2 Questions à choix multiples

Les bonnes réponses sont : **1-b** ; **2-d**.

3 Vrai ou faux ?

a. Faux. La méiose est une succession de deux divisions : contrairement à une mitose, la première division réduit le nombre de chromosomes, la deuxième division s'apparente à une mitose.
b. Faux. Le croisement-test consiste à croiser un individu avec un homozygote récessif.
c. Faux. Les crossing-over sont responsables du brassage intrachromosomique.
d. Vrai.
e. Faux. La méiose répartit les chromosomes homologues dans deux cellules différentes.
f. Vrai.
g. Faux. Le nombre de chromosomes par cellule est divisé par deux lors de la première division de méiose.

4 Questions à réponse courte

a. Au cours de la prophase de la première division de la méiose, un crossing-over inégal peut dupliquer accidentellement un gène. Par mutations ponctuelles, ces deux copies du même gène font former deux gènes apparentés mais différents. C'est le principe de constitution d'une famille multigénique.
b. Au cours de l'anaphase de la première division de la méiose, un brassage est réalisé entre tous les chromosomes. De plus, au cours de la prophase, des remaniements s'effectuent entre les chromatides de chaque paire de chromosomes homologues. Le nombre de cellules haploïdes différentes qui peuvent être ainsi formées à partir d'une même cellule diploïde est considérable. En outre, la fécondation multiplie cette diversification, puisque chaque gamète de l'un des parents peut féconder au hasard n'importe quel gamète de l'autre parent.

La probabilité que deux fécondations aboutissent à deux zygotes de même génotype, y compris en partant des mêmes parents, est donc nulle.

Chapitre 2, page 58

1 Définissez les mots ou expressions

Hybridation : voir Lexique.

Polyploïde : voir Lexique.

Transfert horizontal de gènes : voir Lexique.

Gènes du développement : voir Lexique.

Symbiose : voir Lexique.

Transmission culturelle : voir Lexique.

2 Argumentez une affirmation

a. Si un événement de polyploïdisation suit une hybridation, chaque chromosome retrouve un homologue, la méiose redevient possible et la fertilité est rétablie.

b. Un arbre de parenté fondé sur des séquences d'ADN transmises de manière horizontale rapprochera des espèces qui sont plus éloignées sur un arbre de parenté fondé sur des séquences d'ADN transmises de manière verticale. Ainsi, la construction d'arbres de parenté contradictoires peut être un indice de transfert horizontal de gènes.

c. Les êtres vivants en association peuvent exercer une influence réciproque qui modifie leur phénotype : croissance différente, production de substance, comportement nouveau, qui n'existent pas chez chaque partenaire isolé.

b. Des observations et des expériences ont prouvé que des animaux comme les oiseaux ou les chimpanzés apprennent à reproduire une action (chant, utilisation d'outil) simplement en observant comment leurs congénères la réalisent.

3 Vrai ou faux ?

a. Faux. Ce comportement peut être copié par les autres individus de la population et être ainsi transmis culturellement de génération en génération.

b. Vrai

c. Faux. Certains oiseaux élevés sans adulte présentent un chant déstructuré. Leur information génétique n'est pas suffisante pour acquérir un chant d'adulte, il leur faut également une phase d'imitation d'autres adultes.

4 Questions à choix multiples

Les bonnes réponses sont : **1-d** ; **2-d** ; **3-c**.

Chapitre 3, page 78

1 Définissez les mots ou expressions

Sélection naturelle : voir Lexique.
Hasard : cause imprévisible, dont on ne peut prévoir l'avènement.
Dérive génétique : voir Lexique.
Population : voir Lexique.
Pression de sélection : voir Lexique.
Espèce : voir Lexique.
Spéciation : voir Lexique.

2 Argumentez une affirmation

a. La sélection naturelle tend à éliminer les caractères qui présentent un désavantage. Au contraire, elle privilégie les individus qui présentent un caractère avantageux. Ainsi, la sélection naturelle peut conduire à une diminution de la diversité des êtres vivants.
b. Si par hasard certains individus ne se reproduisent pas, certains des caractères ou allèles qu'ils possédaient peuvent ne plus être présents à la génération suivante. Ceci est d'autant plus probable que la population est réduite. Ainsi, la dérive génétique peut conduire à une diminution de la diversité des êtres vivants.
c. Pour comprendre l'histoire d'une population, il faut tenir compte de la sélection naturelle, qui a pu privilégier les individus présentant un caractère avantageux et éliminer ceux qui présentaient un désavantage sélectif, mais aussi de la dérive génétique qui peut expliquer des variations aléatoires, surtout dans les très petites populations.
d. Avant le développement de la théorie darwinienne de l'évolution, l'espèce est conçue comme une entité permanente et stable. Après, l'idée d'une variation et d'une filiation entre les espèces s'est imposée. L'espèce est bien un concept dont la définition a changé au cours du temps.

3 Vrai ou faux ?

a. Faux. Aujourd'hui, le critère le plus puissant pour définir une espèce est l'interfécondité.
b. Vrai.
c. Faux. Il arrive que deux individus appartenant à deux espèces différentes se reproduisent mais leurs descendants sont en général stériles.
d. Vrai.

4 Questions à choix multiples

Les bonnes réponses sont : **1-b** ; **2-d** ; **3-d**.

Chapitre 4, page 104

1 Définissez les mots ou expressions

Primate : voir Lexique.
Hominoïde : voir Lexique.
Genre Homo : voir Lexique.
Caractère dérivé : voir Lexique.
Arbre phylogénétique : voir Lexique.
Ancêtre commun : voir Lexique.
Trou occipital : voir Lexique.
Angle facial : voir Lexique.
Bipédie : voir Lexique.
Capacité crânienne : volume de l'intérieur de la boîte crânienne, en général exprimé en cm^3.

2 Questions à choix multiples

Les bonnes réponses sont : **1-d** ; **2-a**.

3 Vrai ou faux ?

a. Faux. L'Homme a 46 chromosomes alors que le Chimpanzé en possède 48.
b. Vrai
c. Faux. La présence d'un pouce opposable aux autres doigts est un caractère dérivé propre aux primates.
d. Faux. Le Chimpanzé est plus proche parent de l'Homme que du Gorille.
e. Vrai.
f. Faux. *Homo erectus* est le premier Homme à sortir d'Afrique.
g. Vrai.

4 Questions à réponse courte

a. La comparaison des caryotypes, la comparaison de séquences génétiques, le séquençage complet de leur génome montrent qu'Homme et Chimpanzé ont plus de 98 % de leur ADN en commun. Ceci permet d'affirmer que le Chimpanzé est l'espèce animale la plus proche de l'Homme.
b. Les caractères du squelette humain que l'ont peut associer avec une excellente adaptation à la bipédie sont : la position centrée du trou occipital, la possession d'une colonne vertébrale avec plusieurs courbures et cambrures, la forme courte et large du bassin, la longueur des membres inférieurs, la position oblique du fémur, la forme du pied (avec gros orteil propulseur).
c. Un arbre phylogénétique est une représentation graphique des relations de parenté entre des espèces. Sur un tel arbre, les espèces sont reliées entre elles en fonction des ancêtres qu'elles ont en commun et des caractères dérivés partagés.
d. Un néandertalien est un Homme appartenant à une espèce aujourd'hui disparue. Cette espèce, plus robuste que l'Homme actuel, avait une capacité crânienne particulièrement importante, façonnait des outils finement taillés et diversifiés, pratiquait des rites funéraires. Les néandertaliens ont occupé l'Eurasie et ont coexisté avec *Homo sapiens* avant de disparaître, il y a 30 000 ans environ.

Chapitre 5, page 132

1 Définissez les mots ou expressions

Surface d'échanges : voir Lexique.
Stomate : voir Lexique.
Cuticule : voir Lexique.
Poils absorbants : voir Lexique.
Xylème : voir Lexique.
Phloème : voir Lexique.
Pièces florales : voir Lexique.
Diagramme floral : voir Lexique.
Dissémination : voir Lexique.
Pollinisation : voir Lexique.
Relation mutualiste : voir Lexique.
Coévolution : voir Lexique.

2 Vrai ou faux ?

a. Vrai.
b. Faux. Le parenchyme palissadique est situé du côté de la face supérieure de la feuille.
c. Faux. Le xylème transporte la sève brute contenant principalement de l'eau et des ions minéraux très dilués.
d. Vrai.
e. Faux. La pollinisation des plantes à fleurs peut être assurée par des animaux, le vent ou l'eau.
f. Vrai.
g. Vrai.
h. Faux. Malgré la diversité des fleurs, on retrouve toujours des pièces florales organisées en couronnes concentriques.

3 Argumentez une affirmation

a. Les organes souterrains de la plante ne sont pas chlorophylliens. Privés de lumière, ils ne peuvent bien entendu pas effectuer la photosynthèse. Ils sont donc alimentés par des matières organiques, glucides notamment, produites dans les feuilles par photosynthèse et apportées par la sève élaborée.
b. Chez une plante, les mécanismes de défenses mettent en jeu des structures spécialisées comme des épines par exemple. Certaines cellules sont parfois très spécialisées et peuvent par exemple produire des molécules répulsives ou toxiques pour les animaux consommateurs.
c. Les ébauches des pièces florales dans les bourgeons se ressemblent beaucoup et sont également très similaires des ébauches foliaires. En fonction de la nature des gènes de développement qui s'y expriment, cette ébauche va évoluer en sépale, pétale, étamine ou pistil.
d. Les graines tombant au pied de la plante mère peuvent éventuellement y germer, mais l'ombre portée pourra empêcher la plantule de se développer. La dissémination par les animaux permet de coloniser de nouveaux milieux plus propices à ce développement et situés à plus ou moins grande distance.

4 Annotez une photo

4 sépales, 4 pétales, 2 étamines et un pistil.

Partie 2
Les continents et leur dynamique

Chapitre 1, page 160

1 Définissez les mots ou expressions

Isostasie : voir Lexique
Pli : déformation souple de roches sous l'effet de contraintes compressives.
Faille : cassure de roches avec déplacement relatif des parties séparées.
Nappe de charriage : voir Lexique.
Métamorphisme : voir Lexique.
Anatexie : voir Lexique.
Géochronologie : ensemble de méthodes permettant d'attribuer un âge aux roches ou aux minéraux.

2 Questions à choix multiples

Les bonnes réponses sont **1-a** ; **2-b**.

3 Vrai ou faux ?

a. Vrai
b. Vrai.
c. Vrai.
d. Faux. Au cours des réactions du métamorphisme, la composition chimique des roches ne change pas (seule la composition en eau peut être modifiée).
e. Faux. L'anatexie correspond au début de fusion partielle d'une roche.
f. Faux. Seules les failles sont des déformations cassantes.
g. Vrai.

4 Questions à réponse courte

a. La notion d'isostasie a été déterminée à partir de données gravimétriques. En effet, c'est à partir du constat, établi par Bouguer, que la déviation du fil à plomb due à l'attraction du volcan Chimborazo était bien inférieure à la déviation théorique, que la notion d'isostasie fut établie.
b. Pour dater les roches de la croûte continentale, les géologues utilisent des méthodes de géochronologie, basées sur la désintégration d'éléments radioactifs contenus dans les roches. Par exemple, la méthode de la droite isochrone avec l'utilisation du couple Rubidium/Strontium (demi-vie = $48{,}8.10^9$ ans), permet de dater des roches ou des minéraux parmi les plus anciens de la croûte continentale.
Au cours du temps, ^{87}Rb diminue au profit de ^{87}Sr. Donc le rapport $^{87}Rb/^{86}Sr$ diminue et le rapport $^{87}Sr/^{86}Sr$ augmente. Cependant, cette variation est d'autant plus importante que le minéral est riche en Rb. À un temps t, on obtient une droite avec un coefficient directeur non nul. Une telle droite est dite isochrone car elle relie des points correspondant à des minéraux de même âge.

Il est facile de comprendre que plus le temps passe, plus le coefficient directeur de cette droite ***a*** est important, puisqu'il y aura encore moins de ^{87}Rb et plus de ^{87}Sr. Le coefficient directeur de la droite est donc indicateur du temps écoulé depuis la cristallisation de la roche.

Chapitre 2, page 184

1 Définissez les mots ou expressions

Subduction : voir Lexique.
Ophiolite : voir Lexique.
Marge continentale passive : voir Lexique.
Métamorphisme : voir Lexique.
Schiste bleu : voir Lexique.
Éclogite : voir Lexique.
Subsidence thermique : voir Lexique.
Collision : voir Lexique.
Subduction continentale : voir Lexique.

2 Vrai ou faux ?

a. Faux. L'activité géologique d'une marge continentale passive est très faible.
b. Vrai.
c. Faux. Une marge continentale passive est découpée par des failles normales.
d. Faux. En s'éloignant de la dorsale, la lithosphère océanique se refroidit, s'épaissit et sa densité augmente.
e. Vrai.
f. Vrai.

3 Questions à réponse courte

a. La première étape décrite par le modèle est l'expansion océanique avec la formation d'un océan entre deux continents. Des marges continentales passives bordent cet océan. Puis, un changement de contraintes entraîne la fermeture de l'océan avec subduction océanique. Enfin, L'océan entièrement fermé, les continents entrent en collision et les croûtes continentales passent l'une sous l'autre.
b. La cause principale de la subduction océanique est l'augmentation progressive au cours du temps de la densité de la lithosphère océanique. Lorsque cette densité devient supérieure à celle de l'asthénosphère sous-jacente la lithosphère océanique s'enfonce dans l'asthénosphère.
c. Les indices d'une ancienne subduction sont pétrographiques avec la présence de roches caractéristiques : schistes bleus et éclogites. Ces roches ont la même composition chimique qu'un gabbro océanique (on parle de métagabbros) mais présentent des minéraux, tels que le glaucophane et le grenat, indiquant que les roches ont été portées à de grandes profondeurs. Seule une subduction océanique, précédant la collision, peut expliquer la présence de ces roches dans les chaînes de montagnes.
d. Dans toute la partie située à l'ouest de l'arc alpin, un ensemble de failles normales sépare des blocs de croûte continentale qui ont plus ou moins basculé les uns par rapport aux autres du fait de l'inclinaison des plans de faille. Il s'agit de failles normales actives au cours du Jurassique inférieur et moyen. Cet ensemble constitue les vestiges d'une ancienne marge passive continentale qui bordait l'océan alpin il y a environ 200 Ma.

4 Justifiez ces affirmations

a. La présence de failles normales dans la partie ouest des Alpes indique que la lithosphère continentale a été affectée par des contraintes distensives. Dans les Alpes, les contraintes compressives sont à l'origine de plis, de failles inverses et de grands chevauchements.
b. Gabbro, schiste bleu et éclogite ont la même composition chimique. Au cours de la subduction océanique, les gabbros de la croûte océanique sont soumis à de nouvelles conditions de pression et de température entraînant des transformations minéralogiques à l'origine de la formation des schistes bleus et de l'éclogite.
c. La collision de deux masses continentales se réalise suite à la fermeture océanique par subduction avec chevauchement des lithosphères continentales et épaississement crustal. La lithosphère continentale sous-jacente peut être entraînée profondément dans le manteau, tractée par la lithosphère océanique en subduction. C'est le cas, par exemple, sous la chaîne himalayenne où la lithosphère continentale est présente jusqu'à 800 km de profondeur.
d. Les roches les plus anciennes de la lithosphère océanique sont âgées de 200 Ma. Celles de la croûte continentale montrent des âges qui peuvent être supérieurs à 4 milliards d'années.

Chapitre 3, page 204

1 Définissez les mots ou expressions

Lave visqueuse : roche émise en fusion à l'état pâteux car riche en silice.
Andésite : roche magmatique volcanique de couleur grise, caractéristique des zones de subduction.
Diorite : roche magmatique plutonique, équivalent plutonique de l'andésite.
Granitoïdes : ensemble des roches plutoniques de composition similaire à celle du granite.
Accrétion continentale : voir Lexique.

2 Questions à choix multiples

Les bonnes réponses sont : **1-a** ; **2-b**.

3 Vrai ou faux ?

a. Faux. Les zones de subduction sont caractérisées par des éruptions explosives.
b. Vrai.
c. Vrai.
d. Faux. La déshydratation des métagabbros de la croûte océanique entraîne la fusion partielle des péridotites du manteau sus-jacent.
e. La cristallisation fractionnée entraîne un enrichissement en silice des liquides résiduels.
f. Vrai.

3 Questions à réponse courte

a. Andésite et diorite ont toutes les deux la même composition chimique. Elles proviennent donc du refroidissement d'un même magma. Cependant, une andésite présente une structure microlitique avec présence de verre volcanique alors qu'une diorite présente une structure grenue entièrement cristallisée et à cristaux jointifs. Ces différences s'expliquent par une vitesse de refroidissement différente du magma selon qu'il arrive en surface ou qu'il reste en profondeur : en surface, le refroidissement rapide du magma permet la formation d'andésite (roche volcanique) ; en profondeur, le refroidissement lent du magma permet la formation de diorite (roche plutonique).
b. Dans un contexte de subduction les conditions de pression et de température dans le manteau lithosphérique ne permettent pas la fusion partielle de la péridotite non hydratée. En revanche, la déshydratation de la croûte océanique plongeante permet l'hydratation des péridotites mantelliques sus-jacentes et un abaissement du point de fusion partielle d'où formation d'un magma.

Chapitre 4, page 225

1 Définissez les mots ou expressions

Érosion : ensemble des phénomènes qui, à la surface de la Terre, enlèvent tout ou partie des terrains et modifient ainsi le relief.
Altération : modification des propriétés physico-chimiques des minéraux et donc des roches.
Vitesse d'érosion : voir Lexique.
Sédimentation : ensemble des processus permettant le dépôt de particules de matières quelconques et conduisant à la formation de sédiments.
Flux sédimentaire : voir Lexique.
Réajustement isostatique : processus par lequel des roches profondes, situées sous une chaîne de montagnes, sont amenées vers la surface permettant ainsi le maintien de l'équilibre des masses rocheuses au-dessus de la surface de compensation.
Recyclage de la lithosphère continentale : réintroduction des matériaux constituant la lithosphère continentale dans de nouveaux processus géologiques.

2 Vrai ou faux ?

a. Vrai.
b. Faux. L'ordre de grandeur des vitesses d'érosion actuelles est d'environ 10 à 15 cm par millier d'années.
c. Vrai.
d. Faux. Certains produits de l'altération restent sur place et participent à la formation des roches résiduelles.

e. Faux. Les produits de l'altération sont transportés en suspension mais aussi en solution.

f. Vrai.

g. Faux. Des contraintes distensives affectent les Alpes au cœur de la chaîne.

3 Questions à réponse courte

a. Les mécanismes qui permettent l'aplanissement d'une chaîne de montagnes sont : l'érosion, l'altération, le réajustement isostatique et l'étirement de la chaîne lorsque les contraintes compressives diminuent ou cessent.

b. Les sédiments déposés par le Gange au niveau de son delta sont amenés par le Gange lui-même et par le fleuve Brahmapoutre et proviennent des roches de la chaîne Himalayenne.

c. Au niveau d'une chaîne de montagnes, l'érosion enlève une certaine quantité de roches en altitude, allégeant ainsi la masse rocheuse constituée par la chaîne. Une remontée de matériaux profonds s'effectue dans le même temps afin de maintenir l'équilibre isostatique.

d. Les failles normales actives au cœur des Alpes entraînent un étirement est-ouest de la chaîne et participent à son aplanissement.

4 Justifiez ces affirmations

a. Les altitudes des sommets au niveau du Massif armoricain sont bien inférieures à celles des sommets dans les Alpes. De plus, des massifs granitiques très anciens affleurent en surface dans le Massif armoricain, signe d'une longue érosion et d'une remontée de roches profondes par réajustement isostatique.

b. L'eau intervient dans les processus d'altération physique lors des phénomènes de gel-dégel. Elle intervient surtout dans l'altération chimique avec le phénomène d'hydrolyse.

c. À partir de l'estimation des flux sédimentaires dans les grands bassins fluviaux de la planète, il est possible d'estimer le volume de roches enlevé chaque année aux continents. En connaissant les surfaces concernées par le bassin fluvial, une hauteur de roches enlevée peut être déduite. Une vitesse d'érosion totale par bassin peut alors être calculée.

d. Les vitesses d'érosion en un lieu donné varient au cours des temps géologiques. Cependant, les vitesses déterminées au niveau de chaînes de montagnes récentes, telles que l'Himalaya depuis 20 Ma, sont de l'ordre du km par Ma. Ainsi, quelques millions d'années suffiraient pour aplanir la chaîne. Or, le rééquilibrage isostatique par rapport à l'érosion se fait dans une proportion de 4/5, c'est-à-dire que pour 5 m d'érosion, il y a une remontée de 4 m (ou 800 m de rebond pour 1 km d'érosion). Le taux initial d'érosion de la chaîne est évalué à 1 mètre par 1000 ans (= 1000 $m{\cdot}Ma^{-1}$), ce qui donne un taux net d'abaissement de la chaîne de 200 $m{\cdot}Ma^{-1}$ (soit une érosion de 1000 m et une remontée de 800 m pour respecter le rapport de 4/5).

Partie 3

Enjeux planétaires contemporains

Chapitre 1, page 256

1 Définissez les mots ou expressions

Gradient géothermique : voir Lexique.
Flux géothermique : voir Lexique.
Convection : voir Lexique.
Conduction : voir Lexique.
Désintégration radioactive : voir Lexique.

2 Vrai ou faux ?

a. Faux. D'autres types de géothermie (très basse énergie, haute énergie par exemple) permettent de récupérer l'énergie du sous-sol en créant une circulation d'eau à travers des canalisations.

b. Vrai.

c. Faux. Les hydrocarbures fossiles (gaz essentiellement), l'électricité et le bois sont des sources d'énergie plus utilisées que la géothermie pour le chauffage des habitations en France.

d. Vrai.

3 Question à choix multiples

La bonne réponse est : **d**

4 Argumentez une affirmation

a. L'énergie géothermique est variable d'un endroit à l'autre en fonction du gradient géothermique. Les caractéristiques géodynamiques, par exemple les fossés d'effondrement comme la plaine d'Alsace, la Bresse, la Limagne de Clermont-Ferrand ou encore les zones de subduction comme les Antilles ou les points chauds comme l'île de Réunion sont responsables de l'augmentation locale du gradient géothermique.
L'énergie libérée en surface par unité de temps (le flux géothermique) dépend des caractéristiques des roches de la croûte. Ainsi, des zones faillées, au gradient géothermique élevé, peuvent présenter un bon potentiel géothermique (Vosges, Pyrénées orientales). Les grands bassins sédimentaires comme le Bassin parisien, au gradient géothermique assez modeste mais contenant des aquifères importants, constituent aussi des ressources géothermiques intéressantes.

Chapitre 2, page 278

1 Définissez les mots ou expressions

Domestication : voir Lexique.
Variété-population : plantes de la même espèce et aux caractéristiques semblables, issues d'une sélection massale.
Hybride : plante issue d'un croisement entre parents génétiquement différents.
Transgène : voir Lexique.
Culture *in vitro* : voir Lexique.
Génie génétique : voir Lexique.

2 Vrai ou faux ?

a. Faux. Il s'agit d'un ensemble d'adaptations apparaissant chez des plantes sauvages cultivées pendant de nombreuses générations.

b. Vrai.

c. Faux. Une lignée pure s'obtient grâce à de nombreuses autofécondations.

d. Vrai.

e. Vrai.

3 Argumentez une affirmation

a. Les méthodes modernes de sélection végétale privilégient l'homozygotie des plantes et l'homogénéité des populations de plantes. Elles ont donc tendance à diminuer la diversité génétique des plantes cultivées.

b. Les plantes cultivées ne sont pas seulement utilisées comme ressources alimentaires. Elles servent aussi pour la médecine, la production de fibres textiles, la construction, les pratiques culturelles...

c. On peut priver des cellules végétales de leurs parois (obtention de protoplastes) et les faire fusionner, même si elles appartiennent à des espèces différentes. La culture in vitro des cellules hybrides obtenues permet ensuite de régénérer une plante entière.

4 Questions à réponse courte

a. Non : parmi la biodiversité naturelle, très peu de plantes ont été domestiquées. La biodiversité cultivée ne représente donc qu'une très petite part de la biodiversité totale des végétaux.

b. Elles possèdent certaines qualités agronomiques, nutritionnelles, organoleptiques que ne possèdent pas les variétés élites. Leur grande biodiversité est également un atout.

c. Les opposants aux plantes génétiquement modifiées dénoncent un risque d'appropriation du vivant par un petit nombre d'organisations privées. Ils considèrent aussi que ces plantes font courir des risques mal maîtrisés à l'environnement, à la santé humaine et animale.

5 Questions à choix multiples

Les bonnes réponses sont **1-c** ; **2-a** ; **3-d** .

Partie 4

Corps humain et santé

Chapitre 1, page 305

1 Définissez les mots ou expressions

Réponse immunitaire innée : voir Lexique.
Cytokine : médiateur chimique, produit par des cellules immunitaires, qui va activer d'autres cellules immunitaires ou déclencher la phagocytose. Il intervient souvent dans l'amplification de la réponse.
Récepteurs PRR : récepteurs membranaires ou intra-cytoplasmiques propres aux cellules de l'immunité innée. Les récepteurs PRR (pour Pattern Recognition Receptors) leur donnent la capacité de reconnaître la majorité des microorganismes. Cette reconnaissance est globale (on reconnaît l'appartenance à un groupe de microorganismes).
Phagocytose : voir Lexique.
Cellule présentatrice d'antigène : cellule de l'immunité innée capable de reconnaître et de capter efficacement les agents pathogènes. Après phagocytose, elle « expose » un peptide de l'antigène sur son CMH membranaire. Elle participe ainsi à la mise en place de la réaction immunitaire adaptative en recrutant les lymphocytes T compétents.

2 Vrai ou faux ?

a. Faux. L'immunité innée est génétiquement héritée, elle est indépendante de la rencontre avec des agents pathogènes durant le développement embryonnaire ou après.
b. Faux. Elle est très ancienne et concerne tous les groupes d'êtres vivants pluricellulaires.
c. Vrai
d. Vrai
e. Faux. C'est le processus par lequel des phagocytes quittent la circulation sanguine pour gagner une zone inflammatoire.
f. Faux. L'exposition des fragments antigéniques d'agents pathogènes se fait sur les molécules du CMH.
g. Faux. C'est un anti-inflammatoire non stéroïdien.

3 Questions à réponse courte

a. Rougeur, sensation de chaleur avec gonflement et douleur traduisent une dilatation locale des vaisseaux (vasodilatation) avec un afflux de sang (rougeur et chaleur) et une sortie de plasma sanguin dans les tissus avoisinants. Ces symptômes ont pour origine des mécanismes nerveux et la sécrétion locale de nombreuses substances par les cellules des tissus lésés ou par des cellules immunitaires.
b. L'immunité innée existe chez tous les animaux, soit plus de 2 millions d'espèces décrites actuellement. Elle est apparue il y a 800 millions d'années. Elle est basée sur l'existence, chez les cellules immunitaires, de récepteurs capables de reconnaître des motifs moléculaires communs à tous les microorganismes et très conservés au cours de l'évolution.
c. Les microorganismes ont en commun un certain nombre de motifs moléculaires : des composants de leur paroi ou de leur flagelle pour les bactéries, de leur enveloppe pour les champignons ou des motifs de leur ADN ou de leur ARN pour les virus. Les cellules de l'immunité innée possèdent une collection de récepteurs membranaires ou intra-cytoplasmiques, les récepteurs PRR, leur donnant la capacité de reconnaître ces motifs moléculaires. Cette reconnaissance est globale (on reconnaît l'appartenance à un groupe de microorganismes).
d. Les cellules dendritiques reconnaissent et phagocytent les agents pathogènes. Elles possèdent à la surface de leur membrane des assemblages moléculaires appelés molécules du Complexe Majeur d'Histocompatibilité. Ce CMH peut accueillir un petit peptide résultant de la digestion du microorganisme à l'issue de la phagocytose. Ce peptide antigénique est ainsi « présenté » à d'autres cellules de l'immunité.

Chapitre 2, page 332

1 Définissez les mots ou expressions

Antigène : voir Lexique.
Anticorps : voir Lexique.
Récepteur T : voir Lexique.
Site anticorps : voir Lexique.
Lymphocyte B : voir Lexique.
Lymphocyte T CD4 : population de LT caractérisés par la présence d'un marqueur membranaire nommé CD4. Une fois activés par le contact avec un antigène, les LT CD4 se différencient en LT auxiliaires sécréteurs d'interleukine.
Lymphocyte T CD8 : population de LT caractérisés par la présence d'un marqueur membranaire nommé CD8. Une fois activés par le contact avec un antigène, les LT CD8 se différencient en LT cytotoxiques.
Plasmocyte : voir Lexique.
Lymphocyte cytotoxique : voir Lexique.
Lymphocyte T auxiliaire : LT sécréteur d'interleukine 2.
Lymphocyte mémoire : voir Lexique.

2 Vrai ou faux ?

a. Vrai.
b. Faux. Elle est formée de quatre chaînes polypeptidiques, deux lourdes et deux légères.
c. Faux. La chaîne lourde et la chaîne légère comportent chacune une partie constante et une partie variable.
d. Vrai.
e. Vrai.
f. Faux. La sécrétion d'anticorps par un lymphocyte B ayant détecté un antigène n'est pas immédiate. Elle nécessite une phase d'amplification clonale puis une phase de différenciation des lymphocytes B en plasmocytes.
g. Faux. Un lymphocyte T ne reconnaît un antigène que si celui est « présenté » sur une membrane cellulaire associé à une molécule du CMH.
h. Faux. Ce sont les LT CD8 qui se différencient en lymphocytes cytotoxiques.
i. Faux. Les LT CD4 agissent sur les autres lymphocytes par une sécrétion d'interleukine.

3 Questions à réponse courte

a. Les trois grandes phases d'une réponse immunitaire adaptative sont : la sélection clonale, l'amplification clonale et la différenciation qui conduit à la production de cellules effectrices.
b. Il existe une coopération entre les réponses immunitaires innées et adaptatives car l'activation des lymphocytes T nécessite une présentation de l'antigène par des cellules présentatrices qui sont des cellules de l'immunité innée ayant phagocyté cet antigène (la plupart du temps des cellules dendritiques).
c. La réponse immunitaire adaptative est lente à se mettre en place car elle nécessite plusieurs étapes avant d'aboutir à la production de cellules effectrices directement impliquées dans l'élimination de l'antigène.
d. Le rôle des LT CD4 dans la réponse immunitaire adaptive est de stimuler les deux types de réponses (à médiation humorale ou à médiation cellulaire) par la sécrétion d'interleukine.

Chapitre 3, page 348

1 Définissez les mots ou expressions

Mémoire immunitaire : voir Lexique.
Réponse immunitaire primaire : voir Lexique.
Réponse immunitaire secondaire : voir Lexique.
Vaccin : agent extérieur introduit dans un organisme dans le but de créer une réaction immunitaire positive contre une maladie infectieuse.
Adjuvant d'un vaccin : voir Lexique.
Phénotype immunitaire : voir Lexique

2 Vrai ou faux ?

a. Vrai.
b. Faux. L'introduction répétée d'un même antigène entraîne une réaction de plus en plus importante du système immunitaire
c. Faux. Les enfants sont moins bien armés car chaque contact avec un micro-organisme nouveau déclenche la production de lymphocytes mémoire ; un adulte ayant été en contact avec beaucoup plus d'antigènes qu'un enfant est donc « mieux armé »
d. Faux. Il existe des populations de lymphocytes mémoire aussi bien chez les LB que chez les LT.
e. Vrai.

3 Questions à réponse courte

a. Un vaccin contient des antigènes issus de microorganismes pathogènes et destinés à protéger l'organisme contre une maladie infectieuse. Selon ce qu'ils contiennent, on distingue quatre types de vaccins : agents infectieux inactivés, agents vivants atténués, sous-unités d'agents infectieux ou anatoxines (antidiphtérique, antitétanique).

b. Pour la plupart des vaccinations, plusieurs injections de vaccin échelonnées dans le temps sont nécessaires car, lors de la première injection, la réponse immunitaire primaire de l'organisme ne conduit pas à une production d'anticorps suffisante.

c. Le support de la mémoire immunitaire est constitué par des lymphocytes mémoire qui, lors d'un contact ultérieur avec un antigène déjà rencontré, permettent à l'organisme de réagir plus vite et de manière plus intense.

d. Le phénotype immunitaire peut se définir comme l'ensemble des clones de lymphocytes immunocompétents circulant dans l'organisme. Ce phénotype évolue au cours de la vie :
- d'une part, parce que la production de nouveaux clones immunocompétents par des mécanismes génétiques aléatoires se poursuit tout au long de la vie ;
- d'autre part, parce que des clones ayant « reconnu » un antigène subissent une amplification clonale et persistent dans l'organisme sous forme de lymphocytes mémoire (ils sont donc statistiquement plus nombreux qu'avant la stimulation antigénique).

e. La vaccination systématique d'une population est destinée à protéger cette population contre une maladie infectieuse et donc à faire baisser la mortalité due à cette maladie. Dans le cas de la variole par exemple, la vaccination a même conduit à une éradication totale de la maladie à l'échelle de la planète.

4 Utilisez des mots-clés

a. L'injection d'un vaccin constitue une bonne prévention contre une maladie infectieuse.

b. La vaccination fait appel à une réponse primaire de l'organisme lors de la première injection (premier contact avec l'antigène « vaccinant »), puis à une réponse secondaire lors de chaque injection de rappel.

c. Une vaccination efficace exige souvent des injections de rappel car la réponse primaire à l'entrée d'un antigène dans l'organisme est plus faible et moins durable que la réponse secondaire.

Chapitre 4, page 370

1 Définissez les mots ou expressions

Réflexe myotatique : contraction réflexe d'un muscle déclenchée par son propre étirement.

Fuseau neuromusculaire : voir Lexique.

Neurone moteur : Neurone dont le corps cellulaire est situé dans la moelle épinière et qui commande la contraction de fibres musculaires.

Ganglion rachidien : Renflement de la racine dorsale du nerf rachidien contenant les corps cellulaires des neurones sensitifs.

Potentiel d'action : voir Lexique.

Message nerveux : voir Lexique.

Plaque motrice : voir Lexique.

Acétylcholine : voir Lexique.

Récepteur post-synaptique : voir Lexique.

2 Questions à choix multiples

Les bonnes réponses sont : **1-a** ; **2-d** ; **3-d**.

3 Vrai ou faux ?

a. Faux. Un nerf rachidien contient des fibres nerveuses qui conduisent un message afférent à la moelle épinière et d'autres fibres qui conduisent un message efférent.

b. Faux. Plus l'intensité du stimulus est importante, plus la fréquence des potentiels d'action du message nerveux est élevée.

c. Vrai.

4 Questions à réponse courte

a. Un message nerveux moteur est codé par la fréquence des potentiels d'action qu'il comporte. Au niveau d'une synapse, le message est codé par la concentration en neurotransmetteur libéré.

b. Le curare peut se fixer sur les récepteurs post-synaptiques à la place de l'acétylcholine. Cette dernière ne pouvant plus s'y fixer, la jonction neuromusculaire ne fonctionne plus, les messages moteurs n'engendrent pas de potentiels d'action musculaires et les muscles ne se contractent plus.

c. Les éléments d'un arc-réflexe sont :
- un récepteur sensoriel (qui peut percevoir un stimulus et émettre un message nerveux) ;
- des fibres nerveuses sensitives (qui conduisent le message nerveux jusqu'à un centre nerveux) ;
- un centre nerveux (qui élabore un message moteur) ;
- des fibres nerveuses motrices (qui conduisent le message nerveux moteur) ;
- un organe effecteur (qui produit la réponse dès réception du message moteur).

Chapitre 5, page 392

1 Définissez les mots ou expressions

Aire motrice : voir Lexique.

Motoneurone : synonyme de neurone moteur, neurone dont le corps cellulaire est situé dans la moelle épinière et qui commande la contraction de fibres musculaires.

Hémiplégie : voir Lexique.

Paraplégie : voir Lexique.

AVC : voir Lexique.

Synapse excitatrice : voir Lexique.

Synapse inhibitrice : voir Lexique.

Intégration neuronale : voir Lexique.

Plasticité cérébrale : voir Lexique.

2 Vrai ou faux ?

a. Faux. Il existe des aires cérébrales de la motricité volontaire dans les deux hémisphères.

b. Vrai.

c. Faux. Une lésion cérébrale ou une lésion de la moelle épinière peut entraîner une paralysie.

d. Faux. L'amplitude d'une réponse réflexe dépend de l'intensité du stimulus et d'autres informations intégrées par le neurone moteur.

e. Vrai.

f. Faux. Après une lésion nerveuse affectant le cerveau, il existe des possibilités de récupération.

3 Questions à réponses courtes

a. L'obstruction d'un vaisseau sanguin irriguant l'aire motrice de l'hémisphère cérébral gauche peut provoquer une paralysie plus ou moins importante de la partie droite du corps.

b. Une lésion de la moelle épinière peut détruire des motoneurones, ou des faisceaux de neurones descendants qui commandent les motoneurones, et entraîner une paralysie de la partie du corps normalement commandée par ces neurones.

c. Un motoneurone possède des capacités intégratrices car il reçoit des messages nerveux issus de différentes synapses dont il fait la sommation pour émettre un message moteur unique. En revanche, une fibre musculaire ne reçoit de message que d'un seul neurone et n'a donc aucune capacité d'intégration

4 Justifiez ces affirmations

a. Il existe une zone du cerveau spécialisée dans la commande des mouvements : on peut établir une correspondance précise entre cette aire motrice et la commande de telle ou telle partie du corps.

b. Il existe des variations dans l'organisation du cerveau de différents individus : les cartes motrices de deux individus ne sont pas identiques, elles dépendent de l'expérience individuelle, de l'apprentissage, de l'entraînement.

c. Une réponse réflexe est d'intensité variable : elle dépend des multiples informations reçues par le neurone moteur par l'intermédiaire de synapses excitatrices ou inhibitrices et dont il a fait la sommation.

d. À la suite d'un accident vasculaire cérébral ayant entraîné une paralysie, il est capital d'entreprendre des exercices de rééducation neuromusculaire car il existe une plasticité cérébrale : le cerveau peut se remanier, se réorganiser, de façon à récupérer les fonctions perdues. Cette capacité de remaniement est optimale dans les semaines ou les mois qui suivent l'AVC.

Reconnaître des minéraux au microscope polarisant

Le principe de l'observation en lumière polarisée analysée

• La polarisation de la lumière

Certains matériaux ne laissent passer que les ondes lumineuses vibrant dans un plan donné. C'est le cas des polaroïds superposés dans un microscope polarisant. Le polaroïd inférieur est appelé « polariseur » et le supérieur « analyseur » :

– l'analyseur laisse passer la lumière polarisée par le polariseur si les deux plans de polarisation sont parallèles (**a**) ;

– la lumière polarisée par le polariseur est arrêtée par l'analyseur si les deux plans de polarisation sont perpendiculaires : on dit qu'ils sont croisés (**b**).

• Les propriétés des minéraux cristallisés

Si l'on intercale une lame mince de roche entre polariseur et analyseur croisés (**c**), la lumière passe à nouveau, car la plupart des minéraux cristallisés ont la propriété de modifier la direction du plan de polarisation de la lumière. La plupart des minéraux présentent alors des teintes vives, dites teintes de polarisation. Ces couleurs n'ont rien à voir avec la couleur naturelle des minéraux.

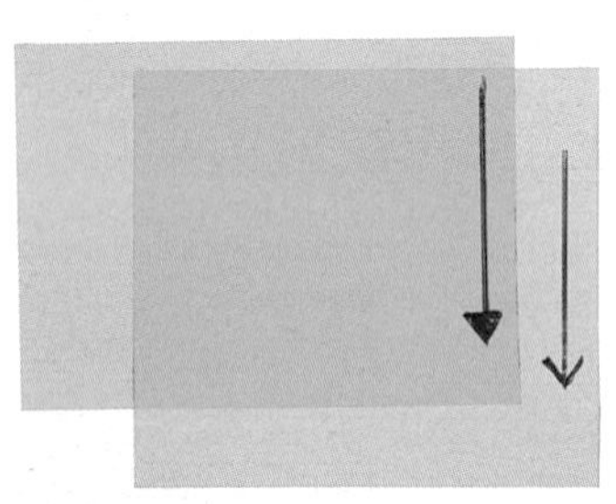

a Deux polariseurs parallèles entre eux, posés sur un fond blanc.

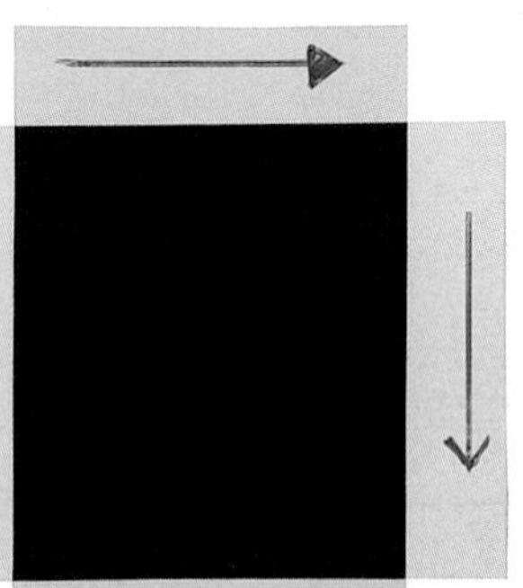

b Les deux polariseurs, toujours posés sur un fond blanc, sont « croisés ».

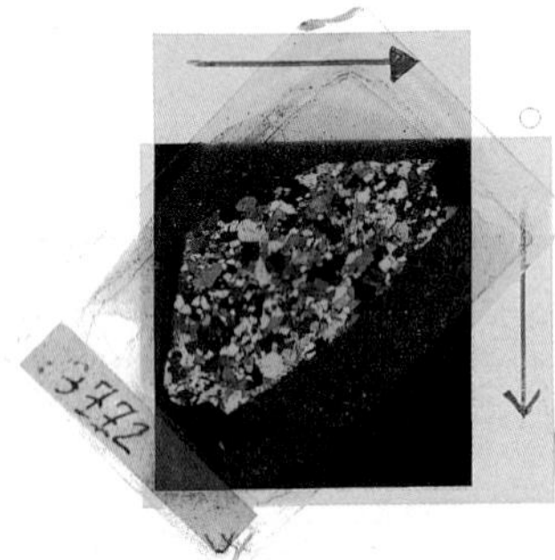

c Lame mince de péridotite placée entre deux polariseurs croisés.

Abréviations : **LPNA** : lumière polarisée non analysée ; **LPA** : lumière polarisée analysée.

Quartz

LPNA – Sections quelconques, incolores et limpides, aux contours sinueux.

LPA – Selon l'orientation de la section, diverses nuances de gris, allant du gris blanc au gris très foncé, puis au noir (extinction). Au voisinage de la position d'extinction, la section semble parcourue par le passage d'une ombre (extinction onduleuse).

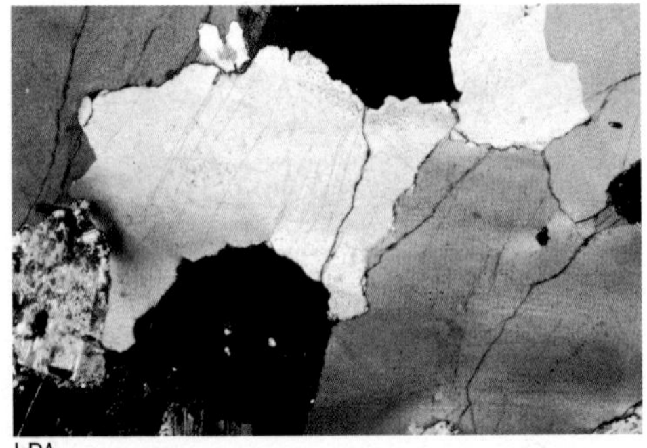

LPA

Olivine

LPNA – Sections incolores, très limpides, à contours anguleux ou arrondis dans les laves, à contours quelconques dans les roches grenues. Présence de cassures et parfois d'un clivage fin, très discret.

LPA – Teintes très vives : violet, bleu, vert ou rouge. À ne pas confondre avec la muscovite.

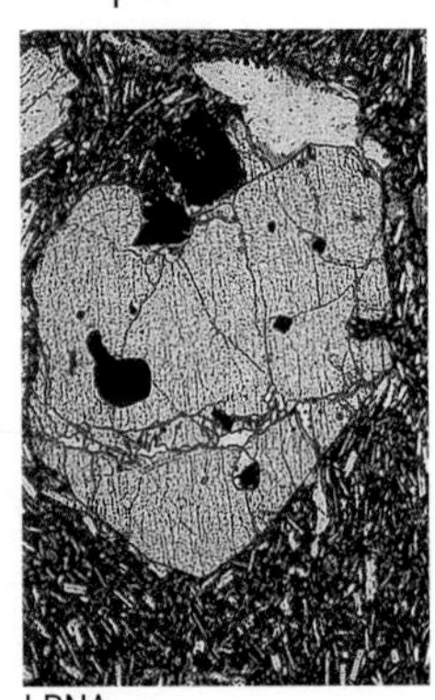

LPNA

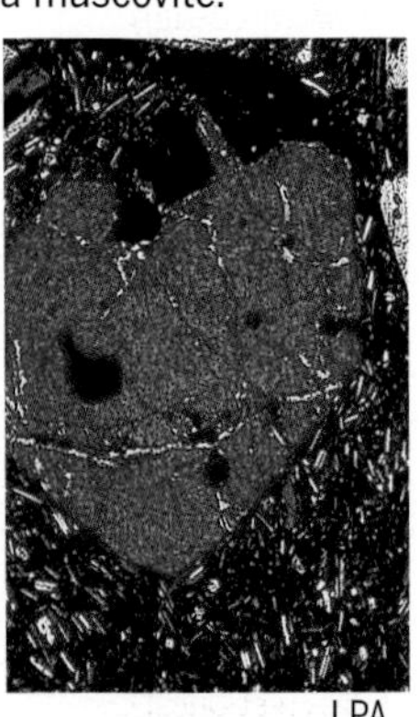

LPA

Feldspaths

• **Feldspaths alcalins (exemple : orthose)**

LPNA – Sections souvent quelconques, parfois à contours rectangulaires ; incolores ou ayant un aspect « poussiéreux » si le feldspath est altéré.

LPA – Diverses nuances de gris allant du gris blanc (éclairement maximal) au noir (zones « éteintes »). Une même section peut présenter une juxtaposition de deux plages de teintes différentes séparées par un plan : c'est une macle.

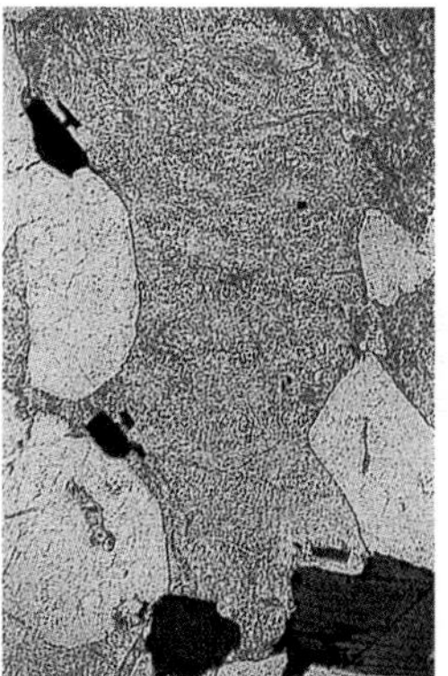

LPNA

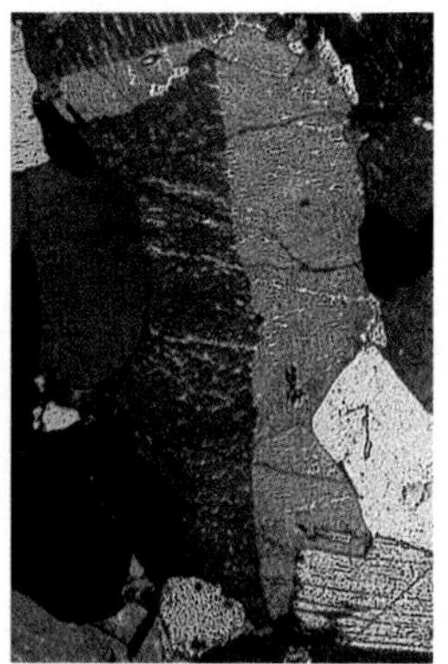

LPA

• **Feldspaths calco-alcalins (plagioclases)**

LPNA – Sections incolores à contours quelconques dans les roches grenues ou en fines baguettes rectangulaires (microlites) dans les laves. Aspect parfois poussiéreux si le plagioclase est altéré.

LPA – Teinte gris blanc à gris foncé, devenant noire (zones éteintes). La même section de minéral montre une alternance de bandes parallèles noires (toutes éteintes) et gris clair (éclairées) constituant une macle caractéristique.

LPNA

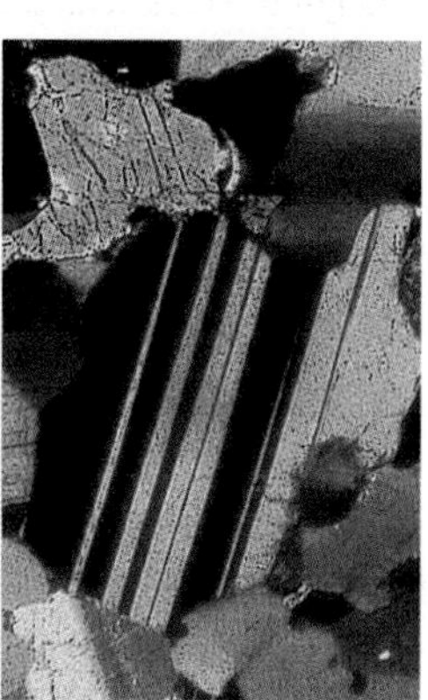

LPA

Micas

• **Biotite**

LPNA – Couleur brune, forme souvent allongée, présence d'un clivage parallèle à l'allongement. Changement de couleur du minéral (pléochroïsme) du brun foncé au jaune quand on modifie son orientation.

LPA – Teintes vives : rouge, vert, bleu.

LPNA (nord-sud)

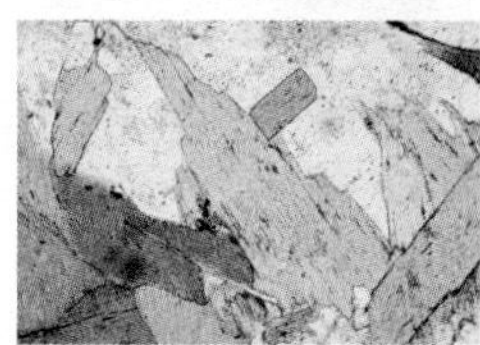

LPNA (est-ouest)

LPA

• **Muscovite**

LPNA – Incolore, forme allongée, présence d'un clivage « en lames de parquet » parallèle à l'allongement.

LPA – Teintes très vives : bleu, vert, jaune ou rouge.

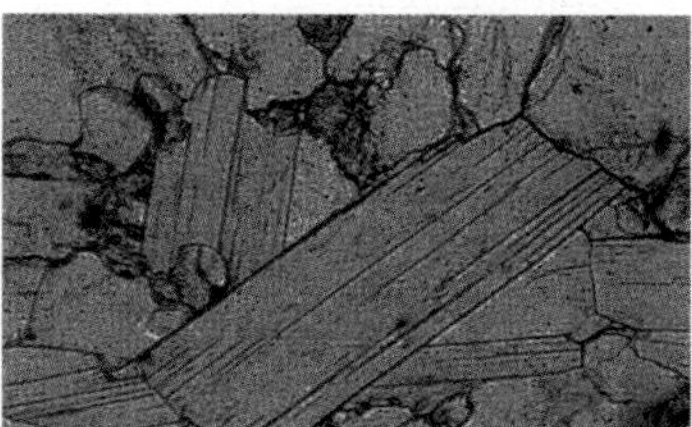

LPNA

LPA

Amphiboles

• **Glaucophane**

LPNA – Couleur allant du gris au bleu lavande ou violacé. Sections hexagonales à un seul clivage ou en forme d'un losange à deux clivages faisant un angle de 120°.

LPA – Teintes variables (jaune, magenta, bleu) atténuées par la couleur propre du minéral.

LPNA

LPA

• **Hornblende verte**

LPNA – Couleur vert pâle à brun, forme quelconque, hexagonale à un seul clivage ou en forme d'un losange à deux clivages faisant un angle de 120°.

LPA – Teintes vert-jaune à brun-orangé.

LPNA

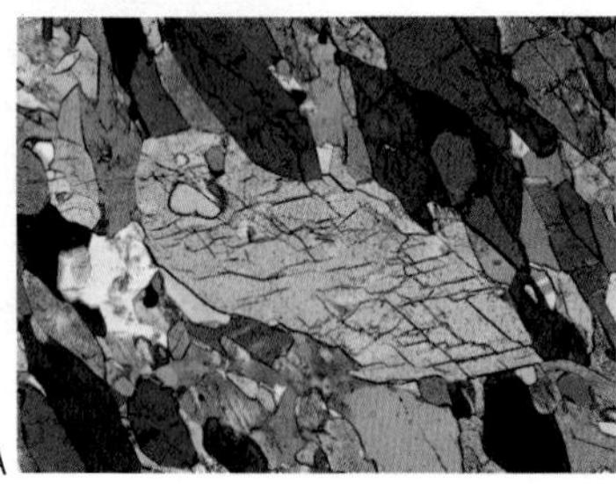

LPA

Pyroxène jadéite

LPNA – Faiblement coloré, vert-jaunâtre. Sections allongées rectangulaires à un seul clivage ou octogonales à deux clivages faisant un angle de 90°.

LPA – Teintes variables, du blanc à l'orangé.

LPNA

LPA

Chlorite

LPNA – Sections en lamelles, incolores à vert ou vert-jaunâtre. Clivage net et fin, parallèle à l'allongement.

LPA – Teintes faibles : vert, parfois brun ou bleu-nuit. Extinction généralement incomplète.

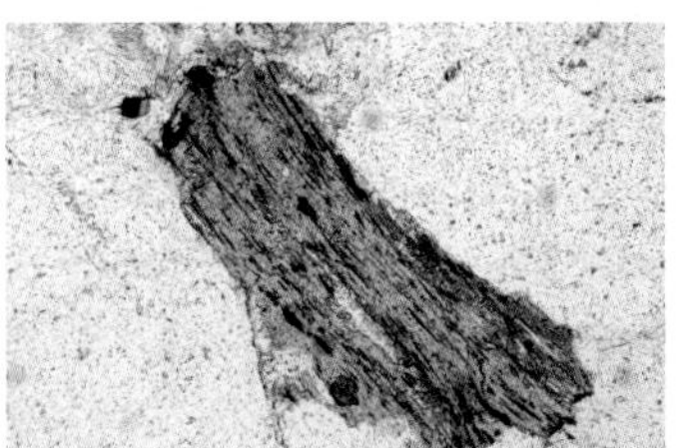

LPNA

LPA

Andalousite

LPNA – Sections incolores ou teintées de rose pâle. Formes allongées, parfois géométriques, présentant des clivages nets et plus ou moins réguliers.
LPA – Teintes blanc-gris, bleutée à jaune pâle.

LPNA

LPA

Disthène

LPNA – Sections incolores, allongées et aplaties. Formes géométriques, présentant des clivages parallèles à l'allongement.
LPA – Teintes blanc-gris à jaune.

LPNA

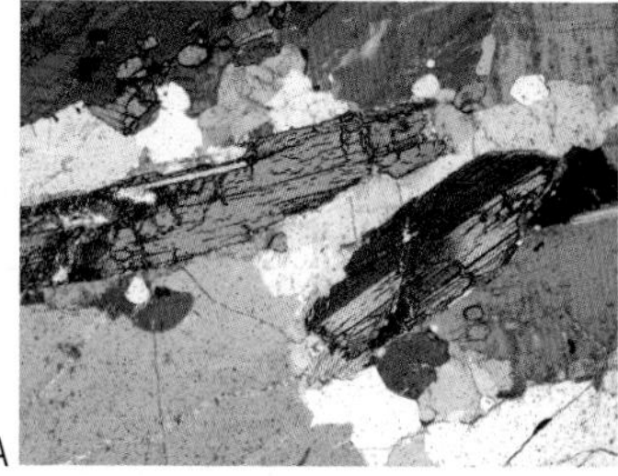
LPA

Sillimanite

LPNA – Sections incolores, limpides, présentant des contours très marqués. En forme de prismes ou de fines aiguilles souvent un peu courbes.
LPA – Teintes vives : orange, rouge-orangé, violet.

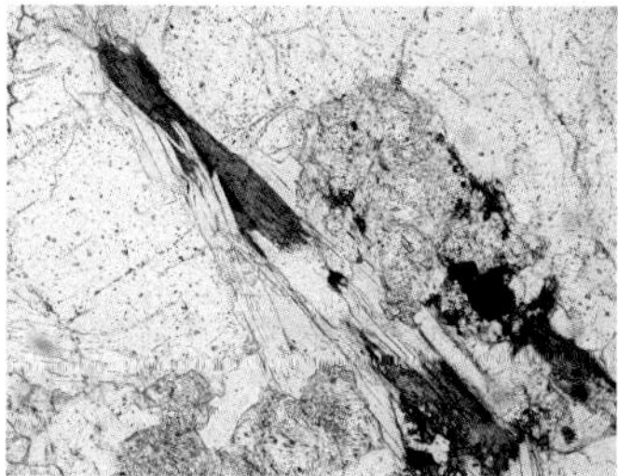
LPNA

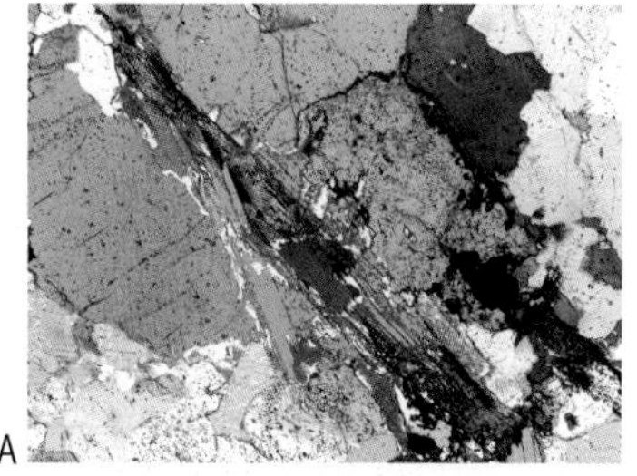
LPA

Grenat

LPNA – Sections hexagonales ou pentagonales incolores ou très légèrement rosées. Nombreuses craquelures et contours bien marqués.
LPA – Teinte noire (extinction) quelle que soit l'orientation du cristal.

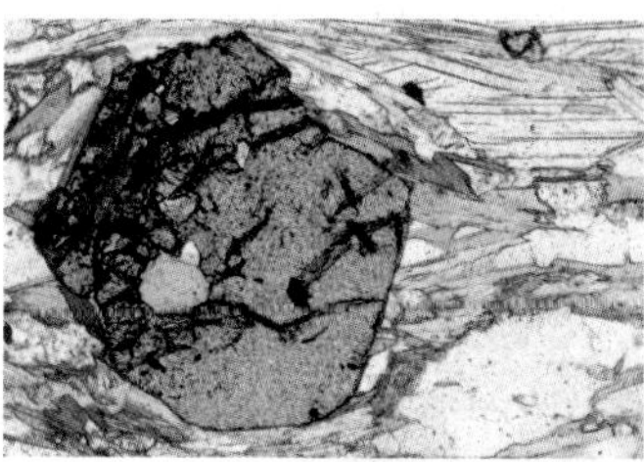
LPNA

LPA

Lexique

A

Accrétion : Mécanisme provoquant une augmentation de volume d'un objet par adjonction de matière extérieure. La formation de la Terre primitive correspond à une accrétion de planétoïdes ou petits corps célestes.

Accrétion continentale : Augmentation du volume de la croûte continentale par apport de matière issue du magmatisme des zones de subduction.

Acétylcholine : L'un des principaux neurotransmetteurs du système nerveux, également neurotransmetteur de la synapse entre motoneurone et fibre musculaire.

Achilléen : Relatif au tendon d'Achille qui relie le muscle du mollet, extenseur du pied, à l'os du talon.

Adaptation : Résultat de la sélection naturelle qui fait qu'un organisme apparaît doté de caractères lui permettant une survie et une reproduction dans son milieu meilleures que s'il n'avait pas ces caractères.

Adjuvant d'un vaccin : Produit qui stimule la réaction immunitaire dans la région d'injection, améliorant ainsi la concentration des cellules immunitaires dans la zone concernée et permettant un déclenchement plus efficace de la réaction immunitaire adaptative.

Aire motrice : Territoire du cortex cérébral impliqué dans la motricité.

Allopolyploïde : Être vivant possédant plus de deux jeux complets de chromosomes provenant d'espèces différentes.

Amidonnier : Originaire du Proche-Orient, l'amidonnier est une céréale tétraploïde issue de l'hybridation naturelle de l'engrain et d'une égilope. Sa domestication serait à l'origine du blé dur.

Amplification clonale : Multiplication des lymphocytes activés par un contact spécifique avec un antigène.

Anatexie : Fusion partielle des roches de la croûte terrestre.

Ancestral (caractère) : voir Caractère ancestral.

Ancêtre commun : Espèce inconnue et hypothétique, la première à avoir bénéficié d'une innovation évolutive (caractère dérivé) et dont descendent toutes les espèces qui ont hérité de cette même innovation.

Anémone (de mer) : Animal marin pourvu de tentacules urticants, pouvant se fixer sur un rocher et se déplaçant par glissement.

Angiographie : Radiographie des vaisseaux sanguins obtenue après injection d'un produit opaque aux rayons X.

Angle facial : Paramètre crânien permettant de mesurer le prognathisme, c'est-à-dire l'avancée de la face et des mâchoires.

Anomalie de Bouguer : Différence entre le champ de pesanteur terrestre mesuré et le champ de pesanteur théorique calculé en tenant compte de la masse et de la forme de la Terre, de l'altitude, de la latitude et de la topographie.

Anticorps : Protéine immunitaire capable de « reconnaître » et de fixer de façon spécifique un antigène.

Anticorps membranaire : Anticorps fixé sur la membrane des lymphocytes B. Formé par quatre chaînes polypeptidiques, il présente deux sites anticorps capables de se lier spécifiquement à un antigène donné.

Antigène : Molécule reconnue comme étrangère par un organisme, soit circulant dans le plasma, soit fixée sur une membrane cellulaire.

Apoptose : Encore appelée « mort cellulaire programmée », c'est un processus par lequel des cellules déclenchent leur autodestruction en réponse à un signal.

Appendice : Partie du corps en prolongement d'une partie centrale (exemples : patte, fausse-patte, aile, etc.).

Appétence : Attrait ressenti par un animal vis-à-vis d'un aliment.

Aquifère : Formation géologique constituée de roches perméables contenant de façon temporaire ou permanente de l'eau. Un aquifère repose sur une couche très peu perméable et peut être surmonté par une formation perméable (aquifère à nappe libre) ou très peu perméable (aquifère à nappe captive).

Arbre phylogénétique : Représentation graphique, sous la forme d'un arbre ramifié, des relations de parenté entre des espèces (Syn. arbre de parenté, arbre d'évolution).

Autofécondation : Fécondation entre gamètes mâle et femelle produits par un même individu.

Autosome : Chromosome autre que les chromosomes sexuels.

Avantage adaptatif : État d'un être vivant qui présente une aptitude à exploiter le milieu telle qu'il a un succès reproducteur plus élevé que les individus qui ne possèdent pas cette aptitude.

AVC (Accident vasculaire cérébral) : Trouble de la circulation sanguine irriguant un territoire du cerveau, par exemple rupture d'un vaisseau ou obstruction d'une artère par un caillot.

Axone : Prolongement cytoplasmique d'un neurone (fibre nerveuse) qui conduit un message nerveux issu du corps cellulaire de ce neurone.

B

Basalte : Roche magmatique volcanique (même composition chimique qu'un gabbro) constituant la partie supérieure de la croûte océanique.

Bassins périalpins : Ensemble des dépressions de la croûte terrestre situées autour de la chaîne des Alpes et recueillant une quantité importante de sédiments qui proviennent de l'érosion de la chaîne.

Biface : Outil de pierre taillée obtenu en façonnant un éclat rocheux sur ses deux faces. Technique déjà maîtrisée par des espèces anciennes du genre *Homo*, *Homo erectus* par exemple.

Bilatériens : Ensemble des êtres vivants présentant une symétrie bilatérale.

Biodiversité cultivée : Diversité des plantes cultivées. Elle s'exprime à différentes échelles (espèces, variétés, plantes).

Biotechnologie : Technique de laboratoire permettant l'étude et la manipulation du vivant aux échelles cellulaire et moléculaire.

Bipédie : Capacité de marcher debout, en appui sur les deux seuls membres postérieurs.

Bloc basculé : Portion de croûte continentale située entre deux failles listriques au niveau d'un rift ou d'une marge passive.

Bourgeon floral : Structure embryonnaire de la plante contenant les ébauches des futures pièces florales.

Bourrelet sus-orbitaire : Saillie osseuse située au dessus de l'orbite, qui a disparu chez l'Homme moderne avec le fort développement de la partie frontale du crâne.

Bouton synaptique : Extrémité globuleuse de l'arborisation terminale d'un axone qui forme une synapse avec un autre neurone ou une fibre musculaire.

Brassage interchromosomique : Brassage génétique réalisé entre l'ensemble des chromosomes au cours de l'anaphase de 1re division de méiose.

Brassage intrachromosomique : Brassage génétique réalisé au sein d'une paire de chromosomes homologues au cours de la prophase de 1re division de méiose.

Brevet : Titre de propriété industrielle conférant à son titulaire l'exclusivité du droit d'exploitation commerciale d'une invention, pour une certaine durée.

C

Calice : Couronne de pièces florales la plus externe, composée de l'ensemble des sépales.

Caractère ancestral : Caractère qui, pour un groupe d'espèces, n'a pas subi de transformation. Il se rencontre donc aussi chez des espèces d'autres groupes.

Caractère dérivé : Caractère qui, pour un groupe d'espèces, est nouveau, résultant d'une transformation d'un caractère ancestral. Il est donc possédé exclusivement par les espèces du groupe considéré.

Carotide : Artère longeant le cou et apportant le sang oxygéné vers la tête.

Carpelle : Loge située dans le pistil et contenant les ovules.

Caryogamie : Fusion des deux noyaux haploïdes des gamètes (pronucleus) pour former le noyau diploïde de la cellule-œuf.

Cation précipitant : Ion positif qui présente un potentiel ionique compris entre 3 et 10, insoluble et restant sur place.

Cation soluble : Ion positif qui présente un potentiel ionique inférieur à 3 et fortement attiré par l'eau.

Cellule à enclume à diamant : Dispositif permettant de soumettre des minéraux ou des associations minérales à des températures et des pressions extrêmes.

Cellule dendritique : Cellule du système immunitaire qui réside dans les tissus et présente de nombreux prolongements cytoplasmiques (des dendrites), d'où son nom. Après avoir phagocyté un élément étranger, elle gagne les ganglions lymphatiques et présente les antigènes aux lymphocytes T : elle est devenue une cellule présentatrice d'antigène.

Cellule mémoire : voir Lymphocyte mémoire.

Cellule présentatrice d'antigène : Cellule de l'immunité innée capable de reconnaître et de capter efficacement les agents pathogènes. Après phagocytose, elle « expose » un peptide de l'antigène sur son CMH membranaire. Elle participe ainsi à la mise en place de la réaction immunitaire adaptative en recrutant les lymphocytes T compétents.

Cellule somatique : Cellule de l'organisme, à l'exception des cellules de la lignée germinale (gamètes et cellules qui en sont à l'origine).

Cellule souche : Cellule non différenciée qui peut se diviser un grand nombre de fois et ensuite se différencier pour former une cellule spécialisée d'un type donné.

Cellule souche sanguine : Cellule présente dans la moelle osseuse et capable d'engendrer tous les types de cellules sanguines.

Cellulose : Glucide complexe présent dans la plupart des parois végétales, dont celles des tubes du phloème. Se colore en rose sur les coupes colorées au carmin vert d'iode.

Centres nerveux supérieurs : Centres nerveux situés au-dessus de la moelle épinière (cerveau, cervelet...).

Charge sédimentaire : Masse de sédiments transportés par unité de temps à travers une section transversale d'un cours d'eau.

Chiasma : Entrecroisement de deux chromatides appartenant à deux chromosomes homologues, observé en prophase de 1re division de méiose.

Chimiokine : Les chimiokines sont une famille de petites protéines solubles dont la fonction principale est l'attraction (chimiotactisme) et le contrôle de l'état d'activation des cellules du système immunitaire.

Chromatide : Chromosome non dupliqué, comportant une seule molécule d'ADN. Après réplication, un chromosome est constitué de deux chromatides identiques.

Chromosomes homologues : Chromosomes ayant le même aspect, comportant la même série de gènes placés aux mêmes locus, mais pas nécessairement les mêmes allèles.

Cichlidés : Famille de poissons tropicaux.

Coefficient de dilatation : Indication de l'augmentation relative du volume d'un système lors d'une variation de la température.

Coésite : Minéral de même composition que le quartz mais aux propriétés physiques différentes car formé à grande profondeur (100 km).

Coévolution : Influences réciproques entre deux espèces différentes conduisant au cours de l'évolution à des adaptations conjointes chez ces deux espèces.

Collision (continentale) : Rencontre et chevauchement de deux lithosphères continentales entraînant un épaississement de la croûte à l'origine d'une chaîne de montagnes.

Commande controlatérale : Commande par le cerveau de la partie du corps latéralement opposée.

Complexe immun : Complexe formé par la fixation d'anticorps sur les antigènes contre lesquels ils sont dirigés.

Complexe majeur d'histocompatibilité (CMH) : Protéines membranaires qui sont des marqueurs de l'identité de nos propres cellules. Elles sont codées par un ensemble de gènes situés sur le chromosome 6 et appelés gènes HLA.

Complexe ophiolitique : Ensemble rocheux issu d'une portion de lithosphère océanique charriée sur un continent au cours d'une orogenèse.

Comportement plastique : Déformation souple et irréversible d'un matériau.

Conduction : Transfert d'énergie thermique sans déplacement de matière, la transmission de chaleur s'effectuant par agitation thermique des atomes.

Contamination (d'un magma) : Processus d'enrichissement d'un magma au cours de son refroidissement par des éléments chimiques des roches encaissantes.

Contrainte tectonique : Pression exercée sur les roches pouvant entraîner leur déformation, voire leur rupture.

Convection : Transfert d'énergie thermique avec déplacement de matière. La convection assure les transferts de chaleur dans le manteau.

Coqueluche : Maladie infectieuse contagieuse due à un bacille. Elle se traduit par de très fortes quintes de toux pouvant provoquer des vomissements.

Corolle : Couronne de pièces florales composée de l'ensemble des pétales.

Cortex (cérébral) : Partie superficielle du cerveau (5 mm environ) formée de plusieurs couches de neurones.

Craton : Grande surface de lithosphère continentale formée dans sa partie crustale de roches granitiques très anciennes (au moins 500 millions d'années).

Cristallisation : Phénomène par lequel un corps passe à l'état solide sous forme de cristaux.

Cristallisation fractionnée : Cristallisation progressive d'un magma au cours de son refroidissement avec formation au cours du temps de cristaux différents suite à l'évolution de la composition chimique du magma.

Croisement-test : Croisement d'un individu avec un homozygote récessif. Le croisement-test permet de déterminer le génotype des gamètes (syn. test-cross).

Crossing-over : Phénomène normal d'échange d'un segment de chromatide entre deux chromosomes homologues, réalisé au cours de la prophase de 1re division de méiose.

Crossing-over inégal : Anomalie consistant en un échange, entre deux chromosomes homologues, de deux segments de chromatides de longueur différente. En conséquence, une chromatide gagne un ou plusieurs gènes qui sont perdus par l'autre chromatide.

Cruralgie : Douleur due à une irritation du nerf crural (ou nerf fémoral) qui innerve l'avant de la cuisse.

Cuticule (végétaux) : Pellicule protectrice recouvrant l'épiderme des feuilles et les rendant imperméables.

Cytokine : Médiateur chimique produit par des cellules immunitaires, qui va activer d'autres cellules immunitaires ou déclencher la phagocytose. Il intervient souvent dans l'amplification de la réponse.

D

Décroissance exponentielle : Se dit d'une quantité qui diminue au cours du temps à un taux proportionnel à sa valeur.

Demi-vie : Pour un élément radioactif, il s'agit du temps au cours duquel la moitié des noyaux radioactifs se sont désintégrés.

Dendrite : Prolongement cytoplasmique d'un neurone (fibre nerveuse) qui conduit un message nerveux en direction du corps cellulaire de ce neurone.

Densité : Rapport entre la masse volumique d'un élément et la masse volumique de l'eau (soit $1\,g{\cdot}cm^{-3}$) ; la valeur d'une densité s'exprime sans unité.

Dérivé (caractère) : voir Caractère dérivé.

Dérive génétique : Modification aléatoire des fréquences des allèles d'un gène dans une population, au cours des générations successives.

Désintégration radioactive naturelle : Transformation spontanée d'un noyau instable en un noyau stable au cours de laquelle le nombre et la nature des nucléons (protons et neutrons) sont modifiés. Elle s'accompagne d'une libération d'énergie lors de l'émission de particules.

Diagramme floral : Représentation schématique de l'organisation des pièces florales d'une fleur.

Diapédèse : Capacité de certains globules blancs de traverser la paroi des capillaires sanguins pour gagner les tissus de l'organisme.

Différenciation magmatique : Processus chimique permettant la formation de roches magmatiques de compositions chimiques différentes au cours du refroidissement d'un magma initial.

Digestibilité : Capacité d'un aliment à être transformé en nutriments lors de la digestion.

Dimorphisme sexuel : Différences morphologiques plus ou moins marquées entre les individus mâles et les individus femelles d'une même espèce.

Diphtérie : Maladie infectieuse contagieuse due à un bacille qui induit les symptômes d'une très grave angine en libérant une toxine appelée toxine diphtérique.

Diploïde : Qualifie une cellule ou un organisme qui possède deux jeux de chromosomes homologues (*2n* chromosomes).

Dipôle : Entité qui possède deux pôles ; en chimie il s'agit d'un pôle + et d'un pôle -.

Disjonction (des chromosomes) : Séparation des deux chromosomes homologues de chaque paire au cours de l'anaphase de 1re division de méiose.

Dissémination : Transport des graines à partir de la plante mère.

Domaine de stabilité : Ensemble, défini expérimentalement, des températures et des pressions où une association minérale est stable.

Domestication : Ensemble d'adaptations apparaissant chez des plantes sauvages cultivées pendant de nombreuses générations.

Dominant : Chez un hétérozygote, phénotype qui correspond à l'expression d'un seul des deux allèles. Par extension, qualifie l'allèle qui, chez un hétérozygote, correspond au phénotype exprimé.

Dopamine : Neurotransmetteur intervenant dans diverses synapses excitatrices de l'encéphale.

Droite isochrone : En radioactivité, droite qui relie des points obtenus pour des intervalles de temps égaux.

Duplication génique : Apparition accidentelle d'une copie d'un gène, résultant par exemple d'un crossing-over inégal.

E

Éclogite : Roche métamorphique (métagabbro) formée en grande profondeur, caractérisée par la présence de grenat et de pyroxène de haute pression.

Effet fondateur : Perte de la diversité génétique d'une population issue d'une autre par isolement d'un très petit nombre d'individus.

Égilope : Graminée diploïde, exclusivement sauvage. Certaines espèces se sont hybridées avec des blés primitifs (engrain, amidonnier), donnant naissance au blé dur (tétraploïde) puis au blé tendre (hexaploïde).

Électromyogramme : Enregistrement graphique de l'activité électrique d'un muscle, traduisant son état de contraction.

Électrophorèse : Technique permettant de séparer des molécules chargées (fragments d'ADN, protéines) selon leur poids et leur taille, en les soumettant à un champ électrique.

Encéphalisation : Caractère propre au genre Homo marqué par une augmentation importante du volume cérébral relativement aux autres parties du corps.

Endémique : Se dit d'une espèce dont l'aire de répartition est restreinte à un territoire géographique déterminé. Se dit aussi d'une maladie permanente dans une contrée déterminée.

Engrain : Céréale diploïde considérée comme l'un des ancêtres des blés actuels (il existe des formes sauvages et d'autres domestiques). Son hybridation naturelle avec une égilope est à l'origine de l'amidonnier.

Enzyme : Molécule biologique (en général une protéine) accélérant la vitesse d'une réaction biochimique, et par là même nécessaire à sa réalisation.

Enzyme de restriction : Protéine capable de reconnaître une séquence nucléotidique précise sur l'ADN et de couper la molécule à ce niveau.

Espèce : Ensemble d'individus qui possèdent un génome suffisamment proche pour qu'ils soient interféconds et que leurs descendants soient fertiles.

Étamine : Pièce florale constituant l'organe reproducteur mâle de la fleur.

Évaporite : Roche sédimentaire provenant de l'évaporation de l'eau de mer dans des conditions particulières : milieu lagunaire hypersalin (le gypse par exemple est une évaporite).

Expansion océanique : Phénomène d'élargissement d'un océan associé à l'activité d'une dorsale océanique.

Explant : Fragment d'un végétal (organe, tissu ou cellules isolées) destiné à la culture in vitro.

Faille inverse : Cassure dans les roches séparant deux compartiments, le bloc supérieur chevauchant le bloc inférieur, ce qui traduit des contraintes compressives.

Faille listrique : Faille normale qui a tendance à devenir horizontale en profondeur.

Pendage : Orientation d'une couche géologique dans l'espace et par rapport à l'horizontale (angle d'inclinaison).

Faille normale : Faille le long de laquelle le compartiment situé au-dessus de la faille s'abaisse par rapport au compartiment situé au-dessous ; ce type de faille est provoqué par des mouvements d'extension.

Famille multigénique : Ensemble de plusieurs gènes formés par duplications et mutations d'un même gène ancestral.

Fécondation : Réunion de deux cellules haploïdes pour former la cellule-œuf diploïde.

Feuille : Organe des plantes terrestres, se développant sur une tige. Le plus souvent une feuille est un organe plat, mince, riche en cellules chlorophylliennes. Sa fonction principale est la photosynthèse.

Fièvre jaune : Maladie virale aiguë due à un virus, encore appelée « vomi noir » à cause des vomissements sanglants qu'elle peut provoquer. Elle sévit en Afrique centrale, en Amérique tropicale et en Amérique du Sud.

FISH (Hybridation In Situ en Fluorescence) : Technique utilisant une sonde constituée d'un brin d'ADN marqué par une substance fluorescente, pouvant se lier de façon spécifique avec une séquence complémentaire de l'ADN du génome.

Fission (d'un chromosome) : Rupture d'un chromosome en deux chromosomes.

Flux géothermique : Quantité de chaleur qui est libérée par une surface donnée en un temps donné. Le flux moyen à la surface de la Terre est de 60 mW. m^{-2}.

Flux sédimentaire : Quantité de sédiments déposés dans un bassin en fonction du temps.

Fréquence allélique : Rapport entre le nombre d'exemplaires d'un allèle donné et le nombre total d'allèles au même locus. Elle peut être exprimée en proportion (de 0 à 1) ou en pourcentage (de 0 à 100 %).

Fuseau neuromusculaire : Récepteur sensoriel du muscle émettant un message nerveux en réponse à un étirement.

Gabbro : Roche magmatique plutonique (même composition chimique que le basalte) qui est le constituant principal de la partie inférieure de la croûte océanique.

Ganglion lymphatique : Petit organe appartenant au système lymphatique et placé sur le trajet des vaisseaux lymphatiques qui ramènent la lymphe des tissus vers la circulation sanguine.

Gène d'intérêt : Gène contrôlant l'expression d'un caractère intéressant les sélectionneurs.

Gène du développement : Gène impliqué dans la construction de l'organisme à partir de la cellule œuf.

Gènes homologues : Gènes présentant des similitudes de séquence, dérivant d'un gène ancestral commun.

Génie génétique : Ensemble de techniques basées sur l'étude des génomes permettant par exemple le transfert de gènes (syn. ingénierie génétique).

Genre *Homo* : Genre humain, regroupe toutes les espèces apparentées à l'Homme actuel caractérisées par un développement cérébral important et l'utilisation d'outils façonnés.

Genre : Dans la classification des êtres vivants, rang (ou taxon) qui regroupe plusieurs espèces apparentées. Le nom scientifique d'un être vivant est constitué du nom de genre et du nom d'espèce.

Géothermie basse énergie : Exploitation des aquifères présentant des températures comprises entre 30 et 100 °C ; elle est utilisée dans des réseaux de chaleur pour le chauffage urbain ou pour des utilisations industrielle, agricole ou encore piscicole.

Géothermie moyenne énergie et haute énergie : Exploitation de fluides du sous-sol surchauffés (jusqu'à 250 °C) pour produire de l'électricité, au moyen de turbines.

Géothermie très basse énergie : Exploitation des aquifères situés à moins de 100 mètres de profondeur et dont les eaux ont une température inférieure à 30 °C ou exploitation directe de la chaleur des roches du sous-sol à l'aide de tuyaux enterrés où circule un fluide ; elle est utilisée pour le chauffage et/ou la climatisation et nécessite une pompe à chaleur.

Géothermie : Ensemble de techniques qui permettent d'exploiter l'énergie thermique du sous-sol.

Geyser : Source jaillissante et intermittente d'eau chaude.

Glaciation : Période géologique froide, durant laquelle une part importante des continents est couverte de glace.

Glacis continental : Zone sous-marine située au pied du talus continental.

Glande surrénale : Glande située au-dessus de chaque rein et formée de deux parties fonctionnellement indépendantes : la partie centrale, ou médullosurrénale, sécrète de l'adrénaline, alors que la partie périphérique, ou corticosurrénale, sécrète des hormones stéroïdes.

Gradient géothermique : Augmentation de température dans le sous-sol à mesure que l'on s'éloigne de la surface vers la profondeur. Le gradient moyen est d'environ 1 °C tous les 33 mètres, soit 30 °C par kilomètre.

Granitoïde : Désigne un ensemble de roches de composition minéralogique similaire à un granite.

Haploïde : Qualifie une cellule ou un organisme qui ne possède qu'un seul exemplaire de chaque type chromosomique (*n* chromosomes).

Hémiplégie : Paralysie plus ou moins importante d'une partie du corps située d'un seul côté.

Hémisphère cérébral : L'une des deux moitiés, droite ou gauche, du cerveau.

Hépatite B : Inflammation du foie liée à une infection virale.

Hétérosis : Phénomène de supériorité du produit d'un croisement par rapport à ses parents (syn. vigueur hybride).

Hétérozygote : Individu qui, pour un gène donné, possède deux allèles différents de ce gène.

Histamine : Molécule de signalisation du système immunitaire libérée notamment par les mastocytes (elle a entre autres un effet vasodilatateur).

Homéotique : Qualifie une famille de gènes impliqués dans la mise en place du plan d'organisation des êtres vivants.

Homininé : Pour certains auteurs, ce terme désigne tout individu appartenant à la lignée humaine. Pour d'autres auteurs, les homininés regroupent la lignée humaine et celle des Chimpanzés, voire celle des gorilles.

Hominoïde : Groupe (superfamille) de primates caractérisé par l'absence de queue (elle est réduite au coccyx). Correspond à ce qu'on appelle couramment les « grands singes » (y compris les espèces de la lignée humaine).

Homozygote : Individu qui, pour un gène donné, possède deux allèles identiques de ce gène.

Hybridation : Croisement entre deux individus appartenant à des espèces différentes.

Hydrophile : Se dit d'une matière qui peut être mouillée par l'eau (perméable).

Hydrophobe : Se dit d'une matière qui ne peut pas être mouillée par l'eau (imperméable).

Immunocompétent : Se dit des lymphocytes lorsqu'ils sont devenus capables de reconnaître un antigène.

***In vitro* (culture) :** Littéralement culture « dans le verre ». Culture de tissus ou de cellules réalisée sur un milieu synthétique et stérile contenu dans un flacon, un tube ou une boîte.

Inflammation : voir Réaction inflammatoire.

Inhibiteur : Qui ralentit ou stoppe un processus biologique.

Inhibition : Action ralentissant ou stoppant un processus biologique.

Intégration (neuronale) : Propriété d'un neurone consistant à réaliser à tout instant la sommation de toutes les influences reçues au niveau de l'ensemble de ses contacts synaptiques.

Interleukine 2 : Substance libérée par les lymphocytes T auxiliaires et qui stimule l'amplification clonale et la différenciation des lymphocytes B et T.

Interphase : Période au cours de laquelle la cellule réplique son ADN et qui précède une division cellulaire.

Interpolation : Opération mathématique qui consiste à construire la représentation de l'évolution d'un phénomène à partir d'un ensemble de points de valeurs connues.

Intrant : Matière première utilisée pour la production agricole (engrais par exemple).

IRM : Imagerie par résonance magnétique. Technique d'exploration de l'intérieur de l'organisme : traités par ordinateur, les signaux de résonance des atomes d'hydrogène soumis à un champ magnétique donnent une image très précise de l'organe étudié.

IRMf : Imagerie par résonance magnétique fonctionnelle. À l'IRM donnant une image anatomique d'une grande précision, s'ajoute une mesure de la variation du débit sanguin qui traduit le degré d'activité des zones étudiées.

Isostasie : État d'équilibre des masses de la croûte terrestre par rapport au manteau sous-jacent (équilibre « hydrostatique » qui serait réalisé à une certaine profondeur de la Terre dite surface de compensation).

Isotope : Se dit d'éléments chimiques dont le noyau possède un nombre identique de protons mais un nombre différents de neutrons.

Jonction neuromusculaire : Synapse entre un neurone moteur et une fibre musculaire (syn. plaque motrice).

Larynx : Partie antérieure et élargie de la trachée, communiquant avec la cavité buccale.

Lichen : Association symbiotique entre une algue et un champignon.

Lignée humaine : Lignée qui s'est individualisée de celle des Chimpanzés il y a 6 à 8 Ma ; elle regroupe toutes les espèces parentes de l'Homme actuel ayant existé depuis l'ancêtre commun Homme-Chimpanzé.

Lignifié : Constitué principalement de lignine.

Lignine : Glucide complexe présent notamment dans les parois des tubes du xylème, les rendant plus rigides. Se colore en bleu-vert sur les coupes colorées au carmin vert d'iode.

Linné : Naturaliste suédois qui a inventé le système de nomenclature des espèces (nomenclature binominale).

Liquide physiologique : Solution saline dont la composition est déterminée pour maintenir en bon état organes ou cellules.

Locus : Position d'un gène sur un chromosome, identique pour tous les individus d'une espèce.

Lymphocyte B : Lymphocyte qui naît et acquiert son immunocompétence dans la moelle osseuse. Après sélection par un antigène, il se transforme en plasmocytes sécréteurs d'anticorps solubles.

Lymphocyte cytotoxique : LT CD8 devenu capable de lyser toute cellule portant des antigènes membranaires qu'il est capable de reconnaître.

Lymphocyte mémoire : Lymphocyte B ou T à longue durée de vie.

Lymphocytes T : Lymphocytes dont la maturation s'effectue dans le thymus et qui se différencient en deux populations jouant des rôles différents dans la réponse immunitaire : les lymphocytes T CD4 et les lymphocytes T CD8.

M

Maladie infectieuse : Maladie provoquée par la transmission d'un microorganisme : virus, bactérie, parasite, champignon.

Maladie opportuniste : Maladie qui profite de l'affaiblissement des défenses immunitaires pour s'installer.

Marge continentale passive : Zone de transition entre la croûte continentale et la croûte océanique où l'activité géologique est quasi nulle.

Marqueur moléculaire : Petite séquence de nucléotides servant de repère pour caractériser un secteur d'une molécule d'ADN. Sa présence peut être révélée par électrophorèse des fragments d'ADN obtenus après digestion par des enzymes de restriction.

Masse volumique : Grandeur physique qui caractérise la masse d'un matériau par unité de volume.

Mastocyte : Cellule granuleuse présente essentiellement dans les tissus conjonctifs et qui se caractérise par la présence dans son cytoplasme de très nombreuses granulations contenant des médiateurs chimiques comme la sérotonine, l'histamine, etc.

Mécanorécepteur : Récepteur sensoriel qui transforme un stimulus mécanique (pression, étirement) en message nerveux.

Méiose : Succession de deux divisions cellulaires qui produit des cellules haploïdes (en général quatre) à partir d'une cellule diploïde.

Mémoire immunitaire : Capacité du système immunitaire de conserver, sous forme de lymphocytes mémoire, la trace du contact avec un antigène.

Message nerveux : Ensemble de potentiels d'action qui se propagent le long d'une fibre nerveuse.

Métagabbro : Gabbro ayant subi des transformations minéralogiques à l'état solide (métamorphisme) : on distingue par exemple les schistes verts, les schistes bleus et les éclogites.

Métamorphisme : Modification à l'état solide de la structure et de la minéralogie d'une roche soumise à des conditions de pression et de température différentes de celles de sa formation.

Métamorphisme hydrothermal : Transformation minéralogique d'une roche sous l'effet d'une eau ayant subi une augmentation de sa température.

Microélectrode : Électrode constituée d'une pipette de verre très fine remplie d'une solution saline. De très petite dimension, elle peut être insérée dans une cellule.

Mildiou : Maladie fréquente des plantes cultivées, provoquée par un champignon microscopique s'attaquant aux feuilles et aux jeunes pousses.

Milieu synthétique : Solution aqueuse contenant un mélange précis d'ions minéraux et de molécules organiques ; selon sa composition, le milieu synthétique permet le développement de racines, de tiges feuillées, ou même de fleurs.

Moelle épinière : Centre nerveux prolongeant l'encéphale au niveau du cou et du tronc, logé dans le canal vertébral.

Moelle osseuse : Tissu présent à l'intérieur des os et dans lequel sont produits tous les éléments figurés du sang (globules blancs, globules rouges, plaquettes).

Moho : Limite séparant la croûte terrestre du manteau, située entre 7 et 70 km de profondeur, mise en évidence par Mohorovicic en 1909.

Monosomie : Anomalie caractérisée par la présence d'un seul chromosome au lieu d'une paire de chromosomes homologues.

Mutation ponctuelle : Modification aléatoire d'une paire de nucléotides d'une séquence d'ADN.

Mycélium : Appareil végétatif (non reproducteur) des champignons, se présentant sous la forme de filaments.

Mycorhize : Association entre un champignon du sol et les racines d'une plante chlorophyllienne.

N

Nappe de charriage : Vaste ensemble rocheux qui s'est déplacé au cours de la formation d'une chaîne de montagnes et surmonte des formations initialement plus ou moins éloignées.

Nerf périphérique : Nerf qui permet une transmission d'informations entre les organes et le système nerveux central.

Nerf rachidien : Nerf mixte (sensitif et moteur) relié à la moelle épinière.

Nerf sciatique : Nerf rachidien innervant la cuisse, la jambe et le pied.

Neuroimagerie : Ensemble des techniques d'exploration qui permettent d'obtenir des images des structures ou du fonctionnement du système nerveux.

Neurotransmetteur : Substance chimique émise par un neurone et agissant sur une cellule post-synaptique.

Niveau piézométrique : Niveau (mesuré en mètres) atteint par l'eau en un point donné et à un instant donné dans un tube de forage atteignant une nappe aquifère.

Non-disjonction (des chromosomes) : Anomalie consistant en une mauvaise répartition des deux chromosomes homologues au cours de la méiose, les deux chromosomes se retrouvant finalement dans la même cellule.

Nuée ardente : Grand volume de gaz, de cendres et de particules de taille variables, porté à très hautes températures (plusieurs centaines de °C) et dévalant à très grande vitesse (entre 200 et 600 km · h^{-1}) les pentes d'un volcan.

Œdème : Présence anormalement abondante de liquides dans les tissus de l'organisme, d'où un gonflement de ces tissus.

OGM : Organisme génétiquement modifié, être vivant auquel on a transféré un gène provenant d'un autre organisme.

Ophiolite : Ensemble rocheux issu d'une portion de lithosphère océanique charriée sur un continent au cours d'une orogenèse.

Opposable (pouce) : Particularité du pouce des primates qui s'articule en face des quatre autres doigts, ce qui rend la main préhensile.

Oreillons : Maladie infectieuse virale aiguë, extrêmement contagieuse, due à un virus. Le principal symptôme est une inflammation des glandes parotides (glandes salivaires situées à l'arrière de la mâchoire) qui gonflent démesurément et deviennent très douloureuses.

Organoleptique : Se dit d'un aliment capable de satisfaire les sens de celui qui le consomme.

Oxyanion soluble : Ion négatif attiré par l'eau et dont la charge est portée par un atome d'oxygène.

Paralysie : Incapacité à commander un mouvement.

Paraplégique : Qui est paralysé, plus ou moins complètement, des membres inférieurs et de la partie basse du tronc.

Parenchyme lacuneux : Tissu situé à l'intérieur des feuilles, constitué de cellules chlorophylliennes délimitant entre elles des espaces libres, ou lacunes.

Parenchyme palissadique : Tissu situé à l'intérieur des feuilles, constitué de cellules chlorophylliennes allongées et disposées côte à côte.

Parenté : Relation issue d'une filiation, d'une origine commune.

Paroi (cellulaire) : Couche recouvrant l'extérieur d'une cellule végétale ; elle est constituée principalement de glucides complexes (dont la cellulose et la lignine) fabriqués par la cellule.

PCR (Polymerase Chain Reaction) : Technique permettant de produire *in vitro* de nombreuses copies d'une molécule d'ADN donnée à partir d'un petit échantillon.

Peigne dentaire : Ensemble de six dents situées à l'avant de la mâchoire supérieure constituant une structure permettant de récupérer de la nourriture ou l'épouillage entre individus. C'est un caractère dérivé propre aux lémuriens.

Peinture rupestre : Peinture exécutée sur une paroi rocheuse (art pariétal).

Pélite : Roche sédimentaire à grain très fin.

Péridotite : Roche principale du manteau terrestre, grenue et formée d'olivine et de pyroxène.

Pétale : Pièce florale entourant les organes sexuels d'une fleur.

Lexique

Phagocyte : Leucocyte doué de phagocytose.

Phagocytose : Première réponse mise en place pour s'opposer à la multiplication de l'agent infectieux. Elle est aussi utilisée pour faire disparaitre les cellules immunitaires mortes et les débris des cellules du tissu lésé. La particule à ingérer est reconnue grâce aux récepteurs PRR. Entourée par des prolongements cytoplasmiques du phagocyte, elle est englobée dans une vacuole où elle sera digérée par des enzymes fabriquées dans le cytoplasme.

Phloème : Réseau de tubes constitué de cellules vivantes, aux parois cellulosiques et conduisant la sève élaborée.

Pièce florale : Organe constitutif d'une fleur.

Pistil : Pièce florale constituant l'organe reproducteur femelle de la fleur.

Plaine abyssale : Partie plane des grands fonds océaniques, entre 5 000 et 6 000 m de profondeur.

Plan d'organisation : Structure d'un être vivant décrite par des axes de polarisation et par la position des différents organes par rapport à ces axes.

Plantule : Très jeune plante, issue de la germination d'une graine ou du développement d'un explant en culture *in vitro*.

Plaque motrice : Synapse entre un neurone moteur et une fibre musculaire (syn. jonction ou synapse neuromusculaire).

Plasmide : Petite molécule d'ADN circulaire présente dans le cytoplasme des bactéries.

Plasmocyte : Cellule sécrétrice d'anticorps qui se différencie à partir d'un LB activé par un antigène.

Plasticité (cérébrale) : Capacité du cerveau à se réorganiser sous l'effet de stimulations reçues, d'une rééducation ou d'un apprentissage.

Plateau continental : Prolongement du continent sous la surface de la mer.

Pluton : Ensemble rocheux issu du refroidissement d'un magma en profondeur.

Poils absorbants : Cellules de l'épiderme des racines, spécialisées dans l'absorption de la solution du sol.

Poliomyélite : Maladie virale aiguë due à un virus qui détruit les neurones moteurs des cornes antérieures de la substance grise de la moelle épinière et des noyaux moteurs des nerfs crâniens, provoquant une paralysie des muscles innervés par ces neurones.

Pollinisation : Transport des grains de pollen depuis les étamines vers un pistil apte à être fécondé.

Polyploïde : Être vivant possédant plus de deux jeux complets de chromosomes.

Population : Ensemble d'individus de la même espèce qui, vivant à proximité les uns des autres, se reproduisent majoritairement entre eux.

Potentialité géothermique : Qualifie la propriété d'un territoire quant à la rentabilité d'une exploitation géothermique. Celle-ci dépend des caractéristiques géothermiques de la région et du coût des moyens à mettre en œuvre pour récupérer l'énergie thermique du sous-sol.

Potentiel d'action : Inversion temporaire de la polarisation membranaire d'une fibre nerveuse ou d'une fibre musculaire.

Potentiel de repos : État électrique de la membrane d'une cellule vivante non excitée. Pour une cellule nerveuse ou musculaire, le potentiel de repos est une différence de potentiel permanente d'environ 70 mV entre les deux faces de la membrane.

Potentiel ionique : Rapport entre la charge e d'un ion et son rayon ionique r.

Pouce opposable : Premier doigt de la main qui, chez les primates, a la particularité de s'articuler en face des quatre autres doigts, ce qui rend la main préhensile.

Pratique culturelle : Ensemble de comportements non innés, acquis par apprentissage au contact d'autres individus.

Pression de sélection : Facteur du milieu (lié aux êtres vivants ou aux paramètres physico-chimiques) qui conditionne le succès reproducteur et donc la sélection naturelle.

Primates : Sous-groupe (ordre) de mammifères caractérisé notamment par un pouce opposable aux autres doigts, des ongles plats, un cortex cérébral bien développé (aires visuelles en particulier).

Profil sismique : Représentation en coupe des surfaces sur lesquelles les ondes sismiques se sont réfléchies ou réfractées en profondeur.

Prognathe : Qui a les mâchoires projetées vers l'avant (d'où un angle facial aigu).

Pronucleus : Noyau haploïde d'un gamète (spermatozoïde ou ovule) juste avant sa fusion avec un autre pronucleus dans la cellule-œuf.

Prostaglandine : Médiateur chimique fabriqué par de nombreux tissus lors de l'inflammation ; il stimule des récepteurs sensoriels spécifiques, les nocicepteurs, à l'origine de la sensation douloureuse.

Puits artésien : Puits où l'eau jaillit spontanément car elle est issue d'une nappe captive.

Q R

Quadrupède : Etre vivant se déplaçant en appui sur quatre pattes.

Racine crustale : Enfoncement de la croûte continentale dans le manteau sous une chaîne de montagnes ; cet enfoncement est lié à l'épaississement important de la croûte lors de la formation de la chaîne.

Racine : Organe généralement souterrain, par lequel une plante s'ancre dans le sol et absorbe l'eau ainsi que les ions minéraux.

Réaction inflammatoire : Réaction de défense immunitaire stéréotypée de l'organisme à une agression : infection, brûlure, allergie, etc. L'inflammation se manifeste par une rougeur (due à une vasodilatation locale), un gonflement (œdème), une sensation de chaleur et une douleur qui semble pulser.

Récepteur synaptique : Molécule enchâssée dans la membrane du neurone post-synaptique et sur laquelle peut se fixer un neurotransmetteur.

Récepteur T : Immunoglobuline fixée dans la membrane des lymphocytes T. Elle est formée par deux chaînes polypeptidiques et comporte un seul site de reconnaissance d'un antigène donné.

Récepteurs PRR : Récepteurs membranaires ou intra-cytoplasmiques propres aux cellules de l'immunité innée. Les récepteurs PRR (pour Pattern Recognition Receptors) leur donnent la capacité de reconnaître la majorité des micro-organismes. Cette reconnaissance est globale (on reconnaît l'appartenance à un groupe de microorganismes).

Récepteurs Toll : Récepteurs situés sur la membrane des cellules de la drosophile et qui détectent des molécules étrangères ; ils déclenchent la production et la libération par les cellules d'une substance qui diffuse dans tout l'organisme et détruit l'agresseur.

Récessif : Phénotype qui ne s'exprime qu'à l'état homozygote. Par extension, qualifie l'allèle qui, chez un hétérozygote, n'apparaît pas exprimé dans le phénotype.

Recombiné : Individu ou gamète qui présente une nouvelle association d'allèles, différente de celle des parents dont il est issu.

Relation mutualiste : Association entre individus de deux espèces, procurant un avantage à chaque partenaire (symbiose).

Répertoire immunitaire : Ensemble des clones immunocompétents de LB et de LT présents dans l'organisme. Chaque clone ne reconnaissant qu'un seul antigène, le répertoire immunitaire désigne par extension la diversité des antigènes susceptibles d'être reconnus par un organisme donné.

Réponse immunitaire adaptative : Réponse immunitaire qui s'élabore face à un ou des antigène(s) donné(s) et qui fait intervenir des cellules spécialisées comme les lymphocytes B et T.

Réponse immunitaire innée : Réponse immunitaire génétiquement héritée, opérationnelle dès la naissance et ne nécessitant aucun apprentissage. Les modes d'action sont stéréotypés sans adaptation particulière aux microorganismes concernés.

Réponse immunitaire primaire : Réponse développée à la suite du premier contact de l'organisme avec un antigène donné.

Réponse immunitaire secondaire : Réponse d'un organisme à un antigène contre lequel il a déjà été immunisé auparavant.

Réseau phylogénétique : Représentation schématique résumant à la fois les transferts de gènes horizontaux et verticaux liés à différentes histoires évolutives.

Rétrovirus : Virus dont le génome est une molécule d'ARN qui, lors de l'infection, est transcrite en ADN qui s'intègre au génome de la cellule-hôte.

Roche magmatique plutonique : Roche grenue formée par cristallisation lente d'un magma en profondeur.

Rougeole : Maladie contagieuse due à un virus et caractérisée par une éruption de boutons sur tout le corps.

Rubéole : Maladie contagieuse due à un virus et caractérisée par une éruption de petites taches roses sur tout le corps. Contractée par une femme en début de grossesse, elle peut entraîner des malformations chez le fœtus.

S

Schiste bleu : Roche métamorphique (métagabbro) caractérisée par la présence de glaucophane.

Schistosité : Ensemble de plans parallèles selon lesquels une roche se débite en feuillets.

Sciatique : Du nom du nerf qui innerve la cuisse, la jambe et le pied, désigne la douleur ressentie sur le trajet de ce nerf, le plus souvent due à son irritation au niveau des vertèbres.

Sédimentation en éventail : Dépôt de sédiments au niveau d'un bloc basculé, le long d'une faille listrique, avec une plus grande épaisseur d'un côté que de l'autre.

Sélection clonale : Sélection du clone de lymphocytes B ou T apte à reconnaître un antigène.

Sélection massale : Sélection dans laquelle les plantes présentant les phénotypes les plus intéressants sont récoltées en mélange (en masse) pour constituer la semence à l'origine de la génération suivante.

Sélection naturelle : Processus évolutif entraînant mécaniquement de génération en génération l'augmentation de la fréquence d'un trait héréditaire favorisant la reproduction.

Sélection scientifique : Ensemble de méthodes basées sur la connaissance des caractéristiques génétiques des plantes, permettant de créer de nouvelles variétés végétales.

Sélection : Phénomène de tri par lequel certains organismes, au sein d'une population, laissent plus de descendants que d'autres.

Semencier : Industriel spécialisé dans l'obtention et la conservation de variétés végétales, dans la multiplication et la commercialisation des semences de ces variétés.

Sépale : Pièce florale la plus externe, joue le plus souvent un rôle protecteur vis-à-vis des organes sexuels.

Séquençage : Détermination de la succession des nucléotides d'un gène ou de la succession des acides aminés d'une protéine.

Séquence : Ordre dans lequel se succèdent les nucléotides le long d'une molécule d'ADN ou les acides aminés le long d'une protéine.

Serpentinite : Roche métamorphique issue de l'altération hydrothermale des péridotites, qui doit son nom à sa couleur verdâtre et à son aspect en peau de serpent.

Sérum sanguin : Liquide jaunâtre qui surnage au dessus du caillot après coagulation du sang. Il s'agit donc du liquide sanguin (le plasma) débarrassé de ses cellules et des protéines de la coagulation.

Sève brute : Sève contenant principalement de l'eau et des ions minéraux très dilués. Elle se forme dans les racines et monte vers les parties aériennes de la plante grâce aux tubes du xylème.

Sève élaborée : Sève contenant principalement de l'eau et des molécules organiques (sucres). Elle se forme dans les organes chlorophylliens puis est distribuée dans tous les organes de la plante grâce aux tubes du phloème.

Sève : Liquide circulant dans une plante. On distingue la sève brute (circulant dans le xylème) et la sève élaborée (circulant dans le phloème).

Site anticorps : Zone de la molécule d'anticorps capable de se lier spécifiquement à un antigène.

Solidus : Courbe obtenue expérimentalement indiquant les conditions de pression et de température qui séparent, pour un matériau donné, un domaine où n'existe que du solide d'un domaine ou coexistent solide et liquide.

Sommation : Opération qui consiste, pour un neurone, à faire la somme algébrique de toutes les influences, excitatrices ou inhibitrices, reçues de différentes synapses.

Sonde moléculaire : Molécule marquée (fluorescence, radioactivité) qui peut se lier de façon spécifique à une molécule que l'on recherche.

Souche pure : Population, obtenue par sélection, d'individus homozygotes (pour le ou les gènes étudiés).

Spéciation : Processus évolutif qui aboutit à l'apparition d'une nouvelle espèce.

Stérile (milieu) : Un environnement est dit stérile lorsqu'il ne contient aucun microorganisme capable de s'y développer.

Stéroïde (hormone) : Substance dérivée du cholestérol et sécrétée par certaines glandes endocrines, principalement par la glande surrénale.

Stimulus : Modification d'un paramètre susceptible d'être détectée par une cellule excitable.

Stomate : Ensemble de cellules de l'épiderme des feuilles, délimitant un orifice permettant aux gaz de circuler entre l'atmosphère extérieure et l'atmosphère intérieure de la feuille.

Structures et mécanismes de défense (végétaux) : Ensemble des moyens dont dispose une plante pour se protéger des contraintes exercées par le milieu physico-chimique et par les autres êtres vivants.

Subduction continentale : Enfoncement de la lithosphère continentale dans l'asthénosphère suite à la collision de deux lithosphères continentales.

Subduction océanique : Plongement de la lithosphère océanique dans l'asthénosphère.

Subsidence thermique : Enfoncement progressif de la croûte terrestre sous l'effet de sa propre contraction lors de son refroidissement.

Succès reproducteur : Nombre moyen de descendants laissé au cours d'une vie.

Surface d'échanges : Interface entre un être vivant et son environnement, au niveau de laquelle il peut importer ou exporter des matières.

Surface de compensation : Dans la lithosphère, profondeur au niveau de laquelle les matériaux sont en équilibre isostatique, c'est-à-dire sont soumis à une même pression, indépendante des inégalités de surface.

Symbiose : Association durable entre deux êtres vivants d'espèces différentes, à bénéfice réciproque pour les deux partenaires.

Synapse excitatrice : Synapse qui tend à faire naître un message nerveux dans le neurone post-synaptique.

Synapse inhibitrice : Synapse qui tend à s'opposer à la naissance d'un message nerveux dans le neurone post-synaptique.

Synapse : Zone de connexion entre deux neurones, ou entre un neurone et une fibre musculaire.

Syndrome : Ensemble de symptômes et de signes qui caractérisent une maladie.

Talus continental : Zone sous-marine située entre le plateau continental et la plaine abyssale.

Taux d'homozygotie : Rapport entre le nombre de gènes homozygotes et le nombre total de gènes présents chez un individu.

Téphras : Ensemble des produits solides ou liquides émis par un volcan lors d'une éruption, à l'exception des laves.

Test : Squelette externe de certains animaux (foraminifères, oursins...).

Tétanos : Maladie infectieuse aiguë, grave et potentiellement mortelle, due au bacille tétanique. La maladie est généralement causée par la contamination d'une plaie par des spores de ce bacille, qui vont ensuite germer et se transformer en bacille sécrétant une neurotoxine, la toxine tétanique, qui migre jusqu'à la moelle épinière et le cerveau, entraînant des contractures musculaires caractéristiques, des spasmes et convulsions et éventuellement la mort.

Tétrapode : Vertébré possédant quatre membres locomoteurs terminés par des doigts.

Thérapie génique : Technique consistant à introduire du matériel génétique dans un organisme afin de pallier des anomalies génétiques à l'origine d'une pathologie.

Thermochronologie : Technique permettant de déterminer l'histoire thermique des roches.

Thymus : Petite glande située dans le thorax, à l'avant de la trachée, et dans laquelle les lymphocytes T issus de la moelle osseuse deviennent immunocompétents.

Tomographie sismique : Technique d'imagerie qui permet d'obtenir, à partir de l'enregistrement et du traitement des ondes sismiques, une image tridimensionnelle des températures dans les profondeurs de la Terre.

Trace de fission : Désordre cristallin formant une zone linéaire, due à la désintégration d'atomes d'uranium dans des minéraux tels que l'apatite ou le zircon.

Transfert horizontal de gènes : Transfert de matériel génétique en dehors de toute filiation, entre individus de la même espèce ou non.

Transgène : Gène transféré d'un organisme donneur vers un organisme receveur.

Transgenèse : Technique qui consiste à introduire et faire fonctionner dans un organisme un gène provenant d'un autre être vivant, d'une autre espèce ou de la même espèce.

Translocation : Transfert d'une partie ou de la totalité d'un chromosome sur une autre partie d'un chromosome.

Transmission culturelle : Mode de transmission d'une aptitude par imitation et apprentissage au contact d'autres individus.

Trisomie : Anomalie caractérisée par la présence de trois chromosomes au lieu d'une paire de chromosomes homologues (ex. trisomie 21).

Trou occipital : Trou situé à la base ou à l'arrière du crâne, permettant le passage de la moelle épinière.

Tuberculose : Maladie infectieuse contagieuse due au bacille de Koch. Les principaux symptômes sont une altération de l'état général, une toux plus ou moins grasse, des crachats parfois sanglants, un essoufflement à l'effort.

U V

Ulcère (estomac) : Destruction localisée de la muqueuse de l'estomac.

Variabilité : Existence de différentes formes.

Variété élite : Variété végétale issue des méthodes de sélection les plus modernes.

Variété hybride : Plante issue d'un croisement entre parents appartenant à des lignées différentes.

Variété paysanne : Plante issue d'une sélection massale exercée par les agriculteurs.

Variole : Maladie infectieuse très contagieuse, fréquemment mortelle, due à un virus se transmettant exclusivement de manière interhumaine. Cette maladie a été éradiquée grâce à une campagne mondiale de vaccination (éradication déclarée par l'OMS en 1979).

Vasodilatation : Augmentation du diamètre des vaisseaux sanguins.

Vecteur : Elément dans lequel on peut introduire une séquence d'ADN, et qui assurera son transfert vers un organisme receveur.

Vie fixée : Mode de vie dans lequel les individus ne peuvent se déplacer, du fait de leur liaison avec un support (sol, roche...).

Vigueur hybride : Phénomène de supériorité du produit d'un croisement par rapport à ses parents (syn. hétérosis).

Virulence : Capacité d'un microorganisme à infecter un autre être vivant.

Vitesse d'érosion : Quantité de matière enlevée aux reliefs en fonction du temps.

X Z

Xylème : Réseau de tubes constitué de files de cellules mortes, aux parois lignifiées, et dans lequel circule la sève brute.

Zygote : Synonyme de cellule-œuf.

Index

Un index n'est pas une liste de mots à connaître ; c'est un outil de travail pour se repérer dans le livre à partir d'un mot ou d'une expression.

A

B

C

D

E

Index

Crédits photographiques

Couverture : *m d :* Ph. © Phillip Colla/Oceanlight.com; Ph. © Tim Vernon/SPL/COSMOS
Page de garde avant : Ph. © Jean-Yves Grospas/BIOSPHOTO (Lis) ; Ph. © Christophe Brunet (Ophrys) ; Ph. © Hugues de Cherisey/BIOSPHOTO (Brome) ; Ph. © Philippe Bousseaud/BIOSPHOTO (anémone) ; Ph. © PHOTO12.COM/ALAMY (OEillet) ; Ph. © PHOTO12.COM/ALAMY (Ajonc) ; Ph. © PHOTO12.COM/ALAMY (Eglantier) ; Ph. © Leonard Vucinic/BIOSPHOTO (Cardamine) ; Ph. © Federico Raiser/BIOSPHOTO (Sauge) ; Ph. © Xiaodisc/Green Eye/BIOSPHOTO (Digitale) ; Ph. © Christophe Brunet (Epervière) ; Ph. © Jean-Yves Grospas/BIOSPHOTO (Campanule)
Page de garde arrière : Carte géologique du Monde, 3e édition. Ph. Bouysse et coll. © CCGM-CGMV/2010
p. 6 *ht g* : Ph. © Adrian T. Summer/SPL/COSMOS/T
p. 6 *mil* : Ph. © PHOTO12.COM/ALAMY
p. 6 *bas* : Ph. © John Clegg/SPL/COSMOS
p. 7 *mil* : Ph. © Claudius Thiriet/BIOSPHOTO
p. 10 *m g* : Ph. © Roger Harris/SPL/COSMOS/T
p. 10 *m m* Ph. © Sheila Terry/SPL/COSMOS/T
p. 11 *ht* : Ph. © NURIDSANY Claude / T
p. 11 *m m* : Ph. © Hoffman/PHOTO12.COM / ALAMY/T
p. 11 *m d* : Ph. © Blinkwinkel/Delpho/PHOTO12.COM / ALAMY/T
p. 11 *bas* : Ph. © Claude FABRE/T
p. 12 *ht* : Ph. © David M. Phillips/BSIP/T
p. 12 *m d* : Ph. © L. Willatt, East Anglian Regional Genetics Service/SPL/COSMOS
p. 13 : Ph. © Claude Lizeaux
p. 14 *ht* : Ph. © Applied Imaging/Santa Clara, Calif, USA/T
p. 14 *bas g* : Ph. © Steve Gschmeissner/SPL/COSMOS
p. 14 *bas d* : Ph. © : Ph. Inserm U309/Cytogénétique (Pr Bernard Sèle) - CHU de Grenoble / T
p. 15 : Ph. © Adrian T. Summer/SPL/COSMOS/T
p. 16 *ht* et *bas* : 2 ph - **p. 21** *bas* : 1 ph - **p. 37** : 3 ph - **p. 49** *g* : 1 ph - **p. 92** : 1 ph - **p. 93** : 1 ph - **p. 115** *bas g* : 1 ph **p. 116** *mil* : 4 ph - **p. 117** *m d* : 1 ph - **p. 118** : 2 ph - **p. 119** : 3 ph - p. **124** *bas* : 2 ph - **p. 134** *d* : 1 ph - **p. 145** : 2 ph - **p. 147** : 2 ph - **p. 150** : 6 ph, reprise p. **157** - **p. 151** : 2 ph - **p. 153** *h*: 1 ph - **p. 175** : 1 ph - **p. 187** : 4 ph - **p. 192** : 4 ph - **p. 193** : 2 ph, reprise **p. 201** - **p. 208** *mil* : 2 ph (reprise **p. 223**) - **p. 213** *h g* : 1 ph - **p. 244** : 1 ph - **p. 245** : 1 ph - **p. 333** : 3 ph - **p. 335** : 3 ph - **p. 336** *m g* : 1 ph - **p. 349** : 1 ph - **p. 352**: 1 ph - **p. 403** *bas g* : 1 ph - **pp. 404-405** : 8 ph - © GRAND - MILHAVET Hélène
p. 16 *bas d* : Ph. © Jean-Jacques Auclair
p. 17 : 8 Ph. © Jean-Jacques Auclair
-**p. 19** : Ph. © Jean-Jacques Auclair
p. 20 *ht m* : Ph. © Elizabeth Lemoine/Jacana/GAMMA RAPHO
p. 20 *ht d* : Ph. © Watier/ARIOKO
p. 21 *ht* : Ph. © Darren J. Obbard/Creative Commons Attribution-ShareAlike 3.0

p. 21 *g* : 1ph - **p. 175** : 1ph - **p. 376** : 1ph © FABRE Claude
p. 22 *bas* : Ph. © Ph. Dr G. H. Jones /T
p. 23 *ht* : Ph. © J. Kezer/D.R.
p. 24 *ht g* : Ph. © David M. Phillips / Photo Researchers / BSIP
p. 24 *ht d* : Ph. © Eye of Science/SPL/COSMOS/T
p. 24 *m g* : Ph. © Dr Everett Anderson/SPL/COSMOS/T
p. 24 *m d* : Ph. © Petit Format/Photoresearchers
p. 24 *bas g* : Ph. © Hervé Conge/ISM/T
p. 24 *bas d* : Ph. © Lennart Nilsson/SCANPIX/T
p. 25 *ht m* : Ph. © Pierre Vernay/BIOSPHOTO
p. 25 *ht d* : Ph. © J.L. Klein/M.L. Hubert/BIOSPHOTO
p. 25 *bas* : Ph. © J.L. Klein/M.L. Hubert/BIOSPHOTO
p. 26 *ht* : Ph. © Joti/SPL/COSMOS
p. 26 *bas* : Ph. © Addenbrookes Hospital/SPL/COSMOS
p. 27 : Reprinted by permission from Macmillan Publishers Ltd : « Nature Genetics », title : « Diet and the evolution of human amylase gene copy number variation », authors : George H Perry, Nathaniel J Dominy, Katrina G Claw, Arthur S Lee, Heike Fiegler, Richard Redon, John Werner, Fernando A Villanea, Joanna L Mountain, Rajeev Misra, Nigel P Carter, Charles Lee & Anne C Stone - © Nature Genetics 39, 1256 - 1260 (2007)
p. 32 *ht* : Ph. © Dr Ram Verma/Phototake/BSIP
p. 32 *bas* : Ph. © Addenbroockes Hospital/SPL/COSMOS
p. 33 *ht* : Ph. © Dept of Clinical Cytogenetics, Addenbrookes Hospital/SPL/COSMOS
p. 33 *bas* : Ph. © Health Protection Agency/SPL/COSMOS
p. 33 *mil* : Ph. © Dr Prieur Marguerite/Hôpital Necker-Enfants malades, Labo de Cytogénétique/T
p. 34 : Ph. © John Cabisco/Visuals Unlimited/BSIP/T
p. 35 bas *g : Ph. © Richard G. Rawlins/SPL/COSMOS/T*
p. 35 bas d : Ph. © CNRI/SPL/COSMOS/T
p. 36 *ht* : Ph. © Science Vu/Visuals Unlimited/BSIP
p. 36 *bas* : Ph. © Debby Roorda
p. 38 *g* : Reprinted by permission from Macmillan Publishers Ltd : « Nature », Title : Changes in Hox genes structure and function during the evolution of the squamate body plan, authors : Nicolas Di-Poï, Juan I. Montoya-Burgos, Hilary Miller, Olivier Pourquié, Michel C. Milinkovitch & Denis Duboul - © « Nature » 464, 99-103(4 March 2010)
p. 38 *d* : Ph. © Ronald Thompson / CORBIS
p. 39 : Ph. © Fred Bavendam/JOEL HALIOUA EDITORIAL AGENCY
p. 40 *ht* : Ph. © Ian Rose/JOEL HALIOUA EDITORIAL AGENCY
p. 40 *bas* : © Reprinted by permission from John Wiley and Sons Publishers, « Molecular Ecology », Jul 1, 2001, title : Molecular investigations in populations of Spartina anglica C.E. Hubbard (Poaceae) invading coastal Brittany (France), authors : A. Baumel, M. L. Ainouche, J. E. Levasseur
p. 41 *bas* : Ph. © Michael A. Mares/D.R.
p. 42 *ht* : Ph. © Jonathan Bird / Peter Arnold /BIOSPHOTO
p. 42 *mil* : Ph. © Ken Lucas/Visuals Unlimited/BSIP
p. 43 : Ph. © Dr Klaus Boller/SPL/COSMOS
p. 45 *ht* : Ph. © Edward Kinsman/Photoresearcher/BSIP
p. 45 *mil*: Ph. © Michel Rauch/BIOSPHOTO
p. 46 *ht* : Ph. © PHOTO12.COM / ALAMY
p. 46 *bas* : From : « Science », title : « Bmp4 and Morphological Variation of Beaks in Darwin's Finches », authors : Arhat Abzhanov, Meredith Protas, B. Rosemary Grant, Peter R. Grant and Clifford J. Tabin, September 2004 : Vol. 305 pp. 1462-1465. Reprinted with permission from AAAS
p. 47 *mil* : Ph. © Frédéric Desmette/BIOSPHOTO
p. 47 *bas* : Ph. © NATURAL HISTORY MUSEUM, London
p. 48 *m m* : Ph. © Geoff Kidd/SPL/BIOSPHOTO
p. 48 *m d* : Ph. © Jean-Luc /Françoise Ziegler/BIOSPHOTO
p. 48 *bas* : 2 Ph. © ITHEC
p. 49 *ht m* : Ph. © Scott Camazine/ Photoresearchers/BSIP
p. 49 *ht d* : Ph. © Adriana de Mello Gugliotta - Nucleo de Pesquisa em Micologia - Instituto de Botânica - Sao Paulo - Brazil
p. 49 *bas* : Ph. © Ed Reschke/Peter Arnold/BIOSPHOTO
p. 50 *ht* : Ph. © Gerald Buff Corsi/Visual Unlimited/BSIP
p. 50 *bas g* : Ph. © Chris Boydell/Australian Picture Library/CORBIS
p. 50 *bas d* : Reprinted by permission from Macmillan Publishers Ltd : « Nature », « What songbirds teach us about learning », authors : Michael S. Brainard and Allison J. Doupe - © « Nature », May 16, 2002
p. 51 *ht* : Ph. © Clive Bromhall/Oxford Scientific/GETTY IMAGES
p. 56 *g* : Ph. © John Reader/SPL/COSMOS
p. 56 *m d* : Ph. © Christophe Boesch/MPI EVA
p. 56 *bas* : Ph. © Christophe Boesch/MPI EVA
p. 57 *ht* : Ph. © Jack Stein Grove/BSIP
p. 57 *bas* : Ph. © Lew Robertson/CORBIS
p. 58 : Ph. © Peter Scoones/SPL/COSMOS
p. 59 : Ph. © Jouko Lehmuskallio, NatureGate
p. 60 *ht* : Ph. © O. Meckes/Eye of Science/COSMOS/T
p. 60 *bas* : Ph. © Pr W.J. Gehring, Biozentrum, University of Basel/DR/T
p. 61 : 2 Ph. © GRAND - MILHAVET Hélène/T
p. 62 *ht* : Ph. © Denis Bringard/BIOSPHOTO
p. 62 *bas* : Ph. © PHOTO12.COM/ALAMY
p. 63 *g* : Ph. © Paul D. Stewart/SPL/COSMOS
p. 63 *d* : Ph. © Infatti/LEEMAGE
p. 64 : 2 Ph. © H. Fox/Oxford Scientific/GETTY IMAGES/T
p. 65 : Ph. © DX/FOTOLIA
p. 66 : Ph. © Mike Wilkes/NaturePL
p. 67 : Ph. © PHOTO12.COM / ALAMY
p. 68 *ht* : Ph. © Ex Nihilo
p. 69 *ht m* : Ph. © Wildlife/ANDIA
p. 69 *ht d* : Ph. © PHOTO12.COM / ALAMY
p. 69 *m m* : Ph. © J.L. Klein/M.L. Hubert/BIOSPHOTO
p. 69 *m d* : Ph. © Peter Lewis/NATUREPL
p. 69 *bas m* : Ph. © PHOTO12.COM / ALAMY
p. 69 *bas d* : Ph. © Simon Williams/NATUREPL
p. 70 *g* : Ph. © Lucarelli/D.R.
p. 70 *d* : Ph. © Michel Gunther/BIOSPHOTO
p. 71 : Ph. © AGE/PHOTONONSTOP
p. 76 *m g* : Ph. © Frank Deschandol et Philippe Sabine/BIOSPHOTO
p. 76 *ht* : Ph. © Markus Varesvuo/BIOSPHOTO
p. 76 *m d* : Ph. © Jean Lecomte/BIOSPHOTO
p. 76 *bas g* : Ph. © Antoni Angelet/BIOSPHOTO
p. 76 *bas d* : Ph. © Brandon Cole/BIOSPHOTO
p. 77 *ht* : Ph. © Youry BILAK
p. 77 *mil* : Ph. © Roger Le Guen/BIOSPHOTO
p. 77 *bas* : Ph. © Volker Steger/SPL/BIOSPHOTO
p. 78 : Ph. © PHOTO12.COM / ALAMY
p. 79 *ht* : Ph. © Guy Edwardes/Photoshot/BIOSPHOTO
p. 79 *bas* : Ph. © PHOTO12.COM / ALAMY
p. 80 *ht* : Ph. © PHOTO12.COM / ALAMY
p. 80 *m* : 2 Ph. © W. Baker, RBG Kew
p. 82 *ht* : Ph. © Jean-Michel Labat/BIOSPHOTO
p. 82 *mil* : Ph. © P. Plailly/E. Daynes/Reconstitution/Eurelios/LOOK AT SCIENCES/E.Daynes, Paris
p. 83 : Ph. © Marian BRICKNER
p. 84 *ht* : Ph. © Mariano Rocchi/Dip. Di Genetica e Microbiologia, Bari, Italy
p. 86 : Ph. © Martin Harvey/BIOSPHOTO, reprise p. 101
p. 87 *ht* : Ph. © BSIP/T
p. 87 *bas* : Ph. © IsaacLKoval/ISTOCK
p. 88 *ht g* : Ph. © Frans Lanting/JOEL HALIOUA EDITORIAL AGENCY
p. 88 *ht d* : Ph. © Frans Lanting/JOEL HALIOUA EDITORIAL AGENCY
p. 88 *bas g* : Ph. © Per Aas, Natural History Museum, Oslo, Norway
p. 88 *bas d* : Ph. © PlosOne
p. 89 : *chimpanzé* : Ph. © Suzy Eszterhas/BIOSPHOTO/T
p. 89 : *Macaque* : Ph. © Cyril Ruoso/JOEL HALIOUA EDITORIAL AGENCY/T
p. 89 : *atèle* : Ph. © PHOTO12.COM/ ALAMY/T
p. 89 *ht g* : propithèque : Ph. © Frans Lanting/JOEL HALIOUA EDITORIAL AGENCY
p. 89 : *babouin* : Ph. © Tui De Roy/JOEL HALIOUA EDITORIAL AGENCY
p. 89 : *homme* © Tetra/BSIP :
p. 90 *ht* : *chimpanzé* : Ph. © Frans Lanting/JOEL HALIOUA EDITORIAL AGENCY
p. 90 *ht* : *orang-Outan* : Ph. © Frans Lanting/JOEL HALIOUA EDITORIAL AGENCY
p. 90 *ht* : *gorille* : Ph. © Frans Lanting/JOEL HALIOUA EDITORIAL AGENCY
p. 90 *ht* : *bonobo* : Ph. © Frans Lanting/JOEL HALIOUA EDITORIAL AGENCY
p. 90 *bas g* : Ph. © Guérin Nicolas/D.R.
p. 90 *bas d* : Ph. © Nature/SIPA PRESS/T
p. 91 : Ph. © Cyril Ruoso/BIOSPHOTO/T
p. 92 *g* : Ph. © Editions Xavier Barral / photographie P. Griès/ Musée national d'Histoire Naturelle de Toulouse, 2007
p. 92 *ht* d : Ph. © Claude FABRE/T
p. 93 *g* : Ph. © Editions Xavier Barral/photographie P. Griès/Musée national d'Histoire Naturelle de Toulouse, 2007
p. 93 *ht d* : Ph. © Claude FABRE/T
p. 94 *g* : Ph. © J. Reader/JPL/COSMOS/T
p. 94 *mil* : Ph. © José Braga - Didier Descouens/D.R.
p. 94 *d* : Ph. © Carolina Biogical/CORBIS
p. 94 *bas* : © Extrait de «Les origines de l'homme», Pascal Picq, éditions Tallandier, 1999, dessin Laurent Blondel/Ed Tallandier/T
p. 95 *d* : Ph. © D. Finnin et J. Beckett/Dpmt of Library Service/American Museum of Nat. History/T
p. 95 *m g* : Ph. © Musée de l'Homme / T
p. 95 *m m* : Ph. © Jérôme Primault/LOOK AT SCIENCES/T
p. 96 : Ph. © The cranium of the juvenile skeleton of Australopithecus sediba. Photo by Brett Eloff, courtesy of Lee Berger and the University of the Witwatersrand
p. 97 *ht* : Ph. © Musée de l'Homme/T
p. 97 *bas* : Ph. © Musée de l'Homme/T
p. 101 *ht m* : Ph. © Kidstock/Blend Images/CORBIS
p. 102 *ht* : Ph. © TUNS/ARCO
p. 102 *mil* : Ph. © Alex Dunkel (Visionholder)/D.R.
p. 102 *bas* : Ph. © Frans Lanting/JOEL HALIOUA EDITORIAL AGENCY
p. 103 *ht* : Ph. © Jean Clottes
p. 103 *mil* : Ph. © Henri Cosquer/GAMMA RAPHO
p. 103 *bas* : Ph. © Bettmann/CORBIS
p. 104 *bas* : Ph. © J. Oster/Musée de l'Homme/T
p. 106 : Ph. © Peter Brown/T
p. 108 *ht* : Ph. © Dr J. Burgess/SPL/COSMOS
p. 108 *m* : Ph. © Rolf Nussbaumer/Imagebroker/BIOSPHOTO
p. 109 : Ph. © Kevin Schafer/CORBIS
p. 110 *d* : Ph. © David Bouchez/INRA
p. 111 *ht* : 6 Ph. © Céline Richard-Molard
p. 111 *bas* : 2 Ph. © JUSSERAND Yves
p. 112 *bas* : Ph. © Dr Keith Wheeler/SPL/COSMOS
p. 113 *m g* : Ph. © CONGE Hervé/T
p. 113 *m d* : Ph. © Damien Lovegrove/SPL/COSMOS
p. 114 *m m* : Ph. © Dorling kindersley/GETTY IMAGES
p. 114 *m d* : Ph. © David Busti/ENS de Lyon
p. 114 *bas g* : Ph. © Nublat/T
p. 114 *bas d* : Ph. © David Busti/ENS de Lyon
p. 115 *ht* : Ph. © Dr Keith Wheeler/SPL/COSMOS
p. 115 *bas* d : Ph. © CONGE Hervé/T
p. 116 *bas* : Ph. © John Clegg/SPL/COSMOS
p. 116 *ht* : Ph. © Chris Martin-Bahr/SPL/COSMOS
p. 117 *g* : Ph. © Steven GARVIE
p. 117 *ht d* : Ph. © Peter Chadwick/SPL/COSMOS
p. 117 *bas d* : Ph. © Pharaoh Han/D.R.
p. 120 *ht g* : Ph. © Pierre Huguet/BIOSPHOTO
p. 120 *ht d* : Ph. © Dr Jeremy Burgess/SPL/COSMOS
p. 120 *bas* : 4 Ph. © Jean-Emmanuel Faure
p. 122 *ht d* : Ph. © Claudius Thiriet/BIOSPHOTO
p. 122 *ht g* : Ph. © Tim Gainey/GAP/BIOSPHOTO
p. 122 *bas* : 3 Ph. © Jean-Jacques Auclair
p. 123 *ht g* : Ph. © Claudius Thiriet/BIOSPHOTO
p. 123 *ht d* : Ph. © S. Gschmeissner/SPL/COSMOS
p. 123 *m* : Ph. © Claudius Thiriet/BIOSPHOTO
p. 124 *m* : Ph. © Ecole Publique St Sulpice des Rivoires/T (permission 2009)
p. 124 *ht g* : Ph. © PHOTO12.COM/ALAMY
p. 125 *ht g* : Ph. © Fernando Oliveira
p. 125 *ht d* : Ph. © Joel Lode/MAP/Mise au Point
p. 130 *ht* : Ph. © David Scharf/SPL/BIOSPHOTO
p. 130 *m d* : Ph. © Christian Gautier/BIOSPHOTO
p. 130 *bas d* : Ph. © Dr Jeremy Burgess/SPL/BIOSPHOTO
p. 130 *bas g* : Ph. © Jean-Jacques Auclair
p. 131 *ht d* : Ph. © Interfoto/LA COLLECTION
p. 131 *m d* : Ph. © Ngo-Dinh-Phu Quyen/FRANCEDIAS.COM
p. 131 *ht g* : Ph. © Gilles Mermet/BIOSPHOTO
p. 131 *m m* : Ph. © Samuel Dhier/Naturimages/FRANCEDIAS.COM
p. 132 : Ph. © Michel Gunther/BIOSPHOTO
p. 133 *ht m* : Ph. © Mark Bolton/GPL/BIOSPHOTO
p. 133 *ht d* : Ph. © GWI/Gilles Delacroix/MAP/Mise au Point
p. 133 *m d* : Ph. © Alain Dupont/www.hortiauray.com
p. 133 *bas* : Ph. © (a) Degginger/BSIP
p. 133 *bas* : Ph. © (b) PHOTO12.COM / ALAMY
p. 133 *bas* : Ph. © (c) Gregory G. Dimijian/BSIP
p. 133 : Ph. © (d) JUSSERAND Yves
p. 134 *g* : Ph. © PHOTO12.COM/ALAMY
p. 135 : Ph. © Yves JUSSERAND
p. 136 *mil* : Ph. © C. NICOLLET (http://christian.nicollet.free.fr)/T
p. 136 *ht* : Ph. © Guido Alberto Rossi/PHOTONONSTOP/T
p. 136 *bas* : Ph. © Claude FABRE/T
p. 137 : Ph. © Hélène GRAND - MILHAVET/T
p. 138 *ht g* : Ph. © Jim Sugar/CORBIS/T
p. 138 *ht d* : Ph. © Ocean/CORBIS
p. 140 *ht* et *bas d* : 4 Ph. © Hélène GRAND - MILHAVET/T
p. 140 *bas* g : Ph. © PETZOLD Michel/T
p. 141 : Ph. © Jean-Yves Grospas/BIOSPHOTO
p. 142 *ht g* : Ph. © David Parker/SPL/COSMOS
p. 142 *ht d* : Ph. © Annie - Jean-Claude Malausa/BIOSPHOTO
p. 142 *bas* : Ph. © CRPG/CNRS
p. 143 : Ph. © Gérard Labriet/PHOTONONSTOP
p. 144 *ht* : Ph. © Sylvain Bonvalot/IRD-INDIGO
p. 144 *bas* : Carte gravimétrique de la France. Extraite de « La France sous nos pieds - Atlas en 50 géocartes », BRGM Editions 2009 - 128 pages - format 30 x 30 cm - ISBN 978-2-7159-2474-1 © BRGM - www.brgm.fr - Autor. n° R11/27Ed
p. 146 *mil* : Ph. © Patrick Strozza (EDUSISMO-PROVENCE)
p. 147 *bas* : Ph. © Claude FABRE/T
p. 148 *ht* : Ph. © C. NICOLLET (http://christian.nicollet.free.fr)/T
p. 148 *bas* : Ph. © Garry Hayes/T
p. 149 *ht* : Ph. © CHOUZENOUX Jean-Pierre/T
p. 149 *bas* : 2 Ph. © Claude Fabre/T
p. 153 *mil* : Ph. © Jean-Luc Kokel/FRANCEDIAS.COM
p. 153 *bas* : Ph. © Courtesy of Smithsonian Institution. Photo by Chip Clark
p. 158 : Ph. © Noto Campanella Yves/FRANCEDIAS.COM/T
p. 159 *ht* : Ph. © Peter Oxford/stevebloom.com
p. 159 *bas* : Ph. © Ashley Cooper/AGE FOTOSTOCK
p. 160 : Logicel Sismolog
p. 161 *ht g* : Ph. © Pierre Thomas / http://planet-terre.ens-lyon.fr/planetterre/
p. 161 *ht d* : Ph. © PETZOLD Michel
p. 161 *bas* : Ph. © Jacques Debelmas/T
p. 163 : 2 Ph. mg et md. © J.J. Dides/Lithothèque Languedoc-Roussillon
p. 163 : 2 Ph. bg et bd. © J.J. Dides/Lithothèque Languedoc-Roussillon
p. 163 *m m* : 2 Ph. © P. GONCALVES
p. 163 *bas m* : 2 Ph. © P. GONCALVES
p. 164 : Ph. © Robin Marchant/Université de Lausanne/T
p. 165 : Ph. © Imagebroker/hemis.fr
p. 167 *ht : Ph.* © Stocktrek Images/GETTY IMAGES
p. 167 *bas* : Extrait de la carte géologique de la France au 1/1 000 000 (Savoie et Hautes-Alpes) © BRGM - www.brgm.fr - Autor. n° R11/34 Ed
p. 168 : Ph. © B. Murton/ Southampton Oceanography Centre/SPL/COSMOS
p. 169 *ht d* : Extrait de la carte géologique de la France au 1/1000000 (Savoie et Hautes-Alpes) © BRGM - www.brgm.fr - Autor. n° R11/34 Ed
p. 169 *ht m* : Ph. © CHOUZENOUX Jean-Pierre/T, reprise p. 181
p. 169 *m g* : Ph. © C. NICOLLET/http://christian.nicollet.free.fr
p. 169 *m d* : Ph. © C. NICOLLET/http://christian.nicollet.free.fr, reprise **p. 181**
p. 170 *bas* : Ph. © Beslier Marie Odile/Geoazur, UMR 6526
p. 171 *ht* : Extrait de la carte géologique de la France au 1/1 000 000 (Savoie et Hautes-Alpes) © BRGM - www.brgm.fr - Autor. n° R11/34 Ed
p. 171 *m g* : Ph. © LEMOINE Marcel/T
p. 171 *bas* : Ph. © DUMONT Thierry/CNRS/T
p. 172 *ht* : Ph. © S. Merkel, UMET, Université Lille 1
p. 172 *bas* : 2 Ph. © Claude FABRE/T, reprise **p. 201**
p. 173 *ht* : Extrait de la carte géologique de la France au 1/1000000 (Savoie et Hautes-Alpes) © BRGM - www.brgm.fr - Autor. n° R11/34 Ed
p. 173 *m* : 2 Ph. © Claude FABRE/T
p. 173 *bas* : Ph. © C. NICOLLET (http://christian.nicollet.free.fr)/T
p. 176 *m* : Ph. © Robin Marchant/Université de Lausanne/T
p. 177 *ht* : Extrait de la carte géologique de la France au 1/1000000 (Savoie et Hautes-Alpes) © BRGM - www.brgm.fr - Autor. n° R11/34 Ed
p. 177 *m d* : Ph. © W. Spakman Utrecht University - reprise p. 181
p. 181 *mil* : 2 Ph. © Claude FABRE/T
p. 182 *ht d* : Ph. © Bradley Hacker
p. 182 *ht g* : Ph. © ESA
p. 182 *m m* : Ph. © Christian NICOLLET
p. 182 *m d* : Ph. © Benoît Ildefonse, CNRS
p. 183 *ht* : Ph. © Photo Josse/Leemage
p. 183 *bas* : Ph. © David Parker/SPL/COSMOS
p. 184 : Ph. © Annie Bene/FRANCEDIAS.COM
p. 185 *ht g* : Ph. © de Georges Mascle - « Himalaya-Tibet » : La collision continentale Inde-Eurasie», Editions Vuibert, 2010
p. 185 *ht d* : Ph. © Planet Observer/SPL/COSMOS/T
p. 185 *bas g* : Ph. © J. Ph. Perrillat / Université Lyon 1
p. 187 : Ph. © Claude FABRE/T
p. 188 : Ph. © Kevin Schafer/CORBIS
p. 189 : Ph. © PHOTO12.COM/ALAMY
p. 190 : Ph. © David Martinez/AP/SIPA PRESS
p. 191 *ht g* : Ph. © Photo courtesy of U.S. Geogical Survey, Peter W. Lipman
p. 191 *ht d* : Ph. © Photo courtesy of U.S. Geogical Survey, Willie Scott
p. 195 *ht* : Ph. © Christian NICOLLET/http://christian.nicollet.free.fr
p. 196 : Ph. © PHOTO12.COM / ALAMY :
p. 201 *ht g* : 2 Ph. © Georges GROUSSET, reprise bas g
p. 202 *ht d* : Ph. © Ludovic Maisant/hemis.fr
p. 202 *ht g* : Ph. © David Caudullo/EPA/MAXPPP
p. 203 *ht* : Ph. © BRIDGEMAN - GIRAUDON
p. 203 *bas g* : Ph. © Jean Schormans/RMN
p. 203 *bas d* : Ph. © BRIDGEMAN - GIRAUDON
p. 204 *bas m* : Ph. © Jim Sugar/CORBIS/T

p. 205 : 2 Ph. © Christian NICOLLET/http://christian.nicollet.free.fr
p. 207 *ht* : Ph. © Claude FABRE/T
p. 208 *ht* : Ph. © Jean PERRIN
p. 208 *bas* : Ph. © PHOTO12.COM / ALAMY
p. 209 : Ph. © Bruno Guenard/BIOSPHOTO
p. 210 *d* : Ph. © Jean-Daniel CHAMPAGNAC, ETH Zurich
p. 210 *ht g* : Ph. © Yc72/D.R.
p. 210 *m g* : Ph. © Martial Colomb/GETTY IMAGES
p. 210 *bas g* : Ph. © Hervé Chellé/BIOSPHOTO
p. 210 *bas d* : Ph. © Jean-Yves Grospas/BIOSPHOTO
p. 211 *ht* : Ph. © Ivan Bour/Histoire thermique des massifs ardennais et bohémien : Conséquences sur la dynamique de l'Europe de l'Ouest au méso-cénozoïque. Thèse de doctorat, 2010, Université Paris-Sud, Orsay, 364 p.
p. 212 *m g* : Ph. © Ric Ergenbright/CORBIS
p. 212 *m d* : Ph. © D. Mollex
p. 212 *bas g* : Ph. © PHOTO12.COM/ALAMY
p. 212 *bas d* : Ph. © PHOTO12.COM/ALAMY
p. 213 *m d* : Ph. © D.R.
p. 214 *ht* : Ph. © Jean Venot/BIOSPHOTO/T
p. 214 *bas* : Photo MN
p. 215 *ht d* : Ph. © NASA/GSFC/SPL/COSMOS
p. 216 *ht* : Ph. © Du Boisberranger Jean/hemis.fr
p. 216 *bas* : Ph. © Jean-Daniel CHAMPAGNAC, ETH Zurich
p. 218 *ht* : Ph. © Christian Sue
p. 219 *m g* : Ph. © PAMPRUN Claude/T
p. 219 *ht d* : Image de Bastien Delacou - Reprinted from : « Terra Nova », title : « Aseismic deformation in the Alps : GPS vs. seismic strain quantification », Authors : Christian Sue, Bastien Delacou, Jean-Daniel Champagnac, Cécile Allanic, Martin Burkhard, Jun 1, 2007 © John Wiley and Sons - reprise **p. 223**
p. 223 *ht d* : Ph. © PHOTO12.COM/ALAMY/T
p. 223 *mil* : Ph. © ESA
p. 224 *ht* : Ph. © Patrick Frischknecht/BIOSPHOTO
p. 224 *m d* : Ph. © User Lorax//D.R.
p. 224 *m g* : Ph. © Michel Gounot/Explorer/GAMMA RAPHO
p. 224 *bas* : Ph. © Antoni Agelet/BIOSPHOTO
p. 225 : Ph. © Claude Fabre/T
p. 226 *ht* : Ph. © PETZOLD Michel
p. 227 : Extrait de la carte géologique au 1/1 000 000° de la France et sa notice. Carte géologique simplifiée du Massif central et des Alpes et sa notice © BRGM - www.brgm.fr - http://infoterre.brgm.fr - Autor. n° R12/07Ed
p. 230 *ht g* : Ph. © Ben Weaver/GETTY IMAGES
p. 230 *mil* : Ph. © PHOTO12.COM / ALAMY
p. 230 *bas* : Ph. © Bernhard Edmaier/SPL/COSMOS
p. 231 : D'après Pollack, Hunter, Johnson, Reviews of Geophysics, 31 (3), 267-280,1993 © IHFC/D.R./T
p. 233 *m g* : Ph. © Image Source/CORBIS
p. 233 *m d* : Ph. © BIS/Ph. Photlook/T
p. 234 : Ph. © WATIER Christian
p. 235 *ht* : Ph. © PHOTO12.COM / ALAMY
p. 235 *bas* : Ph. © WATIER Christian/T
p. 236 *ht g* : Ph. © Bernhard Edmaier/SPL/COSMOS
p. 236 *ht d* : Ph. © X-DR
p. 236 *bas* : Ph. © Frederick Florin/AFP
p. 237 : Ph. © Roger Ressmeyer/CORBIS, reprise **p. 253**
p. 238 *ht* : Ph. © Franck Guiziou/hemis.fr
p. 238 *bas* : Ph. © MDPA
p. 239 : Ph. © RIA NOVOSTI
p. 242 *mil* : D'après Pollack, Hunter, Johnson, Reviews of Geophysics, 31 (3), 267-280,1993 © IHFC/D.R./T, reprise **p. 253**
p. 246 *bas* : Ph. © D'après Cammarano and Romanowicz (2007, PNAS)
p. 247 *ht* : Ph. © D.R.
p. 247 *mil* : Ph. © NASA
p. 248 : Ph. © Bertrand Gardel/hemis.fr
p. 254 *ht g* : Ph. © Gilles Rolle/REA
p. 254 *ht d* et *bas* : © GEIE Exploitation Minière de la Chaleur
p. 255 *ht* : Ph. © ROGER-VIOLLET
p. 255 *bas* : Ph. © Arctic Images/CORBIS
p. 256 *bas* : Reprinted from « Earth and Planetary Science Letters », vol 166, 15 march 1999, authors : Harmen Bijwaard, Wim Spakman, title of article : « Tomographic evidence for a narrow whole mantle plume below Iceland », © (1999) avec la permission from Elsevier
p. 258 *ht* : Ph. © Roland Gerth/CORBIS
p. 260 *ht* : Ph. © De Agostini/GETTY IMAGES
p. 260 *bas* d : Ph. © Martin C./INRA
p. 261 : Ph. © P. Psaïla/Doublevue.fr
p. 262 : Ph. © Ernst Merz et Susanne Stamp/http://www.sortengarten.ethz.ch
p. 263 *ht* : Ph. © PHOTO12.COM / ALAMY
p. 263 *bas* : 2 Ph. Agropolis-Museum / (Vimorin-Andrieux, Les meilleurs blés)
p. 265 : 3 Ph. © INRA
p. 266 *bas g* : Ph. © Christophe Maitre/INRA
p. 266 *bas d* : Ph. © Jacques François/INRA
p. 267 : Ph. © Gnis / www.gnis-pedagogie.org
p. 269 *ht* : Ph. © Ben Weaver/GETTY IMAGES
p. 269 *bas* m : Ph. © Andrew Brookes, National Physical Laboratory/SPL/COSMOS
p. 269 *bas* d : Ph. © Courtesy of Crown copyright Fera/SPL/COSMOS
p. 271 : Ph. © David MERCIER
p. 276 *ht* : Ph. © P. Psaïla/Doublevue.fr
p. 276 *mil* : Ph. © P. Psaïla/Doublevue.fr
p. 276 *bas m* : Ph. © Kevin Curtis/SPL/COSMOS
p. 276 *bas* d : Ph. © Martin Krzywinski/SPL/COSMOS
p. 277 *bas m* : Ph. © Ozgur Donmaz/GETTY IMAGES
p. 277 *bas d : Ph. © TEK Image/SPL/COSMOS*
p. 279 *mil* : Ph. © Volker Steger/SPL/COSMOS
p. 280 *m m* : Ph. © Dolores Piperno
p. 280 *m d* : Ph. © Adrian Thomas/SPL/COSMOS
p. 281 : 4 Ph. © Jean-Pierre Rubinstein/ISM/T
p. 282 *ht* : Ph. © Ryan W. Draft, Harvard University
p. 282 *mil* : Ph. © SPL/COSMOS
p. 282 *bas* : Ph. © Docstock/Kage/BSIP/T
p. 284 *ht g* : Ph. © Niaid/CDC/SPL/COSMOS/T
p. 284 *ht d* : Ph. © PHOTO12.COM/ALAMY
p. 284 *bas* : Ph. © SPL/COSMOS
p. 285 *ht d* : Ph. © Steve Gschmeissner/SPL/COSMOS/T
p. 285 *bas g* : Ph. © Stockbyte/GETTY IMAGES
p. 285 *bas d* : Ph. © SPL/Adam Gault/BSIP
p. 287 *ht g* : Ph. © Sovereign/ISM/T
p. 287 *ht d* : Ph. © P. Senot, S. Baillet, B. Renault, A. Berthoz LPPA, Collège de France - CNRS UMR 7152 LENA, CNRS-UPR 640 Centre MEG-EEG Pitié-Salpêtrière, UPMC, CNRS, INSERM / T
p. 287 *bas* : Ph. © Docstock/Kage/BSIP/T
p. 288 *ht* : Ph. © Dr P. Marazzi/SPL/COSMOS
p. 288 *m g* : Ph. © Boissenet/BSIP
p. 288 *m d* : Ph. © Varma/RUE DES ARCHIVES
p. 289 : Ph. © SPL/COSMOS
p. 290 *ht* : Ph. © Monkey Business - LBR/AGE FOTOSTOCK
p. 290 *m g* : Ph. © NIBSC/SPL/COSMOS
p. 290 *m d* : Ph. © David Scharf/CORBIS
p. 290 *bas g* : Ph. © MEDIMAGE/SPL/COSMOS
p. 290 *bas d* : Ph. © CNRI/SPL/COSMOS
p. 291 : Reprinted from «Cell», Vol/86, Authors : Bruno Lemaitre, Emmanuelle Nicolas, Lydia Michaut, Jean-Marc Reichhart, Jules A. Hoffmann, Title : «The Dorsoventral regulatory gene cassettespatzle/toll/cactus controls the potent antifungal response in drosophilia adults (1996) © with permission from Elsevier
p. 292 *ht g* : et bas 3 Ph. © Dr F. Dujardin, Anatomie et Cytologie Pathologiques, Faculté de Médecine de Tours
p. 292 *m d* : Ph. © Eric Ehrsam, MD, Dermatlas/ http://www.dermatlas.org
p. 293 : Ph. © «Het Allergieboek», J. Derksen, R.G. van Wijk and O. Smithuis (eds). Publisher : Bohn, Stafleu, van Loghum : 2010, Houten, The Netherlands, ISBN : 978 90 313 7752 7
p. 294 bas : Ph. © Dr David M Phillips/BSIP
p. 294 : © Paul PILLOT : **p. 283** : 1 doc - **p. 294** : 1 doc - **p. 297** : 2 docs **p. 298** : 1 doc - **p. 299** : 2 docs - **p. 312** : 3 docs - **p. 341** : 1 doc - **pp. 362-363** : 4 docs - **p. 373** : 2 ph
p. 295 *ht* : Ph. © SPL/COSMOS
p. 295 *bas* : Ph. © SPL/COSMOS
p. 296 *ht* : Ph. © Prof. Matthias Gunzer/SPL/PHANIE
p. 296 *bas* : 2 Ph. © Richard Kessel/BSIP
p. 297 *ht* : Ph. © Dr Olivier Schwartz, Intitut Pasteur/SPL/COSMOS
p. 298 *ht* : Ph. © Fotoreport Bayer AG/DPA/MAXPPP
p. 304 *ht g* : Ph. © Power and Syred/SPL/COSMOS
p. 304 *ht m* : Ph. © Pascal Disdier/AP/SIPA
p. 304 *ht d* : Ph. © SIPA USA/SIPA
p. 304 *bas m* : Ph. © Dennis Kunkel Microscopy, Inc/Phototake/ISM
p. 304 *bas d* : Ph. © Rockefeller University/Handout/EPA/MAXPPP
p. 306 : Ph. © Docstock/Insadco/BSIP
p. 307 : Ph. © Dennis kunkelMicroscopy, Inc/Phototake/ISM
p. 308 *m g* : Ph. © Laurent/Pioffet/BSIP
p. 308 *m d* : Ph. © Steve Gschmeissner/SPL/COSMOS
p. 309 : Ph. © Steve Gschmeissner/SPL/COSMOS
p. 311 *g* : Ph. © Hervé Conge/ISM
p. 311 *d* : Ph. © Dr Gopal Murti/Visual Unlimited/BSIP
p. 312 *ht g* : Ph. © Klaus Boller/SPL/COSMOS/T
p. 313 : Ph. © CNRI/SPL/COSMOS
p. 315 *ht* : Ph. © Steve Gschmeissner/SPL/COSMOS
p. 316 : 4 Ph. © Claude FABRE/T
p. 317 *ht* : 2 Ph. © Institut Pasteur/APBG/Photo Lamy et Sizaret (Université de Tours)/T
p. 317 *mil* : Ph. © Dr Volker Brinkmann/Visuals Unlimited/BSIP
p. 318 : 2 Ph. © Dr Andrejs Liepins/SPL/COSMOS
p. 319 : Ph. © Patrick Révy/CNRS/ISM
p. 321 *bas* : Ph. © Dennis Kunkel/Phototake/ISM/T
p. 322 *ht g* : Ph. © Thomas Deerinck, NCMIR/SPL/COSMOS
p. 322 *ht d* : Ph. © Eye of Science/SPL/COSMOS
p. 322 *bas g* : Ph. © Dr Klaus Boller/SPL/COSMOS
p. 322 *bas d* : Ph. © NIBSC/SPL/COSMOS
p. 323 : Ph. © PHOTO12.COM / ALAMY
p. 324 : Image provenant du site d'Hématologie www.hematocell.fr.st de la Faculté de Médecine d'Angers
p. 330 : Ph. © OCEAN/CORBIS
p. 331 *ht g* : Ph. © AKG
p. 331 *ht d* : Ph. © Mary Evans/RUE DES ARCHIVES
p. 331 *m g* : Ph. © SPL/AKG
p. 331 *m d* : Ph. © ROGER-VIOLLET
p. 331 *bas d* : Ph. © Michel Depardieu/INSERM
p. 331 *bas g* : Ph. © Brown Chris/SIPA PRESS
p. 336 *ht* : Ph. © COMMUNE DE LAIGNELET (35)
p. 336 *d* : Ph. © Voisin/PHANIE
p. 337 : Ph. © SPL/Ian Hooton/BSIP
p. 340 *bas* : Ph. © Science Source/BSIP
p. 340 *ht* : Ph. © Claude FABRE/T
p. 341 *mil* : Ph. © Patrick Allard/REA
p. 342 *ht* : Ph. © Dimitri Vervitsiotis/GETTY IMAGES
p. 342 *mil* : Ph. © Eric Audras/Onoky/PHOTONONSTOP
p. 343 *ht* : Ph. © Villareal/BSIP
p. 343 *bas* : Ph. © Abadonian/ ISTOCK Photo
p. 346 *ht g* : Ph. © Vivianne Moos/CORBIS
p. 346 *ht d* : Ph. © Photo Researchers/BSIP
p. 346 *bas* : Ph. © Gyssels/BSIP
p. 347 *ht* : Ph. © North Wind pictures/LEEMAGE
p. 347 *m bas* : 2 Ph. © CORBIS
p. 350 *ht* : Ph. © RUE DES ARCHIVES/PVDE
p. 350 *bas* : Ph. © Mauritius/PHOTONONSTOP
p. 351 : Ph. © Don W. Fawcett/BSIP
p. 352 *bas* : Ph. © Claude FABRE/T
p. 353 *m* : Ph. © B. Boissonnet/BSIP
p. 354 *g* : Ph. © Gustoimages/SPL/COSMOS
p. 354 *d* : Ph. © Medical Body Scans/BSIP
p. 354 *bas* : Ph. © Biophoto Associates/BSIP (reprise p. 355)
p. 355 *ht* : Ph. © Docstock/Kage/BSIP/T
p. 355 *m d* : Ph. © Dr John D. Cunningham/BSIP
p. 356 *ht* : Ph. © Laboratoire du dr Barker/Université de Durham/UK/T
p. 356 *bas* : Ph. © Ed Reschke/BSIP
p. 357 *ht g* : Ph. © J.C. Revy/ISM/T
p. 357 *ht d* : Ph. © CONGE Hervé/T
p. 357 *bas* : Ph. © ED Reschke/BSIP
p. 358 *ht g* : Ph. © AKG
p. 358 *ht d* et *bas* 4 Ph. © A. Hamon, Laboratoire de Neuro-physiologie, Université d'Angers / T
p. 359 *bas* : Ph. © A. Hamon/Laboratoire de Neurophysiologie, Université d'Angers/T
p. 360 *ht* : Reprinted from : « Neuroscience », Volume 200, 3 January 2012, Pages 248-260, authors : F. Robert, J.-F. Cloix, T. Hevor – Title : « Ultrastructural characterization of rat neurons in primary culture » © (2012) with permission from Elsevier
p. 360 *bas* : Ph. © Dr Donald Fawcett, J. Heuser/Visuals Unlimited/BSIP/T
p. 361 : 3 Ph. © Dr Dennis Kunkel/Phototake/BSIP/T
p. 362 *bas g* : © PILLOT Paul /T
p. 363 *ht d* : Ph. © Aubert/BSIP
p. 368 *m g* : Ph. © Ingo Schulz/Imagebroker/BIOSPHOTO
p. 368 *m d* : Ph. © J. Baylor Roberts/CORBIS
p. 368 *bas g* : Ph. © Antoine Lorgnier/BIOSPHOTO
p. 368 *bas m* : Ph. © Archives SEJER
p. 368 *bas d* : Ph. © Cyril Ruoso/BIOSPHOTO
p. 369 *ht* : Ph. © Science Source/Photorsearchers/BSIP
p. 369 *mil* : Ph. © Aisa/LEEMAGE/T
p. 369 *bas* : Ph. © Christophe Migeon/BIOSPHOTO
p. 374 *g* : Ph. © Simon Fraser/Hexham General/SPL/COSMOS
p. 374 *d* : Ph. © Philippe Merle/Sygma/CORBIS
p. 375 : Ph. © Tamily Weissman
p. 376 *bas d* : Provenance : Centre de recherche en IRM fonctionnelle cérébrale (Marseille) - email : jean-luc.anton@univmed.fr - Web : http://irmfmrs.free.fr - CHU de La Timone, Centre IRMf, sous-sol, bâtiment adultes - 264, rue Saint Pierre - 13385 Marseille cedex 05
p. 377 : Ph. © Reproduit avec la permission du Dr Gaëtan Garraux, Service de Neurologie, CHU de Liège, Belgique
p. 378 *ht g* : Ph. © Image Source/CORBIS
p. 378 *ht d* : Ph. © Simon Fraser/SPL/COSMOS
p. 379 *ht g* : Provenance : Centre de recherche en IRM fonctionnelle cérébrale (Marseille) - email : jean-luc.anton@univmed.fr - Web : http://irmfmrs.free.fr - CHU de La Timone, Centre IRMf, sous-sol, bâtiment adultes - 264, rue Saint Pierre - 13385 Marseille cedex 05
p. 379 *bas* : Ph. © Zephyr/SPL/COSMOS
p. 380 *bas* : Ph. © Ryan W. Draft, Harvard University
p. 381 : Ph. © Dr P. de Camilli, avec la permission de Cell Press/T
p. 382 *ht* : Ph. © CEA-Neurospin
p. 382 *bas* : Provenance : Centre de recherche en IRM fonctionnelle cérébrale (Marseille) - email : jean-luc.anton@univmed.fr - Web : http://irmfmrs.free.fr - CHU de La Timone, Centre IRMf, sous-sol, bâtiment adultes - 264, rue Saint Pierre - 13385 Marseille cedex 05
p. 383 *ht* : Ph. © CORBIS
p. 383 *bas* : « The acquisition of skilled motor performance : Fast and slow experience-driven changes in primary motorcortxe », authors : Avi Karni, Gundela Meyer, Christine Rey-Hipolito, Peter Jezzard, Michelle M. Adams, Robert Turner, and Leslie G. Ungerleider - PNAS February 3, 1998 vol. 95 no. 3 861-868 © (1998) National
p. 384 *ht* : 3 Ph. © Peyroux/BSIP
p. 384 *bas* : Ph. «Figure de Giraux P. Sirigu A. (2003) - Virtual movements of the paralysed hand restore motor cortex activity. Neuroimage, 20, 107-11. Copyright Giranx P. et Sirigu A.
p. 385 *bas g* : Vargas C., Aballéa A., Rodrigues E., Reilly T., Petruzzo P., Dubernard JM, Sirigu A., (2009), « Re-emergence of hand-muscle representations in human motor cortex after hand allograft », PNAS, 106, 7197-7202 © Sirigu A. - reprise p. 389
p. 385 *bas d* : Ph. © PM Lledo/Institut Pasteur
p. 390 *ht* : Ph. © Jean Livet, Jeff W. Lichtman et Joshua R. Sanes, Center for Brain Science, Harvard University
p. 390 *mil* : Ph. © Tom Kleindinst/T
p. 391 *ht* : Ph. © Astier/CHRU de Lille/BSIP
p. 391 *m m* : Ph. © Adam Gault/SPL/BSIP
p. 391 *bas d* : Ph. © Doc-Stock/BSIP
p. 392 : Ph. © Mikron/BSIP
p. 393 : Ph. © Troy House/CORBIS
p. 394 : Ph. © Claude FABRE/T
p. 402 *ht et bas g* : Ph. © Claude Fabre/T
p. 402 *bas d* : Ph. © FLOC'H Jean Pierre/T
p. 403 *ht et bas d* : 6 Ph. © FLOC'H Jean Pierre/T
p. 403 *bas g* : Ph. © Claude FABRE/T

N° d'éditeur 10189720 - Dépôt légal août 2012
Achevé d'imprimer en Italie par Grafica Veneta S.p.A.

Carte géologique du monde

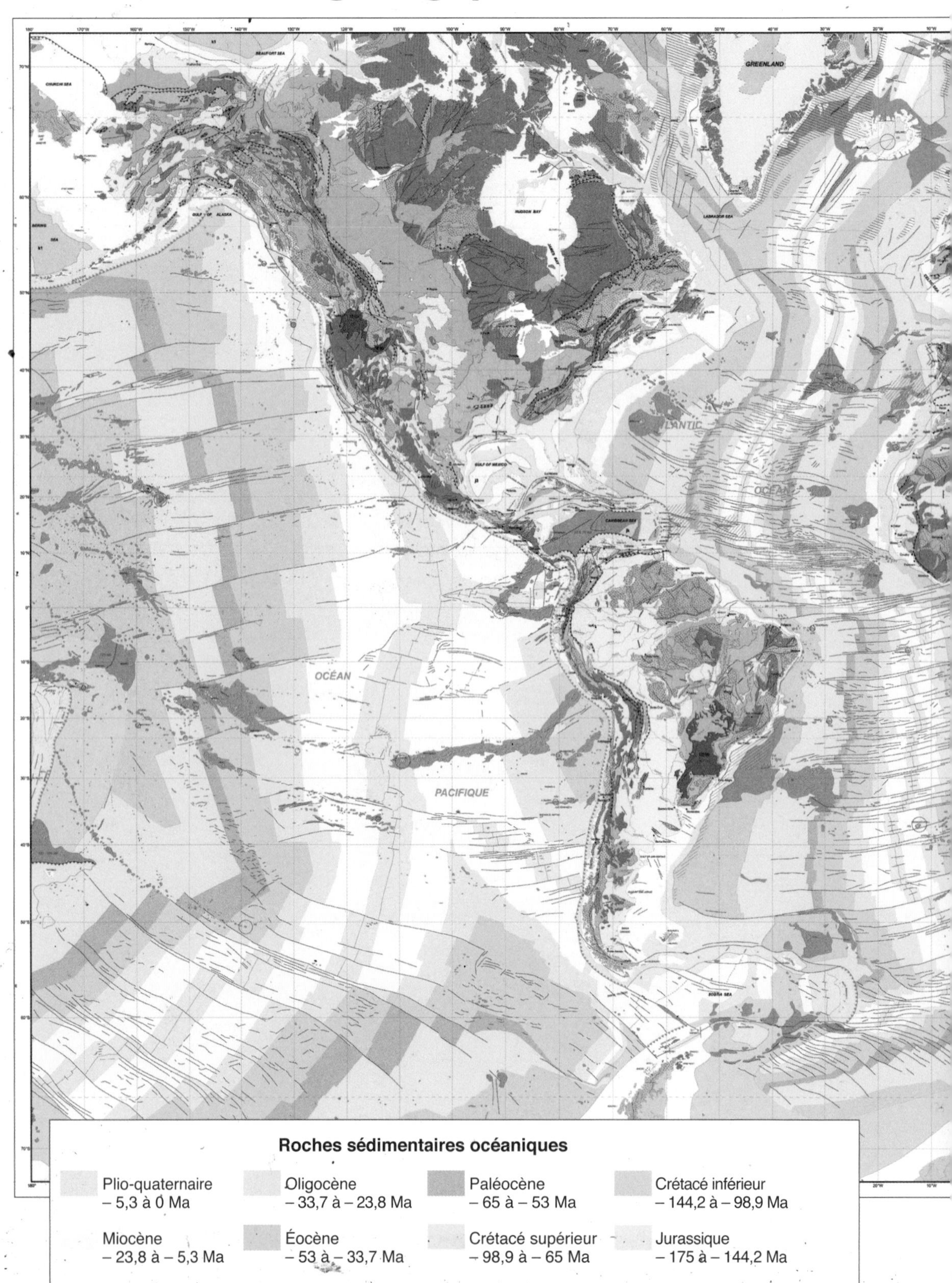
GREENLAND
OCÉAN
PACIFIQUE
Roches sédimentaires océaniques
Plio-quaternaire
– 5,3 à 0 Ma
Miocène
– 23,8 à – 5,3 Ma
Oligocène
– 33,7 à – 23,8 Ma
Éocène
– 53 à – 33,7 Ma
Paléocène
– 65 à – 53 Ma
Crétacé supérieur
– 98,9 à – 65 Ma
Crétacé inférieur
– 144,2 à – 98,9 Ma
Jurassique
– 175 à – 144,2 Ma